《中国道教通史》编写组

主　　编：卿希泰　詹石窗

本卷主编：盖建民

本卷撰稿人：（按姓氏笔画为序）

丁贻庄　丁培仁　丁　强　杨子路　何江涛　张泽洪
张崇富　武清旸　赵宗诚　卿希泰　盖建民　曾召南
詹石窗

编辑主持：方国根　李之美

本卷责编：方国根　郭彦辰

国家出版基金项目
NATIONAL PUBLICATION FOUNDATION

中国道教通史

第一卷

卿希泰　詹石窗　主编

人民出版社

本书系教育部人文社会科学重点研究基地
四川大学道教与宗教文化研究所
重大项目（批准号12JJD730003）成果

主编简介

卿希泰，1927 年 1 月生，2017 年 2 月仙逝。四川三台县人，四川大学文科杰出教授。1951 年四川大学法律系本科毕业，1954 年中国人民大学哲学专业研究生毕业。1959 年负责创办四川大学哲学系，任系党总支书记、副系主任；1980 年负责创建四川大学宗教学研究所，并任所长、教授、博士生导师。曾任国家社科基金宗教学科规划评审组副组长、首届全国高校哲学学科教学指导委员会委员、中国宗教学会副会长、四川省首批学术和技术带头人、国家“985 工程”四川大学宗教与社会研究创新基地首席专家、四川大学学术委员会委员、四川大学宗教学研究所名誉所长等职。卿先生主编的《中国道教史》与《中国道教思想史》成为中国道教研究领域的标志性成果。此外，尚有《中国道教》《道教与中国传统文化》《中外宗教概论》以及《道教文化新探》《刍荛集》《道教文化与现代社会生活》等著作十多种，组织出版《儒释道博士论文丛书》百余种。先后荣获国家级和部省级的优秀科研成果奖 13 项，其中一等奖 6 项，二等奖 6 项。1991 年，国务院颁予“在社会科学研究事业做出突出贡献的专家”证书，并被评为四川省优秀教师、四川省优秀博士生导师、成都市劳动模范。

主编简介

詹石窗，1954 年生，福建厦门市人，四川大学文科杰出教授。1982 年获厦门大学哲学学士学位，1986 年获四川大学宗教学研究所哲学硕士学位，1996 年获四川大学宗教学研究所哲学博士学位。曾任福建师范大学易学研究所教授、厦门大学闽江学者特聘教授、厦门大学人文学院副院长、中国国务院参事室“国学馆道家分馆文字总纂”、福建省老子研究会会长。现任四川大学老子研究院院长，四川大学道教与宗教文化研究所教授委员会主席、博士生导师，中国国家社会科学基金学科评审专家，中国老子道学文化研究会副会长等职。先后主持中国国家社会科学基金特别委托重大项目“百年道教研究与创新工程”（首席专家）、中国教育部哲学社会科学重大课题攻关项目“百年道学精华集成”（首席专家）、中国国家社会科学基金重大项目“百年道家与道教研究著作提要集成”（首席专家）等十多个课题。主要著作有《道教文学史》《易学与道教思想关系研究》《中国道教思想史》（副主编）等 30 余部，组织编纂《国学新知文库》等多系列大型学术丛书，在《中国社会科学》《哲学研究》等海内外学术刊物发表学术论文 250 多篇。论著先后获得省部级奖 15 项。其个人专著《道教与女性》《道教文化十五讲》已在国外出版并得到学界高度认可。

凡　例

一、为了保持一贯的体例和风格，本书遵照如下重要原则和要求：

1. 坚持实事求是的历史科学精神，对具体问题进行具体分析。

2. 从内容到结构均须正确反映道教本身发生、发展和演变的客观规律，依据其规律进行道教发展史的科学分期。

3. 坚持史论结合，以史为据，尽量采用第一手原始材料，避免空泛议论。

4. 对历史上的道派、人物和经典以及道教与儒释的关系等，要切实按照它的本来面目去认识和叙述，尽量做到客观、全面地辩证分析和正确评价。

5. 对疑难问题，应本着“百家争鸣”方针，采取商量态度，避免主观武断，强加于人。

6. 尽可能借鉴国内外已有研究成果，避免闭门造车。所依据的材料，必须详细注明出处，以便为读者进一步探讨提供线索。

二、本书凡引《道藏》，均系文物出版社、天津古籍出版社、上海书店 1988 年版本；《藏外道书》系巴蜀书社 1994 年影印版。引用时均略去出版年与书版地。

三、本书所引用的《二十五史》，均系中华书局标点本，引用时均略其作者姓名。

四、本书所谓《大正藏》，即日本国大正十三年（1924 年）修纂的《大正新修大藏经》，引用时均略去出版年与出版地。

五、本书涉及《四库全书》所收本，均为台湾商务印书馆 1986 年出版《文渊阁四库全书》本，引用时略去出版年和出版地。

六、凡引用文集已包含作者名者,书前不再出现作者名。

七、凡行文中涉及传统干支纪年者,在其后用括号加上公元年作为说明,如“熹平二年(173 年)”;若属公元前者,在其后加上“前”字,如汉武帝刘彻(前 140—前 87 年在位)。至于人物的生卒年,则在其人名之后加括号说明之,括号内的阿拉伯数字即是其出生或去世之年。

目　录

导 论

我国是一个多民族和多宗教的国家。世界三大宗教(佛教、基督教、伊斯兰教)在我国的传播和发展,各自都有着漫长历史。道教是中华民族固有的传统宗教,也有其长期发展的历史,并对我国整个历史文化产生了重大影响。在考察道教历史的时候,有必要先就道教通史研究的意义和目的要求以及研究方法等问题,作一个简要说明。

一、中国道教通史研究的学术价值和现实意义

中华民族是由多种民族在历史长河中经过相互交流和相互融合而形成的。在长期的社会发展过程中,各个民族对中华传统文化的形成和发展都有他们各自的贡献。因此,中华传统文化也是一个多元互补的文化。早在春秋战国时期,就有诸子百家的兴起,形成了“百家争鸣”的局面,推动了中华民族传统文化的发展和繁荣。在诸子百家中,最主要的有“九流十家”。班固的《汉书·艺文志》对此作了很详细的介绍和总结。在秦汉之际,法家和道家,曾先后一度处于统治地位。后来,汉武帝重用董仲舒,“罢黜百家,独尊儒术”,但这个儒术已经不是孔子时代的儒术,而是以董仲舒为代表的吸收了阴阳家和道家等思想在内的具有宗天神学特质的儒家学术。随着佛教的传入和道教的产生,在漫长的封建社会中,便一直是儒、道、释三教并存,一方面彼此相互对抗、相互斗争,另一方面又相互吸收、相互融合,形成了中华传统文化的三大支柱。从中华传统文化的整个发展历史来看,三教之间的相互对抗、相互斗争是表面的、次要的,而相互吸收和相互融合则是

实质性的、主要的。因此,我们可以毫不夸张地说:正是由于道教与儒释之间既相矛盾和斗争,又相吸收和融合,才推动了整个中华传统文化的繁荣和发展。所以,要全面地了解中华传统文化,就必须对道教与儒释均有一个全面的了解。

但是,长期以来,在我国却流行着一种不正确的观念,似乎儒家文化就可以代表整个中华传统文化,一说到中华传统文化,大家都把注意力集中在儒家文化身上。这是在对待中华传统文化问题上的学术偏见,虽然由来已久,但并不符合中国历史事实,而且在学术上往往带来一些非常片面的看法,阻碍了我们全面了解中华传统文化的历史及其发展规律,因而是非常有害的。

在那种以儒家代替整个中华文化的学术偏见影响下,过去很长时期,我们在中华传统文化的研究工作方面,都把重点仅仅放在儒家文化的研究上,无论是研究机构的设置、人员的配备,还是资金的投入、研究课题的分配等,都很不平衡,只侧重儒家,而对道佛二教的研究则很不重视,特别是对道教的研究,更是相形见绌,根本没有把它提到议事日程上来,以致有些名为“中国哲学史”的著作,实际上并未全面地探讨整个中国哲学思想发生和发展的历史,其中除了儒家的哲学思想之外,既看不到道佛二教哲学思想的发生和发展,更看不到各少数民族哲学思想的发生和发展,这与我们这个多民族和多宗教国家哲学思想发展的实际情况是不相符的。特别是我们的道教研究和某些外国学人对道教研究的情况相比,还显得非常落后。在“文化大革命”以前,有些人还把道教研究视为“禁区”,从事这项研究的人不多,成果也很少。而在国外,道教研究在很早以前便成为一个“热门”,他们从事这项研究的人比我们多,成果也不少。以致 1968 年 9 月在意大利佩鲁贾召开的第一次国际道教学术研讨会议和 1972 年 9 月在日本长野县蓼科召开的第二次国际道教学术研讨会议,在出席的各国众多代表中,都没有一个来自中国的学者,这是很不正常的,与我们作为道教文化故乡的身份,也是极不相称的。当时在国际上甚至还流传着“道教发源在中国,研究中心在西方”的言论。

改革开放以来,这个情况才开始发生变化。道教研究才摆上了国家的议事日程,研究课题列入了国家计划,建立了专门的道教研究机构,加强了人才培养。现在研究队伍逐渐形成,并逐步发展和壮大,一大批研究成果已经陆续问世,引起了国内外瞩目。“中国道教史”这个研究课题,就是列入经全国人民代表大会讨论一致通过的《中华人民共和国国民经济和社会发展第六个五年规划》之中的国家重点科研项目,并且还横跨了“七五”和“八五”。1983 年 4 月在福州召开的全国学术界落实全国哲学社会科学“六五”规划项目的代表大会上,任继愈先生当时作为全国宗教学学科规划领导小组组长在开幕式的全体大会上谈到为什么要把这个研究课题列为国家“六五”规划的重点研究项目时,曾慷慨激昂地批评当时国内不重视道教研究的情况,他指出,道教本来就是我国土生土长的传统宗教,“我们一定要痛下决心,自己编写出自己的道教史来,为国家争光! 为民族争光!”任先生这段语重心长和大声疾呼的讲话,就像是对我们发出了一道向道教史研究进军的动员令,真是如雷贯耳,听了以后令我们非常激动,实在无法平静下来。我们必须竭尽全力,拿出高质量的研究成果出来,为国家和民族作出自己应有的贡献,中国学者自己研究撰写《中国道教史》,其意义的重大是不言而喻的。

开展中国道教通史的研究,不仅从国际文化交流方面来说,它的意义是十分重大而迫切的,而且对于全面弘扬中华传统文化、建设中华民族共同精神家园来说,它的意义同样也是十分重大而迫切的。为什么这么说呢? 可以从以下三个方面来说明这个问题。

第一方面,由于道教本来就是中华民族的传统宗教,它是在神州大地的怀抱中诞生,由中华传统文化的乳汁养育而成,它在创建和发展过程中,吸收了不少中华传统文化作为它的营养成分,成为它的思想渊源的一部分。这里可以举几个主要的例证来说明:

其一,道家思想。道家与道教二者既有区别,又有联系。先秦道家,是以老庄为代表的一个哲学派别,而道教乃是东汉形成的一种制度宗教,二者是不同历史时期的文化结晶。但是,道家思想乃是道教最为重要的思想渊源之一,道家哲学乃是道教的理论基础之一。道教创立的时候,奉老子为教主,以老子《道德经》为主要经典,并把它规定为教徒们必须习诵的功课。

《道德经》的思想核心是"道",它把"道"视为超时空的天地万物的根源,既有宇宙本体的意义,也含有规律的意义,其界属非常宽泛,"玄之又玄",十分神秘,不同的人可以对它作出不同的解释。《庄子·大宗师》更把"道"解释成为"有情有信,无为无形;可传而不可受,可得而不可见;自本自根,未有天地,自古以固存;神鬼神帝,生天生地;在太极之先而不为高,在六极之下而不为深,先天地生而不为久,长于上古而不为老。"并谓"黄帝得之,以登云天;颛顼得之,以处玄宫;禺强得之,立乎北极;西王母得之,坐乎少广,莫知其始,莫知其终;彭祖得之,上及有虞,下及五伯。"①这种以"道"为万古长存,得"道"以后便可以长生久视、成为神仙的思想,为后来的道教所吸取。道教的基本信仰也是"道",它从宗教的角度把"道"说成是"神异之物,灵而有信"②,"为一切之祖首,万物之父母"③,并与神秘化了的元气学说结合起来,认为"道"是"虚无之系,造化之根,神明之本,天地之源。其大无外,其微无内"④,"无形"、"无名","有清有浊,有动有静"⑤,"万象以之生,五音以之成"⑥,宇宙、阴阳、万物都是由它化生的。道教还把老子也看成是由"道"化生的,这种思想在道教正式成立之前就有了,东汉明帝(57—75 年在位)、章帝(76—88 年在位)之际,益州太守王阜作《老子圣母碑》,其中便有"老子者,道也。乃生于无形之先,起于太初之前,行乎太素之元,浮游六虚,出入幽明,观混合之未判,窥清浊之未分。"⑦显而易见,这是把老子与道合而为一。道教继承并发挥了这一思想,把老子奉为神灵。道教的早期经典《太平经》说:"老子者,得道之大圣,幽明所共师者也。应感则变化随方,功成则隐沦常住。住无所住,常无不在……周流六虚,教化三界,出世间法,

① (清)郭庆藩撰,王孝鱼点校:《庄子集释》卷一,北京:中华书局 1961 年版,第 246—247 页。

② (唐)司马承祯:《坐忘论》,《道藏》第 22 册,北京:文物出版社,上海:上海书店、天津:天津古籍出版社 1988 年版,第 896 页。

③ 《妙门由起序》,《道藏》第 24 册,第 721 页。

④ (唐)吴筠:《玄纲论》上篇《道德章第一》,《道藏》第 23 册,第 674 页。

⑤ 《太上老君说常清静经註》,《道藏》第 17 册,第 141 页。

⑥ (唐)吴筠:《玄纲论》上篇《道德章第一》,《道藏》第 23 册,第 674 页。

⑦ (清)严可均校辑:《全上古三代秦汉三国六朝文·全后汉文》卷 32《王阜》,北京:中华书局影印本 1958 年版。

在世间法，有为无为，莫不毕究。”①传为张陵所著的《老子想尔注》（一说为张鲁所著），也把老子作为“道”的化身，称“一者，道也”，“一散形为气，聚形为太上老君”②。宋张君房《云笈七籤》卷一《道德部》之《总叙道德》引葛玄《五千文经序》说：“老君体自然而然，生乎太无之先，起乎无因，经历天地终始，不可称载，穷乎无穷，极乎无极也，与大道而轮化，为天地而立根，布气于十方，抱道德之至纯，浩浩荡荡，不可名也……堂堂乎为神明之宗，三光持之以朗照，天地禀之得生……故众圣所共宗。”③其后南宋谢守灏所撰编的《混元圣纪》以及《太上老君年谱要略》、《太上混元老子史略》等著作中也反复地说道：“太上老君者，大道之主宰，万教之宗元，出乎太无之先，起乎无极之源，经历天地，不可称载，终乎无终，穷乎无穷者也。其随方设教，历劫为师，隐显有无，罔得而测。然垂世立教，应现之迹，昭昭然若日月。”④又说：“太上老君，乃大道之宗祖，三才之本根也……化生诸天，成就世界，莫知其大，强目曰‘太’；莫知其高，强目曰‘上’；首出无极，仰之曰‘老’；宰而无我，主之曰‘君’，故曰‘无上三天玄元始三炁太上老君’焉。”⑤又说：“太上老君，乃元气之祖，万道之宗，乾坤之根本，天地之精源。”⑥又引唐尹文操的话说：“老子者，即道之身也，迹有内外不同，由能应之身或异也。”⑦并称他“秉生成之柄，镇造化之原，故在天为众圣之尊，在世为万教之主。谓之老子者，道之形也，应既不一，号亦无量，或三十六号，或七十二名。”⑧于是，老子与“道”在道教中便被神化为众生信奉的神灵。“道”是天地万物的根源，因而作为“道”的化身的太上老君，也就成为“混沌之祖宗，天地之父母，阴阳之主宰，万神之帝君”。这些说明哲学家老子与哲学范畴的“道”，在道

① 王明：《太平经合校》，北京：中华书局1960年版，第10页。

② 饶宗颐：《老子想尔注校笺》“载营魄抱一能无离”注，香港：香港大学出版社1956年版，第13页。

③ 《道藏》第22册，第4页。

④ 《道藏》第17册，第780页。

⑤ 《道藏》第17册，第793页。

⑥ 《道藏》第17册，第895页。

⑦ 《道藏》第17册，第805页。

⑧ 《道藏》第17册，第795页。

教中已被神化为天上的神灵和信仰的信条，信道也就变成了信神，崇奉老子亦即崇奉天神。修道成仙思想，乃是它的核心，其他的教理教义和各种修炼方术，都是围绕这个核心而展开的。这一宗教之所以命名为“道教”，也与它的基本信仰是“道”有着密切的关系。上述一切，都说明道家与道教的关系是十分密切的。道家虽是先秦以老庄为代表的一个哲学派别，但在东汉以后就为道教所继承和发展了，从道教产生时起，研究老庄思想的，相当多的人都是道教徒，阐述和注释老庄的许多宝贵著作，都集中在道教典籍丛书《道藏》之中。这些道教徒对老庄思想的阐述和注释，虽然是从宗教立场出发的，但其中也包含了不少精华，不可忽视。老子及其学说之所以在中华传统文化中占有极为重要的地位，产生如此广泛的影响，道家文化之所以能够成为中华传统文化的三大支柱之一，是与道教对它的继承和发展分不开的，如果没有道教的继承和发展，那么，老子及其学说在中华传统文化中的地位及其影响，将是另一回事了。正因为道教文化继承和发展了道家文化，它们之间具有如此密不可分的关系，所以人们习惯上常常把道教也称为道家。

其二，黄老思想。先秦道家后来演变为黄老之学。这种黄老学说起源于稷下道家，他们同时尊奉传说中的黄帝和老子为道家创始人。在战国时，虽然出现过“百家皆言黄帝”的局面，但首先把黄帝与老子联系在一起的，乃是道家庄子，这便是后来道家的黄老并称之所本。这一思想流派主张以道家的清净养生、无为治世为主，但又吸取了阴阳、儒、墨、名、法各家的部分内容，已不完全是先秦的道家，而是被称为黄老新道家。至汉初，文景以黄老之术治天下，治黄老之学者蜂起。黄老思想本来包含很多神秘主义因素，而治黄老之学的学者中本来就有许多方士，他们以神仙长生思想和阴阳五行学说对这些因素作出宗教性的解释，使黄老之学与神仙方术相结合，而向神仙方术的方向发展。至东汉，黄帝、老子被进一步神秘化，在思想倾向上由早先着重尊崇黄帝转而推崇神化后的老子，逐渐形成奉老子为神明的黄老道，并与方仙道逐步合流，成为道教的前身。当时道教的一个派别太平道，其创始人张角，最初就是黄老道的信徒。

其三，儒家的伦理纲常思想。儒家伦理纲常的核心是“三纲五常”，这是封建社会中最主要的人际道德关系。所谓“三纲”，《白虎通义 · 三纲六纪》说:“三纲者,何谓也? 谓君臣、父子、夫妇也。”[①]《礼记·乐记》称:“然后圣人作为父子君臣以为纪纲”,唐孔颖达疏引《礼纬·含文嘉》说,“君为臣纲,父为子纲,夫为妻纲”[②],合称“三纲”。董仲舒在《春秋繁露·基义》中说:“王道之三纲,可求于天。”[③]所谓“五常”,又称“五典”,《尚书·舜典》有“慎徽五典,五典克从”之语,西汉孔安国传谓:“五典,五常之教。父义、母慈、兄友、弟恭、子孝。”[④]《尚书·泰誓》又有“狎侮五常”之语,唐孔颖达疏说:“五常即五典,谓父义、母慈、兄友、弟恭、子孝;五者,人之常行。”[⑤]亦即“五伦”。《孟子·滕文公上》说:“人之有道也,饱食暖衣,逸居而无教,则近于禽兽。圣人有忧之,使契为司徒,教以人伦:父子有亲,君臣有义,夫妇有别,长幼有序,朋友有信。”[⑥]可见,最初各家对“五常”的解释,略有不同。以后一般认为,“五常”是指仁、义、礼、智、信五种道德规范。董仲舒在《举贤良对策》中说:“夫仁、谊(义)、礼、知(智)、信五常之道,王者所当修饰也。”[⑦]儒家用以配合“三纲”,统称“三纲五常”,或简称“纲常”。南宋朱熹说:“其张之为三纲,其纪之为五常。”[⑧]又说:“纲常千万年,磨灭不得。”[⑨]儒家把这种伦理纲常思想看作是维护封建社会秩序的最主要的道德关系,是天经地义的永恒不变的“天理”,谁也不能违反。这种伦理纲常思想,也为道教所继承和发展。在道书中,虽然很少提到“三纲五常”的名称,但却也宣扬这种伦理道德思想。道教在宣扬这些伦理道德的时候,往往和它的长生成仙思想结合起来,在民众中发生的实际效用比儒家更大。葛洪在《抱朴子内篇·对俗》中说:“欲求仙者,要当以忠、孝、和、顺、仁、信为本。若德

---

① (清)陈立:《白虎通疏证》上册,北京:中华书局 1994 年版,第 373 页。

② (清)阮元校刻:《十三经注疏》下册,北京:中华书局 1980 年影印本,第 1540 页。

③ (汉)董仲舒:《春秋繁露》卷 12《基义第五十三》;(清)苏舆撰,钟哲点校:《春秋繁露义证》,北京:中华书局 1992 年版,第 351 页。

④ (清)阮元校刻:《十三经注疏》上册,北京:中华书局 1980 年影印本,第 125 页。

⑤ (清)阮元校刻:《十三经注疏》上册,北京:中华书局 1980 年影印本,第 182 页。

⑥ (清)阮元校刻:《十三经注疏》下册,北京:中华书局 1980 年影印本,第 2705 页。

⑦ (清)阮元校刻:《汉书·董仲舒传》,北京:中华书局 1964 年版,第 8 册,第 2505 页。

⑧ (南宋)朱熹:《朱子全书》,上海:上海古籍出版社、合肥:安徽教育出版社 2002 年版,第 23 册,第 3376 页。

⑨ (宋)黎靖德编:《朱子语类》卷 24《论语六·为政篇》,北京:中华书局 1988 年版,第 2 册,第 597 页。

行不修，而但务方术，皆不得长生也。”①《正一法文天师教诫科经》说：诸欲修道者，务必“臣忠、子孝、夫信、妇贞、兄敬、弟顺，内无二心”②。它特别强调“事师不可不敬，事亲不可不孝，事君不可不忠……仁义不可不行”③。道教的许多戒律，都有不少类似的规定。《太上洞玄灵宝智慧罪根上品大戒经》更把儒家的许多伦理道德规范都包括进去了，它说：“与人君言，则惠于国；与人父言，则慈于子；与人师言，则爱于众；与人兄言，则悌于行；与人臣言，则忠于君；与人子言，则孝于亲；与人友言，则信于交；与人妇言，则贞于夫；与人夫言，则和于室……与奴婢言，则慎于事。”④这样，把处理人与人之间各种关系的道德规范都讲到了，用“忠”、“孝”、“慈”、“惠”、“悌”、“和”、“贞”、“信”、“慎”等道德规范来调整各种不同的人与人的关系，比儒家讲得更全面，更有针对性，而且以“神”的威力予以强化，让人们去奉行，这对维护传统社会的伦常和秩序，更容易发挥其特殊作用。儒家荀子提出“礼有三本”之说，他说：“天地者，生之本也；先祖者，类之本也；君师者，治之本也。无天地，恶生？无先祖，恶出？无君师，恶治？三者偏亡焉，无安人。故礼，上事天，下事地，尊先祖，而隆君师，是礼之三本也。”⑤《太平经》将这种伦理道德规范与它的“承负说”联系起来，主张为子当孝，为臣当忠，为弟子当顺。如果“子不孝，则不能尽力养其亲；弟子不顺，则不能尽力修明其师道；臣不忠，则不能尽力共敬事其君。为此三行而不善，罪名不可除也。天地憎之，鬼神害之，人共恶之，死尚有余责于地下，名为三行不顺善之子也。”⑥又说：“子不孝，弟子不顺，臣不忠，罪皆不与于赦。令天甚疾之，地甚恶之，以为大事，以为大咎也。鬼神甚非之，故为最恶下行也。”⑦《太平经》不仅继承儒家旨趣，宣传天、地、君、父、师信仰的重要，而且还第一次将

① 王明：《抱朴子内篇校释》，北京：中华书局 1985 年版，第 53 页。
② 《道藏》第 18 册，第 237 页。
③ 《道藏》第 18 册，第 232 页。
④ 《道藏》第 6 册，第 887 页。
⑤ （清）王先谦：《荀子·礼论》，《荀子集解》，北京：中华书局 1988 年版，第 349 页。
⑥ 王明：《太平经合校》，北京：中华书局 1960 年版，第 405—406 页。
⑦ 王明：《太平经合校》，北京：中华书局 1960 年版，第 406 页。

“天、地、君、父、师”合为一体①,这在当时的儒家经典中,尚未有如此整齐而简明的排列,而这正是后来社会上非常普遍奉行的“天、地、君、亲、师”信仰的由来,其影响甚为深远。此后,陶弘景“搜访人纲,究朝班之品序;研综天经,测真灵之阶业”,“埒其高卑,区其宫域”②,对神仙位次作了排列。这样,就把人间世界的品第等级搬到了神仙世界,从而使道教具有了浓厚的等级伦理色彩。由此可见,道教不仅把儒家的伦理道德思想吸收过来,而且还把它纳入了自己的思想体系,为维护传统社会秩序发挥了很大作用。

其四,墨家思想。章太炎先生早就指出过:道教思想是“本诸墨氏,源远流长”③。墨子提倡尊天明鬼,这种思想也被道教所吸收。此外,墨子还站在小生产者的立场上,提倡自食其力和互助互利。这些思想对早期道教经典《太平经》的影响也是明显的,如墨子提倡:“赖其力者生,不赖其力者不生”④,反对“不与其劳获其实”⑤,《太平经》亦强调“夫人各自衣食其力”⑥,反对“强取人物”⑦。墨子主张人与人之间应当采取“兼相爱、交相利”⑧的原则,认为“为贤之道”就是“有力者疾以助人,有财者勉以分人,有道者劝以教人”,只有这样,才可以使“饥者得食,寒者得衣,乱者得治”⑨;反之,“至有余力,不能以相劳;腐朽余财,不以相分;隐匿良道,不以相教”,那就会使“天下之乱,若禽兽然”⑩。《太平经》亦强调这种人与人之间的互助互利思想,主张有财物的人,应当“乐以养人”、“救穷周急”。它说:“或积财亿万,不肯救穷周急,使人饥寒而死,罪不除也。”⑪《太平经》还主张:有

① 王明:《太平经合校》,北京:中华书局 1960 年版,第 135 页。
② (南朝)陶弘景:《洞玄灵宝真灵位业图序》,《道藏》第 3 册,第 272 页。
③ 章太炎:《章氏丛书》,《检论》卷 3《附录黄巾道士起义说》,扬州:江苏广陵古籍刻印社 1981 年版,第 18 册,第 25 页。
④ (清)孙诒让:《墨子·非乐上》,《墨子闲诂》上,北京:中华书局 2001 年版,第 256 页。
⑤ (清)孙诒让:《墨子·天志下》,《墨子闲诂》上,北京:中华书局 2001 年版,第 215 页。
⑥ 王明:《太平经合校》,北京:中华书局 1960 年版,第 36 页。
⑦ 王明:《太平经合校》,北京:中华书局 1960 年版,第 243 页。
⑧ (清)孙诒让:《墨子·兼爱中》,《墨子闲诂》上,北京:中华书局 2001 年版,第 103 页。
⑨ (清)孙诒让:《墨子·尚贤下》,《墨子闲诂》上,北京:中华书局 2001 年版,第 70 页。
⑩ (清)孙诒让:《墨子·尚同上》,《墨子闲诂》上,北京:中华书局 2001 年版,第 74 页。
⑪ 王明:《太平经合校》,北京:中华书局 1960 年版,第 242 页。

道德的人，应当以道德教人，否则也是犯了“不可除”的弥天大罪。它说：“人积道无极，不肯教人开蒙求生，罪不除也……人积德无极，不肯力教人守德养性，罪不除也。”①它也反对“智者”欺负“愚者”，“强者”欺负“弱者”，“少者”欺负“老者”。它说：“或多智，反欺不足者；或力强，反欺弱者；或后生，反欺老者，皆为逆……与天心不同，故后必凶也。”②《太平经》的这些思想，显然都是墨子有关思想的继承和发展。还有，道教的有些神仙方技和变化方术，也依托墨子。葛洪《抱朴子内篇·金丹》篇记有《墨子丹法》，《遐览篇》记有变化之术的《墨子五行记》，称“其法用药用符，乃能令人飞行上下，隐沦无方”。葛洪还把墨子列入《神仙传》，说他外治经典，内修道术，精思道法，想象神仙，后得神人授书，“乃得地仙”。可见，墨子在道教信仰中的吸引力也是不小的，过去许多学者认为墨家学说在秦汉以后就中绝了、失传了。实际上，它并未中绝，也并未完全失传。到哪里去了呢？被道教吸收进去了，它的许多内容，在被道教所吸收以后，仍在社会上流传。

其五，《易》学和阴阳五行思想。《易》本来就是一种卜筮之书，其所记载占卜之术，为后来的道教所承袭。《易经》的卦象推演，其中蕴含着变化观念和朴素辩证法思想，这些观念和思想在老子的《道德经》里作了很好的发挥。宋代学者邵雍就说过：“老子知《易》之体者也。”③说明道家和《易》早有密切关系。东汉时候，道教经典《太平经》“以阴阳五行为家”，其来源就是易学；而魏伯阳《周易参同契》，乃是借助《周易》爻象的符号象征来论述修仙方法，对后世道教的影响甚大，被称为“万古丹经王”。此后，以《易》学和阴阳五行思想阐发道教的内外丹法的道教学者，更是比比皆是。

其六，谶纬之学。阴阳五行思想起于先秦，汉代从董仲舒起，就开始萌发以这种思想解经，逐步形成谶纬之学。西汉末至东汉初，谶纬之学盛行，儒生与方士合流，以阴阳五行推验灾异祯祥。这种谶纬思想，有许多都被道教所吸取。在道书中，有些是直接从谶纬书中搬用过来，连文字都未作多少改变。如《河图纪命符》说的“天地有司过之神”以及每个“人身中有三

---

① 王明：《太平经合校》，北京：中华书局1960年版，第241—242页。

② 王明：《太平经合校》，北京：中华书局1960年版，第695页。

③ （宋）张行成：《皇极经世观物外篇衍义》卷9，《文渊阁四库全书》第804册，第187页。

尸”,“故求仙之人”,首先均应“先去三尸”①等,这类神秘的东西,几乎原封不动地被道书所引用。其他如《龙鱼河图》中关于天人感应和呼神(五岳神、四海河神、五官神)可以防病却鬼,《河图稽耀钩》与《河图帝览嬉》中关于星象预示吉凶之说,以及《河图括地象》与《尚书帝验期》中关于昆仑山是圣者仙人集聚之所,西王母为赐授仙经、指引修道之神等,皆为道教所承袭。

其七,古代鬼神思想。中国古代社会中,人们将日月星辰、河海山岳和祖先视为神灵,并对它们进行祭祀和祈祷等崇拜活动,由此逐渐形成了天神、地祇和人鬼的神灵系统。道教承袭了这种神鬼思想,并不断地将许多神灵纳入其神仙体系中。

其八,巫术和神仙方术。古代殷人认为,卜筮可以决疑惑,断吉凶,巫师能交通鬼神,这种依仗巫术祈福禳灾的方式也为道教所吸收。战国以后神仙方术渐盛,神仙思想在《庄子》和《楚辞》里已屡见不鲜。稍后,在燕齐一带出现了倡导长生成仙的方士,利用战国时齐人邹衍的阴阳五行学说解释他们的方术,从而形成了所谓神仙家,即方仙道。传说崇尚方仙道的宋毋忌、郑伯侨等都有特异神术,“形解销化,依于鬼神之事”②。以后神仙家的神仙信仰和方术皆为道教所承袭,神仙方术演化为道教的修炼方术,方术之士亦逐渐演化为道士。

以上事实说明,道教的思想来源是多方面的,它对中国古代的许多传统文化都采取了兼收并蓄的态度,故而马端临称它是“杂而多端”。唯其如此,所以许多古代文化思想,都汇集在道教之中,并借道教的经典保存下来,得以流传至今。这便是为什么说研究中国道教通史,有利于全面弘扬中华传统文化、建设中华民族共同精神家园的一个方面。

第二方面,道教在长期发展过程中,对我国古代的思想文化和社会生活的各个领域都产生过巨大而复杂的辐射作用,留下了深刻影响。其中某些影响至今在中国人的生活方式和文化构成中仍然不可忽视。概括起来,主

① [日]中村璋八、安居香山辑:《纬书集成》下册,石家庄:河北人民出版社1994年版,第1196页。

② 《史记·封禅书第六》,北京:中华书局1963年版,第4册,第1368—1369页。

要有以下几个方面：

其一，从政治领域来看，道教的社会影响非常广泛。在我国漫长的封建社会中，一方面是上层统治者常常利用道教为巩固他们的封建统治服务，因而长期以来，道教受到过封建统治者的扶植，其中尤以唐玄宗、宋徽宗、明世宗等人最为突出。有的道教徒也直接参与了统治集团内部的政治斗争，为他们彼此之间的争权夺位出谋划策，在政治上和军事上起着重要作用。有的道教徒虽"身在山林而心存魏阙"，甚至还有"山中宰相"之称，有的以"终南"为仕途之捷径，担任朝廷重要官职，出入宫廷，辅佐王政，道教遂成为上层统治阶级的支柱之一。另一方面，农民起义的领导者，也曾利用道教作为农民起义的组织形式，并利用道教经典中的某些思想作为他们发动起义的思想武器。汉末的黄巾起义，就是其中最著名的例证，此后利用道教起义的络绎不绝，甚至还建立了地方政权，统治一个地区达几十年，如汉末正一盟威之道的首领张鲁在汉中地区所建立的政教合一的政权，统治了巴、汉一带将近三十年，史称"民夷信向"，"朝廷不能讨"，在当时社会动乱、四处都是军阀混战的局面下，汉中成了人民避难的"乐土"，不少人都投奔这个相对安定的地区。又如西晋时李雄在成都地区所建立的成汉政权，凡经六世46年（从西晋惠帝永宁元年起兵，至东晋穆帝永和三年为桓温所灭，即从公元301年至347年），主要也是靠天师道的支持。这个政权在天师道首领范长生的辅佐下，刑政宽和，事役稀少，甚得人民的拥护，"由是夷夏安之，威震西土。时海内大乱，而蜀独无事，故归之者相寻"①。在近现代的抗日战争中，许多道教徒还为保卫祖国、反抗日本侵略者而牺牲了自己的生命。所以，道教在下层群众中的影响，也是非常广泛而深刻的。由此可见，道教与中国的政治生活和社会生活有着极其密切的关系。因此，不对中国道教通史进行认真研究，就不可能全面地了解中国过去的政治及其历史。

其二，从中国学术思想领域来看，道教在历史上曾产生过许多著名学者，如晋代的葛洪，南北朝的陶弘景，唐代的成玄英、李荣、王玄览、司马承祯、吴筠、李筌，五代十国的杜光庭、谭峭，宋代的陈抟、张伯端、陈景元、白玉

① 《晋书》卷121《李雄载记》，北京：中华书局1960年版，第10册，第3040页。

蟾,元代的俞琰、杜道坚、张雨、雷思齐,明代的张宇初、赵宜真、陆西星,清代的娄近垣、王常月、李西月,当代的陈撄宁,等等,他们在各自所处的时代在思想文化方面都各有一定的贡献和重要影响。特别是道教在长期发展过程中,不可避免地与儒释之间产生了复杂的互动关系:一方面相互排斥,相互斗争,另一方面又相互吸收,相互渗透,从而促进了中国学术思想的内在融合与发展。譬如被称为儒学发展最高峰的宋明理学的形成,即是儒学家吸收了道佛二家思想影响的结果。唐代道教学者司马承祯所倡导的守静去欲理论,本身既吸收了儒释的思想,后来又为宋儒所吸取。北宋著名理学家周敦颐、邵雍等人的学说,都渊源于道士陈抟。早在南宋初,朱震在《汉上易解》中已具体指出了这种传承关系。当代著名学者蒙文通先生写过一篇《陈碧虚与陈抟学派》,并《附:图南学系表》①,系统地论证了宋代理学家邵雍、周敦颐、程颢、程颐等人的学术思想都来源于道士陈抟,并指出陈抟对整个宋代的学术思想都有影响。南宋著名理学家朱熹,对道教经典也下过许多搜集整理和研读的功夫。他曾托名"空同(崆峒)道士邹䜣"为《周易参同契》作注,并对《阴符经》也作过考订。尝自谓"清夜眠斋宇,终朝读道书"②,足见他对研读道教经典的勤苦用心。正是由于他把道教的宇宙图式论和守静去欲思想,同儒家的纲常名教和佛教哲学思想相结合,从而构成了他以理为宗的哲学体系。可以说,宋明理学乃是道、儒、释三家思想的结晶。所以,道教与儒释之间的相互关系,也是一个很需要研究的重要课题。过去对于道教吸收儒释思想这一方面,已有不少人进行探讨,但对于儒释吸收道教思想,特别是儒学吸收道教思想这一方面,则阐述得很少,一些儒学家对此更是讳莫如深,宋代一些理学家们在这个问题上表现得特别突出,这就掩盖了学术思想的真实历史。我们要弄清楚中国学术思想特别是哲学思想的发展和演变,首先必须还其本来面目。道家和道教都特别重视自然观的探讨,它们在这方面的许多观点都为后来儒学家所借鉴。道书中有关《老》、《庄》、《易》的阐释也很多,《易》、《老》思想在道教中有其自身特色,值得我

① 《蒙文通文集》第1卷,成都:巴蜀书社1987年版,第369—382页。

② 郭齐、尹波点校:《朱熹集》,成都:四川教育出版社1996年版,第1册,第23页。

们去发掘和整理。道教的大量戒律和劝善书,虽然都是以宗教神学为其体系,但其中也包含了许多伦理道德思想,不仅对道教发展有重要意义,而且曾经产生过广泛的社会影响。事实表明,道教在中国古代思想史上占有相当重要的地位。我们要全面地了解中国传统学术思想,探讨其发展规律,就有必要研究中国道教通史。

其三,从文学艺术领域来看,道教对中国古代的文学艺术,也有非常深刻而突出的影响。道教信仰的理想是长生成仙。这种神仙思想反映在文学领域中,成为文学的重要题材之一。古代以道教神仙为题材的作品,充满于诗、词、歌、赋、戏剧、小说等各种文学形式之中,数量甚多,作者亦不少。魏晋南北朝的“游仙诗”,是抒写神仙漫游之情的一种诗歌,以郭璞为著名的代表,在《文选》中被列为文学体裁之一,以后不断有人为之。唐代道教兴盛,反映在诗歌中,以神仙思想为题材的作品相当多,涉道诗成为唐代诗歌门类之一。伟大诗人李白,“正是反映道教思想的杰出作家”①,其部分诗作堪称神仙诗门的代表,人们称他为“诗仙”,他也以“谪仙人”自居。李白晚年,就北海高天师受道箓于齐州紫极宫,正式成为道士。在宋代词作当中,反映道教活动题材的作品也是大量的,而且不少词牌的名称,其得名即来源于道教的有关神仙故事。例如,《凤凰台上忆吹箫》,因《列仙传》萧史与秦穆公女弄玉吹箫引凤故事而得名;《解佩令》因江妃二女解佩与郑交甫的故事而得名;《惜分钗》因道士杨通幽于蓬莱仙山见杨贵妃,取回金钗之半给唐明皇的故事而得名。从这类事例当中,可以看出道教对宋词的影响是广而深的。在元代戏曲当中,反映道教神仙人物的戏曲特别突出,文学史家称之为“道剧”。明代戏曲理论家朱权在《太和正音谱》中分元曲为十二种,“神仙道化戏”为其中之一,专门演述神仙度化和飞升的故事。例如,《张天师夜祭辰钩月》、《张天师断岁寒三友》,皆是写张道陵的故事;《黄粱梦》,写钟离权度化吕洞宾;《岳阳楼》、《城南柳》,写神仙人物吕洞宾的故事;《铁拐李》、《蓝采和》、《升仙记》等,都是写八仙的故事;《陈抟高卧》,是写道士陈抟的故事;《任风子》,是写马丹阳度人的故事。这类神仙道化戏的作品数

① 范文澜:《中国通史》,北京:人民出版社 1965 年版,第 4 册,第 279 页。

量很多,影响很大。元代著名戏曲家马致远还被称为“万花丛里马神仙”。明代的神魔小说中,属于道教神仙人物故事的也不少。除散见于“三言两拍”中的若干短篇之外,长篇以道士陆西星所作《封神演义》(一说为许仲琳所作)为最著。此外,还有吴元泰的《东游记》,余象斗的《北游记》,邓志谟的《铁树记》、《飞剑记》、《咒枣记》,等等。上面是就道教神仙思想对文学的影响来说的。道教对文学的影响,不仅反映在题材方面,而且也反映在文体上。如“步虚词”这种文体的来源,据《异苑》记载,乃陈思王曹植游山,忽闻空中诵经声,清远遒亮,解音者则写之,为神仙声。道士效之,作步虚声。文学家和道教学者又根据步虚声,进而作《步虚词》。唐吴兢《乐府古题解》谓:“《步虚词》,道家曲也,备言众仙缥缈轻举之美。”道士斋醮赞颂时,常以道家法曲腔调,讽颂步虚词。还有一种文体叫“青词”,亦称“绿章”,这种文体为道教举行斋醮时,呈给天神的奏章表文,用青藤纸书朱字,故谓之“青词”。明代道教盛行,道士写青词,文人亦写之,明世宗时大臣争以青词邀宠,如顾鼎臣、夏言、严嵩、徐阶、袁炜、严讷、李春芳、郭朴等,皆先后以青词得宠入阁,以至有“青词宰相”之讥。此外,道教对中国书画、音乐等艺术形式均有重要影响。由于道教注重写经,而写经必须讲究书法,故道教对书法有着重要贡献。据文献记载,两晋南北朝时许多奉道世家,同时也是书法世家。如《晋书·王羲之传》载:“王氏世事张氏五斗米道,凝之弥笃。”①而王氏父子皆以书法著称。高平郗氏也是如此。郗愔是虔诚的天师道信徒,又“善隶书,与右军相埒”②。杨羲乃是道教上清派宗师,其书法亦工。《真诰》卷十九《叙录》在谈到他的书法时说:“不今不古,能大能细,大较虽祖效郗法,笔力规矩并于二王。”③并谓上清派的另一个宗师许翙的书法“乃是学杨,而字体劲利,偏善写经”④。又谓许谧“章草乃能,而正书古拙”⑤。梁代上清派的著名道士陶弘景,其父即“工草隶”,“而陶隐居亦善隶书,虽効王

① 《晋书》卷80《王羲之传》,北京:中华书局1974年版,第7册,第2103页。

② (宋)李昉编:《太平御览》卷666《道部·道士》,石家庄:河北教育出版社1994年版,第6册,第224页。

③ 《道藏》第20册,第602页。

④ 《道藏》第20册,第602页。

⑤ 《道藏》第20册,第602页。

书，而别为一法”①。其他如唐之颜真卿，元之赵孟頫，均既是道教信奉者，又是著名书法家。道教对绘画也颇有影响，晋代的顾恺之，就是一个受道教思想影响较大的画家。他的《画云台山记》，即是记述张道陵于云台绝岩之上考试弟子的情景。唐代有“画圣”之称的著名画家吴道子，改名道玄，曾画有太上玄元皇帝像。还有不少画家，如唐之张素卿，元之马臻、方从义、张雨等，本身就是道士。道教重视醮仪，故亦重视音乐。随着道教的发展，道教音乐在吸取各个历史时期民间音乐要素的基础上，逐步形成了自己独特的风格和体系，不仅源远流长，而且在历史上确实达到了较高的艺术水平，对中国古代音乐发展有着重要影响。如唐代把管理音乐的机关叫“仙韶院”，盛唐时乐舞的代表作《霓裳羽衣舞》等，都很明显地是受到道教音乐影响的结果。道教音乐是中华民族文化的一份珍贵遗产，需要我们搜集和整理。1981 年 8 月在韩国汉城举行的第 21 届国际民间音乐讨论会上，道教音乐被列为会议内容之一；1985 年 12 月在香港中文大学还专门举行了道教音乐的国际学术研讨会。可见，道教音乐作为中国音乐艺术的一部分，受到了各国音乐研究者的重视。此外，有关道教的雕塑、石刻、建筑等，都各具特色，对这些艺术形式的发展也曾产生过一定的影响，值得我们认真研究。例如，道教崇尚自然的思想，就对这些传统艺术的审美倾向具有重大影响，为这些传统艺术的发展提供了取之不尽的精神源泉。因此，为了弄清楚道教对中国古代文学艺术的影响和作用，开展道教通史研究，也是非常重要而有意义的。

其四，从科学技术领域来看，道教对我国古代科学技术的影响，也是不容忽视的。道教为了实现其长生成仙的理想，从其开创时起，便十分重视修炼方术，试图通过各种方术，来达到它所追求的目标，虽然肉体长生不死的理想迄今尚未被实践证明为现实，但在其长期发展过程中，通过各种修炼方术，客观上却在中国科学技术的有关领域积累了许多很有价值的材料，这对中国古代科学技术的发展有十分重要的意义。例如，丹鼎派的道士们，为了

---

① （宋）李昉编：《太平御览》卷 666《道部·道士》，石家庄：河北教育出版社 1994 年版，第 6 册，第 221 页。

炼制出长生不死之药,积极从事炼丹活动,对各种丹术进行了认真探讨。在这方面,他们所留下的著作甚多,《道藏》的洞神部·众术类便集中汇集了这方面的资料。在这些资料里,虽然科学思想与神仙思想基本上交织在一起,但其中合理的菁华是绝不能否认的。而且正是这种炼丹术的发展,为近代实验化学的产生提供了条件,可以说它是近代实验化学的前驱。汉末魏伯阳的《周易参同契》,借《易》道以明丹道,其中便含有丰富的科学思想,为我国古代化学、气功学、养生学留下了宝贵遗产。在东晋葛洪的《抱朴子内篇》中,有关于物种变化的一些论述,还具体介绍了许多炼丹方法,对化学和生物学都是极为重要的贡献。值得注意的是,道教由于企求长生,对医学特别重视。许多道教学者往往兼攻药物学和医学,葛洪就曾明确地指出,古之初为道者必须"兼修医术"①,他曾撰有《金匮药方》、《肘后备急方》等医学专著,内容包括各科医学,其中有关于肺结核病、烈性传染性天花、狂犬病等记载,是世界上最早的有关医学文献,在医学史上具有极其重要的价值②。南北朝时候的陶弘景,也同样既是一个道教徒,又是一个医学专家,撰有《本草集注》7 卷,为一部系统整理《神农本草经》和全面总结梁以前药物学方面成果的巨著,对隋唐以后的本草学研究产生了深刻影响。他还撰有《药总诀》、《肘后百一方》、《效验方》等实用医药学专著,这在当时也起过很大作用。唐代道教学者孙思邈,更是这方面的杰出代表,他所撰的《千金要方》30 卷,其内容之丰富,规模之宏伟,为此前各种医著所不及,被誉为我国最早的一部临床实用的百科全书,具有很高学术价值,对祖国传统医学的影响极其深远。可见,道教在医学、药物学方面的贡献,都是应当肯定的。道教的养生术与预防医学紧密结合,作为祛病延年的重要手段,在道书中的论述颇多,内容十分广泛,涉及导引、行气、服食、房中、按摩、居处、养性等许多方面,其中包含的合理因素,值得我们认真发掘和整理。道教的内丹修炼方术,专讲人体内精、气、神的修炼方法,在宋元时期,这种方术特别盛行,名家辈出,论著甚多,为我国气功学的发展奠定了很好的基础。总而言之,道

① 王明:《抱朴子内篇校释》,北京:中华书局 1985 年版,第 271 页。

② 今人屠呦呦发明青蒿素,其灵感即来自葛洪《肘后备急方》。

教在我国古代科学技术的发展史上有它的独特作用,给我们留下了大量科学技术方面的宝贵遗产,这在世界宗教史上也是罕见的,有待我们认真总结。英国著名学者李约瑟(Joseph Needham,1900—1995年)博士在其所编《中国科学技术史》中剖析道家道教对中国传统科学技术的贡献、影响及其意义时指出:“它是一种哲学与宗教的出色而极其有趣的结合,同时包含着‘原始的’科学和方技。它对于了解全部中国科学技术是极其重要的。”① 又说,这种哲学虽然含有“宗教神秘主义以及个人修炼成仙的各种因素,但它却发展了科学态度的许多最重要的特点,因而对中国科学史是有着头等重要的”②。由于在这笔遗产里,是科学与神学相互杂糅,因此,遵循实事求是精神,客观地对它们进行科学分析研究,汲取其精华,剔除其糟粕,这也是摆在我们科学史工作者面前的一个迫切任务。

其五,从道德伦理的领域来看,道教所产生的社会影响也很突出。道教是一个十分重视伦理道德教化的宗教,它在长期发展过程中,积累了大量的戒律和劝善书,包括功过格等,其中包含了许多对当时社会来说是合理的伦理道德思想,这些内容不仅对道教的发展有重大意义,而且对中国人的价值观念及生活方式等诸方面,都产生了广泛深远的影响,特别是它的各种劝善书,在社会上流传很广,深入到社会各阶层,士大夫也对它赞不绝口,为之作注者难计其数,其影响不可低估。对道教的伦理道德思想加以系统整理和研究,对我们当前的伦理道德建设,也是很有意义的。

其六,从民族心理、民族性格领域来看,道教在这些方面的影响也是很大的。首先,道教是以道为最高信仰,以得道为人生的最终目的,这种人生哲学培养了一代又一代的道教徒尊道重道的“唯道是求”传统,历史上许多道教徒为了得道求道,抛弃人世间的一切物质享受和功名利禄,甘于恬淡素朴的生活,安贫乐道,刻苦磨炼,主动忍受一般人难以忍受的痛苦和折磨。这种传统,通过具有民族风格的宗教形式,长期传播于社会,对形成中华民

① [英]李约瑟:《中国科学技术史》第1卷,北京:科学出版社、上海:上海古籍出版社1990年版,第33页。

② [英]李约瑟:《中国科学技术史》第1卷,北京:科学出版社、上海:上海古籍出版社1990年版,第175页。

族的心理素质和民族性格起了重大作用。历史上许多知识分子，特别是一些具有“隐士”风范的人物，莫不以安贫乐道、唯道是求作为自己的人生哲学，他们立身行事，本着“是道则进，非道则退”的原则，“淡泊以明志，宁静以致远”，视富贵如浮云。他们的言行，影响着一代又一代的社会风气。尽管他们所追求的道，与道教徒所追求的道，并不一定完全一致，但这种唯道是求的人生哲学根源，与道教却有密切关系。其次，道教是以长生成仙为其最终目的，因此，它竭力倡导重生、贵生、热爱现实的生活原则。葛洪在《抱朴子内篇》卷三《对俗》篇说：“求长生者，正惜今日之所欲耳，本不汲汲于升虚，以飞腾为胜于地上也。若幸可止家而不死者，亦何必求于速登天乎？”①他确信人的寿命长短，不是上天所决定的，人们通过修炼可以达到长生不死。《抱朴子内篇》卷十六《黄白》篇中引《龟甲文》说：“我命在我不在天”②。《老子西升经》亦称：“我命在我，不属天地。”③这些思想表明了道教长生不死信仰的特点，既与佛教悲观厌世思想不同，又与儒家“死生有命，富贵在天”④的听天由命思想有很大区别，它是鼓励人们积极顺应自然、努力自己掌握自己的命运。这种思想经过道教的长期宣传，深入人心，不能不影响到国人的民族心理和民族性格，从而成为中华民族的一种思想文化传统。再次，道教还奉行《道德经》里“知常容，容乃公”⑤的准则，主张宽容、谦让，虚怀若谷，反对自矜、自足、自大，反对骄傲自满，这种精神集中体现在文化方面的兼收并蓄态度，融摄百家，像海纳百川一样，具有极大的包容性，没有儒家那种视自己为唯一正统、别人为异端的排他性。这种文化心理的发扬，形成了中华民族开阔的文化胸怀，容易吸收各种先进文化以发展自己的民族文化，使中华民族的古老文化能够经久不衰，而且愈来愈繁荣昌盛。

其七，从民族凝聚力的形成和发展方面来看，道家和道教文化所起的作

① 王明：《抱朴子内篇校释》，北京：中华书局1985年版，第53页。
② 王明：《抱朴子内篇校释》，北京：中华书局1985年版，第287页。
③ 《道藏》第11册，第506页。
④ 《论语》卷6《颜渊第十二》，（清）阮元校刻：《十三经注疏》下册，北京：中华书局1980年影印本，第2503页。
⑤ （魏）王弼注，楼宇烈校释：《老子道德经注》第16章，北京：中华书局2011年版，第39页。

用,就更为明显了。例如,我们大家都承认自己是黄帝子孙,这个思想的渊源,就和道家与道教有极其密切的关系。我们知道,儒家的创始人孔子,是“祖述尧舜,宪章文武”①的,他并不谈论黄帝,也没有说自己是黄帝子孙。儒家所信奉的最古的史书是《尚书》,或者叫作《书经》,儒学家说它是由孔子亲自整理而成的,当然可以代表儒家的历史观。这部书的开头第一篇是《尧典》,然后是《舜典》,可见儒家讲历史是从尧舜开始的,这与孔子“祖述尧舜”的思想完全一致。然而道家讲历史,则是从黄帝讲起。最著名的代表作品就是《史记》。《史记》的作者是司马迁,他属于道家学派的学者。为什么这么说呢?有司马迁自己的叙述为证。据《史记 · 太史公自序》的记载,司马迁的父亲司马谈,“习道论于黄子”②。所谓“黄子”,《集解》徐广注说:“《儒林传》曰黄生,好黄老之术。”《史记 · 儒林传》记载了他在汉景帝时与儒林博士辕固生当着汉景帝的面为汤武是否受命的问题进行激烈争辩,他坚决反对儒生的观点。可见,司马迁的父亲以及他父亲的老师,都属于道家学派的学者。所以司马谈在《论六家之要指》批评“儒者博而寡要,劳而少功”,批评“墨者俭而难遵”,批评“法家严而少恩”,批评“名家使人俭而善失真”,唯独对道家最为推崇,说:“道家使人精神专一,动合无形,赡足万物。其为术也,因阴阳之大顺,采儒墨之善,撮名法之要,与时迁移,应物变化,立俗施事,无所不宜,指约而易操,事少而功多”③。至于司马迁本人,“论大道,则先黄老而后六经”④,讲历史,则“自黄帝始”⑤。《史记》的开宗明义第一篇就从黄帝本纪说起,认为尧舜都是黄帝的后代,与《尚书》所讲的历史完全不同。在《史记 · 封禅书》中又说:“黄帝且战且学仙”,后来乘龙上天。所以黄帝历来是道家和道教所崇拜的人物,正统儒家对这些说法是很难接受的。因而历来总是“黄老”并称,从来还没有人把黄帝与孔

---

① 《中庸》第 30 章,(清)阮元校刻:《十三经注疏》下册,北京:中华书局 1980 年影印本,第 1634 页。

② 《史记》第 10 册,北京:中华书局 1959 年版,第 3288 页。

③ 《史记》第 10 册,北京:中华书局 1959 年版,第 3289 页。

④ 裴骃《史记集解序》引班固之言,载《史记》第 10 册,北京:中华书局 1959 年版,第 1 页。

⑤ 《史记》第 10 册,北京:中华书局 1959 年版,第 3300 页。

子联系在一起而并称“黄孔”的。在道家和道教著作中，往往以尊崇的态度叙说黄帝故事，为黄帝树碑立传。仅《庄子》一书的许多篇章，如《在宥》、《天地》、《天运》、《胠箧》、《大宗师》等，都讲述过黄帝的事迹，且不用说后来稷下黄老学派了。而道教更明确是以黄帝为“道家之宗”，所以道教典籍中有关黄帝的记载，那就更不胜枚举了。《道藏》第5册《历世真仙体道通鉴》卷一，就是以《轩辕黄帝》开头，该册第32—35页还另有《广黄帝本行记》，《藏外道书》第18册又收有《轩辕黄帝传》，其他托名黄帝所撰的道书也很多。至今道教所使用的道历，仍是以黄帝作为它的纪元开始的。相反，在早期正统儒家经典中，谈到黄帝的时候则相对比较少，而他们所讲述的尧舜之道，在普通老百姓中对它的了解本来也不多，其影响较小，不像黄帝的影响那样广泛。直到今天，广大同胞和海外侨胞不分男女老少，莫不以自己同是黄帝子孙而彼此心心相印，互相紧密地联系在一起，同呼吸，共命运。以黄帝为祖宗，这是家喻户晓的事。这个思想，形成了中华民族强大的凝聚力，“血浓于水”的这种民族感情比什么都珍贵，它是我们几千年来战胜一切困难、越过无数险阻、始终立于不败之地的精神武器，在今天仍然显示着它强大的生命力。

除以上所讲七个领域之外，道教对民间的风俗习惯和民间信仰，也有重要的影响，如崇拜三官、灶神、城隍神、土地神、财神、雷神、八仙、妈祖等，都和道教有密切关系，这里就不再详细论述了。

第三个方面，是道教与中国少数民族关系问题。道教在其创建和整个发展过程当中，和我国少数民族的发展是密不可分的。它不断吸收了少数民族的宗教文化成分，并得到少数民族的信奉和支持，从而形成了具有广大涵容性的民族观。道教主张各民族在道法面前人人平等，不论是“生在中华，或生夷狄之中，或生蛮戎之内，或富或贵，或贱或贫”，只要“心修正道”均可“渐入仙宗”①。道教超越死亡病痛，以长生成仙为宗旨的信仰，与氐羌族群之间即存在着渊源关系。著名历史学家向达先生即认为：“我疑心张道陵在鹤鸣山学道，所学的道即是氐、羌族的宗教信仰，以此为中心思想，而

① 《太上玄灵北斗本命延生真经》，《道藏》第11册，第346页。

缘饰以《老子》之五千文。因为天师道的思想原出于氐、羌族,所以李雄、苻坚、姚苌以及南诏、大理,才能靡然从风,受之不疑。"[①]又说:"南诏本身属于羌族","南诏之所以信奉天师道,因这原来是氐族和羌族的本来信仰。前蜀巴氐李氏族人于汉末就信奉张鲁的鬼道,李雄尊天师道人范长生,称为范贤而不名,并欲'迎立为君而臣之',后乃加范长生为天地大师,封西山侯,其信仰天师道可谓至矣。"[②]并称:又在晋代,"氐族苻氏(苻坚)以及羌族姚氏(姚苌)应该都是相信天师道的"[③]。著名历史学家蒙文通先生则更为直截了当地说:"天师道盖原为西南少数民族之宗教"。又说:"五斗米道原行于少数民族。"[④]这便说明天师道之创建和传播,均与西南地区少数民族宗教信仰密不可分。不仅如此,根据一些考古发掘的资料证明,至迟在东晋末年,现今新疆维吾尔族先民聚居的吐鲁番地区(当时称"高昌")便已盛行道教。北魏拓跋氏支持寇谦之对道教的改革,金元女真人中还产生了几位颇有影响的女真高道,元代蒙古的统治者还接纳全真高道的进言,促进道派间的合流,推动了道教的兴盛。这表明少数民族先民不仅共同创建了道教,还共同推动了道教的发展,而道教对少数民族政权的巩固,亦发挥过重要作用。近现代,一些少数民族传统宗教逐步道教化,一些少数民族产生了由道教与当地传统宗教结合而成的道教流派形式,一些少数民族虔诚地信奉道教。[⑤]

少数民族信奉文化形态相对较高的道教,有助于推动自身社会经济文化的发展,并在信仰层面上缩小了各民族相互之间思想观念的差异,推动了思想共同性的形成,培养了文化认同感,逐渐清除族界意识和防范心理,促进思想文化及民族实体的相互融合,从而增强了中华民族的向心力和凝聚力。

以上三个方面的情况说明,道教思想曾消化吸收了中华民族的各种传统文化成分作为它的营养,同时又曾渗透到我国社会生活的许多方面和意

① 向达:《唐代长安与西域文明》,重庆:重庆出版社 2009 年版,第 150 页。
② 向达:《唐代长安与西域文明》,重庆:重庆出版社 2009 年版,第 150 页。
③ 向达:《唐代长安与西域文明》,重庆:重庆出版社 2009 年版,第 147、149 页。
④ 《蒙文通文集》第 1 卷,成都:巴蜀书社 1987 年版,第 316 页。
⑤ 参见钱安靖撰:《道教与少数民族》,载卿希泰主编:《道教与中国传统文化》,福州:福建人民出版社 1990 年版,第 440—472 页;张桥贵:《道教与中国少数民族关系研究》,成都:四川大学出版社 1998 年版。

识形态的许多领域,对包括少数民族在内的中华传统文化皆发生过极为深刻的影响。鲁迅先生在1918年8月20日《致许寿裳》的信中曾说:“前曾言中国根柢全在道教,此说近颇广行。以此读史,有多种问题可迎刃而解。”①可见道教文化在中华传统文化中占有极其重要的地位。因此,开展中国道教通史的研究,对于全面弘扬中华传统文化、建设中华民族共同精神家园的重要理论价值和现实意义,也就不难明白了。

改革开放以来,由于我国经济蓬勃发展和国际地位日益提高,具有五千年文明史的中华传统文化,以及作为这一传统文化“根柢”的道教文化,也愈来愈受到人们的关注。

究其原因,乃是由于西方文化所暴露出来的一些弊端,给当前人类社会造成了许多严重的灾难,而道教文化的一些合理思想,却是整治这些弊端的良方。试举例说明如下:

其一,道教奉行《道德经》第十六章“知常容,容乃公”的准则,这个准则集中体现在文化方面的兼收并蓄的态度,主张宽广能容,虚怀若谷,尊重不同文化,善于向不同的文化学习,认为应该像海纳百川一样地融摄百家之长,以不断丰富自己。可以说,道教没有英国著名汉学家李约瑟博士指出的西方文化那种“自以为是”的“精神优越感”,“认为只有他们自己的文明才是唯一具有世界性的文明,而对其他人们的社会文化思想和传统一无所知,所以,觉得理所当然地应该把他们自己的思想意识和传统习惯(无论在法律、社会民主或政治体制方面)都强加给其他人民”②。

随着世界经济向全球化的方向发展,西方世界的某些人极力主张:在文化发展方向上,也应当单一化、一元化,即让他们把自认为是整个世界最完美的文化推向世界各国。这与联合国教科文组织起草的《文化多样性公约》(2004年7月)的精神是相违背的。和他们的说法和做法相反,我们认为,随着世界经济向全球化的方向发展,各国人民相互往来的日益增多,在文化发展方面,也必将走向各种文化的相互沟通、相互对话、相互交流、相互

① 《鲁迅全集》,北京:人民文学出版社1958年版,第9册,第285页。

② 李约瑟:《四海之内》,劳陇译,北京:生活·读书·新知三联书店1992年版,第1页。

学习、共同发展，从而形成一个“百花齐放”的多元文化的世界。虽然彼此之间的矛盾和斗争，仍然是不可避免的，但同时也应该和需要彼此之间的相互汲取和相互补充。因而，未来的人类文化，应是多元的，而不是一元的。而这也符合道教文化所主张的那种“宽广能容”的精神。只有这种精神，才能具有一种开阔的文化胸怀，经常汲取不同文化的合理因素来进行自我更新，充满勃勃生机，可以经久而不衰。

其二，在对待人与社会以及人与人的相互关系问题上，道教从《道德经》第51章的“道生之，德畜之”这一思想出发，认为“道者，天也，阳也，主生；德者，地也，阴也，主养；万物多不能自生，即知天道伤也”①。主张“凡事无大无小，皆守道而行，故无凶；今日失道，即致大乱”②。这个“道”，就是指相生相养之道，“道生、德畜”之道，既是“天道”，又是“人道”，是天与人的合一，也就是社会的公共准则。

怎样才能相生相养，既符合所谓的“天道”，也符合所谓的“人道”，或符合社会的公共准则呢？道教对此反复地指出：天地间的一切财物，都是“天地和气”所生，属于社会公有。它说：“物者，中和之有。”③“此中和之财物也”④，“中和有财，乐以养人”⑤，不应当为少数人所独占，为少数人所私有，更不能以此为资本，去敲诈别人和掠夺别人。它主张每个人都要有济世度人的社会责任感，强调在社会生活当中，每个人都要遵守社会的公共准则，要友善地对待他人，在人与人之间要实行互助互爱，要“悯人之凶，乐人之善，济人之急，救人之危”⑥。有财物的人，应当“周穷救急”，“有财相通”；有道德的人，也应当以道德教人，不能仅仅是洁身自好。它还认为，“天道助弱”⑦，“天之道”，是“损有余而补不足”⑧。所以，它反对“智者”欺负“愚

① 王明：《太平经合校》，北京：中华书局1960年版，第218页。
② 王明：《太平经合校》，北京：中华书局1960年版，第21页。
③ 王明：《太平经合校》，北京：中华书局1960年版，第246页。
④ 王明：《太平经合校》，北京：中华书局1960年版，第242页。
⑤ 王明：《太平经合校》，北京：中华书局1960年版，第248页。
⑥ 《太上感应篇》卷3，《道藏》第27册，第20—22页。
⑦ 王明：《太平经合校》，北京：中华书局1960年版，第703页。
⑧ （魏）王弼注、楼宇烈校释：《老子道德经注》第77章，北京：中华书局2011年版，第194页。

者”,“强者”欺负“弱者”,“少者”欺负“老者”,认为欺者是“与天心不同,故后必凶也”①。它强调,为人君父者,应当实行人人平等而又公平的原则,认为“天地施化得均,尊卑大小皆如一,乃无争讼者,故可为人君父母也”②。如果每个人都按照道教文化的这些思想办事,就可以处理好人与人之间的各种社会关系,使整个社会和谐有序;也可以处理好国与国之间的相互关系,使大国和小国、强国与弱国、富国和穷国都能和平共处,人类社会能够和谐,整个世界自然就会安宁了。

其三,在个人生活准则上,道教认为,人生的最高价值就是得道成仙。当然,长生不死、即身成仙,仅仅是道教的一种信仰,从世俗人角度看这实际上是难以实现的,但道教从这样一种信仰出发,在个人生活准则上,则强调要尊道贵德,唯道是求。为了求道,必须保持恬淡无欲、清静素朴的思想,教人“抑情养性”,不为名利等外物所累。“不汲汲于富贵,不戚戚于贫贱”,“不以物喜,不以己悲”,不为个人的私欲而心神不安,始终保持一种“知足常乐”的高尚情操,养成一种开朗旷达的胸怀,“遇人无忤,与物无争”,以崇尚节俭为荣,以攀比奢侈豪华为耻,明确主张“见素抱朴,少私寡欲”③和“去甚,去奢,去泰”④。这与当前社会上那种拜金主义、享乐主义、个人主义普遍泛滥的社会风气是截然不同的。在我国,目前有一些人在商品大潮的冲击下,头脑发昏,只晓得金钱第一,享受第一。为了金钱和享受,可以不顾一切,甚至包括出卖自己的良心和人格。这种人在整个社会中虽然只占少数,但如不加以制止,任其泛滥,就可能使整个社会的道德沦丧,歪风邪气蔓延滋长,与道教文化所倡导的个人生活准则背道而驰。相反,如果人人都按照道教文化所倡导的个人生活准则办事,做到“是道则进,非道则退”,就可以使整个社会风气大大好转,人们的思想素质也会大大提高,从而摆脱金钱的奴役,摆脱追求个人名利的精神枷锁,更好地发挥每个人的聪明才智,体

---

① 王明:《太平经合校》,北京:中华书局 1960 年版,第 695 页。

② 王明:《太平经合校》,北京:中华书局 1960 年版,第 683 页。

③ (魏)王弼注、楼宇烈校释:《老子道德经注》第 19 章,北京:中华书局 2011 年版,第 48 页。

④ (魏)王弼注、楼宇烈校释:《老子道德经注》第 29 章,北京:中华书局 2011 年版,第 78 页。

现人的真正价值,促进社会的协调发展。

其四,在对待人与自然的相互关系问题上,道教文化的基本出发点,乃是“天人合一”的思想。它从这一思想出发,提出了“天、地、人,本同一元气,分为三体”①,“元气有三名,太阳、太阴、中和。形体有三名,天、地、人”②。这天、地、人三气应当相互协调,“相爱相通,无复有害者”③,方能“并力同心,共生凡物”④;“一气不通,百事乖错”⑤。道教的这种思想,首先是承认宇宙间的万物都有其合理性与平等的存在地位,主张让宇宙间的万物任性自在,自足其性,得其自然之存在与发展,人当无为,勿加干预。《太平经》说:“凡物自有精神,亦好人爱之,人爱之便来归人。”⑥《抱朴子内篇·塞难》认为:“天道无为,任物自然,无亲无疏,无彼无此也。”⑦因而主张圣人“任自然……存亡任天”⑧。清人闵一德《阴符经玄解正义》亦称“万物自生,岂劳人力也哉?”⑨不仅如此,这种思想还认为人也是自然的一部分,“自然之道不可违”⑩,因而主张人应当爱护自然,保持与大自然协调相处的和谐关系,顺应大自然本身的客观规律办事,不应当把自己凌驾于万物之上,似乎自己对天地万物的所有征服改造都是合理的、必要的,以征服者的态度无情地去掠夺自然,反自然之道而行之。这些想法和做法必将作茧自缚,必然会危害人类自身,引起自然界对人类的无情惩罚。今天人类所面临的生态危机、环境污染、物种绝灭、资源枯竭、各种自然灾害的频繁发生以及环境难民的不断增加等,就是这种惩罚的反映。再不悔改,整个人类就有可能被大自然开除出“地球村”。由此可见,道教这种道法自然、顺应自然的思想,乃是从对自然界和人类社会的深刻认识中总结出来的,是符合自

① 王明:《太平经合校》,北京:中华书局1960年版,第236页。
② 王明:《太平经合校》,北京:中华书局1960年版,第19页。
③ 王明:《太平经合校》,北京:中华书局1960年版,第148页。
④ 王明:《太平经合校》,北京:中华书局1960年版,第148页。
⑤ 王明:《太平经合校》,北京:中华书局1960年版,第18页。
⑥ 王明:《太平经合校》,北京:中华书局1960年版,第251页。
⑦ 王明:《抱朴子内篇校释》,北京:中华书局1985年版,第136页。
⑧ 王明:《抱朴子内篇校释》,北京:中华书局1985年版,第155页。
⑨ 《藏外道书》,成都:巴蜀书社1994年版,第10册,第300页。
⑩ 《黄帝阴符经》,《道藏》第1册,第821页。

然界和人类社会发展规律的,是一个古今中外都概莫能外的普遍真理,应当是人类行为的共同准则,在21世纪里也必将闪烁着巨大的光芒。

由此可见,道教文化中确有不少合理思想,对于当代现实生活来说无疑是一笔珍贵遗产,其中包含匡救时弊的救世良方。所以,加强对道教历史文化的研究,取其精华,去其糟粕,对于国家发展、社会稳定、人民幸福,对于推进世界和平,建设全人类的和谐社会,都具有非常重要的现实意义。

二、中国道教通史研究的基本要求、主要目的和历史分期

道教是以"道"为最高信仰而得名,相信人们经过一定修炼可以长生不死,得道成仙。道教以这种修道成仙思想为核心,神化老子及其关于"道"的学说,尊老子为教主,奉为神明,并以老子《道德经》为主要经典,对其中的文辞作出宗教性的阐释。道家思想便成为它的思想渊源之一。与此同时,它还吸收了阴阳家、墨家、儒家和包括谶纬学的一些思想,并在中国古代宗教信仰的基础上,继承了方仙道、黄老道的某些思想和修持方法而逐渐形成。它是在东汉中叶产生的,伴随着漫长的封建社会的发展而发展。道教发展的历史,与封建社会的历史进程交织在一起,必然会受到封建社会的政治和经济等各个方面的制约;但作为一种宗教,它一旦产生以后,其发展过程便有它自己一定的相对独立性,有其本身的发生、发展和演变的客观规律。我们研究道教发展史的主要目的和基本要求,就在于必须以尊重事实的精神和客观的态度来分析道教之所以产生的社会历史条件和思想渊源,并紧密结合各个历史时期的整个社会政治和经济等实际状况,来探求道教的发生、发展和演变的客观规律。为此,首先就必须透过道教起源的各种神话传说,排除主观臆测,"把悬挂在天国的宗教问题还原为现实的社会政治问题"。同时,也不能完全以封建王朝的朝代变更来替代道教发展过程中自身的演变阶段。因为那样分段,很难恰当地如实反映出道教自己具有一定的相对独立性,并揭示出道教本身的发生、发展和演变的客观规律性。因此,我们应以高度的自觉性来探讨当今的道教如何与社会主义社会的发展相适应,从而为弘扬道教文化尽最大的努力。

根据以上的基本要求和主要目的,本书遂将道教发生和发展过程依据

其各个不同阶段的不同特点，从张陵创教起到中华人民共和国成立前为止，区分为四个时期；中华人民共和国成立以后，道教的发展又进入了另一个崭新时期。历史时期的划分，既应考虑到整个中国社会在政治、经济等各个方面的变化，也应如实反映道教本身的发生、发展和演变的客观规律。因此，在说明各个时期的具体划分时，就应紧密结合各个时期中国社会在政治、经济等各个方面的各种变化，并在此基础上，阐述道教在其发展过程中各自不同的特点和状况。按照这一准则，现将各个时期的划分及其主要特点和基本状况扼要介绍如下。

（一）创建与改造期（东汉——南北朝）

在东汉张陵创教之前，道教的形成有一个酝酿过程，一般仅把它看作是道教前史，并不计算在道教发展史的时间之内①。从张陵创教开始，到魏晋南北朝为止，属于道教的创建和改造时期。这个时期的主要特点，是比较原始的民间早期道教逐渐分化并向上层化的方向发展，使与当时农民起义相结合的民间早期道教逐步被改造并转化为维护封建社会制度与纲常伦理的上层化道教。

东汉张陵创立的正一盟威之道②和张角创立的太平道，都是早期比较原始的民间道教派别，主要是在下层群众中流传，都受到早期经典《太平经》中部分反映农民群众愿望和要求的思想影响，并与农民群众反对封建的经济剥削和政治压迫相结合，为农民起义者所利用。东汉末年，太平道发动了黄巾起义，正一盟威之道亦与之东西相应，后来还在汉中建立了政教合一的地方政权。封建统治阶级对这种民间道教，采取了镇压限制与利用改造相结合的两手政策。太平道遭到残酷镇压而失败，从此销声匿迹。张鲁的汉中政权亦被收降，张鲁及其道民被令北迁。不久，张鲁逝世。正一盟威之道虽在北方得以传播，但由于失去了统一领导，陷入组织涣散、纪律松弛、

① 关于道教创立时代问题，学术界与道教界向来有不同说法。前中国道教协会副会长陈莲笙道长在《道教答问》一书介绍了道教诞生时代的两种看法，其中一种认为道教起源于黄帝和老子，故早期道教称作黄老道。据此，则道教已有将近五千年历史。此外，尚有原初道教、古典道教、制度道教的划分。本书以形成制度作为标志来确立道教的正式诞生时代。

② “正一盟威之道”，俗称“五斗米道”，后来又称“天师道”。

思想紊乱的状态。道教内部便逐渐分化，一部分向上层发展，接受统治者的利用和扶植。有些道徒站在维护封建统治的立场对民间道教进行改造。东晋时，葛洪系统总结和阐述了战国以来神仙方术的理论，在《抱朴子内篇》中建立了一套成仙的理论体系，丰富了道教的思想内容，并为道教构造了种种修炼成仙方法，对后来道教的发展有较大影响。他攻讦民间早期道教，诋毁农民起义，提出以神仙养生为内、儒术应世为外，将道教的神仙方术与儒家的纲常名教相结合，宣扬道教徒要以儒家的忠孝、仁恕、信义、和顺为本，否则，虽勤于修炼，也不能成仙，这就为上层化的道教奠定了理论基础。于是，士族阶层参加道教的人日益增多，出现了许多天师道世家。这些上层士族人士参加道教以后，必然把他们的思想和要求也带到道教中来。反映这类思想的上清、灵宝等道教派别遂相继出现，并得到了迅速的发展。

道教在上层化的同时，民间仍然传播着通俗形式的道教，并不断发动反抗统治阶级的起义。西晋时，道士陈瑞首先在巴蜀犍为地区发难。继之而起的李特、李雄所领导的流民起义，亦与天师道有密切关系。他们在天师道首领范长生的支持下在成都建立了成汉政权，凡经 6 世 47 年，至东晋穆帝永和三年(343 年)方被桓温所灭。和天师道有一定渊源的李家道，三国时从蜀中传到江南，并在江南地区广泛传播。从东晋初年开始的李弘起义，与这个道派有一定关系。在晋代，杜子恭一派的天师道，在江南也颇有影响。东晋末，孙恩、卢循利用天师道派组织发动了起义，并提出了“诛杀异己”的口号，诛杀了士族中“世奉张氏五斗米道”的道徒王凝之。这表明，虽同为道教信徒，也会因阶级利益不同而互相对抗，可见这时道教内部在改造过程中存在着激烈斗争。

对民间早期道教的成功改造，是在南北朝时期。北魏太平真君年间(440—450 年)，嵩山道士寇谦之在崇信道教的北魏太武帝和司徒崔浩的共同支持下，自称奉太上老君的意旨，“清整道教，除去三张(张陵、张衡、张鲁)伪法”，制订乐章诵诫新法，“专以礼度为首，而加之以服食闭练”，“佐国扶命”，代张陵为天师，被称为北天师道；在南朝刘宋，则有庐山道士陆修静，“祖述三张，弘衍二葛(葛玄、葛洪)”，搜罗经诀，尽有上清、灵宝、三皇各派经典，遂“总括三洞”，汇归一流；又依据封建的宗法思想和制度，吸收佛教修持仪式，广制斋戒仪范，以改革五斗米道，“意在王者遵奉”，被称为南天师道。道教的教规、仪范经过寇谦之和陆修静的修订之后，便逐步定型。在此基础上，陶弘景继续吸收儒释两家思想，充实道教的内容，构造道教神仙谱系，叙述道教传授历史，主张三教合流，对以后道教的发展影响甚大。道教经过南北朝的改造之后，其教理教义、斋戒仪范等大大地得到充实和健全，改变了早期比较原始的状态，逐步成熟起来，并由民间的宗教转化为上层化的为封建统治服务的宗教。

（二）兴盛与发展期（隋唐——北宋）

自从民间道教被改造成为上层化的为封建统治服务的道教以后，道教就一直受到封建统治者的崇奉和扶植。隋唐到北宋，道教便进入了兴盛和发展时期。其特点主要表现在，这个时候道教的社会地位大为提高，道士的人数大增，道教的组织更加强大，道教的宫观不仅遍布全国，而且它的规模也日益壮观。特别是这个时期道教学者辈出，道书数量益增，并汇编成藏，正式刊行，修持方法及其理论也有重大发展。道教理论的空前繁荣，是唐宋时代道教的一个显著特点。

隋唐至北宋，国家基本上是统一的，虽然有过五代十国的分裂，但为时不长。中国封建时代的经济，在唐宋时代也较为繁荣。经济的发展为整个文化的发展提供了有利条件。从道教本身来说，由于经过魏晋南北朝与儒释之间的大辩论之后，促使道教加强教理的研究，进一步吸收儒释各家的思想来充实自己的理论；道教内部也在各个道派间形成了以茅山宗为主流的局面，南北不同的学术流派亦互相交融，从而使它的教理向纵深和细密的方向发展。另一方面，由于唐宋时代的许多封建统治者都奉行崇道政策，利用道教来为巩固其统治地位服务，由此也促进了道教理论的发展。如唐代统治者自称是老子后裔，尊之为“太上玄元皇帝”，令两京及诸州普遍建立玄元皇帝庙，又“令道士女冠隶宗正寺”，视道士为宗室。宋真宗称其始祖赵玄朗为道教尊神，封为“圣祖上灵高道九天司命保生天尊大帝”，并加封老子为“太上老君混元上德皇帝”。宋徽宗还自称是“神霄帝君”下凡，示意道箓院上章，册封自己为“教主道君皇帝”。唐宋统治者在大力提高道教地位的同时，还大力提倡对道书的研究，采取一系列措施来加以推动。例如，设立道举制度，规定贡举人皆须兼习道经，并把《老》、《庄》、《文》、《列》定为“真经”，作为“明经”科内容之一进行考试，规定士庶均须家藏《道德经》一本，又置崇玄学和玄学博士，并配置生员，定期宣讲道经，令群官百僚观礼，不断派人收集和整理道书，加以缮写或刊印，颁布天下，以广流布，便于学者研习。他们还亲自召开和主持道教与儒释的讨论会，又亲试“四子”举人和带头为道经作注，以及对道士的学业进行培训和考核，不才者勒令还俗，等等。上之所好，其下必甚。所有这些措施，不能不造就一时的风尚，使对道经的研究蔚然成风，道书的造作日益增多，道教的理论大为发展，著名的道教学者也相继出现。如唐之孙思邈、成玄英、李荣、王玄览、司马承祯、吴筠、李筌、施肩吾，五代十国时的杜光庭、彭晓、谭峭、闾丘方远，北宋时的陈抟、张伯端、陈景元、贾善翔等，都是道教史上或学术史上有较大影响的人物。他们或者撰写论著以阐述自己的学说，或者通过整理注释其他道教经书以发挥自己的思想，研究范围相当广泛，成就也是多方面的。在道教的教理、历史、修持方法和医学、药物学、养生学以及哲学思想、政治思想、军事思想等许多方面，都作出了贡献。其中不少著作不仅对当时道教思想的发展有重大意义，且对中国古代学术文化的发展也有相当的影响。隋唐时候，道教的外丹方术特别盛行，出现了不少的炼丹家和丹书。但由于统治者和士大夫服丹致死者较多，服食者与炼丹道士皆吸取教训，此后遂转向于内丹方术的研究。北宋张伯端作《悟真篇》，从理论上总结了当时内丹修炼的成就，为南宋以后的金丹道派所继承和发展。

（三）宗派纷起与融合变革期（南宋——明代中叶）

南宋以后至明代中叶，封建统治者对道教仍然继续支持，道教也仍然继续发展。但由于出现了南宋偏安，形成与金元南北对峙的局面，民族矛盾异常尖锐。在这种形势下，道教内部也随之宗派纷起和进行变革，并互争教会的领导权，从而形成了与上一阶段显著不同的特点。在南方，除旧有的龙虎天师、茅山上清、阁皂灵宝等三山符箓派仍然受到南宋统治者的尊崇而外，自称独得异传而先后别立宗派者也甚多，如神霄派、清微派、天心正法派、东华派、净明派等，多系从三山符箓派分化而来，但都各有自己不同的变化。还有所谓金丹派南宗者，奉张伯端为祖师，专主内丹修炼之说，在这点上与全真道有些相似,后来归入全真。这些派别大多倡导道教与儒释的三教同源一致,大量融合儒释思想,特别是以援引、融摄理学思想为其特色,这与当时南方理学思想的影响愈来愈大有关。在北方,则有金大定七年(1167年)由王重阳创立的全真道,亦认为三教同源,尤以更多地援引、融摄佛教思想为其特色。这个道派在过去原有道派的基础上进行了一系列的改革,可称为道教发展史上的一个革新派。此外,还有金熙宗天眷(1138—1140年)初,萧抱珍创立的太一道,皇统二年(1142年)刘德仁创立的大道教,后称为真大道教,皆一度在北方流传,曾盛极一时,但历时不久,即衰落下去了。唯有全真道,由于受到元代统治者的支持,经久兴盛不衰。天师道为了与新起的全真相抗衡,遂与上清、灵宝、净明等各符箓派逐渐合流。到元成宗大德八年(1304年),38代天师张与材被授予正一教主之职,主领三山符箓,符箓各派遂统一为正一派。此后,道教遂正式分为正一和全真两大宗派,在明代继续流传。明代统治者对道教特别是正一道十分重视,尤以明世宗为甚,自号"玄都境万寿帝君",亲自斋醮,任命邵元节、陶仲文等道士担任朝廷官职,深入宫廷,参与朝政,使政教发生了更为密切的关系。其时道教的社会地位之高,影响之大,前所未有。明代统治者对道教经书的整理也十分重视,正统十年(1445年)和万历三十五年(1607年)所编纂的正、续《道藏》,共5485卷,对道教经书的保存和传播,起了较大的作用。南宋以后,特别是明代,道教的各种劝善书逐渐盛行,元代反映道教神仙人物的戏剧为数不少,元末明初宣扬道教法术的神魔小说也日益增多,道教文学较为兴盛,是这个时期道教活动的又一特点。

(四)两极分化期(明代中叶——民国)

明中叶以后,也就是明嘉靖至万历以后,随着封建社会内部资本主义因素的萌芽和商品经济的发展,启蒙思想和市民运动日益兴起,封建社会便进入了它的逐步衰落时期,处于一个缓慢解体的过程之中,到了一个所谓"天崩地解"①的时代,正如毛泽东同志所说:"中国封建社会内的商品经济的发展,已经孕育着资本主义的萌芽,如果没有外国资本主义的影响,中国也将

① (清)黄宗羲:《南雷文定》前集卷1《留别海昌同学序》,《四库备要》本,第12页。

慢慢地发展到资本主义社会。”①作为长期依靠封建统治者的崇奉和扶植而发展兴盛的道教,也随着它的社会地位的逐步低下而不得不逐渐走向衰落。因此,从明代中叶以后,特别是经过鸦片战争使整个中国社会沦为半殖民地半封建社会以后,到中华人民共和国成立之前,便是道教逐步进入了一个派别丛生、内部宗派繁多而不断走向衰落的时期。这一时期的主要特点是,道教逐渐失去封建统治者的有力支持,其社会地位逐步下降。明世宗以后,明穆宗鉴于世宗崇道过甚,即对道教采取了打击和压制的措施。神宗时虽略有好转,但仍抑制甚严,到他的晚年至明熹宗、思宗时,明代的统治已进入末世,阶级矛盾和民族矛盾均十分尖锐,内外交困,国力衰弱,明统治者已自顾不暇,无暇顾及道教。清代统治者“起自关外,承袭萨满教传统,对道教不感兴趣”②,对它采取了抑制政策。清初顺治、康熙、雍正三朝,从笼络汉人的需要出发,对道教虽仍沿明例加以保护,到乾隆时,即一再加以贬抑,禁止正一真人差遣法员往各地开坛传度,限天师率领龙虎山的本山道众。及宣宗即位,已面临鸦片战争前夕,内忧外患已日趋紧张,便立即于道光元年(1821 年)敕令张天师“停其朝觐,着不准来京”③,从此断绝了清王朝与道教的一切联系,“听其自生自息于天地之间”④。辛亥革命后,“真人”封号亦被取消。

必须指出的是,我们说这一时期的道教,与前两个时期相比较而言,总体上趋于衰微,但并不意味着道教从此一蹶不振。实际上,在某些地域,某些道派和人物的活动依然十分活跃,道教在民间社会和少数民族地域依然具有相当大的影响力。这一时期,以各种宗教互相融合为特点的民间宗教和秘密结社近二百余种,虽然派别繁多、思想渊源也极其复杂、政治观点和政治态度亦很不一致,但其中有些派别在思想上乃至组织上,同道教仍有密

① 《毛泽东选集》第二卷,北京:人民出版社 1991 年版,第 626 页。

② 任继愈主编:《道藏提要》,北京:中国社会科学出版社 2005 年版,第 8 页。

③ (清)刘锦藻:《清朝续文献通考》卷 89《选举考六》,上海:商务印书馆 1936 年版,第 1 册,第 8494 页。

④ 《金壶七墨·浪墨》卷 7,见《笔记小说大观》第 2 编第 7 册,扬州:广陵古籍刻印社 1983 年版,第 3999 页。

切关系，甚至可以说是属于变相的道教。如清初出现的八卦教，便是这类组织之一，后来的义和拳，也和道教有一定的关系，这类通俗形式的民间道教以及民间秘密组织虽然在民间很活跃，但他们却不断分裂，山头众多，形不成一股统一而强大的社会力量。

道教的命运总是和国家、民族的命运紧密地联系在一起。道教兴衰和国家、民族的兴衰是分不开的。“皮之不存，毛将安傅？”[①]特别是鸦片战争以后，由于当时中国社会外受帝国主义的侵略和掠夺，内有封建军阀的割据，整个神州大地烽火连天，社会动荡不安，广大人民处于水深火热之中，民族存亡已经危如累卵。在国运如此式微的情况下，尽管也有少数有识之士为振兴道教曾企图组建一个跨宗派的全国统一的道教协会组织而做过一些努力，但始终未能实现，这便是这个时期道教的另一个基本特点。随着道教活动的重点从上层转向民间，它对地方民间社会和少数民族宗教信仰的影响也愈来愈大，许多民间信仰和少数民族宗教信仰的道教化，亦是这个时期的一个显著特点。

以上便是从道教产生之后到中华人民共和国建立之前的道教发展史的分期和各个时期的基本特点。

（五）曲折复兴期（1949 年以来）

1949 年 10 月，中华人民共和国成立。历尽苦难的中国人民从此摆脱了帝国主义、封建主义和官僚资本主义的黑暗统治，整个中国社会的性质，在政治、经济、文化等各个方面均发生了翻天覆地的大变化，古老的中国焕发出耀眼的青春光彩，从而也不能不直接影响到整个道教的面貌。在中国共产党领导下，人民政府实行了宗教信仰自由政策，对道教界上层爱国人士和下层广大教徒采取了团结的方针，尊重他们的宗教信仰和宗教感情，并在思想上给以关心和教育，在生活上给以帮助和照顾，在政治上让他们与各界人民一样享有参政议政的平等权利，为繁荣祖国、共理国家大事当家作主。广大教徒皆衷心拥护人民政府的宗教政策，以主人翁的态度与全国人民一

① 《左传 · 僖公十四年》，（清）阮元校刻：《十三经注疏》下册，北京：中华书局 1980 年影印本，第 1803 页。

道投入了社会主义建设的行列。道教从过去日益衰落的困境下走出来，获得了新生，古老的道教也开始“旧貌换新颜”。适应了社会发展需要，道教在经济生活、政治思想和政治态度以及宫观管理体制等各个方面均发生了许多重大变化，特别是历史上第一个跨宗派的全国道教组织——中国道教协会也在此时诞生，改变了过去道教内部那种四分五裂的状况，形成了与过去四个时期均不相同的一些基本特点。从此，道教发展进入了一个崭新历史时期，翻开了一个新篇章。虽然在“文化大革命”的十年动乱中，由于林彪、“四人帮”等反革命集团肆意推行极左路线，践踏国家宪法，破坏党和政府的各项方针政策，使道教也遭受了严重的挫折和打击，但在党中央先后粉碎了林彪、“四人帮”等反革命集团，确立了改革开放的路线以后，情况有了巨大变迁。1978 年 12 月召开的党的十一届三中全会，全面拨乱反正，落实宗教政策。1982 年 3 月专门就宗教问题制定了中共中央《关于我国社会主义时期宗教问题的基本观点和基本政策》，认真总结和汲取了新中国成立以来党在宗教工作中的历史经验，全面阐述了党对宗教问题的基本观点和基本政策，从而成为党和政府正确对待和正确处理我国社会主义历史条件下宗教问题的纲领性文件，同时也是宗教界和学术界共同的行动指南。在这个承前启后、继往开来的重要文件精神指引下，中国道教协会的各项工作逐步走上正轨。在中国道教协会的指导下，全国各省市的道教协会也陆续建立。道教人士高举爱国爱教旗帜，积极参与社会政治生活。不少道教徒被选为中央或地方的各级人民代表大会的代表或常务委员会的委员；还有不少道教徒被选为中央或地方的各级人民政治协商委员会委员或常委，共同参与国家管理和社会主义现代化建设；建立宫观管理制度，努力办好教务活动；恢复传统的“传戒”与“授箓”仪典；大力发展宫观经济，促进道教自养事业的发展；创办全国或地方的各种道教学院，加强道教内部各类人才的培养；创办道教文化研究所以及全国或地方的各种道教专业的学术期刊，为加强道教的理论研究和弘扬道教文化开创了新局面；与学术界相互交往合作，共同探讨有关教理教义的各种理论问题，共同举办全国性的、两岸三地的和国际性的各种学术研讨会议。道教不仅出现了许多新气象，而且加强了对外交流，扩大了对中国港、澳、台地区和海外的影响力，推进了道教文化的向外发展,迎来了百年来道教发展的黄金时期。

改革开放以来,我国道教研究工作也被提上了党和政府的议事日程,采取各种有力措施从各个方面加以大力推进,先后在中国社会科学院系统和高等学校系统建立专门的道教研究机构和硕士、博士学位的授权点,面向国内外公开招收道教专业的研究生,使具有高等学历和高等学位的专门人才不断地、成批地从这些机构培养出来,分配到全国各地,并在全国有组织、有计划地开展道教学术文化的研究工作,各类道教研究的学术成果成批地涌现出来,数量甚多,所涉及的范围也非常广泛。道教学术文化得到了前所未有的蓬勃发展,受到了海内外广大同行学者的高度关注,在中国港、澳、台地区和海外均有不少学者前来进修、访问或攻读道教专业的硕士或博士学位,还有不少专家学者应邀前来参加我国各单位所召开的有关道教文化的各种学术会议;我国的道教学者也经常应邀前去港、澳、台地区和海外访问、讲学和参加各种道教文化的学术会议,海内外各种道教文化学术交流活动之频繁,出席的专家学者人数之众多,研讨议题之广泛,均达到了前所未有的局面,表明"道教发源在中国,道教研究中心在西方"的说法已经过时,这也是这个时期道教发展史上的一个重要特点。

本书将按照以上分期方法依次分卷叙述,每个时期各为一卷,一共五卷。道教在中国港、澳、台地区和世界各地的传播与研究的内容也将列入第五卷之中予以论述。

三、中国道教通史研究的科学方法

道教通史研究,是一项艰巨而复杂的工作。道教所涵盖的知识范围颇为广泛,不仅涉及社会科学的广阔领域,而且关联自然科学的诸多门类,在社会科学各具体学科之间、自然科学各具体学科之间,以及社会科学与自然科学之间,往往相互交叉,局面相当复杂。人们常说,道教史素来难治,难就难在它的头绪繁多、内容广博。

情况的复杂性,决定了任务的艰巨性。面对如此复杂的情况和艰巨的任务,方法论问题就显得特别重要。如果没有正确的方法论作指导,就可能沉埋在文献故纸的海洋里,迷失方向;只有依靠正确的方法作指导,才能帮助我们走上正确道路。在这里，最正确最根本的方法，就是从实际出发，实事求是，对具体情况作具体分析。这个原则是放之四海而皆准的，对于道教史研究来说当然也是完全适用的。

如何在道教通史研究中贯彻实事求是的方法论原则呢？概括起来说，主要有如下方面：

（一）检索文献

任何一种历史研究，文献是至为关键的。人们常说，“巧妇难为无米之炊”。历史研究如果没有文献，当然是“无米之炊”了。道教史研究当然也是如此，没有文献，要完成本项任务是根本不可能的。但是，在有了文献之后，如何辨析文献和使用文献，这又成了新问题。

治道教通史需要阅读的文献资料非常多，仅是《正统道藏》、《万历续道藏》所收的道书就有五千多卷。在《道藏》之外，还散有大量的文献资料、田野碑刻资料、地下出土的考古资料，真是令人目不暇接。向来道教内部有“造作道书”、“托古言说”的传统，这就给文献甄别和使用增加了许多难度。面对浩如烟海的文献，首要的是应该有历史态度和历史眼光。所谓“历史态度”，就是以尊重历史的精神来面对道教文献。以往的学术界有一种倾向，凡是遇上道士撰写的书籍文献，往往以先入为主的立场看待之，以为那是靠神话编造出来的，因此嗤之以鼻。实际上，这种不分青红皂白而轻蔑看待道教人士著述的做法本身就不符合实事求是的思想原则。固然，在道教文献中，有许多著述具有浓厚神话色彩，初步接触难于看清真实面貌，但若回归于特定历史背景，还是可以发现其原型和有价值的史料。其实，即便是神话，也是有特殊意义和价值的。因为任何一种宗教，都离不开神话，没有神话就不叫作宗教，所以在研究过程中具备历史态度，才能够获得沙里淘金的功效。所谓“历史眼光”，这是“历史态度”的一种必然延伸。在这里，尊重历史的另一个基本精神就是用历史学的立场看待历史文献，在回归特定历史文化背景前提下，分析具体文献产生的原因，弄清其年代、作者，诠释其具体内容。为了落实文献问题，引入考据学方法是非常必要的。考据学又称考证学或朴学，主要是针对古籍所进行的整理、校勘、注疏、辑佚等工作。它以传统经学为中心，旁及小学、音韵、史学、天文、历法、地理、典章制度、金石等领域。该学术流派肇端于明末清初,到清朝的乾嘉时代达到了繁荣兴盛。其主要代表人物有惠栋、戴震、段玉裁、王引之、王念孙等,在考据学上耗费了大量精力。人称“皓首穷经”,表明了此类学者在考据学方面的确下了很大功夫。对于考据学的方法与功效,向来有不同评价。但不论情况如何,其基本精神、思路和方法是可取的。近代著名学者梁启超在论及考据学时曾以八个字概括,这就是“实事求是,无证不信”。这种重证据的态度对于分辨道教文献的可靠性而言是至为关键的。我们所讲的“历史眼光”,最重要的一点就是在分析道教文献时应该重证据,弄清其来龙去脉,这种功夫不仅体现在道教史撰写过程中,也体现在道教史撰写之外。一种文献能不能使用,使用到什么程度,需要在撰写书稿之前花费时间,反复考察、寻找旁证。这虽然枯燥乏味,却是不可缺少的研究环节。

（二）考察道派

从某种意义上讲,道教通史就是具体的道派形成与发展、变迁和发生影响的整体历史。离开了道派研究,道教通史就没有着落。因此,讲清道派情况,这是一条主线。首先应该有一条基本认识,这就是道教思想文化的多源性,决定了道派从一开始就存在的复杂性。而这种复杂性又是与地域的风土人情、神话传说密切相关的。换句话来说,道派形成除了受易学象数、老庄学说等一般思想传统的影响外,必定打上地域文化烙印。如果能够从地域特色文化入手予以深入发掘,这就能够发现其中的一些奥妙。以形成于西部的“正一盟威之道”与形成于东部的太平道为例,作为符箓派道教,两者都以符水咒说为人治病,具有一些共同性,但也有许多不同的地方文化特质。例如《赤松子章历》卷一在记叙张道陵创教的时候言及:“汉代人鬼交杂,精邪遍行。太上垂慈,下降鹤鸣山,授张天师《正一盟威符箓》一百二十阶,及千二百官仪,三百大章,法文秘要,救治人物。”①这里的“人鬼交杂,精邪遍行”虽然是笼统描述,却也显示了当时鹤鸣山一带巫教盛行情况。正一盟威之道形成于鹤鸣山这种特定地域,其教法自然就具有了鹤鸣山巫教的一些特质,它一方面要与原有的巫教作斗争,另一方面又吸纳了巫教本有

① 《道藏》第11册,第173页。

的一些法术,特别重视斋醮科仪。相比之下,形成于东方河北一带的太平道则侧重于阴阳五行理论的发挥,以土为重,以黄为吉,宣示黄天当立,该道派以黄天为至上神,对应于人间,则崇尚黄帝与老子。之所以如此,是因为太平道产生的地域此前方士文化比较发达,此前入海求仙的一派方士具有较深的阴阳五行理论素养,方士作为黄老道的核心成员,当他们转变为太平道的骨干之后必然承袭了原有的阴阳五行理论,并且将之发扬光大,成为他们建构教理教义的思想基础。看到这种地域性差别,这是实事求是地把握道派文化特质的关键一环。其次,还必须注意,任何道派一旦形成并非铁板一块,它将随着时空的不同而变迁。例如,正一盟威之道从鹤鸣山传播到了北方广阔地域,而后又到了江西的龙虎山,不仅名称变成了天师道、正一道,而且仪轨变得更加丰富,其法术也多样化了。再如上清派,它从天师道脱胎出来之后,由南岳再到茅山,早先主修《大洞玉经》、《上清大洞真经》、《黄庭内景经》,其清静内修的特色比较明显,但从南北朝陶弘景开始,比较关心社会政治,其符法也更加发展起来。这些变化都有特定的地理人文因素发生作用。将道派置于特定的地理人文环境予以考察,就能够明了其变化的原因和具体文化内涵。

（三）评估人物

道教人物是道教活动的主体,也是道派成立和发展的关键。如果说把握道派的发展脉络和变迁情况,这是道教史的重心问题,那么客观地评估道教人物则是支撑道教史大厦的台柱。因为离开了人物,就没有道派,故而也就无法描述道教史的面貌。我们说道派形成、发展状态是受地域风土人情等文化因素影响造成的,但这些因素又是通过什么途径、什么介质发生作用的?如果进一步稽考,不能不追到人物身上。因此,准确而全面地了解在道派中起关键作用的人物情况,这是我们相对客观描述道派形成与变迁脉络的前提,也是不可或缺的环节。当我们说道派与地域风土人情密切相关时,这实际上意味着承认了道教人物乃是联络道教组织与地域风土的纽带作用。换句话来说,一个道派之所以有这样那样的主张和具有特色的修持法门,乃是因为道教人物不是超越时空的务虚存在,而是活生生的、具体的、有血有肉的道教社会成员。基于这一点,面对任何具体的道教人物,也应该回归于他所活动的区域地理环境与文化背景。从这种具体的区域环境与文化背景入手来考察道教人物的生平事迹,就能够使那些看起来有点漂浮的描述获得尘埃落定的处理。例如东晋时期著名的道教理论家葛洪为什么对汉末以来许多以道教为旗帜的农民起义持比较激烈的批评态度,为什么要与鲍敬言“昔胜今”的主张针锋相对,提出“今胜昔”的看法,要探明其原因,形成客观的判断,唯有回到葛洪生活的那个年代,从其家庭背景以及社会需求入手来解读,这样才能找到合理的解释。一个道教人物所承袭的家庭文化因子、接受教育的状况与社会需求的发展路向有时是一致的,有时则不一定一致。当两者一致的时候,道教人物的思想主张就会体现出彼此的协调;当两者不一致的时候,则又会出现一些前后矛盾。从这样的情状出发,我们再考察葛洪的情况,就能够明白他的一些思想主张、文化贡献之所以可能的原因了。葛洪如此,其他道教人物也不例外。

(四)理清关系

作为一种历史悠久的文化体系,也作为一种组织形态,道教不是孤立于社会生活之外的“天外来客”,而是在具体的社会文化背景下产生并且发展起来的,所以,道教从一开始就是与具体的社会生活休戚相关的。所谓“社会生活”包括很多层面,诸如家庭生活、政治生活、文化生活等。

就家庭生活来讲,道教在刚刚形成的时候,入道者并没有要求出家整日居处于道观,而是可以居家修行的,只是在读经或者祭祀活动的时候才有聚会。既然在形式上并没有离开家庭,那么遵守传统的家庭伦理,维护“传宗接代”的繁衍秩序,这也是每个修道者应有的责任,其家庭担当与当时整个社会秩序是一致的。到了南宋末金初,全真道由于受到佛教影响,要求入道者要出家,在道教宫观里过修道生活。然而,即使是在这样的情况下,每个修道者也不是完全隐修、不同外界联络。就全真道创始人王重阳来说,他开始在“活死人墓”里断除俗念,但在隐修悟道之后,他还是走出去,寻求可以一起弘道的人,于是才有后来跟随他的七大徒弟,才有整个全真道教团的兴盛。从这个角度看,道教不论是居家修行,还是出家修行,都没有脱离社会,或者说他们的修行本来就是社会生活的一种特殊形式。因此,道教倡导履行社会责任,这是其教理教义应有的精神。在道教中有一句名言,叫作“欲修仙道，先修人道”，表明了道教是很强调如何做人的。道教所谓“先修人道”，就是把实践人伦大道作为首位，比如说生儿育女、传宗接代、恪守孝道等，都是道教坚持的。即便是出家修行者，也不反对他人过自己的家庭生活。在这一点上，道教是具有宽容精神和相互尊重态度的。看到这些方面，就不会简单地用“消极”、“避世”、“出世”之类言辞来描述道教了。

就政治生活来讲，道教与历代社会政治也是具有密切关系的。这种密切关系表现为两种趋向：首先是与当权者主导的政治秩序发生矛盾，从而形成某种对抗局面。这种局面基本上表现在社会动荡、民不聊生的背景下。例如东汉末，群雄纷争，兵祸四起，黄巾起义以“太平道”作为组织形式，将斗争矛头直指官僚政治统治；再如东晋末的孙恩、卢循起义，以“五斗米道”为组织形式，与东晋王朝宣战等等，都表现了道教对政治腐败开刀、为广大百姓谋利益的勇气与行动。其次，道教也与王朝政治具有协调、交融的一面。应该看到的是，道教组织从一开始就是多元的，像汉末以魏伯阳为代表的丹鼎派肇端于上古时期的黄老信仰，融合易学原理、方士炉火炼丹技术，比较适合上层社会的需要。魏晋时期，以葛玄、葛洪为代表的丹道法脉，也主要在上层社会传承流布。随着道教组织的壮大，道教的教理教义也逐步完善起来，比较能够适应不同社会层次的需要，出于修身养性等需求，大批士族人员信奉道教。其中，一部分具有很高道教文化素养的道士甚至成为时代的政治精英，例如南朝梁代的陶弘景被尊奉为“山中宰相”，享有很高的政治待遇。这种情况尤其是隋唐以来更是明显，像隋朝的王远知、潘师正、李含光，唐代的司马承祯、魏徵等都受到朝廷礼遇，而元代的丘处机千里迢迢应元世祖之诏，从不同侧面反映了道教与朝廷政治的微妙关系。如何描述和评价这些现象，没有定格，更没有千篇一律的标准，唯有回归于具体的社会历史背景来审视和评估。

就文化生活来讲，道教作为一种意识形态，也作为一种社会组织形式，要在社会上站稳脚跟并且发展起来，就不能离开文化传统。所以，我们看到了道教与传统文化的各个领域几乎都具有非常密切的关系。其中，尤其值得注意的是道教与中国科技史的关系问题。

一般地说，很多宗教与自然科学在本质上是不相容的。在西欧中世纪的时候，不少著名的自然科学家如哥白尼（Nicolavs Copernicus，1473—1545年）、布鲁诺（Giordano Bruno，1548—1600年）、伽利略（Galileo Galilai，1564—1642年）等均曾受到过宗教的迫害，他们为维护科学真理均同宗教进行过针锋相对的斗争。但对于我国历史上的道教，却不能如此简单地不加分析地来看待，而应当从道教这样一个具体的实际情况出发，实事求是地对它进行分析。就以它所追求的长生不死、即身成仙这个最终目标来说，也应抱这样一种具体分析的态度。虽然有生必有死，是一种自然规律，所以不死成仙在外人看来只是一种信念甚至是幻想，但它所追求的长生不老，却有一定的合理之处。因为一个人的生命的长短，是与它所生活的社会环境、自然环境和医疗保健水平，以及他本人是否善于养生等等各个方面均有非常密切的关系。随着这些方面的不断进步和发展，人们的平均寿命也在不断地延长，古人常说的"人生七十古来稀"，而今70岁至80岁的老人却并不稀罕了，90岁至100岁的人也逐渐地增多了，甚至一百多岁的老人也不少了。所以，随着社会的进步和科学技术的发展，人们所追求的长生不老还有向前拓展的可能。据有关报道，现今有些科学家已发现人体的长寿基因和导致衰亡的基因，并试图通过基因改编和纳米技术以及器官替换等方式，来诊断和治疗人体疾病，追踪早期癌症并及时予以治疗等，从而使人类的生命得以大大的延长。世界著名科学家雷蒙德·科兹威尔（Raymand Kurzweil）著有《奇点迫近》（*The Singularity is Near*）一书，预言不久的将来科学家们将最终实现"长生不老"的梦想。由此可见，道教所追求的"长生不老"这一最终目标，是具有合理的科学价值的，与当代科学技术的发展目标是一致的。再从道教本身的发展历史来看，过去许多道教徒，为了实现"长生久视"、"即身成仙"，在"我命在我不由天"的精神鼓舞下，便积极从事各种修炼活动，如相信外丹服食者，便积极从事炼制各种"长生不死"之药；相信内丹修炼者，便积极从事人体精、气、神的各种修炼，而探讨医学养生和防病治病，则彼此都是共同的。通过他们的长期实践，从而积累了许多很有价值的科学材料，对我国古代许多科学技术的发展，均产生了深刻的影响，他们所留下的各种有关著作，都是具有一定科学价值的宝贵遗产。如果仅以他们是道教徒，就一概抹杀他们在科学技术方面的贡献，不承认这个事实，这也是违反从实际出发、实事求是、对具体问题作具体分析的原则，这种态度的本身，就是违反科学的，因此也就不能对道教与自然科学的关系问题作出正确的结论。

当然，由于道教发展史的研究，乃是一种跨越诸多领域的学术研究工作，因此，我们除了必须坚持这个最根本的方法作为总的指导原则之外，同时还应该借鉴和吸纳其他学科的各种有效的具体研究方法，如中国哲学、宗教学、历史学、文献学、考古学、人类学、社会学、伦理学、语言学、民族学、文化地理学、文化比较学和经典解释、田野调查、有关出土文物的研究以及相关的各种自然科学及其实验技术等各种方法，力求多角度、多层次地来探讨与说明和“中国道教史”相关的各种问题，以便我们能够从不同的观察角度对中国道教这一非常复杂的社会现象和文化现象有一个更清楚的认识。

总而言之，在研究方法上要本着“尊重事实与大胆探索”的精神原则，在文献史料的收集运用方面做到史家倡导的“三全”，即收集史料要全，辨析史料要真，运用史料要精；研究者要努力做到将字面上的文献资料与地面上的田野实地考察资料、地下的考古资料相结合，做到“文献性”与逻辑性的统一，论从史出，史论结合；我们在坚持古为今用、洋为中用的原则下，还应尽可能地吸取和借鉴古今中外一切适用的相关优秀成果及其宝贵经验，综合运用多学科的综合研究方法，做到中国传统方法与外来方法并举，将中国传统的训诂章句之学、考据的方法与西方宗教学方法、人类学方法和符号学等方法结合起来，灵活运用。在道教通史研究上，坚持整体把握与局部具体分析有机地结合起来，避免空泛议论和研究的“碎片化”两个极端与倾向。在前人研究的基础上，努力把道教史的研究领域不断拓展和深化，为全面弘扬中华传统文化、建设中华民族共同精神家园而努力奋斗！

第一章

道教产生的历史条件和思想渊源

中国古代宗教，从自发的原始宗教到人为的神学宗教，经过了长期的历史发展。以自然崇拜、鬼神崇拜和沟通人神意愿的巫术、占卜为主要内容的原始宗教，随着原始社会进入阶级社会，逐步演变为殷周时期对最高神“上帝”或“天”的崇拜；鬼魂崇拜发展为祖先崇拜；占卜、巫术的情况，也有了文字记录。鬼神崇拜的迷雾，笼罩着奴隶社会，宗教迷信观念，成为占统治地位的意识形态，并延续、影响到封建社会，以及道教的信仰和方术。

道教是中国土生土长的宗教，是中国社会发展到汉代的历史产物。汉代是宗教勃兴的时代。儒学宗教化、道教诞生、佛教传入，都在汉代。这长期影响中国封建社会的儒、释、道三教陆续出现在汉代社会，绝不是偶然的。它表明了汉代社会有对宗教的急切需要，并具有产生宗教或引进外来宗教的适宜气候和土壤。

第一节　道教产生的历史条件

就道教来说，当时崇尚黄老的社会思潮，与传统的鬼神崇拜、神仙思想、阴阳数术逐步合流，则为道教的形成，准备了必要的条件。

一、秦汉社会对宗教的需要

中国封建社会由战国进入秦汉时代，建立了统一的中央集权制的封建国家，政治、经济和文化的发展，都达到了前所未有的水平，在当时的世界上，居于发达的领先地位。但是秦汉社会的发展，又受到封建生产方式的制约，呈现时起时伏的波浪式延展的趋势。即使在秦王朝鼎盛时，社会矛盾也很尖锐，在封建生产关系的基础上，地主阶级和封建国家对广大农民进行残酷剥削和压迫，使得“富者田连阡陌，贫者亡立锥之地”①。“贫民常衣牛马之衣，而食犬彘之食。重以贪暴之吏，刑戮妄加，民愁亡聊，亡逃山林，转为盗贼，赭衣（囚徒）半道，断狱岁以千万数”②。秦末农民大起义的怒涛，颠覆了强压在他们头上的秦王朝，证明了战国思想家荀子所引的警句“君者，舟也；庶人者，水也；水则载舟，水则覆舟”③是一条不可抗拒的真理。威赫一世的秦王朝迅即覆亡，震撼了整个地主阶级，迫使继起的汉王朝统治者不能不从中吸取教训，结合实际情况，重新制定自己的统治理论和策略。

开初，从戎马征战中夺得天下的刘邦，登上皇帝宝座后，并不了解怎样治理天下，认为靠自己指挥打仗那套本事，就能对付得了。所以当陆贾经常向他宣传文化知识，介绍历史经验时，他竟很不耐烦地说：“乃公居马上而得之，安事《诗》《书》！”陆贾也不客气地回敬道：“居马上得之，宁可以马上治之乎？且汤武逆取而以顺守之，文武并用，长久之术也。昔者吴王夫差、智伯极武而亡；秦任刑法不变，卒灭赵氏。（《史记集解》：赵氏，秦姓也。）乡使秦已并天下，行仁义，法先圣，陛下安得而有之？”陆贾认为，夺取天下和保守天下，所处的形势是不同的，使用的办法也应不同。历史上商汤王、周武王文武并用，所以能够长久；吴王夫差、智伯、秦始皇，一味极武任刑，很快就招致灭亡。如果秦在取得天下以后，能变刑法，行仁义，借鉴历史经验，你又怎么会得到他的天下呢？刘邦听了这既尖锐又中肯的意见，心中虽不高兴，脸上却有惭色。乃叫陆贾：“试为我著秦所以失天下，吾所以得之者何，及古成败之国。”④表现出要了解历史知识，借鉴统治经验的兴趣。接着，陆贾写出了论文 12 篇，进一步阐述存亡的道理，

---

① 《汉书》卷 24《食货志》，北京：中华书局 1962 年版，第 4 册，第 1137 页。

② 《汉书》卷 24《食货志》，北京：中华书局 1962 年版，第 4 册，第 1137 页。

③ 《荀子·王制》，《诸子集成》第 2 册，北京：中华书局 1954 年版，第 97 页。

④ 《史记》卷 97《陆贾传》，北京：中华书局 1959 年版，第 8 册，第 2699 页。

"每奏一篇,高帝未尝不称善,左右呼万岁,号其书曰《新语》"①,实际上,陆贾的这个看法是有代表性的。随后,贾谊所著《过秦论》亦指出,秦亡的原因在于"仁义不施,而攻守之势异也"②,他以为"夫并兼者高诈力,安定者贵顺权,此言取与守不同术也"③。秦并六国,南面而王天下,是符合人民心愿的。经过长期分裂、战乱,疲敝不堪的广大人民,"冀得安其性命,莫不虚心而仰上"④。这时统治者能否照顾人民的愿望和利益,是政权的安危之所在。可是秦始皇仍以兼并战争时期对待敌军所用诈力那一套手段,以酷刑和暴政虐待治下的臣民,"故其亡可立而待"⑤。秦二世立后,本是改正始皇过失的很好机会,施仁政于万民,使天下之人"各自安乐其处"⑥,则"暴乱之奸止矣"⑦。然而,"二世不行此术,而重之以无道……而天下苦之。自君卿以下至于众庶,人怀自危之心,亲处穷苦之实,咸不安其位"⑧。所以陈涉奋臂于大泽而天下响应,盛极一时的秦王朝,迅速土崩瓦解。贾谊从分析秦亡的教训中得出了"是以牧民之道,务在安之而已"⑨的结论。意即统治者使百姓各安其处,百官各安其位,人心安定,上下安心,"去就有序,变化有时,故旷日长久而社稷安矣"⑩。治国理民的办法,最重要的就在一个"安"字。

汉初的统治者,接下多年战乱后民生凋敝的破烂摊子,"自天子不能具钧驷,而将相或乘牛车,齐民无藏盖"⑪。为了恢复和发展生产,巩固新建政权,他们参照前车之鉴,确定休养生息的方针,实行约法省禁与清静无为相结合的"黄老政治",以安定社会秩序,于是,社会经济得到较快的恢复和发

① 《史记》卷97《陆贾传》,北京:中华书局1959年版,第8册,第2699页。
② 《史记》卷6《秦始皇本纪》,北京:中华书局1959年版,第1册,第282页。
③ 《史记》卷6《秦始皇本纪》,北京:中华书局1959年版,第1册,第283页。
④ 《史记》卷6《秦始皇本纪》,北京:中华书局1959年版,第1册,第283页。
⑤ 《史记》卷6《秦始皇本纪》,北京:中华书局1959年版,第1册,第283页。
⑥ 《史记》卷6《秦始皇本纪》,北京:中华书局1959年版,第1册,第284页。
⑦ 《史记》卷6《秦始皇本纪》,北京:中华书局1959年版,第1册,第284页。
⑧ 《史记》卷6《秦始皇本纪》,北京:中华书局1959年版,第1册,第284页。
⑨ 《史记》卷6《秦始皇本纪》,北京:中华书局1959年版,第1册,第284页。
⑩ 《史记》卷6《秦始皇本纪》,北京:中华书局1959年版,第1册,第278页。
⑪ 《史记》卷30《平准书》,北京:中华书局1959年版,第4册,第1417页。

展,出现了“文景之治”的繁荣景象。经过汉初几代人的艰苦创业,到武帝即位时,社会财富更加丰裕。司马迁记述当时的情况说:“汉兴七十余年之间,国家无事,非遇水旱之灾,民则人给家足,都鄙廪庾皆满,而府库余货财。京师之钱累巨万,贯朽而不可校。太仓之粟陈陈相因,充溢露积于外,至腐败不可食。众庶街巷有马,阡陌之间成群,而乘牸牝者傧而不得聚会。守闾阎者食粱肉,为吏者长子孙,居官者以为姓号。”①民富国强,这充足的财力物力,为成就汉武帝的武功准备了物质条件。

汉武帝刘彻(前140—前87年在位)是一位“多欲”有为的君王②,他继文、景之后,进一步剥夺诸侯王的权力,集权于中央,大权独揽。他凭借几代经营积蓄的雄厚资财,连续发起反击北方匈奴侵扰,开拓西南疆域的大规模战争,扩大和巩固了边防阵地。中国封建社会处于空前强盛时期。但是,在这繁荣强盛的画面上,却又显现出另一种图景:富豪兼并土地,横行乡里;“宗室有土公卿大夫以下,争于奢侈”③,挥霍无度。这还是武帝即位之初的情况。司马迁对此敏锐地指出:“物盛而衰,固其变也。”④沉重的租赋、徭役,以及“贪暴之吏,刑戮妄加”⑤,迫使人民“转为盗贼”,“是以犯法而罪多,一岁之狱以万千数”⑥。社会阶级矛盾日益尖锐。武帝晚年,“郡国盗贼群起”⑦,“南阳有梅免、白政,楚有殷中、杜少,齐有徐勃,燕赵之间有坚卢、范生之属。大群至数千人,擅自号,攻城邑,取库兵,释死罪,缚辱郡太守、都尉,杀二千石,为檄告县趣具食;小群(盗)以百数,掠卤乡里者,不可胜数也。”⑧因此,以后宣帝下诏与武帝“立庙乐”时,夏侯胜就发表了不同意见,他指出:“武帝虽有攘四夷广土斥境之功,然多杀士众,竭民财力,奢泰亡度,天下虚耗,百姓流离,物故者(过)半。蝗虫大起,赤地

① 《史记》卷30《平准书》,北京:中华书局1959年版,第4册,第1420页。
② 《汉书》卷50《汲黯传》,北京:中华书局1962年版,第8册,第2317页。
③ 《史记》卷30《平准书》,北京:中华书局1959年版,第4册,第1420页。
④ 《史记》卷30《平准书》,北京:中华书局1959年版,第4册,第1420页。
⑤ 《汉书》卷24《食货志》,北京:中华书局1962年版,第4册,第1137页。
⑥ 《汉书》卷56《董仲舒传》,北京:中华书局1962年版,第8册,第2515页。
⑦ 《汉书》卷66《王䜣传》,北京:中华书局1962年版,第9册,第2887页。
⑧ 《史记》卷122《酷吏列传》,北京:中华书局1959年版,第10册,第3151页。

数千里,或人民相食,畜积至今未复,亡德泽于民,不宜为立庙乐。”①所有这些可以表明,确如司马迁所预见的那样,武帝在位的50多年,是汉王朝开始由“盛而衰”的转折时期,也是中国地主阶级在其活动的历史舞台上,由向奴隶主阶级夺取政权,建立统治,过渡到如何奴役广大农民,以保守政权,巩固统治的历史转变时期。

二、汉代统治思想的宗教化

在地主阶级历史地位的转变过程中,需要出现与之相适应的理论形态。

在封建制取代奴隶制的春秋战国时代,特别是从封建割据的各诸侯国走向建立全国统一的封建政权的战国中后期,诸子竞起,百家争鸣,提出了各式各样的治国理论和主张,供封建统治者选择。其中具有追求功利,厉行法治的法家学说,为秦统治者所接受,成为秦王朝的指导思想。这一学说主张“以法为教”,“以吏为师”,“境内之民其言谈者必轨于法”②。它在帮助秦国富强,兼有天下的历史过程中,无疑起了重要作用。然而,随着秦王朝的覆灭,也暴露出单靠严刑峻法治国安民,只凭暴力镇压维护政权的片面性和局限性。

汉承秦制,封建的经济、政治制度基本未变,但在指导思想上,却改变了单靠法家理论的做法,而奉行了取各家所长的兼收并用原则。司马迁记述汉初的这类情况说:

> 周道废,秦拨去古文,焚灭《诗》《书》,故明堂石室金匮玉版图籍散乱。于是汉兴,萧何次律令,韩信申军法,张苍为章程,叔孙通定礼仪,则文学彬彬稍进,《诗》《书》往往间出矣。自曹参荐盖公言黄老,而贾生、晁错明申、商,公孙弘以儒显,百年之间,天下遗文古事靡不毕集太史公。③

这说明,在汉初建立国家的政治法律典章制度方面,法家、兵家和儒家

---

① 《汉书》卷75《夏侯胜传》,北京:中华书局1962年版,第10册,第3156页。

② (清)王先慎:《韩非子·五蠹》,《韩非子集解》,钟哲点校,北京:中华书局1998年版,第452页。

③ 《史记》卷130《太史公自序》,北京:中华书局1959年版,第10册,第3319页。

的理论都分别发挥了作用;在制定治理国家的理论、策略方面,道家、法家和儒家的学说也陆续派上了用场。汉初统治者这种兼用各家的政策,也在太史公司马谈(司马迁的父亲)所著《论六家之要指》中表现出来。司马谈认为,阴阳、儒、墨、名、法、道德这六家的学说,说法不同,目的一样,都是讲治国的道理。各家各有所长,也各有所短,而道家学说则是集各家之长的最完备的理论。他说:

尝窃观阴阳之术,大祥而众忌讳,使人拘而多所畏;然其序四时之大顺,不可失也。儒者博而寡要,劳而少功,是以其事难尽从;然其序君臣父子之礼,列夫妇长幼之别,不可易也。墨者俭而难遵,是以其事不可遍循;然其强本节用,不可废也。法家严而少恩;然其正君臣上下之分,不可改矣。名家使人俭而善失真;然其正名实,不可不察也。道家使人精神专一,动合无形,赡足万物。其为术也,因阴阳之大顺,采儒墨之善,撮名法之要,与时迁移,应物变化,立俗施事,无所不宜,指约而易操,事少而功多。儒者则不然。以为人主天下之仪表也,主倡而臣和,主先而臣随。如此则主劳而臣逸。至于大道之要,去健羡,绌聪明,释此而任术。夫神大用则竭,形大劳则敝。形神骚动,欲与天地长久,非所闻也。①

司马谈这段话表明:第一,他对各家学说都不是全盘否定,一棍子打死;而采取了认真分析的态度,认为它们各有长短,对于维护封建统治也各有利弊。第二,他认为道家学说最完善,它集各家之长,"指约而易操,事少而功多",比起"儒者博而寡要,劳而少功"来说,更适合于君王的南面术。第三,他所说的道家学说,主要还是指讲清静养生、无为治世的学说,但又吸取了阴阳、儒、墨、名、法的部分内容,因此它已不完全是先秦的道家学说,而是汉初称为黄老术的新道家的学说。

司马谈扬道黜儒,不仅是因为他本人曾"习道论于黄子",而且更是汉初统治者崇奉黄老术的反映。但是,到了汉武帝时,道家的清静无为的理论,已不适应加强中央集权,巩固封建统治的需要了,因而被儒家理论取而

① 《史记》卷130《太史公自序》,北京:中华书局1959年版,第10册,第3289页。

代之。《史记·儒林列传》在叙述这一转变时说："孝文帝本好刑名之言。及至孝景，不任儒者，而窦太后又好黄老之术，故诸博士具官待问，未有进者。及今上（指武帝，下同）即位，赵绾、王臧之属明儒学，而上亦乡之，于是招方正贤良文学之士。自是之后，言《诗》于鲁则申培公，于齐则辕固生，于燕则韩太傅。言《尚书》自济南伏生。言《礼》自鲁高堂生。言《易》自菑川田生。言《春秋》于齐鲁自胡母生，于赵自董仲舒。及窦太后崩，武安侯田蚡为丞相，绌黄老、刑名百家之言，延文学儒者数百人，而公孙弘以《春秋》白衣为天子三公，封以平津侯。天下之学士靡然乡风矣。"①可是，这些讲清静无为，重刑名法术，倡仁义道德的说教，都未能防止封建社会固有矛盾的发展，以致到汉武帝时，又面临"盗贼群起"、农民以暴力反抗官府的事件"不可胜数"的严重社会问题。为了在不可避免的社会矛盾中巩固自己的统治地位，他们鉴于历史上的"圣人以神道设教而天下服矣"②的经验，企图借助鬼神的威力，加强"文武并用"的"长久之术"，以使黎民百姓成为规规矩矩的顺民。《淮南子》明确主张利用鬼神迷信"立禁"，约束"不明事理"的百姓，"因鬼神为禨祥，而为之立禁"，"借鬼神之威，以声其教"③。汉武帝更是身体力行，他即位后，"尤敬鬼神之祀"④，重用神仙方士，大搞祠神求仙活动。而经过秦末农民大起义，生活在汉代社会底层的广大人民群众，亦有接受宗教影响的内在条件。由于自给自足的自然经济，生产规模狭小，生产力水平低下，科学知识十分贫乏，人民群众无法避免，也无法理解封建压迫和自然灾害所造成的社会不平与人世苦难；他们在摆脱秦王朝奴役之后，又受到新建汉王朝日益沉重的压榨而痛苦不堪，因而希望有一种超越人间的力量来伸张正义，帮助自己改善处境，也以祈求神灵护佑，作为精神寄托。正是在这种条件下，为适应封建统治阶级利用神权维护政权的需要，封建统治思想日趋宗教化，董仲舒的宗天神学和继起的谶纬神学也就广泛流行起来。

① 《史记》卷121《儒林列传》，北京：中华书局1959年版，第10册，第3117—3118页。
② 黄寿祺、张善文：《周易译注》，上海：上海古籍出版社2007年版，第121页。
③ 《淮南鸿烈解》卷20，《道藏》第28册，第108页。
④ 《史记》卷12《孝武本纪》，北京：中华书局1959年版，第2册，第451页。

董仲舒(前179—前104年),广川(河北枣强县广川镇)人,以研究《公羊春秋》而著名,汉景帝时为博士。下帷讲诵,“三年不窥园”。汉武帝即位后,想使王权“传之亡(无)穷而施之罔极”,乃于建元元年(前140年)下诏郡国诸侯公选贤良博习之士,“亲闻大道之要”。要求回答“三代受命,其符安在? 灾异之变,何缘而起? 性命之情,或夭或寿,或仁或鄙”的问题。董仲舒应诏对策,连上三论,受到武帝重视,做了江都相,事易王。后又作胶西王相。晚年在家,专事著述。“朝廷如有大议,使使者及廷尉张汤就其家而问之。其对皆有明法”①。董仲舒的著作,《汉书·艺文志》著录113篇,现流传下来的主要有《举贤良对策》3篇,保存在《汉书本传》;《春秋繁露》17卷,共82篇。这些资料表明,董仲舒以儒家学说为核心,吸取阴阳、五行和道、墨、法、名各家思想,用天人感应的观点和天人比附的手法,把自然现象与社会现象扯在一起,而将造成人类自身、君主地位、三纲五常、主德辅刑、灾异得失等的原因都归结为至高无上的“天意”或“天命”,企图使封建的统治权力、统治关系和统治策略理论化、神圣化和永恒化。

在董仲舒的思想中,最富有宗教气味的是天人感应论和善恶报应说,以及祈求“昊天”降雨、止雨之法。他不仅塑造了一个“百神之君”②的“天”,说“天”有意识地化生万物和人,命定帝王的统治权力和君臣、父子、夫妇的隶属关系,具有无上权威,要求“王者承天意以从事”③,而且宣传“天”现祥瑞为受命之符,出灾异以表谴告之意的思想。他对汉武帝说:“臣闻天之所大奉使之王者,必有非人力所能致而自至者,此受命之符也。天下之人同心归之,若归父母,故天瑞应诚而至。《书》曰:‘白鱼入于王舟,有火复于王屋,流为乌。’此盖受命之符也……皆积善累德之效也。”④相反,“国家将有失道之败,而天乃先出灾害以谴告之;不知自省,又出怪异以警惧之;尚不知变,而伤败乃至。以此见天心之仁爱人君而欲止其乱也。自非大亡道之世

① 《汉书》卷56《董仲舒传》,北京:中华书局1962年版,第8册,第2525页。

② (汉)董仲舒:《春秋繁露》卷15《郊义》,(清)苏舆撰,钟哲点校:《春秋繁露义证》,北京:中华书局1992年版,第402页。

③ 《汉书》卷56《董仲舒传》,北京:中华书局1962年版,第8册,第2502页。

④ 《汉书》卷56《董仲舒传》,北京:中华书局1962年版,第8册,第2500页。

者，天尽欲扶持而全安之。"[①]因此，董仲舒认为，"凡灾异之本，尽生于国家之失"[②]。政治上的过失，是产生灾异的根本原因。特别是"废德教而任刑罚。刑罚不中，则生邪气；邪气积于下，怨恶畜于上。上下不和，则阴阳缪戾而妖孽生矣。此灾异所缘而起也"[③]。所以在董仲舒看来，"天"选中积善累德者为人主，就现符瑞任命他；发现人君有过失，就出灾异警告他，让他改过；只要不是屡告不改，都尽量维护他。可见"天心之仁爱人君"了。由政治上的过失而引起灾异，又由改正过失而得到全安，这就是董仲舒"天人相与之际"的感应说。其实这种以"天"的权威，来贯彻其仁义德政的主张，约束封建统治者对人民过分的压榨行为，纠正他们政治上的过失，以达长治久安的神学思想，乃是地主阶级慑于农民起义的打击而借上天的权威来调整统治策略的一种手段。而董仲舒却把这说成是"天意"。"帝王之将兴也，其美祥亦先见；其将亡也，妖孽亦先见。物故以类相召也。"[④]这个所谓"以类相召"的"天人感应"，实际上是一种"善恶报应"思想的反映，是对中国古代"积善之家必有余庆，积不善之家必有余殃"[⑤]这一思想的继承和新的理论概括。天人感应论和善恶报应说是宗教思想的核心内容，它为社会出现新宗教提供了哲学理论基础。

董仲舒关于天人感应、阴阳灾异的思想，一直在汉王朝政治生活中起作用。史载：夏侯始昌，鲁人。通"五经"，以《齐诗》、《尚书》教授。自董仲舒、韩婴死后，武帝得始昌，甚重之。"始昌明于阴阳，先言柏梁台灾日，至期日果灾"[⑥]。

眭弘，字孟，鲁国蕃县人，董仲舒弟子，以明经为议郎。昭帝时，泰山有大石自立，昌邑有枯木复生，上林苑僵柳复起。孟推《春秋》之意，以为"此

---

① 《汉书》卷56《董仲舒传》，北京：中华书局1962年版，第8册，第2498页。

② （汉）董仲舒：《春秋繁露》卷8《必仁且智》，（清）苏舆撰，钟哲点校：《春秋繁露义证》，北京：中华书局1992年版，第259页。

③ 《汉书》卷56《董仲舒传》，北京：中华书局1962年版，第8册，第2500页。

④ （汉）董仲舒：《春秋繁露》卷13《同类相动》，（清）苏舆撰，钟哲点校：《春秋繁露义证》，北京：中华书局1992年版，第358页。

⑤ 黄寿祺、张善文译注：《周易译注》，上海：上海古籍出版社2007年版，第22页。

⑥ 《汉书》卷75《夏侯始昌传》，北京：中华书局1962年版，第10册，第3154页。

当有从匹夫为天子者”①。后5年，孝宣帝兴于民间即位。

夏侯胜，字长公，东平人，从始昌受《尚书》及《洪范五行传》，说灾异，征为博士、光禄大夫。会昭帝崩，昌邑王嗣立，数出，胜当乘舆前谏曰：“天久阴而不雨，臣下有谋上者，陛下出欲何之？”②点破了大将军霍光与车骑将军张安世欲废昌邑王的预谋。

梁丘贺，字长翁，琅邪人，从京房受《易》。宣帝时，以贺为郎。会八月饮酎，行祠孝昭庙，先驱旄头剑挺堕地，首垂泥中，刃向乘舆车，马惊。于是召贺筮之：“有兵谋，不吉。”③宣帝回还，使有司侍祠，果然发现有行刺者，于是逮捕诛杀。

谷永，字子云，长安人，博学经书。元帝时为太常丞，数上书言得失。成帝建始三年（前36年）冬，日食地震同日俱发，应诏对曰：“臣闻灾异，皇天所以谴告人君过失，犹严父之明诫。畏惧敬改，则祸销福降；忽然简易，则咎罚不除。”④

李寻，字子长，平陵人，治《尚书》，独好《洪范》灾异；又学天文月令阴阳。事丞相翟方进，方进亦善为星历，除寻为吏。哀帝刘欣的舅父曲阳侯王根为大司马骠骑将军，厚遇寻。时多灾异，根辅政，数虚已问寻，寻见汉家有中衰厄会之象，其意以为且有洪水为灾，乃向根说：“举错誖逆，咎败将至，征兆为之先见；明君恐惧修正，侧身博问，转祸为福。”⑤

以上所列言灾异者，纵贯于武、昭、宣、元、成、哀、平各代，主要以《周易》阴阳、《洪范》五行为据。正如班固所说，他们是“假经设谊，依托象类，或不免乎‘亿则屡中’”⑥。尽管他们言灾异而自己的结局大都可悲，“仲舒下吏，夏侯囚执，眭孟诛戮，李寻流放”⑦。然而他们所谓的谴告、报应学说，作为一股神学思潮，仍继续影响着社会政治生活，以至汉明帝因日食而下诏

① 《汉书》卷75《眭弘传》，北京：中华书局1962年版，第10册，第3154页。
② 《汉书》卷75《夏侯胜传》，北京：中华书局1962年版，第10册，第3155页。
③ 《汉书》卷88《儒林传》，北京：中华书局1962年版，第11册，第3600页。
④ 《汉书》卷85《谷永传》，北京：中华书局1962年版，第11册，第3450页。
⑤ 《汉书》卷75《李寻传》，北京：中华书局1962年版，第10册，第3180页。
⑥ 《汉书》卷75《李寻传》，北京：中华书局1962年版，第10册，第3195页。
⑦ 《汉书》卷75《李寻传》，北京：中华书局1962年版，第10册，第3195页。

罪己,“无有善政”,要求“有司勉思厥职,以匡无德”①。章帝因日食而诏称:“上天降异,大变随之”,要求“公卿已下,其举直言极谏,能指朕过失者各一人,遣诣公车,将亲览问焉”②。和帝因日食而“引见公卿问得失,令将、大夫、御史、谒者、博士、议郎、郎官会廷中,各言封事”③。又因京师蝗灾而诏令“刺史、二千石详刑辟,理冤虐,恤鳏寡,矜孤弱,思惟致灾兴蝗之咎”④。安帝因日食“诏公卿内外众官,郡国守相,举贤良方正,有道术之士,明政术,达古今,能直言极谏者,各一人”⑤。又于永初二年(108 年)六月,京师及郡国四十大水、大风、雨雹后下诏称:“阴阳差越,变异并见,万民饥流:羌貊叛戾”,要求博选人才,广开言路,“冀获嘉谋,以承天诫”⑥。安帝元初四年(117 年)六月,三郡雨雹;七月,京师及郡国十雨水。诏谓,“夫霖雨者,人怨之所致,其武吏以威暴下,文吏妄行苛刻,乡吏因公生奸,为百姓所患苦者,有司显明其罚”⑦。这类记载,在有汉一代,史不绝书。这种天人感应理论在政治实践上的运用,一方面表明了当时人们对自然界灾异现象的认识还严重地受到神学思潮的束缚;另一方面反映了人们利用谴告、报应思想,改革封建弊政,更好地维护封建统治的企图,从而也透露出地主阶级对农民起义的防范和恐惧心理。所谓天现灾异谴告人主的说法,实质上是广大人民对封建统治怨声载道的投影。这种情况,更增加了社会各阶层的人们对于宗教的需求,地主阶级和广大农民在人力所无法挽救的封建统治危机和社会危机中,都企图借助神的力量,维护各自的切身利益,他们向往实现太平宁静生活的愿望,也就成为道教出世的催产剂。正是在这种情况下,西汉成帝时,齐人甘忠可声称“天帝使真人赤精子,下教我此道”所造的《天官历苞元太平经》,东汉顺帝时,代天传言的《太平经》“神书”,也就应运问世了。

谶纬之学是道教的思想渊源之一。由董仲舒开始的儒学宗教化,在汉

---

① 《后汉书》卷 2《明帝纪》,北京:中华书局 1965 年版,第 1 册,第 106 页。
② 《后汉书》卷 3《章帝纪》,北京:中华书局 1965 年版,第 1 册,第 139 页。
③ 《后汉书》卷 4《和帝纪》,北京:中华书局 1965 年版,第 1 册,第 180 页。
④ 《后汉书》卷 4《和帝纪》,北京:中华书局 1965 年版,第 1 册,第 182 页。
⑤ 《后汉书》卷 5《安帝纪》,北京:中华书局 1965 年版,第 1 册,第 206 页。
⑥ 《后汉书》卷 4《和帝纪》,北京:中华书局 1965 年版,第 1 册,第 210 页。
⑦ 《后汉书》卷 4《和帝纪》,北京:中华书局 1965 年版,第 1 册,第 227 页。

王朝统治者的提倡和支持下，日益发展，以致托神意制造政治预言的谶语和以神意解释儒家经典的纬书所表现的谶纬神学空前活跃起来。

早在反秦斗争中，人们就不断利用谶语的形式，作为政治斗争的精神武器。始皇三十二年，"燕人卢生使入海还，以鬼神事，因奏《录图书》，曰'亡秦者胡也'"①。秦始皇认为"胡"为北方胡人，所以"使将军蒙恬发兵三十万人，北击胡"。《史记集解》引郑玄曰："胡，胡亥，秦二世名也。秦见图书，不知此为人名，反备北胡。"此《录图书》，《资治通鉴·秦纪》胡三省有注云："《录图书》如后世谶纬之书。"始皇三十六年，有黔首于陨石刻字："始皇帝死而地分。"弄得秦始皇暴跳如雷，"尽取石旁居人诛之，因燔销其石"。又有"神人"向使者言"今年祖龙死"②，使秦始皇惊疑不定，卜问避凶趋吉之道。有"鸿鹄之志"的陈胜与吴广谋起事时，受卜者"卜之鬼"的启发，乃丹书鱼腹，丛祠狐鸣，制造"大楚兴，陈胜王"③的谶语，借鬼神以"威众"。汉高祖刘邦起义则有斩白蛇的故事。《史记·高祖本纪》云："高祖以亭长为县送徒郦山，徒多道亡。自度比至皆亡之，到丰西泽中，止饮，夜乃解纵所送徒。曰：'公等皆去，吾亦从此逝矣！'徒中壮士愿从者十余人。高祖被酒，夜径泽中，令一人行前，行前者还报曰：'前有大蛇当径，愿还。'高祖醉，曰：'壮士行，何畏！'乃前，拔剑击斩蛇。蛇遂分为两，径开。行数里，醉，因卧，后人来至蛇所，有一老妪夜哭，人问何哭，妪曰：'人杀吾子，故哭之。'人曰：'妪子何为见杀？'妪曰：'吾子，白帝子也，化为蛇，当道，今为赤帝子斩之，故哭。'人乃以妪为不诚，欲告之，妪因忽不见。后人至，高祖觉。后人告高祖，高祖乃心独喜，自负。诸从者日益畏之。"④所谓赤帝子杀白帝子者"明汉当灭秦也"（《史记集解》应劭语）。这个故事除刘邦以外，只涉及两人。一个是行前者，报有大蛇当路；一个是后来人，告以老妪云云。这同陈胜与吴广合谋制造"大楚兴，陈胜王"的舆论颇为近似，也同样产生了"威众"的效果。

---

① 《史记》卷6《秦始皇本纪》，北京：中华书局1959年版，第1册，第252页。
② 《史记》卷6《秦始皇本纪》，北京：中华书局1959年版，第1册，第259页。
③ 《史记》卷48《陈涉世家》，北京：中华书局1959年版，第6册，第1950页。
④ 《史记》卷8《高祖本纪》，北京：中华书局1959年版，第2册，第347页。

刘邦当了皇帝,为了在其宝座上涂上神圣的光辉,御用文人为他编造的神话更多,纬书甚至说在孔子时就知道刘季(即刘邦)要当皇帝。《尚书中候·日角》云:“夫子素案图录,知庶姓刘季当代周,见薪采者获麟,知为其出。何者?麟者木精。薪采者庶人燃火之意,此赤帝将代周。”《孝经援神契》对此叙述尤详:“鲁哀公十四年,孔子夜梦三槐之间,丰、沛之邦,有赤烟气起,乃呼颜渊、子夏往视之。驱车到楚西北范氏街,见刍儿摘麟,伤其左前足,薪而覆之。孔子曰:‘儿来,汝姓为谁?’儿曰:‘吾姓为赤诵,名子乔,字受纪。’孔子曰:‘汝岂有所见耶?’儿曰:‘见一禽,巨如羔羊,头上有角,其末有肉。’孔子曰:‘天下已有主也。为赤刘,陈、项为辅,五星入井从岁星。’儿发薪下麟示孔子,孔子趋而往,麟蒙其耳,吐三卷图,广三寸,长八寸,每卷二十四字,其言赤刘当起,曰:周亡,赤气起,大耀兴,玄丘制命,帝卯金。”①这个麟吐图书,赤刘当兴的故事,的确是有声有色,活灵活现。与此有关,还有一个赤虹降天书的故事。《孝经右契》说:孔子作《春秋》,“制作孝经,道备(既成),使七十弟子向北辰星而声折(‘而声折’,《宋书·符瑞志》作‘罄折而立’),使曾子抱《河》、《洛》事北向,孔子衣绛单衣,向星而拜(‘衣绛单衣,向星而拜’,《宋书·符瑞志》作‘斋戒向北辰而拜’),告备于天曰:‘《孝经》四卷、《春秋》、《河》、《洛》凡八十一卷,谨已备。’天乃洪郁起白雾摩地,赤虹自上下,化为黄玉,长三尺,上有刻文,孔子跪受而读之曰:‘宝文出,刘季握。卯金刀,在轸北。字禾子,天下服。’”从这些离奇古怪的神话可以看出谶纬作者那种媚帝求荣、以售其术的苦心。

整个汉代,谶纬都很盛行。王莽篡汉称帝,也大造符谶作舆论,所谓丹书著石“告安汉公莽为皇帝”②,就是露骨的一例。汉光武帝刘秀更是靠图谶起家。王莽末年,南阳郡“宛人李通等以图谶说光武云:‘刘氏复起,李氏为辅。’光武初不敢当,然独念兄伯升素结轻客,必举大事,且王莽败亡已兆,天下方乱,遂与定谋,于是乃市兵弩。十月,与李通从弟轶等起于宛,时

① 《宋书》卷27《符瑞志》,北京:中华书局1974年版,第3册,第766页。其记叙无纬名。此据日本学者安居香山、中村璋八编:《重修纬书集成》卷5,上海:上海古籍出版社1994年版,第58、64页。

② 《汉书》卷99上《王莽传》,北京:中华书局1962年版,第12册,第4078—4079页。

年二十八"①。后来刘秀势力已成,又利用《赤伏符》即皇帝位。《后汉书·光武帝纪》说:"光武先在长安时同舍生强华,自关中奉《赤伏符》,曰:'刘秀发兵捕不道,四夷云集龙斗野,四七之际火为主。'群臣因复奏曰:'受命之符,人应为大,万里合信,不议同情,周之白鱼,曷足比焉?今上无天子,海内淆乱,符瑞之应,昭然著闻,宜答天神,以塞众望。'光武于是命有司设坛场于鄗(赵州高邑县)南千秋亭五成陌。六月己未,即皇帝位。"②在当时人看来,有了这"天神"给予的"受命之符",刘秀称帝就是理所当然的了。由于光武以图谶登上帝座,更加崇信谶纬,到他临死的前三个月,即中元元年(56年)十一月"宣布图谶于天下"③,使谶纬法定化。张衡以为"图谶成于哀、平之际","《河洛》、《六艺》篇录已定,后人皮傅,无所容篡"④。李贤于此注说:"《衡集》上事云,'《河洛》五九,《六艺》四九'谓八十一篇也。"光武以法令形式使谶纬定型化,促进了神学思潮的泛滥。《后汉书·张衡传》说:"初,光武善谶,及显宗(明帝),肃宗(章帝)因祖述焉。自中兴之后,儒者争学图纬,兼复附以訞言。"⑤谶纬所反映的神学思想是多方面的,今据有关资料⑥分别略举如下:

第一,有关"天人感应"思想方面的,如:

圣人受命,瑞应先见于河,河水先清,清变白,白变赤,赤变黑,黑变黄,各三日。(《易纬乾凿度》)⑦

天子祭天地宗庙,六宗五岳,得其宜,则五谷丰,雷雨时至,四夷贡

---

① 《后汉书》卷1《光武帝纪上》,北京:中华书局1965年版,第1册,第2页。
② 《后汉书》卷1《光武帝纪上》,北京:中华书局1965年版,第1册,第21—22页。
③ 《后汉书》卷1《光武帝纪下》,北京:中华书局1965年版,第1册,第84页。
④ 《后汉书》卷59《张衡传》,北京:中华书局1965年版,第7册,第1912页。
⑤ 《后汉书》卷59《张衡传》,北京:中华书局1965年版,第7册,第1911页。
⑥ 谶纬之书在魏晋以后,屡遭禁、焚,特别是"隋炀帝即位,乃发使四出,搜天下书籍与谶纬相涉者,皆焚之,为吏所纠者至死。自是无复其学,秘府之内,亦多散亡"。见于《隋书·经籍志》,中华书局1973年版,第4册,第941页。散见于古籍所引幸而存留者,经后人辑集,亦有可观。主要有(明)孙瑴辑:《河洛谶》、《河图纬》,(清)乔松年辑:《纬捃》、刘学宠辑:《诸经纬遗》及当代日本学者安居香山、中村璋八辑:《纬书集成》等。
⑦ (南北朝)萧统编,(唐)李善注:《文选》卷53,胡刻本。

物,青白黄马,黄龙翔,黄雀集。(《礼稽命征》)①

帝贪则政暴,吏酷则诛惨。生蝗虫,贪苛之所致也。(《河图秘征篇》)②

第二,有关星占吉凶方面的,如:

日有珥,国之庆。(《河图稽耀钩》)③

月珥,期六十日,兵起。④

客星守七公,民间冤气,酿成水旱,岁多凶荒,五谷大贵。⑤

斗七星,富贵之官也。其傍二星,主爵禄;其中一星,主寿夭,常与日月五星相会。(《河图帝览嬉》)⑥

第三,关于司过之神与三尸方面的,如:

天地有司过之神,随人所犯轻重,以夺其算纪。恶事大者夺纪(纪,一年也);过小者夺算(算,一日也)。随所犯轻重,所夺有多少也。人受命得寿,自有本数,数本多者,纪算难尽,故死迟。若所禀本数以少,而所犯多者,则纪算速尽而死早也。又人身中有三尸,三尸之为物,实魂魄鬼神之属也。欲使人早死,此尸当得作鬼自放,纵游行飨,食人祭醊。每到六甲穷日辄上天,白司命道人罪过。过大者夺人纪,小者夺人算。故求仙之人,先去三尸,恬淡无欲,神静性明,积众善,乃服药有益,乃成仙。(《河图纪命符》)⑦

黄帝曰:凡人生一日(即人出生那一天),天帝赐算三万六千,又赐

① (清)乔松年:《纬捃》卷7《礼纬》,清光绪三年强恕堂刻本。

② (日)安居香山、中村璋八辑:《纬书集成》,石家庄:河北人民出版社1994年版,第1173页。

③ (日)安居香山、中村璋八辑:《纬书集成》,石家庄:河北人民出版社1994年版,第1111页。

④ (日)安居香山、中村璋八辑:《纬书集成》,石家庄:河北人民出版社1994年版,第1119页。

⑤ (日)安居香山、中村璋八辑:《纬书集成》,石家庄:河北人民出版社1994年版,第1142页。

⑥ (日)安居香山、中村璋八辑:《纬书集成》,石家庄:河北人民出版社1994年版,第1135页。

⑦ (日)安居香山、中村璋八辑:《纬书集成》,石家庄:河北人民出版社1994年版,第1196页。

纪二千。圣人得三万六千七百二十,凡人得三万六千。一纪主一岁,圣人加七百二十。(《洛书甄曜度》)①

孝顺二亲,得算二千,天司录所表事,赐算中功。(《河图握矩起》)②

第四,有关巫术去鬼方面的,如:

欲去恶鬼,五刑具,五人皆持大斧,着铁兜鍪,将之,常使去四五十步,不可令近人也。(《孝经威嬉拒》)③

颛项有三子,生而亡去,为疫鬼。一居江水,是为疟鬼魃鬼;一居若水,为魍魉;一居人宫室区隅,善惊人小儿,为小鬼。于是常以正岁十二月,令礼官方相氏,蒙熊皮,黄金四目,玄衣纁裳,执戈扬楯,帅百隶及童子,而时傩(傩神,凡十二,皆使之追恶凶)以索室,而驱疫鬼,以桃弧、苇矢、土鼓,且射之,以赤丸五谷播洒之,以除疫殃。(《礼稽命征》)④

第五,关于呼神(五岳神、四海河神、五官神)防病、却鬼术,如:

东方泰山君神,姓圆名常龙;南方衡山君神,姓丹名灵峙;西方华山君神,姓浩名郁狩;北方恒山君神,姓登名僧;中央嵩山君神,姓寿名逸群,呼之令人不病。⑤

东海君姓冯名修青,夫人姓朱名隐娥;南海君姓视名赤,夫人姓翳名逸寥;西海君姓勾大名丘百,夫人姓灵名素简;北海君姓是名禹帐里,夫人姓结名连翘。河(伯)姓公名子(或云姓吕名公子),夫人姓冯名夷君,有四海河神名,并可请之,呼之,却鬼气。⑥

① (日)安居香山、中村璋八辑:《纬书集成》,石家庄:河北人民出版社 1994 年版,第 1269 页。

② (日)安居香山、中村璋八辑:《纬书集成》,石家庄:河北人民出版社 1994 年版,第 1145 页。

③ (日)安居香山、中村璋八辑:《纬书集成》,石家庄:河北人民出版社 1994 年版,第 1030 页。

④ (日)安居香山、中村璋八辑:《纬书集成》,石家庄:河北人民出版社 1994 年版,第 1030 页。

⑤ (日)安居香山、中村璋八辑:《纬书集成》,石家庄:河北人民出版社 1994 年版,第 1151—1152 页。

⑥ (日)安居香山、中村璋八辑:《纬书集成》,石家庄:河北人民出版社 1994 年版,第 1152 页。

发神名寿长，耳神名娇女，目神名珠映，鼻神名勇卢，齿神名丹朱，夜卧三呼之，有患亦便呼之九过，恶鬼自却。（《龙鱼河雷》）①

第六，关于昆仑山与西王母，如：

地南北三亿三万五千五百里。地部之位，起形高大者，有昆仑山，广万里，高万一千里，神物之所生，圣人仙人之所集也。出五色云气，五色流水。（《河图括地象》）②

西王母居昆仑之山。（《河图玉版》）③

王母之国在西荒，凡得道受书者，皆朝王母于昆仑之阙。王褒字子登，斋戒三月，王母授以《琼花宝曜七晨素经》。茅盈从西城王君，诣白玉龟台，朝谒王母，求长生之道。王母授以《玄真之经》，又授宝书，龟散四方。洎周穆王驾鼋鼍鱼鳖，为梁以济弱水，而升昆仑玄圃阆苑之野，而会于王母，歌白云之谣，刻石纪迹于弇山之下而还。（《尚书帝验期》）④

第七，关于黄帝的神话，如：

黄帝名轩，北斗黄神之精。母地祇之女附宝，之郊野，大电绕斗，枢星耀，感附宝，生轩，胸文曰：黄帝子。（《河图始开图》）⑤

黄帝名轩辕，北斗神也，以雷精起，胸文曰：黄帝子。修德立义，天下大治。（《河图始开图》）⑥

黄帝摄政前，有蚩尤兄弟八十一人，并兽身人语，铜头铁额，食沙石子，造立兵仗刀戟大弩，威振天下，诛杀无道，不仁不慈。万民欲令黄帝

---

① （日）安居香山、中村璋八辑：《纬书集成》，石家庄：河北人民出版社 1994 年版，第 1153 页。

② （日）安居香山、中村璋八辑：《纬书集成》，石家庄：河北人民出版社 1994 年版，第 1095 页。

③ （日）安居香山、中村璋八辑：《纬书集成》，石家庄：河北人民出版社 1994 年版，第 1147 页。

④ （日）安居香山、中村璋八辑：《纬书集成》，石家庄：河北人民出版社 1994 年版，第 387 页。

⑤ （日）安居香山、中村璋八辑：《纬书集成》，石家庄：河北人民出版社 1994 年版，第 1105 页。

⑥ （日）安居香山、中村璋八辑：《纬书集成》，石家庄：河北人民出版社 1994 年版，第 1105 页。

行天子事。黄帝仁义，不能禁止蚩尤，遂不敌，乃仰天而叹。天遣玄女下，授黄帝兵信神符，制伏蚩尤，以制八方。蚩尤没后，天下复扰乱不宁。黄帝遂画蚩尤形象，以威天下。天下咸谓蚩尤不死，八方万邦，皆为殄伏。（《龙鱼河图》）①

帝伐蚩尤，乃睡梦西王母遣道人，被玄狐之裘，以符授之曰："太乙在前，天乙备后，河出符信，战则克矣。"黄帝寤，思其符，不能悉憶，以告风后，力牧。曰："此兵应也，战必自胜。"力牧与黄帝俱到盛水之侧，立坛，祭以太牢。有玄龟衔符出水中，置坛中而去。黄帝再拜稽首，受符视之，乃梦所得符也，广三寸，袤一尺。于是黄帝佩之以征，即日禽蚩尤。（《龙鱼河图》）②

黄帝即位，施圣恩，承大明，一道修德，惟仁是行。宇内和平，未见凤皇。乃召天老而问之曰："凤象何如？"天老对曰："夫凤象鸿前而麟后，蛇颈而鱼尾，龙文而龟身，燕颔而鸡喙，首戴德，颈揭义，背负仁，心入信，翼挟义，足履正，尾系武，小音金，大音鼓，延颈奋翼，五色备举。"黄帝曰："允哉，朕何敢与之焉。"于是黄帝乃服黄衣，带黄绅，戴黄冠，斋于殿中。凤乃蔽日而至。黄帝降于东阶西面，再拜稽首：皇天降祉，不敢不承命。凤乃止帝东园，集梧树，食竹实，没身不去。（《河图录运法》）③

（黄帝）乃铸鼎荆山之下，成，有龙下迎，黄帝上龙。群臣后宫从上天者，桼秩（七十）余人。小臣悉持龙坠，拔堕，黄帝弓。（《尚书中候握河纪》）④

第八，对孔子的神化，如：

---

① （日）安居香山、中村璋八辑：《纬书集成》，石家庄：河北人民出版社 1994 年版，第 1149 页。

② （日）安居香山、中村璋八辑：《纬书集成》，石家庄：河北人民出版社 1994 年版，第 1150—1151 页。

③ （日）安居香山、中村璋八辑：《纬书集成》，石家庄：河北人民出版社 1994 年版，第 1165 页。

④ （日）安居香山、中村璋八辑：《纬书集成》，石家庄：河北人民出版社 1994 年版，第 422 页。

叔梁纥与徵在祷尼丘山，感黑龙之精，以生仲尼。（《论语譔考谶》）①

太湖中洞庭山林屋洞天，即禹藏真文之所，一名包山。吴王阖闾登包山之上，命龙威丈人入包山，得书一卷，凡一百七十四字而还。吴王不识，使问仲尼，诡云："赤乌衔书以授王。"仲尼曰："昔吾游西海之上，闻童谣曰：吴王出游观震湖，龙威丈人名隐居，北上包山入灵墟，乃造洞庭窃禹书。天帝大文不可舒，此文长传六百初，今强取出丧国庐。丘按谣言，乃龙威丈人洞中得之，赤乌所衔，非丘所知也。"吴王惧。乃复归其书。（《河图绛象》）②

以上列举的资料表明，谶纬神学思想表现在各个方面：天人相互感应，星象预示吉凶；人的寿命来自"天赐"，为善作恶影响寿夭；巫术可以驱鬼，呼神亦能却鬼；昆仑山是圣人仙人集聚之所，西王母为赐授仙经、指引修道之神；黄帝原本北斗黄神，即位后一道修德，唯仁是行，最后乘龙上天；孔子是"黑龙"之种，有感天之灵，俨然是一位宗教教主。总之，谶纬神学使儒学进一步宗教化了。它吸收一些神仙思想和鬼神观念，宣传其政治伦理主张，更好地为封建统治服务，从而也为孕育和产生道教，造成了适宜的气候和土壤，并提供了一定的思想资料。

同时，鬼神崇拜、神仙思想以及黄老思潮也与宗天、谶纬神学互相搀合，奔流在汉代的思想原野上，成为道教产生的重要条件。

第二节　传统鬼神信仰与祠祀

传统的鬼神观念是道教的又一思想渊源。鬼神崇拜由来已久。早在原始社会阶段，中国古代人就有了鬼神信仰，进入阶级社会以后，人们的鬼神信仰更有发展，并被用作推行统治阶级意志的工具。孔子讲：禹"菲衣食而

① （日）安居香山、中村璋八辑：《纬书集成》，石家庄：河北人民出版社 1994 年版，第 1069 页。

② （日）安居香山、中村璋八辑：《纬书集成》，石家庄：河北人民出版社 1994 年版，第 1187 页。

致孝乎鬼神"①,这是说夏禹治水很劳苦,他宁愿衣食简单点,但孝敬鬼神的祭祀却从不马虎。殷墟卜辞表明:殷王朝尊为至上神的帝或上帝,被认为是宇宙万物的主宰,具有无限的威力和无穷的智慧,殷王朝奉之为最高保护神,遇事要由巫祝通过卜筮、祭祀,向上帝请求指示或请求福佑。

一、鬼神信仰与墨子的《天志》、《明鬼》思想

巫祝是宗教职业者,是古代文化人负责祭祀鬼神、请神除邪、解说吉凶等宗教活动。《汉书·郊祀志》谓:"民之精爽不贰,齐肃聪明者,神或降之,在男曰觋,在女曰巫,使制神之处位,为之牲器;使先圣之后,能知山川,敬于礼仪,明神之事者,以为祝;能知四时牺牲,坛场上下,氏姓所出者,以为宗。故有神民之官,各司其序,不相乱也。"②这说明祭祀时,有各司其事的神民之官,"巫、觋"是受神降的人,即沟通神与人的使者,布置神位,安排贡献;"祝"负责祭祀司仪,赞颂神灵;"宗"分管祭祀祖先,配享天帝之事。祖先崇拜的思想根源是鬼魂崇拜。古人由于不理解人的生理结构和做梦等精神现象,以为灵魂可以独立于人体之外,人死后离开了人体的灵魂即称之为"鬼"。《礼记·祭法》说:"人死曰鬼。"《礼记·祭义》称:"众生必死,死必归土,此之谓鬼。"《说文解字》道:"人归为鬼。"既然已去世的祖先的灵魂(鬼)仍然存在,那么,在以血缘关系为纽带的古代宗法社会里,对祖先的崇敬必然反映在对祖先鬼魂的崇拜上。而殷周的统治者又称他们的祖先(鬼魂)是在天上侍候上帝,所以祭祀天、上帝时,要以其祖宗配祭。周公规定:"郊祀后稷以配天,宗祀文王于明堂以配上帝。"③把崇拜昊天上帝与崇拜祖宗神灵一致起来,谓之"尊天敬祖"。人间世界有了贵贱尊卑,鬼神世界也有了上下等级,祭祀神灵也就有了相应的等级规定。《周官》曰:"冬日至,祀天于南郊,迎长日之至;夏日至,祭地祇。皆用乐舞,而神乃可得而礼也。

---

① 程树德撰,程俊英、蒋见元点校:《论语·泰伯》,《论语集释》,北京:中华书局1990年版,第2册,第561页。

② 《汉书》卷25上《郊祀志》,北京:中华书局1962年版,第4册,第1189页。

③ 《史记》卷28《封禅书》,北京:中华书局1959年版,第4册,第1357页。

天子祭天下名山大川，五岳视三公，四渎视诸侯，诸侯祭其疆内名山大川。”①“大夫祭门、户、井、灶、中霤②五祀，士庶人祖考而已。各有典礼，而淫祀有禁。”③

到春秋战国时期，随着封建制取代奴隶制的发展，兴起了一股怀疑和否定鬼神的思潮，传统的昊天、上帝、鬼神观念受到猛烈冲击。这时，仍有人站出来宣扬天的意志和鬼神的存在，其突出代表就是墨子的《天志》、《明鬼》的思想。

墨子（约前 480—前 420 年），名翟，墨家的创始人，其《天志》、《明鬼》系《墨子》一书的篇章。

墨子所说的“天”是有意志的能赏善罚恶的最高神，他说：“天子为善，天能赏之；天子为暴，天能罚之；天子有疾病祸祟，必斋戒沐浴，洁为酒醴粢盛，以祭祀天鬼，则天能除去之。”④“故昔三代圣王禹、汤、文、武，欲以天之为政于天子，明说天下之百姓，故莫不刍牛羊，豢犬彘，洁为粢盛酒醴，以祭祀上帝鬼神，而求祈福于天。”⑤

墨子所说“天意”的内容，就是他主张的“兼爱”、“非攻”。他说：“天之意不欲大国之攻小国也，大家之乱小家也，强之暴寡，诈之谋愚，贵之傲贱，此天之所不欲也。不止此而已。（天）欲人之有力相营，有道相教，有财相分也。又欲上之强听治也，下之强从事也。上强听治则国家治矣，下强从事则财用足矣。”⑥又说：“顺天意者，兼相爱，交相利，必得赏；反天意者，别相恶，交相贼，必得罚。”“昔三代圣王禹、汤、文、武，此顺天意而得赏也；昔三代之暴王桀、纣、幽、厉，此反天意而得罚者也。”因为禹汤文武“其事上尊天，中事鬼神，下爱人。故天意曰，‘此之我所爱，兼而爱之；我所利，兼而利之。爱人者此为博焉，利人者此为厚焉。’故使贵为天子，富有天下，业万世

① 《史记》卷 28《封禅书》，北京：中华书局 1959 年版，第 4 册，第 1357 页。
② 韦昭曰：古者穴居，故名室中为中霤。
③ 《汉书》卷 25 上《郊祀志》，北京：中华书局 1962 年版，第 4 册，第 1193—1194 页。
④ 王焕镳：《墨子 · 天志中》，《墨子集诂》，上海：上海古籍出版社 2005 年版，第 655 页。
⑤ 王焕镳：《墨子 · 天志上》，《墨子集诂》，上海：上海古籍出版社 2005 年版，第 641 页。
⑥ 王焕镳：《墨子 · 天志中》，《墨子集诂》，上海：上海古籍出版社 2005 年版，第 658—659 页。

子孙,传称其善。方施天下,至今称之,谓之圣王”。而桀纣幽厉,“其事上诟天,中诟鬼,下贼人。故天意曰,‘此之我所爱,别而恶之;我所利,交而贼之。恶人者,此为之博也;贱人者,此为之厚也。’故使不得终其寿,不殁其世。至今毁之,谓之暴王。”[①]可见,墨子所说的天意,实际是他自己的意志,是为了推行他的政治主张所虚构的神圣的权威。而且他也用这个神圣的天志,作为衡量是非曲直的标准。他声称:“我有天志,譬若轮人之有规,匠人之有矩。轮匠执其规矩,以度天下之方圆。曰:中者是也,不中者非也。今天下之士君子之书,不可胜载,言语不可尽计。上说诸侯,下说列士。其于仁义,则大相远也。何以知之?曰:我得天下之明法以度之。”[②]在列国争霸竞雄的时代,墨子主张的兼爱、非攻,只是善良的愿望和美好的幻想,他想用天志的权威推行其政治主张的企图,终究也是一种天真的想法。然而,他重申了天的意志和赏善罚恶的至上权威,却在中国宗教思想发展史上,有着承前启后的意义。

墨子有《明鬼》上、中、下三篇,上、中篇已佚,从流传下来的《明鬼》下篇看,其主要思想,正如孙诒让《墨子间诂·明鬼下》注所说:“明鬼神之实有也。”墨子在同“执无鬼者”的辩论中,从以下三个方面论证了“鬼神实有”:

第一,众之所同见与众之所同闻。墨子说:“昔者杜伯是也。周宣王杀其臣杜伯而不辜,杜伯曰:‘吾君杀我而不辜,若以死者为无知则止矣,若死而有知,不出三年,必使吾君知之。’其三年,周宣王合诸侯而田于圃田,车数百乘,从数千,人满野。日中,杜伯乘白马素车,朱衣冠,执朱弓,挟朱矢,追周宣王,射之车上,中心,折脊,殪车中,伏弢而死。当是之时,周人从者莫不见,远者莫不闻,著在周之《春秋》,为君者以教其臣,为父者以儆其子,曰:戒之!慎之!凡杀不辜者,其得不祥。鬼神之诛,若此之憯遬(速疾)也。以若书之说观之,则鬼神之有,岂可疑哉!”[③]接着又举出昔者郑穆公遇

① 王焕镳:《墨子·天志上》,《墨子集诂》,上海:上海古籍出版社 2005 年版,第 643—646 页。

② 王焕镳:《墨子·天志上》,《墨子集诂》,上海:上海古籍出版社 2005 年版,第 649—650 页。

③ 王焕镳:《墨子·明鬼下》,《墨子集诂》,上海:上海古籍出版社 2005 年版,第 731—737 页。

神（神名“句芒”）奉帝命赐寿十年有九；燕简公杀其臣庄子仪而不辜；齐庄君之臣三里国、中里徼盟神断狱等事例，证明“鬼神之有岂可疑哉”！[①]

第二，以三代圣王为法，即三代圣王都是很重视祭祀的。墨子说：“昔者武王之攻殷诛纣也，使诸侯分其祭，曰使亲者受内祀，疏者受外祀，故武王必以鬼神为有，是故攻殷伐纣，使诸侯分其祭。若鬼神无有，则武王何祭分哉？”接着墨子又讲到“故圣王其赏也必于祖，其僇也必于社”，证明有祖神、社神存在。他在谈及三代之圣王虔诚隆重地祭祀宗庙后指出：“古者圣王必以鬼神为（有），其务鬼神厚矣。”[②]

第三，墨子认为，先王之书屡有鬼神的记载。例如，“《大雅》曰：‘文王在上，于昭于天。周虽旧邦，其命维新。有周不显，帝命不时。文王陟降，在帝左右。穆穆文王，令问不已。’若鬼神无有，则文王既死，彼岂能在帝之左右哉？此吾所以知周书之鬼也。”[③]他又说：《商书》讲“山川鬼神之所以莫敢不宁者”[④]，《夏书 · 禹誓》所谓“岁于社者考，以延年寿”[⑤]，“若无鬼神，彼岂有所延年寿哉？”[⑥]这些都是关于有鬼神的记载。

墨子不仅从人民的闻见、圣王的祭祀、史书的记载等证明有鬼神，而且把天下古今之鬼神分为三类：“有天鬼，亦有山水鬼神者，亦有人死而为鬼者。”[⑦]这就使“鬼”的范围，由“人死为鬼”扩大到天鬼、山川鬼神，为祭祀天地和亡灵提供了鬼神的依据。他认为祭祀鬼神的目的在于“上以交鬼（神）之福，下以合驩聚众，取亲乎乡里”[⑧]，所以他最后归结为，“今天下之王公大人士君子，中实将欲求兴天下之利，除天下之害，当若鬼神之有也，将不可不尊明也，圣王之道也”[⑨]。在墨子看来，统治者想兴利除害，就应把鬼神当成

---

① 王焕镳：《墨子 · 明鬼下》，《墨子集诂》，上海：上海古籍出版社 2005 年版，第 741 页。
② 王焕镳：《墨子 · 明鬼下》，《墨子集诂》，上海：上海古籍出版社 2005 年版，第 765 页。
③ 王焕镳：《墨子 · 明鬼下》，《墨子集诂》，上海：上海古籍出版社 2005 年版，第 768—769 页。
④ 王焕镳：《墨子 · 明鬼下》，《墨子集诂》，上海：上海古籍出版社 2005 年版，第 772 页。
⑤ 王焕镳：《墨子 · 明鬼下》，《墨子集诂》，上海：上海古籍出版社 2005 年版，第 779 页。
⑥ 王焕镳：《墨子 · 明鬼下》，《墨子集诂》，上海：上海古籍出版社 2005 年版，第 782 页。
⑦ 王焕镳：《墨子 · 明鬼下》，《墨子集诂》，上海：上海古籍出版社 2005 年版，第 800 页。
⑧ 王焕镳：《墨子 · 明鬼下》，《墨子集诂》，上海：上海古籍出版社 2005 年版，第 805 页。
⑨ 王焕镳：《墨子集诂》，上海：上海古籍出版社 2005 年版，第 805—806 页。

真有其事，认真对待祭祀活动。敬事鬼神，可以受其保佑赐福，也可与群众欢聚一起，得到他们的拥护，他称这是“圣王之道”。所以墨子的“明鬼”，有着以敬事鬼神、凝聚民心的作用。它同《易·观卦彖辞》所谓“圣人以神道设教而天下服矣”有异曲同工之妙，对以后鬼神崇拜的发展和鬼神道教的产生，均有着不可忽视的影响。

墨子的尊天、明鬼和兼爱、互助的思想被道教所吸收，道徒并将某些神仙方技依托于墨子。晋葛洪《抱朴子内篇·金丹》篇记有《墨子丹法》，《遐览》篇记有言“变化之术”的《墨子五行记》，称“其法用药用符，乃能令人飞行上下，隐沦无方，含笑即为妇人，蹙面即为老翁，踞地即为小儿，执杖即成林木，种物即生瓜果可食，画地为河，撮壤成山，坐致行厨，兴云起火，无所不作也”①。葛洪把墨子纳入《神仙传》，称其外治经典，内修道术，精思道法，想像神仙，后得神人授书，“乃得地仙”。并说他“隐居以避战国，至汉武帝时，遣使者杨违，束帛加璧以聘墨子，墨子不出，视其颜色，常如五十许人”②。从这些神仙方术的传说中，足以看出墨子对后世道教的影响。

二、“五行”观念与鬼神崇拜的结合

鬼神信仰与“五行”观念结合形成的五方五色神灵，亦为道教所吸取。

“五行”本是五种物质元素，而被人们逐步赋予道德属性和神性。中国古代人，在长期的生产实践中，逐步认识到水、火、木、金、土的特性和作用。《尚书·洪范》篇把这“五行”，摆在“洪范九畴”的首位：“一、五行：一曰水，二曰火，三曰木，四曰金，五曰土。水曰润下，火曰炎上，木曰曲直，金曰从革，土爰稼穑。润下作咸，炎上作苦，曲直作酸，从革作辛，稼穑作甘。”说明水、火、木、金、土这五种物质，各具有不同的性质和味道。《国语·郑语》载史伯的话说：“先王以土与金木水火杂以成百物。”说明它们是构成百物的基本物质元素。但这“五行”所具有的特性，仅仅是其自身的自然属性，绝没有包含任何社会道德属性的意思。

---

① 王明：《抱朴子内篇校释》，北京：中华书局1985年版，第337页。

② （晋）葛洪：《神仙传》卷8，《增订汉魏丛书》，上海：大通书局1911年版，第33册，第43页。

到战国时代，齐人邹衍“论著终始五德之运”①，给五行赋予德性，以说明王朝更替的原因和趋势。邹衍认为，历史的发展，是依照“五行相胜”的循环顺序进行的。由土德开始，木胜土，金胜木，火胜金，水胜火，最后又是土胜水这样的顺序循环。具体到以往的朝代，邹子曰：“五德从所不胜，虞土，夏木，殷金，周火。”②《吕氏春秋 · 应同篇》进一步阐发了这个观点：“凡帝王者之将兴也，天必先见祥乎下民。黄帝之时，天先见大螾大蝼，黄帝曰：‘土气胜。’土气胜，故其色尚黄，其事则土。及禹之时，天先见草木，秋冬不杀，禹曰：‘木气胜。’木气胜，故其色尚青，其事则木。及汤之时，天先见金刃生于水，汤曰：‘金气胜。’金气胜，故其色尚白，其事则金。及文王之时，天先见火赤乌衔丹书，集于周社，文王曰：‘火气胜。’火气胜，故其色尚赤，其事则火。代火者必将水，天且先见水气胜。水气胜，故其色尚黑，其事则水。水气至而不知，数备将徒于土。”③这里明确说，五德是根据天现祥瑞决定的，是天命谁将兴起为帝王的征兆，“终始五德之运”也就是“天意”。这同前面邹子所说的相比较，除以黄帝取代了虞舜所居的土德位置外，其余夏木、商金、周火全都一样，而且指出了“代火者必将水”的发展趋势及与五行相应的黄、青、白、赤、黑等五种颜色，内容显得更充实一些。

秦始皇并有天下称帝时，采用了邹衍之徒“终始五德之运”的说法，“以为周得火德，秦代周德，从所不胜。方今水德之始，改年始，朝贺皆自十月朔。衣服旄旌节旗皆上黑。数以六为纪，符、法冠皆六寸，而舆六尺，六尺为步，乘六马。更名河曰德水，以为水德之始。刚毅戾深，事皆决于法，刻削毋仁恩和义，然后合五德之数”④。秦得水德的根据是什么？据说是“昔秦文公出猎，获黑龙，此其水德之瑞”⑤。水能胜火，故得水德的秦，取代得火德的周，乃是“天意”所归。这就是邹子之徒以所谓终始五德之运的理论说明王朝更替的实际意义。基于这种思想，一个新起的统治势

① 《史记》卷28《封禅书》，北京：中华书局1959年版，第4册，第1368页。
② 《文选》卷59《齐故安陆昭王碑文》李善注引，《四部丛刊》集部第30册，第36页。
③ 据《七略》谓：“吕览所述，邹子佚文也。”
④ 《史记》卷6《秦始皇本纪》，北京：中华书局1959年版，第1册，第237—238页。
⑤ 《史记》卷28《封禅书》，北京：中华书局1959年版，第4册，第1366页。

力，要取代旧有的统治势力，也就需要制造合乎五德之运的某一德来表明“天意”。

汉代董仲舒在前人的思想基础上，对五行的顺序重新安排，提出“比相生而间相胜”①的主张，并赋予“五行”以方位、时节和道德伦常的意义。他说：“天有五行，一曰木，二曰火，三曰土，四曰金，五曰水。”②所谓“比相生”，就是按此顺序比邻相生，他管这叫作父子关系，即“木生火，火生土，土生金，金生水，水生木，此其父子也。”③所谓“间相胜”，就是按此顺序间隔相胜，即木胜土，土胜水，水胜火，火胜金，金胜木。如下图所示：

董仲舒说五行分布的位置是，“木居左，金居右，火居前，水居后，土居中央”，其相对方位的时节为，“木居东方而主春气，火居南方而主夏气，金居西方而主秋气，水居北方而主冬气，土居中央……兼及四时”④。他又规定五方五行相应的职司、德性及例官是：“东方者木，农之本，司农尚仁”，“召公是也”；“南方者火也，本朝司马尚智”，“周公是也”；“中央者土，君官也，司营尚信”，“太公是也”；“西方者金，大理司徒也，司徒尚义”，“子胥是也”；“北方者水，执法司寇也，司寇尚礼”，“孔子是也”⑤。董仲舒关于五行

① (汉)董仲舒：《春秋繁露》卷13《五行相生》，(清)苏舆撰，钟哲点校：《春秋繁露义证》，北京：中华书局1992年版，第362页。

② (汉)董仲舒：《春秋繁露》卷11《五行之义》，(清)苏舆撰，钟哲点校：《春秋繁露义证》，北京：中华书局1992年版，第321页。

③ (汉)董仲舒：《春秋繁露》卷11《五行之义》，(清)苏舆撰，钟哲点校：《春秋繁露义证》，北京：中华书局1992年版，第321页。

④ (汉)董仲舒：《春秋繁露》卷11《五行之义》，(清)苏舆撰，钟哲点校：《春秋繁露义证》，北京：中华书局1992年版，第322页。

⑤ (汉)董仲舒：《春秋繁露》卷13《五行相生》，(清)苏舆撰，钟哲点校：《春秋繁露义证》，北京：中华书局1992年版，第365页。

的这些对应规定，可列表如下：

五行	位置	方向	时气	职司	德性	例官
木	左	东	春	司农	仁	召公
火	前	南	夏	司马	智	周公
土	中央	中央	兼四时	司营	信	太公
金	右	西	秋	司徒	义	子胥
水	后	北	冬	司寇	礼	孔子

这里，董仲舒赋予五行以仁、义、礼、智、信的道德属性，而且还说“故五行者，乃孝子忠臣之行也”①以证明封建道德规范的合理性。同时他又以古代圣贤周公、孔子等作为仁、义、礼、智、信的体现者，使五行的道德属性拟人化、形象化，从而成为五行神灵化的先声。

《淮南子 · 天文》则进一步把五行与五方、五帝、五佐、五执、五治、五星(神)、五兽、五音、五日(天干)统一搭配起来，它说：

> 东方，木也，其帝太皞，其佐句芒，执规而治春，其神为岁星(木星)，其兽苍龙，其音角，其日甲乙。
>
> 南方，火也，其帝炎帝，其佐朱明，执衡治夏，其神为荧惑(火星)，其兽朱鸟，其音徵，其日丙丁。
>
> 中央，土也，其帝黄帝，其佐后土，执绳而制四方，其神为镇星(土星)，其兽黄龙，其音宫，其日戊己。
>
> 西方，金也，其帝少昊，其佐蓐收，执矩而治秋，其神为太白(金星)，其兽白虎，其音商，其日庚辛。
>
> 北方，水也，其帝颛顼，其佐玄冥，执权而治冬，其神为辰星(水星)，其兽玄武，其音羽，其日壬癸。②

可列表如下：

① (汉)董仲舒:《春秋繁露》卷11《五行之义》,(清)苏舆撰，钟哲点校:《春秋繁露义证》,北京:中华书局1992年版，第321页。

② 《道藏》第28册，第19页。

五方	五行	五帝	五佐	执物	治时	神名	兽名	五音	日
东	木	太昊	句芒	规	春	岁星	苍龙	角	甲乙
南	火	炎帝	朱明	衡	夏	荧惑	朱鸟	徵	丙丁
中央	土	黄帝	后土	绳	四方	镇星	黄龙	宫	戊己
西	金	少昊	蓐收	矩	秋	太白	白虎	商	庚辛
北	水	颛顼	玄冥	权	冬	晨星	玄武	羽	壬癸

《淮南子》以五行与五方、五帝、五佐、五执、五治、五神、五兽、五音、五日（天干）相应搭配的结果，就使整个宇宙成为由“五”组合的机械图式。其中把五位祖先列为代表五行的五帝，配以助手，执以信物，分掌五方、四时，而与五星、五兽、五音、五日相对应，象征（人类）祖先神灵与五行结合以支配世界的意义，五行被正式神化了。

随后，《河图》又有发展，使五行神，成为五方五色神，神的名称、形象，亦有新意。它说：

东方青帝灵威仰，木帝也；
南方赤帝赤熛怒，火帝也；
中央黄帝含枢纽，土帝也；
西方白帝白招拒，金帝也；
北方黑帝叶光纪，水帝也。

东方苍帝，体为苍龙，其人长头面大，角骨起眉，背丰博，顺金授火。

南方赤帝，体为朱鸟，其人尖头圆面，方颐长目，小上广下，须髯偃胸，顺水授土。

中央黄帝，体为轩辕，其人面方广颡，兑颐缓唇，背丰厚，顺木授金。

西方白帝，体为白虎，其人方颡直面，兑口大鼻小角，顺火授水。

北方黑帝，体为玄武，其人夹面，兑头，深目厚耳，垂腹反羽，顺土授木。①

① ［日］安居香山、中村璋八辑：《纬书集成》，石家庄：河北人民出版社 1994 年版，1247—1249 页。

综合以上两段的内容,《河图》关于五行的神性,可作如下的图示:

五行神	五方五色帝	神名	神体
木帝	东方仓帝	灵威仰	苍龙
火帝	南方赤帝	赤熛怒	朱鸟
土帝	中央黄帝	含枢纽	轩辕
金帝	西方白帝	白招拒	白虎
水帝	北方黑帝	叶光纪	玄武

从上述可见,《淮南子》、《河图》都在使五行神化,《淮南子》着重在展示五行神的广大职司,而《河图》则着重于描绘五行神的具体形象,二者互为补充。这样,五行说就由杂成百物的朴素元素论转变为终始五德之运的循环论,发展为由五行及其神灵构成宇宙的机械图式,进而演化成具有道德属性和有名有形的五方五色神。五行运式的这种发展变化,表明了古人利用五行学说,解释、类比复杂的自然现象以及为王朝统治辩护的企图,反映了五行思想与鬼神信仰的相互影响,也是道教的鬼神系统和理论成分的重要来源之一。

三、秦汉王朝的鬼神祠祀

秦自襄公起,对天帝鬼神的祠祀不断增多。《史记》说:秦襄公既侯,居西垂,自以为主少皞之神,作西畤(畤,备祭祀用的神坛)祠白帝。秦文公梦黄蛇白天下属地,其口止于鄜衍,史敦曰:"此上帝之征,君其祠之",于是作鄜畤,郊祭白帝;又作陈宝祠来神。秦德公都雍,作伏祠,磔狗邑四门,以御蛊菑。秦宣公作密畤于渭南,祭青帝。秦灵公作吴阳上畤,祭黄帝;作下畤,祭炎帝。栎阳雨金,秦献公自以为得金瑞,故作畦畤栎阳而祀白帝。秦国统治者主要祭祀白帝,又逐步扩大祭青帝、黄帝和炎帝,反映了他们随着实力的增长,已不甘心局限于西垂的政治欲望。

秦并天下后,祠神更甚。秦始皇即帝位三年,东巡郡县,效古代帝王祭泰山、梁父,行封禅典礼,刻石立碑,歌功颂德,表明其"天命以为王,使理群生,告太平于天,报群神之功”。继又东游海上,行礼祠名山大川及八神。八神为齐地所祀之神:一曰天主,祠天齐;二曰地主,祠泰山梁父;三曰兵主,祠蚩尤;四曰阴主,祠三山;五曰阳主,祠之罘;六曰月主,祠莱山;七曰日主,祠成山;八曰四时主,祠琅邪。而秦皇经过时尽祠之。令祠官所常奉天地名山大川鬼神略为:自殽山以东,名山五,大川祠二,曰太室(即嵩高)、恒山、泰山、会稽、湘山。水曰济,曰淮。自华山以西,名山七,名川四。曰华山、薄山、岳山、岐山、吴岳、鸿冢、渎山(蜀之汶山)。水曰河,祠临晋;沔,柯汉中;湫渊,祠朝那;江水,祠蜀。霸、产、长水、沣、涝、泾、渭皆非大川,以近咸阳,尽得比山川祠。而雍有日、月、参、辰、南北斗、荧惑、太白、岁星、镇星、二十八宿、风伯、雨师、四海、九臣、十四臣、诸布、诸严、诸逑之属,百有余庙。秦之旧都陇西之西县亦有数十祠。唯雍四畤祠上帝(白、青、黄、赤帝)最为尊贵,其参加祭祀的规模之盛大与隆重,只有陈宝才能与之相比。它们都是四季祠祀,春、夏用赤黄色马,秋冬用赤色黑鬃马,每畤用驹四匹,木龙形系铃车一驷,木禺车马一驷,各如其帝色。黄犊羔各四,珪币各有数,皆生瘗埋,无俎豆之具。三年一郊祭,举烽火,参加祭祀的皇帝及其臣民,穿上白衣,拜于咸阳之旁,其祭祀用品与常祠同。诸此祠皆太祝常主,以岁时奉祠之。其他名山川诸鬼及八神之属,上过则祠,去则已。郡县远方神祠者,民各自奉祠,不领于天子之祝官。

汉承秦制,对秦的一套祠神制度基本承袭下来,并有所发展。汉高祖二年,东击项羽而还,入关,问:“故秦时上帝祠何帝也?”对曰:“四帝,有白、青、黄、赤帝之祠。”高祖曰:“吾闻天有五帝,而有四,何也?”莫知其说。于是高祖曰:“吾知之矣,乃待我而具五也。”乃立黑帝祠,命曰北畤。有司进祠,上不亲往。悉召故秦祝官,复置太祝、太宰,如其故仪礼。因令县为公社,下诏曰:“吾甚重祠而敬祭。今上帝之祭及山川诸神当祠者,各以其时礼祠之如故。”①后四岁,天下已定,诏御史令丰谨治枌榆社,常以四时春以羊彘祠之。令祝官立蚩尤祠于长安。长安置祠祝官、女巫。其梁巫祠天、地、天社、天水、房中、堂上之属;晋巫祠五帝、东君、云中、司命、巫社、巫祠、族人、先炊之属;秦巫祠社主、巫保、族累之属;荆巫祠堂下、巫先、司命、施糜

① 《史记》卷28《封禅书》,北京:中华书局1959年版,第4册,第1378页。

之属;九天巫祠九天。皆以岁时祠宫中。其河巫祠河于临晋,而南山巫祠南山秦中,秦中者二世皇帝。各有时。其后又令郡国县立灵星祠,常以岁时祠以牛。令县常以春二月及腊祠社稷以羊豕,民里社各自财以祠。

汉文帝在位时,为上帝诸神增加祭祀礼品,增雍五畤路车各一乘,驾被具。西畤、畦畤禺车各一乘,禺马四匹,驾被具;其河、湫、汉水加玉各二;及诸祠,各增广坛场,珪币俎豆以差加之。又作渭阳五帝庙,立五帝坛。

汉武帝即位,"尤敬鬼神之祀",新增了不少神祠。《史记·封禅书》云:亳人谬忌奏祠太一方,曰:"天神贵者太一,太一佐曰五帝。古者,天子以春秋祭太一东南郊,用太牢,七日,为坛开八通之鬼道。"于是天子令太祝立其祠长安东南郊,常奉祠如忌方。其后有人上书,言:"古者天子三年一用太牢祠神三一:天一、地一、太一。"天子许之,令太祝领祠之于忌太一坛上,如其方。后人复有上书,言:"古者天子常以春解祠[①],祠黄帝用一枭破镜;冥羊用羊祠;马行用一青牡马;太一、泽山君地长用牛;武夷君用干鱼;阴阳使者以一牛。"令祠官领之如其方,而祠于忌太一坛旁。[②]

这里新增的诸神中,最高贵的是天上的太一神,原来的五帝只不过是太一的助手,在平行的五帝之上出现一个最高的太一神,这是建立了统一的封建国家的中央集权制得到进一步加强的反映。为了在神位上表明"太一佐曰五帝"的尊卑关系,又"令祠官宽舒等具太一祠坛,(祠)坛放薄忌太一坛,坛三垓。五帝坛环居其下,各如其方,黄帝西南,除八通鬼道"[③]。在祭祀礼物上,"太一,所用如雍一畤物,而加醴枣脯之属,杀一狸牛以为俎豆牢具,而五帝独有俎豆醴进。其下四方地,为醊食群神从者及北斗云。"[④]束在祝官衣着色彩方面,太一祝宰则衣紫及绣,五帝各如其色,日赤,月白。

奉祠太一与巫道结合,颇具神秘意味。据《史记》卷 28《封禅书》载:汉武帝曾患重病于鼎湖,巫医无所不致,不愈。"游水发根言上郡有巫,病而鬼神下之。上召置祠之甘泉。及病,使人问神君。神君言曰:'天子无忧

---

① 《史记索隐》云:"谓祠祭以解殃咎,求福祥也。"

② 参见《史记》卷 28《封禅书》,北京:中华书局 1959 年版,第 4 册,第 1386 页。

③ 《史记》卷 28《封禅书》,北京:中华书局 1959 年版,第 4 册,第 469 页。

④ 《史记》卷 28《封禅书》,北京:中华书局 1959 年版,第 4 册,第 469 页。

病，病少愈，强与我会甘泉。'于是病愈，遂起，幸甘泉，病良已。大赦，置寿宫神君。寿宫神君最贵者太一，其佐曰大禁、司命之属，皆从之。非可得见，闻其言，言与人音等。时去时来，来则风肃然。居室帷中。时昼言，然常以夜。天子祓（洁也），然后入。因巫为主人，关饮食。所以言，行下。又置寿宫、北宫，张羽旗，设供具，以礼神君。神君所言，上使人受书其言，命之曰'画法'。其所语，世俗之所知也，无绝殊者，而天子心独喜。其事秘，世莫知也。"①这个世莫之知的秘事，经司马迁披露，使世人得知其大体。但奇怪的是，汉武帝的病，为什么经神君一说就好了呢？是巫术的灵验，还是病人的心理作用？或者是武帝本来就没有什么大病呢？内中原因仍不得解。不过，由此足以看出，汉武帝对巫道、鬼神特别是太一的崇奉之深。

供奉太一神君，不仅为了除病，就是征战，也要向太一祈祷。"为伐南越，告祷太一。以牡荆画幡日月北斗登龙，以象太一三星，为太一锋，命曰'灵旗'。为兵祷，则太史奉以指所伐国。"②这种祷告仪式，又显出巫术色彩，太一神成为战争的保护神。甚至在灭两越后，听信越人勇之言："越人俗鬼，而其祠皆见鬼，数有效。昔东瓯王敬鬼，寿百六十岁。"③乃令越巫立越祝祠，安台无坛，亦祠天神上帝百鬼，而以鸡卜。

概括说来，汉武帝所兴祠"太一、后土，三年亲郊祠，建汉家封禅，五年一修封。薄忌太一及三一、冥羊、马行、赤星，五，宽舒之祠官以岁时致礼。凡六祠，皆太祝领之。至如八神诸神，明年、凡山他名祠，行过则祠，行去则已。方士所兴祠，各自主，其人终则已，祠官不主。他祠皆如其故"④。

由于统治者的提倡，祠奉鬼神的数量不断增多。汉成帝刘骜（前 33—前 7 年在位）时，"长安厨官县官给祠郡国候神方士使者所祠，凡六百八十三所"，"本雍旧祠二百三所"。到哀帝刘欣（前 7—前 1 年在位）继位，"尽复前世所常兴诸神祠官，凡七百余所，一岁三万七千祠云"。王莽（9—23 年在位）崇拜鬼神更滥，他篡汉后，"遂崇鬼神淫祀，至其末年，自天地六宗以

① 《史记》卷 28《封禅书》，北京：中华书局 1959 年版，第 4 册，第 1388 页。
② 《史记》卷 28《封禅书》，北京：中华书局 1959 年版，第 4 册，第 1395 页。
③ 《史记》卷 28《封禅书》，北京：中华书局 1959 年版，第 4 册，第 1399—1400 页。
④ 《史记》卷 28《封禅书》，北京：中华书局 1959 年版，第 4 册，第 1403 页。

下至诸小鬼神，凡千七百所，用三牲鸟兽三千余种。后不能备，乃以鸡当鹜雁，犬当麋鹿。”①

以图谶起家的东汉光武帝，奠都洛阳后，也重鬼神之事，他“起高庙，建社稷于洛阳，立郊兆于城南，始正火德，色尚赤”②。关于“立郊兆于城南”，《续汉书》有云：“制郊兆于洛阳城南七里，为坛，八陛，中又为重坛，天地位皆在坛上。其外坛上为五帝位，青帝位在甲寅，赤帝位在丙巳，黄帝位在丁未，白帝位在庚申，黑帝位在壬亥。其外为墙，重营皆紫，以象紫宫，营有通道以为门，日月在营内南道，日在东，月在西。北斗在北道之西。外营、中营凡千五百一十四神，高皇帝配食焉。北郊在洛阳城北四里，方坛，四陛。地祇位南面，西上；高皇后配西面，皆在坛上；地理群后从食，皆在坛下；中岳在未，四岳各依其方。淮、海俱在东，河在西，济在北，江在南，余山川各如其方。”南郊、北郊二坛，把天神、地祇、山川神灵都供在上面，祭祀起来确也简便得多。但所祠奉的神灵却也不少，仅南郊的外营、中营，即有1514神。

鬼神崇拜由来已久，秦汉王朝各代统治者对鬼神的广泛崇奉，乃是当时社会上普遍存在的宗教迷信思潮的反映，这种普遍存在的宗教迷信思潮，为产生新的宗教或接受外来宗教造就了适宜的气氛。

第三节　先秦的神仙思想与方仙道

道教以求长生不死、修道成仙为主要目标，神仙思想是道教理论的重要组成部分。但神仙思想并不是从道教开始才有的，早在道教出现很久以前就存在了。

一、先秦神仙思想

《山海经》关于“不死之山”（《海内经》）、“不死之国”（《大荒南经》）、

① 《汉书》卷25下《郊祀志》，北京：中华书局1962年版，第4册，第1270页。
② 《后汉书》卷1上《光武帝纪》，北京：中华书局1965年版，第1册，第27页。

"不死之药"(《海内西经》)和"不死民"(《海外南经》)以及大荒之中"有灵山,巫咸、巫即、巫肦、巫彭、巫姑、巫真、巫礼、巫抵、巫谢、巫罗十巫,从此升降,百药爰在"[①](《大荒西经》)的记载,表明了古人对于长生不死的向往。随着社会的进步,养生术和医药学的发展,人们取得了强身祛病、延年益寿的某些成就,出现了一些神奇长寿的传说人物。例如殷大夫彭祖,姓篯名铿,"常食桂芝,善导引行气","历夏至殷末",在世"八百余岁"[②]。又如,自称黄帝之师的容成公,"见于周穆王,能善补导之事,取精于玄牝","发白更黑,齿落更生,事与老子同,亦云老子师也"[③]。还有楚狂接舆陆通,"好养生,食橐卢木实及芜菁子,游诸名山,在蜀峨眉山,上(人)世世见之,历数百年去"[④],等等,也反映了古代人探求长生久视的美好愿望。人们又在海市蜃楼的幻景启示下,想象人世之外有一个神仙世界,这种神仙世界,或在茫茫大海的神山之中,或在高耸入云的崇山之巅,或在虚无缥缈的云天之上,认为那里住有逍遥自在、长生不死的神仙,他们有不死之方药,能帮助世人不死,成为仙人。传说居住在昆仑山上,曾经与周穆王宴饮、唱和的西王母[⑤],就有不死之药,羿的妻子姮娥(即嫦娥)偷服后,飞升到月宫去了。[⑥]这虽是一个虚构的神话故事,却也在一定程度上透露出一些古人希冀不死之药以成仙的心理。从春秋战国直到秦汉,这种服药不死、摄养长生的神仙思想,经一些学者论述,方士鼓吹,帝王崇信而得以广泛流传,为道教所继承和发展,成为中国道教有别于其他宗教的一大显著特征。现就作为道教重要渊源的神仙思想,作一简要的历史回顾。

---

① 郭璞注云:"群巫上下此山采之也。"袁珂释曰:"经言'十巫从此升降',即从此上下于天,宣神旨、达民情之意。灵山盖山中天梯也。"见于袁珂:《山海经校注》,上海:上海古籍出版社1980年版,第397页。实际上,古时巫医不分,二说均有其理,不妨统解之。

② 《列仙传》,《道藏》第5册,第66页。

③ 《列仙传》,《道藏》第5册,第65页。

④ 《列仙传》,《道藏》第5册,第67页。

⑤ 《穆天子传》卷三云:"乙丑,(穆)天子觞西王母于瑶池之上",并相互唱和。见于《道藏》第5册,第40页。

⑥ 参见《淮南子·览冥》曰:"羿请不死之药于西王母,姮娥窃以奔月。"见于《道藏》第28册,第47页。

在先秦诸子中，论述摄生和神仙较多的当推道家，特别是《老子》、《庄子》这两部道家的代表著作，对以后神仙思想和道教的形成与发展，有着巨大影响。道家以“道”为其学说的最高范畴，认为“道”是宇宙万物的本源，是事物变化的规律，主张清静无为，顺乎自然，为人们治国治身应遵循的道路。就治身而论，道家承认有“长生久视之道”。《老子》就讲：“深根固柢，长生久视之道。”①（五十九章）后来《吕氏春秋·重己》篇也说：“世之人主贵人，无贤不肖，莫不欲长生久视。”高诱注：“视，活也。”②《老子》的“长生久视之道”，重在自身的摄养。“盖闻善摄生者，陆行不遇兕虎，入军不被甲兵，兕无所投其角，虎无所措其爪，兵无所容其刃。夫何故？以其无死地。”③（五十章）这是说，善于摄生的人，身上没有可以致死的地方，以至兕角、虎爪、兵刃都伤害他不得，所以他走路时不怕遇兕虎，打仗时不用甲胄护身。尽管他对于善摄生者的这种本领，说是出于“盖闻”，是听说来的，但实际上，老子本人就称得上是一位很有成就的摄生者。这不仅表现在他自身的高寿④，即由于他修道而养寿的实践，才有提出“长生久视之道”的可能，而且更表现在他提出了如何“长生久视”的途径。怎样才能达到“长生久视”呢？老子认为，最重要的是“载营魄抱一，能无离”⑤（十章），即要能使人的血肉之躯与灵魂合一而不分离。这里的关键在于“谷（河上公注养也）神不死”⑥（六章），也就是炼养精神，使之永不衰竭。为此，就要做到清静无为，少私寡欲，知足常乐，与世无争，使心灵经常处于恬淡宁静的状态。这就是《老子》修道而养寿，以达长生久视的基本内容。

随后，庄子（约前369—前286年）继承和发挥了老子的“道”，在《庄子》一书中，他描绘了各式神仙人物，提出了各种长生方术。

---

① （魏）王弼注，楼宇烈校释：《老子道德经注校释》，北京：中华书局2018年版。

② （战国）吕不韦：《吕氏春秋》，上海：上海古籍出版社2002年版，第35页。

③ （魏）王弼注，楼宇列校释：《老子道德经注校释》，北京：中华书局，第134页。

④ 《史记》卷63《老庄申韩列传》云：“老子百有六十余岁，或言二百余岁，以其修道而养寿也。”见于《史记》，北京：中华书局1959年版，第7册，第2142页。

⑤ 《史记》卷63《老庄申韩列传》云：“老子百有六十余岁，或言二百余岁，以其修道而养寿也。”见于《史记》，北京：中华书局1959年版，第7册，第22页。

⑥ 《史记》卷63《老庄申韩列传》云：“老子百有六十余岁，或言二百余岁，以其修道而养寿也。”见于《史记》，北京：中华书局1959年版，第7册，第16页。

关于"道",庄子描写为:"夫道有情有信,无为无形;可传而不可受,可得而不可见;自本自根,未有天地,自古以固存;神鬼神帝,生天生地;在太极之先而不为高,在六极之下而不为深;先天地生而不为久,长于上古而不为老。"①这集中概括了"道"的特征。庄子声称,"道"的功用,其妙无穷,古代帝王、神人、仙人、圣人之所以不同凡响,就是由于他们得了"道"。譬如黄帝得之,以登云天;西王母得之,坐乎少广,莫知其始,莫知其终;彭祖得之,上及有虞,下及五伯;傅说得之,以相武丁,奄有天下,乘东维,骑箕尾,而比于列星。如此等等。

庄子谈到的神仙人物,主要有这样几种:

真人。古之真人,"登高不慄(惧也),入水不濡(湿也),入火不热"②,"不知说(悦)生,不知恶死"③,"其寝不梦,其觉无忧,其食不甘,其息深深。真人之息以踵,众人之息以喉。"④(《大宗师》)

至人。"至人神矣:大泽焚而不能热,河、汉沍(冻也)而不能寒,疾雷破山、风振海而不能惊。若然者,乘云气,骑日月,而游乎四海之外,死生无变于己。"⑤(《齐物论》)

神人。"藐姑射之山,有神人居焉,肌肤若冰雪,淖约若处子,不食五谷,吸风饮露,乘云气,御飞龙,而游乎四海之外。其神凝,使物不疵疠而年谷熟。"⑥(《逍遥游》)

至人、神人这些乘云气、骑日月(或御飞龙)而游乎四海之外,不受条件限制的逍遥游者,是庄子心目中理想的神仙。至于像"御风而行","旬有五日而后反"的列子,"犹有所待者也"⑦(《逍遥游》),即有赖于一定的条件,还不能算是真正的逍遥游。可见,庄子塑造的神仙,是他追求精神绝对自由的产物,是在方内不能实现的愿望而寄托于方外的反映。不过,这种大胆的

① (清)王先谦:《庄子集释》,北京:中华书局 1987 年版,第 59— 60 页。
② (清)王先谦:《庄子集释》,北京:中华书局 1987 年版,第 55 页。
③ (清)王先谦:《庄子集释》,北京:中华书局 1987 年版,第 56 页。
④ (清)王先谦:《庄子集释》,北京:中华书局 1987 年版,第 55 页。
⑤ (清)王先谦:《庄子集释》,北京:中华书局 1987 年版,第 23 页。
⑥ (清)王先谦:《庄子集释》,北京:中华书局 1987 年版,第 5 页。
⑦ (清)王先谦:《庄子集释》,北京:中华书局 1987 年版,第 4 页。

思想所勾画出的奇妙图景，尽管具有浓厚的神话幻想色彩，但它却显示了人类早期向往遨游太空的想象力。

庄子认为，修道能使人返老还童，延年益寿。他借南伯子葵问乎女偊曰：“子之年长矣，而色若孺子，何也？”曰：“吾闻道矣。”[①]（《大宗师》）

庄子所举延年益寿的修道方法，大致有以下几种：

第一，导引。“吹响呼吸，吐故纳新，熊经鸟申，为寿而已矣。此导引之士，养形之人，彭祖寿考者之所好也。”[②]（《刻意》）

第二，守一。《庄子·在宥》篇记有关于广成子向黄帝传授至道，谈及守一的事。“广成子南首而卧，黄帝顺下风膝行而进，再拜稽首而问曰：‘闻吾子达于至道，敢问治身奈何而可以长久？’广成子蹶然而起，曰：‘善哉问乎！来，吾语女[③]至道。至道之精，窈窈冥冥；至道之极，昏昏默默。无视无听，抱神以静，形将自正。必静必清，无劳女形，无摇女精，乃可以长生。目无所见，耳无所闻，心无所知，女神将守形，形乃长生。慎女内，闭女外，多知为败。我为女遂于大明之上矣，至彼至阳之原也；为女入于窈冥之门矣，至彼至阴之原也。天地有官，阴阳有藏，慎守女身，物将自壮。我守其一，以处其和，故我修身千二百岁矣，吾形未常衰。’”[④]这个“守一”的要点就在于必静必清，抱神固精。

第三，坐忘。庄子假借颜回与孔子的问答，提出“坐忘”的修道思想。“颜回曰：‘回益矣。’仲尼曰：‘何谓也？’曰：‘回忘仁义矣。’曰：‘可矣，犹未也。’他日，复见，曰：‘回益矣。’曰：‘何谓也？’曰：‘回忘礼乐矣。’曰：‘可矣，犹未也。’他日，复见，曰：‘回益矣。’曰：‘何谓也？’曰：‘回坐忘矣。’仲尼蹴然曰：‘何谓坐忘？’颜回曰：‘堕肢体，黜聪明，离形去知，同于大通，此谓坐忘。’”[⑤]（《大宗师》）

庄子所提到的导引、守一、坐忘等道术，为以后道教所承袭和发挥，在道

---

① （清）王先谦：《庄子集释》，北京：中华书局1987年版，第61页。
② （清）王先谦：《庄子集释》，北京：中华书局1987年版，第132页。
③ 此下各“女”字均读为“汝”。
④ （清）王先谦：《庄子集释》，北京：中华书局1987年版，第93—94页。
⑤ （清）王先谦：《庄子集释》，北京：中华书局1987年版，第68—69页。

书中屡有论述。而且,庄子所提及的各神仙人物,如广成子、黄帝、西王母、彭祖等,亦为后世方士、道士所颂扬。

伟大爱国诗人屈原,在他的《楚辞》中也有不少向往神仙的诗句:“闻赤松之清尘兮,愿承风乎遗则。贵真人之休德兮,美(一作‘羡’)往世之登仙。①”“餐六气而饮沆瀣兮,漱正阳而含朝霞。保神明之清澄兮,精气入而粗秽除;仍羽人于丹丘兮,留不死之旧乡。”②(《远游》)作者甚至驰骋其丰富的想象力,描绘出一幅生动而壮丽的太空仙游图:

载营魄而登霞兮,掩浮云而上征。
命天阍其开关兮,排阊阖而望予。
召丰隆使先导兮,问大微之所居。
集重阳入帝宫兮,造旬始而观清都。
朝发轫于太仪兮,夕始临乎于微闾。
屯余车之万乘兮,纷溶与而并驰;
驾八龙之婉婉兮,载云旗之逶蛇。
建雄虹之采旄兮,五色杂而炫耀;
服偃蹇以低昂兮,骖连蜷以骄骜。
骑胶葛以杂乱兮,斑漫衍而方行;
撰余辔而正策兮,吾将过乎句芒。
历太皓以右转兮,前飞廉以启路;
阳杲杲其未光兮,凌天地以径度。
风伯为余先驱兮,氛埃辟而清凉;
凤凰翼其承旗兮,遇蓐收乎西皇。
擥彗星以为旍兮,举斗柄以为麾;
叛陆离其上下兮,游惊雾之流波。
时暧曃其曭莽兮,召玄武而奔属;
后文昌使掌行兮,选署众神以并毂。

① (宋)朱熹:《楚辞集注》,上海:上海古籍出版社 2001 年,第 104 页。
② (宋)朱熹:《楚辞集注》,上海:上海古籍出版社 2001 年,第 105 页。

路曼曼其修远兮,徐弭节而高厉;
左雨师使径侍兮,右雷公而为卫。
欲度世以忘归兮,意恣睢以担挢;
内欣欣而自美兮,聊媮娱以淫乐。(《远游》)①

神仙思想能被屈原这样的著名诗人反映在其不朽的作品中,充分表明了神仙思想在当时的社会上已有了相当广泛的传播和影响,至少在南方的楚国范围是如此。

与此同时,在北方的燕齐地区,则盛传仙人和不死之药的说法。早在春秋时代,一个能起死回生的名医扁鹊的神奇经历,就已略现端倪。据载,渤海郡鄚县人扁鹊,"少时为人舍长。舍客长桑君过,扁鹊独奇之,常谨遇之。长桑君亦知扁鹊非常人也,出入十余年,乃呼扁鹊私坐,间与语曰:'我有禁方,年老,欲传与公,公毋泄。'扁鹊曰:'敬诺。'乃出其怀中药予扁鹊:'饮是以上池之水,三十日当知物矣。'乃悉取其禁方书尽与扁鹊,忽然不见,殆非人也。扁鹊以其言饮药三十日,视见垣一方人,以此视病,尽见五脏症结,特以诊脉为名耳。"②这里所记的事实非比寻常:一是扁鹊饮长桑君的药 30 日后,视力变得异乎常人。他能透过墙垣看到另一边的人;能透过人的胸腹看到五脏六腑。真是不可思议!有些类似现代所谓人体特异功能。二是给扁鹊以奇药、禁方的长桑君,不仅有知人之明,而且他本人也有特别神通。当他"悉取其禁方书尽与扁鹊"之后,"忽然不见,殆非人也"。《史记索隐》注"长桑君"为"隐者,盖神人"。这段史料表明:神人长桑君,以奇药给扁鹊饮服后,扁鹊的视力出现超人的功能,这当为后世所传仙人及不死之药可使人长生成仙的张本。

二、方仙道与秦皇、汉武的神仙活动

到战国时,燕齐滨海一带的方士,即造说海中有蓬莱、方丈、瀛洲三神山及仙人和不死之药。齐威王、齐宣王(前 378—前 324 年)和燕昭王(前

① (宋)朱熹:《楚辞集注》,上海:上海古籍出版社 2001 年,第 107—109 页。
② 《史记》卷 150《扁鹊仓公列传》,北京:中华书局 1959 年版,第 9 册,第 2785 页。

311—前297年)都曾使人入海求之。据说这三座神山,在渤海之中,去人不远;山上有诸位仙人及不死之药,山上的禽兽是白色,宫阙则是用黄金白银建造。“未至,望之如云;及到,三神山反居水下;临之,风辄(将船)引去,终莫能至云。”①由于神山上有仙人和不死之药,为人们所羡慕,故“世主莫不甘心焉”。这里讲的可望而不可即的海中三神山,可能是根据海市蜃楼的幻景所制造的神话。至于求仙人不死之药的说法,不仅成为秦皇、汉武大做神仙梦的诱饵,而且也是随后道教服食丹药成仙论的思想渊源。它同老庄主张的自身修炼长生论,殊途同归,分别影响着道教丹鼎派内部主外丹和主内丹的两大派别的发展。

司马迁说,在齐威王、齐宣王的时候,燕人宋毋忌、正伯侨、充尚、羡门高“为方仙道,形解销化,依于鬼神之事”②。方仙道之名,始见于此。相传宋毋忌、正伯侨等乃古代仙人,今燕人取其名作自己的名字,“皆慕古人名效神仙者”③。据称该道有使神魂离开躯体(“形解消化”)与鬼神交通(“依于鬼神”)的方术,他们扬言服食不死方药,可以肉身成仙,故谓之方仙道。燕齐海上之方士,鼓动齐威王、齐宣王、秦皇、汉武访神仙,寻不死之药,曾掀起三次神仙热,当是在方仙道影响下的实际活动。

秦始皇一统天下,极欲淫威,更想长生不死。方士们奏说仙人及不死之药的信息,投合了他那贪婪的心理,于是屡遣使访求之。④ 秦始皇二十八年(前219年),即统一全国后的第二年,“齐人徐市等上书,言海中有三神山,名曰蓬莱、方丈、瀛洲,仙人居之。请得斋戒,与童男女求之,于是遣徐市发

---

① 《史记》卷28《封禅书》,北京:中华书局1959年版,第4册,第1370页。

② 《史记》卷28《封禅书》,北京:中华书局1959年版,第4册,第1369页。

③ 《史记》卷28《封禅书》,北京:中华书局1959年版,第4册,第1369页韦昭注。

④ 始皇寻仙之志是怎样引起的?《史记集解》关于《本纪第六》“更名腊曰‘嘉平’”,引《太原真人茅盈内纪》曰:“始皇三十一年九月庚子,盈曾祖父濛,乃于华山之中,乘云驾龙,白日升天。先是其邑谣歌曰‘神仙得者茅初成,驾龙上升入泰清,时下玄洲戏赤城,继世而往在我盈,帝若学之腊嘉平’。始皇闻谣歌而问其故,父老具对此仙人之谣歌,劝帝求长生之术。于是始皇欣然,乃有寻仙之志,因改腊曰嘉平。”见于《史记》第1册,北京:中华书局1959年版,第251页。所谓“乘云驾龙,白日升天”云云,只不过是神话,不足为信,但始皇寻仙,必受到神仙方士的蛊惑,则无可疑。此是一说,录以备考。

童男女数千人,入海求仙人"[①]。三十二年,始皇到碣石,使燕人卢生访求古仙人羡门、高誓;使韩终、侯公、石生求仙人不死之药。三十五年,"卢生说始皇曰:'臣等求芝奇药仙者常弗遇,类物有害之者。方中,人主时为微行以辟恶鬼,恶鬼辟,真人至。人主所居而人臣知之,则害于神。真人者,入水不濡,入火不爇,陵云气,与天地久长。今上治天下,未能恬恢。愿上所居宫毋令人知,然后不死之药殆可得也。于是始皇曰:'吾慕真人,自谓真人,不称朕'。乃令咸阳之旁二百里内,宫观二百七十,复道甬道相连,帷帐钟鼓美人充之,各案署不移徙。行所幸,有言其处者,罪死。"[②]卢生所说的"真人",是承袭庄子的语言,说皇帝"所居毋令人知,然后不死之药殆可得",则是他的主意。秦始皇为了会见真人,得不死之药,听从卢生的话,把自己隐蔽起来,与臣下隔绝,成为名副其实的孤家寡人。但卢生明知,"秦法,不得兼方,不验,辄死"。他出的这个不可能兑现的主意,将带来严重后果,遂与侯生相谋,说了一通秦始皇的不是,指责其"贪于权势","未可为求仙药","于是乃亡去",竟私自逃去了。"始皇闻亡,乃大怒曰:'吾前收天下书,不中用者尽去之。悉召文学方术士甚众,欲以兴太平,方士欲练以求奇药。今闻韩众(终)去不报,徐市等费以巨万计,终不得药,徒奸利相告日闻。卢生等吾尊赐之甚厚,今乃诽谤我,以重吾不德也。诸生在咸阳者,吾使人廉问,或为妖言以乱黔首。'于是使御史悉案问诸生,诸生转相告引,乃自除犯禁者四百六十余人,皆阬之咸阳。"[③]始皇因卢生逃走,知上当受骗,大为恼怒,对方士、儒生,进行疯狂报复,制造了千古闻名的坑儒事件,但他求不死之药之心并没有死,临死那年,还登临会稽,游历海上,"冀遇海中三神山之奇

① 《史记》卷6《秦始皇本纪》,北京:中华书局1959年版,第1册,第247页。关于徐市(即徐福)入海求仙事,《仙鉴》则云:"徐福字君房,不知何许人也。秦始皇时,大苑中多枉死者横道,数有鸟如乌状,衔草覆死人面,皆登时而活。有司奏闻。始皇使使者赍此草以问北郭鬼谷先生。先生云:'是东海中祖州上不死之草,生琼田中,一名养神芝,其叶似菰生不丛,一株可活一人,始皇于是乃谓可索得,因访求精诚遭士徐福,发童男童女各五百人,率楼船等入海寻祖州,不返。'"见于《历世真仙体道通鉴》卷6,《道藏》第5册,第141页。此与《史记》所说不同。

② 《史记》卷6《秦始皇本纪》,北京:中华书局1959年版,第1册,第257页。

③ 《史记》卷6《秦始皇本纪》,北京:中华书局1959年版,第1册,第258页。

药”①。可是不死之药终不可得，这位想不死的皇帝，最后还是不得不死。而方士们的活动也并未因此停止，仍继续对统治者施加影响，特别是汉武帝竟成为继秦始皇之后的又一个神仙迷。

向汉武帝鼓吹神仙术的方士，据《史记·封禅书》载，主要有这样一些人：

李少君以祠灶、谷道、却老方见武帝，武帝尊之。少君对武帝说道："祠灶则致物，致物而丹砂可化为黄金，黄金成以为饮食器则益寿，益寿而海中蓬莱仙者乃可见，见之以封禅则不死，黄帝是也。臣尝游海上，见安期生，安期生食巨枣，大如瓜。安期生仙者，通蓬莱中，合则见人，不合则隐。"②李少君说的这个不死之方，需经过一些既相区别又相联结的步骤：祠灶、炼金以作饮食器而益寿；益寿而见仙以封禅则不死，并称这是黄帝成仙的途径。武帝随即照办：亲祠灶；遣方士入海求蓬莱安期生之属：也搞化丹砂诸药剂为黄金的事。"居久之，李少君病死，天子以为化去不死，而使黄锤史宽舒受其方。求蓬莱安期生莫能得，而海上燕齐怪迂之方士多更来言神事矣。"③

齐人少翁以鬼神方见武帝。武帝有所幸王夫人，夫人卒，少翁在晚上"召来"王夫人及灶鬼之貌，"天子自帷中望见焉"。武帝大为高兴，乃拜少翁为文成将军，赏赐甚多，以客礼礼之。文成对武帝说："上即与神通，宫室被服非象神，神物不至。"乃作画云气车，驾车辟恶鬼。又作甘泉宫，中为台室，画天、地、太一诸鬼神，而置祭具以致天神。少翁的通神术是一种巫术式的骗术，居岁余，其方益衰，神不至。又制造了一个"牛腹藏书"的骗局，事败露被诛。

曾与少翁同师的栾大，由乐成侯推荐，向武帝言方。自吹"臣常往来海中，见安期、羡门之属，顾以臣为贱，不信臣"。又称其师语曰："黄金可成，而河决可塞，不死之药可得，仙人可致也。"他要求武帝说："陛下必欲致之，

① 《史记》卷28《封禅书》，北京：中华书局1959年版，第4册，第1370页。
② 《史记》卷28《封禅书》，北京：中华书局1959年版，第4册，第1385页。
③ 《史记》卷28《封禅书》，北京：中华书局1959年版，第4册，第1386页。

则贵其使者,令有亲属,以客礼待之,勿卑,使各佩其信印,乃可使通言于神人。"他表演了一个斗棋子的戏法,"棋自相触击"①,取得了信任。汉武帝乃拜为五利将军,赐天士将军、地士将军、大通将军印,以二千户封为乐通侯,赐列侯甲第,奴仆千人。以卫长公主妻之,又刻玉印曰"天道将军"。使使衣羽衣,夜立白茅上授印,五利将军亦衣羽衣,夜立白茅上受印,以示不臣也。而佩"天道"者,且为天子道天神也。于是五利常夜祠其家,欲以下神。其后整装,云东入海,求其师去。武帝派人随验。五利不敢入海,之泰山祠,妄言见其师,其方尽,多不验,武帝又一次上当受骗,乃诛栾大。栾大虽然最后被杀了,但他曾在数月之间,佩六印、贵震天下,使得"海上燕齐之间,莫不搤捥而自言有禁方,能神仙矣"②。

影响汉武帝求仙时间最长,搞的名堂最多,而自身又得保平安的是齐人公孙卿。公孙卿利用得宝鼎的事,向武帝上书,称:"今年得宝鼎,其冬辛巳朔旦冬至,与黄帝时等。"武帝大喜,乃召问卿。对曰:"受此书申公,申公已死。""申公,齐人,与安期生通,受黄帝言,无书,独有此鼎书。曰:'汉兴复当黄帝之时。''汉之圣者在高祖之孙且曾孙也。宝鼎出而与神通,封禅。封禅七十二王,唯黄帝得上泰山封。'申公曰:'汉主亦当上封,上封则能仙登天矣。黄帝时万诸侯,而神灵之封居七千。'""中国华山、首山、太室、泰山、东莱,此五山黄帝之所常游,与神会。黄帝且战且学仙。患百姓非其道者,乃断斩非鬼神者。百余岁然后得与神通。""黄帝采首山铜,铸鼎于荆山下。鼎既成,有龙垂胡髯下迎黄帝。黄帝上骑,群臣后宫从上者七十余人,龙乃上去。余小臣不得上,乃悉持龙髯,龙髯拔,堕,堕黄帝之弓。百姓仰望黄帝既上天,乃抱其弓与胡髯号,故后世因名其处曰'鼎湖',其弓曰'乌号'。"③这里,公孙卿说的一大段话,都托言出自申公,申公与安期生通,是神仙中人,他的话自然容易使人相信;而申公已死,他的话靠不靠得住,已死无对证,即使不符合事实,传话的人也不负责任。这是公孙卿比少翁、栾大

① 据《史记索隐》顾氏案:《万毕术》云:"取鸡血杂磨针铁杵,和磁石棋头,置局上,即自相抵击也。"见《史记》卷28《封禅书》,北京:中华书局1959年版,第4册,第1390页。

② 《史记》卷28《封禅书》,北京:中华书局1959年版,第4册,第1391页。

③ 《史记》卷28《封禅书》,北京:中华书局1959年版,第4册,第1393、1394页。

更圆滑之处。在内容上,有三点很突出:一是制造谶语式的鼎书,称武帝为汉之圣者,当像黄帝那样,上泰山封禅,能成仙登天。二是说黄帝学仙的方法,常游五座名山,与神会;边战边学仙;严厉镇压非鬼神者;敬祀上帝等,百余岁才得与神通。三是讲黄帝乘龙上天,成仙的故事。故事是那样形象生动,神奇美丽,使武帝听后十分向往,羡叹道:“嗟乎!吾诚得如黄帝,吾视去妻子如脱屣耳。”乃拜卿为郎,东使候神于太室(嵩山)。

此后,公孙卿候神河南,言见仙人迹缑氏城上,有物如雉,往来城上。武帝亲幸缑氏城视迹,而仙人迹不见,武帝很生气,问卿:“得毋效文成、五利乎?”公孙卿回答得妙:“仙者非有求人主,人主者求之。其道非少宽假,神不来。言神事,事如迂诞,积以岁乃可致也。”①结果,武帝不但没有杀公孙卿,还叫郡国各除道,缮治宫观名山神祠所,以望神仙驾幸。

武帝既闻公孙卿及方士之言,黄帝以上封禅,皆致怪物与神通,欲仿效黄帝,以上接神仙人蓬莱士,乃东封泰山,东巡海上,齐人之上疏言神怪奇方者数以万计,然无验者。“乃益发船,令言海中神山者数千人求蓬莱神人。公孙卿持节常先行候名山,至东莱,言夜见大人,长数丈,就之则不见,见其迹甚大,类禽兽云。群臣有言见一老父牵狗,言:‘吾欲见巨公,’已忽不见。上(武帝)即见大迹,未信,及群臣有言老父,则大以为仙人也。宿留海上,予方士传车及间使求仙人以千数。”②

其后,公孙卿又说:“仙人可见,而上往常遽,以故不见。今陛下可为观,如缑城,置脯枣,神人宜可致也。且仙人好楼居。”③于是武帝令长安作蜚廉桂观,甘泉作益延寿观,使公孙卿持节设具而候神人。乃作通天茎台,置祠具其下,将招来仙神人之属。

后来,武帝又封泰山“东至海上,考入海及方士求神者,莫验,然益遣,冀遇之”④。又亲临渤海,“将以望祀蓬莱之属,冀至殊廷焉”⑤。武帝向往

① 《史记》卷28《封禅书》,北京:中华书局1959年版,第4册,第1396页。
② 《史记》卷28《封禅书》,北京:中华书局1959年版,第4册,第1397页。
③ 《史记》卷28《封禅书》,北京:中华书局1959年版,第4册,第1400页。
④ 《史记》卷28《封禅书》,北京:中华书局1959年版,第4册,第1401页。
⑤ 《史记》卷28《封禅书》,北京:中华书局1959年版,第4册,第1402页。

神仙竟然到了着迷的程度，结果神仙终未得见，神山亦属渺茫，只好在建章宫北太液池中，建筑蓬莱、方丈、瀛洲、壶粱，像海中神山龟鱼之属，聊以寄思仙之情。

对于方士和武帝的祠神求仙活动，司马迁有评曰："方士之候祠神人，入海求蓬莱，终无有验。而公孙卿之候神者，犹以大人之迹为解，无有效。天子益怠厌方士之怪迂语矣，然羁縻不绝，冀遇其真。"指明了汉武帝求神仙不可得，而又不停地求神仙的根本原因，在于"冀遇其真"，即总希望能遇见真正神仙的侥幸心理。而方士们正是抓住帝王企图长生不死，永享荣华富贵的贪心，造出各式各样的不死方术的神话来。其中值得注意的是，李少君、公孙卿都把黄帝说成是人间帝王学仙登天的活样板。正因为这样，方仙道与黄帝仙化结合，形解销化发展为肉身成仙，更能激发人们成仙不死的欲望。尽管汉武帝在方士们的引领下，大搞祠神求仙活动，劳民伤财，并无实际效果，但它对于汉代神仙思潮的发展，无疑起到了推波助澜的作用。后出的《汉武帝内传》等书，即是以汉武帝求仙事迹为背景，叙说汉武帝会见西王母诸仙人并接受修仙术指导的一些神话故事。

从前面所述方仙道的活动可以看出，方仙道是战国至秦汉间方士所主张的成仙之道，其著名的代表人物，在战国末年为宋毋忌、正伯侨、充尚、羡门高等人；秦始皇时有徐市（即徐福）、韩终（众）、侯公、石生、卢生等人；汉武帝时有李少君、谬忌、少翁、栾大、公孙卿等神仙方士。他们宣扬长生成仙的信仰，宣示黄帝是长生成仙的榜样而倍加推崇，奉之为祖师；他们提出了多种修炼成仙的方术，主要是寻仙人和不死之药，以及祠灶祭神等，特别是倡导化丹砂为黄金的炼丹术，是方仙道的突出特点和重大贡献。方仙道所具有的这些信仰神仙、崇奉黄帝、主张服食丹药成仙等特征，表明它是道教孕育过程的重要阶段。

三、《枕中鸿宝苑秘书》与《列仙传》神仙人物及思想

在汉武帝仰求神仙和方士们炼制丹药的热烈气氛下，淮南王刘安，"招致宾客方术之士数千人，作为《内书》二十一篇，《外书》甚众，又有《中篇》八卷，言神仙黄白之术，亦二十余万言"。"初，安入朝，献所作《内篇》，新

出，上爱秘之。”[①]《汉书·艺文志》杂家类著录：“《淮南内》二十一篇，《淮南外》三十三篇。”[②]颜师古注曰：“《内篇》论道，《外篇》杂说。”[③]这里，对《淮南·内、外篇》的篇数和主题都指明了，只是对于《中篇》却未涉及。另据《汉书·楚元王传》称：刘德字路叔，修黄老术。其子向字子政，本名更生。“是时宣帝循武帝故事……复兴神仙方术之事，而淮南有《枕中鸿宝苑秘书》，书言神仙使鬼物为金之术，及邹衍重道延命方，世人莫见，而更生父德，武帝时治淮南狱得其书。更生幼而读诵，以为奇，献之，言黄金可成。”[④]这里所说的淮南《枕中鸿宝苑秘书》也就是前面说的《中篇》八卷。《抱朴子内篇·论仙》曰：“夫作金皆在神仙集中，淮南王抄出以作《鸿宝枕中书》。”葛洪《神仙传》云：“又《中篇》八章，言神仙黄白之事，名为《鸿宝》。”可是《汉书·艺文志》却未录此书。这或许是由于刘向把《枕中鸿宝苑秘书》献给宣帝，“上令典尚方铸作事，费甚多，方不验”，获“铸伪黄金”罪，险被杀头，以后《枕中鸿宝苑秘书》又“世人莫见”了吧！

同样署名刘向撰的《列仙传》，《汉书·艺文志》也未著录。[⑤]《列仙传》是我国流传下来的第一部神仙人物的传记著作，它把散见于早期百家著作中记载的有关古代神仙事迹的只言片语和作者所闻神仙事迹搜罗起来，整理成书。《正统道藏》本所收《列仙传》二卷，记上古三代至西汉成帝时神仙70人，集中宣扬了世有神仙和神仙可学的观点。从全书内容看，《列仙传》所记述神仙人物的情况，大致表明了以下一些思想：

第一，在时间上，自神农时雨师、常止西王母石室的古仙人赤松子，经黄帝、尧、夏、殷、周、秦各代，到汉成帝时为郎，病死而复生的谷春，说明从古到今，神仙代代有。

第二，《列仙传》神仙人物分布的地域，遍及齐、晋、巨鹿、梁、洛、华阴、

① 《汉书》卷44《淮南王安传》，北京：中华书局1962年版，第7册，第2145页。
② 《汉书》卷30《艺文志》，北京：中华书局1962年版，第6册，第1741页。
③ 《汉书》卷30《艺文志》，北京：中华书局1962年版，第6册，第1742页。
④ 《汉书》卷36《楚元王传》，北京：中华书局1962年版，第7册，第1928、1929页。
⑤ 葛洪《神仙传序》称：“古之得仙者”，“秦大夫阮仓所记有数百人，刘向所撰又七十余人”（《汉魏丛书》卷62），表明传说得仙的人数已颇可观。（晋）葛洪：《神仙传序》，见（清）王谟撰：《增订汉魏丛书》，上海：大通书局1911年版，第32册，第31页。

陇西、汉中、楚、会稽、丰、象林、巴、蜀等广大地区，说明东西南北中，处处有神仙。

第三，从身份看，《列仙传》神仙人物中，有皇帝（黄帝）、王子（昌容、王子乔）、陶正（宁封子）、马医（马师皇）、龙师（师门）、大夫（彭祖）、木正（仇生）、封史（邛疏）及市上补履（啸父）、门卒（平常生）、酿酒匠（酒客）、养鸡人（祝鸡翁）、贩珠者（朱仲）、卖药翁（安期先生）、道士（稷丘君、黄元丘）、卖草履者（文宾）、宫人（毛女）、乞儿（阴生）、牧猪者（商丘子胥）、铸冶师（陶安公）、放犬子（邗子）、卜师（呼子先）、沽酒妇（女儿）、渔者（寇先、陵阳子明）等。此外，尚有羌人（葛由）、巴戎人（赤斧）等少数民族，说明不论出身贵贱和民族区别，人人都有可能成仙。

第四，《列仙传》所述凡人成仙可通过多种途径，概括起来主要有这样几类：一是服食。如啖百草花（赤将子舆），食松实（偓佺），食松脂（仇生），食松叶（毛女），食桃李花（师门），服蒲韭根（务光），服桂饮水（范蠡），服饵松子、茯苓（犊子），食芝草饮神泉（鹿皮公），食蓬虆根（昌容），食术菖蒲根饮水（商丘子胥），服泽芝地髓（吕尚），炼食云母（方回），作水澒（即水银）炼丹与硝石服之（赤斧）等。二是养身或兼服食。如容成公善补导之事，守生养气；老子好养精气，贵接而不施；彭祖常食桂芝，善导引行气；关令尹尚内学，常服精华；邛疏能行气炼形，煮石髓而服之；陆通好养生，食橐卢木实及芜青子等。三是善报，即行善事得到的好报应。如马师皇，黄帝时马医，为龙治病，一旦龙负皇而去；子英捕得赤鲤养成龙，乘背腾升而去；木羽之母贫贱主助产，曾接司命君出生（儿生便开目视母大笑），有恩，使其子木羽随之仙去。《列仙传》通过上述三种类型的多种成仙途径说明，条条道路都可登仙。

第五，《列仙传》所述凡人成仙的表现，亦有多种形式。有不饥不寒，身轻如飞式（如毛女）；有返老还童式（如彭祖、昌容、赤斧、稷丘君、商丘子胥）；有乘龙升天式（如子英、陶安公、呼子先、陵阳子明）；有随凤凰飞去式（如萧史、弄玉）；有乘白鹤飞翔式（如王子乔）；有死而复生式（如谷春）；有死后下葬，棺内无尸，即所谓尸解式（如吕尚、钩翼夫人）；等等。这些说明神仙有多样，总与常人不一般。

《列仙传》所记神仙人物，东汉应劭《汉书音义》开始征引①，东晋葛洪《神仙传》也有引用，后世言神仙事，亦多据之，实开神仙传说专著之先河。然《列仙传》多言常人成仙之经过，对于成仙以后之活动则很少描写。比同一时期有关神仙活动的宣扬，尚显得简朴。考汉成帝末年，谷永曾经引述神仙活动宣传者的话说："及言世有仙人，服食不终之药，遥兴轻举，登遐倒景，览观县圃、浮游蓬莱，耕耘五德，朝种暮获，与山石无极，黄冶变化，坚冰淖溺，化色五仓。"②这里所描述的仙人景象，比之《列仙传》奇妙得多。事实证明：神仙传记的出现，表明了神仙思潮在社会上的广泛传播和强烈反响，在道教形成中有着重要作用。

第四节　黄老思想与黄老道

道教崇奉黄帝、老子，尊黄帝为道家之祖，老子为大道之祖或道主。黄帝、老子在道教中有着特殊地位。崇尚黄老的社会思潮由来已久，是道教极重要的思想理论渊源。

一、崇尚黄老的社会思潮与黄老道的出现

远古时代，生活在黄河中下游广大地区的先民们，随着经济生活从渔猎到采集和农业的长期发展，而逐步定居下来，逐渐从野蛮向文明过渡；在社会组织上，也由氏族、部落向部落联盟发展，更高形式的管理社会的专门机构出现了。传说中的三皇③、五帝④就是这一漫长时期的代表人物，而黄帝更是其中的突出代表。

---

① 例如，《汉书·郊祀志》"形解销化"注，北京：中华书局1962年版，第4册，第1204页。

② 《汉书》卷25下《郊祀志》，北京：中华书局1962年版，第4册，第1260页。

③ 三皇：一说为天皇、地皇、人皇（《史记·秦始皇本纪》称"泰皇"）；或说为伏羲、神农、黄帝（孔安国《尚书序》、皇甫谧《帝王世纪》持此说）。

④ 五帝：一说为黄帝、颛顼、帝喾、唐尧、虞舜（《世本》、《大戴礼》持此说，司马迁依此作《五帝本纪》）；或说为少昊、颛顼、高辛（帝喾）、唐、虞五帝（《尚书序》、《帝王世纪》持此说）。

相传黄帝号轩辕氏,修德振兵,继炎帝神农氏之后,统一华夏族。都邑于涿鹿之阿,设官职,举贤能,协调各部族,治理众黎民;大祭天地山川鬼神,得神蓍以推算历数;教民时播百谷,建屋宇,做衣服,营殡葬;命臣造舟车弓矢,发明指南车,兴文字,作干支,制乐器,创医学等,肇兴了我国最古的文化。据说"黄帝二十五子,其得姓者十四人"①。子孙广为繁衍,颛顼、帝喾、唐尧、虞舜及夏、商、周各个朝代的统治者,都是黄帝的后裔。因而,黄帝是中华民族的始祖,是文明古国的象征,受到子孙后代的崇敬。于是,一些重要文物制度即推原于他,甚至造出关于黄帝的种种传说。

《礼记·祭法》篇云:"有虞氏(舜)禘(大祭祀)黄帝而郊(在南郊祭祀)喾,祖颛顼而宗尧。夏后氏亦禘黄帝而郊鲧,祖颛顼而宗禹。殷人禘喾而郊冥,祖契而宗汤。周人禘喾而郊稷,祖文王而宗武王。"②这说明了古代人承认黄帝、颛顼、帝喾为华族祖先的事实,特别是明确地肯定了黄帝为华族始祖的地位。

春秋末年,秦国奋起于西方,成为霸主。"秦之先,帝颛顼之苗裔"③,属于黄帝的后代。公元前424年至公元前415年在位的秦灵公,于雍旁"作吴阳上畤,祭黄帝;作下畤,祭炎帝"④。战国初年东方齐国的政局,发生更替,由田氏取代姜齐。田氏原为陈国人,其先人"虞帝舜之后也"⑤,也是黄帝的后裔。所以齐宣王声称:"扬皇考昭统,高祖黄帝,近嗣桓文,朝问诸侯,合扬厥德。"(古器物铭文《陈侯因資敦》)就是要继承和发扬祖先黄帝的威德,以表明他的政治抱负。由于东、西方的齐、秦两大国统治者,崇敬、颂扬黄帝,尤其是当时思想比较活跃的齐国,在统治者的倡导下,一些文人学士也纷纷赞美黄帝。从"其语闳大不经"的齐人邹衍"先序今以上至黄帝",到齐

① 《史记》卷1《五帝本纪》,北京:中华书局1959年版,第1册,第9页。
② (清)孙希旦:《礼记集解》卷45,北京:中华书局1989年版,第1192页。
③ 《史记》卷5《秦本纪》,北京:中华书局1959年版,第1册,第173页。
④ 《史记》卷28《封禅书》,北京:中华书局1959年版,第4册,第1364页。
⑤ 《史记》卷36《陈杞世家》,北京:中华书局1959年版,第5册,第1575页。

都西门稷下学宫的一大批学者先生，如慎到（赵人）、田骈、接子[①]（齐人）、环渊（楚人）等辈，“皆学黄老道德之术，因发明序其指意”[②]。一时间“百家言黄帝”[③]，出现了一股“黄帝热”，以至到了如《庄子·盗跖》所说“世之所高，莫若黄帝”的地步。战国时期出现“百家言黄帝”，极力推崇黄帝的局面，反映了长期分裂的各国要求大统一的历史趋势。

这里值得注意的是，怎么在黄帝之后接上老子，把黄帝老子并列，而称“黄老道德之术”？

原来，黄帝古远，事属渺茫；老子隐名，迹亦神秘。太史公著《史记·老庄申韩列传》称：“老子者，楚苦县厉乡曲仁里人也，姓李氏，名耳，字聃，周守藏室之史也。”[④]曾回答孔子问礼，又应尹喜请求著书上下篇。但当时对老子其人已有各种传说：或曰老莱子，或曰见秦献公的周太史儋即老子，或曰非也，世莫知其然否。究竟老子是谁，司马迁也难肯定，只好说：“老子，隐君子也。”又说，老子的下落“莫知其所终”，其在世年龄“盖老子百有六十余岁，或言二百余岁，以其修道而养寿也”。[⑤] 这些不确定的带神秘性的记述，反映了当时人了解老子的状况，也为后世神化老子埋下了伏笔。但无论如何，老子“著书上下篇，言道德之意五千余言”，有书流传于世却是事实。

《老子》是道家的一部代表性著作，具有理论纲领的性质。这部言简意赅的哲理诗篇，把天地万物的起源、变化，国家的治乱、兴衰，人生的吉凶、夭寿等，通通说成是有个统一的内在的“道”在起作用。它教人们认识“道”，并按照“道法自然”的原则行事，据说这样就会收到治国治身的良好效果；否则，就将适得其反。即如《汉书·艺文志》所谓：“道家者流，盖出于史官，历记成败存亡祸福古今之道，然后知秉要执本，清虚以自守，卑弱以自持，此

① 《史记》卷46《田敬仲完世家》称“接予”，北京：中华书局1959年版，第6册，第1895页。
② 《史记》卷74《孟子荀卿列传》，北京：中华书局1959年版，第7册，第2347页。
③ 《史记》卷1《五帝本纪》，北京：中华书局1959年版，第1册，第46页。
④ 《史记》，北京：中华书局1959年版，第7册，第2139页。
⑤ 《史记》，北京：中华书局1959年版，第7册，第2142页。

君人南面之术也。”然而《老子》虽是一部很有影响的著作，但其作者李耳①的地位在早先尚不够高，名声不太显，其后学为了在儒道相绌中，同“祖述尧舜，宪章文武”的孔孟儒家相抗衡，便把“修德振兵”地位崇高的始祖黄帝请出来，排在老子之前，视老子言道德之意，为黄帝修德思想的继续，并称“黄老道德之术”。首先把黄老连在一起的是《庄子》。在《知北游》一文中，作者就黄帝回答“知”提出的问题时说：“夫知者不言，言者不知，故圣人行不言之教。道不可致，德不可至，仁可为也，义可亏也，礼相伪也。故曰‘失道而后德，失德而后仁，失仁而后义，失义而后礼。礼者，道之华而乱之首也’。故曰‘为道者日损，损之又损之以至于无为，无为而无不为也’。”②这些话基本是重复《老子》一书的语言，当然也有可能是《老子》的思想本原于黄帝；但不论怎么说，黄老道德是紧密地连接在一起了。所以，颂扬黄帝，并列黄老，实出于道家。其奥妙或如《淮南子·修务》所云：“世俗之人，多尊古而贱今，故为道者必托之于神农、黄帝而后能入说。”③司马迁著《史记》，不以墨家崇尚的夏禹和儒家祖述的尧舜为中华文明的源头，而把道家所尊崇的黄帝，作为繁衍中华子孙，创建中华文明的始祖，冠于全书的首位，“论大道则先黄老而后六经”④，也是他崇道思想的反映。

从战国到汉代，在学术思想领域，黄老学逐渐分衍成几个流派，在社会上发挥其影响。主要有三：

一是黄老与刑名法术结合的道德法术家，着重于解黄老学为君人南面

① 老子是谁，众说纷纭。清人汪中在《述学》补遗《老子考异》辨明：“孔子所问礼者，聃也。其人为周守藏之史，言与行，则《曾子问》(《礼记》篇名)所载者是也。周太史儋见秦献公，本纪在献公十一年，去魏文侯之殁十三年。而老子之子宗为魏将，封于段干，则为儋之子无疑。而言道德之意五千余言者，儋也。其入秦见献公，即去周至关之事。或曰儋即老子，其言韪(是)矣。”见于王明：《道家和道教思想研究》，中国社会科学出版社1984年版，第6页。这一考证颇有见地，得到梁启超、罗根泽及王明等先生赞赏。不过道家和道教并不怀疑春秋时李耳(老聃)为《道德经》作者。

② (清)阮毓崧：《庄子集注》中册，北京：中华书局2008年版，第731页。

③ (汉)刘安编，高诱注：《淮南子》，《诸子集成》第7册，北京：中华书局1954年版，第342页。

④ 《汉书》卷62《司马迁传》，北京：中华书局1962年版，第9册，第2738页。

之术,即帝王统治术。其中有专主以法术治国者,如“申(不害)子之学本于黄老而主刑名”;韩非“喜刑名法术之学,而其归本于黄老”①。他们的思想、理论,直接或间接地关系到秦王朝的兴亡。又有主张在法制基础上的无为而治者,对于汉初的振兴有很大影响。西汉初年,“黎民得离战国之苦,君主俱欲休息乎无为”②,特别是接替萧何为相国的曹参,更是“休息乎无为”的有名代表。他“举事无所变更,一遵萧何约束”③,即依照萧何制订的法律制度行事,自己不另搞什么新花样。这符合当时人民休养生息的需要,“故天下俱称其美矣”。曹参以黄老术治国,是接受了“善治黄老言”的盖公关于“治道贵清静而民自定”的教诲。其师承谱系,太史公在《史记》卷八十《乐毅列传》后写道:“乐臣公学黄帝、老子,其本师号曰河上丈人,不知其所出。河上丈人教安期生,安期生教毛翕公,毛翕公教乐瑕公,乐瑕公教乐臣公,乐臣公教盖公。盖公教于齐高密、胶西,为曹相国师。”暨后,“孝文帝本好刑名之言。及至孝景,不任儒者,而窦太后又好黄老之术”④。汉初的统治者,实行“黄老政治”,安定人民生活,恢复和发展生产,促成了“文景之治”的社会繁荣。《汉书·艺文志》著录的《伊尹》、《太公》等 37 种道家书目中,直接以黄老为名者有 8 种,即《老子邻氏经传》4 篇、《老子傅氏经说》37 篇、《老子徐氏经说》6 篇、刘向《说老子》4 篇,以及《黄帝四经》4 篇、《黄帝铭》6 篇、《黄帝君臣》10 篇、《杂黄帝》58 篇。可惜这些书早已亡佚。1973 年长沙马王堆三号汉墓出土的、与《老子》乙本合卷的帛书《经法》、《十大经》、《称》、《道原》等 4 篇古佚书,只有篇名、字数,而无统一书名,有学者考订认为,此即《黄帝四经》;也有人认为,其中的《十大经》即《黄帝君臣》10 篇。从该书强调“唯余一人兼有天下”,“有成法可以正民”⑤,“为人主南面而立,臣肃静不敢敝(蔽)其主,下比顺不敢敝(蔽)其上,万民和辑而

① 《史记》卷 63《老子韩非列传》,北京:中华书局 1959 年版,第 7 册,第 2146 页。

② 《史记》卷 9《吕太后本纪》,北京:中华书局 1959 年版,第 2 册,第 412 页。

③ 《史记》卷 54《曹相国世家》,北京:中华书局 1959 年版,第 6 册,第 2029 页。

④ 《史记》卷 121《儒林传》,北京:中华书局 1959 年版,第 10 册,第 3117 页。

⑤ 马王堆汉墓帛书整理小组编:《马王堆汉墓帛书——经法·十大经·成法》,北京:文物出版社 1976 年版,第 73 页。

乐为其主上用,地广人众兵强,天下无适(敌)"[①]的"王天下者之道"来看,确为"君人南面之术"。

二是黄老与阴阳五行结合的阴阳数术家。以阴阳、占卜论吉凶,相传始于伏羲作八卦。《道藏》本《太上老君开天经》有云:"伏羲之时,老君下为师,号曰无化子,一名郁华子,教示伏羲:推旧法,演阴阳,正八方,定八卦,作《元阳经》以教。"直接把伏羲八卦,说成出自老君,这当然属于神话,系信仰精神的反映;但史书有"黄帝考定星历,建立五行,起消息,正闰余,于是有天地神祇物类之官"[②]的记载,《老子》有"万物负阴而抱阳"(第42章)的思想,黄老与阴阳五行结合,自有其内在根据。自从"上至黄帝"论古今的齐国邹衍"深观阴阳消息而作怪迂之变"[③],"以阴阳主运显于诸侯"[④],阴阳五行家成为道家的一个支派,直接托名黄帝的著作日益增多。《汉书·艺文志》著录有《黄帝泰素》20篇[⑤]、《黄帝》16篇、图3卷、《黄帝阴阳》25卷、《黄帝诸子论阴阳》25卷以及《黄帝说》40篇等。阴阳寓于自然,本是人们对日月星辰等自然现象运行规律的认识,用以"敬授民时",即指导人们从事生产活动的时节,但阴阳家并不止此,他们以自然的阴阳五行,延伸于人事,用以解释国家的治乱兴衰,推论未来的吉凶祸福,甚至"舍人事而任鬼神","假鬼神而为助"[⑥],与传统的鬼神崇拜结合。例如,《汉志》所列阴阳家中,有《南公》31篇。南公为六国时"楚人也,善言阴阳"[⑦],曾经作过"楚虽三户,亡秦必楚"[⑧]的著名预言。据《史记正义》引虞喜《志林》云:"南公者,道士,识废兴之数,知亡秦者必于楚。"这个所谓道士,系指有道之士或道术之士,而不是后来信奉道教意义上的道士,但他以阴阳数术推论废兴,

---

① 马王堆汉墓帛书整理小组编:《马王堆汉墓帛书——经法·经法·六分》,北京:文物出版社1976年版,第17—18页。
② 《史记》卷26《历书》,北京:中华书局1959年版,第4册,第1256页。
③ 《史记》卷74《孟子荀卿列传》,北京:中华书局1959年版,第7册,第2344页。
④ 《史记》卷28《封禅书》,北京:中华书局1959年版,第4册,第1369页。
⑤ 六国时韩诸公子所作。颜师古云,"言阴阳五行,以为黄帝之道也,故曰泰素。"
⑥ 《汉书》卷30《艺文志》,北京:中华书局1962年版,第6册,第1735、1760页。
⑦ 《史记》卷7《项羽本纪》,北京:中华书局1959年版,第1册,第301页。
⑧ 《史记》卷7《项羽本纪》,北京:中华书局1959年版,第1册,第300页。

预言存亡的事例，却反映了阴阳家的本来面貌。又如数术阴阳家中，有《苌弘》15篇，苌弘为周史官，也是史书记载最早的一名方士。据《史记》卷28《封禅书》说："苌弘以方事周灵王（前571—前545年在位），诸侯莫朝周，周力少，苌弘乃明鬼神事，设射'貍首，'貍首'者，诸侯之不来者。依物怪欲以致诸侯。诸侯不从，而晋人执杀苌弘，周人之言方怪者自苌弘"。苌弘这种阴阳数术，实际上与巫教方术没有什么本质不同。这是阴阳家"假鬼神而为助"的例证。

在阴阳数术中，以黄帝命书名者，还有《黄帝杂子气》33篇、《黄帝五家历》33卷、《黄帝长柳占梦》11卷等。这些推论吉凶的方术书依托黄帝的迹象，反映了黄帝在社会上的巨大影响。汉代卜筮术数学盛行，有各式各样的占家，"孝武帝时，聚会占家问之，某日可取妇乎？五行家曰可，堪舆家曰不可，建除家曰不吉，丛辰家曰大凶，历家曰小凶，天人家曰小吉，太一家曰大吉。辩讼不决，以状闻。制曰：'避诸死忌，以五行为主。'人取于五行者也"①。说明为择定一个取妇的日子，就参考了七种占家的意见。当各占家意见分歧时，最后还是皇帝作决断。占术多与《易》理、黄老有关。《史记·日者列传》所载楚人、在长安市行卜的著名卜者司马季主，宋忠、贾谊称卜者"必法天地，象四时，顺于仁义，分策定卦，旋式正棋，然后言天地之利害，事之成败"，就是一位"通《易经》，术黄帝、老子，博闻远见"②之士。以后道教称司马季主"化形"仙去，"临去之际，留枕席以代形，粗如其真身，家人葬之于蜀盘山之南"③，这也表明阴阳数术与道教的渊源关系。

三是黄老与养生之术结合的神仙方技家。在黄老思潮影响下，古代的医学、房中、神仙等祛病延年的养生术著作，也有不少依托于黄帝。《汉书·艺文志》就著录有《黄帝内经》18卷、《泰始黄帝扁鹊俞拊方》23卷、《黄帝三王养阳方》20卷、《黄帝杂子步引》12卷、《黄帝岐伯按摩》10卷、《黄帝杂子芝菌》18卷、《黄帝杂子十九家方》21卷等。

黄老道家本身就重视治国、养生，司马谈说："道家使人精神专一，动合

① 《史记》卷127《日者列传》储先生语，北京：中华书局1959年版，第10册，第3222页。
② 《史记》卷127《日者列传》，北京：中华书局1959年版，第10册，第3221页。
③ （元）赵道一：《历世真仙体道通鉴》卷11，《道藏》第5册，第170页。

无形,赡足万物。其为术也,因阴阳之大顺,采儒墨之善,撮名法之要,与时迁移,应物变化,立俗施事,无所不宜,指约而易操,事少而功多。”①又说:“凡人所生者神也,所托者形也。神大用则竭,形大劳则蔽,形神离则死。死者不可复生,离者不可复反,故圣人重之。……不先定其形神,而曰‘我有以治天下’,何由哉?”②这就是说,在司马谈看来,道家是吸取了各家长处的最简便、最有效的统治术,而为了有效地长久进行统治,统治者就要重视养生之道,不劳累伤神,以保健康长寿。由于黄老强调养生的重要,也就使得各种养生方术自然与黄老之学结合起来。

有趣的是,尚黄老与说神仙的两股思潮,差不多同时兴起于齐楚,而神仙方士与黄老术士在历史进程中逐渐合流。随着崇尚黄老的社会思潮的发展,黄帝、老子也被逐渐神化、仙化。有关黄、老神仙化的传说,陆续见于史籍。《庄子》是一部既谈神仙,又讲黄老的著作。《大宗师》篇云:“黄帝得之(‘道’),以登云天。”是说黄帝得了道,升天成仙了。这是战国时期关于黄帝得道成仙的扼要记录。《在宥》篇关于广成子向黄帝传授“至道”所说的“守一”长生术,当是传说的黄帝成仙的主要途径。到了汉代,齐人公孙卿向汉武帝所述黄帝乘龙上天的成仙故事,就是对《庄子》之说的丰富和发展。以后《列仙传》专记黄帝成仙事迹,说:

> 黄帝者,号曰轩辕,能劾百神,朝而使之。弱而能言,圣而预知。知物之纪,自以为云师。有龙形,自择亡日,与群臣辞,至于卒。还葬桥山。山崩,柩空无尸,唯剑舄在焉。仙书云:黄帝采首山之铜,铸鼎于荆山之下。鼎成,有龙垂胡髯下迎,帝乃升天,群臣百僚悉持龙髯,从帝而升。攀帝弓及龙髯,拔而弓坠,群臣不得从,望帝而悲号。故后世以其处为鼎湖,名其弓为乌号焉。③

《列仙传》所写的黄帝,既具有神性,所谓“能劾百神,朝而使之”;又富有仙味:一说是“柩空无尸”的尸解成仙;一说为乘龙升天的飞举成仙。乘龙升天说已见于公孙卿语汉武帝,此处又称“仙书云”,可见黄帝成仙之说,已在

---

① 《史记》卷130《太史公自序》,北京:中华书局1959年版,第10册,第3289页。

② 《史记》卷130《太史公自序》,北京:中华书局1959年版,第10册,第3292页。

③ 《道藏》第5册,第64—65页。

神仙方士中传播，并已记载于书。这是神仙方士与黄老思潮结合的例证。

但老子的情况有所不同。先秦时期，尚无老子成仙之说。《庄子》书中，不少地方提到老聃，即老子，盛赞老子为深明“至道”的圣人，同时又指出，“老聃死，秦失吊之”①，说他并非不死的神仙。到了西汉，司马迁在《史记》中专为老子列传，称“老子百有六十余岁，或言二百余岁”，是位长寿老人；又说“莫知其所终”，但最后怎么样了，司马迁也不清楚。各种传说不一，可见他已是一位有争议的神秘人物。而《列仙传》则正式把老子列为神仙之一。传云：

> 老子姓李名耳字伯阳，陈人也，生于殷时，为周柱下史，好养精气，贵接而不施，转为守藏史，积八十余年。《史记》云二百余年。时称为隐君子，谥曰聃。仲尼至周见老子，知其圣人，乃师之。后周德衰，乃乘青牛车去，入大秦，过西关，关令尹喜待而迎之，知真人也。乃强使著书，作《道德经》上下二卷。②

《列仙传》与《史记》所载，大致相同，又有增益。首先，它把老子的出生时间，前推到“殷时”，比实际情况大大提早了。因为从“殷时”，就从殷末最后一个统治者纣王覆灭时算起，到周幽王亡国的西周，据说共 257 年。而从周平王东迁洛邑（前 770 年），到向老子问礼的孔子出生时（周灵王二十一年，鲁襄公二十二年，前 551 年）又是 220 年。则老子在孔子出生时，至少已经 478 岁。《庄子·天运》篇云“孔子行年五十有一”见老聃，那么，孔子见到的老子已经 500 多岁了。这与司马迁所谓“老子百有六十余岁，或言二百余岁”的说法，有很大出入。其次，它称老子为真人，列为神仙，而指出老子由凡人成为仙人的途径是“好养精气，贵接而不施”，也就是注重炼养精气，特别讲究房中术的结果。最后，《列仙传》说老子“乃乘青牛车去，入大秦”，道出老子西走的去向，又是对《史记》“莫知其所终”的补充。总之，《列仙传》开始把世俗的老子，列入“真人”的神仙范围，它所增加的一些情节，为进一步神仙化老子提供了线索和启示。

---

① 陈鼓应注释：《庄子今注今译》，北京：中华书局 1983 年版，《庄子·养生主》，第 114 页。

② 《道藏》第 5 册，第 65 页。

到了东汉，奉黄老养性以求长生的风气遍及朝野，老子的社会影响增大，地位越来越高。光武帝勤政不怠，太子刘庄谏曰："陛下有禹汤之明，而失黄老养性之福。愿颐爱精神，优游自宁。"①楚王英"晚节更喜黄老，学为浮屠斋戒祭祀"，明帝下诏勉之曰："楚王诵黄老之微言，尚浮屠之仁祠。"②把黄老与浮屠相提并论，已透出黄老的宗教气味。接着，有蜀郡成都人王阜，字世公，明帝永平（57—75 年）中为重泉令，章帝元和（84—86 年）中迁益州太守，著《老子圣母碑》称："老子者，道也。乃生于无形之先，起于太初之前，行于太素之元，浮游六虚，出入幽冥，观混合之未别，窥清浊之未分。"③直接把老子等同于"道"，使老子具有"道"的特性，成为宇宙的始源和各发展阶段的体现：又使"道"具有"神"的特性，成为创造宇宙、化生天地的伟大神灵。这种把老子与道合而为一的创世说，既把《老子》的宇宙生成说——"道生一，一生二，二生三，三生万物"——拟人化，又把老子其人的地位和作用神圣化，成为道教创世说的雏形，也是老子被神化，并被奉为道祖的序幕。

同时，建初七年（82 年）三月，汉章帝刘炟赐"秘书、列仙图、道术秘方"④与东平宪王苍，表明当时不仅追求长生成仙的道术，已被绘图、成书，受到人们的重视，而且也有人进行亲身实践。如汉安帝时，"矫慎字仲彦，扶风茂陵人也。少好黄老，隐遁山谷，因穴为室，仰慕松、乔导引之术"，"年七十余，竟不肯娶，后忽归家，自言死日，及期果卒。后人有见慎于敦煌者，故前世异之，或云神仙焉"⑤。这个关于矫仲彦修仙的传说，明确地把学黄老、行导引术、长生成仙结合在一起了。

汉桓帝刘志（147—167 年在位）"好神仙事"⑥，对老子礼拜尤勤。延熹

① 《后汉书》卷 1 下《光武帝纪》，北京：中华书局 1965 年版，第 1 册，第 85 页。

② 《后汉书》卷 42《光武十王列传 · 楚王英传》，北京：中华书局 1965 年版，第 5 册，第 1428 页。

③ 《全后汉文》卷 32《王阜　梁鸿　梁松》，（清）严可均校辑：《全上古三代秦汉三国六朝文》，北京：中华书局 1958 年版，第一册，第 652 页。

④ 《后汉书》卷 42《光武十王列传》，北京：中华书局 1965 年版，第 5 册，第 1440 页。

⑤ 《后汉书》卷 83《逸民列传 · 矫慎传》，北京：中华书局 1965 年版，第 10 册，第 2771、2772 页。

⑥ 《后汉书》《志》第 8《祭祀志》中，北京：中华书局 1965 年版，第 11 册，第 3188 页。

八年(165年)春正月,遣中常侍左悺之苦县,祠老子;同年十一月,又"使中常侍管霸之苦县,祠老子"①。命陈相边韶撰文。"边韶字孝先,陈留浚仪人,以文章知名。""桓帝时,为临颍侯相,征拜太中大夫,著作东观。再迁北地太守,入拜尚书令。后为陈相,卒官"②。边韶奉命所撰《老子铭》③,包括"序言"和"铭文"两部分,其可注意者有以下几点:

第一,对老子其人的叙述,基本来源于《史记》,但又有新的补充。如说:"老子为周守藏室史。当幽王时,三川实震,以夏殷之季,阴阳之事,鉴喻时王。"这是把周太史伯阳父论地震④的事,加在老子头上,把伯阳父说成就是老子李伯阳。

第二,认为《老子》书中"天地所以能长且久者,以不自生也","谷神不死,是谓玄牝"的思想,是"世之好道者"神仙化老子的依据。《老子铭》称:"由是世之好道者,触类而长之。以老子离合于混沌之气,与三光为终始;观天作谶,升降斗星;随日九变,与时消息;规矩三光,四灵在旁;存想丹田,太一紫房;道成身化,蝉蜕渡世。自羲农以来,世为圣者作师。"这里披露出当世的"好道者"对老子的神仙化。他们把老子说成是体现自然、支配自然的伟大神力和修炼得道、不断变化其身的救世主,并作为祖师予以崇拜。它提到的老子"自羲农以来,世为圣者作师",是把曾经做过孔圣人之师的老子,扩大为以往历代圣人的老师。关于老子世为圣者作师的具体内容,在葛洪《神仙传》记有:"或云上三皇时为玄中法师,下三皇时为金阙帝君,伏羲时为郁华子,神农时为九灵老子,祝融时为广寿子,黄帝时为广成子,颛顼时

① 《后汉书》卷7《桓帝纪》,北京:中华书局1965年版,第2册,第316页。

② 《后汉书》卷70上《文苑列传·边韶传》,北京:中华书局1965年版,第9册,第2624页。

③ 《全后汉文》卷62《边韶　史敞》,(清)严可均校辑:《全上古三代秦汉三国六朝文》,北京:中华书局1958年版,第一册,第813页。

④ 《国语·周语》上云:周幽王二年,西周三川(注:泾水、渭水、洛水)皆震。伯阳父曰:'周将亡矣!夫天地之气,不失其序,若过其序,民乱之也。阳伏而不能出,阴迫而不能烝,于是有地震。今三川实震,是阳失其所而镇阴也。阳失而在阴,川源必塞。源塞,国必亡。夫水土演而民用也,水土无所演,民乏财用,不亡何待!昔伊洛竭而夏亡,河(黄河)竭面商亡。今周德若二代之季矣,其川源又塞,塞必竭。夫国必依山川,山崩川竭,亡之征也。川竭山必崩。若国亡不过十年,数之纪也,夫天之所弃,不过其纪。'是岁也,三川蝎,歧山崩。十一年,幽王灭,周乃东迁。"

为赤精子,帝喾时为禄图子,尧时为务成子,舜时为尹寿子,夏禹时为真行子,殷汤时为锡则子,文王时为文邑先生,一云守藏史。”而《太上老君开天经》称:老子在伏羲时下降,号无化子,在神农时号大成子,祝融时号广寿子,轩辕黄帝时号广成子,少昊时号随应子,颛顼时号赤精子,帝尧时号务成子,帝舜时号尹寿子,夏禹时号真行子,殷汤至周初号壅邑子,“皆劝令修善”,与《神仙传》所记有异,但二者都是“世为圣者作师”的注脚。这样,老子的形象世世代代都在出现,神通更广大,真实感更增强,与黄帝的关系也更紧密了。而且,根据“世为圣者作师”的说法,人们也可随意把某个有德行教养或行迹奇异的老人称为老子的化身。譬如《史记》卷55《留侯世家》中,那位曾经以《太公兵法》授张良为王者师的圯上老父——黄石公,就被《诗纬》说成是:“风后,黄帝师,又化为老子,以书授张良。”这就为进一步神化老子开辟了道路。

第三,《老子铭》写道,汉桓帝祭祀老子的原因是:“延熹八年(165年)八月甲子,皇上尚德弘道,含闳光大,存神养性,意在凌云”,想成神仙,在梦中见到老子,所以才“尊而祀之”。这也表明当时人已把老子作为仙道之祖。

次年,即延熹九年,桓帝“亲祠老子于濯龙[宫]。文罽为坛,饰淳金扣器,设华盖之坐,用郊天乐也”①。皇帝在肃穆庄严的气氛中,用郊祀天帝的音乐亲自祭祀老子,表明老子在人们心目中的地位空前提高,“祭黄老君,求长生福”②,已蔚为风尚。

因此,东汉讲黄老,侧重在养生、修仙,与西汉前侧重在统治术的黄老学,已有所不同。这是黄老学逐步衍变为黄老道的新发展。以“求长生福”为主要内容的黄老道,颇能吸引信徒,最高统治者有“延熹中,桓帝事黄老道,悉毁诸房祀”③。也有活跃在社会下层、领导农民造反的“张角自称‘大贤良师’奉事黄老道”④。黄老道追求长生,崇奉老子,反对房祀,是道教酝

① 《后汉书》《志》第8《祭祀志》中,北京:中华书局1965年版,第11册,第3188页。
② 《后汉书》卷50《孝明八王列传》,北京:中华书局1965年版,第6册,第1669页。
③ 《后汉书》卷76《王涣传》,北京:中华书局1965年版,第9册,第2470页。
④ 《后汉书》卷71《皇甫嵩传》,北京:中华书局1965年版,第8册,第2299页。

酿、发育接近成形的重要阶段。

二、《老子道德经河上公章句》的思想倾向

在尚黄老、修仙道的社会思潮中，到东汉出现了主要以修道长生的观点解说《老子》的著作，即《老君道德经河上公章句》，或称《老子河上公注》①。它是神仙方术与黄老思想逐步结合的历史产物，也是《老子》由道家学说向道教理论过渡的重要标志。

《老子河上公注》利用汉代的哲学、医学和养生学的成就注解《道德经》，阐明其宇宙观，着重于治国治身之道，而尤以炼养长生为主旨。

第一，它解《老子》所谓世界本源的"道"为"元气"。有时说"道生万物"(《养德》第五十一)，有时又说"元气生万物"(《养身》第二)，"道"也就是"元气"。而将《老子》关于"道生一，一生二，二生三，三生万物"(《道化》第四十二)的生成图式，以一"气"贯之：称"道(即元气)始所生者一"，["一者，道始所生太和之精气也"(《能为》第十)]，"一生阴与阳"，"阴阳生和清浊三气，分为天地人也"，"天地共生万物"["天地含气生万物"(《体道》第

① 关于《老子道德经河上公章句》一书的时代和作者，古今意见纷纭，莫衷一是。王明先生认为《老子河上公注》成书于东汉，并认为它是道家理论转向道教理论的过渡性著作，先于《老子道德经想尔注》。近年来学术界对此有进一步讨论，卿希泰撰文《"河上公章句"的成书时代与基本思想初探》(载于《辅仁宗教研究》2011 年第 22 期)。认为：该部作品的成书时间当在西汉昭帝(前 86—75 年)之时，最晚也不会晚于昭帝(前 74—50 年)时代，其作者不一定是司马迁《史记·乐毅列传》所说的黄老学派的开山祖师河上公本人，而是他的后学以其本师之名所作，或者如同王明先生的断定，是出于该学派的一位民间隐士。关于《河上公章句》的内容，一般认为主要包括四个方面：其一，是关于世界万物的起源问题，《河上公章句》在阐明世界万物的起源时，吸收了《淮南子》元气论的思想，将《老子》关于形成世界万物的"道"解释为"混沌未分的元气"，还以"元气论"来说明"道生万物"与"元气生万物"的实际过程，达到了《白虎通论》和王充《论衡》等著作以前的较高水准；其二，是关于治国与治身相统一的问题，《河上公章句》在解释《老子》之"道"时，将其分为"经术政教之道"与"自然长生之道"，而以"自然长生之道"为治身治国的统一理论；其三，是关于治身之道与真道的关系，其认为要"守真道"，就需要行道，并反复强调修道养生的重要意义，与后来道教所尊奉的最高信仰和所追求的最终目标是完全一致的，为道家思想过渡到后来的道教架起了一道桥梁；其四，提出修道养生的方法主要在于对人体精气神的保养，包括爱气行气、爱精固精、无为养神三方面等方面。

一)],“天施地化人长养之”,“万物中皆有元气,得以和柔。若胸中有藏,骨中有髓,草木中有空虚,与气通,故得久生也”。这个所谓天地万物的生成过程为:由元气化生精气,产生阴阳二属性,变出清浊和三气,分为天地人三才,天地含气生成万物,所以万物中皆有元气。

本来,《老子》描写“先天地生”的“道”,就是以实有的“气”为模特儿的,它说“道”是看不见、听不到、摸不着,无头无尾,无形无色,恍恍忽忽,独自活动,真实存在的东西,不正是“气”所具有的特点吗?然而,老子以“气”的特点尽情描绘“道”,却始终不点穿“道”就是“气”,以保持“道”不同于具体事物的高度概括性和神秘性。到了汉代,元气生天地万物之说兴起,如《淮南子·天文训》谓:“气有涯垠,清阳者薄靡而为天,重浊者凝滞而为地。”《河图括地象》明白地说:“元气无形,汹汹蒙蒙,偃者为地,伏者为天。”(《太平御览》一引)《白虎通·天地》云:“天地者,元气之所生,万物之祖也。”王充《论衡》写道:“人禀元气于天。”(《无形》)“人未生,在元气之中;既死,复归元气。”(《论死》)“万物之生,皆禀元气。”(《言毒》)所有这些都说明,在汉代,人们已把元气作为生成天地人和万物的本源。《老子河上公注》运用当时哲学、天文学上的元气论,解释《老子》的宇宙本体“道”,并以的序列,说明“道生万物”即“元气生万物”的实际过程,从而充实了道化的内容,体现了注者所处的时代特征。

阴　　清气(天)
元气……精气……和气 }(人)……万物
阳　　浊气(地)

第二,《老子河上公注》分“道”为经术政教之道与自然长生之道,而以自然长生之道为治身治国的统一理论。它解释说:

> 道可道——谓经术政教之道也。
>
> 非常道——非自然长生之道也。常道当以无为养神,无事安民,含光藏晖,灭迹匿端,不可称道。(《体道》第一)①

将“可道”与“常道”,分别说成是“经术政教之道”与“自然长生之道”,这还

① 王卡:《老子道德经河上公章句》,北京:中华书局1993年版,第1页。

是第一次。它认为,“天道与人道同,天人相通,精气相贯”(《鉴远》第四十七),“圣人治国与治身同”(《安民》第三)。因之,河上注所说自然长生之道,即“当以无为养神,无事安民”的常道,就成为其治国治身的统一理论,而在注释经文时,常常是治身治国并提。兹略举如下:

古之善为道者——谓古之善以道治身及治国者。(《淳德》第六十五)①

莫若啬——治国者当爱民财,不为奢泰;治身者当爱精气,不放逸。(《守道》第五十九)②

无为之益——法道无为,治身则有益精神;治国则有益万民,不劳烦也。(《编用》第四十三)③

治大国若烹小鲜——治国烦则下乱;治身烦则精散。(《居住》第六十)④

其易安持——治身治国安静者,易守持也。(《守微》第六十四)⑤

用之不可既——用道治国,则国安民昌;治身则寿命延长,无有既尽时也。(《仁德》第三十五)⑥

可以长久——人能知止足,则福禄在已,治身者神不劳,治国者民不扰,故可长久。(《立戒》第四十四)⑦

以上各条治身治国之道,贯穿一个中心思想,即安静无为。这正是“无为养神,无事安民”的自然长生之道。为什么安静无为是治国治身的常道呢?在河上公看来,“安静无为”,乃是道的特性,所谓“如道安静”(《虚无》第二十三),“法道安静,无所施为也”(《论德》第三十八);又是人的本性,他在《无为》第二十九的释文中明确地说:“人乃天下之神物也,神物好安静,不可以有为治。”

① 王卡:《老子道德经河上公章句》,北京:中华书局 1993 年版,第 254 页。
② 王卡:《老子道德经河上公章句》,北京:中华书局 1993 年版,第 230—231 页。
③ 王卡:《老子道德经河上公章句》,北京:中华书局 1993 年版,第 173 页。
④ 王卡:《老子道德经河上公章句》,北京:中华书局 1993 年版,第 235 页。
⑤ 王卡:《老子道德经河上公章句》,北京:中华书局 1993 年版,第 248 页。
⑥ 王卡:《老子道德经河上公章句》,北京:中华书局 1993 年版,第 140 页。
⑦ 王卡:《老子道德经河上公章句》,北京:中华书局 1993 年版,第 176 页。

第三,《老子河上公注》在道(元气)生万物,人禀中和之气而生的理论基础上,进一步认为,“人所以生者,为有精神”(《爱己》第七十二),“人生,含和气,抱精神,故柔弱也;人死,和气竭,精神亡,故坚强也。”(《戒强》第七十六)人的和气、精神的存亡,决定和体现着人的生死。由此,河上公提出以除情去欲为前提,以安静无为为条件,以爱气养神为核心,以长生久寿为目的的一整套养生思想。

关于除情去欲,《老子河上公注》云:“治身者,当除情去欲,使五藏空虚,神乃归之。”(《无用》第十一)“贪淫好色,则伤精失明也”;“好听五音,则和气去心,不能听无声之声”;“目不妄视。妄视,泄精于外”;“心贪意欲,不知厌足,则行伤身辱”(《检欲》第十二);“除情去欲,守中和,是谓知道要之门户也。”(《体道》第一)对于修道养生来说,只有除情去欲,才能做到安静无为,爱气养神,所以是了解“道要之门户”。

《老子河上公注》对于爱气养神论述甚多,主要是讲爱精气,养五藏神。它说:

> 人能自节养,不失其所受天之精气,则可以久。(《辩德》第三十三)①
>
> 人能抱一,使不离于身,则长存。一者,道始所生,太和之精气也。②
>
> 专守精气使不乱,则形体能应之而柔顺。(《能为》第十)③
>
> 治身者当爱精气,不放逸。(《守道》第五十九)④
>
> 自爱其身,以保精气。(《爱己》第七十二)⑤
>
> 人能以气为根,以精为蒂,如树根不深则拔,蒂不坚则落。言当深藏其气,固守其精,无使漏泄。
>
> 深根固蒂者,乃长生久视之道。(《守道》第五十九)⑥

---

① 王卡:《老子道德经河上公章句》,北京:中华书局 1993 年版,第 134 页。
② 王卡:《老子道德经河上公章句》,北京:中华书局 1993 年版,第 34 页。
③ 王卡:《老子道德经河上公章句》,北京:中华书局 1993 年版,第 34 页。
④ 王卡:《老子道德经河上公章句》,北京:中华书局 1993 年版,第 231 页。
⑤ 王卡:《老子道德经河上公章句》,北京:中华书局 1993 年版,第 279 页。
⑥ 王卡:《老子道德经河上公章句》,北京:中华书局 1993 年版,第 231—232 页。

《老子河上公注》又强调养神的重要性。释“谷神不死”称:“谷,养也。人能养神则不死也,神谓五藏之神也:肝藏魂,肺藏魄,心藏神,肾藏精,脾藏志。五藏尽伤,则五神去矣。”(《成象》第六)①

精气、五藏神之说,屡见于古代医书。《黄帝内经素问》云:“所谓五藏者,藏精气而不写也。”(卷三《五藏别论》)“黄帝曰:余闻上古有真人者,提挈天地,把握阴阳,呼吸精气,独立守神,肌肉若一,故能寿敝天地。”(卷一《上古天真论》)“五藏所藏,心藏神,肺藏魄,肝藏魂,脾藏意,肾藏志,是谓五藏所藏。”(卷二十三《素问·宣明五气篇》)可见,河上公关于精气、五藏神的思想,是同当时的医学理论相关联的,是他利用已有的医学成就,阐述养生之道的反映。

实际上,河上公已经认识到,对于人体的生命存在来说,精气神是不可分的,所以常常是精气、精神、爱气养神并提。例如:“不如守德于中,育养精神,爱气希言。”(《虚用》第五)“人能保身中之道,使精气不劳,五神不苦,则可以长久。”(《守道》第五十九)这都是讲的精气神的统一性。

特别有意思的是,河上公在关于炼气养神中所提到的导引行气的功法理论。今录有关释文如次:

治身者,呼吸精气,无令耳闻。

天门谓北极紫微宫,开阖谓终始五际也。治身,天门谓鼻孔,开谓喘息,阖谓呼吸也。(《能为》第十)②

言不死之道,在于玄牝。玄,天也,于人为鼻;牝,地也,于人为口。天食人以五气,从鼻入藏于心。五气清微,为精神聪明音声五性,其鬼曰魂,魂者雄也,主出入人鼻,与天通,故鼻为玄也。地食人以五味,从口入,藏于胃。五味浊辱,为形骸骨肉,血脉六情,其鬼曰魄,魄者雌也,主出入人口,与地通,故口为牝也。

鼻口之门,是乃通天地之元气所从往来。

① 王卡:《老子道德经河上公章句》,北京:中华书局1993年版,第21页。
② 王卡:《老子道德经河上公章句》,北京:中华书局1993年版,第35页。

鼻口呼吸喘息，当绵绵微妙，若可存，复若无有。

用气当宽舒，不当急疾勤劳也。（《成象》第六）①

把玄牝释为天地，于人为鼻、口；把天门释为北极紫微宫，于人为鼻孔；释开阖为喘息、呼吸，显系炼养（气功）术语。天地之元气（或精气）通过鼻口之门往来人身，即为气之吐纳运行。鼻口呼吸喘息，绵绵不绝，若存若无，以及用气常宽舒，缓慢自然等，则为炼养气功之要领。这是一套简明扼要的功法理论。河上公所反复强调的，治身者当安静无为，除情去欲，亦是其炼养精气神的必要条件。他在讲圣人治身时提到的："除嗜欲，去乱烦"，"怀道抱一守五神"，"和柔谦让不处权"，"爱精重施，髓满骨坚"，（《安民》第三）较全面地概括了其养生要点，表明了一个炼养术士解说《道德经》的风貌。②

第四，河上公把天、道拟人化、神圣化，说"天"、"道"有意志，能决定人事，报应善恶。其注有云：

天使正身之人，使至有国。

天使诈伪之人，使用兵。（《淳风》第五十七）③

天所网罗，恢恢甚大，虽踈远，司察人善恶，无有所失。

天道虽宽博，善谋虑人事，修善行恶，各蒙其报也。（《任为》第七十三）④

天将救助善人，必与慈仁之性，使能自营助也。（《三宝》第六十七）⑤

---

① 王卡：《老子道德经河上公章句》，北京：中华书局 1993 年版，第 21—22 页。

② 河上公为修炼方士，传说他创有《无极图》，系周敦颐所说太极图之始源。黄宗炎谓："周子《太极图》，创自河上公。乃方士修炼之术也……考河上公本名《无极图》，魏伯阳得之以著《参同契》，钟离权得之以授吕洞宾，洞宾后与陈图南同隐华山而卧授陈，陈刻之华山石壁。陈又得《先天图》于麻衣道者，皆以授种放，放以授穆修……修以《无极图》授周子……其图自下而上，以明逆则成丹之法。周子得此图而颠倒其序，更易其名附于太易，以为儒者之秘传。"（《宋元学案·濂溪学案附》）河上公是否创有方士修炼之术的无极图，尚未见其他有力证据，但从他所著的《老子道德经章句》看，河上公是一位通晓修炼之术的方士，似毋庸置疑。

③ 王卡：《老子道德经河上公章句》，北京：中华书局 1993 年版，第 220 页。

④ 王卡：《老子道德经河上公章句》，北京：中华书局 1993 年版，第 283 页。

⑤ 王卡：《老子道德经河上公章句》，北京：中华书局 1993 年版，第 264 页。

深思远虑，味道意也。（《恩始》第六十三）[1]

独畏有所施为，失道意。（《益证》第五十三）[2]

小人不知道意，而妄行强知之事以自显著，内伤精神，减寿消年也。（《知病》第七十一）[3]

人能强力行善，则为有意于道，道亦有意于人。（《辩德》第三十三）[4]

《老子河上公注》所谓天、天道、道意，关于谋虑人事善恶报应，以及人们“修道行善，绝祸于未生”[5]（《恩始》第六十三），“德不差忒，则长生久寿”（《反朴》第二十八）[6]等论述，实际上是汉代盛行的天人感应论思想的反映，颇具宗教气味，以后为《老子想尔注》所继承和发展。这表明《老子河上公注》为道家思想向道教理论过渡的一大重要标志。

综上可见，《老子道德经河上公章句》为汉代炼养术士的著作。它利用当时的哲学、养生学和医学成就，阐明修道长生的理论和方法。它注解《老子》虽包含统治术，但着重点不在统治术，而在长生术。它与神仙思想有关，但又不同于战国和西汉时期那种寻找神仙、求不死之药的方士，而是主张怀道抱一，导引行气，在自身修炼上下功夫。兼而论之，它宣传行善得福、积德长寿的修道思想，亦与道教教义契合。以至于后来道教《传授经戒仪注诀》[7]规定，《老子道德经河上公章句》为道门必读的经典，其地位仅次于《老子道德经》而先于《老子想尔注》。

总之，崇尚黄老的社会思潮，自战国中后期兴起以后，先是作为“君人南面之术”，而受到重用；继而与神仙思想结合，黄帝、老子亦被逐渐神仙化，阴阳数术、神仙方技也多打上黄帝的标记。进入东汉以后，老子的地位升高，对其神化更盛，出现主要以长生术观点解释《道德经》的河上公注。

---

① 王卡：《老子道德经河上公章句》，北京：中华书局1993年版，第245页。
② 王卡：《老子道德经河上公章句》，北京：中华书局1993年版，第203页。
③ 王卡：《老子道德经河上公章句》，北京：中华书局1993年句，第277页。
④ 王卡：《老子道德经河上公章句》，北京：中华书局1993年版，第134页。
⑤ 王卡：《老子道德经河上公章句》，北京：中华书局1993年版，第245页。
⑥ 王卡：《老子道德经河上公章句》，北京：中华书局1993年版，第114页。
⑦ 《传授经戒仪注诀》第4，《道藏》第32册，第170页。

差不多与此同时,逐渐形成了早期道教经典,从而在思想上、理论上为道教的出世准备了条件。

第五节　易学与传统医学思想

一、易学思想

《周礼 · 春官宗伯》称大卜"掌三易之法,一曰《连山》,二曰《归藏》,三曰《周易》"。《连山》、《归藏》之古法已难窥全豹,后世论易学者主要以《周易》为典据。易学思想中蕴含的各种丰富的内容,多为道教吸收,并体现在道教的思想、方术、仪式、组织和器物等方面。

据现代学者研究,先秦时期道家学派已颇习易学。许地山先生指出:"道家思想的渊源也与儒家一样同出于《易》。"[①]陈鼓应《易传与道家思想》[②]一书更认为诞生于战国中后期的《易传》为道家学派的作品。可以确定的是,至迟在西汉初年,黄老道家习《易》之风已颇为流行。汉初司马季主本为"楚贤大夫,游学长安,通《易经》,术黄帝、老子,博闻远见"[③],是最早著名于史册的道家易学家。司马季主在长安东市卜筮为生,曾接待宋忠、贾谊来访,为二人谈论易道,"分别天地之终始,日月星辰之纪,差次仁义之际,列吉凶之符"[④]。二人又以卜筮卑贱相诘,他回应时,除谈及易学本身的思想内涵和功能外,又称:

> 且夫卜筮者,埽除设坐,正其冠带,然后乃言事,此有礼也。言而鬼神或以飨,忠臣以事其上,孝子以养其亲,慈父以畜其子,此有德者也。而以义置数十百钱,病者或以愈,且死或以生,患或以免,事或以成,嫁子娶妇或以养生:此之为德,岂直数十百钱哉!此夫老子所谓"上德不德,是以有德"。今夫卜筮者利大而谢少,老子之云岂异于

---

① 许地山:《道家思想与道教》,载《道教史》,上海:上海古籍出版社 1999 年版,第 143 页。

② 陈鼓应:《易传与道家思想》,北京:商务印书馆 2007 年版。

③ 《史记》卷 127《日者列传》,北京:中华书局 1959 年版,第 10 册,第 3221 页。

④ 《史记》卷 127《日者列传》,北京:中华书局 1959 年版,第 10 册,第 3216 页。

是乎？

庄子曰："君子内无饥寒之患，外无劫夺之忧，居上而敬，居下不为害，君子之道也。"今夫卜筮者之为业也，积之无委聚，藏之不用府库，徙之不用辎车，负装之不重，止而用之无尽索之时。持不尽索之物，游于无穷之世，虽庄氏之行未能增于是也，子何故而云不可卜哉？①

司马季主援老、庄为论，强调《周易》占筮与道家的伦理观念并不违背。其易学思想今虽不可详考，却无疑是汉代道家易学之嚆矢。他还被后世道教视为神仙中人，据《真诰·稽神枢第四》记载，"司马季主后入委羽山石室大有宫中，受石精金光藏景化形法于西灵子都……季主临去之际，托形枕席，为代己之像"②。传说他以尸解而成仙，《云笈七籤》卷85《尸解》亦收录了他的仙话事迹。

淮南王刘安曾"聘明《易》者九人，号九师说"③，所著《淮南道训》二篇著录于《汉书·艺文志·六艺略》易类，为道家易学著作，惜久已亡佚。幸而《淮南子》一书屡引《周易》，可借以窥见西汉早期道家易学的端倪。《淮南子》一书特重推演天道，体现出鲜明的道家风格。其《要略》篇又称："《易》之乾、坤足以穷道通义也，八卦可以识吉凶、知祸福矣。"④反映了道家尚简恶繁的态度，对道教崇尚简易的风格有所影响。两汉之际又有河内朝歌人向长，"隐居不仕，性尚中和，好通《老》、《易》"，且以道家守卑持弱的观念理解《损》、《益》二卦，遂"与同好北海禽庆俱游五岳名山，竟不知所终"⑤，颇有神仙家风范。

西汉末年至东汉时期，西蜀道家习《易》之风盛行。西汉末著名学者庄遵（字君平，《汉书》避明帝讳改为严遵）"专精大《易》，耽于《老》《庄》"⑥，在成都市中以卜筮为生，每日稍阅数人后，便闭肆下帘讲授《老子》，著《老

① 《史记》卷127《日者列传》，北京：中华书局1959年版，第10册，第3219页。

② 《道藏》第20册，第575页。

③ 《汉书》卷30《艺文志》，北京：中华书局1962年版，第6册，第1703页。

④ 张双棣：《淮南子校释》，北京：北京大学出版社1997年版，第2146页。

⑤ 《后汉书》卷83《向长传》，北京：中华书局1965年版，第10册，第2758—2759页。

⑥ （晋）常璩撰，任乃强校注：《华阳国志校补图注》卷10上，上海：上海古籍出版社1987年版，第532页。

子指归》。《通志 · 艺文略》、《宋史 · 艺文志》还分别著录有他所撰《周易骨髓决》、《卦法》各一卷。庄遵之徒扬雄虽为一代大儒,但自称“老子之言道德,吾有取焉耳”①。他模仿《周易》而作的《太玄》一书,构造了以“玄”为最高实在、以三为倍数的宇宙生成体系,当是受到了其师所授《老子》“玄之又玄,众妙之门”、“三生万物”等思想的影响。此书为历代道教徒传习,后收入《正统道藏》太清部。

东汉时,广汉雒人折像通《京氏易》,好黄老言。他在父亲逝世后,感老子“多藏厚亡”之义,认为“盈满之咎,道家所忌”②,虽身有五子、孙息盈门,仍散金帛资产而周施亲疏。去世前能“自知亡日,召宾客九族饮食辞诀,忽然而终,时年八十四”③,可见他既擅黄老养性之道,无疾而逝,又明易筮占卜之术而预知时至,将黄老道学与易学融而为一。蜀地又有杨厚,少从其父杨统学图谶,晚年“修黄老,教授门生,上名录者三千余人”④,其中杰出者为冯颢。冯颢任越嶲太守时得罪大将军梁冀,遂辞官隐居,“作《易章句》及《刺奢说》,修黄老,恬然终日”⑤。除蜀地道家易学家外,东汉又有平舆人许峻,“善卜占之术,多有显验,时人方之前世京房”⑥,著有《易林》行世,其学则源于道士张巨君。《隋书 · 经籍志》还著录有许峻所撰《易新林》、《易灾条》、《易决》、《易杂占》等书。

汉代道家易学的兴盛,为早期道教积极吸收易学思想奠定了基础,早期道教经典《太平经》、《周易参同契》便充分吸收了汉代易学的成果。这里,我们仅就道教吸收易学象数、义理、占筮思想等三个基本方面,略作总结。

首先,道教借助易学象数阐发神学体系。早期道经《太平经》便谈及:

---

① (汉)扬雄:《扬子法言》卷4《问道》,《诸子集成》第7册,北京:中华书局1954年版,第10页。

② 《后汉书》卷82《方术列传》,北京:中华书局1965年版,第10册,第2720页。

③ 《后汉书》卷82《方术列传》,北京:中华书局1965年版,第10册,第2721页。

④ 《后汉书》卷30《杨厚传》,北京:中华书局1965年版,第4册,第1050页。

⑤ (晋)常璩撰,任乃强校注:《华阳国志校补图注》卷10中,上海:上海古籍出版社1987年版,第563页。

⑥ 《后汉书》卷82《许曼传》,北京:中华书局1965年版,第10册,第2731页。

“甲子,天正也,日以冬至初还反本;乙丑,地正也,物以布根;丙寅,人正也,平旦人以初起,开门就职。此三者,俱天、地、人初生之始,物之根本也。初生属阳,阳者本天、地、人元气。故乾、坎、艮、震,在东北之面,其中和在坎、艮之间,阴阳合生于中央。”①经文在阐述宇宙生成论及阴阳中和思想时,便借助了后天八卦方位。就易数而言,晋宋之际传出的灵宝经好谈“阳九”、“百六”之厄,便源于汉代易数。明代张宇初在解释《度人经》“七日七夜”一句时谈道:“七乃火数,即七返之义也。《易》曰:‘七日来复。’凡数遇七必复。先儒曰:‘阳生于子,阴生于午。自午至子,七而必复,乾坤消息之理也。以一日言之,自午时至夜半,复子时;以一年言之,自五月一阴生,至十一月复子月;以一月言之,自午日凡七日,复遇子日。’此天道运行之定数也。”②所引“先儒”之言,出于南宋朱震《汉上易传》中《复》卦七日来复图说。张宇初在诠释传统道经神学内蕴时,便注重吸收宋儒象数易学之说。

其次,道教多以易学象数阐述方技、法术。《周易参同契》以象数诠释炼丹术之鼎器、药物、火候等要素(详见第二章),成为道教方术援易为说之滥觞,其易学思想对三国象数易学家虞翻亦有影响。唐玄宗时道士张果撰《太上九要心印妙经》,称“周天三百八十四爻,日月运度之数,天地造化之机。圣人立数,后人依数而行之”③,仍强调象数对内丹修炼的指导意义。后蜀彭晓《周易参同契分章通真义》、北宋张伯端《悟真篇》等内丹经典亦多阐释象数。五代、北宋之际,道士陈抟撰《易龙图》,发明图书易学,为内丹学吸收。其他方术亦受易学象数影响,以存思术为例,《太上老君中经》便将八卦符号形象化、神格化,并记载了存思八卦神的方法。

就法术而言,道教各种符箓咒法多本于易学象数,如《抱朴子内篇·遐览》已见有《八卦符》、《监乾符》,而《太上三洞神咒》中亦收录有两种《八卦罡咒》。此外,宋代路时中《无上玄元三天玉堂大法》卷十九《三五步罡品》称步罡之法“一步象太极,二步象两仪,三步象三才,四步象四时,五步象五行,六步象六律,七步象七星,八步象八卦,九步象九灵,万罡之祖也。……

① 王明:《太平经合校》,北京:中华书局1960年版,第676页。

② (明)张宇初:《元始无量度人上品妙经通义》卷1,《道藏》第2册,第294页。

③ 《道藏》第4册,第312页。

今世所行豁落斗，乃三五禹步之枢要。《河图》错综之数，岂特轻视？"①认为三五步罡之法每步均有其易数内涵，而禹步之枢要"豁落斗"更是严格遵循河图之数，不容轻视。

复次，道教的组织、仪式亦多采用易学象数模型。汉末张角以三统立天、地、人三将军，与三才相应；据葛洪《神仙传》记载，张陵"本大儒生，博综五经"②，当精通《周易》，所创天师道便立二十四治，后增四治，与二十四节气或二十八宿相应。他们均受汉代易学风气的影响。金全真道士郝大通精通易学，著有《三教入易论》、《太易图》、《周易参同契简要释义》，收入《太古集》。他曾作《三才象三坛之图》，并解释称：

> 夫三才者，天一、地二、人三也。今则不然，所谓天在上，地在下，人立乎中，以象三才，非取一二三，惟取上中下品是也。故知上品类天之万象，以明十干之类是也。中品类人有万事，此者皆自天之下、自地之上而居于中，以明八卦五行之属是也。下品类地之万物，以明十二支位是也。此具三品，以证三才。《易》曰："有天道焉，有人道焉，有地道焉。"天道广矣，地道大矣，人道备矣。天道虽广，若不以人法之，而天道不能显著。地道虽大，若不以人则之，而地道不能成就。惟人道独能法则于天地，变化于万有，兴废于万事者，亦自此而然也。③

郝大通以易天、地、人三才解释道教斋醮法坛，并分别与十天干、八卦五行、十二地支相对应，以强调法坛的象征意义。实际上，道教的各种仪式也正是依据《周易》象数而编制的。如唐末五代道士杜光庭所编《太上黄箓斋仪》卷五十六引《上元金箓简文真仙品》称："然灯威仪，于八方然八灯，以照八卦，为弟子照明八达，开窗九宫，八神密卫，八方开通。"④《道藏》洞真部威仪类所收《土司灯仪》更将九宫八卦与九方星君相配，其祭祷顺序则依照后天八卦方位而行。

最后，道教在器物层面亦多吸收易学象数思想。例如，唐代茅山宗宗师

---

① 《道藏》第 4 册，第 63—64 页。

② 《云笈七籤》卷 109，《道藏》第 22 册，第 746 页。

③ 《道藏》第 25 册，第 878—879 页。

④ 《道藏》第 9 册，第 368 页。

司马承祯曾铸含象鉴一面、景震剑一柄，标示卦爻符号于其上，并撰《上清含象剑鉴图》一卷解释其意义。如含象鉴所刻符号，便有“取象天地”、“备著阴阳”、“通七曜”、“节运四时”①等象征功能。道教的神仙造像、服饰多标示卦象，而宫观建筑更具有丰富的象数易学内涵，值得专题研究。

道教广泛吸收了《周易》之义理。道教不仅仅从象数符号体系的层面吸取易学思想，更注重从《周易》义理中提炼宗教哲学，以充实道教教义的内涵。例如，“道”是道教哲学的核心范畴，也是道教的根本信仰，道教在诠释“道”时，便与易理相参。《太平经》发挥《易传·系辞上》“一阴一阳之谓道”的思想，强调：“一阴一阳，上下无穷，傍行无竟。大道以是为性，天法以是为常，皆以一阴一阳为喉衿。”②以《周易》阴阳学说诠释老子之“大道”。《太平经》所谓“阳极者能生阴，阴极者能生阳”③，更是对《周易》矛盾转化思想的经典表达。

历代道教学者亦多重视以《易》解道，如元代道士李道纯《中和集》仿周敦颐《太极图说》作《太极图颂》，又仿《道德经》作《易象》、《常变》诸篇，称“易可易，非常易；象可象，非大象”，并指出：“易也，象也，其道之原乎。”④元代道士邓锜在《道德真经三解·自序》中亦谈到：“《道德经》其经与大《易》准。”⑤并在注释中断言：“无思无为，是谓常道。”⑥即是以《易传·系辞上》对《易经》无思、无为之宗旨的概括，以诠释老子所称的“常道”。又《道法会元》卷一《清微道法枢纽》谈到：“《易》曰：‘太极生两仪，两仪生三才。’即非清非浊，中和之炁，结成人伦也。是谓道生一，一炁之混沌也。一生二，二仪之清浊也。二生三，三才之人伦也。然后三生万物。”⑦《易传·系辞上》本作“两仪生四象”，道书作者将其窜改为“两仪生三才”，以匹配于《道德经》“二生三”之说，将两种宇宙生成论进行了整合，以统一道教的思

① 《道藏》第6册，第683页。
② 王明：《太平经合校》，北京：中华书局1960年版，第653页。
③ 王明：《太平经合校》，北京：中华书局1960年版，第44页。
④ 《道藏》第4册，第484页。
⑤ 《道藏》第12册，第184页。
⑥ 《道藏》第12册，第187页。
⑦ 《道藏》第28册，第676页。

想。《道法会元》卷二十《玉宸经法炼度仪》又称:"《易》曰:'大哉乾元,万物资始。至哉坤元,万物资生。'若是,则物资以始而生者,元也。元者,即太极之体,天地之根也。'混洞赤文,无无上真,元始祖劫,化生诸天,开明三景,是谓天根'者,是也。"①这里便吸收了《易传·彖传》中的宇宙本源思想,以佐证《度人经》中的神学宇宙论。

道教尊奉的重要经典《黄帝阴符经》强调:"观天之道,执天之行,尽矣。"②经中又提出盗机论、阴阳互根相胜等思想,均具有明显的易学色彩。后代道教阴符学者,多援易理以阐释经义。如唐代道士李筌在疏解《阴符经》时,引《易传·系辞上》"阴阳不测之谓神",论述"至道虚静,寂然而不神",而又生长滋养万物,故"不神之中而有神"③的道理。北宋道士蹇昌辰亦引《损》、《益》二卦《彖传》"与时偕行"之义注解《阴符经》"天人合发,万变定机"一句④,发挥天人相应之易理。除《阴符经》外,唐末五代道士谭峭所著《化书》,亦继承并发展了《周易》的变化思想。

《道德经》"冲气以为和"、"守中"等观念奠定了道教中和思想的基础。《太平经》称:"太阴、太阳、中和三气共为理,更相感动……三气以悦喜,共为太和。"⑤可见,《太平经》吸收了《易传·乾卦·彖传》的太和思想,对后世道教亦有启发。《云笈七籤》卷一《道德部》开篇便引《老君指归》称:"太上之象,莫高乎道德,其次莫大乎神明,其次莫大乎太和。"⑥此外,《周易》经传已将吉凶祸福与人的道德实践相联系,如《易经·恒卦》称:"不恒其德,或承之羞。"《易传·坤卦·文言》更谈到:"积善之家必有余庆,积不善之家必有余殃。"《太平经》在此基础上提出了著名的承负说,为后世道教所宗奉的基本教义。

道教内丹学中的顺逆、阴阳、先天后天等哲学问题亦多本于《周易》义理。如张伯端《读〈周易契同契〉》称:"大丹妙用法乾坤,乾坤运兮五行分。

① 《道藏》第28册,第785页。
② 《道藏》第1册,第821页。
③ (唐)李筌:《黄帝阴符经疏》卷中,《道藏》第2册,第741页。
④ (宋)蹇昌辰:《黄帝阴符经解》,《道藏》第2册,第761页。
⑤ 王明:《太平经合校》,北京:中华书局1960年版,第18页。
⑥ 《道藏》第22册,第2页。

五行顺兮常道有生有死,五行逆兮丹体常灵常存。”①其内丹顺逆思想实源于《易传·说卦传》中的“逆数”之说。元代内丹家陈致虚在《周易参同契分章注》中又称:“夫此阴阳之道、之气,或幽潜于其身,或沦匿于各体。或变化居中而包囊万物,或懋施生杀而为道纪纲,倘非乾、坤二用纪纲妙道,则道或几乎息矣。”②从《乾》、《坤》二卦的变化中体悟出“阴阳”为易之门户、道之纲纪。《易传·乾卦·文言》中所谓“先天而天弗违,后天而奉天时”,则成为内丹学先天、后天之说的源头。内丹学的性命思想,也是对《易传》性、命概念道教化的诠释。

易学占筮思想亦对道教有着深刻的影响。《周易》本为占筮之书,汉代司马季主、严遵及许峻等道家学者均长于易筮。汉末道教所奉《太平经》亦颇重筮占,此经模仿《易传》称:“古者圣人将有可为作,皆仰占天文,俯视地理,明其反本之明效也。”《太平经》又谈道:“古者圣人问事,初一卜占者,其吉凶是也,守其本也,乃天神下告之也;再卜占者,地神出告之也;三卜占者,人神出告之也。过此而下者,皆欺人不可占。故卦数则不中也,人辞文多则不珍。”③从“卦数”一词来看,这里所称的“卜占”当专指筮占。而从中亦可见《太平经》对筮占沟通神人、占验吉凶的功能是深信不疑的。

后世道教学者不仅钻研《周易》象数、义理,亦普遍研习《周易》筮法。如晋葛洪著《周易杂占》,梁陶弘景著《卜筮要略》,元初雷思齐撰有《易筮通变》、《意图通变》,李道纯则撰有《周易尚占》,等等。《正统道藏》中还收录有大量易筮支脉之术数典籍,如洞真部众术类收录六壬占书《黄帝龙首经》、《黄帝金匮玉衡经》、《黄帝授三子玄女经》,而洞神部方法类所收《秘藏通玄变化六阴洞微遁甲真经》则反映了道教遁甲术数参合法术的特点。据王太霄《玄珠录序》记载,唐代道教思想家王玄览早年善卜筮,“亦教人九宫六甲、阴阳术数,作《遁甲四合图》,甚省要”④。太玄部所收《灵棋本章正经》发明灵棋卜法,亦属易筮之流变。另外,《万历续道藏》收《焦氏易林》,

① 《修真十书悟真篇》,《道藏》第4册,第744页。

② 《藏外道书》第9册,第224页。

③ 王明:《太平经合校》,北京:中华书局1960年版,第76页。

④ 朱森溥:《玄珠录校释》,成都:巴蜀书社1989年版,第65、67页。

《道藏辑要》收《吕祖易说》,可见明清道教对筮法的研究和传习。《抱朴子内篇·遐览》著录有《灵卜仙经》、《九奇经》、《神光占方来经》等书,《登涉》篇亦引《太乙遁甲》、《遁甲中经》,又可见早期道教对占筮之术的传承。

道教不但传承以占筮易学为主的术数学,还确立了术数在神学体系中的地位,并逐渐形成道教术数学支脉。就道教经书十二部分类法而言,南北朝时所出《洞真太上仓元上录》谈到:"十二事:一曰自然文字,二曰符策,三曰注诀,四曰图像,五曰谱录,六曰戒律,七曰威仪,八曰方法,九曰术数,十曰记传,十一曰赞颂,十二曰表奏。"①而《无上黄箓大斋立成仪》卷二十一引《本际经》(即隋道士刘进喜造,唐贞观道士李仲卿续《太玄真一本际经》),以及《混元圣纪》卷二所引《道经》(疑出于初唐以前),第九类均为"术数"。可见,早期的《道经》十二部分类法正包括了术数一类,唐高宗时道士孟安排所编《道教义枢》则扩充为"众术"类,为明《正统道藏》所采纳。

在南北朝时期,道教对卜筮占验与修道的关系已有所反思。《洞真太上仓元上录》亦谈道:"文明运度,恶杀好生。戒示祸福,学者镜焉。占候善恶,即吉避凶。出处得适,动静保全。化导功立,积德道成。"②此经认为,修道者可凭借占筮所显现的祸福变化,趋吉避凶,积德修善,而渐至功立道成。南北朝所出的另一部道经《太上洞玄宝元上经》亦谈道:"仰观俯察,占怪候妖。妖怪各有所主,修德立功则消。能知改恶,唯善是从尔。"③亦是强调占候在维护戒律上的功能。

约于唐代所出的道教术数典籍《灵信经旨》在"序言"中谈到:"昔晋平公时,有道臣师旷指《天老经》中微妙神法,通幽明未来之兆,接引于公。公乃一观,触事预知。盖以因德所施,天道降鉴。尔后流传世上,道者皆知。况昔三天九要之书,尚流下土,既习知一,修生之道,宁不显图?永为保命之书,知闻修道君子。今则抄诸圣要旨,就一轴之统,展烛前经,以光圣道,乃命为《灵信经旨》云。"④此书编撰者强调其占卜之法传自仙真,为修道者保

① 《道藏》第33册,第585页。
② 《道藏》第33册,第583页。
③ 《道藏》第6册,第255页。
④ 《道藏》第34册,第463页。

命修生所不可或缺，亦是强调术数占验与道教长生信仰有着密切的关系。

总的说来，道教在各个历史时期广泛地吸收了易学象数、义理，亦受易学占筮思想的巨大影响，形成了道教术数学支流。易学无疑是道教思想的源头活水。

二、《黄帝内经》传统医学思想的渗透影响

道教与中国传统医学有着极为密切的联系。"古之初为道者，莫不兼修医术"①。陈寅恪先生在1933年《中央研究院历史语言研究所集刊》发表的《天师道与滨海地域之关系》一文中，指出"天师道世家皆能医药之术"，并由此比较了儒、释、道的异同："中国儒家谁称格物致知，然其所殚精致意者，实仅人与人之关系。而道家则研究人与物之关系。故吾国之医药学术之发达出于道教之贡献为多。其中固有怪诞不经之说，而尚能注意于人与物之关系，较之佛教，实为近于常识人情之宗教。然则道教之所以为中国自造之宗教，而与自印度所输入之佛教终有区别者，或即在此等处也。"②许地山先生认为："道教底成分非常复杂，我们从宗教与思想方面可以明白地回溯到它底许多根源。"③许地山为此还绘制了一个道教源流简表，指出："在神仙家之外，还有两派属于方技底医家与房中也与道教有关联。从中国医书中所立阴阳底理论可以看出其中底道家思想。医药一科在道士底功课上也是很重要的。"④在许地山看来，作为方技家的医家、房中和神仙都是道教形成的思想渊源，其还专门撰写了"医学与道教"专论。从历史发展来分析，道教的创立不仅汲取了古代原始宗教、神仙家、先秦诸子百家的哲学思想、易学、术数等多元思想，而且由于道教追求养性延命的宗教特质，其在创

① 王明：《抱朴子内篇》卷15《杂应》，《抱朴子内篇校释》，北京：中华书局1985年版，第271—272页。

② 陈寅恪：《天师道与滨海地域之关系》，《中国现代学术经典·陈寅恪卷》，石家庄：河北教育出版社2002年版，第461页。

③ 许地山：《道家思想与道教》，载《许地山学术论著》，上海：上海书店出版社2011年版，第273页。

④ 许地山：《道家思想与道教》，载《许地山学术论著》，上海：上海书店出版社2011年版，第288—289页。

立发展过程中必然要汲取和借重中国传统医学思想与技术手段，以医传道，借医弘道，这是早期道教创立过程中的一个显著特征。① 传统医学为道教的萌生、发展提供了肥沃的思想养料。这首先表现为以《黄帝内经》为标志建立起来的中国传统医学理论体系，为汉末以来道教义理的建构、发展以及修仙方术的完善提供了较为直接的医学思想渊源和思维模式。

《黄帝内经》分《素问》、《灵枢》两大部分，是我国现存医书中最重要的医学理论典籍，是我国劳动人民长期与疾病作斗争的经验总结。关于《黄帝内经》作者和成书年代，学术界有不同看法，一般认为其主体部分是战国以至秦汉间，经过不同人之手，联合增补发展而成。目前流传于世的通行版本有唐代启玄子王冰的次注本《黄帝内经素问》、唐代（一说隋代）杨上善的《黄帝内经太素》，以及南宋史崧对《黄帝内经灵枢》的校订本等。《黄帝内经》原文以黄帝、岐伯、雷公对话和问答的形式，系统阐述了人体病机病理，主张不治已病，而治未病，同时主张养生、摄生、益寿、延年，在理论上建立了中医学上的"阴阳五行学说"、"脉象学说"、"藏象学说"等，从而与《神农本草经》一起奠定了中国医药学理论知识体系。

早期道教经典《老子道德经河上公章句》和《老子想尔注》在对《老子》五千文进行宗教化诠释中，有不少地方就借用了《黄帝内经》传统医学理论思想和术语。关于《老子道德经河上公章句》汲取《黄帝内经》思想进行诠释的问题，前面已经有所涉猎，本节着重就早期的另外几部道教典籍《老子想尔注》、《太平经》吸纳《黄帝内经》思想问题略作分析，以阐明道教产生的医学思想渊源。

就现存《老子想尔注》残卷的内容来分析，敦煌发现的残卷仅存第三章"不见可欲使心不乱"到第三十七章，不及原书的一半，但文中借用《黄帝内经》传统医理和术语进行阐释的就多达七八处。

例如，对"弱其志，强其骨"的注释：

志随心有善恶，骨随腹仰。气强志为恶，气去骨枯；弱其恶志，气归

① 参见盖建民：《道教医学》，北京：宗教文化出版社 2001 年版，第 40—104 页。

髓满。①

又如,关于“或接或随(堕)”则释云:

身常当自生,安精神为本,不可恃人自扶接也。夫危国之君,忠臣接之,不(否)则亡。夫病人,医至救人,不制则死。②

再如,关于“和其光,同其尘”的注解也是如此:

情性不动,喜怒不发,五脏皆和同相生,与道同光尘也。③

在五脏之中,心的地位至关重要。《黄帝内经》卷,第三《灵兰秘典论篇第八》认为:“心者,君主之官也,神明出焉。”④同卷《六节藏象论篇第九》则进一步指明:“心者,生之本,神之变也,其华在面,其充在血脉,为阳中之太阳,通于夏气。”⑤在《黄帝内经》理论中,五藏各有所藏,其功能各不相同,“夫心藏神,肺藏气,肝藏血,脾藏肉,肾藏志,而此成形。志意通,内连骨髓,而成身形五藏”⑥,故心是人生命活动的主宰。因此,人的志意也随心有善恶之分。而人体骨髓的强弱与否与元气是否充沛有直接关系。《素问》卷第三《生气通天论篇第三》云:“夫自古通天者生之本,本于阴阳。天地之间,六合之内,其气九州九窍、五藏、十二节,皆通乎天气。”⑦充塞天地之间的苍天之气是“寿命之本”⑧,其与人之心志和神明是否清净有密切关系:“苍天之气,清净则志意治,顺之则阳气固,虽有贼邪,弗能害也,此因时之序。故圣人传精神,服天气,而通神明。”⑨这一理论为后世道教徒吸纳,在强调炼气养形的同时,又重视修炼心性,所谓“修道在于修心”,“法法皆心法”、“万法归心”,从而最终形成“性命双修”修道法门的一个重要思想渊源。

---

① 饶宗颐:《老子想尔注校证》,上海:上海古籍出版社 1991 年版,第 6 页。
② 饶宗颐:《老子想尔注校证》,上海:上海古籍出版社 1991 年版,第 37 页。
③ 饶宗颐:《老子想尔注校证》,上海:上海古籍出版社 1991 年版,第 7 页。
④ 《黄帝内经素问》卷 3,北京:人民卫生出版社 1998 年版,第 58 页。
⑤ 《黄帝内经素问》卷 3,北京:人民卫生出版社 1998 年版,第 67 页。
⑥ 《黄帝内经素问》卷 17,北京:人民卫生出版社 1998 年版,第 334—335 页。
⑦ 《黄帝内经素问》卷 1,北京:人民卫生出版社 1998 年版,第 14 页。
⑧ 《黄帝内经素问》卷 1,北京:人民卫生出版社 1998 年版,第 15 页。
⑨ 《黄帝内经素问》卷 1,北京:人民卫生出版社 1998 年版,第 15 页。

关于“挫其锐,解其忌”,则释云:

锐者,心方欲□(图)□(恶)……怒欲发,宽解之,勿使五藏忌(忿)怒也……

积死迟怒,伤死以疾,五脏以伤,道不能治,故道诫之,重教之于丁宁。

五脏所以伤者,皆金木水火土气不和也。和则相生,战则相克。随怒事情,(辄)有所发。发一脏则故克所胜,成病煞人。人遇阳者,发囚克王,怒而无伤;虽尔,去死如□(发)耳。如人衰者,发王克囚,祸成矣。①

本段运用了五行生克理论说明发怒会伤及五脏,“成病煞人”。

关于“我欲异于人,而贵食母”:

仙士与俗人异,不贵荣禄财宝,但(贵?)食母者,身也,于内为胃,主五藏气。俗人食谷,谷绝便死;仙士有谷食之,无则食气;归胃,即肠重囊也。腹之为实,前章已说矣。②

此段注解是运用胃肠的功能特点来阐释辟谷之术的道理。

关于“其中有信”,《想尔注》作了一番详解:

古仙士实精以生,今人失精以死,大信也……夫欲宝精,百行当修,万善当著,调和五行,喜怒悉去……行善不积,源不通……百病并生。斯三不慎,池为空坑也。③

此段注文从《黄帝内经》养身防病的角度说明宝精的意义。《黄帝内经素问》卷第一《金匮真言论篇第四》云:“夫精者,身之本也。”④《黄帝内经太素》卷第六《脏腑之一》则进一步说明精不可伤,精对于五脏人体至关重要:“精伤则骨痠痿厥”,杨上善注云:“精为骨髓之液,故精伤则骨痠疼及骨痿也。”⑤“是故五脏,主藏精者也,杨上善注云:人肾有二:左为肾脏,右为命

① 饶宗颐:《老子想尔注校证》,上海:上海古籍出版社1991年版,第7页。
② 饶宗颐:《老子想尔注校证》,上海:上海古籍出版社1991年版,第26—27页。
③ 饶宗颐:《老子想尔注校证》,上海:上海古籍出版社1991年版,第27—28页。
④ 《黄帝内经素问》卷1,北京:人民卫生出版社1998年版,第24页。
⑤ 《黄帝内经太素》卷6,北京:科学技术文献出版社1998年版,第127页。

门。命门藏精,精者五脏精液,故五脏藏精。”①《黄帝内经太素》卷第三十则有一段关于泄精过多导致人病卧不安的对话:“黄帝问于岐伯曰:人有卧而有所不安者何也?岐伯曰:脏有所伤,及精有所乏,倚则不安,故人不能注悬其病。杨上善注云:人之病有卧不安者,五脏内伤,入房太甚,泄精过多,有所不足,故倚卧不安,不能悬定病处,数起动也。”②道教有所谓“保精重精”的传统,陶弘景的《养性延命录》指出:“道以精为宝,施之则生人,留之则生身”③,“凡养生要在于爱精”④。不难看出,无论是《老子想尔注》“实精以生”还是《养性延命录》的“道以精为宝”思想,其思想渊源都来源于《黄帝内经》。

类似这样的从《黄帝内经》医理角度对《道德经》进行诠解的还有不少,如关于“知白守其黑,为天下式”,则借“肾藏精,在五行属水,色黑”的医理来阐释:

> 精白与元炁同,同色,黑,太阴中也,于人在贤(肾)精藏之。安如不用为守黑,天下常法式也。⑤

类似的例证还有不少,如关于“不失其所者久”的注释,也是化用了《黄帝内经》医理:

> 又一说曰:喜怒五行战伤者,人病死,不复待罪满也。今当和五行,令各安其位勿相犯,亦久也。⑥

《黄帝内经素问》卷第二《阴阳应象大论篇第五》指出:“阴阳者,天地之道也,万物之纲纪,变化之父母,生杀之本始,神明之府也,治病必求于本。”⑦“天有四时五行,以生长收藏,以生寒暑燥湿风。人有五脏,化五气,以生喜怒悲忧恐。故喜怒伤气,寒暑伤形。”⑧因此,无论是治病还是养生都

---

① 《黄帝内经太素》卷 6,北京:科学技术文献出版社 1998 年版,第 127 页。
② 《黄帝内经太素》卷 30,北京:科学技术文献出版社 1998 年版,第 942 页。
③ 《养性延命录》卷下,《道藏》第 18 册,第 483 页。
④ 《养性延命录》卷下,《道藏》第 18 册,第 484 页。
⑤ 《老子想尔注校证》,上海:上海古籍出版社 1991 年版,第 36 页。
⑥ 《老子想尔注校证》,上海:上海古籍出版社 1991 年版,第 42 页。
⑦ 《黄帝内经素问》卷 2,北京:人民卫生出版社 1998 年版,第 31 页。
⑧ 《黄帝内经素问》卷 2,北京:人民卫生出版社 1998 年版,第 34 页。

必须遵守阴阳平衡、五行生克之理，和合五行，“各安其位”，避免“战伤”。从上述所征引的注文中我们不难看出：《老子想尔注》的作者非常善于“援医入道”，借医理来阐发其宗教观念和思想；换句话说，《黄帝内经》等传统医学思想成为早期道教五斗米道宗教经典的一个重要思想渊源。

同样，在早期道教的另一部重要经典《太平经》中也包含有许多医学内容和医药学思想。

《太平经》从“治身安国致太平”①的宗旨出发，“援医入道”，汲取《黄帝内经》传统医学思想对治身之法作了多方面的阐述。

首先，《太平经》强调道人要习医，要掌握治邪除病之法。云：

天之格法，比如四时五行有兴衰也。八卦乾坤，天地之体也，尚有休囚废绝少气之时，何况人乎？人者，乃想天地，四时五行六合八方相随，而壹兴壹衰，无有解已也。故当豫备之，救吉区之源，安不忘危，存不忘亡，理不忘乱，则可长久矣。是故治邪法，道人病不大多。假令一人能除一病，十人而除十病，百人除百病，千人除千病，万人除万病。一人之身，安得有万病乎？故能悉治决愈之也。②

《太平经》这里是以“安不忘危，存不忘亡”的《黄帝内经》预防医学思想说明道人习医对于防病治病的重要意义。而且《太平经》本着治国与治身相统一的思想，认为道人习医治身也是“致太平”的一个重要措施和内容。正因为如此，所以《太平经》一书中有许多内容都涉及医药知识，如第五十卷中就载有“草木方诀第七十”、“生物方诀第七十一”、“灸刺诀第七十四”这类纯粹本草学、针灸学内容，以及符咒治病的“神祝文诀第七十五”，等等。

其次，《太平经》一书中常常以《黄帝内经》传统医理思想来弘扬道法。例如《太平经》在阐述进行斋戒存神的必要性时，就云：

真人问曰：“凡人何故数有病乎？”神人答曰：“故肝神去，出游不时还，目无明也；心神去不在，其唇青白也；肺神去不在，其鼻不通也；肾神去不在，其耳聋也；脾神去不在，令人口不知甘也；头神去不在，令人眴

① 王明：《太平经合校》，北京：中华书局1960年版，第730页。

② 王明：《太平经合校》，北京：中华书局1960年版，第294页。

冥也；腹神去不在，令人腹中央甚不调，无所能化也；四肢神去，令人不能自移也。夫神精，其性常居空闲之处，不居污浊之处也；欲思还神，皆当斋戒，悬象香室中，百病消亡；不斋不戒，精神不肯还反人也。”①

显然这里运用了传统医学的脏腑理论来作为框架论证的。例如，肝属东方木，主目：“东方生风，风生木，木生酸，酸生肝，肝生筋，筋生心，肝主目。”②肾属北方水，主耳：“北方生寒，寒生水，水生咸，咸生肾，肾生骨髓，髓生肝，肾主耳。其在天为寒，在地为水，在体为骨，在藏为肾，在色为黑，在音为羽，在声为呻……在志为恐”③。同样，肺属西方金，主鼻；脾属中央土，“在窍为口，在味为肝”④。类似的例证在《太平经》中还可以找到很多，如卷九十六《忍辱象天地至诚与神相应大戒第二百五十三》云：

……人之至诚，有所可念，心中为其疾痛，故乃发心腹不而食也。念之者，心也，意也。心意不忘肝最仁，故目为其主出涕泣，是其精思之至诚也。精明人者，心也。念而不置者，意也，脾也。心者纯阳，位属天。脾者纯阴，位属地。至诚可专念，乃心痛涕出，心使意念主行，告示远方。意，阴也，阴有忧者当报阳，故上报皇天神灵。脾者，阴家在地，故下入地报地。故天地乃为其移，凡神为其动也。子欲知其大效，吾不欺真人也。真人但安坐深幽室闲处，念心思神，神悉自来到。⑤

从上述所引的内容中，我们可以清楚地看到《太平经》在论述其宗教理论时，《黄帝内经》传统医学理论思想是其一个有力的论说武器。

《太平经》以医理来明道法还突出表现在它运用《黄帝内经》传统医学的“五运六气”理论来阐述“以自防却不祥法”上。兹录“以自防却不祥法”如下：

顺用四时五行，外内思正，身散邪，却不祥，悬象而思守，行顺四时气，和合阴阳，罗网政治鬼神，令使不得妄行害人。立冬之后到立春，盛

① 《三洞珠囊》卷1《救导品》引《太平经》第三十三，王明：《太平经合校》，北京：中华书局1960年版，第27页。

② 《黄帝内经素问》卷2，北京：人民卫生出版社1998年版，第36页。

③ 《黄帝内经素问》卷2，北京：人民卫生出版社1998年版，第41—42页。

④ 《黄帝内经素问》卷2，北京：人民卫生出版社1998年版，第39页。

⑤ 王明：《太平经合校》，北京：中华书局1960年版，第426—427页。

> 行用太阴气，微行少阳之气也。常观其意，何者病为人使，其神吏黑衣服，思之闲处四十五日上至九十日，令人耳目聪明。立春盛德在仁，气治少阳，王气转在东方，兴木行，其气弱而仁，其神吏青衣，思之幽闲处四十五日，至九十日，令人病消。以留年行不止，令人日行仁爱。春分已前，盛行少阳之气，微行太阳之气，以助少阳，观其意无疑，深思其意，百邪服矣。立夏日盛德火，王气转在南方，太阳之气以中和治。其神吏用之得其意，口中生甘，神吏赤衣守之，百鬼去千里。夏至之日，盛德太阳之气，中和之气也，其神思之可愈百病。季夏六月，盛德合治，王气转在西南，回入中宫，其神吏黄衣思之，令人口中甘，每至季思之十八日。立秋日盛德在金，王气转在西方，断成万物，其神吏白衣，思之四十五至九十日，可除病，得其意，令骨强老寿。秋分日少阴之气，微行太阴之气也，逆疾顺之。立冬之日，盛德在水，王气转在北方，其神吏黑衣。令人志达耳聪，守之四十五日至九十日，百病除。此五行四时之气，内可治身，外可治邪，故天用之清，地用之宁。①

《黄帝内经》五运六气说与道教有着密切关系②，其主要思想是认为人体的生理状况与自然界的气候变化有着密切关系。气候变化的因素关系到两个方面：一是在天的风、热、湿、燥、寒、火六气；二是在地木、火、土、金、水五方五行的气流。六气分主三阴三阳，即风主厥阴，热主少阴，湿主太阴，火主少阳，燥主阳明，寒主太阳，是谓六气；而五行则是由木、火、土、金、水五气组成，每一气形成一运，即木运、火运、土运、金运、水运。三阴三阳六气又分属五运：厥阴风气属木，少阴热气属君火，少阳火气属相火，太阴湿气属土，阳明燥气属金，太阳寒气属水。“五运六气”说还认为初运木主春，二运火主夏，三运土主长夏，四运金主秋，五运水主冬。因此可以根据主运主气变化的规律来推测一年中自然气候和疾病流行情况。依据“五运六气”学说，

---

① 王明：《太平经合校》，北京：中华书局1960年版，第721—722页。

② 运气学说在唐代道教学者王冰所作《黄帝内经素问注》有系统论述，《元和纪用经》、《玄珠密语》、《天元玉册》和《素问遗篇》与《黄帝内经素问注》中的“七篇大论”之间有密切关联。参见金权、盖建民：《唐末宋初运气学说与道教关系考论》，《中国哲学史》2012年第1期，第62—68页。

每年气候一般变化是：春风、夏热、长夏湿、秋燥、冬寒。每年一般的发病情况是：春季肝病较多，夏季心病较多，长夏脾病较多，秋季肺病较多，冬季肾病较多。五季轮转，周而复始。根据我们上述对“五运六气”说的简单介绍并对照《太平经》中的“以自防却不祥法”的具体内容，我们就不难发现《太平经》是套用了五运六气的理论思维框架进行论述的。换句话说，《黄帝内经》传统医理思想和思维模式为“以自防却不祥法”中的思神术的建构提供了思想源泉。

值得一提的是，后世道教的重要教义“生道合一”也可以在《黄帝内经》中找到其思想源头。“混元妙真经曰：人常失道，非道失人；人常去生，非生去人。故养生者慎勿失道，为道者慎已失生。使道与生相守，生与道相保。”①《黄帝内经》卷第四《移精变气论篇第十三》云：“夫色之变化，以应四时之脉，此上帝之所贵，以合于神明也，所以远死而近生。生道以常，命曰圣王。王冰注云：‘上帝闻道、勤而行之，生道以长，惟圣王乃尔常用也。’”②《黄帝内经》这里阐发的“远死近生”、“生道以常”思想，自然被追求长生久视的道教徒所汲取，成为其构建“生道合一”教义教理体系的思想元素。

《太平经》中有反对恶人乱穿凿地，保护生态的思想，也是借用《黄帝内经》医理来阐述的：

> 恶人穿凿地太深，皆为创伤，或得地骨，或得地血，泉是地之血也，石为地之骨也。地是人之母，妄凿其母，母既病愁苦，所以人固多病不寿也。凡凿地动土，入地不过三尺为法：一尺者，阳所照，气属天也；二尺者，物所生，气属中和也；三尺者及地身，气属阴。过此而下者，伤地形，皆为凶也。③

这表明道门惯常运用医理来弘道。当然，这在道教炼养理论中表现得尤为明显。为了进一步阐明传统医学对道教发展的影响和作用，下面我们以道教戒律和道教咒语为例再做剖析，以进一步阐明道教产生发展的传统医学思想渊源。

---

① （南朝）陶弘景：《养性延命录》卷上，《道藏》第18册，第475页。

② 《黄帝内经素问》卷4，北京：人民卫生出版社1998年版，第83—84页。

③ 王明：《太平经合校》，北京：中华书局1960年版，第121页。

道教十分重视戒律在修道致仙中的意义。《老子想尔注》即指出："欲求仙寿天福要在信道，守戒守信……"①道教戒律的建构也常常以医学理论、术语来作为理论框架。《云笈七籤》卷四十《说戒》就专门以"说百病"、"崇百药"为题为道教戒律作了别具一格的阐述，形成独具特色的道教戒律体系。

说百病。老君曰：救灾解难不如防之为易，疗疾治病不如备之为吉。今人见背不务防之而务救之，不务备之而务药之。故有君者不能保社稷，有身者不能全寿命。是以圣人求福于未兆，绝祸于未有。盖灾生于稍稍，病起于微微。人以小善为无益故不肯为，以小恶为无损故不肯改。小善不积，大德不成；小恶不止，以成大罪。故摘出其要，使知其所生焉，乃百病者也。②

在这里，道教以传统医学"治未病"的预防医学思想对道教戒律的必要性和重要意义作了透彻分析，指出奉道守戒可以有效地预防诸如"喜怒无常"、"忘义取利"、"好色坏德"之类的"百病"滋生。道教还进一步宣称"能念除此百病，则无灾累，痛疾自愈，济度苦厄，子孙蒙（佑造字）矣"③。

同样，在"崇百药"一节中也运用传统药理思想对道教戒律的内涵予以充分阐释。

崇百药。老君曰：古之圣人，其于善也无小而不得，其于恶也无微而不改。而能行之可谓饵药焉。所谓百药者：体弱性柔是一药，行宽心和是一药，动静有礼是一药，起居有度是一药，近德远色是一药，除去欲心是一药，推分引义是一药，不取非分是一药，虽憎犹爱是一药，好相申用是一药，为人愿福是一药，救祸济难是一药，教化愚蔽是一药，谏正邪乱是一药……不多贪财是一药，不烧山木是一药，空车助载是一药，直谏忠信是一药，喜人有德是一药，赴与穷乏是一药，代老负担是一药，除情去爱是一药，慈心愍念是一药，好称人善是一药，因富而施是一药，因

① 饶宗颐：《老子想尔校证》，上海：上海古籍出版社 1991 年版，第 31 页。
② 《道藏》第 22 册，第 276 页。
③ 《道藏》第 22 册，第 277 页。

贵为惠是一药。[1]

这就借助人们熟知的传统医学方药形式,将道教戒律的丰富内涵喻之以味药,一一开列出来,便于信众奉持。而且,道书还结合《黄帝内经》传统医学的病因、病理学思想,强调指出"崇百药"的重要意义。

老君曰:此为百药也。人有疾病皆有过,阴恶掩不见,故应以疾病。因缘饮食、风寒、温气而起由。其人犯违于神致魂逝魄丧,不在形中,体肌空虚,精炁不守,故风寒恶炁得中之。是以圣人虽处幽暗,不敢为非,虽居荣禄不敢为利。度形而衣,量分而食。虽富贵不敢恣欲,虽贫且贱不敢犯非。是以外无残暴内无疾痛,可不慎之焉?[2]

道教咒语也常常贯穿医理思想于其中。例如《召四神咒》云:"东炁合肝,南炁合心,西炁合肺,北炁合肾。天雷隐隐,四户分明,雷公电母,风伯雨师闻乎即至,不得久停。"[3]

又如《咒水治病咒》:"神水洋洋万里,精光五雷布炁,断绝不祥,归脾入胃,透胆穿肠,百病速去,通流膀胱。急急如律令。"[4]从咒文中"神水"及"精光五雷布炁"运行途径来看,从脾→胃→肠→膀胱,大体上是符合人体消化系统的走向的。这类融摄《黄帝内经》医理于其中的道教咒语在道书中为数甚多。

如果说在汉代道教始创时期,道教与传统医学的紧密联系多是出于宣传教义、广纳教徒以扩大教势,明显地表现出一种以医传教的外在功利性目的的话,那么,随着魏晋时期葛洪神仙道教体系的建立、上清派与灵宝派的形成以及南北朝时期道教本身的进一步改造和完善,这种联系就成为道教自身发展所必不可缺少的内在要求了。

东晋时期葛洪神仙道教理论的建立,它使得道教基本教义从早期"去乱世、致太平"的救世学说发展成为专注于企求"长生久视"和"度世延年",这在道教理论发展史上意义重大。这一转变的完成,使长生不死、羽化登仙

---

① 《道藏》第 22 册,第 277—278 页。

② 《道藏》第 22 册,第 278 页。

③ 《太上三洞神咒》卷 7,《道藏》第 2 册,第 102 页。

④ 《太上三洞神咒》卷 7,《道藏》第 2 册,第 101 页。

就成为道教的基本信仰和修炼追求的最终目的。这一时期道教逐渐将医学这一手段运用的重心从“以医传教”转向“借医弘道”①,因此,随着魏晋南北朝时期道教的进一步发展,特别是上清派和灵宝派的相继出现,道教与传统医学的关系更加紧密。上清派、灵宝派的修持理论(尤其是上清派),乃是汲取《黄帝内经》传统医学理论思想和思维模式进行建构的,这就从更有力地说明以《黄帝内经》为代表的传统医学为道教的长生发展提供了重要的思想源泉和思维模式。正因为如此,历代道士十分重视研读《黄帝内经》,将其列为修道致仙必须精通的经典,在隋唐时期还出现了杨上善和王冰(道号启玄子)二大出身道门的注释《黄帝内经》的大家,尤其是王冰所“次注”的《黄帝内经素问》在中国医学史上有重要地位,彪炳史册。

综上所述可知,道教的产生不仅有独特的社会历史条件,而且具有悠久的思想渊源。貌似强大的秦王朝覆灭之后,到了汉代,随着社会固有矛盾的发展,上层统治者更加注重以神权来维护王权。特别是汉武帝,频繁祭祀天地鬼神,长期热衷于访求仙药,大搞各种占卜活动,企求长生不死,长治久安,促进了神学思潮的高涨,宗天神学、谶纬神学应运而起,加速了儒学的宗教化。“罢黜百家,独尊儒术”,使一度在社会政治生活中处于主导地位的黄老道家,失去了原来优势,遂与神仙思想、阴阳数术以及鬼神信仰等社会传统思潮结合,黄老道士、神仙方士、阴阳术士亦日渐合流,逐步孕育了道教的成熟。由此可见,道教是中国社会历史发展和道家自身衍变的产物,是黄老思潮结合神仙思想、阴阳数术、鬼神观念,并吸取宗天神学、谶纬神学等而由“道”统率的思想体系。西汉末年出现的《天官历包元太平经》具有道教思想雏形的特征,东汉中、后期即出现了道教早期经典《太平清领书》和五斗米道、太平道等早期民间道派。可见,道教的出世是中国传统社会自身孕育的结果,即使没有外来宗教的影响,道教在中国社会的汉代产生,也是不可避免的。

汉代是中国宗教史上的重要朝代。儒学宗教化、道家宗教化,以及佛教

① 参见盖建民:《道教医学》第1—2章,北京:宗教文化出版社2001年版,第12—171页。

传入,都在汉代。汉“明帝(58—75 年在位)梦见金人长大,项有日月光,以问群臣。或曰:‘西方有神,其名曰佛。陛下所梦,得无是乎?’于是遣使天竺,问其道术而图其形象焉”①。这是中国正式引进佛教的可靠记载,为众多史家所征引。汉明帝“遣使天竺”,引进佛教,又一次表明了汉代统治者对宗教的兴趣和需要。佛教传入后,能在中国扎根生长,也表明汉代社会已有适宜宗教生存的气候和土壤。

① (晋)袁宏:《后汉纪》,《后汉书》卷 42《光武十王列传·楚王英传》注引,北京:中华书局 1965 年版,第 5 册,第 1429 页。

第二章
早期道教经书的出现和民间道教的兴起

道教产生于汉代，首先是由一些"好道者"制作"神书"开始，然后发展为有组织的神学信仰，即有形的宗教团派。从西汉末年的《天官历包元太平经》，到东汉中期的《太平清领书》，从巴蜀汉中的五斗米道，到东方中原的太平道，是早期道教形成过程的重要标志。

第一节　《太平经》及其思想

从战国到秦汉，随着封建制的兴起和强大，神仙思潮也一浪接一浪地发展，它在社会政治生活中的影响，也逐渐增加。特别在汉代，表现得更为明显。

一、《天官历包元太平经》的宗教神学特征

汉初的留侯张良，辅佐高祖，功成业就，而曰："'愿弃人间事，欲从赤松子[①]游耳'。乃学辟谷，道引轻身。"[②]张良晚年，欲从仙人赤松子游，学道健身，与后来汉武帝求仙而欲长生不死一样，还局限于个人长生的愿望。但随着封建社会矛盾的日趋尖锐化，到汉成帝时，齐人甘忠可，造作《天官历包元太平经》12卷，以言"汉家逢天地之大终，当更受命于天，天帝使真人赤精子，下教我此道"[③]。这段记载反映了汉成帝时，统治危机非常严重，以致有

① 《列仙传》卷上第一载："赤松子者，神农时雨师也，服水玉以教神农，能入火自烧，往往至昆仑山上，常止西王母石室中，随风雨上下。"见于《道藏》第5册，第64页。

② 《史记》卷55《留侯世家》，北京：中华书局1959年版，第6册，第2048页。

③ 《汉书》卷75《李寻传》，北京：中华书局1962年版，第10册，第3192页。

此汉家天下将终，当更受命于天的政治预言。该书还称，这是天帝派真人赤精子①下来向甘忠可传教的。《天官历包元太平经》提出的这个思想主要包括如下要点：

第一，它把封建社会中“君权神授”的传统观念，与真人奉命传达“天意”给经书制造者的思想结合起来，这就赋予了《天官历包元太平经》以“秉承天意”的神圣权威，从而增强了其宣传效果。而把天帝——真人——方士，构成传授系统，融合于经书，面对现实社会政治问题发表意见，这在中国历史上还是第一次。

第二，神仙的职能被赋予了新的内容。以往出现的仙人形象，被描写为本身逍遥自在，或帮助世人长生成仙，而不介入人世政治活动，可这里的真人赤精子，则是受天帝派遣，下到尘世，以天帝之道教人的使者，能直接影响社会政治生活，这就使神仙的职能有所发展。此种情况，也是方士们从帮助人主求仙人及不死之药，进而关心和维护封建王朝统治利益的反映。

甘忠可力图借神仙之力，替天传道，加强封建政权，克服汉家统治危机。但他公开提出“更受命”的主张，却为当朝权贵所不容，而被治以“假鬼神罔上惑众”之罪，病死狱中。到哀帝时，其徒夏贺良等仍“挟忠可书”，“私以相教”，又在朝臣李寻等支持下，向哀帝陈说：“汉历中衰，当更受命。成帝不应天命，故绝嗣。今陛下久疾，变异屡数，天所以谴告人也。宜急改元易号，乃得延年益寿，皇子生，灾异息矣。”②时“哀帝久寝疾，几其有益，遂从贺良等议”③。可是，此后月余，哀帝病情未减；“贺良等复欲妄变政事”④，更换大臣，清除反对派，其结果，都落得被杀头的下场。

甘忠可等人，在西汉末年社会政治危机日趋严重的情况下，据阴阳灾异，论国事吉凶，假借天帝、真人为王朝效力，系传统的天人感应思想与神仙思想的结合运用。从思想面貌看，天帝使真人“教我此道”的“道教”，应当

① 《历世真仙体道通鉴》卷2有传云：“赤精子在颛项时说微言经，教以忠顺之道。”见于《道藏》第5册，第113页。
② 《汉书》卷75《李寻传》，北京：中华书局1962年版，第10册，第3192页。
③ 《汉书》卷75《李寻传》，北京：中华书局1962年版，第10册，第3193页。
④ 《汉书》卷75《李寻传》，北京：中华书局1962年版，第10册，第3193页。

说，已经具备宗教神学的特征。尽管十二卷《天官历包元太平经》后因亡佚而不能详其内容，但它企求太平世道的愿望和托天帝使神仙下凡以道教人的手法，却在随后出现的《太平清领书》里得到广泛的应用和发挥。

二、《太平清领书》的来历及其主要思想

道教早期经典《太平清领书》即《太平经》，是一部包含170卷的巨著。它没有署名作者和成书时间。对于这部书的来历传说甚多。《太平经》自称，是天师代天传言、授与真人的“天书”。卷三十九《解师策书诀》天师告真人曰：吾“久久道成德就，乃得上与天合意，乃后知天所欲言，天使太阳之精神来告吾，使吾语；故吾者，乃以天为师。虽喻真人，向天不欲言，吾不敢妄出此说”①。这种“天来”说，自然是一种神话，不足为信。在官修正史上，有关《太平经》的传说最早出现于范晔《后汉书》。该书《襄楷传》说：襄楷字公矩，平原隰阳人也。好学博古，善天文阴阳之术。桓帝延熹九年（166年），自家诣阙上书曰：“臣前上琅邪宫崇受干吉（或称于吉）神书，不合明听。”②复上书言及“前者宫崇所献神书，专以奉天地、顺五行为本，亦有兴国广嗣之术。其文易晓，参同经典，而顺帝不行，故国胤不兴，孝冲、孝质频世短祚”③。《襄楷传》又记道：“初，顺帝时，琅邪宫崇诣阙，上其师干吉于曲阳泉水上所得神书百七十卷，皆缥白素、朱介、青首、朱目，号《太平清领书》。其言以阴阳五行为家，而多巫觋杂语。有司奏崇所上妖妄不经，乃收藏之。后张角颇有其书焉。”④李贤注曰：“神书，即今道家《太平经》也。其经以甲乙丙丁戊己庚辛壬癸为部，每部一十七卷也。”⑤这些记述表明，《太平清领书》就是《太平经》，其170卷本至少于汉顺帝（125—144年在位）时，已经成书并由宫崇献给皇帝。当时未被采用而收藏于官府。桓帝时襄楷再献该“神书”，仍未引起最高统治者注意。以后发动黄巾起义的张

① 王明：《太平经合校》，北京：中华书局1960年版，第70页。
② 《后汉书》卷30下《襄楷传》，北京：中华书局1965年版，第4册，第1080页。
③ 《后汉书》卷30下《襄楷传》，北京：中华书局1965年版，第4册，第1081页。
④ 《后汉书》卷30下《襄楷传》，北京：中华书局1965年版，第4册，第1084页。
⑤ 《后汉书》卷30下《襄楷传》注，北京：中华书局1965年版，第4册，第1080页。

角,“颇有其书焉”。但《襄楷传》把宫崇最先献给皇帝的这部170卷“神书”,说成是“其师干吉于曲阳泉水上所得”,但究竟是何时所得,得自什么人,却没有一个交代。这种费人猜测的神秘来源说,反映了《后汉书》的作者范晔取材于神仙传说时的保留态度,也为后人的发挥附会留下了缝隙。晋葛洪《神仙传》谈及此事时说:“宫嵩(即宫崇)者,琅邪人也。有文才,著书百余卷。师事仙人干吉。汉元帝时,嵩随吉于曲阳泉上遇天仙,授吉青缣朱字《太平经》十部。吉行之得道,以付嵩。后上此书。”①考汉元帝刘奭在位期间(前49—前33年),比东汉顺帝刘保(125—14年在位)早一百七八十年,在这样长时间内,宫崇先随于吉得书,后又向朝廷上书,实不可能②;又说于吉所得《太平经》为天仙所授,也是托名。可能有鉴于此,南朝刘宋范晔在《后汉书·襄楷传》中才只说宫崇向顺帝“上其师于吉于曲阳泉水上所得神书百七十卷”,而回避了“汉元帝时,崇随吉(于曲阳泉上)遇天仙”的情节。由于把得书时间和授书者省去,就为神话制造者提供了空间,特别为神化老子大开方便之门。以致唐以后,多有说《太平经》为老子所作,或太上所授者。授书时间则从两汉直上推到周代。如敦煌本成玄英《老子开题》云:老子在“赧王时,授干室《太平经》并百八十戒”。唐王悬河《三洞珠囊》卷九称:老子“与尹喜至西国作佛《化胡经》六十四万言与胡王,后还中国作《太平经》”③。北宋贾善翔《犹龙传序》说:老君在孝成时,授于吉《太平经》。④ 又“授《太平经》者,孝成时,北海人干吉,于琅琊遇太上,授之。至后汉顺帝时,琅琊人宫崇诣阙投进。其表云:臣亲受于干吉,吉言亲受于太上,凡一百七十卷也”⑤。以上这些奇谈,虽然不尽相同,但多认为,《太平经》的来源,同宫崇的老师于吉有关。此外,并有于吉演成《太平经》170卷的说法。唐王松年《仙苑编珠》卷中引《神仙传》佚文说:“于吉,北海人也。

① (晋)葛洪:《神仙传》卷10,清光绪二年(1876年),红杏山房刊《汉魏丛书》本。

② 按:据《后汉书·襄楷传》注引《江表传》云:“时有道士于吉,先寓居东方,来吴会,立精舍,烧香读道书,制作符水以疗病,吴会人多事之。”后被孙策斩杀,此于吉疑非宫崇之师。见于《后汉书》,北京:中华书局1965年版,第4册,第1084页。

③ 《三洞珠囊》卷9,《道藏》第25册,第355页。

④ 参见《犹龙传·序》,《道藏》第18册,第1页。

⑤ 《犹龙传·序》,《道藏》第18册,第3页。

患癞疮数年，百药不愈，见市中有卖药公，姓帛名和，因往告之。乃授以《素书》二卷，谓曰：'此书不但愈疾，当得长生。'吉受之，乃《太平经》也。行之疾愈。乃于上虞钓台乡高峰之上，演此经成一百七十卷。"①这是说，于吉先得帛和的《素书》2 卷即《太平经》，再敷衍成 170 卷本。但帛和的《素书》二卷从哪里来，没有说明。《太平经复文序》则出现了一个《太平经》的传授系统：皇天金阙后圣太平帝君作《太平复文》②，"先传上相青童君，传上宰西城王君，王君传弟子帛和，帛和传弟子干吉。干吉初得恶疾，殆将不救，诣帛和求医。帛君告曰：吾传汝《太平本文》，可因易为一百七十卷，编成三百六十章，普传于天下，授有德之君，致太平，不但疾愈，兼而度世。干君授教，究极精义，敷演成教"③。其中帛和传给干吉的《太平本文》，相当于前面所说的《素书》2 卷。这个传授系统中的首位："皇天金阙后圣太平帝君，太极宫之高帝也。"据《太平经钞》甲部④载："长生大主号太平真正太一妙气皇天上清金阙后圣九玄帝君，姓李"，简称"后圣李君"⑤，其属下有上相方诸宫青童君，上宰西城宫总真王君等。因此，《太平经复文序》所谓后圣太平帝君先传上相青童君、传上宰西城王君，这三位属于神仙世界的帝佐，唯帛和、于吉是凡间人物。这个神秘传授系统，反映出《太平经》的成书有个过程。它不是一人一时写成的，而是从西汉末年到东汉顺帝时经过长时间的酝酿，由开初一个像帛和《太平本文》(《素书》)式的提纲，经过一些好道者不断增饰，最后由于吉、宫崇等编纂，逐步发展成一部内容庞杂、行文有谱、卷帙浩繁的大部头著作。《太平经》作者在卷四十二《验道真伪诀》说："故文书

① 《仙苑编珠》卷中，《道藏》第 11 册，第 32—33 页。

② 按：据《太平经》卷之 104 至 107，复文即符文。

③ 《太平经复文 · 序》，《道藏》第 24 册，第 598 页。

④ 王明"疑《钞》甲部是后人所伪补"，见王明：《太平经合校 · 前言》，北京：中华书局 1960 年版。

⑤ 杜光庭《道德真经广圣义》卷 5 云，老君"前后降生有三，一以上和七年庚寅之岁九月三日甲子生于北玄女国天冈灵镜山李谷之间，圣母曰玄虚之母，当生之时，三日出于东方，九龙吐水以浴其形，因李谷而为姓，名玄元，字子光，乃高上之胄、玉皇之胤，位为长生大主太平正真太一君金阙后圣九玄帝君。今详考其时，亦是劫运之前，朱灵上和前劫之年号也"。见于《道藏》第 14 册，第 339 页。此与《太平经钞》甲部所说大致相同。故"后圣李君"亦即太上老君。

前后出,非一人蓄积难知情"①,即此之谓欤?

《云笈七籤》卷六《四辅》提到两种《太平经》,它说:"今甲乙十部合一百七十卷,今世所行。按《正一经》云,有《太平洞极之经》一百四十四卷,今此经流亡,殆将欲尽。此之二经并是盛明治道及证果修因禁忌众术等也。若是一百四十卷《洞极经》者,按《正一经》,此汉安(顺帝年号)元年(142年)太上亲授天师,流传兹目;若是甲乙十部者,按百八十戒云,是周赧王时,老君于蜀郡临邛县授于琅琊干吉。"②照此说法,《太平经》有两种:一是老君授予干吉的170卷本;一是太上授予天师的144卷叫《太平洞极之经》或《洞极经》。实际上,这不像是两部经书,很有可能是一部经书的两种传写本的两种不同名称。我们的根据是:第一,两经的来源相同,都是托言太上、老君传授的。第二,两经的内容相同,"此之二经,并是盛明治道及证果修因禁忌众术等也"。第三,说"太平洞极之经一百四十四卷,今此经流亡殆将欲尽",可是,现在仅存的《太平经》就有多处自称《洞极经》。卷四十一《佚古文名书诀》曰:"此道道者,名为洞极天地阴阳之经。"③"其为道乃拘校天地开辟以来,天文、地文、人文、神文,皆撰简得其善者,以为洞极之经。"④卷九十一《拘校三古文法》云:"天师之书,乃拘校天地开辟以来,前后贤圣之文,河雒图书神文之属,下及凡民之辞语,下及奴婢,远及夷狄,皆受其奇辞殊策,合以为一语,以明天道。"⑤"天下人共集辞策及古今神圣之文以为洞极经。"⑥卷六十七《六罪十治诀》称:"此乃天上太古洞极之道,可以化人,人一知之俱为善,亦不复还反其恶也。"⑦而且,在《太平经》里,凡是天师向六真人传道的大量篇章,都属于洞极之经。卷六十八记载天师戒六真人说:"吾将去有期,戒六子一言,夫道乃洞,无上无下,无表无里,守其和气,名为神,子近求则大得,远求则失矣。""子六人连日问吾书,道虽分别

① 王明:《太平经合校》,北京:中华书局1960年版,第92页。
② 《云笈七籤》卷6,《道藏》第22册,第36页。
③ 王明:《太平经合校》,北京:中华书局1960年版,第85页。
④ 王明:《太平经合校》,北京:中华书局1960年版,第87页。
⑤ 王明:《太平经合校》,北京:中华书局1960年版,第348页。
⑥ 王明:《太平经合校》,北京:中华书局1960年版,第349页。
⑦ 王明:《太平经合校》,北京:中华书局1960年版,第253页。

异趣，当共一事。”“吾书乃知神心，洞六极八方，自降而来伏，皆怀善心，无恶意。”“故古者皇道帝王圣人，欲正洞极六远八方，反先正内，以内正外，万万相应，亿亿不脱也。”“吾之道，悉以是为大要。”①可见，有相当充足的理由认为，《太平经》又叫《洞极天地阴阳之经》，简称《洞极经》，或称《太平洞极经》，《云笈七籤》视之为二经，或许是一种误解，但它表明，《太平经》在汉顺帝时，已不只一地一人拥有，从东方齐鲁到京都洛阳以至西南巴蜀的广大地带都有流传。

《太平经》这部汉代巨著，自汉以后，历代都有著录。原分甲乙丙丁戊己庚辛壬癸 10 部，每部 17 卷，全书总计 170 卷。唐末道士闾丘方远，鉴于《太平经》卷帙浩繁，复文隐秘，乃节录经文，编纂《太平经钞》，仍分甲乙丙丁戊己庚辛壬癸 10 部，每部 1 卷，合为 17 卷。“文约旨博，学者便之。”《太平经》及《太平经钞》均收入明正统《道藏》。但《正统道藏》所收的《太平经》，已经残缺不全，仅存 57 卷。当代学者王明先生，以现存《道藏》本《太平经》为依据，参照《太平经钞》及其他 27 种引书，加以校、补、附、存，编成《太平经合校》，大体上恢复了《太平经》10 部、170 卷的面貌。为发掘和整理古代文化遗产作出了积极贡献，也为我们的研究工作提供了极大方便。这部道教早期经典，是我们研究中国宗教史、中国哲学史以及中国古代科技史的重要资料。

《太平经》一书，内容庞杂，主要是继承老子之道和传统的天神信仰，吸收阴阳五行说和仙家方术，运用神道设教的方式，宣扬天人合一及善恶报应思想，宣扬帝王统治艺术和传统道德观念，以实现“太平世道”为理想目标。《太平经》整个思想体系是神学唯心主义的，但其中包含着朴素的唯物辩证思想也颇引人注目；它在根本上是维护封建统治利益的，但也在一定程度上反映了贫苦农民的愿望。这里，着重就其中的几个问题，予以研究。

（一）一分为二与“三合相通”的宇宙观

《太平经》继承《老子》关于“道生一，一生二，二生三，三生万物”的思

① 王明：《太平经合校》，北京：中华书局 1960 年版，第 258—259 页。

想,结合《周易》的阴阳之道和汉代流行的“元气”说,阐述其宇宙万物的生成理论。它认为,宇宙万物的本源是“元气”,元气的凝聚分合,生成天地人和万物。

卷六十七《六罪十治诀》称:“夫物始于元气。”①

卷四十《分解本末法》谓:“元气乃包裹天地八方,莫不受其气而生。”②

卷七十三至八十五说:“元气恍惚自然,共凝成一,名为天也;③分而生阴而成地,名为二也;因为上天下地,阴阳相合施生人,名为三也。三统共生,长养万物。”④

这里,《太平经》把元气生成天地人的顺序,称为一、二、三,显然是对《老子》思想的继承和发展。中国文化中的一、二、三作为神圣数字,各自都有着丰富的哲学内涵,应是《太平经》哲学思想的总纲。现在分别予以剖析。

所谓“一”,是“元气”、是“天”。但还有个比“天”更高尚的东西,就是“道”。卷一百十七《天咎四人辱道诫》说:“天乃无上,道复尚之。道乃天皇之师法也,乃高尚天。”这个比“天”更高尚的“道”是什么呢?同文又说:“夫道者,乃大化之根,大化之师长也。故天下莫不象而生者也。”⑤卷十八至三十四《守一明法》则说:“夫道何等也?万物之元首,不可得名者。六极之中,无道不能变化。元气行道,以生万物,天地大小,无不由道而生者也。”⑥可见这个“道”,是讲的“大化之根”,即变化的根源,没有“道”就不能变化。“元气行道,以生万物。”就是说,元气是按照“道”的法则进行变化,方生成万物。从这个意义上说,“元气”是物质本源,“道”是变化法则。这一思想含有可贵的唯物辩证法因素。而且它把这“道”与“气”的关系统一于“一”。卷十八至三十四《修一却邪法》在解释什么是“一”时指出:“夫一

① 王明:《太平经合校》,北京:中华书局 1960 年版,第 254 页。
② 王明:《太平经合校》,北京:中华书局 1960 年版,第 78 页。
③ 《太平经》卷 93《国不可胜数诀》云:“一者,其元气纯纯之时也”,“一凝成天”。见王明:《太平经合校》,北京:中华书局 1960 年版,第 392 页。
④ 王明:《太平经合校》,北京:中华书局 1960 年版,第 305 页。
⑤ 王明:《太平经合校》,北京:中华书局 1960 年版,第 662 页。
⑥ 王明:《太平经合校》,北京:中华书局 1960 年版,第 16 页。

者,乃道之根也,气之始也,命之所系属,众心之主也。"①卷三十七《五事解承负法》又说:"一者,数之始也;一者,生之道也;一者,元气所起也;一者,天之纲纪也。"②这都说明,在《太平经》的作者看来,"一"是对元气与变化相结合产生新事物的高度抽象。因此,卷九十六《守一入室知神戒》强调"夫一,乃至道之喉襟也"③。

所谓"二",即元气(即"一")分生天地、阴阳,也就是如卷一百二《经文部数所应诀》所说:"天地未分之时,积气都合为一,分为二。"④《太平经》认为"一分为二"是事物存在的普遍现象。例如,卷一百五十四至一百七十《和合阴阳法》说:"自天有地,自日有月,自阴有阳,自春有秋,自夏有冬,自昼有夜,自左有右,自表有里,自白有黑,自明有冥,自刚有柔,自男有女,自前有后,自上有下,自君有臣,自甲有乙,自子有丑,自五有六,自木有草,自牝有牡,自雄有雌,自山有阜。此道之根柄也,阴阳之枢机,神灵之至意也。"⑤把事物存在着两个相反的方面这一普遍现象视为"道之根柄",给予了极大的重视。同时,它反复强调对立面的统一、结合,对于构成事物、产生新事物的意义。卷一百三十七至一百五十三壬部以"两半共成一"表述了对立统一思想。它说:"夫大神不过天与地,大明不过日与月,尚皆两半共成一。夫天地各出半力,并心同欲和合,乃能发生万物。昼夜各半力,乃成一日。春夏秋冬各出半力而成一岁。月始生于西,长于东,行至十五日名为阳,过十五日消,名为阴。各出半力,乃成一月也。男女各出半力,同志和合,乃成一家。天地之道,乃一阴一阳,各出半力,合为一,乃后共成一。故君与臣合心并力,各出半力,区区思同,乃成太平之理。"⑥卷一百一十七《天乐得善人文付火君诀》所说:"夫天地之生凡物也,两为一合。今是上天与是下地为合"⑦。此处上天下地"两为一合"以生凡物,与"天地各出半力,

① 王明:《太平经合校》,北京:中华书局 1960 年版,第 12—13 页。
② 王明:《太平经合校》,北京:中华书局 1960 年版,第 60 页。
③ 王明:《太平经合校》,北京:中华书局 1960 年版,第 410 页。
④ 王明:《太平经合校》,北京:中华书局 1960 年版,第 463 页。
⑤ 王明:《太平经合校》,北京:中华书局 1960 年版,第 728 页。
⑥ 王明:《太平经合校》,北京:中华书局 1960 年版,第 715—716 页。
⑦ 王明:《太平经合校》,北京:中华书局 1960 年版,第 652 页。

并心同欲和合，乃能发生万物”是一个意思，因此，“两半共成一”有时也叫“两为一合”，都是讲矛盾双方互相联结、共处于一个统一体的情形。而且，照卷一百一十九《三者为一家阳火数五诀》说，只有这样，“阴阳相与合乃能生”①，才能产生新事物。特别重要的是，《太平经》还提出了“两两为合”的命题，即在一个复杂的事物中，矛盾双方也各自包含着矛盾的思想。譬如，在天与地组成的大自然里，天是阳，地是阴，但天地双方又各自有阴阳，“天虽上行无极，亦自有阴阳，两两为合”。“地亦自下行何极，亦自有阴阳，两两为合。如是一阴一阳，上下无穷，傍行无竟。大道以是为性，天法以是为常，皆以一阴一阳为喉衿，今此乃太灵自然之术也。”②天地运行没有止境，阴阳上下、傍行没有穷尽，就是由于宇宙间“两两为首”，充满着矛盾的缘故。

《太平经》有时也讲到矛盾双方相互排斥和斗争是产生新事物的条件，如卷一百五十四至一百七十《还神邪自消法》说：“阴气阳气更相摩砺，乃能相生。”③但基本的主张是矛盾各方的和好、并力同心以促进事物的变化。卷九十八《男女反形诀》谓：“天地之性，阳好阴，阴好阳。故阳当变于阴，阴当变于阳。凡阴阳之道，皆如此矣。”④这里讲的阴阳互好，是指矛盾双方互相联结，互相吸引；阴阳互变，是指矛盾双方各向着自己相反的方向转化。这种阴阳的互好互变，被说成是天地之性和阴阳之道的普遍法则。

《太平经》不但有“一分为二”的思想，而且进一步发挥，提出了“一分为三”的命题，以为元气继成天一、地二之后，“阴阳相合施生人，名为三”⑤。卷六十六《三五优劣诀》说：“夫天地人本同一元气，分为三体，各有自祖始。”⑥所谓“三”，实质上是对矛盾双方及由矛盾双方产生的第三者的高度概括，它反映了客观事物中许多有关联的现象，所以成了《太平经》的一个重要概念，得到了相当广泛的应用。

① 王明：《太平经合校》，北京：中华书局1960年版，第678页。
② 王明：《太平经合校》，北京：中华书局1960年版，第653页。
③ 王明：《太平经合校》，北京：中华书局1960年版，第727页。
④ 王明：《太平经合校》，北京：中华书局1960年版，第449页。
⑤ 王明：《太平经合校》，北京：中华书局1960年版，第305页。
⑥ 王明：《太平经合校》，北京：中华书局1960年版，第236页。

卷一百一十九《三者为一家阳火数五诀》说:“天道常有格三气,其初一者好生,名为阳;二者好成,名为和;三者好杀,名为阴。故天主名生之也,人者主养成之,成者名为杀,杀而藏之。天地人三共同功,其事更相因缘也。无阳不生,无和不成,无阴不杀。此三者相须为一家,共成万二千物。”①

卷一百三十七至一百五十三又说:“故万物不生者,失在太阳;生而不养者,失在太阴;养而不成者,失在中和。故生者,父也;养者,母也;成者,子也。生者,道也;养者,德也;成者,仁也……故理之第一善者,莫若乐生,其次善者乐养,其次善者乐施。故生者象天,养者象地,施者象仁。此三者天地人之大纲也。”②这里讲的太阳、太阴、中和;生、养、施;道、德、仁等天、地、人之大纲,都是用的“三字诀”。

卷十八至三十四《和三气兴帝王法》还说:“元气有三名,太阳、太阴、中和。形体有三名,天、地、人。天有三名,日、月、星,北极为中也。地有三名,为山、川、平土。人有三名,父、母、子。治有三名,君、臣、民。欲太平也,此三者常当(襄楷传注作“相得”)腹心,不失铢分,使同一忧,合成一家,立致太平,延年不疑矣。”③在这里,《太平经》的作者认为,事物是由三个要素组成的,它们三者互相结合,不可或缺,才有事物的存在和发展。从无形的元气,到由元气产生的有形体的天地人和人类社会,都是如此。这就是所谓的“三合相通”说。对于这一点,在卷四十八《三合相通诀》中更进行了集中的详细的论述。它说:“元气与自然太和之气相通,并力同心。时恍恍未有形也,三气凝,共生天地。天地与中和相通,并力同心,共生凡物。凡物与三光相通,并力同心,共照明天地。凡物五行刚柔与中和相通,并力同心,共成共万物。四时气阴阳与天地中和相通,并力同心,共兴生天地之物利。孟仲季相通,并力同心,各共成一面。地高下平相通,并力同心,共出养天地之物。蠕动之属雄雌合,乃共生和相通,并力同心,以传其类。男女相通,并力同心,共生子。三人相通,并力同心,共治一家。君臣民相通,并力同心,共成

① 王明:《太平经合校》,北京:中华书局1960年版,第675—676页。
② 王明:《太平经合校》,北京:中华书局1960年版,第704页。
③ 王明:《太平经合校》,北京:中华书局1960年版,第19页。

一国。此皆本之元气自然天地授命。凡事悉皆三相通,乃道可成也。”①如果不是三相通,那就是另一种情况。它继续写道:“共生和,三事常相通,并力同心,共治一职,共成一事,如不足一事便凶。故有阳无阴,不能独生,治亦绝灭;有阴无阳,亦不能独生,治亦绝灭;有阴有阳而无和,不能传其类,亦绝灭。故有天而无地,凡物无于止;有地而无天,凡物无于生;有天地相连而无和,物无于相容自养也。故男不能独生,女不能独养,男女无可生子,以何而成一家,而名为父与母乎?故天法皆使三合乃成。”②这就把“三合乃成”说成是上天的法规或普遍法则。特别是,它还以社会现象比附自然现象,说明君臣民三者之间“相须而立,相得乃成”的相互关系。它接着讲:“故古者圣人深知天情,象之以相治。故君为父,象天;臣为母,象地;民为子,象和。天之命法,凡扰扰之属,悉当三合相通,并力同心,乃共治成一事,共成一家,共成一体也,乃天使相须而行,不可无一也。一事有冤结,不得其处,便三毁三凶矣。故君者须臣,臣须民,民须臣,臣须君,乃后成一事,不足一,使三不成也。故君而无民臣,无以名为君;有臣民而无君,亦不成臣民;臣民无君,亦乱,不能自治理,亦不能成善臣民也;此三相须而立,相得乃成,故君臣民当应天法,三合相通,并力同心,共为一家也。比若夫妇子共为一家也,不可以相无,是天要道也。此犹若人有头足腹,乃成一身,无可去者也;去之即不足,不成人也。是天地自然之数也。”③《太平经》认为,宇宙间有天地人,家庭中有父母子,社会上有君臣民,都是互相依存、缺一不可的,他们之间,应“三合相通,并力同心”,像一家的夫妇子,一身的头足腹一样,而且还说,这种互相依存不可缺一的关系,“是天地自然之数也”。这也就是说,人间社会中君臣民的组合关系是天经地义的永恒存在。因此,《太平经》的“三合相通”的宇宙观,最后还是落实在君臣民三者之间的相互关系上,从而表明了它的哲学思想的社会意义。

(二)有关“太平世道”的政治设想

《太平经》以“太平”命名,目的在于实现理想的“太平”世界。何谓“太

① 王明:《太平经合校》,北京:中华书局1960年版,第148—149页。
② 王明:《太平经合校》,北京:中华书局1960年版,第149—150页。
③ 王明:《太平经合校》,北京:中华书局1960年版,第150页。

平”？卷四十八《三合相通诀》借天师回答真人关于太平气的问题时说：“太者，大也。乃言其积大行如天，凡事大也，无复大于天者也。平者，乃言其治太平均，凡事悉理，无复奸私也；平者，比若地居下，主执平也……气者，乃言天气悦喜下生，地气顺喜上养；气之法行于天下地上，阴阳相得，交而为和，与中和气三合，共养凡物，三气相爱相通，无复有害者。太者，大也；平者，正也；气者，主养以通和也；得此以治，太平而和且大正也。”①这里讲的太平气，具有治理平均，公正无私，相爱相通，无复有害的特征。这不仅是讲自然界天气、地气、中和气的相互关系，而且也是讲的由自然界派生的人类封建社会中君臣民的相互关系。所谓“君导天气而下通，臣导地气而上通，民导中和气而上通”，“立平立乐，灾异除，不失铢分也”。② 公平、快乐、无灾害的和睦社会，就是《太平经》所设想的“太平”世界。

《太平经》的这一政治设想，是汉代政治动乱、阶级矛盾激化、天下极不太平的精神反映。《太平经》指出：“今天地阴阳，内独尽失其所，故病害万物。帝王其治不和，水旱无常，盗贼数起，反更急其刑罚，或增之重，益纷纷连结不解③，民皆上呼天，县官治乖乱，失节无常，万物失伤，上感动苍天，三光勃乱多变，列星乱行；故与至道可以救之者也。”④它借“天公”与“五行神吏”问答，说明当时的政治状况。“天公问，天下何故难平安哉？…五行神吏上对言：今帝王乃居百重之内，去其四境万万余里，大远者多冤结，善恶不得上通达也；奇方殊文异策断绝，不得到其帝王前也；民臣冤结不得自讼通也。”⑤又揭露说：“今邪人多居位，共乱帝王之治。”⑥表明当时是帝王高高在上，不了解下情；心术不正的人多居要位，胡作非为，弄得冤狱遍地，民臣诉讼无门，政治一片黑暗。正是在这种情况下，《太平经》向往公平、大乐、无灾的“太平”世道。为了实现这样的“太平世道”，《太平经》提出了各种设想，而在政治方面，最重要的是解决好君臣民的相互关系。卷一百五十四

① 王明：《太平经合校》，北京：中华书局 1960 年版，第 148 页。
② 王明：《太平经合校》，北京：中华书局 1960 年版，第 152 页。
③ 原文断句为“或增之重益纷纷，连结不解”。
④ 王明：《太平经合校》，北京：中华书局 1960 年版，第 23 页。
⑤ 王明：《太平经合校》，北京：中华书局 1960 年版，第 334—335 页。
⑥ 王明：《太平经合校》，北京：中华书局 1960 年版，第 377 页。

至一百七十补《太平经钞》癸部《救四海知优劣法》有云:“天生人凡有三等:第一天生,第二地生,第三人种类。受命天者为人君,受命地者为人臣,受命人者为民。君者应天而行,臣者应地而行,顺承其上;为民者属臣,转相事。凡是三气共一治,然后能成功。故上之安者,其臣良也。臣职理者,其民顺常。民臣俱善,其君明,其治长。太平者以道行,三气悉善,合乎章也,怀道德不相伤也。”[①]本来,封建社会里的君、臣、民都属人种类,这里却把君说成是天生,受命于天;臣是地生,受命于地;他们都不同于受命于人的民,显然是《易经》依象类比思维的表现。它又用“三气共一治,然后能成功”的观点,指明君明、臣良、民顺“三气悉善”,是太平长治的根本条件。围绕着这三个根本条件,《太平经》进行了一系列论述,分别就明君、贤臣、顺民提出了一些基本要求。

1. 关于明君。它认为首先要效法天地,实行道德仁治。卷一百三十七至一百五十三补《太平经钞》壬部曰:“为人君上者,当象天而行,乃以道德仁为行三统。”[②]卷三十五《分别贫富法》把以往君主治人分为五种情况,或名为五治,即“上君以道服人,大得天心,其治若神,而不愁者,以真道服人也;中君以德服人;下君以仁服人;乱君以文服人[③];凶败之君将以刑杀伤服人[④]。是以古者上君以道德仁治服人也,不以文刑杀伤服人也。”[⑤]其态度是很明确的。所谓圣明之君实行道德仁治,是什么意思呢?就是仿效天“好生不伤”(“道者主生”)、地“好养万物”(“德者主养”)而以仁心爱育人民。本着“上道德而下刑罚”[⑥]的“天性”办事。它借天师的话说:“今真人以吾书付有道德之君,力行之令效,立与天相应而致太平。”[⑦]故行“三统道德仁”,可“谓太平之君矣”[⑧]。

---

① 王明:《太平经合校》,北京:中华书局1960年版,第730页。
② 王明:《太平经合校》,北京:中华书局1960年版,第712页。
③ 前文有云:“文者主相文欺,失其本根,故欺神出助之也;上下相文,其事乱也。”
④ 前文有云:“武者以刑杀伤服人,盗贼亦以刑杀伤服人;夫以怒喜猛威服人者盗贼也,故盗贼多出,其治凶也。”
⑤ 王明:《太平经合校》,北京:中华书局1960年版,第32页。
⑥ 王明:《太平经合校》,北京:中华书局1960年版,第231页。
⑦ 王明:《太平经合校》,北京:中华书局1960年版,第32页。
⑧ 王明:《太平经合校》,北京:中华书局1960年版,第715页。

但是，“上道德而下刑罚”，并不是唯道德而不刑罚，而只是说用刑要十分慎重，要用得适当，尽量避免重罚和扩大化的后果。卷四十《乐生得天心法》谈到“凡人之行，君王之治，何者最善”的问题时，列有八个等次：前三等，乐生、乐成、仁施，属于道德仁；后五等则属于法治、用刑。它在仁施之后写道：“其次莫若善为设法，不欲乐害，但惧而置之，乃可也。其次人有过莫善于治，而不陷于罪，乃可也。其次人既陷罪也，心不欲深害之，乃可也。其次人有过触死，事不可奈何，能不使及其家与比伍，乃可也。其次罪过及家比伍也，愿指有罪者，慎毋尽灭杀人种类，乃可也……是以圣人治，常思太平，令刑格而不用也。”①这段话表明，《太平经》要求君主实行以德治为主、刑治为辅的统治政策，反对滥用刑罚，罪及无辜，甚至株连九族、满门抄斩、灭绝人种的大屠杀行为。为此，它特别强调：“故好用刑罚者，其国常乱危而毁也。”②

其次，与道德仁治联系，《太平经》要求明君应实行“以民为本”的国策。它说：“君少民，乃衣食不足，令常用心愁苦。故治国之道，乃以民为本也。无民，君与臣无可治，无可理也。是故古者大圣贤共治事，但旦夕专以民为大急，忧其民也。”③在封建社会中，人民是君臣的衣食供养者，又是被剥削被奴役的对象。统治者离开了人民，就无法生活，也就失去了存在的依据。在古代，就有“民为邦本”的思想。《太平经》的“治国之道，以民为本”，正是这一思想的继续。它认为君主“以民为本”，重要的是要认识到这君臣民利害的一致性，“故天之法，常使君臣民都同，命同，吉凶同”④。解决人民急迫的问题，特别是人民最急迫的饮食、男女、衣着等基本生活需要的问题。这三件事，它称为“三急”或“三实”，对天下能否太平，至关重要，“是故古者圣人守三实，治致太平，得天心而长吉”⑤。

与“以民为本”思想相联系，《太平经》主张“以多民为富”。卷六十九

① 王明：《太平经合校》，北京：中华书局 1960 年版，第 80 页。
② 王明：《太平经合校》，北京：中华书局 1960 年版，第 406 页。
③ 王明：《太平经合校》，北京：中华书局 1960 年版，第 151 页。
④ 王明：《太平经合校》，北京：中华书局 1960 年版，第 151 页。
⑤ 王明：《太平经合校》，北京：中华书局 1960 年版，第 48 页。

《天谶支干相配法》说："国有道与德，而君臣贤明，则民从也。国无道德，则民叛也。是故治国之大要，以多民为富，少民为大贫困。"①多民可以多生产财富，供封建统治者剥削，故富。少民则生产得少，可压榨的也少，故为大贫困。因此，它除主张行道德，使现有民众不致叛离以外，还提倡"二女共事一男"，以繁殖人口，强烈反对践踏、残杀妇女的行为。卷三十五《分别贫富法》说："今天下失道以来，多贱女子，而反贼杀之，令使女子少于男，故使阴气绝，不与天地法相应……灾害益多，使王治不得平。"②反映了当时社会上重男轻女、残杀妇女问题的严重性。

其三，《太平经》要求明君应举贤才，知人善任，处理好与臣下的关系。卷五十《诸乐古文是非诀》在强调"得人"的重要性时说："凡事者，当得其人，若神；不得其人，若妄言；得其人，事无难易，皆可行矣；不得其人，事无大小，皆不可为也。是故古圣贤重举措求贤，无幽隐，得为古。得其人则理，不得其人则乱矣。"③能否得人和用人所长，是关系到天下能否太平的大事。卷五十四《使能无争讼法》说："天地之性，万物各自有宜。当任其所长，所能为，所不能为者，而不可强也……故古者，大圣大贤将任人，必先试其所长，何所短，而后署其职事，因而任之。其人有过，因而责之。责问其所长，不过所短……故能得天下之心也。"后世"反署非其职，责所不能及，问所不能睹，盲者不睹日，瘖者不能言，反各趣得其短，以为重过，因而罪之，不为欲乐相利祐，反为巧弄上下，迭相贼害，此是天下之大败也"④。这就是说，对臣下的使用，先要了解其长处、短处，任以适当的职务。有了过错，只责问其所能，不苛求其所不能，这才合情理，得人心。相反，如果任人不当，又加罪其所不能，就会使其弄虚作假，上下欺骗，害人害己，造成重大失败。所以它说："自古者诸侯太平之君，无有奇神道也，皆因任心能所及，故能致其太平之气，而无冤结民也。"⑤

① 王明：《太平经合校》，北京：中华书局 1960 年版，第 264 页。
② 王明：《太平经合校》，北京：中华书局 1960 年版，第 34 页。
③ 王明：《太平经合校》，北京：中华书局 1960 年版，第 184 页。
④ 王明：《太平经合校》，北京：中华书局 1960 年版，第 203—204 页。
⑤ 王明：《太平经合校》，北京：中华书局 1960 年版，第 204 页。

《太平经》特别强调君主应处理好同臣下的关系,认为这是社会治乱的重要原因。它把君主与臣下的关系,分为四种情况,称为治者四法。一为君主尊重有道德的老臣,事之如师、父,与其合策而平天下,此之谓“天治”。二是君主友事其臣,与其同志同心,以其德而和平,此之谓“地治”。三是君主卑用其臣,臣阅少学浅,未能为君谋略,其治小乱,此之谓“人治”。四是君主视其臣子若狗,若草木,不善择臣而仕,臣不为君计,只知争夺取胜,故致乱败,此之谓“跂行万物治”①。所以,《太平经》认为,君主尊重老臣,与臣下同志同心,友好共事,对于维护统治,实现太平是很重要的。

其四,《太平经》还要求明君应善于听取臣下意见,取长补短,不能搞打击报复,闭塞言路。卷四十三《大小谏正法》认为:“故天地之性,下亦革谏其上,上亦革谏其下,各有所长短,因以相补,然后天道凡万事各得其所。是故皇天虽神圣,有所短,不若地之所长,故万物受命于天,反养体于地。三光所短,不若火所长;三光虽神且明,不能照幽寝之内,火反照其中。大圣所短,不若贤者所长。人之所短,不若万物之所长。”②它用这个道理,说明君主应明白自己有所短,勇于纳谏,才是正确态度,否则,“臣有忠善诚信而谏正其上也,君不听用,反欲害之,臣骇因结舌为瘖,六方闭不通。贤儒又畏事,因而蔽藏,忠信伏匿,真道不得见。君虽圣贤,无所得闻,因而聋盲,无可见奇异也。日以暗昧,君聋臣瘖,其祸不禁;臣昧君盲,奸邪横行;臣瘖君聋,天下不通,善与恶不分别,天灾合同,六极战乱,天下并凶”③,必将造成极为严重的后果。为此,《太平经》更主张君主应广开言路,敕各州郡县邑作“来善宅”④,即古代的意见箱,使四境内外为帝王献方献策,下情上达,再择善

① 王明:《太平经合校》,北京:中华书局1960年版,第197页。

② 王明:《太平经合校》,北京:中华书局1960年版,第102页。

③ 王明:《太平经合校》,北京:中华书局1960年版,第102页。

④ 《太平经》卷之88《作来善宅法》云:帝王“敕州郡下及四境远方,县邑乡部,宜各作一善好宅于都市四达大道之上也。高三丈,其中广纵亦三丈,为四方作善疎(王明注:疎,应作疏,其本字当作延。延,窗也),使与人面等,其疎间使可容手往来,善庇其户也,勿令人得妄开入也。悬书于其外而大明其文,使其□□书其宅四面亦可也。其文言,帝王来索善人奇文殊异之方,及善策辞口中诀事,人胸心常所怀,所能言,各悉书记之,投于此宅中,自记姓字”。

而从，量才录用，“用之有大效者，且重赏赐也”，如此，“人皆一旦转乐为善也”①，“天下太平矣”②。

《太平经》认为，君主如能具备以上这些条件，就算得上所谓圣明之君。

2. 关于良臣、顺民。《太平经》认为，最重要的是要做到“忠、孝”二字。卷四十七《上善臣子弟子为君父师得仙方诀》谈到天师与真人就这个问题的一席对话。天师问：“凡为人臣子民之属，何者应为上善之人也？”③真人答：“今为国君臣子及民之属，能常谨信，未尝敢犯王法，从生到死，讫未尝有重过，生无罪名也。此应为最上善之人也。”④

天师曰：“子之所说，可谓中善之人耳，不属上善之人也。”“夫上善之臣子民之属也，其为行也，常旦夕忧念其君王也。念欲安之心，正为其疾痛，常乐帝王垂拱而自治也，其民臣莫不象之而孝慈也。其为政治，但乐使王者安坐而长游，其治乃上得天心，下得地意，中央则使万民莫不欢喜，无有冤结失职者也，跂行之属，莫不向风而化为之，无有疫死者，万物莫不尽得其所。天地和合，三气俱悦，人君为之增寿益算，百姓尚当复为帝王求奇方殊术，闭藏隐之文莫不为其出，天下响应……帝王得之，可以延年。”⑤这就是说，为人臣子民之上善者，不仅仅是消极地循规蹈矩，不犯王法，更应积极地“旦夕忧念其君王”，使其稳坐江山，心情愉快，健康长寿，才是最好的臣民。

对此，《太平经钞》辛部说得更具体，它列举了臣子在君主所处的不同状况下应持的态度，并以之作为判断臣子的功罪的标准。它说：“臣见君父之衰，救之，使其更兴盛，是大功也；深知其衰也，不救之，或反言而去，名为倡訞，罪不除也。三事，臣知其君有失，将睹凶害而救之，使其更无凶害，是大功也；知而不救，名倡凶，其罪不除也。四事，知君理失其要意，灾害连起，而救助其理之，是其宜也；为晓事之臣，知而不救，其罪不除也。五事，臣知其君年少，其贤未能及事而救之，助其为知，是其宜也；知而不助为贤，反言

① 王明：《太平经合校》，北京：中华书局 1960 年版，第 332 页。
② 王明：《太平经合校》，北京：中华书局 1960 年版，第 319 页。
③ 王明：《太平经合校》，北京：中华书局 1960 年版，第 131 页。
④ 王明：《太平经合校》，北京：中华书局 1960 年版，第 131 页。
⑤ 王明：《太平经合校》，北京：中华书局 1960 年版，第 132—133 页。

不及，名为不忠，弱其上，其罪不除也。六事，臣知其君老，有天期而忧之，为其索殊方大贤之助，异策内文，令君更得延年，是大功也；知而不能，反言吉凶者，其过大也。七事，为人下知上有危，有失理，或失忘，而共救之案之，是为大功；知而不救自解避而去，为不顺忠孝之人，罪皆及其后。”①“子不孝，弟子不顺，臣不忠，罪皆不与于赦。”②总之，“人生之时，为子当孝，为臣当忠，为弟子当顺”③，这就是《太平经》对良臣、顺民的基本要求。

同时，《太平经》还宣称，要成为明君、良臣、顺民，就必须学习它的文诀，只有人人都按它的文诀行事，才可能实现它所设想的太平世道。它说：“大贤见吾文，守行之不解（懈），策之得其要意，如学可为孝子，中学可为忠臣，终老学之，不中止不懈，皆可得度世……上乃可助有德帝君，共安天地，其恩乃下，可及草木也。万物扰扰之属，莫不尽理也。天地为之欢喜，帝王为之长游，但响琴瑟唱乐，而无复扰。”“中贤守行之力之，旦夕唯思其意，亦可少为孝子，长为良臣，助国致太平，天下悉伏，莫不言善哉。”“凡民守读之，共强（原文‘疆’）行之……令人父慈、母爱、子孝、妻顺、兄良、弟恭、邻里悉思乐为善，无复阴贼好窃相灾害。有人尽思乐忠顺孝，欲思上及中贤大贤，故民不知复为凶恶，家家人人，自敕自治，故可无刑罚而治也。上人中人下人共行之，天下立平不移时。”④

此外，《太平经》有些篇章，反映了当时贫富悬殊的尖锐对立状况。它以对贫苦人民饱含同情的笔触，痛斥了那些“积财亿万，不肯救穷周急，使人饥寒而死”⑤的为富不仁者。它说道：“此财物乃天地中和所有，以共养人也。此家但遇得其聚处，比若仓中之鼠，常独足食，此大仓之粟，本非独鼠有也；少内（指皇室仓库）之钱财，本非独以给一人也；其有不足者，悉当从其取也。愚人无知，以为终古独当有之，不知乃万尸（‘尸’，疑为‘户’）之委输，皆当得衣食于是也。爱之反常怒喜，不肯力以周穷救急，令使万家之

① 王明：《太平经合校》，北京：中华书局1960年版，第685页。
② 王明：《太平经合校》，北京：中华书局1960年版，第406页。
③ 王明：《太平经合校》，北京：中华书局1960年版，第408页。
④ 王明：《太平经合校》，北京：中华书局1960年版，第408—409页。
⑤ 王明：《太平经合校》，北京：中华书局1960年版，第242页。

(乏)绝,春无以种,秋无以收,其冤结悉仰呼天。天为之感,地为之动,不助君子周穷救急,为天地之间大不仁人。”①这段话揭露了当时少数人占有大量财物,多数人极端贫困的不合理现象。它提出“财物乃天地中和所有”,是用“以共养人”的思想;认为人人有权享用社会财物,反对统治者不顾人民死活聚敛财富;它认为“天生人,幸使其人人自有筋力,可以自衣食者”②,主张“人各自衣食其力”③,所有这一切,都在一定程度上反映了劳动人民的愿望和要求。但《太平经》有的篇章又告诫人们:“非其有,不可强取;非其土地,不可强种,种之不生。”④因为“人生各有命也,命贵不能为贱,命贱不能为贵也”⑤。这又表明它仍然受着传统的天命观念的影响。

从上面的分析,我们可以清楚地看到,《太平经》虽然在许多地方强调君臣民的调和,具有尊君的思想,但它在对什么是明君提出了要求。它倡导以道德治国,希望建立一个公平、大乐、无灾的极其和谐的社会,这在动荡的年代里虽然难以实现,但却给信仰者提供了一种努力的方向,让社会有一个发展目标,这是有一定积极意义的。

（三）关于长生久寿的理论和方术

《太平经》认为,天地之间,“寿最为善”,“仙人贪寿亦贪生”,人人都有达到“不死成仙”的可能性。“奴婢贤者得为善人,善人好学得成贤人;贤人好学不止,次圣人;圣人学不止,知天道门户,入道不止,成不死之事,更仙;仙不止入真,成真不止入神,神不止乃与皇天同形。”⑥为什么人有可能不死成仙以及怎样才能“不死成仙”呢?《太平经》提出了有关生死条件的理论及相应的各种道术。

《太平经》认为,人的生命,必须神、气结合,或形、神结合,或精气神俱备。卷四十二《四行本末诀》说:“凡事人神者,皆受之于天气,天气者受之于元气。神者乘气而行,故人有气则有神,有神则有气,神去则气绝,气亡则

① 王明:《太平经合校》,北京:中华书局 1960 年版,第 247 页。
② 王明:《太平经合校》,北京:中华书局 1960 年版,第 242 页。
③ 王明:《太平经合校》,北京:中华书局 1960 年版,第 36 页。
④ 王明:《太平经合校》,北京:中华书局 1960 年版,第 210 页。
⑤ 王明:《太平经合校》,北京:中华书局 1960 年版,第 289 页。
⑥ 王明:《太平经合校》,北京:中华书局 1960 年版,第 222 页。

神去。故无神亦死,无气亦死。"①这是说,气、神是同时存在,并相互结合于一身,是生之不可缺少的条件。只要紧紧把握住这个条件,做到有气有神,神气结合,就可以长生不死。由此建立起"爱气养神"的修炼思想。卷一百五十四至一百七十《令人寿治平法》则认为,人身中"三气共一,为神根也。一为精,一为神,一为气。此三者,共一位也,本天地人之气。神者受之于天,精者受之于地,气者受之于中和,相与共为一道。故神者乘气而行,精者居其中也。三者相助为治。故人欲寿者,乃当爱气尊神重精也"②。这是说,人的生命是精、气、神三者结合,相互作用的结果,因此,想得长寿,就应当"爱气尊神重精",比前面所称"爱气养神"又增添了"重精"的内容,这是从精、气、神的地位及其相互关系的角度来说的。卷一百三十七至一百五十三又就形神关系说:"人有一身,与精神常合并也。形者乃主死,精神者乃主生。常合即吉,去则凶。无精神则死,有精神则生。常合即为一,可以长存也。常患精神离散,不聚于身中,反令使随人念而游行也。故圣人教其守一,言当守一身也。念而不休,精神自来,莫不相应,百病自除,此即长生久视之符也。"③这说明,有生命的人,是精神与身形的结合体。精神合于形体则生,形体无精神则死。精神结合于一身的状况,它简称为"一"。如果长期保守精神与形体的结合,使神不离身,就可达到长生久视。这种方法,也就叫作"守一"。《太平经圣君秘旨》④谓:"夫人本生混沌之气,气生精,精生神,神生明。本于阴阳之气,气转为精,精转为神,神转为明。欲寿者当守气而合神,精不去其形,念此三合以为一,久即彬彬自见,身中形渐轻,精益明,光益精,心中大安,欣然若喜,太平气应矣。"⑤这里所讲的"守气合神,精不去形"的三合为一,也是指的守一。

---

① 王明:《太平经合校》,北京:中华书局1960年版,第96页。

② 王明:《太平经合校》,北京:中华书局1960年版,第728页。

③ 王明:《太平经合校》,北京:中华书局1960年版,第716页。

④ 《太平经圣君秘旨》在《正统道藏》入字号下册,计7页。题"传上相青童君",不说谁撰谁传。王明先生考证认为"《太平经圣君秘旨》原出于《太平经》",系重点选辑:《太平经》有关论述精、神、气的关系、真道、守一法等内容而成,并疑为编纂《太平经钞》的闾丘方远所选辑。

⑤ 王明:《太平经合校》,北京:中华书局1960年版,第739页。

《太平经》还认为，精神普遍存在于一切事物，精神的存亡，决定着该物的生死。《太平经》卷一百二十至一百三十六辛部说："故天地之道，据精神自然而行。故凡事大小，皆有精神，巨者有巨精神，小者有小精神，各自保养精神，故能长存。精神减则老，精神亡则死。此自然之分也……凡事安危，一在精神。故形体为家也，以气为舆马，精神为长吏，兴衰往来，主理也。若有形体而无精神，若有田宅城郭而无长吏也。"①这里说"凡事大小，皆有精神"，是一种泛神论或万物有灵论。它所说"凡事安危，一在精神"，则是强调精神的重要性。也是"守一"的理论依据。卷九十二解"守一"为："一者，心也，意也，志也。念此一身中之神也。"②"守一"也就是守神。实际上，前面所说"爱气养神"，是保守神与气的合一，"爱气尊神重精"是保守精气神的合一，都是指的"守一"术。

"守一"是道家、也是道教的重要方术。来源于《老子》的"抱一"和《庄子》的"我守其一"的思想。《庄子·在宥》篇记载广成子向黄帝传授"至道"时说："天地有官，阴阳有藏，慎守汝身，物将自壮。我守其一，以处其和，故我修身千二百岁矣，吾形未常衰。"③其后，"守一"为道教所继承，成为重要的修炼方术，许多道教经典文献对"守一"的意义给予了极高评价。《太平经圣君秘旨》说："夫守一者，可以度世，可以消灾，可以事君，可以不死，可以理家，可以事神明，可以不穷困，可以理病，可以长生，可以久视。元气之首，万物枢机。天不守一失其清，地不守一失其宁，日不守一失其明，月不守一失其精，星不守一失其行，山不守一不免崩，水不守一尘土生，神不守一不生成，人不守一不活生。一之为本，万事皆行。子知一，万事毕矣。"④

值得注意的是，"守一"的理论基础，是承认人体之魂魄精神可以离开躯体而独立活动。《太平经》把精神比作长吏，主理兴衰往来，气比为舆马，形体比作家宅城郭，倒是很形象的。它既可说明精神的能动作用，又可说明精神的独立性格。当长吏（精神）乘坐舆马（气）在家宅城郭（形体）内往来

① 王明：《太平经合校》，北京：中华书局 1960 年版，第 699 页。

② 王明：《太平经合校》，北京：中华书局 1960 年版，第 369 页。

③ （清）郭庆潘：《庄子集释》，北京：中华书局 1961 年版，第 2 册，第 381 页。

④ 王明：《太平经合校》，北京：中华书局 1960 年版，第 743 页。

的时候，就是生命存在的时候；当长吏乘舆马去到家宅城郭以外，即精神随气离开形体以后，人的生命也就不存在了。这也就承认精神可以离开形体而独立存在。同样，在卷一百五十四至一百七十《是神去留效道法》中，还用人清醒时和睡梦时神情的不同反映来说明精神可能离开形体。它说："人不卧之时，行坐言语，分明白黑，正行住立，文辞以为法度，此人神在也。及其瞑目而卧，光景内藏，所念得之，但不言，神在内也。及其定卧，精神去游，身不能动，口不能言，耳不能闻，与众邪合，独气在，即明证也。故精神不可不常守之，守之即长寿，失之即命穷。"①这里讲的常守精神，使不离身，也是指的"守一"术。但它不明白精神是不能离开肉体的，无论是清醒还是梦境都是由肉体派生的精神活动方式。精神如果不依存于肉体，生命也就不存在了。人处在梦境时，气还在，并没有死，不能认为精神离去肉体"外游"。因此，用梦境说明守神的重要性，仍是基于形神二元论。

此外，与"守一"类似的方术还有：

守气。卷九十八《包天裹地守气不绝诀》云："天地之道所以能长且久者，以其守气而不绝也。故天专以气为吉凶也。万物象之，无气则终死也。子欲不终穷，宜与气为玄牝，象天为之，安得死也。"其法是："入室思道，自不食与气结也。"②

食气。卷四十二《九天消先王灾法》说："夫人，天且使其和调气，必先食气。故上士将入道，先不食有形而食气，是且与元气合。故当养置茅室中，使其斋戒，不睹邪恶，日炼其形，毋夺其欲。能出无间去，上助仙真元气天治也。"③又《三洞珠囊》卷四《绝粒品》引《太平经》卷一百二十云："是故食者命有期，不食者与神谋，食气者神明达，不饮不食，与天地相卒也。"④

还反神气。卷一百五十四至一百七十《分别形容邪自消清身行法》曰："道之生人，本皆精气也，皆有神也。假相名为人。愚人不知还全其神气，故失道也。能还反其神气，即终天年，或增倍者，皆高才。或求度厄，其为之

① 王明：《太平经合校》，北京：中华书局1960年版，第731页。
② 王明：《太平经合校》，北京：中华书局1960年版，第450页。
③ 王明：《太平经合校》，北京：中华书局1960年版，第90页。
④ 王明：《太平经合校》，北京：中华书局1960年版，第700页。

法，当作斋室，坚其门户，无人妄得入；日往自试，不精不安复出，勿强为之。如此复往，渐精熟即安。安不复欲出，口不欲语，视食饮，不欲闻人声。关炼积善，瞑目还观形容，容象若居镜中，若窥清水之影也。”①

习气养形（胎息）。《道典论》卷四《胎息》引《太平经》云：“请问胎中之子，不食而炁者何也？天道乃有自然之炁，乃有消息之炁。凡在胞中，且而得炁者，是天道自然之炁也；及其已生，嘘吸阴阳而炁者，是消息之炁也。人而守道力学，反自然之炁者生也，守消息之炁者死矣。故夫得真道者，乃能内炁，外不炁也。是以内炁养其性，然后能反婴儿，复其命也。故当习内炁以内养其形体。”②

此外，《太平经》还介绍了一些治病方术，主要有灸刺、符祝、生物方、草木方等，是重要的古医学文献。卷五十《灸刺诀》云：“灸刺者，所以调安三百六十脉，通阴阳之气而除害者也。三百六十脉者，应一岁三百六十日，日一脉持事，应四时五行而动，出外周旋身上，总于头顶，内系于藏。衰盛应四时而动移，有疾则不应，度数往来失常，或结或伤，或顺或逆，故当治之。灸者，太阳之精，公正之明也，所以察奸除恶害也。针（刺）者，少阴之精也，太白之光，所以用义斩伐也。治百中百，治十中十，此得天经脉谶书也，实与脉相应，则神为其驱使；治十中九失一，与阴脉相应，精为其驱使；治十中八，人道书也，人意为其使；过此而下，不可以治疾也，反或伤神。”③灸刺即火灸、针刺，后世亦称针灸，是至今仍然行之有效的我国医学的重要组成部分。这里先讲了灸刺的定义、理论和治疗原则，它要求行灸刺者至少要掌握百分之八十以上疗效的技术，才能为人治病，否则“不可以治疾也”。为了有效地判断病情，确定相应的灸刺部位，它提出了“临床会诊”的形式：“直置一病人前”，“令众贤围而议其病，或有长于上，或有长于下，三百六十脉，各有可睹，取其行事，常所长而治诀者以记之，十十中者是也，不中者皆非也，集众行事，愈者以为经书，则所治无不解诀者矣。”④这说明，《太平经》在医疗实

① 王明：《太平经合校》，北京：中华书局 1960 年版，第 723—724 页。
② 王明：《太平经合校》，北京：中华书局 1960 年版，第 699—700 页。
③ 王明：《太平经合校》，北京：中华书局 1960 年版，第 179—180 页。
④ 王明：《太平经合校》，北京：中华书局 1960 年版，第 180 页。

践上，重视发挥各人所长，以中不中，即符合不符合实际定是非，在众多的意见中，取其“愈者以为经书”，是符合唯物主义认识路线的科学态度。特别是它强调“天道制脉，或外或内，不可尽得而知之也，所治处十十治诀，即是其脉会处也；人有小有大，尺寸不同，度数同等，常以窞穴分理乃应也。道书古今积众，所言各异，名为乱脉也；阳脉不调，反治阴脉，使人被咎，贼伤良民，使人不寿……古者圣贤，坐居清静处，自相持脉，视其往来度数，至不便以知四时五行得失，因反知其身衰盛，此所以安国养身全形者也，可不慎乎哉？”①这些关于论述灸刺要从实际出发、必须十分慎重的思想是有积极意义的。

《太平经》的各种方术，目的在于解除人民疾苦，长生久寿，甚至不死成仙。对于强身去病，确有一定作用，也为医药学、气功学作出了可贵的贡献。但它所追求的终极目的“不死成仙”在一般人看来却是未能被实践证明有实现可能的理想。

《太平经》提到人修成仙有两种形式。一是尸解：“尸解分形，骨体以分。尸在一身，精神为人尸，使人见之，皆言已死。后有知者，见其在也，此尸解人也。”②“尸解之人，百万之人，乃出一人耳。”③或曰：“人居天地之间，人人得一生，不得重生也。重生者独得道人，死而复生，尸解者耳。是者，天地所私，万万未有一人也。”④二是白日升天：“白日升天之人，自有其真。性自善，心自有明……天神爱之，遂其成功。”“百万之人，未有一人得者也。”⑤要想得道成仙，是极不容易的。这个百万未有一或万万未有一，简直就是办不到的事。《太平经》一方面承认：“夫物生者，皆有终尽，人生亦有死，天地之格法也。”⑥人生必有死，是天地的法则，即普遍的自然规律；但另方面它又讲，人有可能成仙。其理由除了前面所讲的方术理论之外，就只有

① 王明：《太平经合校》，北京：中华书局1960年版，第180页。
② 王明：《太平经合校》，北京：中华书局1960年版，第553页。
③ 王明：《太平经合校》，北京：中华书局1960年版，第596页。
④ 王明：《太平经合校》，北京：中华书局1960年版，第298页。
⑤ 王明：《太平经合校》，北京：中华书局1960年版，第596页。
⑥ 王明：《太平经合校》，北京：中华书局1960年版，第341页。

借助天神保佑了。“能得之(指白日升天)者,天大神所保信也。余者不得比。”[①]也如卷九十所说:“是以古者圣人帝王时时有大自重爱而畏死者,旦夕思行求异闻殊方,敬事道人,力尽财空而已;至诚涕出,感动皇天,天乃为出瑞应,道术之士悉往佑之。故多得老寿,或得度世。”[②]或者说,白日升天者是早在天上挂了号的。卷一百一十一《大圣上章诀》谓:“当白日升天之人,求生有籍,著文北极天君内簿,有数通。”[③]所以道教的修道成仙,归根到底,是与其宗教神学思想不可分的。

（四）“天人一体”的神学思想

《太平经》认为,在人们生活的这个大自然里,有着无数的神灵。其中有不少直接监视着人们的行为,影响着人们的祸福。神灵中之最高者为“天君”或称“天公”,其下有众多的官吏、使者,各司其职,统治着这人、神世界。

什么叫“神”?卷九十八说:“夫神,乃无形象变化无穷极之物也。”[④]卷五十六至六十四则认为:“神者,上与天同形同理,故天称神,能使神也。神也者,皇天之吏也。”[⑤]“天者,为神主神灵之长也。”[⑥]它说明,神是无形无像,变化无穷的,与上天一样,所以“天”是最高的神,其他神都要受“天”的支配,都是“皇天”的下属。卷一百三十七至一百五十三云:“上皇神人之尊者,自名委气之公,一名大神,常在天君左侧,主为理明堂文之书,使可分别,曲领大职。”[⑦]大神是天君的得力辅佐,类似人世的总理大臣,“为上主领群神”,兼为白日升天者“使神师化其身乃上之”。卷四十二《九天消先王灾法》将天君以下之神、仙、人分为九等,各有职责。“其无形委气之神人,职在理元气;大神人职在理天;真人职在理地;仙人职在理四时;大道人职在理五行;圣人职在理阴阳;贤人职在理文书,皆授语;凡民职在理草木五谷;奴

---

① 王明:《太平经合校》,北京:中华书局1960年版,第596页。
② 王明:《太平经合校》,北京:中华书局1960年版,第342页。
③ 王明:《太平经合校》,北京:中华书局1960年版,第546页。
④ 王明:《太平经合校》,北京:中华书局1960年版,第439页。
⑤ 王明:《太平经合校》,北京:中华书局1960年版,第221页。
⑥ 王明:《太平经合校》,北京:中华书局1960年版,第371页。
⑦ 王明:《太平经合校》,北京:中华书局1960年版,第710页。

婢职在理财货。”①并说这是“皇天署职,不夺其心,各从其类”。把神、仙、人分为九等,是社会等级制度的反映。但把神、仙、人统一分等,组成多级别的世界,则是天人一体思想的体现。

天人一体思想,又表现在天人感应上。卷十八至三十四《行道有优劣法》说:“王者行道,天地喜悦;失道,天地为灾异。”②《守一明法》谓:“王者百官万物相应,众生同居,五星察其过失。王者复德,德星往守之。行武,武星往守之。行柔,柔星往守之。行强,强星往守之。行信,信星往守之。相去远,应之近。天人一体,可不慎哉?”③卷九十二《三光蚀诀》称:“帝王多行道德,日月为之不蚀,星辰不乱其运。”④卷一百八《瑞议训诀》云:“夫天地之性,自古到今,善者致善,恶者致恶,正者致正,邪者致邪,此自然之术,无可怪也。故人心端正清静,至诚感天,无有恶意,瑞应善物为其出。”⑤《道典论》卷四《妙瑞篇》引《太平经》则说:“人君为善于内,风雨及时于外,故瑞应反从人胸中来。故有可欲为,皆见瑞应,何有不来者乎?夫至诚乃感皇天,阴阳为之移动,谁往为动者乎?”“身形不能往动也,动也者,冥乃心中,至诚感天也。”⑥从上述看出,《太平经》所谓天人感应思想,包括两个方面:一方面,是天有意志,是冥冥中的最高主宰,能赏善罚恶,具有无上的权威。故卷九十六《守一入室知神戒》借孔子的话说:“得罪于天,无所祷也。”⑦另一方面,人可以至诚感天,也就是人有善心而无恶意,清静专一,就能感动皇天,出现瑞应。这种“诚则灵”的思想同董仲舒的天人感应神学思想一脉相承,也是“天人一体”思想的表现,对于引导人们行善积德,应该说在特定社会背景下是有正面作用的。

天人感应的中心内容是善恶报应思想。积善之家有余庆,积不善之家

① 王明:《太平经合校》,北京:中华书局1960年版,第88页。
② 王明:《太平经合校》,北京:中华书局1960年版,第17页。
③ 王明:《太平经合校》,北京:中华书局1960年版,第16页。
④ 王明:《太平经合校》,北京:中华书局1960年版,第366页。
⑤ 王明:《太平经合校》,北京:中华书局1960年版,第512—513页。
⑥ 王明:《太平经合校》,北京:中华书局1960年版,第719页。
⑦ 按:《论语·八佾》为:“获罪于天,无所祷也。”又见王明:《太平经合校》,北京:中华书局1960年版,第417—418页。

有余殃。中国古代的善恶报应思想由来已久,《太平经》概括为“善自命长,恶自命短”①。即作善为恶,报应在生命的长与短。它认为,天地是喜欢人为善,不喜欢人为恶的。“天地睹人有道德为善,则大喜;见人为恶,则大怒忿忿。”②所以对于人的行为,“天遣神往记之。过无大小,天皆知之。簿疏善恶之籍,岁日月拘校,前后除算减年……算尽当入土,愆流后生。”③“有善者,财小过除,竟其年耳。如有大功,增命益年。”(第 537 页)“神仙之人,皆不为恶者,各惜其命,是善之证也。”④总之,照它所说,天使人为善积功者增寿,为恶之人则被减年短命。天是保佑善人的。但实际情况又有不然。“凡人之行,或有力行善,反常得恶;或有力行恶,反得善”⑤。这又是什么原因呢?为此,《太平经》提出了承负说的见解,从而发展了善恶报应说。

卷十八至三十四《解承负诀》说:“力行善反得恶者,是承负先人之过,流灾前后积来害此人也。其行恶反得善者,是先人深有积畜大功,来流及此人也。能行大功万万倍之,先人虽有余殃,不能及此人也。因复过去,流其后世,成承五祖。”⑥这就是说,善恶报应,不仅应在自身,而且要流及后世,自身也要承负先人善恶的报应。其范围是,承负前五代,流及后五代。但是,自己能行大功,就可避免先人的余殃。这就不仅回答了力行善者反得恶,力行恶者反得善的问题,而且指明了行善积功可免余殃的努力方向。它又说:“凡人有三寿,应三气,太阳太阴中和之命也。上寿一百二十,中寿八十,下寿六十。百二十者应天,大历一岁竟终天地界也。八十者应阴阳,分别八偶等应地,分别应地,分别万物,死者去,生者留。六十者应中和气,得六月遁卦。遁者逃亡也,故主死生之会也。如行善不止,过此寿谓之度世。行恶不止,不及三寿,皆夭也。胞胎及未成人而死者,谓之无辜承负先人之过。”⑦这是在年岁问题上对善恶报应的划分及承负的说明。照它这个说

① 王明:《太平经合校》,北京:中华书局 1960 年版,第 525 页。
② 王明:《太平经合校》,北京:中华书局 1960 年版,第 374 页。
③ 王明:《太平经合校》,北京:中华书局 1960 年版,第 526 页。
④ 王明:《太平经合校》,北京:中华书局 1960 年版,第 602 页。
⑤ 王明:《太平经合校》,北京:中华书局 1960 年版,第 22 页。
⑥ 王明:《太平经合校》,北京:中华书局 1960 年版,第 22 页。
⑦ 王明:《太平经合校》,北京:中华书局 1960 年版,第 20—23 页。

法，所谓“度世”，就是年过60岁亦即度过一轮花甲以上者，这个要求，现在看来并不高，但在“人生七十古来稀”的古代社会，却也不是很容易实现的。另据《太平经钞》己七上说：“天命：上寿百二十为度，地寿百岁为度，人寿八十岁为度，霸寿以六十岁为度，仵寿五十岁为度。过此已下，死生无复数者，悉被承负之灾责也。”①这是说，年不满五十而死者，都是受了承负之灾责。按《太平经》的说法，“承负”这个词组是由“承”和“负”聚合而成，两者既有联系又有区别。卷三十九《解师策书诀》说：“承者为前，负者为后；承者，乃谓先人本承天心而行，小小失之，不自知，用日积久，相聚为多，今后生人反无辜蒙其过谪，连传被其灾，故前为承，后为负也。负者，流灾亦不由一人之治，比连不平，前后更相负，故名之为负。负者，乃先人负于后生者也。”②“比若父母失至道德，有过于邻里，后生其子孙反为邻里所害，是即明承负之责也。今先王为治，不得天地心意，非一人共乱天也。天大怒不悦喜，故病灾万端，后在位者复承负之。”③这就是说，无论是个人的行为，或国家的政治，都有一个善恶、治乱造成的承负问题。先人的功过，要给后人带来影响。前人种树，后人乘凉；前人毁林，后人遭殃。如果从因果关系来说，承负说有其积极意义，它可以加强对子孙后代的责任感，使人们的行为更谨慎些。不过，《太平经》的承负说，是天神在其中起作用的善恶报应观，将善恶直接与自身或后世的生命长短相联系，乃是宗教的臆测。

承负说是道教立教的一种理论依据。《太平经》把人民旱冻而死，困饥寒烈而死，或烈病而死尽，或水而死尽，或兵而死尽等悲剧，都说成“是皆承负厄也”④。唯生命善终，“上下中各竟其天年，或有得真道，因能得度世去者，是人乃无承负之过，自然之术也”⑤。它借天师的口宣称：“人多无罪而死，上感天。天故遣吾下，为其具言，已行吾天文之后，人民万物且各以其寿命死，无复并死之会也”，“后生各得其命矣”。⑥ 这就是说，《太平经》之所

① 王明：《太平经合校》，北京：中华书局1960年版，第464页。
② 王明：《太平经合校》，北京：中华书局1960年版，第70页。
③ 王明：《太平经合校》，北京：中华书局1960年版，第54—55页。
④ 王明：《太平经合校》，北京：中华书局1960年版，第371页。
⑤ 王明：《太平经合校》，北京：中华书局1960年版，第372页。
⑥ 王明：《太平经合校》，北京：中华书局1960年版，第372页。

以作为“天书”传播人间，是为了“欲一断绝承负责也”，使人民得以各尽其天年。卷九十二《万二千国始火始气诀》称：“故吾书应天教，今欲一断绝承负责也。天其为过深重，多害无罪人，天甚忧之。故教吾敕真人，以书付上德之君，令恶邪佞伪人断绝，而天道理。”①这就决定了《太平经》传教的出发点：“乐生”、“好善”。《太平经》认为，“乐生”、“好善”是天地赋予人的本性。卷九十三《国不可胜数诀》云：“天下人乃俱受天地之性，五行为藏，四时为气，亦合阴阳，以传其类，俱乐生而恶死，悉皆饮食以养其体，好善而恶恶，无有异也。”②至于“习俗礼义者，但伪行耳，非其真也”③。就是说，在它看来，“乐生”、“好善”，是天地之性赋予天下人共有的本性，是人的真实本质，其他习俗礼仪之类，乃是人为的，“但伪行耳”。所以，道教从人们“乐生”、“好善”的本性出发，教人贵生、行善，作为济世度人的主要内容，自称“真道”。道教的理论、方术、戒律，都是为这个宗旨服务的。这种代天传言，以天道地道论人道，正是天人一体神学思想的反映。

综上可见，至迟在东汉顺帝时已经成书的《太平经》，是道教早期的经典。它继承了道家哲学、阴阳五行学说、传统的宗教思想、巫术以及儒家的伦理观念，吸收了当时的天文学、医药学、养生学等自然科学成就，建立起一套宗教神学的庞杂的理论体系。这部自称为神书或天书的《太平经》，论述了天地人和万物的起源及其相互协力的生存法则，描绘了公平、大乐、无灾的太平世道蓝图，发展了天人感应的善恶报应说，提出了“乐生”、“好善”的传教依据，强调了敬奉天地、忠、孝、顺、慈仁、诚信等为人准则的教义，使道教成为具有中国传统特色的宗教。尤其是“乐生”的主旨，是道教区别于其他宗教的一大显著的特点。它不是教人们去追求死后灵魂进入天国、净土式的极乐世界，也不是教人们去追求“来世”享受荣华富贵的幸福。它是教人们珍惜生命、延年益寿，甚至长生成仙，乐享今生。即使它讲尸解，也是指死而复生；它讲白日升天，更是指即身成仙。这些都是讲的今生，而不是讲的死后或来世。正由于此，为了“乐生”，延长年命，从《太平经》开始的道教经典，除了宣传行善

① 王明：《太平经合校》，北京：中华书局 1960 年版，第 370 页。
② 王明：《太平经合校》，北京：中华书局 1960 年版，第 393 页。
③ 王明：《太平经合校》，北京：中华书局 1960 年版，第 393 页。

积功,神灵添寿的神秘说教以外,还从事有关健身延命的实践活动,不断积累了养生学、医药学经验,客观上有利于古代科学技术的发展。

《太平经》针对东汉社会动荡,政治腐败,灾害不断、民生痛苦的现实,提出太平气将至,君臣民并力同心,实现公平、大乐、无灾的太平世道。这种把社会制度理想化的设想,是对当时极不理想的封建统治弊端的揭露和批判,二者形成鲜明对比。因此,它虽被宫崇、襄楷献给顺帝、桓帝,却被当朝权贵斥为“妖妄不经”而收藏之。但它所向往的公平、大乐、无灾的太平世道,确实反映了生活在封建社会里的广大下层人民的普遍愿望。《太平经钞》辛部云:“太平道,其文约,其国富,天之命,身之宝。近出胸心,周流天下。此文行之,国可安,家可富。”①因而它成为张角创立太平道,“以善道教化天下”②,发动汉末农民举行黄巾大起义的旗帜,不是偶然的。

《太平经》与天师道也有密切的思想渊源关系。《太平经》多次提到“天师”,有时明确称为“天师道”。它既讲“乐生”仙道,也讲“太平”治道。卷四十《乐生得天心法》天师告真人曰:“人最善者,莫若常欲乐生”,“是以圣人治,常思太平,令刑格而不用也。”③最后真人说:“愿得天师道传弟子,付归有德之君能用者。今阴阳各得其所,天下诸承负之大病,莫不悉愈者也。”④所以在《太平经》中,“天师道”与“太平道”的提法已兼而有之。这里所称的“天师”,并不就是确指天师道的天师,所说的“天师道”和“太平道”,也并不就是确指早期道教的两大派别,但《太平经》的思想无疑是孕育了早期道教这两大派别的生长,是早期道教观念体系形成过程的重要组成部分。

第二节 《周易参同契》及其主要内容

一、魏伯阳与《周易参同契》

自战国到秦汉,随着神仙思想和养生术、炼丹术的发展,有关炼丹、养生

① 王明:《太平经合校》,北京:中华书局1960年版,第697页。
② 《后汉书》卷71《皇甫嵩传》,北京:中华书局1965年版,第8册,第2299页。
③ 王明:《太平经合校》,北京:中华书局1960年版,第80页。
④ 王明:《太平经合校》,北京:中华书局1960年版,第82页。

的著作也相继出现。继言神仙黄白之术的淮南《中书》八卷或《枕中鸿宝苑秘书》及言炼养术的河上公《老子道德经章句》之后，到东汉后期出现了魏伯阳的《周易参同契》，对以往养生、炼丹术进行了总结和发展。

《周易参同契》的作者魏伯阳，其事迹不见于正史。最早记载魏伯阳事迹的是晋葛洪的《神仙传》。该传有云："魏伯阳者，吴人也。高门之子，而性好道术，不肯仕宦，闲居养性，时人莫知其所从来。谓之治民、养身而已。入山作神丹，将三弟子，知两弟子心不尽诚，丹成乃诫之曰：'金丹虽成，当先试之，饲于白犬，犬即能飞者，人可服之，若犬死者，即不可服也。'伯阳入山时，将一白犬自随。又丹转数未足，和合未至，自有毒丹，毒丹服之，皆暂死。伯阳故便以毒丹与白犬食之，犬即死。伯阳乃复问诸弟子曰：'作丹恐不成，今成而与犬食，犬又死，恐是未得神明之意，服之恐复如犬，为之奈何?，弟子曰：'先生当服之否?'伯阳曰：'吾背违世路，委家入山，不得仙道，吾亦耻复归，死之与生，吾当服之耳。'伯阳便服丹，丹入口即死。弟子相顾谓曰：'所以作丹者，欲求长生耳，而服之即死，当奈此何?'唯一弟子曰：'师非凡人也，服丹而死，得无有意邪?'又服之，丹入口复死。余二弟子乃相谓曰：'作丹求长生耳，今服丹即死，当用此何为？若不服此，自可得数十年在世间活也。'遂不服。乃共出山，欲为伯阳及死弟子求棺木殡具。二人去后，伯阳即起，将服丹弟子姓虞及白犬而去。逢入山伐薪人，作手书与乡里人寄谢二弟子。弟子见书，始大懊恼。伯阳作《参同契》、《五相类》，凡二卷，其说如似解释《周易》，其实假借爻象以论作丹之意，而儒者不知神仙之事，多作阴阳注之，殊失其奥旨矣。"①这段叙述，情节离奇，但它说明了这样一些基本事实：第一，魏伯阳出身高贵。第二，魏伯阳好道术、善养身，是一名杰出的炼丹家。第三，魏伯阳著有《周易参同契》《五相类》等炼丹著作。第四，《参同契》出世后，注者甚多，但少有得其妙旨者。这也就是说，在葛洪以前，已有《参同契》流传于世，其作者为兼通养身术和炼丹术的魏伯阳。但葛洪在三世纪初成书的《抱朴子内篇·退览》篇却只记录了《魏伯阳内经》1卷。至后晋开运二年（945年）编成的《旧唐书》始著录有魏伯阳撰

① 《云笈七籤》卷109，《道藏》第22册，第741—742页。

《周易参同契》2 卷,《周易五相类》1 卷。

在这期间,南朝梁道士陶弘景曾提到《周易参同契》。在所著《真诰》卷十二“定录府有典柄执法郎是淳于斟”一段后自注曰:“《易参同契》云:桓帝时,上虞淳于叔通,受术于青州徐从事,仰观乾象,以处灾异,数有效验,以知术故,郡举方士,迁洛阳市长。”①这段注文,已不见于现在的《周易参同契》中。对此,余嘉锡《四库提要辨证》以为:“弘景所引,盖《参同契》序中之文。汉、魏人作序,皆叙其书之源流及其人之仕履,与刘向《别录》之体同。故此序中详载淳于叔通始末。今本《参同契》无此篇,殆传写佚脱,否则后人以其非本文而削之也。”并说:“弘景此注叙《参同契》源流本之旧序,最明白可据。”②弘景注所说的淳于叔通,名“翼”。《开元占经》卷百二十引《会稽典录》曰:“淳于翼,字叔通,除洛阳市长。桓帝即位,有大蛇见德阳殿上,翼占曰:以蛇有鳞甲,兵之应也。”③此与弘景注文中关于桓帝时之淳于叔通,实为同一人。唐玄宗时(712—755 年在位),有绵州昌明令刘知古作《日月玄枢篇》,重新提道:“抱朴子曰:魏伯阳作《参同契》《五相类》凡二篇,假大易之爻象以论修丹之旨。”④

到了五代后蜀(934—965 年)时,彭晓著《〈周易参同契分章通真义序〉》,谈到了魏伯阳撰写《参同契》的由来和师传情况。他说:“按《神仙传》:真人魏伯阳者,会稽上虞人也。世袭簪裾,唯公不仕。修真潜默,养志虚无,博赡文词,通诸纬候,恬淡守素,唯道是从,每视轩裳如糠秕焉。不知师授谁氏,得《古文龙虎经》,尽获妙旨,乃约《周易》,撰《参同契》三篇。又云:未尽纤微,复作《补塞遗脱》一篇,继演丹经之玄奥。所述多以寓言借事,隐显异文。密示青州徐从事,徐乃隐名而注之。至后汉孝桓帝时,公复传授与同郡淳于叔通,遂行于世。”⑤这与前引《云笈七籤》之《神仙传》,除魏伯阳的乡籍不同(前谓“吴人也,此云“会稽上虞人也”)以外,在出身名

① 《道藏》第 20 册,第 562 页。
② 余嘉锡:《四库提要辨证》卷 19,北京:中华书局 1980 年版,第 3 册,第 1212 页。
③ 《开元占经》卷一百二十,《文渊阁四库全书》第 807 册,第 1039 页。
④ 《道枢》卷 26,《道藏》第 20 册,第 736 页。
⑤ 《〈周易参同契分章通真义〉序》,《道藏》第 20 册,第 131 页。

门，恬淡好道，撰《参同契》等问题上，都是相同的。而在师传上则本于弘景注文而又有所不同。弘景注谓："上虞淳于叔通，受术于青州徐从事。"彭晓则云：伯阳以示青州徐从事，至桓帝时，复以授同郡淳于叔通。余嘉锡以为："二说不同，疑晓误也。"①但从陶弘景引《周易参同契》注文和彭晓言魏伯阳授徒事中，却证明了魏伯阳同淳于叔通一样，是生活于汉桓帝（147—167年在位）前后的人物。《周易参同契》亦属东汉后期的作品。

《周易参同契》虽未署名作者，但作者已将其身份和姓名隐言于书内。下篇第八十八章云：

> 会稽②鄙夫，幽谷朽生，挟怀朴素，不乐欢荣。栖迟僻陋，忽略利名，执守恬淡，希时安平。宴然闲居，乃撰斯文，歌叙大《易》，三圣遗言，察其旨趣，一统共伦。

彭晓曰："此乃魏公自述，不徇世名，至亲道域，安闲燕处，乃撰斯文。"③按照彭晓的说法，这段话应属作者自述。为什么是这样呢？朱熹从文字入手进行解读，他指出："魏君实上虞人，当作会稽，或是魏，隐语作郐。"④朱熹认为"郐"是"会"的隐语，可谓一语中的。

关于隐语的问题，《周易参同契》下篇第九十章最后一段亦可佐证：

> 委时去害，依托丘山，循游寥廓，与鬼为邻。化形而仙，沦寂无声，百世一下，遨游人间。敷陈羽翮，东西南倾，汤遭厄际，水旱隔并，柯叶萎黄，失其华荣。各相乘负，安稳长生⑤

俞琰认为，"此乃魏伯阳三字隐语也。委与鬼相乘负，魏字也；百之一下为白，白与人相乘负，伯字也；汤遭旱而无水为昜，阨之厄际为阝，阝与昜相乘负，阳字也。魏公用意，可谓密矣"⑥。清人朱元育在其《周易参同契阐幽》中更说："柯叶萎黄四句，合成造字。言《参同契》全文乃魏伯阳所造也。"在书的辞句中隐藏作者姓名的作法，古称之为瘦辞（瘦匿之辞）即"隐

① 余嘉锡：《四库提要辨证》卷19，北京：中华书局1980年版，第3册，第1212页。
② "郐国"，彭晓本，陈显微本均作"会稽"。储华谷本作"郐国"。
③ 《周易参同契分章通真义》卷下，《道藏》第20册，第156页。
④ 《周易参同契分章通真义》卷下，《道藏》第20册，第130页。
⑤ 《周易参同契发挥》卷9，《道藏》第20册，第260页。
⑥ 《周易参同契发挥》卷9，《道藏》第20册，第260页。

语”的意思,也是古人用以署名的方式之一。俞琰与朱元育所论,不无道理。宋曾慥《道枢》卷三十四《参同契下篇》说:“云牙子游于长白之山,而遇真人告以铅汞之理,龙虎之机焉,遂作书十有八章,言大道也。”自注说:“魏翱,字伯阳,汉人,自号云牙子。”又注说:“伯阳既著《参同契》,元阳子注释其义。”①亦认《周易参同契》为魏伯阳所著。

二、《周易参同契》对炼养方术的概括和贡献

《参同契》又名《周易参同契》,全书分上、中、下三篇②及《周易参同契鼎器歌》一首,共约六千余字,基本是用四字一句、五字一句的韵文及少数长短不齐的散文体(如第七、十章)和离骚体(如第八十至八十三章)写成的。

朱熹说,《周易参同契》“词韵皆古,奥雅难通”③,历代为之作注者甚多。宋郑樵《通志·艺文略》第五著录《参同契》及注本19部凡31卷,惜多亡佚。唐宋以后的《周易参同契》注本,《四库全书总目》道家类收入6部16卷,明正统《道藏》收入11种。主要注本有:后蜀彭晓《周易参同契分章通真义》3卷、宋朱熹《周易参同契考异》1卷(化名崆峒道士邹訢)、陈显微《周易参同契解》3卷以及俞琰《周易参同契发挥》9卷等。

《周易参同契》是一部将《周易》、黄老与炉火三者参合的炼丹修仙著作。第八十五章云:“大易情性,各如其度;黄老用究,较而可御;炉火之事,真有所据。三道由一,俱出径路。”④宋陈显微《周易参同契解》卷下曰:“大矣哉,道之为道也,生育天地,长养万物。造化不能逃,圣人不能名,伏羲由其度而作《易》,黄老究其妙而得虚无自然之理,炉火盗其机而得烧金乾汞之方。是皆仰观俯察,远取近用,或寓于言,或修于身,或托于物,事虽分三,道则归一也。”⑤所谓“三道由一”,即指大易、黄老、炉火三者相通,合乎于

① 《道枢》卷34,《道藏》第20册,第785页。

② 有的版本,如《文渊阁四库全书》本朱熹《周易参同契考异》则将下篇中之最后五章,即一参同、二太易、三象彼、四郐国、五委时,分出独成《五相类》。

③ 《道藏》第20册,第131页。

④ 《周易参同契分章通真义》卷下,《道藏》第20册,第155页。

⑤ 《周易参同契解》卷下,《道藏》第20册,第292页。

道;它们“罗列三条,枝茎相连,同出异名,皆由一门”①,都由同一个“大道”而来。“三道由一”,是作者对该书内容的总括,也是该书命名为《参同契》之依据。俞琰说:“参,三也;同,相也,契,类也。谓此书借大易以言黄老之学,而又与炉火之事相类,三者之阴阳造化殆无异也。”②清人董德宁认为,《周易参同契》“三篇之作,总叙大易、内养、炉火之三道,是以上篇言易道为多,而次之以内养,其炉火则间及之;中篇则内养为多,而易道次之,炉火则又次之;下篇乃炉火为多,而内养为次,易道更为次也。此三篇之中,其三道之详简有不同也如此”③。由于《周易参同契》把方士炼丹、黄老养性和周易卦爻三者搀合,融为一体,说明炼丹、养性的情理,这就弄得很神秘、很隐晦,常用譬喻来表达其意思,使人难于确切理解,因而注释各家,意见歧异。或曰《周易参同契》的中心思想是炼服金丹,或谓魏伯阳主张调和阴阳,前者即所谓烧炼金丹以求仙药之外丹说,后者指靠自身修炼精气神的内养术,即后世所谓的内丹说,实际上,在《周易参同契》中,二者兼而有之,为以往炼丹术、养生术的综合性概括。

春秋战国至秦汉时期,我国养生术已有明显发展,出土文物《行气玉佩铭》④和《导引图》⑤表明,这一时期人们对行气、导引的养生方法,已有足够重视,并付之于实际运用。在理论上继先秦道家论述养生之后,《黄帝内经》从医学保健的角度,借《易》之阴阳理论和道家清静无为思想,阐述养生的根本原则和方法。《素问·上古天真论第一》云:“上古之人,其知道者,法于阴阳,和于术数,食饮有节,起居有常,不妄作劳,故能形与神俱,而尽终其天年,度百岁乃去。”⑥又说:“夫上古圣人之教下也,皆谓之虚邪贼风,避

---

① 《周易参同契分章通真义》卷下,《道藏》第 20 册,第 156 页。

② 《道藏》第 20 册,第 259 页。

③ (清)董德宁撰,丁福保编:《周易参同契正义》序,《道藏精华录》,杭州:浙江古籍出版社 1990 年版。

④ 《行气玉佩铭》为战国初年制作。共 45 字。郭沫若释为:“行气深则蓄,蓄则伸,伸则下,下则定,定则固,固则萌,萌则长,长则退,退则天,天几春,在上,地之春,在下,顺则生,逆则死。”见于郭沫若:《奴隶制时代》,北京:人民出版社 1973 年版,第 262 页。

⑤ 1973 年长沙马王堆三号汉墓出土的《西汉导引图》,共有画像 40 多幅。

⑥ 《道藏》第 21 册,第 3—4 页。

之有时,恬淡虚无,真气从之,精神内守,病安从来?是以志闲而少欲,心安而不惧,形劳而不倦,气从以顺,各从其欲,皆得所愿。故美其食,任其服,乐其俗,高下不相慕,其民故曰朴。是以嗜欲不能劳其目,淫邪不能惑其心,愚智贤不肖不惧于物,故合于道。"①它认为,真人、至人、圣人、贤人之所以长寿,就在于他们能够"提契天地,把握阴阳,呼吸精气,独立守神,肌肉若一"②,这就是效法天地,"为无为"。《阴阳应象大论第五》云:"是以圣人为无为之事,乐恬惔之能,从欲快志于虚无之守,故寿命无穷,与天地终,此圣人之治身也。"③所谓"为无为",在《黄帝内经》看来,也就是要使自己的行动,与天地的运行相应。天地有其周而复始的运行规律,元气在人体经络中也是周而复始地流注。善养之,便能获得高寿。《黄帝内经》的内养理论比起先秦的道家来大为发展。与此同时,外丹烧炼的理论也有发展。魏伯阳在《周易参同契》中,提到了当时用火法炼丹的经书就有"《火记》六百篇"。据陈国符先生考证,《黄帝九鼎神丹经》即《道藏》中的《黄帝九鼎丹经诀》卷一或《九转流珠神仙九丹经》和《太清金液神丹经》,均出世于西汉末东汉初,这些经书是对外丹烧炼的具体的实验记录。可知当时的内养之学和外丹烧炼都已有所记述,为魏伯阳总括内外丹理论提供了前提条件。

炼丹在古代是颇为神秘的一件事。魏伯阳作为一个炼丹传人,一方面希望传承丹道,另一方面又担心泄露秘诀。于是,他借助《周易》的卦象义理来暗示。

《易》原为古代卜筮之书,以阴爻(— —)、阳爻(——)为单位,三爻为一卦,组成八个经卦,又由八个经卦,重合为六十四个别卦。有卦辞、爻辞,供占筮之用。后《彖》、《象》、《文言》、《系辞》传出,其哲理更明显。《周易·系辞下》云:"《易》之为书也,广大悉备,有天道焉,有人道焉,有地道焉。"两汉时,焦赣、京房《易》学,以推阴阳、言灾异,通合天人之道,盛行于世,对魏伯阳用以解丹道有直接影响。《四库全书总目提要》指出:"易道广大,无所不包,旁及天文、地理、乐律、兵法、韵学、算术,以逮方外之炉火,皆

① 《道藏》第21册,第4—5页。
② 《道藏》第21册,第7页。
③ 《道藏》第21册,第33页。

可援易以为说”。《周易参同契》正是方外炉火，援易为说的较早著作。

关于《周易参同契》对《周易》的运用，彭晓曾作这样的概括：“（魏）公撰《参同契》者，谓修丹与天地造化同途，故托易象而论之，莫不假借君臣以彰内外；叙其离坎，直指汞铅；列以乾坤，奠量鼎器；明之父母，系以始终；合以夫妇，拘其交媾；譬诸男女，显以滋生；析以阴阳，导之反复；示之晦朔，通以降腾；配以卦爻，形于变化；随之斗柄，取以周星；分以晨昏，昭诸刻漏。故以乾坤为鼎器，以阴阳为隄防，以水火为化机，以五行为辅助，以真铅为药祖，以玄精为丹基，以离坎为夫妻，以天地为父母，互施八卦，驱役四时。分三百八十四爻，循行火候；运五星二十八宿，环列鼎中。乃得水虎潜形，寄庚辛而西转；火龙伏体，逐甲乙以东旋。《易》曰：‘至人有以见天下之赜，而拟诸其形容，象其物宜’。公因取象焉。”①它说明炼丹的鼎器、方位、药物、火候、时辰、变化等，都用《易》的卦爻辞义来表述。朱熹则认为，“按魏书首言乾坤坎离四卦橐籥之外，其次即言屯蒙六十卦，以见一日用功之早晚，又次即言纳甲六卦，以见一月用功之进退，又次即言十二辟卦，以分纳甲六卦而两之，盖内以详理月节而外以兼统岁功，其所取于《易》以为说者，如是而已”②。这是说，《周易参同契》用《易》卦，多系表明炼丹用功、进退及其时间之掌握。彭晓和朱熹从不同角度指明了《周易参同契》的作者用《周易》说明炼丹的一些情况，特别是强调了魏伯阳认为修丹与天地造化同是一个道理，易道与丹道是相通的，所以能用说明天地造化的《易》理，来解释炼丹、内养的道理。现就《周易参同契》关于炼丹的鼎器、药物、火候、效果等问题，略予考察。

（一）鼎器

鼎器是炼丹的基本工具，包括鼎和炉两个物件。《周易参同契》以乾坤两卦喻鼎器，上篇首先指出：“乾坤者，易之门户，众卦之父母。”朱熹注曰：“乾坤以宇内言之，则乾天在上，坤地在下，而阴阳变化万物终始皆在其间；以人身言之，则乾阳在上，坤阴在下，而一身之阴阳万物变化终始皆在其间，

① 《周易参同契分章通真义序》，《道藏》第20册，第131—132页。

② 《周易参同契》（黄瑞节：《附录》），《道藏》第20册，第131页。

此乾坤所以为易之门户，众卦之父母也……然则乾坤其炉鼎欤！"[①]又无名氏《周易参同契注》说："乾坤谓鼎器也。乾为上釜，坤为下釜。"[②]这就是说：《乾》《坤》二卦所取象的天地好似一个大炉鼎，阴阳变化万物终始都在其中，人身则是个小炉鼎，阴阳变化也在其中。炉鼎本是外丹名词，此处借作内养术语，而以乾坤统喻之。因为炼丹的鼎器是炉在上、鼎在下，犹如天在上、地在下一样，符合乾坤之取象。《周易参同契》对于鼎器有个形象的描述，《鼎器歌》说："圆三五，寸一分，口四八，两寸唇，长尺二，厚薄匀。腹三齐，坐垂温。阴在上，阳下奔。"[③]今人孟乃昌认为："《鼎器歌》介绍的也是两部分组成的。下部为盆状，上大下小，底部圆形，直径三五一尺五寸，厚一寸一分，盆上部直径疑为一尺二寸（朱熹作二尺），充裕的空间以便在顶部聚集升华物，这个罩的各处厚薄一致。底部有三支支脚，中间置加热热源。整个升华器的外形如鼎。'阴在上，阳下奔'，是说使用时下热上冷的情况……反映了鼎顶冷却才能使升华物凝结。"[④]

（二）药物

药物是炼丹的原料，《周易参同契》以"坎离为药"[⑤]，就外丹说，炼丹药物主要指铅汞，上篇曰："知白守黑，神明自来。"朱熹注云："白谓汞，黑谓铅。"[⑥]《周易参同契》说："胡粉投火中，色坏还为铅……金以砂为主，禀和于水银。"[⑦]"故铅外黑，内怀金华，被褐怀玉，外为狂夫。"[⑧]"河上姹女，灵而最神，得火则飞，不见埃尘。"[⑨]点明了铅汞的特性。唐人梅彪集《石药尔雅》说："铅精一名金公，一名河车，一名白虎，一名黑金；水银一名汞，一名玄水，一名河上姹女，一名青龙；胡粉，一名锡粉，一名铅粉，一名流丹。"[⑩]

---

① 《道藏》第20册，第119页。
② 《道藏》第20册，第161页。
③ 《周易参同契》（黄瑞节：《附录》），《道藏》第20册，第157页。
④ 孟乃昌：《周易参同契的实验和理论》，《太原工学院学报》1983年第3期。
⑤ （唐）刘知古：《日月玄枢篇》，见《道枢》卷之26，《道藏》第20册，第736页。
⑥ 《道藏》第20册，第122页。
⑦ 《道藏》第20册，第141页。
⑧ 《道藏》第20册，第138页。
⑨ 《道藏》第20册，第151页。
⑩ 《石药尔雅》卷上，《道藏》第19册，第62页。

《周易参同契》描述以铅汞炼丹的变化过程为：

以金为堤防，水火乃优游，金数有十五，水数亦如之。临炉定铢两，五分水有余，二者以为真，金重如本初。其三遂不入，火二与之俱，二物相含受，变化状若神，下有太阳气，伏蒸须臾间，先液而后凝，号曰黄舆焉。①

朱熹《考异》云，“此言丹之第一变也”。《周易参同契》又曰：

岁月将欲讫，毁性伤寿年。形体为灰土，状若明窗尘。②

朱子云，“此似第二变也”。《周易参同契》又曰：

捣冶并合之，驰入赤色门。固塞其际会，务令致完坚，炎火张于下，昼夜声正勤，始文使可修，终竟武乃陈，候视加谨慎，审察调寒温。周旋十二节，节尽更亲观。气索命将绝，休死亡魄魂，色转更为紫，赫然成还丹。粉提以一丸，刀圭最为神。③

此第三变也。铅汞三变，终成“还丹”。治化学史者认为，这是“一节详尽的操作”，“赫然成还丹”，“烘托出乍见之下又惊又喜、惊喜交集的心情，非有实际体会者难于写出这样的文字”④。《周易参同契》要求药物必须是同一种类，才能炼成功；反之，以不同种类的药物炼之，必然招致失败。它说：“欲作服食仙，宜以同类者，植禾当以粟，覆鸡用其子，以类辅自然，物成易陶冶，鱼目岂为珠？蓬蒿不成槚，类同者相从，事乖不成宝，是以燕雀不生凤，狐兔不乳马，水流不炎上，火动不润下。”⑤因此，他批评那些用不同类的药物混杂在一起的炼丹者，“世间多学士，高妙负良才。邂逅不遭值，耗火亡货财，据按依文说，妄以意为之，端绪无因缘，度量失操持，捣治羌石胆，云母及礜磁，硫黄烧豫章，泥汞相炼治。鼓下五石铜，以之为辅枢，杂性不同种，安肯合体居。千举必万败，欲黠反成痴，稀年至自首，中遭生狐疑，背道守迷路，出正入邪蹊”⑥。他特别指出：“若药物非种，名类不同，分剂参

① 《道藏》第20册，第124页。
② 《道藏》第20册，第124页。
③ 《道藏》第20册，第124页。
④ 孟乃昌：《周易参同契的实验和理论》，《太原工学院学报》1983年第3期。
⑤ 《道藏》第20册，第123页。
⑥ 《道藏》第20册，第123页。

差，失其纪纲，虽黄帝临炉，太一降坐，八公捣炼，淮南执火"①，也是要失败的。

就内养而言，"药物"坎离，指人身一元之气的阴阳变化。朱熹云："凡言《易》者，皆指阴阳变化而言，在人则所谓金丹大药者也。"②即精气神的修炼。《周易参同契》论内养有云："将欲养性，延命却期，审思后末，当虑其先，人所禀躯，体本一无，元精云布，因气托初，阴阳为度，魂魄所居。"③又说："内以养己，安静虚无，元本隐明（指闭目），内照形躯（内视），闭塞其兑（口），筑固灵株（舌）。"④皆协调阴阳，修炼精气之意。《周易参同契》对于内炼精气，有段比喻性的形象描绘，它说：日月阴阳"二气玄且远，感化尚相通，何况近存身，切在于心胸，阴阳配日月，水火为效征。耳目口三宝，固塞勿发扬，真人（指元气）潜深渊，浮游守规中（深渊、规中都指丹田），旋曲以视览，开阖（指呼吸）皆合同，为己之轴辖，动静不竭穷。离（譬喻目）气内营卫（指血液），坎（譬喻耳）乃不用聪，兑（譬喻口）合不以谈，希言顺以鸿（彭晓注本"以鸿"作"鸿濛"，指朦胧的光气），三者既关键（闭），缓体处空房（指静室）；委志归虚无，无念以为常；证难以推移，心专不纵横；寝寐神相抱，觉悟候存亡。颜容浸以润，骨节益坚强；辟却众阴邪，然后立正阳；修之不辍休，庶气云雨行；淫淫若春泽，液液象解冰；从头流达足，究竟复上升；往来洞无极，怫怫被容中。"⑤《朱子语录》曰："《参同契》所言坎离、水火、龙虎、铅汞之属，只是互换其名，其实只是精气二者而已。精，水也，坎也，龙也，汞也；气，火也，离也，虎也，铅也。其法以神运精气，结而为丹，阳气在下，初成水，以火炼之，则凝成丹。"⑥

（三）火候

这里着重介绍《周易参同契》运用《易》纳甲法和十二辟卦法，以说明炼

① 《道藏》第 20 册，第 128 页。
② 《道藏》第 20 册，第 119 页。
③ 《道藏》第 20 册，第 126 页。
④ 《道藏》第 20 册，第 121 页。
⑤ 《道藏》第 20 册，第 126 页。
⑥ （宋）马端临《文献通考》卷 224《经籍五十一》；又见《道藏》第 20 册，第 122 页。

丹火候的情形。

1. 纳甲法。

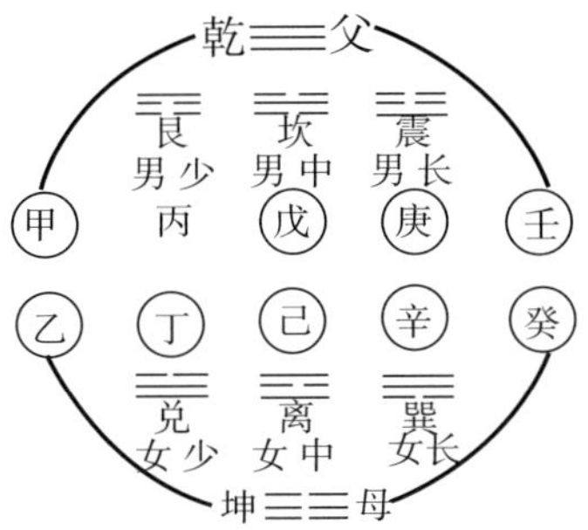

纳甲图

朱熹说:“《参同契》本不为明《易》,姑借此纳甲之法,以寓其行持进退之候……今所传《京房占法》见于《火珠林》者是其遗说。”①又说:“纳甲乃汉焦赣、京房之学。”②何谓纳甲？宋朱震《周易卦图说》曰:“举甲以该十日也,乾纳甲壬,坤纳乙癸,震巽纳庚辛,坎离纳戊己,艮兑纳丙丁,皆自下生,圣人仰观日月之运,配之以坎离之象,而八卦十日之义著矣。”③简言之,即以《周易》的八个经卦分别与十天干相配合,或叫作以十天干分别纳于八卦之下,如纳甲图(见下页):八卦各纳一干,唯乾纳甲壬,坤纳乙癸,其余六卦为艮纳丙,兑纳丁,坎纳戊,离纳己,震纳庚,巽纳辛。以甲为十干之首,举一干以概其余,故称之为纳甲。

魏伯阳运用纳甲于《周易参同契》,其上篇有云:

三日出为爽,震(☳)庚受西方。

八日兑(☱)受丁,上弦平如绳。

十五乾(☰)体就,盛满甲东方。

---

① 《周易参同契考异》附,《道藏》第20册,第118页。

② (宋)黎敬德编:《朱子语类》卷66,北京:中华书局1986年版,第4册,第1638页。

③ (清)胡谓:《易图明辨》,《文渊阁四库全书》第44册,691页。

蟾蜍与兔魄，日月无双明。①

蟾蜍视卦节，兔者吐生光。
七八道已讫，屈折低下降。
十六转受统，巽（☴）辛见平明。
艮（☶）直于丙南，下弦二十三。
坤（☷）乙三十日，东方丧其明。
节尽相禅与，继体复生龙。
壬癸配甲乙，乾坤括始终。（上篇第十三、十四章）

魏氏根据月光晦朔弦望的运行规律，结合纳甲卦象阴阳之消长，把一月三十日分成六节，每五日一节，每一节分属一卦。即三日——震（☳）卦；八日——兑（☱）卦；十五日——乾（☰）卦；十六日——巽（☴）卦；二十三日——艮（☶）卦；三十日——坤（☷）卦。

以上魏伯阳描述的一段文字，后人曾经以"月象盈亏图"来表示。

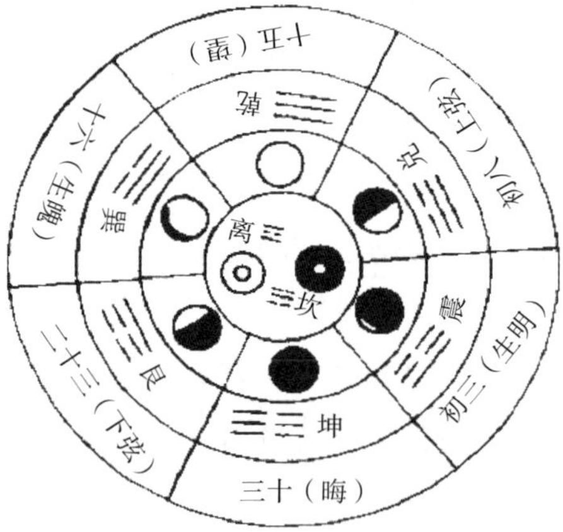

在图中，《震》《兑》《乾》《巽》《艮》《坤》六卦表示一月中阴阳的消长（离、坎表示日月升降于其间），象征日月往来盈亏之迹（指日月之昏旦出没

① 俞琰云："蟾蜍者，月之精；兔魄者，日之光。"见于《周易参同契发挥》卷2，《道藏》第20册，第200页。

而言)。具体说:(☳)震表示初三之月象;(☱)兑表示初八之上弦;(☰)乾表示十五之满月,以上为望前三候,象征阳息阴消;(☴)巽表示十六日之月由圆而渐缺;(☶)艮表示二十三日之下弦;(☷)坤表示三十日之晦,以上为望后三候,象征阳消阴息。卦象的阴阳消长与十天干配合,表现为:(☳)震一阳始生,于月为生明,三日夕出于西方之庚,故曰“震纳庚”;(☱)兑二阳为上弦,八日夕见于南方之丁,故曰“兑纳丁”;(☰)乾纯阳,望,十五日夕盈于东方之甲,故曰“乾纳甲”;(☴)巽一阴始生,于月由圆而渐缺,十六日晨落于西方之辛,故曰“巽纳辛”;(☶)艮二阴为下弦,二十三日退于南方之丙,故曰“艮纳丙”;(☷)坤纯阴,晦,三十日晨消于东方之乙,故曰“坤纳乙”。《乾》《坤》两卦已经纳了甲乙,又纳壬癸,就是“乾坤括始终”的意思。因为“甲乙”是十天干之初始,而“壬癸”是十天干的终结,乾纳甲壬,坤纳乙癸,故谓“乾坤括始终”。一月六节既尽,而禅于下月,复生《震》卦,即所谓“节尽相禅与,继体复生龙”。这段话的精髓在于阴阳的转化。它以月亮在30日内的运转,配以卦爻方位,用(☳)震、(☱)兑、(☰)乾表示月亮由上弦而至望,体出了阳(“—”爻所象)的增长,用(☴)巽、(☶)艮、(☷)坤由下弦而至晦,体出了阴(“--”爻所象)的增长。陈显微《周易参同契解》卷中(即中篇)云:“魏君以一月之间月形圆缺,喻卦象进退,自初三日为一阳,初八日为二阳,十五则三阳全而乾体就,十六则一阴生,二十三则二阴生,三十日则三阴全而坤体成。”①此言乾坤往复由阴阳之升降,以明一月火候之进退。

2. 十二辟卦法。

《易》以阴阳之错综变化,用六爻(两个经卦)重叠组合成六十四卦。根据阴消阳息、阴盛阳衰的原理,从中挑出《复》《临》《泰》《大壮》《夬》《乾》《姤》《遁》《否》《观》《剥》《坤》十二卦,代表一年十二月,月各一卦,自头年十一月(《复》卦)起,至次年十月(《坤》卦)止。这十二卦中,前六卦为息卦,曰太阳;后六卦为消卦,曰太阴,合称十二消息卦。十二消息卦皆辟卦,辟者,君也,言此十二卦总统余卦,犹君主领袖臣下也,故十二消息卦又称十二辟卦。

① 《道藏》第20册,第284—285页。

魏伯阳论修大丹，以十二消息通一岁之火候。《周易参同契》中篇曰：

(1)朔旦为复，阳气始通，出入无疾，立表微刚，黄钟建子，兆乃滋彰，播施柔暖，黎丞得常。

(2)临炉施条，开路正光，光耀渐进，日以益长，丑之大吕，结正低昂。

(3)仰以成泰，刚柔并隆，阴阳交接，小往大来，辐凑于寅，运而趋时。

(4)渐历大壮，侠列卯门，榆荚堕落，还归本根，刑德相负，昼夜始分。

(5)夬阴以退，阳升而前，洗濯羽翮，振索宿尘。

(6)乾健盛明，广被四邻，阳终于巳，中而相干。

(7)姤始纪绪，履霜最先，井底寒泉，午为蕤宾。宾服于阴，阴为主人。

(8)遁去世位，收敛其精，怀德俟时，栖迟昧冥。

(9)否塞不通，萌者不生，阴伸阳屈，没阳姓名。

(10)观其权量，察仲秋情，任畜微稚，老枯复荣，荠麦芽蘖，因冒以生。

(11)剥烂肢体，消灭其形，化气既竭，亡失至神。

(12)道穷则返，归乎坤元，恒顺地理，承天布宣。

就是说，以上十二消息卦与十二地支（子、丑、寅、卯、辰、巳、午、未、申、酉、戌、亥）配合，代表一年十二月，亦喻一日十二辰。由其中阴阳的爻变，象征火候的进退。第一，《复》卦五阴一阳，阴气已极，一阳复生，喻阳火发动之初，火气至微。一日之中，当夜半子时火候初起也，一年之中，应十一月。第二，《临》卦四阴二阳，阳气渐生，丑时进二阳火候也，应十二月。第三，《泰》卦三阴三阳，阴阳相交，寅时进三阳火候也，应正月。第四，《大壮》卦二阴四阳，阳中有阴，卯时进四阳火候也，应二月。第五，《夬》卦一阴五阳，阳升阴退，阳气已盛，一阴将尽，辰时进五阳火候也，应三月。第六，《乾》卦纯阳，阳极于巳，巳时进六阳火候也，应四月。第七，《姤》卦五阳一阴，一阴初生，阴生阳退，午时退阴符候也，应五月。第八，《遁》卦四阳二阴,阴气渐盛,阳气渐衰,未时退二阴符候也,应六月。第九,《否》卦三阳三阴,阴阳二气,不相交通,申时退三阴符候也,应七月。第十,《观》卦二阳四阴,阴气已盛,酉时退四阴符候也,应八月。第十一,《剥》卦一阳五阴,阴盛阳衰,纯阴将至,戌时退五阴符候也,应九月。第十二,《坤》卦纯阴用事,亥时退六阴符候也,应十月。再往后,又是一阳复生的《复》卦,转入新的十一月和新的子时,十二消息就这样,阴阳进退,周而复始,循环不已。用于炼丹,则前六卦的趋势为阳息阴消,系进阳火;后六卦为阴息阳消,系退阴符。以内养而论,也就是以神运气,如何注意呼吸的节奏和强度问题。进阳火用的是相对强烈的呼吸,退阴符用的是相对轻微的呼吸。魏伯阳用《易》纳甲、十二辟卦法,象征性地说明一月三十日、一日十二时、一年十二月中阴阳消长,以及如何相应掌握炼丹火候的情形,大致就是如此。

（四）效果

魏伯阳对道术的效果,作了比较说明。《周易参同契》中篇指出:“世人好小术,不审道浅深,弃正从邪径,欲速阏不通……竭力劳精神,终年无见功。”①这就是说,那些歪门邪道的旁门小术是劳而无功,达不到长生久视的效果的。有哪些邪道呢?《周易参同契》上篇提到:“是非历藏法,内视有所思,履斗步罡宿,六甲次日辰。阴道厌九一,浊乱弄玄胞。食炁鸣肠胃,吐正吸外邪。昼夜不卧寐,晦朔未尝休。身体日疲倦,恍惚状若痴。百脉鼎沸驰,不得清澄居。累土立坛宇,朝暮敬祭祠,鬼物见形象,梦寐感慨之。心欢而意悦,自谓必延期,遽以夭命死,腐露其形骸。举措辄有违,悖逆失枢机。诸术甚众多,千条有万余,前却违黄老,曲折戾九都。”②即是说,这类邪门主要有:(1)存思、食气的内养法;(2)讲究男女交合的房中术;(3)昼夜运动的疲劳战;(4)祭祀鬼神祈福祐等。魏伯阳认为,这些邪道都违背了黄老养性之旨,因而不可能达到长生久视之功。他认为服食还丹,才是通往寿命长久、返老还童的正确道路。《周易参同契》上篇云:“巨胜(即芝麻)尚延年,还丹可入口,金性不败朽,故为万物宝。术士服食之,寿命得长久。土游于

① 《道藏》第20册,第240页。

② 《道藏》第20册,第208页。

四季,守界定规矩。金砂入五内,雾散若风雨。薰蒸达四肢,颜色悦泽好,发白皆变黑,齿落生旧所,老翁复丁壮,耆妪成姹女。改形免世厄,号之曰真人。”①又说:“服食三载,轻举远游,入火不焦,入水不濡,能存能亡,长乐无忧。”②这里讲的还丹入口,寿命长久,服食三载,轻举远游,即是说服食了金液还丹,即炼丹家所炼成的丹药,就能达到返老还童、长乐无忧的效果。在这里,讲的是修炼服食用的外丹。但是《周易参同契》不仅讲外丹,同时它也讲内养。在下篇谈道:“惟昔圣贤,怀玄抱真,服炼九鼎,化迹隐沦,含精养神,通德三元,精溢腠理,筋骨致坚。众邪辟除,正气常存,积累长久,变(化)形而仙。”③又说:“引内养性,黄老自然,含德之厚,归根返地,近在我心,不离己身,抱一毋舍,可以长存,配以服食,雄雌设陈。”从这里又看到,《周易参同契》一方面强调以黄老自然之道滋养身内之精气神的内养功夫,另一方面又指出这种功夫尚需“服炼九鼎”、“配以服食”,才能“变形而仙”,“御白鹤兮驾龙鳞,游太虚兮谒仙君,录天图兮号真人”。所以总的说来,《周易参同契》是既谈外丹炉火,又讲内养修炼,有些段落着重谈外丹,有些段落着重谈内养,有些则兼概内养、外炼而通之,并非专主一事。这就是说在魏伯阳看来,只有两种方式才能达到“变形而仙”、长生久视的效果,这就是:服食金丹;内养精气,配以服食。尽管服食丹药根本不可能长生成仙,甚至有时还会适得其反,然而,《周易参同契》却标志着古人在探索延年益寿道路上的进步。它通过炼丹过程中积累的化学反应知识,乃是人类认识史上难能可贵的积极成果。

魏伯阳在东汉社会思潮中,明确地以大易、黄老、炉火三者结合,系统论述炼丹、内养,延命长寿之道,所著《周易参同契》成为道教丹鼎派的重要著作,在中国道教史与古代科技史上都有非常重要的地位。

首先,它把以前的炼丹、内养,结合其自身体验,予以理论概括。用大易阴阳交合之道,黄老自然养性之道,炉火铅汞炼丹之道,合而为一,即所谓“三道由一”,说明人欲长生成仙,或服食铅汞所炼“还丹”(上篇),或炼养

---

① 《道藏》第20册,第211—212页。

② 《道藏》第20册,第209页。

③ 《道藏》第20册,第248—250页。

自身阴阳(精气),使得"成道"(中篇)。除此以外,"诸术甚众多,千条有万余",都是"前却违黄老"、"终年无见功"的旁门术。这样,魏伯阳在当时世上流行的众多神仙术中,就只肯定了炼服还丹及炼养神气这两种方术,并以《周易》的卦爻,对炼丹术和内养术进行了神秘主义的解说。《周易参同契》的突出贡献在于,它在理论同实际的结合上,肯定外丹术和内丹术,对于道教从社会的众多方术中走向较单一的外丹或内丹有着巨大作用。

其次,魏伯阳在《周易参同契》中,既肯定外丹,又肯定内养,在肯定以铅汞炼丹的同时,又批评了那些"杂性不同种"药物炼丹的失误;在肯定炼养精气的同时,又批评那些内思食气弄得疲倦恍惚的不正确做法。后世主外丹者或主内丹者都可以从中受到启发,找到根据,借以发挥自己的见解,因而受到极大的重视,被尊为"万古丹经王"。《四库全书总目》说:"后来言炉火者,皆以是书为鼻祖。"

其三,魏伯阳在《周易参同契》中,用《周易》的爻象和比喻的手法解说炼丹、内养,使得本来就比较复杂的这一神秘现象,变得更加神秘,以致"奥雅难通",仁智各见。这种文风,也影响到以后的丹书,它既是中国古代炼养术特有的表现形式,也表明了炼丹术士的保守倾向,直接或间接地妨碍着以后内外丹术的进一步发展。

第三节　正一盟威之道的创立及其经典

一、正一盟威之道在西蜀的创立和特征

"正一盟威之道",俗称"五斗米道",这是东汉后期在巴蜀地区出现的早期民间道教大派。据史书记载,沛国丰(今江苏丰县)人张陵于顺帝时(126—144 年)入蜀,造作道书,祖孙三代传习其道。[①] 至"熹平(172—178年)中,妖贼大起,三辅有骆曜。光和(178—184 年)中,东方有张角,汉中有

① 《后汉书·刘焉传》、《三国志·张鲁传》和《华阳国志·汉中志》并载其事。"道书",《后汉书》作"符书"。参见《后汉书》卷 75《刘焉传》,北京:中华书局 1965 年版,第 9 册,第 2435 页。

张修。骆曜教民缅匿法,角为太平道,修为五斗米道"①。骆曜的事迹无考,当时道教的大派主要有五斗米道和太平道。这里,我们首先介绍五斗米道。

"五斗米道"其名见于史书。由于入道者须交纳五斗米以供道、或用五斗米酬谢道师,因此,或称"米巫"(巴郡太守樊敏碑),或称"米贼"(《后汉书》、《三国志》),或称"米道"(《华阳国志》)。《后汉书·灵帝纪》注引刘艾《汉灵、献二帝纪》②云:"时巴郡巫人张修疗病,愈者雇以五斗米,号为五斗米师。"这说的是酬谢张修的情况。从文中还看不出究竟是他自称还是别人称他为"五斗米师"。三国西晋时人陈寿在《三国志·张鲁传》中则明确说:"从受〔张陵〕道者出五斗米,故世号米贼。"③晋人常璩《华阳国志·汉中志》也说:"其供道限出五斗米,故世谓之'米道'。"④《水经注·沔水》亦言:"〔张〕鲁至行宽惠,百姓亲附,供道之费米限五斗。故世号五斗米道。"⑤可知"五斗米道"实为俗称。从道教方面的情况来看,张陵一系的正式名称乃"正一道",其道书归入正乙部。陈国符在《道藏源流考》中指出:"《正一经》,张陵一派所传经箓也。"⑥《云笈七籤》卷六云:

> 正一者,真一为宗,太上所说。《正一经》天师自云:"我受于太上老君,教以正一新出道法。"……王长虑后改易法师,故撰传录文,名为《正一新出仪》……《正一经》云:"《正一法文》一百卷。"今孟法师录亦一百卷,凡为十帙,未知并是此经不耳。斯经所明,总述三乘之用,故此经云《正一》,遍陈三乘。王长所撰《新出之仪》四十卷,但未有次第……《玉纬》云:"……汉末,有天师张道陵精思西山,太上亲降,汉安元年五月一日授以三天正法,命为天师;又授正一科术要道法文。其年七月七日,又授正一盟威妙经、三业六通之诀,重为三天法师、正一真

① 《三国志》卷8《张鲁传》裴松之注引鱼豢(三国时人)《典略》。《后汉书·刘焉传》李贤注同。参见《后汉书》卷75《刘焉传》,北京:中华书局1965年版,第9册,第2436页。

② 李贤原注作"刘艾纪"。按《隋书·经籍志》著录汉侍中刘芳撰《汉灵、献二帝纪》三卷,"刘芳",新、旧《唐志》均作"刘艾"。当以《唐志》为是。

③ (晋)陈寿撰:《三国志·张鲁传》,北京:中华书局1959年版,第1册,第263页。

④ 《华阳国志》卷二,《文渊阁四库全书》,第463册,第146页。

⑤ 《水经注》卷二十七,《文渊阁四库全书》,第573册,第422页。

⑥ 陈国符:《道藏源流考》,北京:中华书局2014年版,第82页。

人。”按《正一经·治化品》目录云：“正目，《经》九百三十卷，《符图》七十卷，合千卷，付天师，《正一》百卷即在其内。”①

这是直到北宋前期有关正一部经流传情况的说法。姑且不论太上老君降授道书绝非信史，就是正一部经若干卷也是历代正一道士所造的正一系道书，张陵造作的极少。至今流传下来的明《正统道藏》所载正一经箓章论有：《正一天师告赵升口诀》、《正一出官章仪》、《正一法文十箓召仪》、《太上正一延生保命箓》、《太上正一咒鬼经》、《正一法文天师教诫科经》、《正一法文外箓仪》、《正一法文法箓部仪》、《正一法文修真旨要》、《正一法文传都功版仪》、《太上正一法文经》、《正一法文经章官品》、《正一法文经护国醮海品》、《正一威仪经》、《正一指教旨清旦行道仪》、《正一指教斋仪》、《正一修真略仪》、《正一敕坛仪》、《太上正一朝天三八谢罪法忏》、《太上正一盟威法箓》、《太上三五正一盟威阅箓醮仪》、《太上三五正一盟威箓》、《醮三洞真文五法正一盟威箓立成仪》、《太上正一解五音咒诅秘箓》、《正一解厄醮仪》、《正一瘟司辟毒神灯仪》、《正一论》、《太上正一阅箓仪》、《正一醮宅仪》、《正一醮墓仪》。此外，未收入《正统道藏》内，见于《道藏阙经目录》的尚有若干种。

历代道教徒都称张陵之道为“正一盟威之道”、“正一道”或“天师道”，而从东汉遗传下来的资料中，已约略可见该派自称“正一道”和“天师道”的端倪。《隶续》卷三载《米巫祭酒张普题字碑》云：“熹平二年（173年）三月一日，天表（卒）鬼兵胡九口口，仙历道成，玄施延命，道正一元，布于伯气。定召祭酒张普，萌（盟）生王盛、黄长、杨奉等，诣受微经十二卷。祭酒约施天师道，法无极才。”②这是说祭酒张普与其徒众盟誓，约施天师之道法。其中出现了“正一”、“天师道”等字样。今可断为保存了张陵原作的《正一法文经章官品》，亦有“正一”、“天师”之名。例如，“主行来出入”条：“明星玉女千二百人，白衣，主将正一，远行万里，不逢祸害厄难，主之。”“主治男女解罪”条：“天仓君一人，官将一百二十人，治天溜室，主天师连历，当下此

① 《道藏》第22册，第37页。

② 《金石录补》卷3（《丛书集成初编》）本亦载此碑文，但有脱字。又，卢弼《三国志集解》，引文“表”作“表”，“法无极才”作“法元极耳”。

神,兆民病不欲(按此下疑有脱字)者,医治之。”①此处“主将正一”是说,明星玉女主管率领信奉正一之道的道徒远行万里的事项。“正一”是指正一道徒。所谓“正一”,据后世道书解释为“真正不二”的意思。“天师”这名词最早见于《庄子·徐无鬼》,其略云:黄帝至于襄城之野,适遇牧马童子,遂问“为天下”之道,答以无事、“亦去其害马者而已矣”。于是,“黄帝再拜稽首,称天师而退”。② “天师”指的是得自然无为之道的人。后又出现于《黄帝内经·素问》和《太平经》;《太平经》有“天师道”一词,意谓天师代天行道。并说:“本求守一养性之法凡三百首,乃见天师说而无极,故敢问身宁可得长存与?不见天师说而无极,故敢问小政事。见师说无极,乃敢具问天地开辟以来,帝王更相承负愁苦,天灾变怪讫不绝,何以除之。”③道家与道教常常用“无极”形容“道”;《张普碑》提及法无极之道,与《太平经》所谓天师说无极之道,其义相近,说明二者有着某些共同的思想渊源。

五斗米道的创始人张陵本为沛国丰人,据传获得“神书”《太平经》的于吉是琅邪(在今山东省)人,二人均曾生活或活动于神仙方术盛传之地。张陵入蜀在汉顺帝时,大约与《太平经》成书同时,而五斗米道的宗教特征不少与《太平经》、太平道接近。如反对“贼盗”和“欺诈”,追求“长生”、“度厄”,“首过”、“医疾”、“收万精魅”等,都有其共通性。特别是驱使神鬼、劾鬼疗病,均直接继承汉代方士的道术。中国古代宗教素来重视祭祀,“国之大事,在祀与戎”④;祭祀被视为国家政治之大事,也为儒家所提倡。所谓祭祀,就是以玉币、饮食等牺牲供祀鬼神,祈望以此来福祛灾。到了东汉,方士们却继承了禁咒等役使鬼神、驱鬼治病的巫术。禁咒系指用符策咒语制止恶鬼害人和灾异发生。与此相近的方术为厌胜。厌者,压也,就是镇压邪气妖鬼。还有解除方术。《后汉书·蔡邕传》注云:“解除谓谢过也。”⑤即以

① 《道藏》第28册,第554、549页。

② (晋)郭象:《南华真经注疏》,《道藏》第16册,第578页。

③ 王明:《太平经合校》,北京:中华书局1960年版,第459页。

④ 《左传》成公十三年,《十三经注疏》下册,北京:中华书局1980年影印本,第1911页。又,文公二年云:“祀,国之大事也。”见于《十三经注疏》下册,北京:中华书局1980年影印本,第1839页。

⑤ 《后汉书》卷60《蔡邕传》,北京:中华书局1965年版,第7册,第1993页。

忏悔己罪、向神道歉的方式消除灾异。据《后汉书·方术传》载："高获……素善天文、晓遁甲，能役使鬼神。""徐登……善为巫术。又，赵眪……能为越方。时遭兵乱，疾疫大起，二人遇于乌伤溪水之上，遂结言约共以其术疗病。"①"费长房……能医疗众病，鞭笞百鬼，及驱使社公②。或在它坐独自恚怒，人问其故，曰：'吾责鬼魅之犯法者耳。'汝南岁岁常有魅，伪作太守章服，诣府门椎鼓者，郡中患之。时魅适来，而逢长房谒府君（指郡太守），惶惧不得退，便前解衣冠，叩头乞活，长房呵之云：'便于中庭，正汝故形！'即成老鳖，大如车轮，颈长一丈……后［费长房］失其符，为众鬼所杀。""刘根……隐居嵩山中，诸好事者自远而至，就根学道。太守史祈以根为妖妄，乃收执诣郡，数之曰：'汝有何术，而诬惑百姓？若果有神，可显一验事，不尔，立死矣。'根曰：'实无它异，颇能令人见鬼耳。'祈曰：'促召之，使太守目睹，尔乃为明。'根于是左顾而啸，有顷，祈之亡父、祖叱祈曰：'汝为子孙，不能有益先人，而反累辱亡灵，可叩头为吾陈谢。'祈惊惧悲哀，顿首流血，请自甘罪坐。""又，河南曲圣卿，善为丹书符劾，亦与鬼物交通。初，章帝时寿光侯者，能劾百鬼众魅，令自缚见形。其乡人有妇为魅所病，侯为劾之，得大蛇数丈死于门外。"③这些方士都不再用祭祀去讨好鬼神，而是以丹书符箓、禁咒方术发现、鞭笞、驱使、招引、镇劾乃至厌杀之。这些方术，在张陵那里大多能找到。

本来，黄老道反对淫祀，认为祠祀过多有害于清静之道，不但不能消弭灾祸，反使天气变乱，妖异四起。汉顺帝时魏郡内黄人栾巴④好道，在豫章太守任内，"郡土多山川鬼怪，小人常破资产以祈祷。巴素有道术，能役鬼神，乃悉毁坏房祀，翦理奸巫，于是妖异自消。百姓始颇为惧，终皆安之"⑤。

---

① 注称"《抱朴子》曰：'道士赵眪以气禁人，人不能起；禁虎，虎伏地，低头闭目，便可执缚。……越方，善禁咒也。"

② 《后汉书集解》引东汉许慎《五经异义》云："今民谓社神为社公。"

③ 《后汉书集解》，北京：中华书局1984年影印本，第947、958—960页。按："鬼物"分言之，是有区别的。例如，《史记·留侯世家》："学者多言无鬼神，然言有物。"此处"物"系指精怪。见于《史记》第6册，北京：中华书局1959年版，第2049页。

④ 《神仙传》卷5说栾巴是蜀郡成都人，与史传所载异。

⑤ 《后汉书》卷57《栾巴传》，北京：中华书局1965年版，第7册，第1841页。

又,“延熹中(158—167年),桓帝事黄老道,悉毁诸房祀”①。桓帝在两次派遣宦官左悺、管霸到苦县祠老子之间的延熹八年(165年)四月“丁巳,坏郡国诸房祀”②。魏伯阳把大易、黄老和炉火通而为一,主张外炼内修,也反对“累土立坛宇,朝暮敬祭祠”③。黄巾张角奉黄老道,他那一派亦否定淫祠。④ 至于反淫祀的理由,《太平经》主张“事死不得过生法”,认为:“生人,阳也。死人,阴也。”“鬼神,乃阴也。”“事阴反过阳,则致逆气”;“竭资财为送终之具,而盛于祭祀,而鬼神益盛,民多疾疫,鬼物为祟,不可止”。“死人鬼半来食,治丧微违实,兴其祭祀,即时致邪,不知何鬼神物来共食其祭,因留止祟人,故人小小多病也。下古复承负中古小失,增剧大失之……”⑤

这是“天师”对“真人”的一番训示。但是,《太平经》后半部分还有“不可不祠诀”。既有传统的祭祀鬼神思想,又有黄老道反对淫祠思想,说明其思想驳杂,似不出于一人之手。相反,保持着反淫祀的一贯思想的是三张一系的《老子想尔注》。《老子想尔注》的作者认为,“天之正法,不在祭餟祷祠也”⑥。表明在五斗米道的创立过程中,针对当时社会疾疫流行、但祷祀无效的情况,吸取了巫术中的禁咒、厌胜、解除而摈弃了祭祀。这是道教创立过程中一个值得注意的现象。

巴蜀是五斗米道的发源地,张陵所设二十四治大多在巴蜀境内。五斗米道得以在这里创立、传播,是与这里的社会状况分不开的。东汉时期,蜀地方士和儒生之通谶纬术数者并不亚于中原地区,如任文公、杨由、赵典、景鸾、段翳、杨厚、折像、瞿酺、郭玉、董扶、任安等人,皆为其著者,其中有的还

① 《后汉书》卷76《循吏传》,北京:中华书局1965年版,第9册,第2470页。

② 《后汉书》卷7《桓帝纪》,北京:中华书局1965年版,第2册,第314页。李贤注:“房谓初堂也。”

③ 《周易参同契》上篇,《道藏》第20册,第101页。

④ 详见《三国志》卷1《魏书·武帝纪》注引王沈《魏书》。关于此事,俟后节叙述。

⑤ 王明:《太平经合校》第49、52、53页。按:这种思想可以追溯至战国时期,例如《管子·形势篇》写道:“牺牲圭璧,不足以飨鬼神。”《吕氏春秋·尽数篇》更说:“今世上卜筮祷祠,故疾病愈来。”

⑥ 饶宗颐:《想尔注校笺》,《选堂丛书》,香港:苏记书庄1956年版,第34页;另见《老子想尔注校证》,上海:上海古籍出版社1991年版,第31页。

兼好《老子》，尚黄老言。例如，广汉郡新都（今新都县）人杨厚，晓读《河图》、《雒书》，安帝时灾变频数，常以图纬应对决疑，永建二年（127 年）被顺帝征召至长安，陈述汉王朝三百五十年厄运，“宜蠲法改宪之道，及消伏灾异”诸事。此后数陈蝗、疫、边寇、水灾、火灾、阴臣、近戚、妃党、三公之祸。外戚梁冀专政，杨厚称病求退，归家“修黄老，教授门生，上名录者三千余人”①。三千余人这个数目实在不小，黄老道在蜀地的传播，于兹可见一斑。与之同时的广汉郡雒（今广汉县）人翟酺，“好老子，尤善图纬、天文、历算”，亦曾以图谶之言上书。② 折像也是广汉雒人，史书说他“能通《京氏易》，好黄老言。及［父］国卒，感多藏厚亡之义，乃散金帛资产，周施亲疏……自知亡日……［死］时年八十四。家无余资”③。这个折像，既通京房之《易》，又好黄老之言；不仅“好黄老言”，而且见诸行动；散财于众，自知生死，颇有宗教家的色彩。由上所述，可见当时蜀地儒生兼好道术，不少人还信奉黄老道。再者，在巴蜀少数民族中，本有长生修仙思想。据《后汉书》卷八十六《南蛮西南夷列传》载称：“莋都夷者，武帝所开，以为莋都县（治所在今四川汉源东北）……土出长年神药，仙人山图所居焉。”这位居住在有“长年神药”的少数民族地区的“仙人山图”，在刘向《列仙传》里也有记载。同书注引《列仙传》说：“山图，陇西人。好乘马，马蹋折脚，山中道士教服地黄、当归、羌活、玄参，服一年，不嗜食，病愈身轻。追道士问之，自云：‘五岳使人，之名山采药，能随吾，汝便不死。’山图追随，人不复见。六十余年，一旦归来，行母服于家间。期年复去，莫知所之也。”④

巫术是道术的一部分。《后汉书·方术传》所记载的樊英含水扑灭成都市火⑤，实为模拟巫术；费长房等人役使鬼神，起于交感巫术。以符咒为主要道术的五斗米道也带有浓厚的巫术色彩，这与巴蜀地区少数民族盛行

① 《后汉书》卷 30《杨厚传》，北京：中华书局 1965 年版，第 4 册，第 1047—1050 页。

② 参见《后汉书》卷 48《翟酺传》，北京：中华书局 1965 年版，第 6 册，第 1602 页。

③ 《后汉书》卷 82《方术·折像传》，北京：中华书局 1965 年版，第 10 册，第 2720—2721 页。

④ 《后汉书》卷 86，《南蛮西南夷传》，北京：中华书局 1965 年版，第 10 册，第 2854 页。

⑤ 《神仙传》卷 5 载称栾巴噀酒作雨，止成都市火事，或与此说有同一史源。

的巫术有着密切的关系。据史载,巴郡南郡蛮“俱事鬼神”①,賨人(即巴人)“俗好鬼巫”②,而五斗米道也被人称为“米巫”、“鬼道”。《后汉书·灵帝纪》称巴郡(今四川重庆一带)五斗米道首领张修为“妖巫”,《后汉书·刘焉传》说张鲁母亲“兼挟鬼道”,《华阳国志·汉中志》也说张鲁“以鬼道教”。正因为这里巫术流行,所以,“汉末,张鲁居汉中,以鬼道教百姓,賨人敬信”③。这就说明:一方面,巴蜀地区少数民族盛行巫术,为方士活动和五斗米道创立提供了良好的土壤;另一方面,五斗米道采取“鬼道”的某些方式传教,易为西南少数民族所接受,从而扩大了五斗米道在西南地区的影响。晋人常璩说“巴、汉夷民多便之”④,正是说的后一种情况。向达先生认为:“张陵在鹤鸣山学道,所学的道即氐羌族的宗教信仰,以此为中心思想,而缘饰以老子之五千文”⑤。蒙文通先生亦认为:“五斗米道,又称天师道……盖原为西南少数民族之宗教”。又说:“五斗米道,原行于西南少数民族。”⑥这便说明,五斗米道的创立和传播,与巴蜀地区少数民族的宗教信仰是分不开的。

五斗米道或正一道的创立者张陵,道教徒称之为张道陵、张天师、正一真人、祖天师等⑦。其子张衡被称为嗣师;孙张鲁则称系师⑧。加上他们的三位妻子,号为“三师三夫人”。更为广义的“张天师”,则指张陵及其后代

① 《后汉书》卷86《南蛮西南夷传》,北京:中华书局1965年版,第10册,第2840页。

② (晋)常璩撰,任乃强校注:《华阳国志校补图注》卷9《李特志》,上海:上海古籍出版社1987年版,第483页。

③ (晋)常璩撰,任乃强校注:《华阳国志校补图注》卷9《李特雄期寿势志》,上海:上海古籍出版社1987年版,第483页。

④ (晋)常璩撰,任乃强校注:《华阳国志校补图注》卷2《汉中志》,上海:上海古籍出版社1987年版,第72页。

⑤ 向达:《南诏史略论》,《唐代长安与西域文明》,北京:生活·新知·读书三联书店1957年版,第175页。

⑥ 《蒙文通文集》第1卷,成都:巴蜀书社1987年版,第315—316页。

⑦ 一说,晋以后始称张道陵、张天师;又一说,例如《蜀记》即李膺《益州志》说:“张陵入鹄鸣山,自称天师。”

⑧ 《三国志集解》卷8引李膺《益州记》(《隋志》著录,题“李氏撰”。《二教论》道宣注引作《蜀记》):“衡为系师,衡子鲁为嗣师。”与通常说法正好相反,按《尔雅·释诂》:“系,继也。”可知“系师”亦有继嗣天师之义。

天师。《三国志·张鲁传》说，张陵“客蜀，学道鹄鸣山中，造作道书，以惑百姓。从受道者出五斗米，故世号米贼。陵死，子衡行其道。衡死，鲁复行之”。《后汉书·刘焉传》的记载与之相同①，唯“鹄”作“鹤”，“道书”作“符书”。《华阳国志·汉中志》也说：“沛国张陵学道于蜀鹤鸣山，造作道书，自称太清玄元，以惑百姓。”按“鹄”、“鹤”音近相假，实指同一地方。唐代李贤注称：“山在今益州晋原县西。”卢弼《三国志集解》卷八引“《元和志》‘鹤鸣山在晋原县西北十九里，绝壁千寻。’《一统志》：‘鹤鸣山在四川成都府崇庆州西北。’李兆洛曰：‘晋原县，今四川成都府崇庆州东十里。’《方舆纪要》卷六十七：‘崇庆州有鹤鸣山。州西八十里，绝壁千寻。’”按：唐咸亨二年（671年），割晋原县之西界置大邑县，鹤鸣山实划入其境内，不当在崇庆县。龚煦春《四川郡县志》卷七“大邑”条引《元和郡县志》：“本汉江原县地。咸通二年，割江原县西界置。治今大邑县治。”同书卷一“江原”条又引“《元和志》晋原下云：‘本汉江原县地，属蜀郡。’《寰宇记》同”。“通”同“亨”，因唐人避唐肃宗李亨讳而改之。② 故知鹤鸣山归入大邑境内。经实地考察，确信鹤鸣山在今四川省成都市大邑县北25里处，与道教另一名胜青城相连。其地状如仙鹤。传说山有石鹤，鸣则仙人出，秦马成子、汉张道陵和明张三丰均到此修道成仙。鹤鸣山天柱峰顶，相传为张陵修道和感降老君之处，过去有太清宫。太清宫后山的迎仙阁前方，有一戒鬼坛，据说是张陵作法处。山麓至今尚存三官庙。

关于张陵的生平，正史记述十分简略，也未记载其生卒年代。晚出的道教传记《汉天师世家》反而叙述得十分具体、详细：

> 祖天师讳道陵，字辅汉，沛丰邑人也。九世祖［张］良……［陵］母梦神人自北斗魁星中降，至地长丈余，衣绣衣，授以香草……感而有娠。汉建武十年（34年）正月十五夜生于吴之天目山，黄云覆室，紫气盈

① 《后汉书》为刘宋范晔所撰，其中记述多本于东汉官修史书《东观汉记》。然因后者献帝部分缺载，而张鲁之事显于献帝时，故《后汉书》有关张鲁及其祖父的事迹的记载，很可能参考过《三国志》，至少可以说二者有着共同的史源。这里，我们以《三国志》为主要材料。

② 唐代也有咸通年号，但咸通（860—874年）在元和（806—820年）之后。按：今《元和郡县志》亦作“咸亨”。

庭……七岁读《老子》书，即了其义，于天文、地理、图书、谶纬之秘，咸贯通焉。以及坟典，所览无遗。从学者千余人。天目山南三十里、西北八十里，皆有讲诵之堂……后自浙逾淮，涉河洛入蜀山，得炼形合气之书，辟谷少寐。永平二年(59年)二十五岁，以直言极谏科中之，拜江州令，谢官归洛阳北邙山，修炼三年，有白虎衔符至座隅。建初五年(80年)，章帝征，不起。永元(89—105年)初，和帝征为太傅、冀县侯，三诏不就。游淮，居桐柏太平山，独与弟子王长从淮入鄱阳，登乐平雩子峰……溯流入云锦山，炼九天神丹。丹成而龙虎见，山因以名。时年六十余，饵之益壮……暨访西仙源，得命制五岳檄召万灵及神虎秘文于壁鲁洞。复往嵩山石室，得《三皇内文》《黄帝九鼎丹书》及《太清丹经》……闻巴蜀沴气为灾，当往除之。初居阳平山，感太上授以经箓之法。次登西城山，筑坛墠，以降五帝……复居葛璝山，秦中、昌利、隶上、涌泉、真多、北平、稠稉、渠亭诸山，修九真之法，得出入水火之妙，及养神轻身之术。还鹤鸣山。汉安元年(142年)壬午上元，感太上垂车驾五白龙降，谓曰："吾昔为尹喜说经，今命汝溥度含灵。吾当于此建立二十四治，分命仙曹主掌世人罪福死生。今经多劫，职司六天，稽核血食，鬼神率据其所，人鬼不分。汝其复治之，今授汝三五都功诸品经箓，次授三五斩邪雌雄剑、玉印、鱼鬃衣、二仪交泰冠、通天玉简。"……汉安二年(143年)七月一日登青城山……立二十四治，增置四治，以应二十八宿，正气下通，以六十甲子生人，分属各治，每治立仙官、阴官及祭酒之曹，分统之……使蜀民向化。定三十六靖庐、七十二福地、三百六十名山品秩，各置神司之。还云台，……居本竹山，众真降授《灵宝经》。居蒙泰山，迁渠亭山，至云台山……遂以神丹及诸经玄秘授[赵]升、[王]长。居漓沅山，为说经台。居鹿堂山，炼九转神丹。居平盖山，合九华大药。至成都地涌、玉局，考(疑为"老"之误。——引者)子复降，说诸经要。永寿二年(156年)，游渠亭山，奉太上玉册，敕命为六合无穷高明大帝，既而太上敕为第六代道之外孙，而东海小童君为保举师，太上为度师，封道陵为天师……乃以经、箓、印、剑付子衡……是日，以丹付长、升，分饵于云台峰，与夫人雍氏乘云上升。在人间者一百二十三岁。[①]

宋濂在明洪武九年(1376年)所撰《汉天师世家序》[②],还说张陵"破鬼城之事甚多,不能备载"。

通常而言,道教的传记愈晚出,愈详备,愈细腻,神话色彩也愈浓重,因此,把《汉天师世家》当作信史看待是困难的。但是从中也可窥见早期天师传记内容的某些痕迹,如降授道法、炼制丹药等等;不过,又增益了不少内容,例如把张陵由儒入道改成了从小就好读《老子》并明了其义[③],即是其中之一端。据此传说,张陵于7岁时即公元41年便开始学道。而《太平御览》卷六七二引《上元宝经》云:"太清正一真人张道陵,沛国人。本大儒,汉延光四年始学道,至汉末于鹤鸣山,仙官来降,授以正一盟威之教,施化领民之法,号天师,即《真诰》云奉张道陵正一平气者是也。天师《灵宝五符序》及《太清金液丹序》并佳笔。别有传,已行于世。"[④]延光四年即公元125年,与《汉天师世家》所记出入竟84年!又,《汉天师世家》说张陵于永寿二年(156年)服丹升天;而《二教论·服法非老》(《广弘明集》卷八)注引《蜀记》却说,张陵于"汉熹平(172—178年)末,为蟒蛇所噏";两者相差二十年左右。至于张陵"母梦神人"、"感而有娠"云云,那更是像有关历代帝王神种或龙种的神话。

再看较早的道教传记。晋代葛洪的《神仙传》记述张陵的事迹,虽然也有不经之谈,但有些内容却可备参考。特摘录如下:

> 张道陵者,字辅汉,沛国丰人也[⑤]。本太学书生[⑥],博通《五经》,晚乃叹曰:"此无益于年命",遂学长生之道。得黄帝九鼎丹法,欲合之,用药皆糜费钱帛。陵家素贫,欲治生,营田牧畜,非己所长,乃不就。闻蜀人多纯厚,易可教化,且多名山,乃与弟子入蜀,住鹤鸣山,著作道书

① 《汉天师世家》卷2,《道藏》第34册,第820—821页。

② 《汉天师世家》卷1,《道藏》第34册,第815页。

③ 张陵本大儒,晚学长生之道,这是《神仙传》、《真诰》等道书的较早传说。

④ 此处所说的"传",似指《隋志》著录的《正一真人三天法师张君内传》1卷,新、旧《唐志》题为王长撰。

⑤ 据《云笈七籤》卷190《神仙传》校补,《道藏》第22册,第746页。

⑥ 《云笈七籤》引作"本大儒生"。

> 二十四篇。乃精思炼志。忽有天人下，千乘万骑，金车羽盖，骖龙驾虎，不可胜数，或自称柱下史，或称东海小童，乃授陵以新出正一明(盟)威之道。陵受之，能治病。于是，百姓翕然奉事之以为师，弟子户至数万①。即立祭酒，分领其户，有如官长，并立条制，使诸弟子随事轮出米绢、器物、纸笔、樵薪、什物等。领人修复道路，不修复者皆使疾病。县有应治桥道，于是百姓斩草除溷，无所不为，皆出其意，而愚者不知是陵所造。将谓此文从天上下也。陵又欲以廉耻治人，不喜施刑罚，乃立条制，使有疾病者皆疏记生身已(以)来所犯之辜，乃手书投水中，与神明共盟约，不得复犯法，当以身死为约。于是百姓计愈，邂逅疾病，辄当首过，一则得愈，二使羞惭，不敢重犯，且畏天地而致。从此之后，所违犯者皆改为善矣。陵乃多得财物，以市其药合丹，丹成服半剂，不愿即升天也。乃能分形。作数十人，其所居门前水池，陵常乘船游戏其中，而诸道士宾客往来盈庭，盖座中常有一陵与宾客对谈共饮食而真陵故在池中也，其治病事皆采取元素，但改易其大较，转其首尾，而大途犹同归也，行气服食故用仙法亦无以易，故陵语诸人曰："尔辈多俗志未除，不能弃世，正可得吾行气、导引、房中之事，或可得服食草木数百岁之方耳。"其有九鼎大要，唯付王长。而后台有一人从东方来，当得之此人必以正月七日日中到，具现长短形状。至时果有赵升者，恰从东方来，生平愿相见，其形貌亦如陵所说。陵乃七度试升，皆过，乃受(授)升丹经。七试者，第一试(《仙鉴》据之，基本相同)……后陵与升、长三人皆白日冲天而去。②

这一叙述的神话为后世道书所本；不过，有几点不同的，是晚乃学道，而不是7岁学道；是自著道书，而不是神仙降授；是百姓奉之以为师，而不是太上封之、度之以为天师。综合史书和正一道章本予以考察，就会发现所述并非全系子虚乌有、向壁虚造。

造作道书一事，史有明载。到目前为止，可以确定为张陵所作的有"微

---

① 《云笈七籤》在"遂学长生之道"后，有"弟子千余人"的说法。似应以之为是。

② (晋)葛洪：《神仙传》卷4，清光绪二年(1876年)，红杏山房刊《汉魏丛书》本。

经”12卷、《天官章本》和《黄书》，当包括在“道书”24卷之内。今人饶宗颐在《老子想尔注校笺》后附《张道陵著述考》，列有《道书》、《灵宝》、《天官章本》、《黄书》及存疑10种：《中山玉柜神气诀》1卷，《刚子丹诀》1卷，《神仙得道灵药经》1卷，《峨嵋山神异记》3卷（以上俱本宋《通志》），《太上玄灵北斗本命延生真经》，《太上说东斗主算护名妙经》，《太上说西斗记名护身妙经》，《太上说中斗大魁保命妙经》，《太上三天正法经》1卷，《太平洞极经》（以上据道书）；附录2种：《二十四治图》，《张陵别传》。另，陈国符《道藏源流考》列有《太平洞极经》144卷，又言：“汉张陵得《九鼎丹经》，以授弟子王长、赵升”①；“《太清金液神丹经》三卷。卷上正一天师张道陵序，经文，及作丹法”②。按：《新唐书·艺文志》著录《神仙得道灵药经》一卷，不著撰人；而后来题为张陵作，当为宋人所依托。《宋史·艺文志》著录《中山玉柜服神气经》一卷，题为碧岩张道者撰，可能便是《中山玉柜神气诀》。此外，《宋志》还有“张天师《石金记》一卷”，应是张陵后裔天师所撰或后人依托之作。在《正统道藏》中，自《太上玄灵北斗本命延生真经》至《太上说中斗大魁保命妙经》提及北斗、南斗、东斗、西斗、中斗，此数经同属一系，中有北斗九星观念和“观宇”、“真君”、“监度”、“无量度人”等晚出名词，且有“临邛”、“大邑”等名，按“临邛”是晋以后出现的地名，“大邑”县为唐所置，故这些经不应为张陵所造，而是后人的伪托。《太上三天正法经》，《正统道藏》题为清虚小有天王撰，中有“元始天王”、“太上大道君”、“玉皇”、“玉清之宫”等名，又有“后圣金阙帝君”、“上相青童君”、“上清金阙后圣帝君”，与《太平经》伪甲部同，并提及上清派《四极明科》，而《四极明科》见于《真诰》所引。又此书本名《除六天之文三天正法》，亦著录于《真诰》，乃上清经典之一。可知此书出《四极明科》之后，是东晋以后的作品，亦非张陵所撰。据《魏书·释老志》载称：“及张陵受道于鹄鸣，因传天官章本千有二百，弟子相授，其事大行。斋祠跪拜，各成法道，有三元九府、百二十官，一切诸神，咸所统摄。又称劫数，颇类佛经。”③所谓“天官章本”即是为陶弘景所引的

① 陈国符：《道藏源流考》，北京：中华书局2014年版，第72页。
② 陈国符：《道藏源流考》，北京：中华书局2014年版，第74页。
③ 《魏书》卷114，北京：中华书局1974年版，第8册，第3048页。

《千二百官仪》,保存在今《正一法文经章官品》之中。《真诰》卷十《协昌期》第二和《登真隐诀》卷下共引用或提及无上万福吏、万福君、天昌君、天明君、地明君、北里大机君、封离君、赤素君、白素君、天官五衡君、九河北海君、九河四海君、王法君、九集君、九侯君、天官阳帙君、南上君①、须臾君、石仙君、盖天大将军、无上元士君、制地君、四胡君、解厄君、无上高仓君、无上天君、平天君、仓气君诸条。陶弘景《登真隐诀》卷下"章符"条说:"今所应上章,并无正定好本,多是凡校,祭酒虚加损益,永不可承用,唯当依《千二百官仪》。"②故知此书乃上章之仪书。文中如"天公"、"土公"、"二千石"、"中二千石"、"汉仙室"、"汉明室"、"兰室"、"天门"、"太岁大将军"、"丘丞墓伯"、"泰山二十四岳主收墓之鬼"等等,均为汉代名物观念。但文有重出,似抄录者窜入。如"逐盗贼"条"日月大兵十万人,绛衣……辟捕千贼万盗,主收之",而"主收盗贼令还"条与此相似,作"日月大兵十万人,赤帻红衣……追捕千贼恶逆,主之"。此外,"玉女医疾"条中有"上清太仙、明堂玉女千二百人"等语,跟张陵奉"太清玄元"不合,恐怕是上清派兴起后羼入的东西。③ 但总的来看,此书保存了东汉原文的面貌,并且可以解决某些历史悬案。例如,"逐盗贼"条说:"日月大兵十万人,绛衣,主阴阳,为汉国辟捕千贼万盗,主收之。"绛衣是汉代将军服,"汉国"一词见于《后汉书·安帝纪》中的东汉策命。可见张陵创教时尚无明显的反对朝廷之意,那时的五斗米道似乎仍属辅助汉王朝"教化"人民的所谓"善道"之一。无怪乎道书称张陵字"辅汉"。"辅汉"一名,汉世有见,如《后汉书·孝明八王列传》刘宠自称"辅汉大将军"。"辅汉"也许是张陵本来的字。

张陵创教时五斗米道有些什么宗教特征呢?以下作一简要的析述。

五斗米道是一种具有主神崇拜特征的多神教。《正一法文经章官品》所称"百二十官",名目繁多,而且带有明显的随意性,有所谓"玉女君"、"无上方官君"、"无上天君"、"九天君"、"九地君"、"在郡侯君"、"九玄察炁君"、"无上万福君"、"北都君"、"北上君"、"北天君"、"太平君"、"六丁六

---

① 似即所谓"南上大道君",另外尚有"皇太上北上大道君"。

② 《道藏》第6册,第621页。

③ 引文皆据《道藏》第28册。

甲玄天君"、"扶清太一公华盖君"、"赤天万灵君"、"盖天大考将军"、"玄都君"、"天公君"、"天官五行三五七九君"、"天官五行君"、"地官五行君"、"天五行平君"、"地五行君"、"八卦玄天君"、"太阴君"、"阳方君"、"太黄太极君"、"太素太始君"、"太玄君"、"三炁阳元君"、"五千玉君"、"明堂绛室君"、"解厄君"、"五谷君"、"万里君"、"骆驿门监市君"等天君神官，皆各有所治，各有所主。这种情况表明，正是由于当时人民生活十分困苦，兼之传统宗教的惰性作用，所以把希望寄托于具有种种功能然而虚幻的神那里，张陵才造出这么多神以迎合人们的种种需要。但这并不等于说张陵一系没有一个主要信仰。据《华阳国志》记载，张陵"自称太清玄元"。《老子想尔注》也说"一"(即"道")"散形为气，聚形为太上老君"。晋以后正一道即天师道要请的神是"太清玄元无上三天无极大道、太上老君、太上丈人、天帝君、天帝丈人、九老仙都君、九炁丈人、百千万重道炁、千二百官君、太清玉陛下"①等，或"太上道君、太上老君、太上丈人"②。或称"道源本起于无先，……因此而有太清玄元无上三天无极大道、太上老君、太上丈人、天帝君、九老仙都君、九气丈人等百千万重道气、千二百官君、太清玉陛下。今世人上章书太清，正谓此诸天真也"③，又言"玄、元、始"三气生玄妙玉女，因生老子，后太上老君即拜张道陵为"正一平气三天之师"④。有时又以"泰清玄元"、"上三天无极大道"和"太上老君"三神为主神⑤，并称旧天师道为"太清家"，以别于上清派和灵宝派，说"泰清家有正一平炁"⑥。

东汉后期，疾疫流行。数次大疫，死者无算。迷信者多以为鬼魅收杀人，汉末应邵所撰《风俗通义》就记载有道路亭传恶鬼害人的传说。卷九《怪神》"世间多有精物妖怪百端"条说：汝南汝阳西门习武亭有鬼魅，宾客宿止多死亡，其厉猒(厌)者皆亡发失精。寻问其故，云先时颇已有怪物。后来，有一个郡掾叫郑奇的人在路上遇一妇人，要求同行，至亭登楼共宿。

---

① (南朝)陶弘景撰：《登真隐诀》，《道藏》第6册，第619页。
② 《太上正一咒鬼经》，《道藏》第28册，第369页。
③ 《三天内解经》，《道藏》第28册，第413页。
④ 《三天内解经》，《道藏》第28册，第414页。
⑤ 《洞真黄书》，《道藏》第33册，第596页。
⑥ 《真诰·协昌期》陶注，《道藏》第20册，第541页。

郑奇次日晨离去,方行数里即闹腹疼,不久便死了。而在亭楼却发现一具女尸,正是亭西北八里新亡的吴氏妇。北部督邮郅伯夷也到亭借宿。天未黑,楼镫阶下便有火,伯夷即传话:"我思道,不可见火,灭去。"到了晚上,整服坐诵《六甲》、《孝经》和《易本》乃卧,暗中却拔剑以待。夜时,有个四五尺高的黑魅来扑击伯夷,伯夷持被掩之,剑斩魅脚,以灯照视,乃一正赤老狸。天明清查楼屋,得所髡人结百余。自此便再没有发生这类的事了。①

疾疫,灾害,加之社会黑暗,使得鬼神迷信的气氛极为浓厚。有一种观念,认为鬼神、灾异都是神秘、幽隐的"气"。王充曾在《论衡·论死篇》中说:"鬼神,荒忽不见之名也。人死精神升天,骸骨归土,故谓之鬼。鬼者,归也;神者,荒忽无形者也。或说:鬼神,阴阳之名也,阴气逆物而归,故谓之鬼。"②这是说,当时有人认为,鬼神也是一种阴阳之气。无独有偶,《太平经》即以神和祥瑞属阳气,鬼和灾异属阴气;纬书中也有呼神名可却鬼气之说,如《龙鱼河图》云:"君有四海河神名,并可请之,呼之却鬼气。"③据《后汉书·孝明八王列传》载,梁节王刘畅在其国"数有恶梦,从官卞忌自言能使六丁,善占梦,畅数使卜筮。又畅乳母王礼等,因此自言能见鬼神事,遂共占气,祠祭求福"④。所谓"气",就是指的鬼神阴阳之气。改从"新出正一明威之道",用"道炁"取代"故炁",便是张陵在那样的历史氛围中所确定的主要教义。《正一法文经章官品》"主百祸治生"条说,"求利百福君,并合属将、吏生王道炁一合下,主民人百病,求欲皆得"⑤。反之,"主渔捕"条则说,天官"收捕故炁、饮食之鬼"⑥。《登真隐诀》卷下"入静"条引《千二百官仪》卷三之十三亦言:"万福君五人,官将百二十人,主辟斥故气、精祟、注气,却死来生,却祸来福。"⑦后来,六朝时期天师道承袭了这一教义,声称

① 参见吴树平:《风俗通义校释》,天津人民出版社1980年版,第353—354页。
② 《文渊阁四库全书》第862册,第244页。
③ (清)黄奭编:《汉学堂知足斋丛书》下册,北京:书目文献出版社1992年版,第1184页。
④ 《后汉书》卷50,北京:中华书局出版社1965年版,第6册,第1676页。
⑤ 《道藏》第28册,第554页。
⑥ 《道藏》第28册,第554页。
⑦ 《道藏》第6册,第620页。

“正一”之道就是除去“六天故气”而代之以“三天正气”。所谓“六天”、“三天”，据《云笈七籤》卷八《释除六天玉文三天正法》：“六天者，赤虚天、泰玄都天、清皓天、泰玄天、泰玄仓天、泰清天。此六天，起自黄帝以来，民人互兴杀害，不禀自然。六天之理（治），于兹而兴。太上给以鬼兵，使于三代之中，驱除恶民，而六天临治，转自伪辞。太上下玉文，遂截六天之气，更出三天正法，割恶救善。三天者，清微天，禹余天，大赤天是也。”①“六天”之中有“泰清天”，说明“六天”、“三天”之说较晚出，恐怕是天师道改革家们所造构的东西。② 至于为什么要改从“正一盟威之道”，刘宋道士陆修静在《道门科略》中追述说：

> 夫大道虚寂，绝乎状貌，至圣体行，寄之言教。太上老君以下古委怼，淳浇朴散，三五失统，人鬼错乱，六天故气，称官上号，构合百精及五伤之鬼、败军死将、乱军死兵，男称将军，女称夫人，导从鬼兵，军行师止，游放天地，擅行威福，责人庙舍，求人飨祠，扰乱人民，宰杀三牲，费用万计，倾财竭产，不蒙其祐，反受其患，枉死横夭，不可称数。太上患其若此，故授天师正一盟威之道、禁戒律科，检示万民逆顺、祸福功过，令知好恶。置二十四治、三十六靖庐、内外道士二千四百人，下《千二百官章文》万通，诛符伐庙，杀鬼生人，荡涤宇宙，明正三五，周天匝地，不得复有淫邪之鬼，罢诸禁心，清约治民，神不欲食，师不受钱，使民内修慈孝，外行敬让，佐时理化，助国扶命，唯天子祭天，三公祭五岳，诸侯祭山川，民人五腊吉日祠先人，二月八日祭社灶，自此以外，不得有所祭。若非五腊吉日而祠先人，非春秋社日而祭社灶，皆犯淫祠。③

由于陆修静对天师道法十分熟悉，这段话可以作为对其教义的补充说明，从中也可了解反对淫祀的神学根据。

据释道安《二教论·服法非老》称，“三张之鬼法”有如下内容：“或禁经止价，或妄称真道，或含气释罪，或挟道作乱，或章书代德，或畏鬼带符，或制

① 《道藏》第 22 册，第 51 页。

② 《真诰》卷 5《甄命授》载称：“君曰，道有《除六天之文三天正法》在世”。据此，则东晋杨、许时已造出。

③ 《道藏》第 24 册，第 779 页以下。

民输课,或解除墓门,或苦妄度厄,或梦中作罪,或轻作凶佞。”①从《正一法文经章官品》目录透露出早期正一道道术的内容是十分广泛的:

第一卷

收土公　军兵收怪　主利宅舍　收官事　主解首过　诽谤咒诅　主县官口舌　保六畜　逐贼盗　寿命度厄　录魂长生　玉女医疾　治风毒癞疾　收先祖病子孙　收死人耗害　录祭酒求录　护蚕滋好　田作瓜瓠　远行万里　市买欺诈　叛道求还　祭酒开心　入山不渴饮　五瘟伤寒　已上共二十四条

第二卷

收万精魅　收颠(癫)痫　收目病　诸毒立差　主收耳聋　主收齿颊头痛　治解社灶　治虫鼠精怪　治劫杀注　解牢狱　治蛇蝮五毒　治肿痈鼠漏　治风痹瘘　治久病淋露　治疟疾　治男女百病　治呕逆咳嗽　治云中闲客鬼 治产生胎妊　治杂病　治众疾　收邪师　治收杀鬼　治瘖痖　男女解罪　解咒诅　已上二十六条

第三卷

主斩草　收葬送塚墓鬼　主塚墓　主土公鬼　主土气鬼　主井灶鬼　收灶鬼　主徙宅舍　利居宅　主嫁娶　主田种　已上十一条

第四卷

主蚕桑　主六畜　主鱼捕　主贾市　主百祸治生　主行来出入　解囚系牢狱　解官事　县官口舌　县官怨仇　口舌诽谤　劫掠人夫妻　收盗贼逃亡人今自来还　主利征战攻伐　请雨　请晴　已上十六条②

可见其道术主要是上章招神和符咒劾鬼。相传创教初期有涂炭斋等简单的斋醮仪式,涂面搏颊,十分野蛮落后。此说见于佛教方面的《笑道论》卷十二。又,释道宣在《二教论 · 服法非老》“苦妄度厄”条注云:“涂炭斋,事起

① (唐)释道宣:《广弘明集》卷8,《大正新修大藏经》(下简称《大正藏》)第52卷,第140页。

② 《道藏》第28册,第534—535页。

张鲁，驴辗泥中，黄土涂面，擿头悬柳，埏埴使熟。”①张陵又认为疾疫身死者多由病人过错或道路不通所致，因此令病人自己悔过、或修复道路以解过。后者大概与对“道”的信仰有关，《太平经》就曾说：“修道路，取兴大道，以类相占，渐置（至）太平”②，这就是《神仙传》为什么说“不修复者皆使疾病”的缘故。关于这一点，在《正一法文天章官品》中也有某些虚幻的反映，如“主行来出入”条说：“明星玉女千二百人，白衣，主将正一远行万里，不逢祸害灾厄难，主之。”“万里君五人，官将各一百二十人，治九纪室，主将帅正一远行，令无获难祸害，道里四通，千里外营护无它，主之。”“道上三玄、四玄、四始、甲子诸官君、三十六官君，亭传客舍，茔署注鬼，主行来出入，有取。”③可见其对“道里四通”的重视。

五斗米道的治病方式有时是先让病人自己思道悔过，若不愈，再上章请神杀鬼。例如，“主治解咒诅”条说：“八卦玄天君，官将一百二十人，主收一百二十刑固之鬼。全被咒诅，病积日不差，羸婴，着状思道者复不差，请魁魁吏一合下，主收某身中之咒诅盟要、恶逆之鬼，强绝之，魂魄道不理者，铁钓其分，持天丁甲六千铁杖打杀，无令人得脱。晨被刑，祷病咒诅，与人相憎戾、相妒妬，有二心分居异处，校计不同，首以除差详。”④

“三官手书”乃五斗米道师为病人请祷所用的文书，在张陵时也已产生。所谓“三官”，系指天帝、地祇、水神三种神。古人认为，天官赐福，地官赦罪，水官解厄。张陵承袭此说；但又认为“故炁”变乱三官，所以有时上章也请天君收三官“逆炁”或“自称天地水三官”者。《正一法文经章官品》“治收耒鬼”条：“天愿白侯将军，兵士十万人，主收自称天地水三官、万道逆鬼考问人，不得从民求饮食。”自称天、地、水三官的恶鬼求祭祀，被视为大敌，因此特地请兵十万人。类似的例子如：“太上督天兵四十万人，主收自称下皇天上帝之鬼。”“北天君官将一百二十人，治主室，收天下自称下五帝

① （唐）释道宣：《广弘明集》卷8，《大正藏》第52卷，第140页。
② 王明：《太平经合校》，北京：中华书局1960年版，第215页。
③ 《道藏》第28册，第554页。
④ 《道藏》第28册，第549页。

饮食之鬼。”①皇天上帝是道教兴起之前中国人心目中的最高神，对于自称皇天上帝的被认为逆鬼，故须请太上老君亲自出马来降伏。祭五帝为汉代之重大祭祀，但在张陵心目中，神不血食，岂得冒充五帝！可见张陵虽然继承了三官信仰，但并不采取传统的祭祀请祷方法，而是认为这些祭祀的对象乃逆鬼冒充。东晋之后，《三官书》的意义已不限于请祷治病。《真诰 · 阐幽微》曾提及有关成仙的《三官书》，其云：“夫有上圣之德，既终，皆受《三官书》，为地下主者，一千年乃转补三官之五帝，或为东西南北明公，以治鬼神。复一千四百年，乃得游行太清，为九宫之中仙也。”②

东汉奉黄老道者大多意在长生不死、度世成仙，这在《正一法文经章官品》中也有所表现。“主县官口舌”条称：“南钟天星君五人，官将各一百二十人，治石仙室，主收摄百姓县官口舌，吏民恶逆之者，令心玄同。”③“县官口舌”为汉代用语，意即兴讼好斗。“令心玄同”源于《老子》，有使人民纯朴归一之义。此外，五斗米道信奉的“诚信不欺诈”，这在张陵时也已成为信条。“市买欺诈”条说：“驿骆门监市君，官将一百二十人，治天市室，主收天下害鬼，考治生殃，屠沽酒开店卖与百姓贫民，私行轻秤少升，诈诞欺人，主之。”④这是与《太平经》的公平思想相通的。复返清静朴素之道，目的在于消灾除病、长生不死。所以，“寿命度厄”条说：南上君“开天门，益人寿命，病者得愈，殃祸者消灭之”；寿命君“主为天下万民致寿命，延此（按：此处似脱二字），度厄不衰”；南昌君“脱下死籍，还著本命，消灭三虫，伏（复）长生不老，八十岁更为十五童”，明堂绛室君“主祭酒心伤万端，还寿延命，管度世神仙，逆人不行”；天公君“可以此世过厄千岁”⑤。“录魂长生”条还说：“玉女素历千二百人，衣赤衣，主致长生，承差具录，其身三魂七魄不得远离某，主长生、疾病差除。素女千二百人，主致长生延命，疾病具录，魂魄无令远人，身精人安。周玉君将一百二十人，治地理宫，主致

① 《道藏》第28册，第548页。
② 《道藏》第20册，第586页。
③ 《道藏》第28册，第555页。
④ 《道藏》第28册，第541页。
⑤ 《道藏》第28册，第538页。

一百二十生炁，神衣赤帻，节禁人三魂七魄不弃人身，保命延年，长八百岁。”①

以上所引，有几点值得注意：第一，张陵一派亦以长生成仙为最高目标。关于这一点，陆修静的追述可备参考，《陆先生道门科略》说：“若疾病之人，不胜汤药针灸，惟服药饮水，及首生年以来所犯罪过，罪应死者，皆为原赦，积疾困病，莫不生全。故上德神仙，中德倍寿，下德延年。”②这就说明，张陵虽面对的是需要治病救人的现实，并且用禁咒符水和传统的中医方法，从心理上、生理上去治疗人民的疾病，但并不放弃修道成仙的最高目标。第二，长生成仙的途径，是由神仙除去死籍，消灭三尸，不让魂魄远离人身，或节禁魂魄不弃人身。这就暗示了魂魄可以脱离人身，为道士之死提供了一个自圆其说的余地；因为道士之死可以解释为尸解，灵魂到别处锻炼去了，它还可回到肉体中来，复生如初。中国先秦有“复”或招魂的仪式，通过召唤死者的灵魂，希图死者灵魂回到死者身上，使之重新获得生命。张陵接受了中国古代这种将精神实体化，并视精神可以独立于肉体之外的传统观念。

《正一法文经章官品》还透露出通过服仙药以求长生的某些迹象，如“玉女医疾”条说：“山周君一人，官将一百二十人，治始生室，玉女、素女、五童致仙药神方，为小儿，黄衣。即命玉女、月玄玉女千二百人，白衣，持神方，典治男女，被病人差愈。”③这还是为了治病，但既然在求仙药，就很难排除张陵有炼丹成仙企图的可能。故《神仙传》说张陵的服丹升仙，恐不为无因。

此外，行气、导引、房中术，在张陵的道术中也占有相当重要的地位。范晔在《后汉书·刘焉传》中说，“鲁母有姿色”。按“姿色”应作青春容貌解。《华阳国志·汉中志》称张鲁“以鬼道见信于益州牧刘焉。鲁母有少容，往来焉家”。由曹丕《典论》（《后汉书·方术传》李贤注引）“甘陵甘始名善行

① 《道藏》第28册，第538页。

② 《道藏》第24册，第779—780页。

③ 该书另有一条云：“东明大夫君五人，官将一百二十人，治天帝室，主操持炼药，治男女，当使服之。”见于《道藏》第28册，第538页。

气,老有少容”,可知此乃行气导引所致。又,《正一法文经章官品》“治风毒癞病”条云:赤丙子仁君“主天下玉女,布行丹田之炁,主治万虫癞病,毒虫消除之”①。据《二教论·服法非老》“含气释罪”条释道宣注和释法琳《辨正论·外论》,可知其为《黄书》房中术。《正一法文经章官品》有所谓“天官五行三五七九君”;而道宣说,张陵“妄造《黄书》,咒癞无端,乃开命门,抱真人婴儿,龙回虎戏,备如《黄书》所说,三五七九,天罗地网”②。法琳也说:“寻汉安元年,岁在壬午,道士张陵分别《黄书》云:‘男女和合之法,三五七九交接之道,其道真诀,在于丹田。’”③房中术又称“黄赤之道、混气之法”④。《后汉书·方术传》李贤注引《列仙传》:“容成公者,能善补导之事,取精于玄牝。其要谷神不死,守生养气者也。发白复黑,齿落复生。”并说:“御妇人之术,谓握固不泻,还精补脑也。”⑤关于《黄书》的流传情况,《真诰·甄命授》说:“《黄书》世多有者,然亦是秘道之事矣。”陶弘景注云:“天师取其名而布其化,事旨大略同,但每增广其法。”⑥《稽神枢》陶弘景又云:“按金相传《太微黄书》第八篇,有目录云:凡有八卷,唯此一卷出世。”⑦《无上秘要》卷三十二引《洞真太微黄书经》⑧,文中有《四极明科》之名,故知其非张陵原作。今考《正统道藏》载有《洞真黄书》一卷,其义难稽,根据纬书《乾凿度》八卦九宫立说,并嘱:“勿妄传,慎之慎之。”其中“辟除故炁”等语,颇类《正一法文经章官品》所说,然后有东晋以后的“玄、元、始炁”和“大赤天、清微天、禹余天”三天正炁观念。一处称“张陵”,而另一处则称“道陵”。略谓:天师以汉安元年壬午(142 年)、二年癸未(143 年),从老子受《黄书》八卷,包括赤炁、三炁、九符、七符各一,玄箓一,混成一,中章三,神箓一,口授赵升、王长、王稚、王英等人。⑨ 据此,可推知

---

① 《道藏》第 28 册,第 539 页。
② (唐)释道宣:《广弘明集》卷 8,《大正藏》第 52 卷,第 140 页。
③ (唐)释道宣:《广弘明集》卷 30,《大正藏》第 52 卷,第 183 页。
④ 《真诰·运象期》,《道藏》第 20 册,第 497 页。
⑤ 《后汉书》,北京:中华书局 1965 年版,第 10 册,第 2741 页。
⑥ 《道藏》第 20 册,第 516 页。
⑦ 《道藏》第 20 册,第 573 页。
⑧ 《道藏》第 25 册,第 110 页。
⑨ 参见《道藏》第 33 册,第 591—592 页。

所谓《黄书》乃口耳相传，后世迭有增益，编成《太微黄书》、《洞真黄书》，已非张陵之旧了。

张陵的活动范围，主要在成都市及其周围蜀郡一带，并可能已在少数民族当中传道。《蜀记》（即李膺《益州记》）说："张陵入鹄鸣山，自称天师。汉熹平末为蟒蛇所噏，子衡奔出，寻尸无所，畏负清议之讥，乃假设权方，以表灵化之迹，生縻鹄足，置石崖顶。到光和元年（178 年，即熹平七年），遣使告曰：'正月七日，天师升玄都。'米民之山僚，遂因妄传。"①"米民"指五斗米道徒。"僚"为南蛮的一支，魏晋南北朝时期僚人入蜀。二十四治设立于川西及汉中等地，教区有少数民族分布，故入蜀的僚人有信奉道教者。

二十四治相传是张陵创教时所建立的二十四个教区。有关的记载以北周《无上秘要》卷二十三引《正一炁治图》和北宋《云笈七籤》卷二十八《二十四治》为代表②，后者所引《张天师二十四治图》实根据前者。《云笈七籤》按称《张天师二十四治图》，后人即以为张天师撰，这是错误的。按《新唐书·艺文志》著录道士令狐见尧《正一真人二十四治图》一卷，注云："贞元人。"可能便是《云笈七籤》所引。据称，"太上以汉安二年正月七日中时下二十四治，上八治、中八治、下八治，应天二十四气，合二十八宿，付天师张道陵奉行布化。"③于是张陵"统承三天，佐国扶命"，立二十四治、十九静庐④，与神盟誓，悉承正一之道。二十四治的名称与分布是：阳平治，鹿堂治，鹤鸣治，漓沅山治，葛璝山治，以上在蜀郡界；庚除治，秦中治，真多治，昌利治，隶上治，以上在广汉郡界；涌泉治，在遂宁郡界；稠稉治，北平治，本竹治，平盖治，平刚治，以上在犍为郡界；蒙秦治，在越巂郡界；云台治，在巴西郡界；浕口治，后城治，公慕治，以上在汉中郡界；主簿治，玉局治，在成都南门左；北邙治，

① 《二教论·服法非老》道宣注引，（唐）释道宣：《广弘明集》卷 8，《大正藏》第 52 卷，第 140 页。

② 参见《道藏》第 25 册，第 64—65 页；第 22 册，第 204 页。

③ （唐）张君房：《云笈七籤》，《道藏》第 22 册，第 204 页。

④ 陆修静《道门科略》作"置二十四治、三十六靖庐"。

在东汉都城雒阳①。阳平治(治在今四川彭县)、鹿堂治(治在今四川绵竹)和鹤鸣山治(治在今四川大邑)三治最为重要,阳平一治最大。《二教论·明典真伪》释道宣注云:“依张鲁《蜀记》,凡有二十四治,而阳平一治最为大者,今道士上章及奏符厌,皆称阳平,重其本故也。”②天师传下的嗣教印即为“阳平治都功印”。这些治,据传多是神仙修道度世之处,如昌利治——“李八百初学道”处;涌泉治——“昔马明生学道成仙,太上老君至此化形”;稠稉治——“昔轩辕黄帝学道之处”;云台治——张天师及其夫人白日升天之地;平刚治——“昔李阿于此山学道成仙”;北邙治——“昔务成子于此学仙得道”;等等。

此外,《无上秘要》卷二十三引《正一炁治图》和《云笈七籤》卷二十八引《玄都职治律》又称张陵复立四治,其子张衡以建安二年(197 年)天师所布立八品配治,其孙张鲁更于太元二年(252 年)立八品游治。此说并不可信。初平二年(191 年),益州牧刘焉令张鲁等人攻据汉中前后,张鲁祖、父应已死(史书只提及其母往来焉家,后为刘璋所杀),不得于其后有所布;张鲁投降曹操

① 按:关于北邙(山)治的地理位置,说法不一。唐初以前的道经基本认为北邙山治在长安咸阳(今西安一带),中唐以后,认为在洛阳。梁张辩《天师治仪》称:“北邙山治在京兆府长安县”。北周宇文邕《无上秘要》:“北邙治……在京兆郡界”。见于《道藏》第 23 册,第 65 页。中唐王悬河《三洞珠囊》:“北邙治,在京兆郡长安县”。见于《道藏》第 25 册,第 334 页。晚唐杜光庭《洞天福地岳渎名山记》:“北邙化……东都城北”。见于《道藏》第 11 册,第 60 页。北宋张君房《云笈七籤》卷 28《二十四治》云:“第八北邙山治,在东都洛阳县”。见于《道藏》第 22 册,第 208 页。《云笈七籤》卷 27《七十二福地》云:“第七十北邙山,在东都洛阳县,属魏真人治之”。见于《道藏》第 22 册,第 203 页。北宋李思聪所集《洞渊集》:“北邙山治,在河南府洛阳县”。见于《道藏》第 23 册,第 847 页。就现有的资料来看,“汉安二年(143)”所创立的二十四治之北邙山治应在长安咸阳一带。其一,除了北邙山治外,其他二十四治都在四川和陕西一带。《道门科仪》云:“天师立治置位,犹阳官郡县城府,治理名物,奉道皆编户著籍,各有所属”。如果北邙山治在洛阳一带,在管理上无法实现其立治的目的和功能。其二,汉安二年,洛阳仍为东汉权力中心。二十四治是政教合一的教区,要在洛阳城附近占有一席之地,不但管理存在问题,也恐为东汉统治者所不容。其三,向达先生认为:“张道陵在鹤鸣山学道,所学的道是氐、羌族的宗教信仰,以此为中心思想,而缘饰以《老子》之五千文。”见于向达:《唐代长安与西域文明》,石家庄:河北教育出版社 2001 年版,第 186—187 页。天师道源于西南宗教,要在远离西南地区的洛阳北部创立北邙山治可能性不大。

② (唐)释道宣:《广弘明集》卷 8,《大正藏》第 52 卷,第 141 页。

后一年(216 年)即死去(据陶弘景注称“外书”说),亦不得于其后更立游治。有些名不录于二十四治之内的治应是后人所立,或即使是三张时已立,也不会有那么齐整的“上品”、“中品”、“下品”、“配治”、“游治”的观念。例如,《水经注・江水》云:平都县(今四川丰都县)“有天师治”。《水经注・沔水》:“涢水又南径张鲁治东,水西山上有张天师堂。”又,《太平寰宇记》卷七十三“永康军青城县”条载:青城山,“此第五大洞,宝仙九室之山,黄帝所奉,……又有石日月象,天师立青城治于其中”。“上八品”、“中八品”、“下八品”、“配治”、“下治”、“游治”、“别治”,当是后人的说法,但不晚于陆修静时,因为陆修静的《陆先生道门科略》曾经提到这一等级序列。

治各有祭酒主持。祭酒本是中国古代宴飨时的主持人,通常由德高望重的长者充当,五斗米道借用此名以为教职。《正一法文经章官品》“录祭酒求录”条说,毕女君、察奸君等天君主“祭酒犯录上禁忌,饮酒食肉”,淫盗于民间。“录”大概是一种规定有禁忌、戒律,借以考察道徒行为的簿籍。此外,还包括奉道者的户籍。例如,陆修静在《陆先生道门科略》中曾说:“天师立治置职,犹阳官(按:指世俗政权之官)郡县城府,治理民物,奉道者皆编户著籍,各有所属。令以正月七日、七月七日、十月五日一年三会,民各投集本治,师当改治录籍,落死上生,隐实口数,正定名簿,三宣五令,令民知法。其日,天官、地神,咸会师治,对校文书,师、民皆当清静肃然,不得饮酒食肉,喧哗言笑。会竟民还家,当以闻科禁威仪敕大小,务共奉行。如此,道化宣流,家国太平。”①这是说,天师借用神的名义设立命籍,要求教徒在一定的时候会集到治所,核实户籍,“落死上生”,“正定名簿”,不得有误;同时还要检查教徒们是否有违反禁忌、戒律的行为。会后教徒回家,还须向家人传达“科禁威仪”,共同遵守。以上情况表明,张陵时的五斗米道已有较严密的组织和戒律。它为张鲁在汉中实行政教合一提供了基础。

通过以上的考察,可知张陵的时候,五斗米道已经有了道书、教义、教仪、组织和戒律,初具宗教规模。其子张衡继行其道。关于张衡,上引《蜀记》记述的事迹十分简略,究竟是否真实,也不得而详。据说张衡寻张陵尸

① 《道藏》第 24 册,第 780—781 页。

体在熹平末年、光和元年。按《云笈七籤》卷二十八引《张天师二十四治图》:“嗣师,天师子也,讳衡字灵真,为人广智,志节高亮,隐习仙业,汉孝灵帝征为郎中,不就。以光和二年(179 年)正月十五日己巳于山升仙,立治碑一双在门,名曰嗣师治也。”①有关张衡的卒年近是。因为从《后汉书·刘焉传》记述其妻往来于刘焉家,《三国志·张鲁传》言刘璋“尽杀鲁母家室”,《华阳国志》也仅说刘璋“杀鲁母、弟”,均未提及张衡来看,其时张衡可能已死。也许由于张陵活得很长,其子张衡的生平事迹因之不显。到光和年间(178—184 年),在巴、汉一带活动的张修,却如异军突起,在历史上留下了引人注目的一页。

张修是巴郡人,主要活动于巴郡、汉中之间。他对巴人的巫术看来十分熟悉,并用它来传道,光和年间在汉中形成了一股较大的势力,以至于史家特地将他与黄巾起义领袖张角并列在同一地位,说他“为五斗米道”,他的道法略与张角相同。“加施静室,使病者处其中思过。又使人为奸令祭酒。祭酒主以《老子五千文》,使都习,号为‘奸令’;为鬼吏,主为病者请祷。请祷之法:书病人姓名,说服罪之意,作三通,其一上之天,著山上;其一埋之地;其一沉之水,谓之‘三官手书’。使病者家出米五斗以为常,故号曰‘五斗米师’。实无益于治病,但为淫妄。然小人昏愚,竞共事之。”②《后汉书·灵帝纪》注引《汉灵、献二帝纪》也说:“巴郡巫人张修疗病,愈者雇以五斗米,号为五斗米师。”中平元年(184 年)黄巾起义爆发,他起而响应。据《后汉书·灵帝纪》记载:“秋七月,巴郡妖巫张修反,寇郡县。”③关于他的去向,三国时人鱼豢说:“后角被诛,修亦亡。”④这个“亡”字可作两种解释,历来学者也因此而有两种看法:一种看法认为,张修兵败身亡了;一种看法

---

① 《道藏》第 22 册,第 204—205 页。宋濂《汉天师世家序》略异,说:“衡字灵真,有长材,诏征黄门侍郎,辞,隐居阳平山,誓以忠孝导民。君子谓其有继宗开绪、纳俗安善之功。”见于《道藏》第 34 册,第 815 页。《三国志集解》引此文有“衡生京师”一语,亦即认为张衡生于雒阳。

② 《三国志》卷 8《张鲁传》裴松之注引鱼豢《典略》,北京:中华书局 1959 年版,第 1 册,第 264 页。

③ 《后汉书》卷 8,北京:中华书局 1965 年版,第 2 册,第 349 页。

④ 《三国志》卷 8《张鲁传》裴松之注引鱼豢《典略》,北京:中华书局 1959 年版,第 1 册,第 264 页。

则认为他逃亡了。《三国志·张鲁传》载称:"益州牧刘焉以鲁为督义司马,与别部司马张修将兵击汉中太守苏固。鲁遂袭修,杀之,夺其众。"①而据《后汉书·刘焉传》记载,张鲁杀张修一事在取汉中之后。其云:"沛人张鲁,母有姿色,兼挟鬼道,往来焉家。遂任鲁为督义司马,与别部司马张修将兵掩杀汉中太守苏固,断绝斜谷,杀使者。鲁既得汉中,遂复杀张修而并其众。"刘焉为了割据一方,便借口"米贼断道,不得复通",不再向朝廷纳贡。②《华阳国志》卷十《先贤士女总赞》记载有张鲁派张修攻苏固,苏固为"米贼张修"所杀一事。由此看来,"巴郡巫人"张修与"别部司马"张修很可能就是一人。③ 刘焉之所以要任命张修为别部司马,乃是为了利用"五斗米道"势力实行军阀割据。总之,从政治倾向和宗教势力两方面来看,张修这一支也许是独立于三张祖孙一系的另一支民间道教势力,因教法相同,故世人统称为"五斗米道"。当然,他也可能是张陵一系在巴郡的大首领,具有较大的独立性。无论如何,他是道教史上的一位重要人物。

张鲁在汉中,"因其民信行修业,遂增饰之"④。张鲁字公祺⑤,生年不详。他通过其母与刘焉家的关系,得到信任。"焉死,子璋代立,以鲁不顺,尽杀鲁母家室。鲁遂据汉中,以鬼道教民,自号'师君'。其来学道者,初皆名'鬼卒',受本道已信,号'祭酒',各领部众,多者为治头大祭酒。皆教以诚信不欺诈,有病自首其过。大都与黄巾相似。诸祭酒皆作义舍,如今之亭传。又置义米肉悬于义舍,行路者量腹取足,若过多,鬼道辄病之。犯法者三原,然后乃行刑。不置长吏,皆以祭酒为治。民、夷便乐之。"⑥《三国志·张鲁传》裴松之注引三国鱼豢的《典略》一书,补充道:张鲁"教使作义舍,以米肉置其中以止行人;又教使自隐,有小过者,当治道百步,则罪除;又依

① 《三国志》卷8,北京:中华书局1959年版,第1册,第263页。

② 《后汉书》卷75,北京:中华书局1965年版,第9册,第2432页。

③ 除此以外,还有认为不是一人的看法。

④ 《三国志》卷8《张鲁传》注引《典略》,北京:中华书局1959年版,第1册,第264页。

⑤ 此据《三国卷·张鲁传》,北京:中华书局1964年版,第1册,第263页。《后汉书·刘焉传》作"鲁字公旗"。

⑥ 《三国志》卷8《张鲁传》,北京:中华书局1959年版,第1册,第263页。

《月令》,春夏禁杀;又禁酒。流移寄在其地者,不敢不奉。”①

由上所述,可知:张鲁在汉中割据,以“五斗米道”教化人民,建立起了政教合一的政权和从鬼卒、祭酒、治头大祭酒直到师君的宝塔式教阶制。祭酒既是教职,又是官职,他们保证义舍、宽刑、禁杀、禁酒等项措施的实行。以廉耻治人、诚信不欺诈、令病人自首其过、修路补过以及禁酒肉等等主张和办法,都是张陵传下来的旧法。所不同的是张鲁创立了一种义舍,义舍的经济来源大概是托名于“供道”的租米制度,即由道民交纳一定数量的米肉诸物。这种租米制度,可从六朝时期的道书窥得一斑,至北魏寇谦之“清整道教,除去三张伪法”②之后废止。

这里应当指出,张鲁的有些措施是与《太平经》的思想相一致的。例如,《太平经》里有这样一段话:“今天上有官舍邮亭以候舍等,地上有官舍邮亭以候舍等,八表中央皆有之。天上官舍,舍神仙人。地上官舍,舍圣贤人。地下官舍,舍太阴善神善鬼。八表远近名山大川官舍,以舍天地间精神人仙未能上天者。云中风中以舍北极昆仑。官舍邮亭以候圣贤善神有功者。”③这种思想,和“义舍”的做法有些近似。至于《太平经》中“修道路,取兴大道,以类相占,渐置(至)太平”④的说法,也可用以说明修路补过的宗教意义。又如“禁酒”,在《太平经》里也有这种主张,这可能与当时粮荒这一社会现实有关。

东汉末年,小农纷纷破产,加之社会动乱,流民急遽增多。在军阀混战的局面下,不少人逃往相对安定的汉中地区,如“韩遂、马超之乱,关西民从子午谷奔之者数万家”⑤。张鲁“行宽惠”⑥,采取政教合一的办法来统治人民,这对稳定人心起了有效的作用,并使“五斗米道”凭借政权的力量扩大了教势。张鲁的政权还得到巴夷少数民族的支持,例如《华阳国志》记道:“张鲁稍骄于汉中,巴夷杜濩、朴胡、袁约等叛诣鲁。[刘]璋怒,杀

① 《三国志》卷八,北京:中华书局1959年版,第1册,第264页。
② 《魏书》卷114《释老志》,北京:中华书局1974年版,第8册,第3051页。
③ 王明:《太平经合校》,北京:中华书局1960年版,第698页。
④ 王明:《太平经合校》,北京:中华书局1960年版,第215页。
⑤ 《三国志》卷8《张鲁传》,北京:中华书局1959年版,第1册,第264页。
⑥ (晋)常璩撰,任乃强校注:《华阳国志》卷2《汉中志》,上海:上海古籍出版社1987年版,第72页。

鲁母、弟，遣和海中郎将庞羲讨鲁，不克。巴人日叛，乃以羲为巴郡太守，屯阆中御鲁。”①张鲁统治巴、汉一带前后将近三十年，“汉末，力不能征，遂就宠鲁为镇民中郎将（《后汉书·刘焉传》作‘镇夷中郎将’），领汉宁太守，通贡献而已”②。后来，有民于地中得玉印，众官即欲尊奉张鲁为汉宁王，功曹阎圃独谏其不可，他说：“汉川之民，户出十万，财富土沃，四面险固。上匡天子，则为桓文；次及窦融，不失富贵。今承制署置，势足斩断，不烦于王。愿且不称，勿为祸先。”③张鲁听从了他的劝告。建安二十年（215年），曹操率10万大军西征张鲁，三月至陈仓，将自武都入氐，氐人塞道，先遣张郃、朱灵等攻破之。夏四月，自陈仓以出散关，至河池，氐王窦茂众万余人，恃险不服，曹操攻屠之。这表明当地少数民族为捍卫张鲁政教合一的政权，曾进行过英勇的斗争。秋七月，曹军至阳平，鲁弟张卫不肯投降，以众数万拒阳平关坚守。曹操攻破之，张鲁遂降。因其本有降意，被拜为镇南将军，封阆中侯（《华阳国志》作“襄平侯”），邑万户。其五子及阎圃等人皆封中侯。④ 次年，张鲁卒，谥原侯，葬于邺城（今河北临漳）东⑤。鲁降操后，其大量道众北迁，“五斗米道”的势力发展至中原地区。随着晋统一天下，更向东南传播，遍及全国，这些将在后面叙述。

二、《老子想尔注》的基本思想

张修宣讲《老子》即《道德经》的做法，为张鲁所继承，三张一系的注，就是残存至今的《老子想尔注》。《老子想尔注》，是《道德经》的一种早期重

---

① （晋）常璩撰，任乃强校注：《华阳国志》卷5《公孙述、刘二牧志》，上海：上海古籍出版社1987年版，第346页。

② 《三国志》卷8《张鲁传》，北京：中华书局1959年版，第1册，第263—264页。

③ 《三国志》卷8《张鲁传》，北京：中华书局1959年版，第1册，第264页。

④ 参见《三国志》卷8《张鲁传》，北京：中华书局1959年版，第1册，第263—264页。

⑤ 建安十八年，曹操为魏王，定都于此。《真诰》卷四《握真辅》“保命云：许子遂能委形冥化，从张镇南之夜解也”。陶弘景注：“许子即是掾也。按张系师为镇南将军，建安二十一年亡，葬邺城。后四十四年至魏甘露四年，遇水棺开，见尸如生，出著床上，因举麈尾，覆面大笑，咤又亡，仍更殡葬。其外书事迹略如此。”所谓“外书”是历史上道门人士的习惯说法，指道教经书之外的史书。

要注释本,为道教早期教派五斗米道的经典,是研究道家和道教思想的重要著作。然而由于元代《玄都宝藏》焚毁,至迟至元末已经亡佚,今本为斯坦因1905年所窃敦煌写本残卷,现藏大英博物馆,编目为斯氏第6825号,全文共580行,仅存“则民不争”至“天地自止”(即别本第三章至第三十七章),此本注与经文连写,字体不分大小,章次不分,过章不另起一行。①

因此,敦煌写本发现之前,《老子想尔注》的研究不得而见,仅在一些材料中有所提及。

古籍中提及《老子想尔注》者有十余种,内容多为对其作者及年代之讨论,历来大体有两种说法。一说是汉天师张陵所著,如唐玄宗御制《道德真经疏外传》、唐代杜光庭《道德真经广圣义》以及中唐僧人法琳《辨正论》等,都认为张陵曾注《道德经》,即《老子想尔注》。后世道书如谢守灏《老君实录》、彭耜《道德真经集解杂说》、董思靖《道德经集解》等多沿此说。另一说认为是张陵之孙张鲁所著,如陆德明《经典释文·序录》中认为《老子想尔注》作者可能是张鲁,也可能是汉末荆州牧刘表,不能确定。《正统道藏》正一部所收之《传授经戒仪注诀》则明确认为,《老子想尔注》是张鲁托名想尔而作。元代刘大彬《茅山志》卷九《道山册》引用陶弘景《登真隐诀》,对张鲁所注五千文本的具体情况之说明,正好与今敦煌《老子想尔注》残卷情形完全相合。② 清代著名学者姚振宗在《隋书经籍志考证》中亦对此进行了较为详细的考证。③

敦煌写本发现之后,国内外出现了不少有关《老子想尔注》的研究。

国外在这方面的研究较少。日本的窪德忠的《道教史》有涉及《老子想尔注》的研究。④ 麦谷帮夫在《关于老子想尔注》中认为其是北魏天师道的作品。韩国吴相武在陈鼓应主编的《道家文化研究第十五辑》中有两篇作品,认为本书成书于《老子指归》之后,《论衡》之前。小林正美《六朝

① 今本《老子想尔注》可见《敦煌道藏》,中华全国图书馆文献缩微复制中心1999年版,第1295—1316页。

② 参见《道藏》第5册,第591页。

③ 参见(清)姚振宗:《隋书经籍志考证》,收于章宗源等编:《二十五史艺文经籍志考补萃编》,北京:清华大学出版社2012年版。

④ 参见[日]窪德忠:《道教史》,上海:上海译文出版社1987年版。

道教史研究》第二篇《天师道及其道典》,也都有相关的研究作品。大渊忍尔的《老子想尔注之成立》等文章也对此书进行了研究。国外学者多进行作者与成书年代的考证,对其义理的探讨也基本上是对主要思想的陈述。

国内关于《老子想尔注》的研究颇多。著作类最为重要的当推饶宗颐的《老子想尔注校证》和柳存仁的《想尔注与道教》[①]。除此二书外,还有一些著作虽然并非专门研究《老子想尔注》,但对其进行了介绍和研究。汤一介的《早期道教史》[②]对这部著作进行单独的考评,并对其思想主旨进行了总结归纳,胡孚琛的《道学通论》[③]等书中均对此有所涉及。

论文类主要有比较重要的是五六十年代饶宗颐先后发表了《敦煌六朝写本张天师道陵著老子想尔注校笺》[④]、《想尔九戒与三合义》[⑤]、《老子想尔注续论》[⑥]、《四论想尔注》[⑦]等文章,认为这是反映道教原始思想的重要资料,对东汉时期道教思想等进行了探讨,并认为作者为张道陵(后来改为由张陵至张鲁一系共同创作)。这几篇文章的基本内容都后来都编进了《老子想尔注校证》。陈世骧发表的《"想尔"老子道经敦煌残卷论证》[⑧],认为《老子想尔注》为张鲁所作,是道教初期教徒学习的一种重要材料。严灵峰也在这一时期先后发表了《老子想尔注校笺与五千文的来源》[⑨]、《再论老子的想尔注与五千文》[⑩]、《老子想尔注写本残卷质疑》[⑪]等文章,围绕《老子想尔注》的作者及时代问题,与饶宗颐等人展开讨论,引起了学界对《老子想尔注》的关注。80年代至今,相关文章增多。唐明邦的《老子想尔注,道

---

① 柳存仁:《想尔注与道教》,兰州:甘肃文化出版社1999年版。
② 汤一介:《早期道教史》,北京:昆仑出版社2006年版。
③ 胡孚琛:《道学通论》,北京:社会科学文献出版社2004年版。
④ 饶宗颐:《敦煌六朝写本张天师道陵著老子想尔注校笺》,东南书局1956年版。
⑤ 饶宗颐:《想尔九戒与三合义》,《清华学报》1964年第2期。
⑥ 参见饶宗颐:《老子想尔注校证·附录》。
⑦ 饶宗颐:《老子想尔注校证·附录》。
⑧ 陈世骧:《"想尔"老子道经敦煌残卷论证》,《清华学报》1957年第1期。
⑨ 严灵峰:《老子想尔注校笺与五千文的来源》,《民主评论》1964年第16期。
⑩ 严灵峰:《再论老子想尔注与五千文》,《民主评论》1965年第3期。
⑪ 严灵峰:《老子想尔注写本残卷质疑》,《大陆杂志》1965年第6期。

教祖师宣道的金科玉律》[①]、梁宗华的《道家哲学向宗教神学理论的切换——〈老子想尔注〉道论剖析》[②]等文章认为《老子想尔注》是天师道将道家哲学向道教神学过渡的体现,是道教神学建立的标志,也是《老子》由"子书"演变为一种具有神圣性的宗教经典的标志。钟来茵的《华夏性文化史上的两块里程碑:〈老子〉与〈老子想尔注〉》[③]讨论了《老子想尔注》中有关性学和性别学的内容,这在有关《老子想尔注》的研究中属于比较少见的。钟肇鹏的《〈老子想尔注〉及其思想》[④]、马承玉的《〈正一法文天师教诫科经〉的时代及与〈老子想尔注〉的关系》[⑤]、薛明生的《试论太平经及老子想尔注有关持戒在得道过程之作用的思想渊源》[⑥]等文章中围绕《老子想尔注》中体现的早期天师道思想的方方面面展开讨论,考察了这一时期天师道在宗教教义学和宗教哲学上的种种特征与变化。中山大学刘昭瑞的《老子想尔注杂考》[⑦]中对《老子想尔注》中所说的"伪技"、《老子想尔注》中的思想与谶纬学说之关系等一些具体问题进行了考证。

此外,由于今本《老子想尔注》出于敦煌道书,还有不少著作、文章将其与敦煌发现的其他《老子》注本一同进行研究、比对。较早期的有 20 世纪 50 年代日本大渊忍尔的《敦煌道经目录》,其中著录敦煌写本《老子》数十种,其中包括 6825 号《老子想尔注》本。王重民在《敦煌古籍叙录》[⑧]中对 13 种敦煌写本《老子》的研究成果进行评述和介绍,其中也包括此本。80 年代以来,更多敦煌写本《老子》的相关成果涌现出来,其中包括王卡《敦煌

① 唐明邦:《老子想尔注:道教祖师宣道的金科玉律》,《宗教学研究》1995 年第 2 期。

② 梁宗华:《道家哲学向宗教神学理论的切换——〈老子想尔注〉道论剖析》,《哲学研究》1999 年第 8 期。

③ 钟来茵:《华夏性文化史上的两块里程碑:〈老子〉与〈老子想尔注〉》,《东南文化》2007 年第 4 期。

④ 钟肇鹏:《〈老子想尔注〉及其思想》,《世界宗教研究》1995 年第 3 期。

⑤ 马承玉:《〈正一法文天师教诫科经〉的时代及与〈老子想尔注〉的关系》,《中国道教》2005 年第 2 期。

⑥ 薛明生:《试论太平经及老子想尔注有关持戒在得道过程之作用的思想渊源》,《东方论坛·青岛大学学报》2005 年第 5 期。

⑦ 刘昭瑞:《老子想尔注杂考》,《敦煌研究》2004 年第 5 期。

⑧ 王重民:《敦煌古籍叙录》,北京:商务印书馆 1958 年版。

道教文献研究》[1]、程南洲《伦敦所藏敦煌老子写本残卷研究》[2]、郑良树《敦煌老子写卷探微》[3]等著作中都对S.6825《老子想尔注》本有所涉及。

以上是《老子想尔注》研究的学术史简要回顾。下面我们围绕有关《老子想尔注》的作者与思想等问题,再进一步介绍。

前面已经说过,关于《老子想尔注》的作者,学术界历来有不同说法。一般认为乃张陵所撰,以后道书多沿此说。在佛教方面,如唐代释法琳《辨正论》也认为张陵注《五千文》。据更早时期的陆德明于南朝末所作《经典释文序录》说:"《想余注》二卷。不详何人。一云张鲁,或云刘表。"刘表字景升,山东高阳(今山东邹县附近)人,为汉末割据荆州一带的大军阀。从史传来看,仅有"开立学官,博求儒士"[4]的事迹,而没有崇道的记载。故刘表作《老子想尔注》这一说法完全缺乏根据,可不予考虑,而很有可能为张鲁所作。在道书《传授经戒仪注诀》[5],《想余注》作《想尔训》,列于大字本《道德经》、《河上公章句》之后,并谓:"系师得道,化道西蜀。蜀风浅末,未晓深言。托遘想尔,以训初回。初回之伦,多同蜀浅。辞说切近,因物赋通。三品要戒,济众大航。故次于《河上》。"明确认为《老子想尔注》是张鲁依托于想尔所作。题作"太玄部卷,第五《老君道经上·想尔训》;太玄部卷,第六《老君德经下·想尔训》",与今存六朝写本残卷"老子道经上,想尔"格式吻合。据元代刘大彬《茅山志》卷九《道山册》引陶弘景《登真隐诀》云:"老子《道德经》,有玄师杨真人(杨羲)手书张镇南(张鲁)古本……其所谓为五千文者,有五千字也。数系师《内经》有四千九百九十九字,由来阙一,是作'三十辐',应作'卅辐',盖从省易文耳,非正体矣。宗门真迹不存。今传五千文为正本,上、下二篇不分章。"[6]《经典释文序录疏证》引李日华言:"《老子》有玄师杨真人手书张镇南本";殆有同据。今残卷《老子想尔注》

① 王卡:《敦煌道教文献研究》,北京:中国社会科学出版社2004年版。
② 程南洲:《伦敦所藏敦煌老子写本残卷研究》,台北:文津出版社1985年版。
③ 郑良树:《敦煌老子写卷探微》,上海:世界书局1983年版。
④ 《三国志》卷6《刘表传》注引《英雄记》,北京:中华书局1959年版,第1册,第212页。
⑤ 《道藏》第32册,第170页。
⑥ 《道藏》第5册,第591页。按:今本《登真隐诀》不见此文,应是佚文。

亦作“卅辐”;经、注连书,字体不分大小,章次不别,保存着东汉晚期注书的形式。又据饶宗颐《老子想尔注校笺》,敦煌天宝十载写本卷末记有“道经卅七章”、“五千文上下二𢎥(卷)”、“系师定”等语。可见《老子想尔注》正是张鲁在其定本《老子五千文》的基础上作的①。饶宗颐《老子想尔注校笺》认为:“当是陵之说而鲁述之;或鲁所作而托始于陵,要为天师道一家之学。”②此外,还有人认为是魏晋时期的作品。按英伦博物馆斯氏 4226 号卷子《太平部》卷,第二引“相尔”云:“世多耶(邪)巧,讬称道云,千端万伎,朱紫磐礬都,故记三合以别真,上下二篇法阴阳。后出《青领太平文》,杂说众要,解童蒙心。”③又,“想尔”或作“相尔”、“想余”。有人认为,“想尔”乃仙人名,“余”为“尔”传写之误。但《列仙传》等神仙传记却无“想尔”之名;名字上的差异反映了不同的抄本。

《老子想尔注》长期埋没,大概与其夹杂房中术,易为世人诟病有一定关系。另外,“注语颇浅鄙,复多异解,辄与老子本旨乖违”④,恐怕也是一个原因。清代于敦煌莫高窟发现其残卷,1905 年被窃,现藏大不列颠博物馆,编号为 S.6825。此残卷始自《老子》第三章“不见可欲,使心不乱”,终至第三十七章“无欲以静,天地自止(正)”;大致反映了《老子想尔注》的基本思想,是研究早期道教思想的重要材料。

《老子想尔注》的作者围绕着对“道”的信仰,神化老子,排斥外教,要求人们信行“真道”,奉守“道诫”,结合“积善”与“积精”,以致“仙寿天福”,并认为治国亦须“师道”,以教化民,才能获致“太平符瑞”。

注文所说的“道”,有人格、有意志,虽然无声无臭、无影无踪,然而又无所不在、无所不包,它主宰一切,至尊无上。注中抨击“今世间伪伎,指形名

① 此外,《真诰·握真辅》有“张生顿首”语,陶弘景注:“观系师注《老子内解》,皆称臣生稽首。”按,《经典释文·序录》:“《巨生内解》二卷。”《疏证》引文廷式语:“此‘巨生’即‘臣生’之误,其人姓张也。”又按云:“张鲁自称臣生,义不可瞭,疑米道妄诬之尤,私立名字,不可究诘,今难质言,要为道士所为、梁以前之书也。”又《序录》:“《节解》二卷。不详作者。或云老子所作,一云河上公作”。《疏证》:“大抵以守一行气、还精补脑为说,其语近诞,而其来则甚古。”

② 饶宗颐:《老子想尔注校笺》,《选堂丛书》,香港:苏记书庄 1956 年版,第 4 页。

③ 王重民:《敦煌古籍叙录》,北京:中华书局 1979 年版,第 235 页。

④ 饶宗颐:《老子想尔注校笺》,《选堂丛书》,香港:苏记书庄 1956 年版,第 5 页。

道，令有服色、名字、状貌、长短𢈈，非也，悉邪伪耳”；并发挥《老子》的思想说：“道至尊，微而隐，无状貌、形像也；但可从其诫，不可见知也。”[①]但是它又把“道”人格形象化，说：“一者道也，……一散形为气，聚形为太上老君，常治昆仑，或言虚无，或言自然，或言无名。皆同一耳。”[②]这样，就把“道”二重化了：它既是无法表象的自然神，又是可以表象的人格神。

在注中，“道”是有“气”、有“精”、有“神”的。“道”散形为“气”，“道炁常上下，经营天地内外，所以不见，清微故也”[③]，“道气归根，愈当清静矣”[④]。“含血之类，莫不钦仰”[⑤]。“精”源于“气”，“所以精者，道之别气也”[⑥]。“精”是万物生成和人类生存的根本，“道精”，“分之与万物，万物精共一本”。[⑦] 作者把万物都看作是有机生命体，认为它们有着共同的实体“道精”。由此，便为道教的保精长生学说提供了本体论基础，说：“万物含道精，并作，初生起时也。吾，道也。观其精复时，皆归其根，故令人宝慎根也。”[⑧]注中还声称，“道人像道”，“人身像天地”，行善才为“道”所喜，因此“当涤除一身，行必令无恶也”[⑨]。这一方面是把“道”视为有机的人体；另一方面又反过来认为人应当与“道”同体，从而也给行善得仙道以神学根据。注中还认为，“道”“中有大神气”，即所谓“道神”，因此“不可以道不见故轻也”，不可“不觉”。[⑩] 足见《老子想尔注》的“道”不过是有机生命、人的投影。显然，这是一种泛生论的、拟人化的神学宇宙观。

《老子想尔注》也和《太平经》一样，重视神秘的“一”，以“一”联结“道”和“气”。《太平经》说：“夫一者，乃道之根也，气之始也，命之所系属，众心

① 饶宗颐：《老子想尔注校笺》，《选堂丛书》，香港：苏记书庄 1956 年版，第 18 页。
② 饶宗颐：《老子想尔注校笺》，《选堂丛书》，香港：苏记书庄 1956 年版，第 13 页。
③ 饶宗颐：《老子想尔注校笺》，《选堂丛书》，香港：苏记书庄 1956 年版，第 18 页。
④ 饶宗颐：《老子想尔注校笺》，《选堂丛书》，香港：苏记书庄 1956 年版，第 21 页。
⑤ 饶宗颐：《老子想尔注校笺》，《选堂丛书》，香港：苏记书庄 1956 年版，第 9 页。
⑥ 饶宗颐：《老子想尔注校笺》，《选堂丛书》，香港：苏记书庄 1956 年版，第 29 页。
⑦ 饶宗颐：《老子想尔注校笺》，《选堂丛书》，香港：苏记书庄 1956 年版，第 21、29 页。
⑧ 饶宗颐：《老子想尔注校笺》，《选堂丛书》，香港：苏记书庄 1956 年版，第 21 页。
⑨ 饶宗颐：《老子想尔注校笺》，《选堂丛书》，香港：苏记书庄 1956 年版，第 14 页。
⑩ 饶宗颐：《老子想尔注校笺》，《选堂丛书》，香港：苏记书庄 1956 年版，第 29、14 页。

之主也。”[①]“道无所不能化,故元气守道,乃行其气,乃生天地,……自然守道而行,万物皆得其所矣。”[②]“道者,天也,阳也,主生;德者,地也,阴也,主养。”[③]而《老子想尔注》则径释“一”为“道”,散而为“气”,又名“虚无”、“自然”、“无名”,更带本体论意味。

不仅如此,注中还屡称“道心”、“道意”、“道真”,反复告诫君民要“顺道意,知道真”,一切唯“道”是信,唯“道”是奉,唯“道”是守,唯“道”是行。也就是说,无论个人生活,还是国家政事,都须信行“真道”。与此相应,作者对所谓外教邪伎痛加贬斥,他说:“真道藏,邪文出,世间常伪伎称道教,皆为大伪不可用。何谓邪文?其五经半入邪,其五经以外,众书传记,尸人所作,悉邪耳。”[④]很明显,他对儒家及其经学采取了否定的态度。

东汉经学号称极盛,然而无论今文经的章句之学,还是古文经的训注之学,都十分僵化。在经学思想的支配下,朝廷以孝悌、廉洁察举士人,士人以名节相尚,因此后人称东汉世风醇正。但同时也出现了许多虚伪之行,名节往往成了某些士人要取高官的敲门砖。有人就用儒家思想标准针砭时弊说:“举秀才,不知书;察孝廉,父别居。寒素清白浊如泥,高第良将怯如鸡。”[⑤]《老子想尔注》说:“道用时,家家慈孝,皆同相类,慈孝不别,今道不用,人不慈孝,六亲不和;时有一人行慈孝,便共表别之,故言有也。”[⑥]也正是对这种奖励经学、表彰儒行的批判。不过,作者是站在道教的立场上批判儒家经学的。如对“孔德之容,唯道是从”注说:“道甚大,教孔丘为知;后世不信道文,但上孔书,以为无上;道故明之,告后贤。”[⑦]这种贬抑孔子以提高“道”的地位的说法,不外是要人们崇信道教。

据道安《二教论·服法非老》说,“妄称真道”是“三张之鬼法”之一端。为了确立本道即所谓“真道”在道教中的正统地位,《老子想尔注》的作者对

① 王明:《太平经合校》,北京:中华书局1960年版,第12—13页。
② 王明:《太平经合校》,北京:中华书局1960年版,第21页。
③ 王明:《太平经合校》,北京:中华书局1960年版,第218页。
④ 饶宗颐:《老子想尔注校笺》,《选堂丛书》,香港:苏记书庄1956年版,第24页。
⑤ 《抱朴子外篇》卷15《审举》,《道藏》第28册,第275页。
⑥ 饶宗颐:《老子想尔注校笺》,《选堂丛书》,第24页。
⑦ 饶宗颐:《老子想尔注校笺》,《选堂丛书》,第29页。

当时民间其他一些道士也予以攻击。例如他说，今世间某些道士“托黄帝、玄女、龚子、容成之文相教”，滥行房中术，企图“还精补脑”，以致产生了“失其所守”的弊端，它斥责他们是“伪伎诈称道”。[①] 但《老子想尔注》也谈房中术：“道教人结精成神”，“人之精气满藏中，苦无爱守之者，不肯自然闭心而揣挩之，即大迷矣”，“男女阴阳孔也，男当法地似女”[②]，如此等等。可见它对房中术并不是一概排斥。《汉书·艺文志》著录房中书8家，186卷。到了晋代，葛洪更在《抱朴子内篇·释滞》中说：“房中之法十余家”，有“玄、素、子都、容成公、彭祖之属”，又有所增加。据《后汉书·方术传》记载，汉末方士甘始、东郭延年、封君达、冷寿光等，皆能行容成公御妇之术，“爱啬精气”以致寿。由此看来，当时方士的房中术多种多样，张陵一派托于老子，当另有渊源。作者还反对淫祀，说：“天之正法，不在祭餟祷祠也；道故禁祭餟祷祠，与之重罚。祭餟与邪通同，故有余食器物，道人终不欲食用之也。”“有道者不处祭餟祷祠之间也。”[③]作者又否定圣人天生、仙有骨录的《河》、《雒》纬书迷信。“绝圣弃知，民利百倍”注说：“谓诈圣知邪文者，夫圣人天所挺生（按挺，汉代用语，亦指生），必有表，河雒著名……今人无状，裁通经艺，未贯道真，便自称圣，不囷本，而章篇自揆，不能得道言；先为身，不劝民真道可得仙寿，修善自勤。反言仙自有骨录，非行所臻，云无生道，道书欺人。此乃罪盈三千，为大恶人，至今后学者不复信道，元元不旋，子不念供养，民不念田，但逐邪学，倾侧师门，尽气诵病，到于穷年，会不能忠孝至诚感天，民治身不能仙寿，佐君不能致太平；民用此不息，倍城邑虚空，是故绝诈圣邪知，不绝真圣道知也。”[④]这些批判有其合理性；不过，其意归结起来，乃是诱导道徒通过修行自臻长生。这种思想与《太平经》的神仙可学而成思想是基本一致的，但没有像《太平经》那样无批判地吸收纬书。作者反复告诫道徒不要相信“邪道”，从一个侧面说明，当时道教尚有各种流派，教义并不十分统一，得道成仙的方术也各有差别。

---

① 饶宗颐：《老子想尔注校笺》，《选堂丛书》，香港：苏记书庄1956年版，第12页。
② 饶宗颐：《老子想尔注校笺》，《选堂丛书》，香港：苏记书庄1956年版，第12、14页。
③ 饶宗颐：《老子想尔注校笺》，《选堂丛书》，香港：苏记书庄1956年版，第34页。
④ 饶宗颐：《老子想尔注校笺》，《选堂丛书》，香港：苏记书庄1956年版，第25页。

总之,作者排斥外教他道,是要为道教提供统一的教义基础。那么,其教义的具体思想内容是什么呢?

首先,他认为,"道"是专一、真诚、清静、自然、好生、乐善的,只要人们守道诫,就可长生不死、却祸得福。所谓"守道诫",就是遵守"道"所规定的戒律。在他看来,"道"是"一",因此,关于"守一",他的理解也是从"道"为本体这一思想出发的。"载营魄抱一能无离",注说:"魄,白也,故精白,与元[炁]同色。身为精车,精落故当载营之。神成气来,载营人身,欲全此功无离一。一者道也,今在人身何许?守之云何?一不在人身也,诸附身者悉世间常伪伎,非真道也;一在天地外,人在天地间,但往来人身中耳,都皮里悉是,非独一处—……世间常伪伎指五藏(脏)以名一,瞑目思想,欲从求福,非也;去生遂远矣。"①这是说,"道"是绝对的"一",道气无所不在,故认为守身中五脏即以为"守一",这并不是真正的"守一";真正的"守一"就是要"守道诫"。他说:"今布道诫教人,守诫不违、即为守一矣;不行其诫,即为失一也。"②对于"守一"的这种理解,显然与上面介绍的《老子河上公注》和《太平经》所说的"守一"是不同的。河上公认为"一"是指"精气","守一"是指"专守精气",并认为"神谓五脏之神","人能养神则不死一";《太平经》也认为"守一"是指"守一身",使形与精、神合而为一,并认为"此即长生久视之符也"③。而《老子想尔注》恰恰认为"一一不独处于一身",反对守一身或守五脏之神,认为那是"世间常伪伎"。它的这番话,似乎正是针对《河上公章句》和《太平经》而说的。

专一守诫,乃是宗教的基本特征之一。作者不厌其烦地强调"守诫",正说明他是带着宗教的观点、抱着宗教的目的来注释《老子》的。

"道诫"是从形而上的"道"落实到形而下之"行道"的桥梁,是理解《老子想尔注》的枢纽:"道""渊似万物之宗",故"人行道,不违诫,渊深似道"。"道贵中和",故"当中和行之,志意不可盈溢,违道诫"④。"道真","乐质

① 饶宗颐:《老子想尔注校笺》,《选堂丛书》,香港:苏记书庄1956年版,第13页。
② 饶宗颐:《老子想尔注校笺》,《选堂丛书》,香港:苏记书庄1956年版,第13页。
③ 王明:《太平经合校》,北京:中华书局1960年版,第716页。
④ 饶宗颐:《老子想尔注校笺》,《选堂丛书》,香港:苏记书庄1956年版,第7页。

朴”，故当“至诚”“信道”，“勉信道真，弃邪知，守本朴，无他思虑”[①]。“道”“乐清静”，“情欲思虑怒喜恶事，道所不欲”，故当“常清静为务”[②]，“道人当自重精神，清静为本”[③]。“生，道之别躰（体）也”，故当“守道全身”，“常保形容”，“唯愿长生”[④]。“道”乐“善”，故当“信道言善”，“至诚守善”[⑤]。总之，“道诫”是贯穿于注文的一条线索。“诫为渊，道犹水，人犹鱼。鱼失渊去水则死，人不行诫守道，道去则死。”[⑥]从这个形象的比喻，不难看出其对“道诫”的重视。

长生不死、得道成仙，这是道教的最高目标。《老子想尔注》也不例外。注中强调“仙士”（或“仙王士”）和“道士”（或“道人”）与俗人的区别，说道人“但归志于道，唯愿长生”[⑦]；仙士“信道守诫”，“不知俗事”[⑧]。又说：“道设生以赏善，设死以威恶。死是人之所畏也，仙王士与俗人同知畏死乐生，但所行异耳。俗人莽莽，未央脱死也，俗人虽畏死，端不信道，好为恶事，奈何未央脱死乎。仙士畏死，信道守诫，故与生合也。”[⑨]宗教家总要宣扬信仰主义，这本易理解；而作者又进一步把道士加以神化，说他们因信行真道而不死。“死而不亡者寿”注云：“道人行备，道神归之，避世托死过太阴中，复生去为不亡，故寿也。俗人无善功，死者属地官，便为亡矣。”[⑩]死后的世界是不可证的，但死之事则为众人所见，“不死”的这一可证伪性从来就是道教教义的脆弱点。注文把道士之死说成是尸解，神魂脱离肉体到太阴“炼形”去了，不过是为道士之死寻找遁词，以便坚定信徒们的“长生不死”之信仰。

《老子想尔注》的作者一再声称仙寿可致，他认为善保精气即其途径之

① 饶宗颐：《老子想尔注校笺》，《选堂丛书》，香港：苏记书庄 1956 年版，第 20、48 页。
② 饶宗颐：《老子想尔注校笺》，《选堂丛书》，香港：苏记书庄 1956 年版，第 32、20、48 页。
③ 饶宗颐：《老子想尔注校笺》，《选堂丛书》，香港：苏记书庄 1956 年版，第 35 页。
④ 饶宗颐：《老子想尔注校笺》，《选堂丛书》，香港：苏记书庄 1956 年版，第 35、9、38 页。
⑤ 饶宗颐：《老子想尔注校笺》，《选堂丛书》，香港：苏记书庄 1956 年版，第 36、41 页。
⑥ 饶宗颐：《老子想尔注校笺》，《选堂丛书》，香港：苏记书庄 1956 年版，第 49 页。
⑦ 饶宗颐：《老子想尔注校笺》，《选堂丛书》，香港：苏记书庄 1956 年版，第 38 页。
⑧ 饶宗颐：《老子想尔注校笺》，《选堂丛书》，香港：苏记书庄 1956 年版，第 27 页。
⑨ 饶宗颐：《老子想尔注校笺》，《选堂丛书》，香港：苏记书庄 1956 年版，第 27 页。
⑩ 饶宗颐：《老子想尔注校笺》，《选堂丛书》，香港：苏记书庄 1956 年版，第 46 页。

一。主张和五脏五行之气,说“和则相生,战则相克”①。还谈到房中术的要领:“精结为神,欲令神不死,当结精自守……”将它向“长生不死”方面引申,说“能用此道,应得仙寿”②。并言“专精无为”,“唯有自守,绝心闭念者,大无极也”,才能与“大无极”之“道”冥合。这种“自守”亦即“养神”之术,已不同于“守一身之气”或“守五脏之神”的道术了。为了自守,必须无思、无欲、无名、无为,不“贪宠有身”,不求荣好,不与人争,不强求尊贵,不为恶事。③ 但这些都是继承《老子》的消极思想。从积极方面来讲,则要至诚为善、仁义忠孝。文中反复强调“至诚”在行道中的重要作用,并认为“至诚”才能真正行善。这就体现了“教以诚信不欺诈”的张陵遗法。所谓“善”,其内容主要就是仁义忠孝,也包括“施惠散财除殃”等素为人们所称誉的道德。说明作者既抨击儒家,又接受了东汉社会普遍盛行的儒教观念。不过,强调行善与其仙道信仰息息相关,作者认为:“古仙士实精以生,今人失精以死,大信也。今但结精便可得可得(此二字疑衍。——饶注)生乎?不(否)也,要诸行当备……夫欲宝精,百行当修,万善当著,调和五行,喜怒悉去,天曹左契,算有余数,精乃守之。恶人宝精,唐(空也——饶注)自苦终不居,必自泄漏也。”④仅行气功、房中术还是不够的,尚须积善功,方能不死成仙。“奉道诚,积善成功,积精成神,神成仙寿,以此为身宝矣。”⑤这就是《老子想尔注》的仙道纲领。

作者不仅认为道士应行道,而且认为帝王也应行道。关于其理由,他说:“道之为化,自高而降,指谓王者,故贵一人,制无二君,是以帝王常当行道,然后乃及吏民,非独道士可行,王者弃捐也。”其次,“上圣之君,师道至行,以教化天下,如治太平符瑞,皆感人功所积,致之者,道君也”。后世帝王渐渐不信行道,所以“化逆”,“虽有良臣,常难致治”。但“道尊且神,终不

① 饶宗颐:《老子想尔注校笺》,《选堂丛书》,香港:苏记书庄 1956 年版,第 7 页。
② 饶宗颐:《老子想尔注校笺》,《选堂丛书》,香港:苏记书庄 1956 年版,第 10 页。
③ 参见饶宗颐:《老子想尔注校笺》,《选堂丛书》,香港:苏记书庄 1956 年版,第 17、38 页。
④ 饶宗颐:《老子想尔注校笺》,《选堂丛书》,香港:苏记书庄 1956 年版,第 29 页。
⑤ 饶宗颐:《老子想尔注校笺》,《选堂丛书》,香港:苏记书庄 1956 年版,第 17 页。

听人”,“乱极必理,道意必宣”。复次,帝王行道,“臣忠子孝,出自然至心”,若不怕君父、法律,也害怕天神,害怕不得仙寿,“故自至诚,既为忠孝,不欲令君父知,自嘿而行,欲蒙天报”,这样一来,“王法无所复害,刑罚格藏,故易治,王者乐也”。还有,帝王行道则至诚感天,于是“五星顺轨,客逆不曜,疾疫之气,都悉止矣”。所以,他总结说:“治国之君务修道德,忠臣辅佐在行道,道普德溢,太平至矣。吏民怀慕,则易治矣。悉如信道,皆仙寿矣。”①在他看来,“道”,就是生道,也就是清静无欲,好生乐善之道;而战争戕害生灵,因此他说:“兵不合道”,帝王“但当信道,于武略耳”②;并且要求帝王应清静寡欲。

在《老子想尔注》之前,《太平经》的作者就已经宣扬儒家的仁义忠孝思想和汉代的“天人感应”神学,并且主张“君臣民相通,并力同心,共成一国”③,以致“太平之道”。《老子想尔注》的思想是与之相通的。它的长生不死之道,并非主张个人单纯的养身,而是根据“道设生以赏善,设死以威恶”的神学观念,要求包括帝王在内的人们“奉道诫”,把“积精成神”和“积善成仙”二者结合起来,以致“太平”,以致“仙寿”。这种思想在道教史上曾产生过巨大的影响,它是道教教义的最重要的组成部分。

《老子想尔注》的宗教思想也是“五斗米道”政权的施政纲领。张鲁在汉中,以宗教家兼政治家的双重身份出现,力行诚信、廉耻、重生、归朴的教义。在汉末社会动乱不宁、人民饱经苦难的历史条件下,这些教义和做法起到了“民、夷信向之”的作用。

第四节　太平道的形成与影响

一、太平道在东方的形成发展

与正一盟威之道几乎同时出现的早期道教大派是东方的太平道。

---

① 饶宗颐:《老子想尔注校笺》,《选堂丛书》,香港:苏记书庄 1956 年版,第 47、24—25、48、40—41 页。

② 饶宗颐:《老子想尔注校笺》,《选堂丛书》,香港:苏记书庄 1956 年版,第 42、41 页。

③ 王明:《太平经合校》,北京:中华书局 1960 年版,第 149 页。

太平道因《太平经》而得名。据《志林》所载:"初,顺帝时,琅邪宫崇诣阙上师于吉所得神书于曲阳泉水上,白素赤界,号《太平青领道》,凡百余卷。"①《太平御览》卷六七三引《像天地品》则记作:"后汉顺帝时,曲阳泉上得神仙经一百卷,内七十卷皆白素、朱界、青缥、朱书,号曰《太平青领道》。"②汉魏以降,道派名称通常依其经典而定,因此太平道的开始酝酿,可以从于吉、宫崇一派的"太平青领道"算起。但是从史书记载来看,似乎自张角起,才建立起道派组织。道士宫崇和方士化了的儒生襄楷分别于顺帝、桓帝时两次上《太平经》,以后张角得到此书,利用其中的某些宗教观念和社会政治思想,创立起一支庞大的道教组织。《太平经》因不成于一人之手,所以思想驳杂,其中也包括某些反映劳动人民疾苦的言论;但是于吉、宫崇等人的基本政治态度是维护东汉王朝的统治的,他们献上此书,宣称"令付上火精道德之君",是为了"兴火行",使之"复更盛,王大明也"③。所谓"火德君",系指汉王朝。据敦煌本目录,《太平经》还有《人腹各有天子文归赤汉》篇。而张角得到此书,也以宗教救世为己任,到后来,他为推翻东汉王朝、实现"黄天泰平",发动了中国历史上规模最大的一次以宗教形式组织起来的农民起义——黄巾大起义。

黄巾起义是在太平道基础上组织起来的,其间经过十余年的布教酝酿,在八州设置了三十六方军教组织。起义领袖一声号令,数十万人同日而起,其组织之严密、规模之宏大、来势之迅猛,在中国农民战争史上都是绝无仅有的。其原因何在呢?这还得从东汉时期的社会条件尤其是宗教"异端"说起。

东汉后期,自然灾害连年不断,水、旱、蝗、大疫、地震……无情地向人们袭来。桓帝永兴元年(153 年)七月,郡国有 32 处大蝗灾,河水横溢,史称"百姓饥穷,流冗道路,至有数十万户,冀州尤甚"④。延熹九年(166 年)三

---

① 《三国志》卷 46《吴书·孙策传》注引,北京:中华书局 1959 年版,第 5 册,第 1110 页。

② "卷内"二字疑衍,当作"神仙经一百七十卷"。

③ 王明:《太平经合校》,北京:中华书局 1960 年版,第 653、64 页。

④ 《后汉书》卷 7《桓帝纪》,北京:中华书局 1965 年版,第 2 册,第 298 页。

月,水旱疫,“司隶、豫州饥死者什四五,至有灭户者”①。到处是灾害扫荡的痕迹,到处是“死者相枕”、“民相食”的悲惨景象。灵帝即位以后,更出现了“河内人妇食夫,河南人夫食妇”②的可怕现象,“六州大水”、“七州蝗”之类的大灾,此起彼伏,史不绝书。出土文物,如曹操宗族墓葬元宝坑一号墓砖辞“岁不得赌”、“日沮芜芜”、“峒蝗所中”③等语,也反映了当时的情景。本来这类灾害是人类经常遇见的自然现象,但在东汉后期,却因严重的社会危机而显得更为突出。

自安、顺二帝以降,世家大族和地方豪强势力迅速膨胀,宦官和外戚的斗争也愈演愈烈;地方官吏则“贪残专恣,不奉法令,侵冤小民”④。连质帝诏书也说:“州郡轻慢宪防,竞逞残暴,造设科条,陷入无罪”⑤。正是这些因素,使得整个社会动荡不宁。在落后的生产力条件下,小农经济是经受不住些许打击的。由于对羌作战⑥,西羌“扫涤并、凉,内犯司隶,东寇赵、魏,西钞蜀、汉,五州残破,六郡削迹”。于是,官府财政困窘,又加重人民赋役,“放散钱谷,殚尽府库,乃复从民假贷,强夺财货。千万之家,削身无余,万民匮竭”⑦。东汉末王符就评论说:“因随以死亡者,皆吏所饿杀也。”⑧农民纷纷逃亡,沦为无业流民。外戚梁冀专政时,有人上书言“宜铸大钱”,时为太学生的刘陶上议道:“夫欲民殷财阜,要在止役禁夺,则百姓不劳而足……伏念当今地广而不得耕,民众而无所食。群小竞进,秉国之位,鹰扬天下,乌钞求饱,吞肌及骨,并噬无厌。诚恐卒有役夫穷匠,起于板筑之间,投斤攘臂,登高远呼,使愁怨之民,响应云合,八方分崩,中夏鱼溃,虽方尺之

① 《后汉书》卷7《桓帝纪》,北京:中华书局1965年版,第2册,第317页。
② 《后汉书》卷8《灵帝纪》,北京:中华书局1965年版,第2册,第331页。
③ 参见《文物》1978年第8期,这些墓大致在延熹至熹平年间。
④ (汉)王符:《潜夫论》卷一《务本》,(清)王继培笺:《潜夫论笺》,北京:中华书局1979年版,第68页。
⑤ 《后汉书》卷6《质帝纪》,北京:中华书局1965年版,第2册,第280页。
⑥ 根据《后汉书》本纪统计,西羌在安帝时叛寇13次,顺帝时8次,桓帝时10次,至灵帝时方平定。
⑦ (清)王继培笺:《潜夫论笺》,北京:中华书局1979年版,第251—280页。
⑧ (清)王继培笺:《潜夫论笺》,北京:中华书局1979年版,第280页。

钱,何能有救!"[①]但是,东汉王朝为了解决财源问题,甚至卖官鬻爵[②],致使吏治愈加腐败,搜刮更为猖獗,人民简直无法活下去了,被迫起为盗贼,官军围剿时,竟出现了这样的咄咄怪事:"贫困之民,或有卖其首级以要酬赏,父兄相代残身,妻孥相视分裂。"[③]

以上天灾人祸,虽是当时激发农民起义的重要因素,但还不能说明当时为什么会出现规模如此之大的以民间道教为组织形式的农民起义?要回答这个问题,还必须考察东汉时候社会上神学气氛十分浓厚、宗教"异端"频频兴起的历史背景。前面已经指出,东汉时候谶纬神学非常盛行,早期道教经典已经出现,在天灾人祸的逼迫下,人心思变,要求"太平",而谶纬和早期道教经典中的因"变"而达到"天下太平"的思想极为合乎人民的需要。人民在走投无路的情况下,求救于神灵,幻想神明能带给他们"太平"。一部分受谶纬神学和早期道教思想熏陶的宗教活动家也对黑暗统治心怀不满,而对人民群众抱有同情,于是他们乃施其所长,吸引群众;并且由于大批农民与土地相分离,流离都市,不再"老死不相往来",这样,也便于他们用宗教形式组织农民,进而领导农民起来反抗。事实上,在黄巾起义之前的多次农民起义,已经带有明显的宗教色彩。早在光武帝建武年间(25—55年),就发生过至少两起史称"妖巫"的造反事件。他们都是卷人维汜(据李贤注,"维"或作"缑")的弟子。《后汉书·马援传》说:"初,卷人维汜,訞(妖)言称神,有弟子数百人,坐伏诛。后其弟子李广等宣言汜神化不死,以诳惑百姓。[建武]十七年(41年),遂共聚会徒党,攻没皖城,杀皖侯刘闵,自称'南岳太师'。遣谒者张宗将兵数千人讨之,复为广所败。于是使[马]援发诸郡兵,合万余人,击破广等,斩之。"[④]《后汉书·光武帝纪》亦载:建武十七年"秋七月,妖巫李广等群起据皖城,遣虎贲中郎将马援、骠骑将军

① 《后汉书》卷57《刘陶传》,北京:中华书局1965年版,第7册,第1846—1847页。

② 自安帝始"计金授官",灵帝光和元年(178年),更开西邸卖官,卿一级卖五百万,公卖千万。详见《后汉书》卷8《孝灵帝记》,北京:中华书局1965年版,第2册,第342页。

③ (宋)司马光:《资治通鉴》卷55《汉纪四十七》,北京:中华书局1956年版,第4册,第1780页。

④ 《后汉书》卷二十四,北京:中华书局1965年版,第3册,第838页。

段志讨之。九月,破皖城,斩李广等"。十九年(43年)春正月,"妖巫单臣、傅镇等反,据原武,遣太中大夫臧宫围之。夏四月,拔原武,斩臣、镇等。"①单臣、傅镇也是维汜的弟子,《臧宫传》云:"十九年,妖巫维汜弟子单臣、傅镇等复妖言相聚,入原武城,劫吏人,自称将军。"②从他们信奉"神化不死"来看,可以说他们已经形成类似民间道教的组织活动了。安、顺以下,被称为"贼"、"妖贼"或"妖言相署"的起义事件,经初步统计,安帝时有4起,顺帝时有9起,冲、质二帝在位时间很短,也有11起,桓帝时20起。从这个统计数字来看,值得注意的是,恰恰在章帝建初四年(79年)十一月召开白虎观会议,讨论"五经"同异,确定谶纬神学在儒家经学的统治地位以后,这种"妖贼"或以"妖言相署"的起义事件变得愈来愈多起来了。这表明,尽管东汉政权扶植谶纬神学的本意是巩固其统治,但谶纬神学、特别是谶语也可被人利用去颠覆他们的统治。同时,这也确证人民大众由于处于极为浓厚的神学气氛之中,很容易受到神学思潮的影响,其反抗往往也披上宗教的外衣。正如贺昌群先生在《论黄巾农民起义的口号》一文中所指出的那样,"东汉史籍,凡称'妖贼'的,多半是指与太平道思想体系有关并以此为号召的农民起义"③。顺帝时,扬州六郡起义就被称为"妖贼"。在益州,巴郡人服直(李贤注称,"直"或作"宜")聚党数百人,还自称"天王"。顺帝刚死、冲帝才即位的建康元年(144年),徐凤等人又起。据《后汉书·滕抚传》记载:"顺帝末,杨、徐盗贼群起,磐牙连岁……[徐]凤衣绛衣,带黑绶,称'无上将军',[马]勉皮冠黄衣,带玉印,称'黄帝',筑营于当涂山中。"④《后汉书·质帝纪》载此事说:永嘉元年(145年)"三月,九江贼马勉称黄帝。九江尉滕抚讨马勉、范容、周生,大破斩之"。此三月是斩马勉的时间。李贤注引都《东观[汉]记》云:"传勉头及所带玉印、鹿皮冠、黄衣诣洛阳,诏悬夏城门外,章示百姓。"⑤封建统治者从来以"君权神授"牢笼人心,衣饰、印玺

① 《后汉书》卷一下,北京:中华书局1965年版,第1册,第68、70页。
② 《后汉书》卷十八,北京:中华书局1965年版,第3册,第694页。
③ 文见贺昌群《汉唐间封建土地所有制形式研究》一书。该文列举了9例,其中有些并不算"妖贼";此外,尚有若干未列。
④ 《后汉书》卷三十八,北京:中华书局1965年版,第5册,第1279页。
⑤ 《后汉书》卷六,北京:中华书局1965年版,第2册,第277页。

等均作为“天与神授”权力的象征。东汉王朝之所以要将马勉的玉印、皮冠和黄衣悬在城门外,是为了告示人们神器不可觊觎,以儆效尤。但同年十一月,又发生了类似的造反事件:“历阳贼华孟自称‘黑帝’,攻杀九江太守杨岑,滕抚率诸将击孟等,大破斩之。”①桓帝时,这种“妖贼”就更多了,据《后汉书·桓帝纪》记载:建和二年(148年)“冬十月,长平陈景自号‘黄帝子’,署置官属,又南顿管伯亦称‘真人’,并图举兵,悉伏诛”。永兴二年(154年)闰月,“蜀郡李伯袢称宗室,当立为‘太初皇帝’,伏诛”。延熹八年(165年)十月,“勃海妖贼盖登等称‘太上皇帝’,有玉印、珪、璧、铁券,相置署,皆伏诛”。九年(166年)正月,“沛国戴异得黄金印,无文字,遂与广陵人龙尚等共祭井,作符书,称‘太上皇’,伏诛”。② ……至灵帝熹平年以后,“妖贼大起”,带有民间道教色彩的农民起义便如熊熊野火,遍及各地。最早是会稽人许生、许昭父子,此后张角、张修相继起义。据《后汉书·灵帝纪》:熹平元年(172年)“十一月,会稽人许生自称‘越王’,寇郡县,遣扬州刺史臧旻、丹阳太守陈夤讨破之”。注引《东观记》曰:“会稽许昭聚众自称大将军,立父生为越王,攻破郡县。”③《三国志·孙坚传》载称许生为“妖贼”,说他自称“阳明皇帝”④。正如史家所论:“安顺以后,风威稍薄,寇攘寝横,缘隙而生,剽人盗邑者不阙时月,假署皇王者盖以十数。或托验神道,或矫妄冕服。”⑤

这些“托验神道”、“矫妄冕服”的造反者,他们的宗教特征表现在如下几个方面:

第一,道家认为宇宙最初起源于一种混沌状态,造作谶纬的方士、儒生接受了这一学说,设想宇宙经过“太易”、“太初”、“太始”、“太素”和

① 《后汉书》卷6《质帝纪》,北京:中华书局1965年版,第2册,第279页。

② 《后汉书》卷七,北京:中华书局1965年版,第2册,第293—316页。

③ 《后汉书》卷八,北京:中华书局1965年版,第2册,第334页。

④ 《三国志·孙坚传》载:“会稽妖贼许昌起于句章,自称‘阳明皇帝’。(孙)坚以郡司马募召精勇,得千余人,与州郡合,讨破之。是岁熹平元年也。”按《后汉书集解》:“何焯曰:‘许生,《吴志》作许昌;许昭作许韶。’惠栋曰:‘《天文志》、《臧洪传》皆作许生;晋讳昭,故作韶。当从本纪。’”

⑤ 《后汉书》卷38传论,北京:中华书局1965年版,第5册,第1288页。

"太极"五个由无形到有形的阶段，是谓"五运"[①]。《周易乾凿度》就说："太易者，未见气也。""太初者，气之始也。""太始者，形之始也。""太素者，质之始也。""易始于太极（郑注：气象未分之时，天地之所始也）。"认为这些阶段一个比一个清晰，直到出现了天地的差别相。这些名词在汉代，有的已很流行。如扬雄《核灵赋》："太易之始，太初之先，冯冯沈沈，奋搏无端。"[②]《礼记·曲礼·正义》引河上公云："能生天、地、人，则当大易之气。"[③]《淮南子·诠言篇》说："稽古太初，人生于无，形于有。"[④]而王阜《老子圣母碑》则云："老子者道也，乃生于无形之先，起于太初之前，行于太素之元。"[⑤]西汉武帝、哀帝的年号也有"太初"、"太始"之名。刘玄起兵讨王莽，被立为"更始帝"。汉代诸帝年号（包括新莽），带"元"、"始"、"初"等字的就有33例，占了约半数。有趣的是，从公元前206年刘邦夺得政权到公元144年顺帝死，正合汉"三百五十年厄运"的谶语，也正是在公元144年以后，马勉自称"黄帝"之类的事件接连发生。李伯称"太初皇帝"，大概是认为汉王朝气运已衰，需要来一番"更始"，他的称帝，也是"气之始也"。说明这种思想，也是由谶纬神学的"气运"说支撑着的。

第二，他们受道家、神仙家思想影响，相信"神化不死"，自称"真人"、"南岳太师"。戴异、龙尚造作"符书"，也表明他们本身就是一些道教色彩甚浓的方士。

第三，他们接受了传统的宗教意识。例如崇"天"，自称"天王"、"太上"，企图从"天"那里找到精神支柱，宣称自己代表着至高无上的神意。另一表现是尚"阳"。自《易大传》以来，神学阴阳五行说都倾向于尚阳，《太平经》更发挥说，"阳"表现为"天"、"道"、"生"等等方面。许生自称"阳明皇帝"，体现了这一观念，同时似乎也反映出他们向往光

① 参见（汉）郑玄：《周易乾凿度》卷上，《文渊阁四库全书》。
② （宋）李昉：《太平御览》卷1，石家庄：河北教育出版社1994年版，第1册，第4页。
③ 《十三经注疏》，北京：中华书局1980年影印本，第1232页。
④ 许慎：《淮南鸿烈解》，《道藏》第28册，第109页。
⑤ （宋）李昉：《太平御览》卷1，石家庄：河北教育出版社1994年版，第1册，第4页。

明的意向。据五行说，黄为土色，黑为水色。东汉王朝尚火，用赤色象征。而马勉、陈景、华孟等人自称“黄帝”、“黄帝子”和“黑帝”，则分别从土继火的五行相生说和水克火的五行相胜说的角度，表明要代汉而立。

从以上这几方面来看，他们的宗教意识都和谶纬神学及早期道教思想有关，他们之所以表现为宗教“异端”，乃在于他们企图推翻东汉封建王朝的腐朽统治。正是在上述历史条件下，灵帝光和七年（184 年，是岁十二月改元中平），终于爆发了波澜壮阔的黄巾大起义。

二、太平道与黄巾大起义

黄巾起义是张角发动的。张角，冀州钜鹿（今河北平乡）人，生年不详，为“太平道”的首领。他布道约始于灵帝即位后的建宁年间（168—172 年）①。据《后汉书 · 皇甫嵩传》记载：

> 初，钜鹿张角自称“大贤良师”（李贤注：“‘良’或作‘郎’”），奉事黄老道，畜养弟子，跪拜首过，符水咒说以疗病，病者颇愈，百姓信向之。角因遣弟子八人使四方，以善道教化天下，转相诳惑。十余年间，众徒数十万，连结郡国，自青、徐、幽、冀、荆、扬、兖、豫八州之人，莫不毕应。遂置三十六方。“方”犹将军号也。大方万余人，小方六七千，各立渠帅。讹言“苍天将死，黄天当立，岁在甲子，天下大吉。”以白土书京城寺门及州郡官府，皆作“甲子”字。中平元年，大方马元义等先收荆、扬数万人，期会发于邺。元义数往来京师，以中常侍封谞、徐奉等为内应，约以三月五日内外俱起。未及作乱，而张角弟子济南唐周上书告之，于是车裂元义于洛阳。灵帝以周章下三公、司隶，使钩盾令周斌将三府掾属，案验宫省直卫及百姓有事角道者，诛杀千余人，推考冀州，逐捕角等。角等知事已露，晨夜驰敕诸方，一时

① 据《后汉书》卷 54《杨赐传》、《后汉书》卷 8《灵帝纪》和袁宏《后汉纪》卷 24《灵帝纪》，考得杨赐在第二次任司徒时（179—181 年）三十六方组织当已形成。由《后汉书》卷 71《皇甫嵩传》“十余年间……遂置三十六方”（第 8 册，第 2299 页），上推十余年，可知张角布道至少始于建宁年间。

> 俱起，皆著黄巾为标帜，时人谓之黄巾，亦名为“蛾贼”（李贤注：“蛾……即‘蚁’字也。谕贼众多，故以为名”）。杀人以祠天。角称“天公将军”，角弟宝称“地公将军”，宝弟梁称“人公将军”。所在燔烧官府，劫略聚邑，州郡失据，长吏多逃亡。旬日之间，天下响应，京师震动。①

由此可知，他起初自称“大贤良师”②，奉事被统治者视为“善道”的“黄老道”，以为人治病作为手段，以医传教。由于当时疾疫流行，人民纷纷求他治疗，并因而信奉其道。张角在灾情特别严重的冀州布道成功之后，便派了八个弟子到各地传教。到此为止，张角的活动似乎仍属普通的宗教活动。但是到了熹平年间（172—178 年），随着统治阶级内部矛盾的深化，宦官集团在政治斗争中战胜了外戚和士人清议集团，控制了诸州郡的政治和经济，东汉王朝出现深刻的统治危机。张角借此机会发展势力，八州之人（首先是流民）纷纷响应，不少人弃卖家财，投奔张角。司马光记载此事说：“初，矩鹿张角奉事黄、老，以妖术教授，号‘太平道’……自青、徐、幽、冀、荆、扬、兖、豫八州之人，莫不毕应。或弃卖财产，流移奔赴，填塞道路，未至病死者亦以万数。郡县不解其意，反言角以善道教化，为民所归。”③于是约在光和二至四年（179—181 年）之间，张角按照军事编制，将道徒分为三十六方。“方”，袁宏《后汉纪·灵帝纪》作“坊”。王先谦《后汉书集解》引李善云：“《声类》曰：‘方，别屋也’。‘方’与‘坊’，古字通。”按《国语·吴语》：“万人以为方阵”，“方”实为一种军事编制。道徒们四出传播“苍天已死，黄天当立，岁在甲子，天下大吉”的谶语，预定在甲子年（即中平元年或光和七年，公元 184 年）三月五日各地同时起义。据《三国志·孙坚传》记载，张角还“自称‘黄天泰平’”。

张角一派在八州的发展，声势浩大，但是因有桓帝崇奉黄老道的先例，

---

① 《后汉书》，北京：中华书局 1965 年版，第 8 册，第 2299—2300 页。

② 或可断为“大贤、良师”，固《太平经》有“良师”和“大贤”的提法。《后汉书》卷 54《杨赐传》亦言：“先是，黄巾帅张角等执左道，称大贤，以诳耀百姓，天下繦负归之。”见于《后汉书》，北京：中华书局 1965 年版，第 7 册，第 1784 页。

③ （宋）司马光：《资治通鉴》卷 58《汉纪五十》，北京：中华书局 1956 年版，第 5 册，第 1864 页。

加之灵帝本人也信道，统治阶级内部大多数人还以为张角仍在传布“善道”。只有少数人意识到危险，如杨赐在第二次任司徒时(179—181年)就召告刘陶：“张角等遭赦不悔，而稍益滋蔓，今若下州郡捕讨，恐更骚扰，速成其患。且欲切敕刺史、二千石，简别流人，各护归本郡，以孤弱其党，然后诛其渠帅，可不劳而定，何如?”刘陶十分赞成，说：“此孙子所谓不战而屈人之兵，庙胜之术也。”①后来由于他去位，所论之事留在宫禁之中，并未施行。其他如司空张济在光和二年(179年)以后，司尉刘宽在熹平、光和年间，侍御史刘陶在光和六年(183年)“并陈角反谋，宜时捕讨以绝乱原”②。直到起义的前一年，刘陶和奉车尉乐松、议郎袁贡联名上疏，言：“今张角支党不可胜计，前杨赐奏下诏书，切敕州郡，护送流民，会赐去位，不复捕录。虽会赦令，而谋不解散。四方私言，云角等窃入京师，觇视朝政，鸟声兽心，私共鸣呼，州郡忌讳，不欲闻之，但更相告语，莫肯公文。宜下明诏，重募角等人，赏以国土。有敢回避，与之同罪。”结果如史书所载：“帝殊不悟……明年，张角反乱。”③他之所以“不悟”，乃是由于他也信道④，以为张角等人也像于吉、宫崇那样在行“善道”，所以赦宥张角等人，并没有听取杨赐、刘陶等人的意见。

这样，到了中平元年(184年)，大方渠帅马元义等便收买宦官封谞、徐奉等人作为内应，准备在邺城(今河北临漳)首先发难。就在预定起义日期的约前十天(二月下旬)，由于唐周向灵帝告密，起义的原定计划被打乱，于是，除青、徐二州以外，六州一时并起，提前举行了起义。⑤《郃阳令曹全碑》记载：“光和……七年(184年)三月[曹全]除郎中，拜酒泉禄福长。妖贼张

① 参见《后汉书》卷54《杨赐传》，北京：中华书局1965年版，第7册，第1784页。

② (晋)袁宏：《后汉纪》卷24《灵帝纪》，北京：中华书局2002年版，第473页。按：年代参范书、袁纪考得。

③ 《后汉书》卷57《刘陶传》，北京：中华书局1965年版，第7册，第1849页。

④ 灵帝信道，可见于《后汉书·襄楷传》的记述：桓帝时，襄楷上疏，希望朝廷采用《太平经》，“及灵帝即位，以楷书为然”。

⑤ 袁宏《后汉纪·灵帝纪》“唐周”作“沛阴人唐客”，并说：五月“乙卯，马元义等于京都谋反，伏诛”。与范晔所记异。但《后汉书·灵帝纪》、《后汉纪·灵帝纪》和晋司马彪《续汉书·五行志》皆载二月提前起义事。

角起于幽冀,兖豫荆扬同时并动。”[①]《后汉书·傅燮传》记载傅燮为护军司马,与左中郎将皇甫嵩讨张角,上疏说:“今张角起于赵、魏,黄巾乱于六州。”李贤注云:“此云‘六州’,盖初起时也。”[②]袁宏《后汉纪·灵帝纪》略同。陈寿说“三十六方一旦俱发”(《三国志·孙坚传》),司马彪或云“三十六方,四面出和”,或云“七州二十八郡同时俱发”(《续汉书·五行志》),都是不对的。

张角和他的弟弟张宝、张梁[③]起兵后,灵帝闻讯,恐惶万状,随即采取了一系列军事、政治措施,全力以赴镇压黄巾军。据《后汉书·灵帝纪》和《皇甫嵩传》的记载:三月三日,以河南尹何进为大将军,将兵屯都亭;设置函谷、大谷、广城、伊阙、轘辕、旋门、孟津、小平津八关都尉,加强防守。并采纳皇甫嵩“宜解党禁”的建议,于三月七日大赦党人,以缓和统治阶级内部矛盾。接着,“发天下精兵,博选将才,以嵩为左中郎将持节,与右中郎将朱儁共发五校、三河骑士及募精勇合四万余人,嵩、儁各统一军,共讨颍川黄巾。儁前与贼波才战,战败。嵩因进保长社(今河南长葛)。波才引大众围城。嵩兵少,军中皆恐……其夕遂大风,嵩乃约敕军士皆束苣乘城,使锐士间出围外纵火大呼,城上举燎应之。嵩因鼓而奔其阵,贼惊乱奔走。会帝遣骑都尉曹操将兵适至,嵩、操与朱儁合兵更战,大破之,斩首数万级。封嵩都乡侯。”皇甫嵩平定波才、彭脱、卜已之后,“时北中郎将卢植及东中郎将董卓讨张角,并无功而还。乃诏嵩进兵讨之。嵩与角弟梁战于广宗(今河北威县东)。梁众精勇,嵩不能克,明日乃闭营休士,以观其变。知贼意稍懈,乃潜夜勒兵,鸡鸣,驰赴其阵,战至晡时,大破之。斩梁,获首三万级,赴河死者五万许人,焚烧车重三万余两(辆),悉虏其妇子,系获甚众。角先以病死,乃剖棺戮尸,传首京师。嵩复与钜鹿太守冯翊郭典攻角弟宝于下曲阳(今

① (清)王昶:《金石萃编》卷18,《历代碑志丛书》,南京:江苏古籍出版社1998年版,第4册,第309页。
② 《后汉书》卷58,北京:中华书局1965年版,第7册,第187页。
③ (宋)司马光:《资治通鉴》卷58《考异》引司马彪《九州春秋》云:“角弟梁,梁弟宝。”袁宏《后汉纪·灵帝纪》作“角弟良、弟宝”。

河北晋县西)，又斩之，首获十余万人，筑京观于城南。”[①]所谓“京观”，即李贤注引杜预《左传注》:“积尸封土于其上，谓之京观。”另一支黄巾主力活动于南阳，“时南阳黄巾张曼成起兵，称‘神上使’，众数万，杀郡守褚贡。屯宛(今河南南阳)下百余日。后太守秦颉击杀曼成，贼更以赵弘为帅，众浸盛，遂十余万，据宛城。[朱]儁与荆州刺史徐璆及秦颉合兵万八千人围弘，自六月至八月，不拔……儁因急击弘，斩之”[②]。朱儁又先后镇压了黄巾余帅韩忠、孙夏率领的起义军。经过九个月的浴血奋战，黄巾军主力终因缺乏经验而失败。官军残酷地屠杀起义者，并且“受降数十万”[③]。这些“受降”者，实际上包括了许多妇女、儿童和老弱病残的人。在镇压黄巾的过程中，军阀们乘机扩张自己的势力，例如曹操就是通过后来收编青州黄巾而起家的。

起义期间，“五斗米道”张修在汉中积极响应。起义失败后，黄巾余部仍在坚持战斗。例如，中平五年(188 年)，益州人马相在绵竹县起义，“亦自号‘黄巾’，合聚疲疫之民数千人，先杀绵竹令，进攻雒县，杀郗俭，又击蜀郡、犍为，旬月之间，破坏三郡。马相自称‘天子’，众至十余万人，遣兵破巴郡，杀郡守赵部。”[④]“冬十月，青、徐黄巾复起”[⑤]。至初平二年(191 年)后，先后众至百万，一直坚持到献帝十二年(207 年)。其余地区尚有郭太的白波黄巾军、张飞燕的黑山军等余部的斗争。但是，这些起义军的宗教特征已不明显，《后汉书·朱儁传》说:“自黄巾贼后，复有黑山、黄龙、白波、左校、郭大贤、于氐根、青牛角、张白骑、刘石、左髭、丈八、平汉、大计、司隶、掾哉、雷公、浮云、飞燕、白雀、杨凤、于毒、五鹿、李大目、白绕、眭固、苦唰之徒，并起山谷间，不可胜数……大者二三万，小者六七千。”他们更带江湖绿林好汉的特色。

这次起义沉重地打击了封建统治，“朝政日乱，海内虚困”[⑥]，东汉王朝随之衰亡。

---

① 《后汉书》卷 71《皇甫嵩传》，北京:中华书局 1965 年版，第 8 册，第 2300—2302 页。
② 《后汉书》卷 71《朱儁传》，北京:中华书局 1965 年版，第 8 册，第 2309 页。
③ 《后汉书》卷 66《王允传》，北京:中华书局 1965 年版，第 8 册，第 2173 页。
④ 《后汉书》卷 75《刘焉传》，北京:中华书局 1965 年版，第 9 册，第 2432 页。
⑤ 《后汉书》卷 8《灵帝纪》，北京:中华书局 1965 年版，第 2 册，第 356 页。
⑥ 《后汉书》卷 71《皇甫嵩传》，北京:中华书局 1965 年版，第 8 册，第 2302 页。

太平道因发动黄巾起义而遭到残酷镇压之后，从此销声匿迹，传授不明；而史书有关其宗教活动的记载又极为零碎，语焉不详，因此人们对于以张角为首的太平道的宗教特征，至今仍了解甚少。这里试就这个问题作一些探索。

据史书记载。初平三年（192 年），青州黄巾百万之众攻入兖州，官军节节败退，于是乃迎曹操领兖州牧，率兵击黄巾。黄巾写信给曹操，劝他不要为虎作伥。信中赞扬了他在济南任相时毁坏淫祀的行动，说："昔在济南，毁坏神坛，其道乃与中黄太一同，似若知道，今更迷惑。"①从这个记载来看，黄巾信奉的是所谓"中黄太一"之道。

"太一"又作"太乙"。"太乙"最早见于卜辞，作人名用，指商汤（成唐）。这是"甲乙丙丁"的"乙"。"太一"借为"太乙"、"泰一"、"泰壹"或"大一"，或指"道"，或指天地未分的混沌，或指"礼"之根本"天"，有时又与"太极"或"一"混用。秦汉之际，"太一"观念便从原始混沌宇宙说逐渐向神化、仙化的神秘思想演变。《吕氏春秋》共五例"太一"，除了音乐本于太一、圣王德合太一各一例之外，三例指"道"或"太极"。《大乐篇》说："万物所出，造于太一，化于阴阳。""太一出两仪，两仪出阴阳。""道也者，至精也，不可为形，不可为名，强为之[名]，谓之太一。"《淮南子》共 11 例，其中作为原始宇宙意义的如《诠言篇》："洞同天地，浑沌为朴，未造而成物，谓之太一。"与此同时，还出现了另一意义，即天神太一。《天文》说："太微者，太一之庭也；紫宫者，太一之居也。"《主术篇》还说："天气为魂，地气为魄，反之玄房，各守其地。守而勿失，上通太一。"《史记》共有 53 处提到"太一"，其中绝大部分跟崇奉天神太一有关。《史记·天官书》说太一居紫微宫北辰："中宫天极星，其一明者，太一常居也。"②"天极星"即北辰、北极星。张守节《正义》说："泰一，天帝之别名也。"秦汉时候，"太一"被认为是紫微宫北极天帝或"天皇大帝"③，当作在天中央主宰四方

① 《三国志》卷 1《魏书·武帝纪》裴松之注引王沈《魏书》，北京：中华书局 1959 年版，第 1 册，第 10 页。

② 《史记》，北京：中华书局 1959 年版，第 4 册，第 1289 页。

③ 另参司马贞《史记索隐》考证《史记·封禅书》时所引《石氏星经》及《汉书·李寻传》孟康注。

的最高神。《三辅黄图》卷一《咸阳故城》记载:秦始皇“二十七年(前 220 年)作信宫渭南,已而更命信宫为极庙,象天极。……筑咸阳宫,因北陵营殿,端门四达,以则紫宫①,象帝居”。汉武帝采纳方士的建议,明确地把“太一”当作最高神。《史记·封禅书》载:亳人谬忌奏祠太一方,说:“天神贵者太一,太一佐曰五帝。古者天子以春秋祭太一东南郊,用太牢,七日,为坛开八通之鬼道。”于是,武帝祠“太一”于长安东南郊,后来又以郊天之礼祭“太一”②。至两汉之际,“太一”又被视为比北斗神黄帝更高明的神仙③,如《汉书·王莽传》引《紫阁图》文:“太一、黄帝皆仙上天。”④纬书《春秋合诚图》有所谓“黄帝请问太乙长生之道”的说法。⑤ 早期道教有关的文献、碑铭如《黄帝内经》、《太平经》、《参同契》、《老子铭》等,大多出现了“太一”信仰,并有“太一”位于中央的观念。例如,《太平经》说:“然天地之道所以能长且久者,以其守气而不绝也……乃上从天太一也,朝于中极,受符而行,周流洞达六方八远,无穷时也。”⑥东汉时期好“黄老道”者以成仙为“道成德就”的标志,而他们又是基于人身是一个小天地的观念,把“守一”或“存想太一”作为得道成仙的途径,并且认为老子“存想丹田太一紫房”,就感通了紫微宫北极太一神,于是“道成身化,蝉蜕渡世”⑦。

以上说明,太一信仰是已有的信仰;而黄巾在“太一”之前冠以“中黄”二字,不仅是与“太一”居中的观念相关,而且也是跟五行观念相通的。中国先秦以来有五行土居中、色尚黄和黄为大吉之色的观念。《诗纬》还说:“北极天皇大帝,其精生人。”⑧张角一派信仰“中黄太一”,崇尚黄色,大概

① 毕沅按云;“则”,旧本皆作“制”,《艺文类聚》、《初学记》及《长安志》等书皆作“则”。今依改之。

② 《史记》,北京:中华书局 1959 年版,第 4 册,第 1386、1395 页。

③ 这种观念大概来自北斗围绕北极旋转的视运动现象。例如《淮南子·天文》说:“太微者主朱雀,紫宫执斗而左旋……冬至则斗北中绳,阴气极,阳气萌,故曰冬至为德……阴气极则北至北极,下至黄泉。”

④ 《汉书》,北京:中华书局 1962 年版,第 12 册,第 4154 页。

⑤ (明)陶宗仪编:《说郛三种》,上海:上海古籍出版社 1988 年版,第 225 页。

⑥ 王明:《太平经合校》,北京:中华书局 1960 年版,第 450 页。

⑦ (清)严可均辑:《全上古三代秦汉三国六朝文》,北京:中华书局 1958 年版,第 1 册,第 813 页。

⑧ (清)黄奭:《汉学堂知足斋丛书》中《诗纬》一节无此段语句。

与之都有关系。而且尚黄在当时历史条件下恐怕也隐含推翻东汉王朝、建立“黄天太平”社会的意愿。据史载，“桓灵之间，诸明图谶者，皆言汉行气尽，黄家当兴”。① 青州黄巾军在致曹操的信中也说：“汉行已尽，黄家当立。天之大运，非君才力所能存也。”②所谓“汉行”就是指汉王朝在五行中所主的德运气行。这是“五德终始”的迷信说法。秦始皇尚水，汉初沿而未改。至武帝时推五行相胜说，土克水，遂定汉为土德。后来王莽篡政，改汉土德为火德，以五行相生说自称得土德。东汉光武帝由于接受《赤伏符》而登上皇帝宝座，因此也以火德自居，尚赤；以后终东汉一代，再未改变。所以，在东汉，“汉行”即指火德，以黄为标志，便是表明要代汉而立。但是，为什么黄巾又宣称“黄天当立”呢？这大概是因为根据阴阳五行说，天地各有五行。《汉书》卷二十七《五行志》发挥《易大传》的术数观念，说：

> 天以一生水，地以二生火，天以三生木，地以四生金，天以五生土。五位皆以五而合，而阴阳易位，故曰“妃以五成”。然则水之大数六，火七，木八，金九，土十。故水以天一为火二牡，木以天三为土十牡，土以天五为水六牡，火以天七为金四牡，金以天九为木八牡。阳奇为牡，阴耦为妃。③

数奇象征天、象征阳，数偶象征地、象征阴。秦始皇、西汉武帝和东汉光武帝皆据此观念建制，他们分别以数六、五、七表示水之阴德、土之阳德和火之阳德，用黑、黄、赤来象征。《太平经》也有“天土”、“地土”之分，如说“天土出圣智土（按第二个“土”字疑衍），地土有贤”，“天门地户相对，阴阳相望”④，等等。《老子河上公章句》说“天门谓北极紫微宫”，《太平经》中所谓“天门”亦应指北极。因为其中说：“当白日升天之人，求生有籍，著文北极天君内簿，有数通。”⑤“神仙之录在北极，相连昆仑，昆仑之墟有真人，上下有常。

---

① 《三国志·魏书·武帝纪》注引鱼豢《魏略》，北京：中华书局1959年版，第1册，第53页。

② 《三国志·魏书·武帝纪》注引王沈《魏书》，北京：中华书局1959年版，第1册，第10页。

③ 《汉书》第5册，北京：中华书局1962年版，第1328页。此以《左传》载陈国发生火灾，裨灶论陈楚两国之水火关系，言“妃以五成”为证。《易大传》原文是：“天一、地二、天三、地四、天五、地六、天七、地八、天九、地十。”

④ 王明：《太平经合校》，北京：中华书局1960年版，第547、548页。

⑤ 王明：《太平经合校》，北京：中华书局1960年版，第546页。

真人主有录籍之人,姓名相次。高明得高,中得中,下得下,殊无搏颊乞匄者。”[①]可知“黄天”当即所谓“天土”;南阳黄巾张曼成自称“神上使”,应是接受了《太平经》的“天土神使”观念[②]。

张角最初以黄老“善道”教化天下,而起义却突破了“好生恶杀”的清规戒律。起义时“杀人以祠天”[③]。这个“天”指的是“黄天”,也就是“中黄太一”。其神仙系统,还有黄帝、老子(史书说张角“奉事黄老道”[④],故知)。张角兄弟三人分别称“天公将军”、“地公将军”和“人公将军”,其下依次有“八使”、“三十六方渠帅”。其军教合一组织,应与神道信仰有关。天、地、人三正思想流行于汉代,它也是《太平经》的核心观念。《太平经》说:“元气恍惚自然,共凝成一,名为天也(按:当为‘共凝成天,名为一也’);分而生阴而成地,名为二也;因为上天下地,阴阳相合施生人,名为三也。三统共生,长养凡物名为财。”[⑤]在汉代,“公”往往指神,如“社公”特指社神。东汉许慎《五经异义》案称:“今民谓社神为社公,故知社位上公。”[⑥]《礼记·郊特牲·正义》亦引此文;又引郑玄说:“今人亦谓雷为雷公,天曰天公。”“天公”、“地公”和“人公”之名,在汉初伏生所作的《尚书大传》中已经有之,其中说:“烟氛郊社不修,山川不祝,风雨不时,霜雪不降,责于天公;臣多弑主,孽多杀宗,五品不训,责于人公;城郭不缮,沟池不修,水泉不降,水为民害,责于地公。”东汉王充引此文后反驳道:“王者三公,各有所主;诸侯卿大夫,各有分职。大水不责卿大夫而击鼓攻社,何知(如)?”[⑦]据此可知,当指社神。但按郑玄的说法,则张角等人所谓“天公”、“地公”和“人公”可能泛指天、地、人三正之神;自称“天公”、“地公”和“人公”的“将军”,也就表明他们

① 王明:《太平经合校》,北京:中华书局1960年版,第583页。

② 参见王明:《太平经合校》,北京:中华书局1960年版,第572页。按:王莽时已出现“太一之使”的观念。又参见《汉书·王莽传》第12册,北京:中华书局1962年版,第4115页。

③ 《后汉书》卷71《皇甫嵩传》,北京:中华书局1965年版,第8册,第2300页。

④ 《后汉书·皇甫嵩传》。按《论衡·自然篇》云:“贤之纯者,黄老是也。黄者,黄帝也;老者,老子也。”《老子铭》:“皇上(桓帝)……潜心黄轩,同符高宗,梦见老子,尊而祀之。”均可证“黄老”系指黄帝与老子。

⑤ 王明:《太平经合校》,北京:中华书局1960年版,第305页。

⑥ (清)惠栋:《后汉书补注》卷19“社公”条引。

⑦ (清)王充:《论衡·顺鼓篇》,《诸子集成》,北京:中华书局1954年版,第7册,第154页。

是“黄天”派下来的将军。“八使”或许与八卦神观念有关。纬书《易乾凿度》有所谓“太一取其数以行九宫”之说,此即数学史上著名的边三、中三、斜三均十五之数的幻方。① 郑玄注云:“太一者,北辰神名也。下行八卦之宫,每四乃还于中央。”②后来道书《老子中经》载称:“太一君有八使者,八卦神也。太一在中央,主总阅诸神,案此定录,不得逋亡。八使者,以八节之日上对太一。”“八卦天神,下游于人间,宿卫太一,为八方使者,主八节日上计,校定吉凶。”③《老子中经》所谓“太一君”亦名“太一北极君”,与《太平经》北极天君主神仙录籍之说吻合。三十六为易家术数,这一数字的神秘化可能与一年有360天约数有关。中国古代以算筹计数,逢零空位,故36与360看起来并无区别④。揲蓍之法,三变而得36、32、28、24四种可能的策数,除以4分别得9、8、7、6所谓老阳、少阳、少阴、老阴之数。9与6为变,7与8为不变。根据其奇、偶画成——、— —爻象,六爻而成一重卦。此即《易系辞》上所说“是故四营而成易,十有八变而成卦”。三十六为易卦阳变之数九的倍数,素为谶纬术数家所重。例如,纬书《河图》9篇(九为阳变之数),《雒书》6篇(六为阴变之数),《七经纬》36篇(三十六表示周遍之义)⑤。《后汉书·张衡传》注引桓谭《新论》:“《玄经》三篇,以纪天、地、人三道,立三体有上、中、下,如《禹贡》之陈三品。三三而九,因以九九八十一,故为八十一卦。以四为数,数从一至四,重累变易,竟八十一而遍,不可损益。以三十六蓍揲之。”⑥故知扬雄《太玄》揲蓍法,亦重三十六这个数字。汉制也常用此数,一如重视九、六。《史记·留侯世家·索隐》按云:“《汉官仪》天子属车三十六乘。”汉皇帝死后,明器规定有刍灵(护持之灵)三十六匹⑦。西汉建三十六宫,班固《两都赋》“离宫别馆三十六所”即指此。《续汉书·祭祀志》注引蔡邕《明堂论》载称:“太

① 参见《钱宝琮科学史论文选集》,北京:科学出版社1983年版,第229—230页。
② 《后汉书》卷59《张衡传》注引,北京:中华书局1965年版,第7册,第1912页。
③ (宋)张君房:《云笈七籤》卷18《三洞经教部》,《道藏》第22册,第135—136页。
④ 参考杜石然等编:《中国科学技术史稿》上册,北京:科学出版社1982年版,第132—133页。
⑤ 《隋书·经籍志》著录。郑玄注《乾凿度》称“孔子将此应之而作三十六谶”,即《隋志》著录的《七经纬》36篇。《隋志》又著录《河洛》又30篇,共计81篇,正合张衡所说“《河》《洛》五九,《六艺》四九”(《后汉书》本传注)之数。
⑥ 《后汉书》卷59,北京:中华书局1965年版,第7册,第1898页。
⑦ 《长安县三里村东汉墓葬发掘简报》,《文物参考资料》1958年第7期。

庙、明堂三十六丈,通天屋径九丈,阴阳九六之变也。圆盖方载,九六之道也。八闼以象八卦,九室以象九州,十二宫以应辰,三十六户、七十二牖,以四户八牖乘九室之数也……通天屋高八十一尺,黄钟九九之实也。二十八柱列于四方,亦七宿之象也。堂高三丈,以应三统,四乡(向)五色者,象其行。外广二十四丈,应一岁二十四气。四周以水,象四海。王者之大礼也。"①纬书《礼含文嘉》也说:"明堂……三十六户法三十六气。"又《新论》云:明堂"上圆法天,下方法地,八窗法八风,四达法四时,九室法九州,十二坐法十二月,三十六户法三十六雨,七十二牖法七十二风"②。这些术数观念为道教所继承。道教尤重三十六,例如:宣称天上有三十六宫,北斗丛星中有三十六天罡星,地上有三十六洞天;道书三十六周遍,道士炼养时叩齿三十六下,等等。三十六方组织的设置,实体现了这种术数观念。早期正一道即五斗米道设有二十四治,以应一岁二十四气,也是这种术数观念的表现。

"太平道"也和"五斗米道"一样,具有浓厚的巫术色彩。1935 年春,同蒲路开工时,得到一个瓦盆,盆内四周有丹书 219 字,据称是太平道的道士所为③。其云:"熹平二年(173 年)十二月乙巳朔十六日庚申,天帝使者告张氏之家三丘五墓、墓左墓右、中央墓主、冢丞冢令、主冢司令、魂门亭长、冢中游击等;敢告移丘丞樶柏(墓伯)、地下二千石、东冢侯、西冢伯、地下击犆卿、秏里伍长等:今日吉良,非用他故,但以死人张叔敬,薄命蚤(早)死,当来下归丘墓。黄神主五岳,主生人录;召魂召魄,主死人籍。生人筑高台,死人归,深自貍(埋),眉须以落,下为土灰。今故上复除之药,欲令后世无有死者。上党人参九枚,欲持代生人,铅人持代死人。黄豆瓜子,死人持给地下赋。立制牡厉,辟除土咎,欲令祸殃不行。传到约敕地吏,勿复烦扰张氏之家。急急如律令。"④这是当时方士或道士比较典型的镇墓解除文,"急急如律令"或"如律令"后来成了道教劾鬼祛邪的常用咒语。从文中可见,地下阴间不过是现实人间的虚幻反映。"解除墓门"乃是早期正一道的方术内容

① 《后汉书》,北京:中华书局 1965 年版,第 11 册,第 3180 页。
② 《续汉书·祭祀志》刘昭注补,《后汉书》,北京:中华书局 1965 年版,第 11 册,第 3177 页。
③ 详见《关于凤凰山一六八号汉墓座谈会纪要》,《文物》1975 年第 9 期。
④ 郭沫若:《奴隶制时代》,北京:人民出版社 1973 年版,第 94 页。

之一,在《正一法文经章官品》中“主葬送冢墓鬼”、“主先祖病子孙”、“收死人耗害”等条有所体现。太平道在这方面,与五斗米道完全相同。据史载,太平道以符咒为主要道术,张角就用符水咒说为人治病。三国鱼豢说:“太平道者,师持九节杖为符祝,教病人叩头思过,因以符水饮之。得病或日浅而愈者,则云此人信道;其或不愈,则为不信道。”①道师持九节杖为符祝与阴阳术数的鬼神观念有关。《神仙传》说,道士王遥使一姓钱的弟子以九节杖担箧,遇雨不沾湿。②《茅君传》云:“太素真人把八景飞杖,九色之节,出入上清三天,玉童头连三角黄巾,手把九节金杖。”③道教认为神属阳气,鬼属阴气,而九为阳变之数,所以,九节杖应是太平道师招神劾鬼之具。

宗教服饰和宗教组织、仪式一样,体现着宗教意识。黄巾奉事“中黄太一”之“道”,崇尚“黄天”,也表现在他们服着黄色方面。杨泉《物理论》说:“黄巾被服纯黄,不将尺兵,肩长衣,翔行舒步,所至郡县无不从,是日天大黄。”④这虽然有某些夸张之处,但他们头裹黄巾,许多人穿着黄服,则是可信的。戴黄冠、着黄服始于先秦时代⑤,是土德、吉利的象征,到后世,“黄冠”成了道士的别称。

张角等人还深受谶纬神学的影响。他们约定首先在邺城发难,就是按照谶语行事的。晋代干宝对大方首领马元义等人集合荆、扬兵众,“期会发于邺”这一史实解释道:“起于邺者,天下始业也。”⑥这正是谶纬迷信的解字法。直到北魏神瑞二年(415 年)时,太史令王亮、苏坦和华阳公主等人还因谶书言“国家当都邺”⑦,而劝明元帝拓跋嗣迁都邺城。

“苍天已死,黄天当立,岁在甲子,天下大吉”16 字口号也是一句谶语,

---

① 《三国志》卷 8《张鲁传》注引《典略》,北京:中华书局 1959 年版,第 1 册,第 264 页。
② 参见(晋)葛洪:《神仙传》卷 3,清光绪二年(1876 年),红杏山房刊《汉魏丛书》本。
③ (宋)李昉:《太平御览》卷 675《道部十七》“杖”条,石家庄:河北教育出版社 1994 年版,第 6 册,第 290 页。
④ 《续汉书·五行志》注引,《后汉书》,北京:中华书局 1965 年版,第 11 册,第 3346 页。
⑤ 《礼记·郊特牲》:“蜡之祭,仁之至,义之尽也。黄衣、黄冠而祭,息田夫也。”这是“黄冠”一词早见于文献者。
⑥ (晋)干宝:《搜神记》卷 6,北京:中华书局 2009 年版,第 128 页。
⑦ 《北史》卷 21《崔浩传》,北京:中华书局 1974 年版,第 3 册,第 772 页。

其意何在,历来是一个谜。不少人对它作了种种解释,但都还是假说或猜测①。黄巾起义口号就是以这种神秘的形式表达了汉末人民向往“太平”、

① 有相当一部分人认为,这是根据的“五德终始”说,即,以黄代苍表明主土德的黄巾取代主火德的东汉王朝。但难解之处在于:苍为木色。以五行相生说推,木生火而不生土;以五行相胜说推,土不能克木而反为木所克;何况时人皆知东汉王朝主火德、尚赤。于是有人推测说:“苍天”本作“赤天”,奏报者避汉讳,因改“赤”为“苍”。也有人认为,改“赤”为“苍”的是张角等人,“苍死黄立”就是说木已死而土得生,东汉王朝的命根已经死去,黄巾政权将要建立。这种解释的根据是汉代流行的五行王相休囚废说。据此说推,五行木生火,汉主火德,以木为根。按:此释近真。据《后汉书·荀爽传》载,延熹九年(166年),太常赵典举荀爽至孝,拜郎中,荀爽对策陈便宜曰:“臣闻之于师曰:‘汉为火德,火生于木,木盛于火,故其德为孝,其象在《周易》之《离》’。”李贤注云:“火,木之子;夏,火之位。木至夏而盛,故为孝。”这种观念与《太平经》“天道困木而出,以兴火行”(王明:《太平经合校》,北京:中华书局1960年版,第65页)的说法,是完全吻合的。

有人注意到“苍死黄立”口号跟马勉称“黄帝”的情况有相通之处,并认为“岁在甲子,天下大吉”是从“甲子”谶而来的。据此,有人便提出,可以依所谓“五行主时”法(即指土主四季中每一季的最后18天)通解黄巾口号:以黄代苍可以归结为甲子年春天木、土二气交替,推算“苍黄之交”落在三月乙丑即二十日,因有或前或后、相差一天的可能性,故可比定在三月甲子即十九日。黄巾口号本在说,甲子年三月甲子是个大吉的日子。它在当时属于应验土主的谶语,历史的依据是从西汉就开始流行的“赤厄三七”谶。这种看法仍然确认黄为土德的象征,但问题在于它所依据的《三国志》有关“三月甲子”的记载是错误的。《三国志·吴书·孙坚传》说:“中平元年,黄巾贼帅张角起于魏郡,托有神灵,遣八使以善道教化天下,而潜相连结,自称‘黄天泰平’。三月甲子,三十六方一旦俱发,天下响应,燔烧郡县,杀害长吏。”这段记载失实,是由于陈寿对原始资料的过分裁削所致:(1)从张角派遣八使到发动起义,中经十余年,但在文中被笔削成突然在中平元年两个月内发生的事情。(2)黄巾起义口号明明说“甲子”是“大吉”之“岁”,而不是“大吉之日”(干宝《搜神记》卷6也说,此口号为“苍天已死黄天立,岁名甲子年,天下太吉”)。原定起义日期是三月五日,实际上起义提前在二月间爆发。而文中颠倒了“甲子”和“三月”的先后次序,误简为“三月甲子,三十六方一旦俱发”。这样,黄巾就不是在二月间而是在三月甲子即三月十九日发难的了。但这与一系列史书记载不符,可见黄巾起义口号与“三月甲子”说无关。又,从光武帝建武元年(25年)至黄巾起义(184年)不到160年,与“赤厄三七”预言的210年差距甚大,黄巾起义口号也不是根据的此谶。今考史书和纬书,在东汉前、中期有汉享国400年之说(见于《后汉书·张衡传》、《翟酺传》注引《益部耆旧传》、《春秋演孔图》等),杨厚在顺帝永建二年(127年)曾上言汉350年厄运(《后汉书·杨厚传》)。

除此之外,尚有单纯从社会政治意义方面解释黄巾起义口号的;还有人认为,口号中的“苍天”和“黄天”分别代表了“恐怖的上帝”和“慈悲的上帝”、“旧的假命天子”和“新的真命天子”,等等。

“大吉”的生活的愿望。在这里，“黄天泰平”或许集中体现了该派的信仰和教义。古代除了有黄为大吉之色的观念以外，还有以苍为凶的象征的观念，如《史记·天官书》记载张守节《正义》说“苍者主凶，黄者主吉”，即是。出土的曹操宗族墓砖辞也有“仓（苍）天乃死（葬？）”的字样①，可能与此有关。以“大吉”、“太平”的“黄天”取代“苍天”，就其宗教神秘形式而言，应与张陵一派以“道炁”取代“故炁”的教义相似，也是与“汉行已尽，黄家当兴”的谶语相一致的。

黄巾选择甲子年三月五日发动起义，也体现出他们的神学观念。汉代流传着“甲子大吉”的说法，这在出土文物中得到了印证：清代张廷济所藏东汉砖瓦拓片有“甲子大吉”上下排列、一正一反的文字。② 甲子或计年，或如纬书天元术所说，在十一月冬至表示一个新的开端。③《太平经》接受这种观念，说：“潜龙者，天气还复初九（按：复卦在十二月消息卦中为十一月卦，第一爻初九表阳气复生、万物始萌），甲子岁也，冬至之日也，天地正始起于是也……凡物生者，皆以甲为首，子为本，故以上甲子序出之也。”④选择甲子年起义应当说包含着上述“大吉”和“更始”的意味，起义日期定于三月五日或许也有这层意思。汉代谶纬神学宣扬“三五”说；所谓“三五”，就是指天、地、人三正和金、木、水、火、土五行。谶纬家赋以神秘的意味，认为其相包循环意味着朝代兴替。例如《后汉书·郎𫖮传》载郎𫖮语：“臣闻天道不远，三五复反。”注引纬书《春秋合诚图》和《春秋保乾图》“至道不远，三五而反”、“三五展转，机以动转”，宋均注云：“三正五行，王者改代之际会。”《太平经》也有关于“三五”的神秘说法：“三五气和，日月常光明，乃为太平。”⑤黄巾选定三月五日起义，应是当时的迷信思想方式的表现。一个类似的例证见于《风俗通·正失》“批把”条：“以手批把，因以为名。长三尺五寸，法天地人与五行；四弦象四时。”只因三、五数字相同，便以为其中蕴

① 田昌玉：《读曹操宗族墓砖刻辞》，《文物》1978年第8期，第50页。

② 参见谢国桢：《从出土文物中看东汉黄巾起义》，《史学月刊》1982年第2期。

③ 参见孙瑴《古微书》、黄奭《通纬逸书考》等。

④ 王明：《太平经合校》，北京：中华书局1960年版，第65—66页。

⑤ 王明：《太平经合校》，北京：中华书局1960年版，第734页。

含着三正五行的语义。

综上所述,太平道是以阴阳五行、符箓咒语等为其根本教法的,这与《太平经》的奉天地、顺阴阳五行而杂以巫术的情况也基本相合,表明太平道确系受有《太平经》的影响。由于黄巾起义的失败,太平道组织被破坏,以后是否还有流传,尚待研究。从《三国志·孙策传》裴松之注引《江表传》、《搜神记》的情况来看,有一个与得"神书"《太平经》的于吉同名的道士到江东活动,被割据一方的军阀孙策所杀。《江表传》载云:

> 时有道士琅邪于吉,先寓居东方,往来吴、会,立精舍,烧香读道书,制作符水以治病,吴会人多事之。策尝于郡城门楼上集会诸将、宾客,吉乃盛服杖小函,漆画之,名为仙人铧,趋度门下。诸将、宾客三分之二下楼迎拜之,掌宾客者禁呵不能止,策即令收之。诸事之者悉使妇女入见策母,请救之。母谓策曰:"于先生亦助军作福,医护将士,不可杀之。"策曰:"此子妖妄,能幻惑众心,远使诸将不复相顾君臣之礼,尽委策,下楼拜之,不可不除也。"诸将复连名通白事陈乞之,策曰:"昔南阳张津为交州刺史,舍前圣典训,废汉家法律,常著绛帕头,鼓琴烧香,读邪俗道书,云以助化,卒为南夷所杀。此甚无益,诸君但未悟耳。今此子已在鬼箓,勿复费纸笔也。"即催斩之,县(悬)首于市。诸事之者尚不谓其死,而云尸解焉,复祭祀求福。①

这是有关太平道的一点线索,然其徒众以后的情况如何,亦不得而知。从后世宗教异端中,可以看出黄巾张角的影响的某些痕迹。例如,波斯摩尼教传入中国后,吸取道教的因素而形成一种秘密宗教——明教。唐末即在南方流行,五代时农民曾利用它组织起义,到了北宋时已遍布淮西、江东西、两浙、福建等地,宋徽宗在位期间方腊起义,曾利用这种宗教,被统治者诬称为"食菜事魔教"。明教尊张角为教祖,崇拜日月光明神;其主要教义是所谓"二宗(明、暗)三际(过去、现在、未来)"说,即认为光明与黑暗的斗争经历了混沌一体的初际、黑暗压迫光明以及光明战胜黑暗的中际、与二者各复原位的后际。该派还提倡平等、互助,不吃荤酒,死后裸葬。又如,清代中期川

① 《三国志》卷46《吴书·孙策传》,北京:中华书局1959年版,第5册,第1110页。

陕等五省农民起义以白莲教相号召，起义口号中有一条谶语：“黄天将死，苍天当生，大劫在迩，人民有难。”①尽管“苍天”和“黄天”互易其位，但无疑是受了黄巾起义口号的启发而提出来的，它的提出显然同样是针对当时社会危机的。

汉代是道教的孕育和草创的时期，一些“好道者”为拯救封建统治危机和社会危机，而陆续造作道书，托“神意”以求太平，但上不为当权者采纳，而在民间却为深受疾苦灾难，需要精神慰藉的群众所信向。他们以“符咒治病”或“静室思过”以除病的简便方法，教以善道，发展信徒，建立有组织有规诫的宗教团体，出现了有道士和道徒组成的群众性的神学信仰组织，标志着道教的正式产生。但在阶级社会里，宗教同其他上层建筑一样，总要受到社会基本矛盾运动的制约，道教在封建社会的汉代出现以后，同样受到农民群众与封建统治阶级这一基本矛盾运动的影响。五斗米道首领张鲁执政汉中，采取政教合一的组织形式，以维护地区安宁；太平道首领张角，在中原广大地区采用军教合一的组织形式，以领导黄巾农民大起义，就是阶级斗争利益影响宗教，宗教组织形式服务于阶级斗争需要的表现。从道教出现后的这一社会作用表明，封建地主阶级本想利用神道设教维护统治地位，但在阶级矛盾激化、广大人民难以生存的条件下，神道设教亦被农民群众用作反抗剥削和压迫、维护自身利益的武器。尽管太平道领导的黄巾起义被残酷镇压，五斗米道在张鲁投降曹操以后，也受到一些挫折，但早期道教这两大派别的理论和各具特色的实践，却提供了有益的教训，成为中国道教史、中国思想史以及中国农民战争史上的重要一页。

① （清）刘绍文修，洪锡畴纂：（道光）《城口厅志》卷十二，清道光二十四年刻本，第496页。

第三章

道教在魏晋时期的分化和发展

第一节　魏晋天师道在北方的传播发展

一、魏晋时期统治者对道教的两手政策和道教的分化

东汉时候的早期道教，主要是活动于下层劳动者中间，往往与农民革命相结合，成为革命的联络工具和组织形式。因此，从黄巾起义以来，封建统治者由于害怕农民起义者利用宗教组织来进行革命，便对民间的早期道教活动采取了两手政策，一方面进行限制或镇压，另一方面又进行利用或改造。加之这个时期道教本身缺乏统一领导，组织非常涣散，很多高级士族又加入道教，遂促使道教发生了分化：一部分向上层发展，“攀龙附凤”，参与宫廷政治，成为为封建统治服务的驯服工具；一部分逃遁山林，服食修道，企图超脱于尘世之外，遗世而独立；还有一部分，则继续活动于民间，为农民起义者所利用。这种分化，是从曹魏时期开始的。

被士族称为“乱世之奸雄”的曹操，出身宦官家庭，起初仅是顿丘的一个小吏，汉灵帝光和（178—183 年）末，因镇压颍川黄巾起义军有功而逐渐飞腾。特别是汉献帝初平三年（192 年），因击败青州黄巾起义军，占领兖州，得其降卒三十余万，选拔精锐，号为青州兵，从此才自成一个独立的力量。建安元年（196 年），又击败汝南、颍川的黄巾起义军，收其降卒数万，并占领汝南、颍川两郡，又率兵把汉献帝迎到颍川郡的许昌，开始用汉献帝的名义发号施令，在政治上掌握了主动权，在军事上也建立了坚实的基础。可见，曹操是靠镇压太平道所发动的黄巾起义起家，并逐步占领地盘和扩充其实力的。他在建立起自己的封建统治之后，当然不会忘记近在眼前的这次

起义的教训,因而对早期道教和其他祠祀巫祝的活动采取了笼络利用和控制镇压相结合的两手政策。这主要表现在如下两个方面:

（一）广泛招致各种很有影响的方术道士，采取“聚而禁之”的办法，以防止他们“挟奸宄以欺众，行妖慝以惑民”①

曹操招集方术道士的情况,在曹植的《辩道论》和曹丕的《典论》等文献中皆有记载,张华的《博物志》更详列“魏王所集方士名”:

上党王真
陇西封君达
甘陵甘始
鲁女生
谯国华佗字元化
东郭延年
唐霅
冷寿光
河南卜式
张貂
蓟子训
汝南费长房
鲜奴辜
魏国军吏河南赵圣卿
阳城郗俭字孟节
卢江左慈字元放

并谓这些人都是“《周礼》所谓怪民,《王制》称挟左道者也”②。他们所挟的道术,在《后汉书·方术列传》、《道藏·汉武帝外传》等文献中都有一些记载,当时所流行的这些方术以及丹书符图等,与以后的道教关系十分密切。为了了解其源流,有必要在这里分别作一些介绍。

---

① (三国)曹植:《辩道论》,见《三国志》卷29《魏书》第29《方技传》裴松之注引,北京:中华书局1959年版,第3册,第805页。

② (魏)张华撰,范宁校正:《博物志校正》,北京:中华书局1980年版,第61—62页。

华佗，一名旉，字元化，沛国谯人。“游学徐土，兼通数经。晓养性之术，年且百数而犹有壮容，时人以为仙。”①他对做官不感兴趣。“沛相陈珪举孝廉，太尉黄琬辟，皆不就”②。致力于医学和养生学。他的方药、针灸之术都很有名。据《后汉书》佗本传的记载，他“精于方药，处齐（剂）不过数种，心识分铢，不假称量。针灸不过数处”③。“（曹）操积苦头风眩，佗针，随手而差”④。尤其擅长外科手术，发明麻醉药和神膏，能破腹背，湔肠胃，而无痛苦。“若疾发结于内，针药所不能及者，乃令先以酒服麻沸散，既醉无所觉，因刳破腹背，抽割积聚。若在肠胃，则断截湔洗，除去疾秽，既而缝合，傅以神膏，四五日创愈，一月之间皆平复。”⑤他对古代的导引很有研究，并在这个基础上发明了一种强身术，叫作“五禽戏”。其法乃是仿效五种禽兽之动态，借以流通血脉，强健身体，以达到养生祛疾、益寿延年。华佗将此术传授其弟子广陵吴普时说：“人体欲得劳动，但不当使极耳。动摇则谷气得销，血脉流通，病不得生，譬犹户枢，终不朽也。是以古之仙者为导引之事，熊经鸱顾，引挽腰体，动诸关节，以求难老。吾有一术，名五禽之戏：一曰虎，二曰鹿，三曰熊，四曰猿，五曰鸟。亦以除疾，兼利蹄足，以当导引。体有不快，起作一禽之戏，怡而汗出，因以著粉，身体轻便而欲食。”⑥这不仅说明了此术之所以能够强身祛病的理由，这种理由，至今看来，仍然是正确的；同时还说明了这种“五禽戏”，乃是古代神仙家导引术的继承和发展。据称吴普照此术“施行之，年九十余，耳目聪明，齿牙完坚”⑦，效果甚好。华佗的另一个弟子彭城樊阿，擅长针术。“阿从佗求方可服食益于人者。佗授以漆叶青黏散：漆叶屑一斗，青黏十四两，以是为率。言久服，去三虫，利五藏，轻体，使人头不白。阿从其言。寿百余岁”⑧。《后汉书》佗本传注引《佗别

---

① 《后汉书》卷82下《方术列传》，北京：中华书局1965年版，第10册，第2736页。
② 《后汉书》卷82下《方术列传》，北京：中华书局1965年版，第10册，第2736页。
③ 《后汉书》卷82下《方术列传》，北京：中华书局1965年版，第10册，第2736页。
④ 《后汉书》卷82下《方术列传》，北京：中华书局1965年版，第10册，第2738页。
⑤ 《后汉书》卷82下《方术列传》，北京：中华书局1965年版，第10册，第2736页。
⑥ 《后汉书》卷82下《方术列传》，北京：中华书局1965年版，第10册，第2739—2740页。
⑦ 《后汉书》卷82下《方术列传》，北京：中华书局1965年版，第10册，第2740页。
⑧ 《后汉书》卷82下《方术列传》，北京：中华书局1965年版，第10册，第2740页。

传》说:“青黏者,一名地节,一名黄芝,主理五藏,益精气,本出于迷入山者,见仙人服之,以告佗。佗以为佳,语阿,阿又秘之。近者人见阿之寿,而气力强盛,怪之,遂责所服食,因醉乱,误道之。法一施,人多服者,皆有大验。”①

冷寿光、唐虞、鲁女生三人者,皆与华佗同时。《后汉书·方术列传》称:“寿光年可百五六十岁,行容成公御妇人法,常屈颈鷮息,须发尽白,而色理如三四十时,死于江陵。唐虞道赤眉、张步家居里落,若与相及,死于乡里不其县。”②这里所说的唐虞,或即《博物志》所说的唐雩,惟其术不详。

鲁女生,长乐人。《道藏·汉武帝外传》称其少好道,初服饵胡麻及术,绝谷八十余年,日更少壮,色如桃花,一日能行三百里,走及獐鹿,传世见之。后采药于嵩高山,见一女人坐山涧中,女生知是神人,因再拜稽首乞长生之要,良久,女人乃说:“我三天太上侍官者也,汝当得仙,故得见我,我将授汝宝文秘要,可以威制五岳,役使众灵。”③遂出《五岳真形图》与之,并告其施用节度。道教视此符图为至宝。女生道成,一旦告别亲故,云入华山去,以《五岳真形图》传蓟子训。

蓟子训,《后汉书·方术列传》说他不知所由何来,建安中,客于济阴宛句。因他有神异之道,遂流名京师,士大夫皆承风向慕之。后乃驾驴车,与诸生俱诣许下。公卿以下候之者,坐上恒数百人,皆为设酒脯,终日不匮。④《道藏·汉武帝外传》谓其名辽,字子训,齐国临淄人。少仕州郡,举孝廉,除郎中。又从军,拜驸马都尉。后悔做官无益于年命,乃学医术和长生之道,从事于道家之事,钻研胎息胎食住年止白之法,行之二百余年,颜色不老。性好清静,常闲居读《易》,时作小小文疏,皆有意义。又得无常子大幻化之术,按事施行皆效。后因遁去,遂不知所止。⑤

据《后汉书·方术列传》载:甘始、东郭延年,封君达三人,“率能行容成

① 《后汉书》卷82下《方术列传》,北京:中华书局1965年版,第10册,第2740页。

② 《后汉书》卷82下《方术列传》,北京:中华书局1965年版,第10册,第2740—2741页。

③ 《汉武帝外传》,《道藏》第5册,第59页。

④ 《后汉书》卷82下《方术列传》,北京:中华书局1965年版,第10册,第2745页。

⑤ 《汉武帝外传》,《道藏》第5册,第62页。

御妇人术，或饮小便，或自倒悬，爱啬精气，不极视大言”①。但甘始的“大言”却不少。曹植在《辩道论》中说：“甘始者，老而有少容，自诸术士咸共归之。然始辞繁寡实，颇切怪言。余尝辟左右独与之言，问其所行。温颜以诱之，美辞以导之，始语余：‘吾本师姓韩字雅。② 尝与师于南海作金，前后数四，投数万斤金于海。’……又言：‘车师之西国，儿生劈背出脾，欲其食少而怒行也。’又言‘取鲤鱼五寸一双，令其一著药投沸膏中，有药奋尾鼓鳃，游行沈浮，有若处渊，其一者已熟而可噉。’余时问言：‘宁可试不？’言：‘是药去此逾万里，当出塞，始不自行不能得也。’言不尽于此，颇难悉载，故粗举其巨怪者。始若遭秦始皇、汉武帝，则复徐市、栾大之徒也。”③显然曹植对甘始这些怪论是怀疑的。但葛洪在《抱朴子内篇·论仙》篇里，却肯定地叙述说：曹操曾“令甘始以药含生鱼，而煮之于沸脂中，其无药者熟而可食，其衔药者游戏终日，如在水中也。又以药粉桑饲蚕，蚕乃到十月不老。又以住年药食鸡雏及新生犬子，皆止不复长。以还白药食白犬，百日毛尽黑”④。葛洪乃金丹派道士，想必是根据传闻而故神其说，以证其长生成仙之可能而已。他在《神仙传》中又说：“甘始者，太原人也。善行气，不饮食，又服天门冬，行房中之事，依容成玄素之法，更演益之为一卷，用之甚有近效。治病不用针灸汤药。在世百余岁，乃入王屋山仙去。”⑤

东郭延年在《道藏·汉武帝外传》里称为东郭延，字公游，山阳人。少好道，合服灵飞散，能夜书，在寝室中，身生光，照左右。行六甲左右术，能占吉凶，又能役使鬼神，收摄虎豹，无所不为。建安二十一年，辞别亲友而去，云诣昆仑，不知所终。⑥

封君达，名衡，陇西人。葛洪《神仙传》称其少好道，通老、庄学，勤访真

---

① 《后汉书》，北京：中华书局1965年版，第10册，第2750页。
② 张华《博物志》（中华书局1980年版），范宁校正本“雅”作“世雄”，《魏志·华佗传》注引亦作“雄”，士礼居刊本作“雅”。
③ 《后汉书》，北京：中华书局1965年版，第10册，第2750页注（二）。
④ 王明：《抱朴子内篇校释》，北京：中华书局1985年版，第16页。
⑤ （晋）葛洪：《神仙传》卷10，北京：中华书局1991年版，第80页。
⑥ 《道藏》第5册，第61—62页。

诀,凡图笈传记、无不习诵。初服黄连,后入鸟兽山[①],又于山中服术百余年,还乡里,年如二十许者。闻有病死者,识与不识,便以腰间竹管中药与服之,或为下针,应手皆愈,世人多得其效验。不以姓字语人,常乘青牛,人们因以青牛道士称之。闻鲁女生得真人《五岳真形图》,连年请求,女生遂以《五岳真形图》及还丹诀授之。其养生之道,亦源于古之导引。陶弘景《养性延命录》卷上《教诫篇》说:“皇甫隆问青牛道士,其养性法则可施用,大略云:‘体欲常劳,食欲常少,劳无过极,少无过虚,去肥浓,节咸酸,减思虑,捐喜怒,除驰逐,慎房室。武帝(按:指曹操)行之有效。”[②]《道藏·汉武帝外传》称君达后入玄丘山,临去,以《五岳真形图》传左元放。据葛洪《神仙传》载:封君达“有二侍者,一负书笈,一携药笥,有《容成养气术》十二卷,《墨子隐形法》一篇,《灵宝卫生经》一卷;笥有炼成水银霜,黄莲屑等”[③]。

鲜奴辜,疑即解奴辜。《后汉书·方术列传》说:“解奴辜、张貂者,亦不知是何郡国人也。皆能隐沦,出入不由门户。奴辜能变易物形,以诳幻人。”[④]

关于赵圣卿,《四库提要考证》说:“赵,《续文献通考》作麴”。据《后汉书·方术列传》的记载:“河南有麴圣卿,善为丹书符劾,厌杀鬼神而使命之。”[⑤]

王真字叔坚[⑥],上党人。少为郡吏,年七十,乃好道,寻见《仙经杂言》记有郊间人歌词说:“巾金巾,入天门,呼长精,噏玄泉,鸣天鼓,养泥丸。”真读之而不解其旨,遂搜问所在道士,后遇有解者告诉他说:“此近浅之术也,为可住年返白而已耳。”且告其诀云:“巾金巾者,恒存肺气入泥丸中,徐徐以

① 《后汉书·方术列传》注引《汉武帝内传》作“鸟举山”,《道藏·汉武帝外传》作“鸟鼠山”,葛洪《神仙传》卷10《封衡传》,北京:中华书局1991年版,第83页。作“鸟兽山”。

② 《道藏》第18册,第478页。张华《博物志》亦有类似记载,但文字错落甚多。葛洪《神仙传》所载与此亦同,但为答曹操问养性大略。

③ (晋)葛洪:《神仙传》卷10,北京:中华书局1991年版,第83页。

④ 《后汉书》,北京:中华书局1965年版,第10册,第2749页。

⑤ 《后汉书》,北京:中华书局1965年版,第10册,第2749页。

⑥ 《后汉书》卷82下《方术列传》注引《汉武帝内传》云:“字叔经”,此据《汉武帝外传》,《道藏》第5册,第63页。

绕身,身常光泽;嗡玄泉者,漱其口液而服之,使人不老,行之七日有效;鸣天鼓者,朝起常叩齿三十六下,使身神安。又夜恒存赤气,从天门入,周身内外,在脑中变为火,以燔身,身与火同光。如此存之,亦名曰炼形。泥丸;脑也;天门,口也。习闭气而吞之,名曰胎息;习漱舌下泉而咽之,名曰胎食。行之勿休也。"[①]真受诀,施行胎息胎食炼形之方,甚有验。《后汉书·方术列传》说:"王真年且百岁,视之面有光泽,似未五十者。"[②]《汉武帝外传》说他"断谷二百余年[③],肉色充美,徐行及马,力兼数人"[④]。并称他为神丹金玉之方,曾师事蓟子训,子训授以《肘后方》。曹操召与相见,甚敬重之。后一日将三少妾登女儿山,与弟子言合丹去,遂不复返。

郃俭字孟节,亦上党人。师事王真十数年,真以蒸丹小饵法授之。善辟谷。曹植《辩道论》说:"余尝试郃俭绝谷百日,躬与之寝处,行步起居自若也。夫人不食七日则死,而俭乃如是,然不必益寿,可以疗疾而不惮饥馑也。"[⑤]《后汉书·方术传》谓:"孟节能含枣核,不食可至五年十年。又能结气不息,身不动摇,状若死人,可至百日半年。亦有室家。为人质谨不妄言,似士君子。曹操使领诸方士焉。"[⑥]《道藏》本《汉武帝外传》亦有同类的记载。

费长房,汝南(治所在今河南平舆北)人。曾为市掾。市中有老翁卖药,悬一壶于肆头,及市罢,辄跳入壶中,市人莫之见,唯长房于楼上见之,以为神异,因往奉酒脯。翁知长房意,约长房与语谪仙之事。长房遂从其入深山学道。未成,辞归。翁与一竹杖,告诉他说:"骑此任所之,则自至矣。"又为作一符,说:"以此主地上鬼神。"长房乘杖,须臾来归。遂能医疗众病,鞭笞百鬼,及驱使社公,屡显神异。并有缩地之术,或一日之间,人见其在千里

① 《汉武帝外传》,《道藏》第5册,第63页。
② 《后汉书》卷82下《方术列传》下,北京:中华书局1965年版,第10册,第2750页。
③ 《后汉书·方术列传》注引《汉武帝内传》:"年"作"日"。见于《后汉书》,北京:中华书局1965年版,第10册,第2750—2751页注(一)。
④ 《道藏》第5册,第63页。
⑤ (晋)陈寿:《三国志》卷29《魏书》第29《方技传》,见裴松之注引,北京:中华书局1959年版,第3册,第805页。
⑥ 《后汉书》,北京:中华书局1965年版,第10册,第2751页。

之外者数处。后失其符,为众鬼所杀。[1]

左慈字元放,庐江(今属安徽)人。葛玄之师,善道术。传说曹操尝试闭之,令断谷一月,而颜色不变,气力自若。操以其有左道,欲杀之,遁去。在荆州,刘表为牧,以其惑众,又欲杀之,乃委表东去。见孙策,策复欲杀之。及见孙权,权素知其有道术,礼重之。曹植《辩道论》说:"左慈善修房内之术。"[2]葛洪《神仙传》说:他"少明五经,兼通星纬。见汉祚将衰,天下乱起,乃叹曰:'值此衰运,官高者危,财多者死,当世荣华,不足贪也。'[3]乃学道,尤明六甲,能役鬼神,坐致行厨。精思于天柱山中,得石室中《九丹金液经》,能变化万端,不可胜纪。"张华《博物志》亦称:"左慈能变形,幻人视听,厌劾鬼魅。"[4]《后汉书·方术列传》也说他"少有神道"[5],并称他能变现鲈鱼、隐身遁形等。据葛洪《抱朴子内篇·金丹》载,慈曾以《太清丹卷》三卷、《九鼎丹经》一卷、《金液丹经》一卷授葛玄。[6] 东汉的金丹道术由他一脉相传,这将在后面具体叙述。

综上所述,可见汉魏之际,真是所谓"异术之士甚众",各种方术盛行,从导引、行气、胎息、胎食、房中、炼丹、养生到符箓禁咒、遁甲变形、召神劾鬼等等,品种繁多。大多为道教所承袭,成为道教的修炼方术。其丹书、符图,亦成为道教之重要典籍。近人夏曾佑说:"及张道陵起,众说乃悉集于张氏,遂为今张天师之鼻祖。"[7]在一定意义上讲,这是正确的。流风所及,以至荀悦、申鉴诸儒,亦言养生之术。张华《博物志》指出:曹操"好养性法,亦解方药"。曹操在自己所作的乐府如《气出唱》、《精列》[8]等作品中,也歌颂

---

① 《后汉书》卷82下《方术列传》下,北京:中华书局1965年版,第10册,第2743—2745页。

② (晋)陈寿:《三国志》卷29《魏书》第29《方技传》,见裴松之注引,北京:中华书局1959年版,第3册,第805页。

③ (晋)葛洪:《神仙传校释》,北京:中华书局2010年版,第275页。

④ (晋)张华:《博物志》卷五,上海:上海古籍出版社《汉魏六朝笔记小说大观》1999年版,第204页。

⑤ 《后汉书》卷82《方术列传》下,北京:中华书局1965年版,第10册,第2747页。

⑥ 参见王明:《抱朴子内篇校释》,北京:中华书局1985年版,第71页。

⑦ 夏曾佑:《中国古代史》,北京:生活·读书·新知三联书店1955年版,第343页。

⑧ 参见《曹操集》,北京:中华书局1974年版,第1—2页。

仙人玉女和爱气长生的“神仙之道”，表明了他对神仙方术的向往。故其招引方士，难免也有利用其术为己所用的一个方面，但更重要的原因，则是出于政治上的考虑。因为他既然是靠镇压黄巾起义起家的，就绝不会忘记近在眼前的历史教训。而且这些方士在当时都拥有一批崇拜者和信徒，这不能不引起曹操对他们的警惕。曹丕《典论》说：“初，俭之所至，茯苓价暴数倍……后始来，众人无不鸱视狼顾，呼吸吐纳……左慈到，又竞受其补导之术……人之逐声，乃至于是也。”①曹植《辩道论》也说：“自诸术士咸共归之。”②上面所说的士大夫对于蓟子训的承风向慕之众，也足以证明。正因为这些方士都有一定的群众基础，所以曹操才把他们集中起来，“聚而禁之”，怕他们聚众谋反。这个目的，曹植在《辩道论》中说得很清楚：“卒所以集之于魏国者，诚恐斯人之徒，接奸宄以欺众，行妖慝以惑民，岂复欲观神仙于瀛洲，求安期于海岛，释金辂而履云舆，弃六骥而美飞龙哉？自家王与太子及余兄弟咸以为调笑，不信之矣。”③但按曹植这个说法，似乎曹操全无向往神仙的思想，这就未免言过其实。不过子为父隐，也是情理中之事。在说明曹操招引方士的政治目的上，曹植的话是十分中肯的。故曹操对那些愿意接受其利用的人，则优宠之，待之甚厚，甚至封他们为军吏。曹丕《典论》便说：“颍川郤俭能辟谷，饵茯苓；甘陵甘始亦善行气，老有少容。庐江左慈知补导之术。并为军吏。”④而对那些不愿接受其利用的人，则千方百计杀害之。如华佗在被招致之后，“因托妻疾，数期不反。操累书呼之，又敕郡县发遣，佗恃能厌事，犹不肯至。操大怒，使人廉之，知妻诈疾，乃收付狱讯，考验首服。荀彧请曰：‘佗方术实工，人命所悬，宜加全宥。’操不从，竟杀之”⑤。利用、限制和镇压相结合，这就是曹操对待早期道教活动所采取的

① 《三国志》卷29《魏书》第29《方技传》，见裴松之注引，北京：中华书局1959年版，第三册，第805页。

② 《三国志》卷29《魏书》第29《方技传》，见裴松之注引，北京：中华书局1959年版，第三册，第805页。

③ 《三国志》卷29《魏书》第29《方技传》，见裴松之注引，北京：中华书局1959年版，第3册，第805页。

④ 《三国志》卷29《魏书》第29《方技传》，北京：中华书局1959年版，第3册，第805页。

⑤ 《后汉书》卷82下《方术列传》下，北京：中华书局1965年版，第10册，第2739页。

两手政策。

（二）对待五斗米道的教主张鲁及其教民，曹操同样采取了利用、限制和镇压相结合的两手政策

曹操对张鲁,开始是用兵讨伐。在张鲁投降以后,曹操一方面给予他以极其优厚的待遇,以利用其影响;另一方面,又对他进行严格控制。这种优厚的待遇是:首先拜张鲁本人为镇南将军,这是一种位次三公的高官,并封为阆中侯,邑万户。其次,是把张鲁的五个儿子及其臣僚阎圃、李休等皆封为列侯。这样优厚的待遇,可说是很特殊的,连裴松之也不理解,认为太过分了。他在《三国志·张鲁传》注中议论说:"臣松之以为张鲁虽有善心,要为败而后降,今乃宠以万户,五子皆封侯,过矣。"①《太平御览》卷五一八宗亲部引《魏志》说:"张广字嗣宗,鲁第二子也。鲁雅为魏武所宠,诸子未胜缨,并遣中使拜授官爵。"说明张鲁的儿子在封侯时,年龄都不太大。不仅如此,曹操还与张鲁结为联姻,让张鲁的子女与他自己的子女互相婚配。《三国志·张鲁传》在曹操对张鲁及其五子和阎圃等拜将封侯之后说:"为子彭祖取鲁女。"②彭祖乃曹宇之字,建安十六年已封都乡侯,后封燕王。另据《南郑城碑》载:张鲁"位尊上将,体(礼)极人臣;五子十室,荣并爵均;童年婴稚,抱拜王人;命婚帝族,或尚或嫔"。说明曹操不仅命张鲁之女嫁给他的儿子曹宇为妻,而且还让张鲁的儿子也娶曹氏皇族之女为妻。曹氏子女与张鲁子女这种互相婚配的联姻关系,在历史上也是罕见的。曹操如此优宠张鲁,其目的无非是为了利用其影响以笼络其臣民而已。看来这也确实收到了一定的效果,故《正一法文天师教诫科经·大道家令戒》在谈到张鲁降曹之后说:"七子五侯,为国之光,将相掾属,侯封不少。""沐浴圣恩"③,对曹操感恩戴德,歌颂"魏氏"统一北方是"承天驱除",教育其臣民要懂得"天命逆顺","但当户户自相化以忠孝","助国壮命"④,作魏国的

① 《三国志》卷8《魏书》第8《张鲁传》,见裴松之注,北京:中华书局1959年版,第1册,第265页。

② 《三国志》卷8《魏书》第8《张鲁传》,见裴松之注,北京:中华书局1959年版,第1册,第265页。

③ 《道藏》第18册,第237页。

④ 《道藏》第18册,第237页。

顺民。

尽管如此，曹操仍然并未放松对张鲁的严格控制。在张鲁投降之后，他便采取了调虎离山之计，把张鲁本人及其家属和骨干一同北迁邺城，使五斗米道首领脱离了他们雄踞 30 年之久的汉中教区。《后汉书 · 刘焉传》在谈到曹操接受张鲁的投降之后便说："将还中国，待以客礼。"①据《三国志》卷一《武帝纪》载：曹操西征张鲁，是建安二十年（215 年）三月，张鲁投降曹操，是在同年十一月，曹操班师回邺，是同年十二月，次年二月回到邺城。由此可知，张鲁刚一投降，就立即被曹操带回北方了。被曹操带走的，可能还包括张鲁的家属及其臣僚阎圃、李休等人。王粲曾作《从军诗》赞美此事说："拓土三千里，往反速如飞。歌舞入邺城，所愿获无违。"说明了曹操的这一举动是他用兵的一个大胜利。有如把捕获来的老虎，关进了自己的槛圈之中，使之置于自己的控制之下，然后以美食饲养之，既可供观赏，又能防止其为害，怎能不载歌载舞以欢庆其凯旋呢？

二、天师道在北方的传播

曹操不仅把五斗米道的教主及其骨干带回北方，而且还迫使五斗米道聚居地区的汉中人民大量北迁。《三国志》卷二十三《和洽传》说："太祖克张鲁，洽陈便宜以时拔军徙民，可省置守之费。太祖未纳，其后竟徙民弃汉中。"似乎迫使汉中人民北迁的事，并未立即进行。但另据《三国志》卷十五《张既传》说："（张既）从（曹操）征张鲁……鲁降，既说太祖拔汉中民数万户以实长安及三辅。"可见，汉中人民的被迫北迁，是在张鲁投降之后便已经开始；此后，还在不断进行，如《三国志》卷二十三《杜袭传》说：袭"随太祖到汉中讨张鲁。太祖还，拜袭驸马都尉，留督汉中军事。绥怀开导，百姓自乐出徙洛、邺者八万余口"。《三国志》卷一《武帝纪》载：建安二十三年七月，曹操亲自带兵西征刘备，九月到达长安。第二年三月，从长安出发，"军遮要以临汉中，遂至阳平。备因险拒守。"五月，曹操"引军还长安"。另据《华阳国志》卷六《刘先主志》说："建安二十四年，先主定汉中，斩夏侯渊。

① 《后汉书》卷 75《刘焉传》，北京：中华书局 1965 年版，第 9 册，第 2437 页。

张郃率吏民内徙。"综合这两种记载,可知在这次战争中,汉中人民又被迁走了一批,唯其数目不详。

以上事实表明,从建安二十年十一月到建安二十四年五月,在不到四年的时间里,汉中人民被迫北迁的至少已有三次之多,其数量也是相当大的。迁往的地区,从长安、三辅以至洛阳、邺城等地。《正一法文天师教诫科经·大道家令戒》第十四说:"至义国殒颠,流移死者以万为数,伤人心志。自从流徙以来,分布天下。"①当是这段历史的真实写照。所谓"义国殒颠",即指张鲁政权被曹操覆灭而言。从这里还可以看出,汉中人民的北迁,并不是如《杜袭传》所说的"自乐",而是被迫的:且因"流移"而死亡者,亦颇不少。据陶弘景《真诰》卷四《许子从张镇南之夜解》条注说:"张系师为镇南将军,建安二十一年亡,葬邺东。"②说明张鲁本人在随同曹操北迁邺城之后不久,旋即死去。

张鲁雄踞汉中30年,实行政教合一,受到人民的拥护,汉中遂成为五斗米道徒的聚居地区。既然史称"民夷信向"③,"流移寄在其地者,不敢不奉"④,可想而知,在汉中人民当中信奉其教者一定不少。《隋书·地理志》亦称:"汉中之人……好祀鬼神,尤多忌讳,家人有死,辄离其故宅。崇重道教,犹有张鲁之风焉。"⑤亦可证明张鲁的五斗米道在汉中人民中间的深远影响。也正因为如此,曹操才迫使汉中人民大量北迁。在这些北迁的人民当中,无疑有不少是信奉五斗米道的教民。

张鲁及其大量臣民的北迁,给五斗米道带来了双重的影响和后果:一是在组织上给五斗米道造成了一度的混乱,特别是教主张鲁的死亡,更加深了这种混乱状态;一是由于不少教民到了北方,给五斗米道在北方的传播提供了方便。因为一个虔诚的宗教信徒,绝不会因为地方的变换而放弃其信仰,这些教民到了北方以后,自然也不会停止传播其五斗米道。而张氏也甚受

① 《道藏》第18册,第236页。
② 《道藏》第20册,第514页。
③ 《后汉书》卷75《刘焉传》,北京:中华书局1965年版,第9册,第2436页。
④ 《后汉书》卷75《刘焉传》注引《典略》,北京:中华书局1965年版,第9册,第2436页。
⑤ 《隋书》卷29,北京:中华书局1973年版,第3册,第829页。

曹魏的宠遇,又和曹家结成了姻亲,因而五斗米道在一定范围的活动,也是容许的。但由于教主张鲁的死亡,五斗米道失去了统一的领导,教徒们便各自为政,“人人称教”,自发地各自立治传教,不按旧规办事。《正一法文天师教诫科经 · 阳平治》第二十一在谈到这一情况时说:“诸祭酒主者中,颇有旧人以不从建安、黄初元年以来,诸主者祭酒人人称教,各作一治,不复按旧道法为得尔。不令汝辈按吾阳平、鹿堂、鹤鸣教行之,汝辈所行举旧事相应与不吉”。[①] 这说明:第一,北迁后的汉中奉道百姓和祭酒主者们,在曹魏统治地区开展了立治传教活动;第二,这种活动是自发地进行的,没有统一的领导;第三,这种状况引起了阳平、鹿堂、鹤鸣三大治的道官们的不满。因为按原来的规矩,阳平治乃是二十四治之首,即所谓“二十四治会阳平”[②],它对其他各治有统一指挥的权利。这时北方的祭酒主者们“人人称教,各作一治,不复按旧道法”办事,阳平治失去了统一领导的权威,故他们假托天师张道陵之口,责令他们“按吾阳平、鹿堂,鹤鸣教行之”,要他们行事必须与汉中旧制相应。这是要求复旧。当然,这种要求,只是阳平治下道官们的一厢情愿,实际上是行不通的。因为那时已无系师,主持阳平治的即使是天师的后裔,也很难树立起权威,更何况北迁教民是处于曹魏统治区,而阳平、鹿堂、鹤鸣三大治是在蜀汉的势力范围。在这种情况下,立治署职,就只好不按旧规办事,而在各自为政的状态下开展活动。在当时的条件下,这样做对五斗米道的发展也是有利的。

《阳平治》在这里所说的,是曹操和曹丕当权时候的事。当时曹魏政权对道教和祠祀巫祝活动的控制,都是比较严格的。在某种意义上讲,曹丕的做法较之其父曹操更为严格。黄初三年(222 年)十月五日他下诏说:“老聃贤人,未宜先孔子。……汉桓帝不师圣法,正以嬖臣而事老子,欲以求福,良足笑也。此祠之兴由桓帝,武皇帝以老子贤人,不毁其屋。……恐小人谓此为神,妄往祷祝,违犯常禁,宜宣告吏民,咸使闻知。”[③]这里明确指出:老子是人不是神,把他作为神来崇拜,为之立祠祷祝,乃是不允许的,并以此列为

① 《道藏》第 18 册,第 238 页。
② 《老君变化无极经》,《道藏》第 28 册,第 373 页。
③ 《续高僧传》卷 23《释僧岫传》,《大正藏》第 50 册,第 630 页。又见洪适《隶释》卷 4。

“常禁”。黄初五年(224年)十二月曹丕又下诏说:“先王制礼,所以昭孝事祖,大则郊社,其次宗庙,三辰五行,名山大川,非此族也,不在祀典。叔世衰乱,崇信巫史,至乃宫殿之内,户牖之间,无不沃酹,甚矣其惑也。自今,其敢设非祀之祭,巫祝之言,皆以执左道论,著于令典。”①凡是以往“祀典”没有明文规定的各种“非祀之祭”以及一切“巫祝之言”,皆在禁断之列。但曹丕一再下令,严格控制道教和祠祀巫祝活动这一情况,也正好说明民间道教祠祀活动及其他巫祝活动并未停止。到魏明帝曹睿又即位之初,这些禁令仍然具有效力。《晋书》卷十九《礼》上说:“魏明帝青龙元年(233年),诏郡国,山川不在祀典者勿祠。”②《三国志》卷十二《司马芝传》亦载:“特进曹洪乳母当,与临汾公主侍者共事无涧神③,系狱。卞太后遣黄门诣府传令,芝不通,辄敕洛阳狱考竟,而上疏曰:‘……前制书禁绝淫祀以正风俗,今当等所犯妖刑,辞语始定……是以冒犯常科,辄敕县考竟,擅行刑戮,伏须诛罚。’”④虽太皇太后派人说情,司马芝也不买账,终于按照常科,进行了刑戮。尽管如此,但在曹叡当权时期,禁网还是逐渐疏弛。《三国志》卷三《明帝纪》景初二年载:“初,青龙三年(235年)中,寿春农民妻自言为天神所下,命为登女,当营卫帝室,蠲邪纳福。饮人以水,及以洗疮,或多愈者。于是立馆后宫,下诏称扬,甚见优宠。及帝疾,饮水无验,于是杀焉。”⑤这个自称为天神所下的农妇,最终虽因骗术破产而被杀,但曹叡又开始对她那样称扬优宠,为之“立馆后宫”,毕竟表明他确有崇拜神仙的思想。又如太和六年(232年),曹叡因其女淑死,“举朝素衣,朝夕哭临”,甚至“举宫暴露野次”。陈群上疏切谏,以为此乃当时民间习俗的“避衰”⑥,这和上引《隋书·地理志》所载汉中人民的五斗米道的宗教习俗很相类似。可见这种宗教习俗在曹叡当政时期已渗入宫廷。再者,曹叡与张鲁的女婿燕王宇的关

① 《三国志·魏志》卷2《曹丕传》,北京:中华书局1959年版,第1册,第84页。
② (唐)房玄龄:《晋书》卷19,北京:中华书局1974年版,第600页。
③ 陈寅恪:《魏志司马芝传跋》(《陈寅恪集·金明馆丛稿二编》,北京:生活·读书·新知三联书店2001年版,第89—90页),疑本作无间神,即地狱神。
④ 《三国志·魏书》卷12,北京:中华书局1959年版,第388页。
⑤ 《三国志·魏书》卷3《明帝纪第三》,北京:中华书局1959年版,第114页。
⑥ 《三国志·魏志》卷22《陈群传》,北京:中华书局1959年版,第3册,第636页。

系非常密切,在他统治的整个时期中,燕王宇都一直受到他的特殊优宠。《三国志》卷二十《燕王宇传》具载其事说:“明帝少与宇同止,常爱异之。及即位,宠赐与诸王殊。”又说:“明帝疾笃,拜宇为大将军,属以后事。”①这个要职虽然很快便被曹爽所夺,宇被免官,但亦表明曹叡对燕王宇的宠爱,是始终如一,至死未衰的。另据杜光庭《历代崇道记》载:“魏明帝为武帝及先太后造观于五都,计一十三所,度道士一百九人,仍诏道书同御史装饰。”②曹叡的这些思想和做法,无疑是天师道传播的有利条件。《正一法文天师教诫科经 · 大道家令戒》第十七在谈到这个时候天师道的活动情况时说:“诸职男女官,昔所拜署,今在无几。自从太和五年(231 年)以来,诸职各各自置,置不复由吾气、真气、领神选举。或听决气,信内人影梦;或以所奏,或迫不得已。不按旧仪,承信特说。或一治重官,或职治空决(缺)。受职者皆滥对天地气候,理三官文书,事身厚食。”③可见,这与上引《阳平治》所介绍的建安、黄初以来的情况基本相同。这时的各治道官,大多不是原来拜署的,而是新产生的;这些新产生的道官,不是按统一的旧规通过选举的,而是“各各自置”,自发产生的。在组织系统上,仍然是极其混乱和十分涣散的。甚至还出现“一治重官,或职治空决(缺)”等情况。

三、复旧思想的破灭

北迁后的教民和祭酒主者们,在各地自发地开展立治传教活动,在当时虽对五斗米道的发展起了一定的积极作用,但由于长期的组织混乱和涣散,旧的教规教诫不起作用,这就不可避免地使有些教民和祭酒主者腐化堕落。这种状况如不加以克服和纠正,就会严重危及五斗米道的地位,阻碍它的进一步发展,甚至还会导致它的衰亡。道教中的有识之士便针对这些弊病,提出了整顿的要求。《正一法文天师教诫科经》便代表了这种思想。它共分五个部分,各自独立成篇。第一篇没有分篇的标题,第二篇名为《大道家令戒》,第三篇名为《天师教》,第四篇名为《阳平治》,第五篇名为《天师五言

① 《三国志 · 魏书》卷 20,北京:中华书局 1959 年版,第 582 页。
② 《道藏》第 11 册,第 1 页。
③ 《道藏》第 18 册,第 237 页。

三牵诗》。其中三、五两篇在体例上与其他各篇皆不相类，可能不是同一作者所造作，出现的时间也许有先后的不同。但因其内容均为教诫，遂被合编成一卷。唐长孺先生根据其中有称汉族为秦人的例子，推断其为前秦至北魏初这一期间写出的作品。如果是这样，则东晋末年便有人开始在为纠正这些弊病而努力了。《正一法文天师教诫科经·阳平治》对道民和祭酒主者的不守教规、贪财好利、腐化堕落等现象进行了严厉的斥责。《阳平治》的作者借张陵之口谴责教民说："吾从太上老君周行八极，按行民间，选索种民，了不可得，百姓汝曹无有应人种者也。但贪荣富钱财谷帛锦绮丝绵，以养妻子为务……不恤鬼神以忧天道，令气错乱。"[①]也就是说，这些人只知道贪利谋私，不"尊天敬神"，违反天禁，没有一个符合"种民"的条件。因此，他以张陵的口气告诫说："吾不能复忍汝辈也！欲持汝辈应文书，颇知与不！？"[②]又更为严厉地斥责祭酒主者们说："祭酒主者，男女老壮，各尔愦愦，与俗无别，口是心非，人头虫心，房室不节，纵恣淫情。"[③]严重违犯了道戒。并说："为尔愦愦，群行混浊。"[④]即是说，普通教民的犯禁，也是这些祭酒主者们的责任。因此，他警告说："老君太上推论旧事，摄纲举纲，前欲推治，诸受任主者职治祭酒十人之中诛其三、四，名还天曹，考掠治罪，汝辈慎之！"[⑤]意即如果这些祭酒主者们不悬崖勒马，痛改前非，就将遭到太上老君的严厉惩办——杀！杀掉百分之三十至四十！

《正一法文天师教诫科经》认为，要制止教徒们腐败堕落，就必须要求教徒遵守教戒。它说："诸贤者欲除害止恶，当勤奉教戒。戒不可违。"[⑥]因此，它反复强调了遵守教戒的重要性，指出："人能修行，执守教戒，善积行者，功德自辅，身与天通，福流子孙。"[⑦]反之，"为人若不能与法戒相应，身心

① 《正一法文天师教诫科经》，《道藏》第 18 册，第 238 页。
② 《正一法文天师教诫科经》，《道藏》第 18 册，第 238 页。
③ 《正一法文天师教诫科经》，《道藏》第 18 册，第 238 页。
④ 《正一法文天师教诫科经》，《道藏》第 18 册，第 238 页。
⑤ 《正一法文天师教诫科经》，《道藏》第 18 册，第 238 页。
⑥ 《正一法文天师教诫科经》，《道藏》第 18 册，第 232 页。
⑦ 《正一法文天师教诫科经》，《道藏》第 18 册，第 232 页。

又无功德，欲求天福，难矣！"[①]并认为只有奉道精进，长期坚守教戒的人，才有可能长生成仙。它说："奉道精进，要当勤身，守之当久，治志当坚。精进专念，莫有不先劳后报，度身神仙。"[②]如果"不从教戒，但念爱欲、富贵、荣禄、色利、财宝，饮酒食肉，恣心快意，骄奢盈溢，岂复念道乎？人不念道，道不念人。人之若鱼，道之若水，鱼得水而生，失水而死。道去人虚，何望久生也。"[③]在谈到教戒的意义时又说："教戒者，欲令人劝进长生，全身保命无穷。人皆能奉法不倦，何但保命，乃有延年无穷之福。此非富贵者货赂求请所能得通也，亦非酒肉祭祷鬼神所降致也。道人贤者奉敬教戒，精专勤身，先苦后报，其福应也。"[④]认为贤愚的区别，就在于能否自觉地遵守教戒。它说："夫人各有眼目鼻口心意两足，其贤愚之行各异者，(在于愚人)目专视利色，耳听言之好恶，鼻悦于甘香之气，口贪五味之美，心专纵恣所欲，两足随意导身趣向奸非。贤者不然，目不视所好，耳不外听邪恶之言，鼻不通臭香之气，口不乐滋味之美，心不想可欲之快，足不趣恶事为非，此道人所行。道人亦知诸所欲为快，以戒制情，故不犯恶。善积行著，与道法相应，受福无极。愚人所知恶速祸，不能专戒，与道相反，何望得福？若欲得福，何不效道人乎！"[⑤]又说："惟道人执志，故能以戒自检，行止举动爱欲之间，守戒不违，心无邪倾。若见色利，以戒掩目；若闻好恶之言，以戒塞耳；若食甘香之美，以戒杜口；若愿想财宝，放情爱欲，以戒挫心；若趣向奸非，意欲恶事，以戒折足。守之不废，可谓明矣，当劝进愚冥者。愚冥者不能承用，无如之何！以道人常欲有好心，善施惠故也，天道授福。"[⑥]由此可见，它之所以强调教徒们行动举止必须"以戒制情"和"以戒自检"，正是为了纠正各种腐败的颓风，提高教徒们修道的信念。它反复叮咛说："奉道不可不勤，事师不可不敬，事亲不可不孝，事君不可不忠，已身不可不宝，教戒不可不从……恶事不

① 《正一法文天师教诫科经》，《道藏》第18册，第232页。
② 《正一法文天师教诫科经》，《道藏》第18册，第235页。
③ 《正一法文天师教诫科经》，《道藏》第18册，第234页。
④ 《正一法文天师教诫科经》，《道藏》第18册，第234页。
⑤ 《正一法文天师教诫科经》，《道藏》第18册，第235页。
⑥ 《正一法文天师教诫科经》，《道藏》第18册，第234—235页。

可不避，色欲不可不绝，贪利不可不远，酒肉不可不节，善人不可不敬，恶人不可不劝也。”①为了使教徒们不敢违犯教戒，它又把“天道”或“道”说成是有意志的“神灵”，能够赏善罚恶，借此反复告诫说：“天道无亲，惟与善人，善人保之，以致神仙，非富贵者求而能得，贪贱者鄙而无与，能专心好乐，精诚思念，修身行善，则与道合。”②又说：“道之弘大，方圆无外，天网恢罗，人处其中，如大网捕鱼，鱼为游行网中，岂知表有网也，牵网便得，放网乃脱；人不知真道大神，如鱼之不知网也，而愚人或欲舍真就伪，伪伎卒效，登时或能有利，利不久也。……道之视人，如人之视虫蚁，道能杀人，如人能杀虫也；道之好生恶杀，终不杀也，恶人为恶不止，自有司神记其恶事，过积罪满，执杀者自罚之，道终不杀也。”③又说：“天道平正，以生赏善，以死罚恶。此吉凶祸福从窈冥中来，祸灾非富贵者求请而可避，非贪贱者守穷而故罚，修善者福至，为恶者祸来。”④它还认为，人们的身中也有各种各样的神，这些神也能监视人的行为的善恶。它说：“又奉道者身中有天曹吏兵，数犯嗔恚，其神不守，吏兵上诣天曹，白人罪过，过积罪成，左契除生，右契著死，祸小者罪身，罪多者殃及子孙。”⑤并指出：“心神，五藏之主而专念恶事，此一神不安，诸神皆怒，怒则刻寿，最不可犯之。”⑥所有这些神秘主义的宗教说教，都是企图维护其教戒的权威，强调教戒的神圣不可违犯。

《大道家令戒》和《阳平治》对“诸主者祭酒人人称教各作一治，不复按照旧道法”行事以及“诸职各各自置”的混乱现象，进行了严厉的谴责，并要求他们按照过去阳平、鹿堂、鹤鸣三大治的旧制办事，不能各自为政，并以教主的口气警告说：“诸职自今以后，不得妄自署置为职也。复违，吾中伤，勿怨！”⑦甚至把不按旧制办事者视为离经叛道的伪邪之教，指责他们“不承经

① 《正一法文天师教诫科经》，《道藏》第18册，第232页。
② 《正一法文天师教诫科经》，《道藏》第18册，第235页。
③ 《正一法文天师教诫科经》，《道藏》第18册，第232页。
④ 《正一法文天师教诫科经》，《道藏》第18册，第233页。
⑤ 《正一法文天师教诫科经》，《道藏》第18册，第233页。
⑥ 《正一法文天师教诫科经》，《道藏》第18册，第233页。
⑦ 《正一法文天师教诫科经》，《道藏》第18册，第237页。

言，邪邪相教，就伪弃真”，“此皆犯天禁”，“乱道纪纲”①。显然，这是企图整顿和克服天师道在组织上的混乱和散漫状态，恢复天师道的统一。

《正一法文天师教诫科经》中所提到的年号有建安、黄初、太和、正元等，此皆汉末曹魏年号。但其所说天师道的组织混乱和教戒松弛等状况，则不仅曹魏时期如此，两晋时期亦复如是。《太上洞渊神咒经》中所提到的一些事实，可以作为这个问题的佐证。此经共20卷，未著录撰人。从书中提到的某些人和事来看，可能是晋代出现的。但其中各卷的体例并不完全一致，特别是前十卷与后十卷的体例颇不相同，说明该经恐非一时一人所造，抑或有后人增益的内容。因此，这20卷的具体成书年代尚待考定。目前学术界对此也有着不同的看法。杜光庭在该书《序》中谓此书系西晋之末，由金坛马迹山道士王纂假托太上道君所授，纂遂按经品斋科行于江表。据此，则此书之编纂，或许与王纂有一定关系，是其开始出现的时间在西晋之末。杜光庭的说法，为以后道书所本。唐代道经《斋戒箓》之《斋科》、《三洞群仙录》引《王氏神仙传》、《历世真仙体道通鉴》卷二十八《王纂传》等的有关记载，皆与此大体相同。但日本学者宫川尚志根据此书涉及了一些东晋的人和事这一事实，并对有关内容进行了分析，判定其为淝水之战前后东晋在政治、文化、宗教方面转折时期的产物，也有一定的道理。即使把此书成书的下限推到东晋之末和南北朝之初，此书所反映的，也当基本上属于两晋时期的道教概况。在这本书中，同样反复地指出了当时道教徒中的不尊师、不守教规教戒以及不交纳天租和贪财好利等情况。关于这方面的情况，在《太上洞渊神咒经》卷八里有这样一段概括的叙述：“道言：己卯、丙寅、丁亥之年，有八千人横死，坐不遵道法，天租不输，跪愿不还，许而不与。妄向鬼神，取人财物，不作功德，不经斋戒。虽为道士，不行香火，不赴人急，贪作不往，令人怨道。与师作食，食不精洁，或有而不出，出而不好。”它警告说：“如此之人，当入大驱除水狱之中，万劫不出。纵得还生，六情不具，人见不喜。六畜之例，大驱除斩杀之，魔王等不救之矣。”②教徒不尊师，反映了当时祭酒

① 《正一法文天师教诫科经》，《道藏》第18册，第237页。

② 《太上洞渊神咒经》，《道藏》第6册，第30页。

主者们的威信低落，这也是由于祭酒主者们“人人称教”，“诸职各各自置”，失去统一权威所必然带来的结果。如果照此发展下去，整个道教势必难以维系。“师严然后道尊”，故《神咒经》反复强调了尊师的重要性。它说：“道士奉师，当敬之如天，四时八节，来往问讯安否……夫为人师，人中最大，师之为上，当奉之如父母，不可轻慢。轻慢者，天人诛汝，魔王不救。”①又说：“道士不遵师父，天兵来考，考及子孙……有道士轻师者，鬼兵三十六万人一时诛治死矣。”②并且还指出，即使师甚平庸，作为弟子，也不能轻慢。它说：“奉师当如臣见天子，岂可骄慢……师虽常人，鬼神之主，汝以奉之，神来附汝；若汝不敬师，师亦不待汝敬也，但师有仙灵营护之神，神怒诛人，所以汝等道士深自慎之矣！”③这是企图假借鬼神的权威来维护师道的尊严，其用心可谓良苦矣。它还提出：“师徒弟子，先世之重缘，亦如父子耳，皆是先身相逐一处来久，结誓累劫，非只今相亲。”④因此，即使师徒之间年龄很不相若，弟子对师亦应尊奉，不得轻慢。它举例说：“师无大小，奉尊则贵。昔罗和年九十八岁，师年十六岁，日三度礼拜师，侍从左右，恭敬不慢。世人见之叹曰：此老翁罵首西垂之年，乃向此年少小儿拜也！天人玉女曰：此是老翁宿世之师耳，小儿虽小，智深远矣。”⑤它不仅强调弟子应当尊师，同时还指出师也应爱自己的弟子。它说：“师死者，（弟子）往茔视之，葬埋以礼，衣带如法，七日哭泣，便为作斋。斋者，七日一作之，满三七日便止耳。弟子死，师亦看视如之。”⑥只有做到尊师爱徒，道法才可以延续下去。道教的经诀，皆有师承，须由经师传授。故尊师和重经，有非常密切的关系。因此它说：“道士受经，经为大者，升仙之本。是以众师之中，经师为大也。仙人玉女莫不敬经师。”⑦它既强调尊师，又强调敬经。它说：“奉师如日月，敬经如珠玉，不得慢经，不得轻师。师如天也，经如日也，天不可毁，日不可触矣。

① 《太上洞渊神咒经》，《道藏》第 6 册，第 30 页。
② 《太上洞渊神咒经》，《道藏》第 6 册，第 30 页。
③ 《太上洞渊神咒经》，《道藏》第 6 册，第 76 页。
④ 《太上洞渊神咒经》，《道藏》第 6 册，第 78 页。
⑤ 《太上洞渊神咒经》，《道藏》第 6 册，第 78 页。
⑥ 《太上洞渊神咒经》，《道藏》第 6 册，第 78 页。
⑦ 《太上洞渊神咒经》，《道藏》第 6 册，第 78 页。

升仙度世,皆由于师耳;无师,又不得此经;无经者,不得上仙矣。”①大概当时在道教徒中,不仅有轻师的现象,也有不信经文的“慢经”现象,发展下去,将会导致离经叛道。故它强调说:“凡人学道,道炁至深,自不睹之,当信经文。经文道示;无经者,世人安知道哉!经为人目,目能远视,分别青白,善恶大小,无目不知也,经文亦复然矣。道士之学,先当存信;信,乃有经耳。”②老子《五千文》乃是三张时候所规定的每个道士都必须习诵的重要经典,而这时不信经文的“慢经”现象,可能已经波及对《五千文》的态度。针对这种情况,它又强调说:“凡符契为上也,道士不受诸符契,不名道士也。不奉三洞,非道士也。空受内外黄赤紫府,小小道士耳,要当受《五千文》经书上符契,事事受之,乃得上仙矣。”③又说:“若不能多受者,受《五千文》、《化胡经》,亦善矣。”④《大道家令戒》亦言及化胡事,说:“胡人叩头数万,贞镜照天,髡头剔须,愿信真人,于是真道兴焉。”⑤这里竟把《化胡经》与《五千文》并列,恐系针对当时佛教势力有所发展而言的。与尊师问题相联系的,还有所谓“天租”问题。在三张时候,规定了奉道之家都交纳五斗米的天租。这个规定,在这个时候大概也无人遵守。因此,《神咒经》对此也进行了谴责。除上面所引之外,它还一再叮咛说:“道言:受道奉法之家,当供肃天租,年年自输诣治,自当忧之,不可令师道也,天人诛汝。一斗蚪不足,师启天曹,主人还受殃罪,不豫师也;世人愚痴,乃反怨师,师不得,亦无罪也。”⑥又说:“奉道之家,三会之日诣师,不得阙也。凡三会诣师,皆赍天租一硕,不得一胜(升)少也。库仓吏考人,令人家中不利,六畜暴死,所为不成。”⑦由此可见,在两晋时候,存在着轻师慢经的现象,师徒关系也极不正常,教规教戒失去了对教徒的约束作用。因此,《神咒经》要求纠正,它和《正一法文天师教诫科经》一样,企图仍然恢复旧制。

① 《太上洞渊神咒经》,《道藏》第6册,第73页。
② 《太上洞渊神咒经》,《道藏》第6册,第75页。
③ 《太上洞渊神咒经》,《道藏》第6册,第78页。
④ 《太上洞渊神咒经》,《道藏》第6册,第79页。
⑤ 《大道家令戒》,《道藏》第18册,第236页。
⑥ 《太上洞渊神咒经》,《道藏》第6册,第77页。
⑦ 《太上洞渊神咒经》,《道藏》第6册,第77页。

综上事实说明，组织上的混乱，教戒上的松弛，乃是整个魏晋时期天师道的状况。为了克服这种状况，避免其腐败，促进其发展，对此就必须加以整顿，这是大势所趋。但是究竟怎样进行整顿？是复旧，还是革新？这是天师道发展过程中所面临的一个实际问题。《正一法文天师教诫科经》和《太上洞渊神咒经》的思想代表了复旧的要求，提出了复旧的方案。继此之后，北魏寇谦之和刘宋陆修静等人，也出面对天师道进行了整顿，在重新制订和完善它的斋戒科仪等方面作了很大的努力。他们不是要求复旧，而是致力于革新。事实证明，复旧的思想是不切实际的，是行不通的，故虽诲之谆谆，但却听之渺渺，没有什么人照此执行，这种幻想不久即破灭了。而革新的办法乃是切实可行的，故取得了很大的成效，这将在后面介绍。

以上所介绍的是魏晋时期北方天师道的状况。另据葛洪《抱朴子内篇·祛惑》说："乃复有假托作前世有名之道士者，如白和者，传言已八千七百岁，时出俗间，忽然自去，不知其在。其洛中有道士，已博涉众事，洽炼术数者，以诸疑难谘问和，和皆寻声为论释，皆无疑碍，故为远识……后忽去，不知所在。有一人于河北自称为白和，于是远近竞往奉事之，大得致遗至当(富)。而白和子弟，闻和再出，大喜，故往见之，乃定非也。此人因亡走矣。"①白和即白仲理。"白"，《遐览》篇作"帛"。这说明魏晋时候的北方，除天师道之外，还有帛家道存在。这个道派的来历不明，也许是在太平道被镇压之后，还有少量信徒在河北、洛中一带时出时没，活动于民间。东晋时，帛家道曾流传到江浙一带，并向上层发展，与天师道和上清派等逐步合流。《真诰》卷四第十说：许映(即许迈)"本属事帛家之道，血食生民，逋愆宿责，列在三官，而越幸网脱，奉隶真气。"②许氏为丹阳句容人。《真诰》卷二十第十三又说："华侨者，晋陵冠族，世事俗祷。"③此"俗祷"即"俗神祷"，亦系帛家道。《周氏玄通记》卷一注谓"周家本事俗神祷，俗称是帛家道"。周指周子良，为陶弘景弟子，本豫州汝南郡汝南县人，后寓居丹

① 王明：《抱朴子内篇校释》，北京：中华书局1985年版，第350—351页。
② 《道藏》第20册，第513页。
③ 《道藏》第20册，第610页。

阳建康。葛洪在《抱朴子内篇·遐览》中说："余闻郑君言，道书之重者，莫过于《三皇内文》、《五岳真形图》也。……如帛仲理者，于山中得之，自立坛委绢，常画一本而去也。"①是帛家道曾传《三皇内文》和《五岳真形图》，郑隐与它也可能有一定关系。陈国符先生"疑郑君葛洪皆奉帛家道"②，但还缺乏可靠的证明。

综上说明，自从太平道于汉末遭受镇压之后，北方原有的道教便已衰竭，虽有帛家道的活动，不仅其影响甚微，其传授亦不可考。但在张鲁降曹以后，天师道却在北方广泛传播，因而魏晋时期道教在北方仍然继续得以发展。

第二节　魏晋天师道在巴蜀地区的继续传播

一、陈瑞、李特的起义与天师道

在张鲁降曹和北迁之后，巴蜀地区的天师道并未因此而消灭，在新的形势下仍然以不同的方式继续传播和发展。陈瑞和李特的先后起义，便是证明。他们也和北方的天师道一样，没有再按天师道的旧制办事。

司马氏在夺取曹魏政权时，以极其残酷的手段大量屠杀拥护曹氏的士族，并用高官厚禄来收买一批贪财好利者。因此，拥戴他们的很少有正直忠实的人。在夺取政权之后，他们又安而忘危，存而忘亡，肆无忌惮地纵欲作恶，而且在他们自己的集团之中，为了争权夺利，也互相厮杀，进行着殊死的斗争，把封建统治阶级的凶狠、阴险、贪婪、奢侈、荒淫、虚伪、颓废、放荡等卑鄙龌龊的本性都充分表现出来了。《晋书》卷五《孝愍帝纪》引干宝《晋纪总论》说："朝寡纯德之人，乡乏不贰之老，风俗淫僻，耻尚失所……由是毁誉乱于善恶之实，情慝奔于货欲之涂……悠悠风尘，皆奔竞之士；列官千百，无让贤之举……礼法行政于此大坏，如水斯积而决其堤防，如火斯畜而离其薪燎也。国之将亡，本必先颠，其此之谓乎。"③故司马氏政权建立不久，起义

① 王明：《抱朴子内篇校释》，北京：中华书局1985年版，第336页。

② 陈国符：《道藏源流考》，北京：中华书局2014年版，第225页。

③ 《晋书》第1册，第135—136页。

反抗者即络绎不绝。

陈瑞是西蜀地区的天师道徒，他的起义，是在西晋武帝司马炎咸宁三年（277年），上距司马王朝的正式建立仅12年，距蜀汉之亡仅13年，下距东吴的灭亡3年。《华阳国志》卷八说："咸宁三年春，刺史（王）浚诛犍为民陈瑞。瑞初以鬼道惑民，其道始用酒一斗，鱼一头，不奉他神，贵鲜洁，其死丧、产乳者，不百日，不得至道治。其为师者曰祭酒，父母妻子之丧，不得抚殡、入吊，及问乳、病者。转奢靡，作朱衣、素带、朱帻、进贤冠。瑞自称天师，徒众以千百数。浚闻，以为不孝。诛瑞及祭酒袁旌等，焚其传舍。益州民有奉瑞道者，见官二千石长吏，巴郡太守犍为唐定等，皆免官或除名。"①这个陈瑞之道，既然称作"鬼道"，为师者叫"祭酒"，陈瑞又自称"天师"，无疑是属于天师道的组织，陈瑞便是这派组织的首领。他也和北方天师道的情况一样，自己设治传教，自己署置，"不复按旧道法"办事，革除了入道者须交纳信米五斗等陈规，创立了具有自己特色的一些新法。这也反映了巴蜀地区天师道在张鲁之后的分化和发展。其被诛的原因若仅系"以为不孝"，恐不完全真实，抑或与"王浚楼船下益州"之前为了防范后方有人利用道教组织"犯上作乱"有关。故释明概在《决对傅奕废佛僧事》中说："晋武帝咸宁二年，为道士陈瑞以左道惑众，自号天师，徒附数千，积有岁月，为益州刺史王浚诛灭。"②释明概说此事发生在"晋武帝咸和二年"，较《华阳国志》记载的时间略早。既然徒众"数千"，可见这个道教组织的力量亦不小。其活动也"积有岁月"，证明蜀汉灭亡之后，蜀中的天师道依然很活跃。

李特、李雄所领导的流民起义，显然也和天师道有直接联系。这次起义爆发在西晋惠帝永宁元年（310年），其基本群众是略阳、天水六郡流亡入蜀的流民。《晋书》卷一百二十《李特载记》说："李特字玄休，巴西宕渠（故城在今四川渠县东北）人，其先廪君之苗裔也……巴人呼赋为賨，因谓之賨人焉……汉末，张鲁居汉中，以鬼道教百姓，賨人敬信巫觋，多往奉之。值天下

① （晋）常璩撰，刘琳校注：《华阳国志校注》，成都：巴蜀书社1984年版，卷1《大同志》，第609页。

② （唐）释道宣：《广弘明集》卷12，《大正藏》第52卷，第171页。

大乱,自巴西之宕渠迁于汉中杨车坂……号为杨车巴。魏武帝克汉中,特祖(武)将五百余家归之,魏武帝拜为将军,迁于略阳,北土复号之为巴氐。"[①]由此可见,巴氐多系信奉张鲁天师道的。《北史》卷六十六《泉企传》亦谓"巴俗事道,尤重老子之术"[②],亦是巴人有信奉道教传统的证明。"特之党类皆巴西人",当有不少是天师道的信奉者。李特的祖辈本是巴人,想必亦属于"多往奉之"者之一。《资治通鉴》卷八十二《晋惠帝元康八年九月》记载说:"初,张鲁在汉中,賨人李氏自巴西宕渠往依之。"亦可证明李特的祖辈乃是天师道的信徒。元康六年(296 年)八月,秦、雍地区发生了氐人齐万年领导的氐羌人民起义,斗争延续了三年多,西晋王朝派兵镇压,官兵便乘机到处烧杀抢劫,加上天旱疾疫,致使"关西扰乱,频岁大饥"[③]。这种天灾人祸,逼得人民外出逃荒,"流移就谷,相与入汉川者数万家"[④]。《晋书》卷二十六《食货志》曾这样说:"及惠帝之后,政教陵夷,至于永嘉,丧乱弥甚。雍州以东,人多饥乏,更相鬻卖,奔迸流移,不可胜数。幽、并、司、冀、秦、雍六州大蝗,草木及牛马毛皆尽。又大疾疫,兼以饥馑,百姓又为寇贼所杀,流尸满河,白骨蔽野……人多相食,饥疫总至,百官流亡者十八九。"[⑤]《食货志》所说的虽然时间更长,地区更广,但却包括了元康中秦雍地区的情况。李特兄弟子侄亦随略阳、天水六郡饥民十余万人流入蜀地求食。"道路有疾病穷乏者,特兄弟常营护振救之,由是得众心"[⑥],受到广大流民的爱戴,成为他们的领袖。流民到了汉川之后,便散在各地,为富豪家作佣工,不愿还本乡。而晋王朝却不顾人民的死活,竟下令秦、雍州"凡流人入汉川者,皆下所在召还"[⑦]。永宁元年(301 年),晋平西将军益州刺史罗尚还遣从事催逼流人限七月上道,流民"闻州郡逼遣,人人愁怨,不知所为;且水潦方

① 《晋书》,北京:中华书局 1974 年版,第 10 册,第 3021—3022 页。
② 《北史》,北京:中华书局 1974 年版,第 8 册,第 2331 页。
③ 《晋书》卷 120《李特载记》,北京:中华书局 1974 年版,第 10 册,第 3022 页。
④ 《晋书》卷 120《李特载记》,北京:中华书局 1974 年版,第 10 册,第 3022 页。
⑤ 《晋书》,北京:中华书局 1974 年版,第 3 册,第 791 页。
⑥ (宋)司马光:《资治通鉴》卷 82《晋惠帝元康八年九月》,北京:中华书局 1956 年版,第 6 册,第 2622 页。
⑦ 《晋书》卷 120《李特载记》,北京:中华书局 1974 年版,第 10 册,第 3025 页。

盛，年谷未登，无以为行资”[①]。李特兄弟一再向益州当局请求暂缓行期，却遭拒绝。广汉太守辛冉还企图“杀流人首领，取其资货”，罗尚又令梓潼太守张演“于诸要施关，搜索宝货”[②]。广大流民走投无路，遂于十月共推李特为主，举行起义。“特与蜀民约法三章，施舍赈贷，礼贤拔滞，军政肃然，蜀民大悦。”[③]而罗尚却为非作歹，早为蜀民所恨，他们说：“尚之所爱，非邪则佞；尚之所憎，非忠则正。富拟鲁卫，家成市里；贪如豺狼，无复极已。”李特起义后，他们又为歌谣说：“蜀贼尚可，罗尚杀我；平西将军，反更为祸。”[④]罗尚闻讯，惊恐万状，调集步骑三万袭击起义军。李特在四川人民的支持下，率领起义军英勇奋战，大败以罗尚为首的官军。太安二年（303 年）正月[⑤]，李特攻占了成都少城，“惟取马以供军，余无侵掠”[⑥]，纪律严明，居民安堵。罗尚据守成都太城，一面遣使向李特求和，一面暗中派人联络村坞地主武装，“期以二月十日同击特”。西晋王朝亦派遣荆州刺史宋岱[⑦]、建平太守孙阜救罗尚。李特为罗尚表面的降服现象所麻痹，疏于防御。罗尚乘其不备，派兵奄袭特营，加上寒岱、孙阜的夹击，在众寡不敌的情况下，李特接连鏖战二日，退至新繁，终于战败，不幸壮烈牺牲。其子李雄，继续统领部众，坚持斗争，经过浴血奋战，于同年闰十二月[⑧]攻入成都，罗尚弃城夜遁，李雄遂占有益州。永兴元年（304 年）冬十月，李雄自称成都王。永兴二年（305 年）六月称帝[⑨]，国号大成。传至三世李寿，改国号为汉，故史称成汉。从李特

---

① （宋）司马光：《资治通鉴》卷 84《晋惠帝永宁元年九月》，北京：中华书局 1956 年版，第 6 册，第 2665 页。

② 《晋书》卷 120《李特载记》，北京：中华书局 1974 年版，第 10 册，第 3025 页。

③ （宋）司马光：《资治通鉴》卷 84《晋惠帝永宁元年十月》，北京：中华书局 1956 年版，第 6 册，第 2668 页。

④ 《晋书》卷 57《罗宪传》附尚传，北京：中华书局 1974 年版，第 5 册，第 1552 页。

⑤ 《晋书》卷 4《惠帝纪》作“三月”，北京：中华书局 1974 年版，第 1 册，第 100 页。兹从《资治通鉴》。

⑥ （宋）司马光：《资治通鉴》卷 85《晋惠帝太安二年正月》，北京：中华书局 1956 年版，第 6 册，第 2677 页。

⑦ 参见《晋书 · 李流传》，《晋书 · 罗尚传》“宋”作“宗”。

⑧ 《晋书》卷 4《惠帝纪》作“夏四月”，北京：中华书局 1974 年版，第 1 册，第 100 页。兹从《资治通鉴》。

⑨ 《华阳国志》、《资治通鉴》为光熙元年六月。

以西晋惠帝永宁元年(301 年)起兵,至东晋穆帝永和三年(347 年)三月李势为晋大司马桓温所灭,凡经六世四十七年。

二、范长生与成汉政权的关系

这次起义之所以胜利,巴氐李氏之所以建国,与青城道士范长生的积极支助有一定关系。当李特于新繁战败被杀之后,义军处于官军几路进攻之中,蜀中村坞地主武装也纷纷反抗义军,加上义军粮食匮乏,士众饥困,情况非常危急。这时义军重要将领之一英勇善战的李荡(李特次子)亦战死,义军首领李流(李特之弟)对起义丧失信心,严重动摇。《晋书》卷一百二十《李流载记》说:"流以特、荡并死,而岱、阜又至,甚惧。太守李含又劝流降,流将从之。雄与李骧迭谏,不纳,流遣子世及含子胡质于阜军……三蜀百姓并保险结坞,城邑皆空,流野无所略,士众饥困。"①正当义军处于这种生死存亡的危急关头,范长生及时出来支持义军,对于挽救这一危机,起了极其重要的作用。关于这个问题,唐长孺先生在《范长生与巴氐据蜀的关系》一文中,作了较为详细的论证。《李流载记》亦说:"涪陵人范长生率千余家依青城山,尚参军涪陵徐舆求为汶川太守,欲要结长生等,与尚犄角讨流。尚不许,舆怨之,求使江西,遂降于流,说长生等使资给流军粮。长生从之,故流军复振。"②《晋书》在这里指出了由于范长生的支助,使"流军复振",这是正确的。至于徐、范二人为什么归附李氏?唐先生认为,这并非单纯是由徐舆求为汶川太守不成,因而怨恨罗尚的缘故。更为重要的,是范氏和徐氏都可能是"巴蛮",出于賨人部落,与李氏颇有同族的可能。而范长生支助李氏,李氏特别尊重范长生,尚有宗教方面的原因。

前面已经指出,李氏祖辈均系天师道的信奉者,而范长生很可能是当时巴蜀地区天师道的首领。他的名称甚多,《颜氏家训》卷 6《书证篇》说他"自称蜀才"③。《经典释文叙录》引《蜀李书》云:"姓范,名长生,一名贤,隐

---

① 《晋书》卷 120《李流载记》,北京:中华书局 1974 年版,第 10 册,第 3030 页。
② 《晋书》卷 120《李流载记》,北京:中华书局 1974 年版,第 10 册,第 3030 页。
③ (清)颜回撰,余正平、梁明译注:《颜氏家训》,广州:广州出版社 2001 年版,卷六《书证篇》,第 211 页。

居青城山，自号蜀才。”[①]《华阳国志》卷九《李特雄期寿势志》说：“（范）贤名长生，一名延久，又名九重；一曰支，字元，涪陵丹兴人也。”[②]其生平事迹，据《十六国春秋·蜀录》说：“长生善天文，有术数，民奉之如神。”[③]《晋书》卷58《周访传》附子抚传说：“初，贤为李雄国师，以左道惑百姓，人多事之。”[④]可见他在群众中很有威信，拥有不少信徒，李雄当系其中之一。《晋书》卷121《李雄载记》说：“雄信巫觋。”[⑤]《魏书》卷96《賨李雄传》亦称：“时涪陵人范长生颇有术数，雄笃信之。”[⑥]亦可佐证。正因为李、范二氏之间有宗教信仰的联系，范长生便积极支助李氏的起义，而李雄在占领成都之后，也“以西山范长生岩居穴处，求道养志，欲迎立为君而臣之”[⑦]。显然这也是从宗教方面着眼的。而且在“长生固辞”之后，李雄仍“深自挹损，不敢称制”[⑧]。后因诸将固请雄即尊位，李雄方自称成都王。这时，“范长生自西山乘素舆诣成都，雄迎之于门，执版延坐，拜丞相，尊曰范贤。长生劝雄称尊号，雄于是僭即帝位……加范长生为天地太师[⑨]，封西山侯，复其部曲不豫军征，租税一入其家”[⑩]。“天地太师”这个称号，也明显具有宗教色彩。李雄得范长生为首辅，地位日益巩固。在位30年，在范长生的辅助下，刑政宽和，事役稀少，甚得人民的拥护，史称其“简刑约法，甚有名称……其赋男丁岁谷三斛，女丁半之，户调绢不过数文，绵数两。事少役稀，百姓富实，闾门不闭，无相侵盗”[⑪]。而且“国无威仪，官无禄秩，班序不别，君子小人服章不

① （清）汤球辑，《三十国春秋》，天津：天津古籍出版社2009年版，第101页。
② （晋）常璩撰，刘琳校注：《华阳国志校注》卷9《李特雄期寿势志》，成都：巴蜀书社1984年版，第663页。
③ 《二十五别史·十六国春秋补辑》，济南：齐鲁书社2004年版，第550页。
④ （唐）房玄龄等撰：《晋书》卷58《周访传》，北京：中华书局1974年版，第1583页。
⑤ 《晋书》卷121《李雄载记》，北京：中华书局1974年版，第10册，第3036页。
⑥ （北齐）魏收撰：《魏书》卷96《賨李雄传》，北京：中华书局1974年版，第2111页。
⑦ 《晋书》卷121《李雄载记》，北京：中华书局1974年版，第10册，第3036页。
⑧ 《晋书》卷121《李雄载记》，北京：中华书局1974年版，第10册，第3036页。
⑨ 《华阳国志》卷9作“尊长生曰四时八节天地太师”。（晋）常璩撰，刘琳校注：《华阳国志校注》卷9《李特雄期寿势志》，成都：巴蜀书社1984年版，第663页。
⑩ 《晋书》卷121《李雄载记》，北京：中华书局1974年版，第10册，第3036页。
⑪ 《晋书》卷121《李雄载记》，北京：中华书局1974年版，第10册，第3040页。

殊"①,废除了封建王朝那一套繁文缛节的朝仪和森严的等级,保持了劳动人民平等质朴的作风。"由是夷夏安之,威震西土。时海内大乱,而蜀独无事,故归之者相寻。"②可见,这个从农民起义中产生出来的成汉政权,完全和张鲁雄踞汉川时的"民夷便乐"情况一样,成了当时全国战乱纷争之中的乐土,为少数民族和汉族广大人民所共同向往。

以上事实说明,成汉政权的建立和巩固,范长生都起了非常重要的作用。巴氐李氏和范长生的结合,也绝非偶然。巴氐李氏的统治,需要以范长生为首的天师道的支持,在巴氐李氏统治期间,蜀中的天师道也必然会有发展。他们之间的这种相互为用的关系,贯穿巴氐李氏政权的始终。《太平御览》卷 123 引《十六国春秋·蜀录》说:"范长生卒,以其子贲为丞相。"甚至当李势已经投降桓温,成汉王国已经灭亡之后,成汉旧臣企图恢复其统治,仍然把希望寄托于范氏。《资治通鉴》卷 97 记载说:东晋穆帝永和三年(347 年)秋七月,"隗文、邓定等立故国师范长生之子贲为帝而奉之,以妖异惑众,蜀人多归之"。至永和五年(349 年)夏四月,方为益州刺史周抚所平。《晋书》卷 58《周访传》附子抚传亦记载说:"永和初……隗文、邓定等复反,立范贤子贲为帝……贲遂有众一万。抚与龙骧将军朱焘击破斩之。"③在范长生早已羽化,成汉政权也已灭亡的情况下,其子贲还能号召成千上万的党徒,并被推为帝,那么,以范长生为首的天师道在蜀中的势力和影响,也就可想而知了。在范贲被杀 21 年之后,即东晋海西公太和五年(370 年)九月,蜀中广汉地区又爆发了李弘、李金银为首的道教徒的起义,并伪称李势子,当以圣道王,众万余人,为周抚曾孙周虓所讨平。这在后面还将谈到。综上所述,可知在张鲁北迁和羽化之后,直到东晋末年,蜀中道教仍在民间继续流传和发展。

① 《晋书》卷 121《李雄载记》,北京:中华书局 1974 年版,第 10 册,第 3040 页。
② 《晋书》卷 121《李雄载记》,北京:中华书局 1974 年版,第 10 册,第 3040 页。
③ (唐)房玄龄等撰:《晋书》卷 58《周访传》,北京:中华书局 1974 年版,第 1583 页。

第三节 魏晋民间道派在江南的传播

一、李家道在江南的流行

魏晋时期，江南的道教活动也日趋活跃。这里的道教，有可能是从巴蜀和北方传入的。从北方流入江南的道教，除上面提到的帛家道之外，影响较大而且活动时间较早的，则是一个自称琅邪于吉的道士所领导的一支。按其所依托的姓名、地域和所操的方术来看，它很可能是属于太平道的一派。这一派在江南活动的时间虽然较早，但很快便被孙策所镇压。孙策镇压于吉的原因，是因为于吉“能幻惑众心”。孙策怕他聚众起事，威胁其统治。孙策的父亲孙坚，也是靠镇压黄巾起义军起家的，曾被黄巾军打败受伤，躲藏在草丛之中，几乎丧命。可见孙策和曹操有着共同的经历。故孙策对道教的政策，与曹操很相类似，一方面进行镇压，另一方面又进行笼络和利用。孙策早亡，临死时嘱咐其弟孙权要“举贤任能，各尽其心，以保江东”①。孙权遵照其兄的遗嘱，尽量利用各种力量以维护其统治，其中也包括利用道徒方士。《历世真仙体道通鉴》载有他与介象、姚光、葛玄等人的交往，《真诰》卷十三也说他曾以杜契为立信校尉。《历代崇道记》还称：“吴主孙权于天台山造桐柏观，命葛玄居之；于富春造崇福观，以奉亲也；建业造兴国观，茅山造景阳观，都造观三十九所，度道士八百人。”②《抱朴子内篇·杂应》载有吴景帝孙休召道士石春试法之事。《真诰》卷十三又谓末帝孙皓，曾以徐宗度为左典军。这些道书所谈，虽不尽可信，但其所以有这些传说，恐与孙吴统治者确曾利用教徒方士有关。《三国志》卷五十四《吕蒙传》载有吴将吕蒙病笃，“(孙)权自临视，命道士于星辰下为之请命”，亦可为证。江南道

---

① 《三国志》卷46《孙策传》，北京：中华书局1959年版，第5册，第1109页。

② 《道藏》第11册，第1页。另外，《史记》卷28《封禅书》：“是时上(汉武帝)求神君，舍之上林中蹄氏观”。“又作甘泉宫，中为台室，画天地太一诸鬼神、而致祭具，以致天神。”“又置寿宫、北宫，张羽旗，设供具，咀礼神君。”又“缮治宫观名山神祠”，以拜祠仙人，神人，长安作“蜚廉桂观”，甘泉作“益延寿观”，又作“建章宫”。是作为宗教活动场所的宫观之名，汉已有之，后为道教所沿用。(《史记》，北京：中华书局1959年版，第4册，第1384、1388页)

教之所以日趋活跃,这不能不是一个重要因素。从蜀中传入江南的李家道,其徒众上千,“布满江表”,亦是影响较大的一个派别。据《抱朴子内篇·道意》的记载,李家道传到江南是在吴大帝时(222—252年)。为首者是李阿和李宽,他们崇奉“李八百”,或号八百岁公,或径称李八百。葛洪《神仙传》卷三《李阿传》说:“李阿者,蜀人也,传世见之,不老如故。常乞于成都市,而所得随复以拯贫穷者,夜去朝还,市人莫知其所宿也。或问往事,阿无所言,但占阿颜色。若颜色欣然,则事皆吉。若容貌惨戚,则事皆凶。若阿含笑者,则有大庆,微叹者,则有深忧。如此之候,未曾不审矣。”①此与《道意》篇的记载完全相同。接着又说:“有古强者,疑阿是异人,常亲事之,试随阿还所宿,乃在青城山中……强年十八,见阿色如五十许人;至强年八十余,而阿犹如故。后语人云:被昆仑山召,当去,遂不复还耳。”②另据《云笈七籤》卷二十八《二十四治》下八品第五平冈治注:“山在蜀州新津县,去成都一百里,昔蜀郡人李阿于此山学道得仙。”③又《道意》篇谓李阿“号为八百岁公”,并称:“后有一人姓李名宽,到吴而蜀语,能祝水治病颇愈,于是远近翕然,谓宽为李阿,因共呼之为李八百,而实非也。自公卿以下,莫不云集其门,后转骄贵,不复得常见,宾客但拜其外门而退,其怪异如此。于是避役之吏民,依宽为弟子者恒近千人,而升堂入室高业先进者,不过得祝水及三部符、导引、日月行炁而已,了无治身之要、服食神药、延年驻命、不死之法也……吴曾有大疫,死者过半。宽所奉道室,名之为庐,宽亦得温病,讬言入庐斋戒,遂死于庐中。而事宽者犹复谓之化形尸解之仙,非为真死也。”④从其以祝水神符为人治病和设置“道庐”等情况来看,这个李家道与张陵的天师道颇相类似,与葛洪主张的以炼丹服食求长生不死、成为神仙的金丹道派不同,故葛洪甚鄙视之,称“其术至浅”,并指责其为“妖道”,“亦皆宜在禁绝之列”。从葛洪的叙述来看,李宽死后,李家道在东晋葛洪的时候,仍在江南盛行。因此他说:“余亲识多有及见宽者。”葛洪企图唤醒这些“滞迷”者,

① (晋)葛洪:《神仙传校释》,北京:中华书局2010年版,第87页。
② (晋)葛洪:《神仙传校释》,北京:中华书局2010年版,第87页。
③ (宋)张君房:《云笈七籤》卷28,《道藏》第22册,第208页。
④ 王明:《抱朴子内篇校释》,北京:中华书局1985年版,第174页。

让他们脱离这个道派。他说："余所以委曲论之者，宽弟子转相教授，布满江表，动有千许，不觉宽法之薄，不足遵承而守之，冀得度世，故欲令人觉此而悟其滞迷耳。"这里值得注意的是，李阿和李宽皆是蜀人，均号称李八百，尽管后者是被人误认，但说明了李家道乃是发源于四川，并与四川的李八百这个神仙人物有密切的关系。这个李八百，或许就是这个道派的始祖，故其信徒皆打着李八百的旗号，或以此为号召。李八百又作李八伯，《云笈七籤》卷二十八《二十四治》中八品第一昌利治注云："山在怀安军金堂县东四十里，去成都一百五十里，昔蜀郡李八伯初学道处。八伯，唐公房①之师也，游行蜀中诸名山，常自出戏于成都市，暮宿于青城山上，故号为八伯也。"②将这一条与上引平冈治注联系起来看，可知李阿与李八伯学道之处，均属张陵"二十四治"之一，这说明李家道与天师道当有一定的联系。另据葛洪《神仙传》卷二《李八伯传》说："李八伯，蜀人也。莫知其名，历世见之，时人计之已年八百岁，因以号之。或隐山林，或在鄽市。"③并述其以度世之诀和《丹经》一卷传授其弟子唐公房等事。由于他行踪不定，关于他的神话传说也就愈来愈多，且愈来愈离奇。明嘉靖《四川总志》卷三十四又称："李八百，蜀人，初居�阳之五龙冈，历夏商周，年八百岁，一云动则八百里，时人因号李八百……女弟亦得仙，封妙应真人。"所谓"历夏商周"者，显系无稽之谈。但这里提出了"李八百"之号，又因"动则八百里"而来，此与南宋陈葆光《三洞群仙录》卷十二所引《神仙传》佚文的说法相同。在这里亦说："神仙李八百，动则八百里"，但与今本《神仙传》有异。明代正德《瑞州府志》卷十四称："李八百，《续仙传》云蜀人，后来高安，名真，尝得仙术，自称年八百余岁，故人以为号。又相传白鹿先生谓陈抟曰：神仙李八百，动辄八百里，二说未详孰是。"由此可知，关于"李八百"称号的来历，历来即说法不一，因本系神话传说，固不足以详究其实也。或许本为"李八伯"，传为"李八百"，于是"八百里"与"八百岁"的附会，因以孳生。但不管"八百里"与"八百岁"

① 按汉代有唐公昉，据《唐公昉碑文》记载，其成仙时间为"王莽居摄二年"，其师系"真人"，与"李八百"无关。

② 《道藏》第22册，第206页。

③ 葛洪：《神仙传校释》，北京：中华书局2010年版，第81页。

的分歧如何，其为蜀人所崇奉的一位神仙人物，则是一致的。而这些说法不一的神话传说，也许正是四川地区对这位神仙人物的各种偶像崇拜的反映。《集仙传》又记载说："李真多神仙，李脱妹也。脱居蜀金堂山龙桥峰下修道，蜀人历代见之，约其往来八百余年，因号李八百焉……真多随兄修道，居绵竹中，今有真多古迹犹在。"《瑞州府志》卷十四说："李明香，李八百女弟也。初修行于华林山之元秀峰，后于五龙冈冲举，苏诗有'弟妹还应共一家'之语。"这个与李脱有关的李八百的神仙故事，究竟有无真实性，难于考定。但东晋初年，确有道士名李脱，号称李八百者。《晋书》卷五十八《周札传》有这样的记载："时有道士李脱者，妖术惑众，自言八百岁，故号李八百。自中州至建邺，以鬼道疗病，又署人官位，时人多信事之。"①这个李脱既然以"李八百"为号，看来也是属于信仰李八百一派的。他是从中州来到建邺，"以鬼道疗病"，亦和李宽以神符祝水为人治病相似，故应系李家道一派的。张鲁即"以鬼道教民"，又"署人官职"，且北方的天师道早已实行"诸职各各自置"，故其自行"署人官位"，也与当时的天师道相仿，或许李脱所传的李家道与天师道已逐步合流。既然李脱可以自行"署人官位"，也反映了李家道缺乏统一的组织，为民间分散的教团。《周札传》又说：李脱的"弟子李弘，养徒灊山（今安徽霍山），云应谶当王。故（王）敦使庐江太守李恒告（周）札及其诸兄子与脱谋图不轨。时莚（周札兄周靖的第二子）为敦咨议参军，即营中杀莚及脱、弘。"②据《资治通鉴》卷九十二、九十三，此事当在东晋明帝太宁元年和二年（323—324年）王敦举兵之后。时尚书左仆射、护军将军、武城侯周顗已为王敦所害，其弟周嵩"以顗横遇祸，意恒愤愤……敦密使妖人李脱诬嵩及周莚潜相署置，遂害之"③。周嵩是信奉佛教的，临刑时还在诵佛经，他的被杀，虽为李脱所诬，但系出于王敦的阴谋，与道教无关。李弘既是李脱的弟子，当然应是属于李家道的派别。这个李弘是否为托名，因史无明文，故不得而知。如果按照道书的记载，则李弘是"真君"，

① 《晋书》卷58《周札传》，北京：中华书局1974年版，第5册，第1575页。
② 《晋书》卷58《周札传》，北京：中华书局1974年版，第5册，第1575页。
③ 《晋书》卷61《周浚传附子嵩传》，北京：中华书局1974年版，第6册，第1661—1662页。

又称“木子弓口”，且已成为当时利用道教领导农民起义之领袖的代名词，为数甚众。这些李弘，显然并不一定都是李脱的弟子，但和道教却有一定的联系。

二、各地李弘的起义

北魏寇谦之于神瑞二年（415 年）在《老君音诵诫经》里假托老君的话指责说：“世间诈伪，攻错经道，惑乱愚民，但言老君当治，李弘应出，天下纵横返逆者众，称名李弘，岁岁有之。”①又说：“愚人诳诈无端，人人欲作不臣，聚集逋逃罪逆之人，及以奴仆隶皂之间，诈称李弘。”②并指责他们“称官设号，蚁聚人众，坏乱土地”③。这是寇谦之站在为封建统治者服务的道教教主的立场，对这种曾经为农民起义所利用的民间道教进行的攻击。既然“称名李弘岁岁有之”，可见以李弘名义进行起义的不止一人。刘勰在《灭惑论》里也说：“张角、李弘，毒流汉季。”刘勰是从佛教立场出发而把李弘与张角并列在一起的，亦是将李弘视为张角似的人物。但关于汉代的李弘起义，至今却查无实据，尽管从东晋开始，有关记载确实是史不绝书的。关于这个问题，国内学者如汤用彤、唐长孺、王明、方诗铭等都做过一些专题考证。综合他们的考证，除上引《周札传》所载的李脱弟子李弘这次起义以外，在晋代还有以下一些关于李弘起义的记载：

1.《晋书》卷一百六《石季龙传》上：“贝丘人李弘，因众心之怨，自言姓名应谶，遂连结奸党，署置百僚。事发，诛之，连坐者数千家。”④又据《资治通鉴》卷九十七的记载，时为东晋成帝咸康八年（342 年）十二月。

2.《晋书》卷九十八《桓温传》载：东晋穆帝永和十二年（356 年），桓温北征还军后，“又遣江夏相刘岵、义阳太守胡骥讨妖贼李弘，皆破之，传首京都”。⑤

① 《道藏》第 18 册，第 211 页。
② 《道藏》第 18 册，第 212 页。
③ 《道藏》第 18 册，第 211 页。
④ 《晋书》卷 106，北京：中华书局 1974 年版，第 9 册，第 2772 页。
⑤ 《晋书》卷 98，北京：中华书局 1974 年版，第 8 册，第 2572 页。

3.《晋书》卷八《海西公纪》说:“广汉妖贼李弘与益州妖贼李金根聚众反,弘自称圣王,众万余人,梓潼太守周虓讨平之。”①时为海西公太和五年(370年)。此条又见《晋书》卷五十八《周楚传》:“太和中,蜀盗李金根、广汉妖贼李弘,并聚众为寇,伪称李势子,当以圣道王,年号凤皇。”②李金根与李金银当为同一人名。

4.《晋书》卷一百十八《姚兴传》下说:“兴寝疾,妖贼李弘反于贰原,贰原氐仇常起兵应弘。兴舆疾讨之,斩常,执弘而还,徙常部人五百余户于许昌。”③据《资治通鉴》卷一百十六的记载,此事在东晋安帝义熙十年(414年)。

此外,在《宋书》、《南史》、《魏书》、《隋书》中,还有一些关于李弘起义的记载。这些起义将在下面再作叙述。这些事实表明,在上下二百余年之间,以李弘名义起事者连绵不绝,遍及安徽、山东、四川、湖北、陕西、甘肃、河南各地,时间如此之久,地域如此之广,且从汉族到少数民族皆有之。可见“老君当治,李弘应出”的谶语在群众中的影响是非常广泛的,所以这些农民起义者才以李弘的名义来“蚁聚人众”,以达到“称官设号”(建立农民自己的政权)和“坏乱土地”(改变封建土地制度)等政治和经济的目的。尽管其中有些起义是在寇谦之作《老君音诵诫经》之后发生的,但也表明他所谓的“称名李弘,岁岁有之”,不无一定的真实性。

李弘之名为什么有这么大的影响和号召力呢?这从《太上洞渊神咒经》里可以获得一些信息。《太上洞渊神咒经》卷一《誓鬼品》在叙述西晋永嘉之乱后、晋室东渡时的情况说:“尔时四方嗷嗷危殆,天下人民悉不安居,为六夷驱逼,逃窜江右。”并指出:“大晋之世,世欲末时,人民无淳,苗胤生起,统领天下。”④当其时也,“但闻有哭尸之音,不闻有仙歌之响,人民垢浊,三洞壅塞,百六之灾,刀兵疫疾,魔王纵毒,杀害良善,门门凶衰,哀声相寻,

① 《晋书》卷8,北京:中华书局1974年版,第1册,第213页。
② 《晋书》,北京:中华书局1974年版,第5册,第1583页。
③ 《晋书》卷118,北京:中华书局1974年版,第10册,第2998页。
④ 《道藏》第6册,第3页。

众生相残，自作苦恼，相牵而死，怀愚受苦，了不知出。”[①]反映了南北分裂之后，由于战乱频仍，人民处于水深火热的灾难之中，又不知摆脱这种灾难的出路何在的情况，于是《太上洞渊神咒经》的作者便替他们构想出只要有个“真君出世”，就能改天换地，创建一个“道法”兴隆的太平盛世。而且认为大乱之后，必然会有“真君出世”，并有圣贤、仙人、东西南北道士等为其辅佐。那么，这个“真君”究竟是谁呢？它能创造一个什么样的太平盛世呢？《太上洞渊神咒经》对此也作了非常明确的回答。他说：“真君者，木子弓口，王治天下，天下大乐。一种九收，人更益寿，（寿）三千岁。乃复更易天地，平整日月，光明明于常时，纯有先世今世受经之人来辅真君耳。是以智人道士诱化愚人，令受此经，消一切疫病，鬼贼伏散，万愿自果，所向合矣。”又说：“真君出世无为而治，无有刀兵刑狱之苦，圣人治世，人民丰乐，不贪钱财，无有鸡豚犬鼠牛马六畜也，凤凰白鹤为家鸡，麒麟狮子为家畜，纯以道法为事，道士为大臣，男女贞洁，无有淫心。”[②]《太上洞渊神咒经》卷九《杀鬼品》又说：“真君垂出，恶人不见，天遣杀鬼来诛之，荡除天地，更造日月，布置星辰，改弦易调，神人治法，仙人为佐五方，万劫不死，无有刀兵，地皆七宝，衣食自然，无有六畜，男女悉圣，无有恶人之类也。”[③]

所谓“木子弓口”，即是李弘。由此可见，李弘乃是作为救世“真君”的面目而出现的。只要这个“真君出世”，“道士为大臣”，便可以实现“无为而治”，“人民丰乐”，“一种九收”，遍地皆宝，人寿三千岁，“男女贞洁”，没有恶人，也没有刀兵刑狱之苦，人人都以道法为事，这样一个政教合一的理想社会。这虽是属于宗教的说教，而且纯粹是一种主观的幻想。然而，这种幻想却反映了当时广大人民急于摆脱刀兵刑狱等各种现实苦难、要求统一、渴望太平的强烈愿望。既然李弘这个救世“真君”的神通这样广大，能给人们带来这么多的好处，那么，李弘之名在人民中不能不具有十分广泛的影响和强烈的号召力。因此，当时的农民起义者常常以他的名义为号召，或称名李

① 《道藏》第6册，第2页。
② 《道藏》第6册，第5页。
③ 《道藏》第6册，第32页。

弘、自云应谶当王，或奉李弘为圣主，就不是偶然的了。

关于李弘，除了《太上洞渊神咒经》说他是救世“真君”之外，在《元始无量度人上品妙经》四注“得为圣君金阙之臣”条下唐人陈少微注亦称：“圣君者，金阙后圣太平李真君也，讳弘，来劫下为人主，故预称‘后圣君’也。”在这里，不仅说明李弘是“真君”，而且还直接说明李弘应是“下为人主”的“圣君”①。此外，在有的道书里还说李弘是老君转世，或系老子的化名之一。如《三天内解经》即说老子“变化无常，或姓李名弘字阳九”②。《老君变化无极经》又说：老子“随时转运西汉中，木子为姓讳口弓，居在蜀郡成都宫。赤名之域出凌阴，弓长合世建天中，乘三使六万神崇，置列三师有姓名，二十四治气当成。”③即是说，老君在西汉时转世为“李弘”，居住在蜀郡成都，后来的三张，也是继承的李弘事业。从过程来看，开始人们并未将李弘与李老君相联系，《太上洞渊神咒经》虽对李弘作了神化，也仅说李弘是救世“真君”，还没有李弘系老君转世之说。但在《老君音诵诫经》里，既然假借老君之口，斥责那些假冒其名以“诈称李弘”的人，说明认为李弘是老君转世或老君化名的神话传说，在此之前当已流行，并且已为农民起义者所利用，故寇谦之方为此而“大为嗔怒”。

在考察了历史上以李弘名义起义的有关情况和道书中关于李弘的神话传说之后，应当回过头来探讨一下李弘与李家道的关系。关于这个问题，我们目前所看到的资料很少，只能提出一些初步的分析，不能得出确切的结论。从上面引证的材料来看，李家道开始是以李八百为其偶像崇拜的，到东晋明帝时李脱的弟子李弘起义之后，李八百的系统便中断了。关于这次起义中有关宗教方面的情况，过去史籍的记载非常简略，除了说明这个李弘是道士李脱的弟子之外，只记载了他自云“应谶当王”这么一句。但《老君音诵诫经》在谈到“称名李弘，岁岁有之”的时候，却说明了这些称名李弘的“反逆者”皆“称鬼神语”，“但言老君当治、李弘应出”。可见，“应谶当王”这句谶语，乃是他们共同使用的。从上面引证的一些史料中，也可大致看出

① 《道藏》第 2 册，第 240 页。
② 《道藏》第 28 册，第 413 页。
③ 《道藏》第 28 册，第 372 页。

这一点。由此可知,在李脱起义之后,李八百的偶像便逐渐被老君转世的救世真君李弘所代替了。因此,是否可以说李家道并未从此而中断,救世真君李弘和李家道仍有一定的关系呢？这是一个尚待研究的问题。日本学者山田利民在《试论李家道》一文中,对此作了肯定的结论。他认为,在此之前的李家道教团,重点是为了救济个人而不是"救世"。到了六朝的政治混乱时期,这个教团便发展成为追求真君理想国度的反乱了。这种反乱已经不是救济个人,而是谋求社会变革的运动了。这样,作为教团偶像的老君转世的救世真君,自然比只拥有地域性信仰的李八百的名字更具有号召力和利用价值。他还指出,元赵道一《历世真仙体道通鉴》卷二所载的蜀中女仙李真多,因其为"仙人李八百之妹",也应是李家道系统中的一位女道士。他的这些意见,可以作为我们研究的参考。

蜀中的李氏神仙人物中,还有一个李意期,他曾和刘备有过接触。《三国志》卷三十二《先主传第二》裴松之注引"葛洪《神仙传》曰:仙人李意其,蜀人也。传世见之,云是汉文帝时人。先主欲伐吴,遣人迎意其。意其到,先生礼敬之,问以吉凶,意其不答,而求纸笔,画作兵马器仗数十纸,已,便一一以手裂坏之;又画作一大人,掘地埋之,便径去。先主大不喜,而自出军征吴,大败,还,忿耻发病,死。众人乃知其意,其画作大人而埋之者,即是言先主死意。"①"其"又作"期"。今本《神仙传》卷三《李意期传》亦载其事,内容基本相同,仅文字略异。并称:"意期少言,人有所问,略不对答。蜀人有忧患,往问之,凶吉自有常候,但占其颜色。若欢悦,则善;惨戚,则恶。"②这一情况,和上面所说的李阿的表现情况很相类似,故李意期亦可能是属于李家道一派的。所谓"汉文帝时人"者,当系道士附会之词。《神仙传》卷三《李意期传》还记载说,此人"后入琅琊山中,不复见出"③。

前面我们已经谈到《太上洞渊神咒经》有企图恢复天师道旧制的思想,其中又有推崇救世真君李弘的内容。在《老君变化无极经》又提出了老君转世的李弘,居住四川,且认为三张之道亦是继承李弘的事业。而李八百、

① 《三国志》卷32,北京:中华书局1959年版,第4册,第891页。
② (晋)葛洪:《神仙传》,北京:中华书局1991年版,第111页。
③ (晋)葛洪:《神仙传》,北京:中华书局1991年版,第111页。

李阿修道成仙之所,都是张陵"二十四治"之一。说明李家道与天师道是有一定的联系。它们后来的合流,也完全是可能的。这大概是李家道后来逐渐消失的一个原因。

三、杜子恭一派天师道的流传与孙恩、卢循的起义

在晋代,天师道在江南地区也得到逐步发展。其中最有影响的,有杜子恭一派。杜子恭,名炅,吴郡钱塘人,世传五斗米道。《三洞珠囊》卷一《救导品》引《道学传》第四卷说:"杜炅字子恭。及壮,识信精勤,宗事正一。少参天师治箓,以之化导,接济周普。行己精洁,虚心拯扬,不求信施。遂立治静,广宣救护,莫不立验也。"①可见他从小即信奉天师道,立志继承三张的事业。但他"不求信施",和陈瑞一样,他废除了入道者须交纳信米五斗的规定。还说:他"为人善治病。人间善恶,皆能预睹。上虞龙稚,钱塘斯神,并为巫觋,嫉炅道王,常相诱毁。人以告炅,炅曰:非毁正法,寻招冥考。俄而稚妻暴卒,神抱隐疾,并思过归诚,炅为解谢,应时皆愈。神晚更病,炅语曰:汝藏鬼物,故气祟耳。神即首谢曰:实藏好衣一箱。登取于治烧之,豁然都差。"又说:"陆纳为尚书令,时年四十,患疮,告炅云:奕世短寿,临终皆患此疮。炅为奏章,又与灵飞散,谓曰:君庇命已过,可至七十。果如其言也。"②这些说法,充满了神话迷雾。然而透过这些神话迷雾,便可看出杜子恭亦善于符箓禁祝,跪拜首过之术,并以为人治病为其传教方式,这些都和三张之道极其相近。《三洞珠囊》卷一《救导品》引《道学传》第四卷又说:"王羲之有病,请杜炅。炅谓弟子曰:王右军病不差,何用吾为?十余日而卒。"③据此,则杜子恭当与王羲之大致同时。《资治通鉴》卷一百三《简文帝咸安元年(371 年)十月》记载说:"术士杜炅能知人贵贱,(桓)温问炅以禄位所至。炅曰:'明公勋格宇宙,位极人臣。'温不悦。"因此,海西公在位(365—371 年)时,杜子恭还在世。《南史》卷五十七《沈约传》说:"初,钱塘人杜炅字子恭,通灵有道术,东土豪家及都下贵望并事之为弟子,执在三之

① 《道藏》第 25 册,第 296 页。
② 《道藏》第 25 册,第 296 页。
③ 《道藏》第 25 册,第 301 页。

敬。”可见，杜子恭一派的天师道，在江南的高级士族中曾拥有不少的信徒。到其弟子孙泰时，则不仅在上层士族中流传，且在下层群众中亦广收徒众，并发动了反对晋王朝统治的斗争。《晋书》卷一百《孙恩传》说：“孙恩字灵秀，琅琊人，孙秀之族也。世奉五斗米道。恩叔父泰，字敬远，师事钱塘杜子恭。而子恭有秘术……子恭死，泰传其术。然浮狡有小才，诳诱百姓，愚者敬之如神，皆竭财产，进子女，以祈福庆。王珣言于会稽王道子，流之于广州，广州刺史王怀之以泰行郁林太守，南越亦归之。太子少傅王雅先与泰善，言于孝武帝（373—369 年在位），以泰知养性之方，因召还。道子以为徐州主簿，犹以道术眩惑士庶。稍迁辅国将军、新安太守……黄门郎孔道、鄱阳太守桓放之、骠骑谘议周勰等皆敬事之，会稽世子元显亦数诣泰求其秘术。泰见天下兵起，以为晋祚将终，乃扇动百姓，私集徒众，三吴士庶多从之。于时朝士皆惧泰为乱，以其与元显交厚，咸莫敢言。会稽内史谢輶发其谋，道子诛之。”①孙泰在传授杜子恭的“通灵道术”时，可能很强调通过这种方术以达到长生成仙。因此在他被诛之后，“众闻泰死，惑之，皆谓蝉蜕登仙”。其弟子孙恩逃往海上，纠合起义余众，“自海攻上虞，杀县令，因袭会稽，害内史王凝之，有众数万。于是会稽谢鍼、吴郡陆瓌、吴兴丘尩、义兴许允之、临海周胄、永嘉张永及东阳、新安等凡八郡，一时俱起②，杀长吏以应之，旬日之中，众数十万。于是吴兴太守谢邈、永嘉太守谢逸、嘉兴公顾胤、南康公谢明慧、黄门郎谢冲、张琨、中书郎孔道、太子洗马孔福、乌程令夏侯愔等皆遇害。吴国内史桓谦、义兴太守魏傿、临海太守、新蔡王崇等并出奔。于是恩据会稽，自号征东将军，号其党曰‘长生人’，宣语令诛杀异己，有不同者戮及婴孩，由是死者十七八。畿内诸县处处蜂起，朝廷震惧，内外戒严……及桓玄用事（402 年），恩复寇临海，临海太守辛景讨破之。恩穷戚，乃赴海自沉，妖党及妓妾谓之水仙，投水从死者百数。”③余众复推恩妹夫卢循为主，继续战斗。直到晋安帝义熙七年（411 年）在卢循进攻广州时，

① 《晋书》，北京：中华书局 1974 年版，第 8 册，第 2631—2632 页。

② 按：当时的晋王朝只辖会稽、吴、吴兴、义兴、临海、永嘉、东阳、新安等八郡。“八郡一时俱起”，即整个东晋王朝的统治区都同时起义了。

③ 《晋书》卷 100《孙恩传》，北京：中华书局 1974 年版，第 8 册，第 2632—2634 页。

为刺史杜慧度“谲而败之”,卢循遂自投水死,“慧度取其尸斩之,及其父嘏;同党尽获,传首京都”①,遭到了极其残酷的镇压。

关于孙恩、卢循起义的原因和性质,有的学者把它看作是单纯的“教匪作乱”,并因他们诛杀了道教信徒王凝之、孔道等而指责其为“同道相残”,实际却是“官逼民反”,即与“元显纵暴吴会,百姓不安”②有直接关系。元显乃会稽文孝王司马道子之子。道子乃孝武帝司马曜之弟,同为简文帝李夫人所生。孝武帝即位以后,溺于酒色,“不亲万机”,委政事于道子。道子遂总揽朝政,“势倾天下”③,“郡守长吏,多为道子所树立”④。孝武帝又好佛法,“立精舍于殿内,引诸沙门以居之”⑤。而道子亦崇信浮屠之学,穷奢极费,民不堪命。且“所亲昵者皆姏姆僧尼,左右近习,争弄权柄,交通请托,贿赂公行,官赏滥杂,刑狱谬乱”⑥。《晋书》卷六十四《会稽文孝王道子传》说:“于时孝武帝不亲万机,但与道子酣歌为务,姏姆尼僧,尤为亲暱,并窃弄其权。凡所幸接,皆出自小竖。”⑦如王国宝,“少无士操”,曾“因尼支妙音致书与太子母陈叔媛”,以干孝武帝,并以谄媚得宠,道子亦“倚为心腹”,“遂参管朝权,威震内外”。而“国宝贪纵聚敛,不知纪极,后房伎妾以百数,天下珍玩充满其室”⑧。又如嬖人赵牙,本出优倡:茹千秋,本钱塘捕贼吏,皆以谄赂得进,道子遂以牙为魏郡太守,千秋为骠骑咨议参军。牙为道子开东第,筑山穿池,功用巨万。千秋则卖官贩爵,聚资货累亿。造成“官以贿迁,政刑谬乱”⑨。司马曜和道子等又常“为长夜之宴,蓬首昏目,政事多阙”⑩。道子还使宫人为酒肆,沽卖于水侧,与亲昵乘船就之饮宴,以

① 《晋书》卷100《卢循传》,北京:中华书局1974年版,第8册,第2636页。
② 《晋书》卷100《孙恩传》,北京:中华书局1974年版,第8册,第2632页。
③ 《晋书》卷64《简文三子》,北京:中华书局1974年版,第6册,第1733页。
④ 《晋书》卷64《简文三子》,北京:中华书局1974年版,第6册,第1733页。
⑤ 《晋书》卷9《孝武帝纪》,北京:中华书局1974年版,第1册,第231页。
⑥ (宋)司马光:《资治通鉴》卷107《孝武帝纪太元十四年十一月》,第8册,第3390页。
⑦ 《晋书》卷64《简文三字》,北京:中华书局1974年版,第6册,第1733页。
⑧ 《晋书》卷75《王湛传·附国宝传》,北京:中华书局1974年版,第7册,第1970—1972页。
⑨ 《晋书》卷64《简文三子》,北京:中华书局1974年版,第6册,第1733页。
⑩ 《晋书》卷64《简文三子》,北京:中华书局1974年版,第6册,第1733页。

为笑乐。当时朝政之紊乱和腐败，可想而知。左卫领营将军会稽许荣曾就这种腐败现象向孝武帝上疏说："今台府局吏、直卫武官及仆隶婢儿取母之姓者，本无乡邑品第，皆得为郡守县令，或带职在内；及僧尼乳母，竞进亲党；又受货赂，辄临官领众。政教不均，暴滥无罪；禁令不明，劫盗公行。"又揭露当时佛教徒的危害说："臣闻佛者，清远玄虚之神。今僧尼往往依傍法服，五诫粗法，尚不能遵，况精妙乎！而流惑之徒，竞加敬事，又侵渔百姓，取财为惠，亦未合布施之道也。"[①]但是"疏奏不省"，孝武帝不予理睬。当然这时的局势，已危机四伏，不少人都有"黍离之叹"，再加之"元显性苛刻，生杀自己"[②]，而道子又"政无大小，一委元显"[③]。人民在此暗无天日、走投无路的情况下，怎能不起而反抗？故孙恩、卢循振臂一呼，整个晋王朝所统治下的八郡便"一时俱起，杀长吏以应之，旬日之中，众数十万"[④]。此次起义，历时十余年，经过大小数十余战，最后虽然失败，但东晋王朝在这次农民起义的打击下，也随之而垮台。《晋书》作者在评论此事时说："道子地则亲贤，任唯元辅，耽荒麴蘖，信惑谗谀。遂使尼媪窃朝权，奸邪制国命，始则彝伦攸斁，终则宗社沦亡。元显以童丱之年，受栋梁之寄，专制朝廷，陵蔑君亲，奋庸琐之常材，抗奸凶之巨寇，丧师殄国，不亦宜乎！"又说："道子昏凶，遂倾国祚。"[⑤]这虽是从维护封建统治的立场出发总结的教训，但从这里亦可以看出孙恩、卢循的起义和东晋王朝的垮台，都绝不是偶然的。至于在起义中明确提出了"诛杀异己"的口号，并诛杀了"世事张氏五斗米道"的王凝之等，这正是说明了道教分化过程中的激烈斗争。

杜子恭的弟子除了琅邪孙氏以外，还有吴兴沈氏。据《南史》卷五十七《沈约传》载，"（沈）警累世事道，亦敬事子恭。子恭死，门徒孙泰、泰弟子恩传其业，警复事之。隆安三年（399 年），恩于会稽作乱，自称征东将军，三吴

---

① （宋）司马光：《资治通鉴》卷 107《孝武帝纪太元十四年十一月》，北京：中华书局 1956 年版，第 8 册，第 3391 页。又，《晋书》卷 64《简文三子》（北京：中华书局 1974 年版，第 6 册，第 1733 页）亦载其事，但文字略异。

② 《晋书》卷 64《简文三子》，北京：中华书局 1974 年版，第 6 册，第 1737 页。

③ 《晋书》卷 64《简文三子》，北京：中华书局 1974 年版，第 6 册，第 1737 页。

④ 《晋书》卷 100《孙恩传》，北京：中华书局 1974 年版，第 8 册，第 2632 页。

⑤ 《晋书》卷 64《简文三子》，北京：中华书局 1974 年版，第 6 册，第 1741 页。

皆响应。(警子)穆夫在会稽,恩以为余姚令。及恩为刘牢之所破,穆夫见害……警及穆夫弟仲夫、任夫、预夫、佩夫并遇害。"[①]《宋书》卷一百《自序》,与此传所记相同。说明沈警与穆夫,皆杜子恭、孙恩的信徒。孙恩起义失败,沈氏几乎全家被杀。

杜子恭一派的天师道,尽管曾因孙恩的起义而遭到东晋王朝的残酷镇压,但它并未因此而消灭。首先是杜子恭的子孙,仍然世代传播着杜氏天师道。其孙杜道鞠,曾为州从事,善弹琴,与丹阳许黄民有往来。黄民为许翙之子。是南朝最著名的天师道世家,奉上清经法。《真诰》卷十九第十说,"元兴三年(404 年),京畿纷乱,黄民乃奉经入剡……钱塘杜道鞠,道业富盛,数相招致。"[②]可见他与上清派的关系非常密切。杜子恭的玄孙杜京产更是一个很有影响的道士,这将在下章予以叙述。

在介绍杜子恭事迹时,不能不涉及一个有待考察的问题。钟嵘《诗品》上"宋临川太守谢灵运"条说:"钱塘杜明师夜梦东南有人来入其馆。是夕,即灵运生于会稽。旬日而谢玄亡,其家以其子孙难得,送灵运于杜治养之,十五方还都,故名客儿。"这个收养谢灵运的杜明师究竟是谁呢?过去有些学者认为这个杜明师即是杜子恭。但杜子恭又称明师。史传并无明确记载。在《云笈七籤》卷一百十一《洞仙传 · 杜昺传》里却说:"杜昺字叔恭,吴国钱塘人也……昺早孤,事后母至孝,有闻乡郡,三礼命仕不就,叹曰:'方当人鬼淆乱,非正一之炁无以镇之。'于是师余杭陈文子,受治为正一弟子。救治有效,百姓咸附焉。后夜中有神人降云:我张镇南也,汝应传吾道法,故来相授诸秘要方、阳平治。昺每入静烧香,能见百姓三五世祸福,说之了然,章书符水,应手即验。远近道俗,归化如云,十年之内,操米户数万。晋太傅谢安时为吴兴太守,见黄白光,以问昺,昺曰:'君先世有阴德于物,庆流后嗣,君当位极人臣。'……隆安中,琅邪孙泰以妖惑陷咎,及祸延者众,昺忽弥日聚集,纵乐无度,敕书吏崇桃生市凶具,令家作衣衾,云:'吾至三月二十六日中当行。'体寻小恶,至期于寝,不觉尸柔炁洁。诸道民弟子为之立

① 《南史》卷 57《沈约传》,北京:中华书局 1976 年版,第 5 册,第 1405 页。
② 《道藏》第 20 册,第 604 页。

碑，谥日明师矣。”①据此，则杜明师应是杜晶。杜晶字叔恭，而杜炅字子恭，且据《晋书·孙恩传》载，孙泰起事之时，子恭已死，故叔恭与子恭，并非一人，但二人籍贯相同，时代也很相近，从其名字来看，二人似有非常密切的关系，或系昆仲亦未可知，于是文献记载，常将二人的事迹相混。由此更可证明杜子恭一派的天师道，乃是上承三张之法而来，且托张鲁之名令其典阳平治，表明他在天师道各派中的地位较高。其传授和师友关系，根据以上的资料，可列表如下：

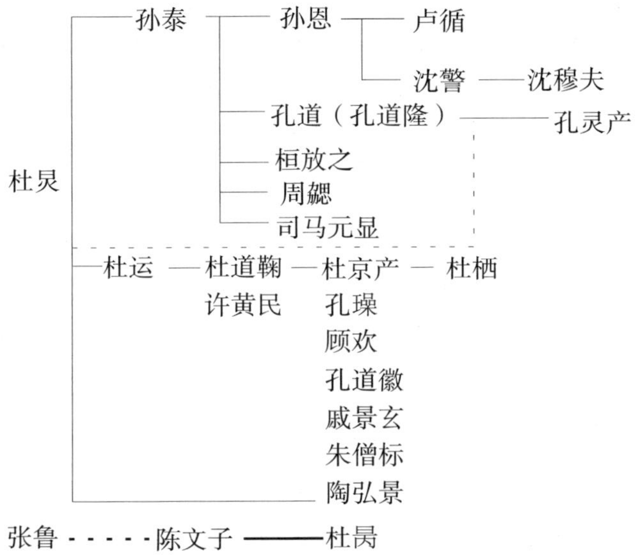

注：（实线表示直接师承关系，虚线表示间接师承关系，平列其名无线条联系者表示友好关系。）

以上分别介绍了魏晋时候道教（主要是天师道）在北方、南方和巴蜀地区的传播和发展，并叙述了广大群众利用道教进行起义的一些情况。这说明在晋代，道教已经流行到全国各地，并继续成为广大农民用以团结群众进行起义的工具。除了上面介绍的那些利用道教进行的农民起义外，这时被封建统治者视为“妖贼”的起义，是史不绝书的。其中不少均与道教有直接或间接的关系，举例如下：

① 《道藏》第22册，第757页。

西晋时候，正当李特、李流在蜀中领导农民起义之际，义阳蛮张昌以募人讨李流为名，聚党数千人，于晋惠帝大安二年（303年）五月在湖北安陆发动了起义。时“新野庄王歆为政严急，失蛮夷心”①，加上江夏地区正在闹饥荒，故张昌起义时，“百姓从之如归”②。昌乃易姓名为李辰，宣称“当有圣人出”。得山都县吏丘沈于江夏，“昌名之为圣人，盛车服出迎之，立为天子，置百官。沈易姓名为刘尼，称汉后，以昌为相国”，“于石岩中作宫殿，又于岩上织竹为鸟形，衣以五彩，聚肉于其傍，众鸟群集，诈云凤皇降，又言珠袍、玉玺、铁券、金鼓自然而至。乃下赦书，建元神凤、郊祀、服色依汉故事”③。此与上面所说“妖贼李弘”的情况有些相似，其易名“李辰”，恐亦非偶然，抑或与李家道有一定的关系。有学者主张“李辰”即《抱朴子内篇·道意》中所指责的“李申”，也有一定的道理。张昌又造流言说：“江淮已南当图反逆，官军大起，悉诛讨之。”④于是人们互相煽动，江沔间一时猋起，竖牙旗，鸣鼓角，以应昌，旬月之间，众至三万。起义军“皆以绛科头，撍之以毛”⑤，即以绛帕裹头，以羽毛着面，这与张角起义军皆头着黄巾有些近似。《三国志·吴书·孙策传》注引《江表传》说：“昔南阳张津为交州刺史，舍前圣典训，废汉家法律，常著绛帕头，鼓琴烧香，读邪俗道书，云以助化，卒为南夷所杀。”说明以绛帕裹头，在道教史上也是有先例的。故这次起义，带有明显的道教色彩，并与李特、李流领导的巴氐起义遥相呼应。新野王歆向西晋王朝上表请讨张昌说：“妖贼张昌、刘尼，妄称神圣，犬羊万计，绛头毛面，挑刀走戟，其锋不可当。”⑥义军那种神勇无敌的英雄气概，可想而知。西晋王朝派遣几路官军进行围剿，义军奋起反击，打败官军，攻破郡县，斩杀了西晋王朝的南阳太守刘彬、平南将军羊伊、镇南大将军王歆等。接着西晋王朝又派遣荆州刺史刘弘等统率大批官军进攻义军

---

① （宋）司马光：《资治通鉴》卷85《惠帝纪太安二年三月》，北京：中华书局1956年版。第6册，第3680页。
② 《晋书》卷58《周处传》附子玘传，北京：中华书局1974年版，第5册，第1572页。
③ 《晋书》卷100《张昌传》，北京：中华书局1974年版，第8册，第2613页。
④ 《晋书》卷100《张昌传》，北京：中华书局1974年版，第8册，第2613页。
⑤ 《晋书》卷100《张昌传》，北京：中华书局1974年版，第8册，第2613页。
⑥ 《晋书》卷100《张昌传》，北京：中华书局1974年版，第8册，第2613页。

于方城，结果又为义军所击败。张昌遂乘胜攻取江南诸郡，杀死武陵太守贾隆、零陵太守孔纮、豫章太守阎济、武昌太守刘根。张昌又派遣其别帅石冰攻破扬州，临淮人封云举兵应冰，攻占徐州。于是，在短短三个月之内，荆、江、徐、扬、豫等五州之境，多为义军占领，并委任牧守。八月，刘弘遣陶侃、蒯桓、皮初等率军围攻张昌于竟陵，刘乔又遣李杨、尹奉统兵向江夏以互相配合，昌与侃等苦战累日，卒为所败，走入下雋山。十二月，议郎周圮、前南平内史长沙王矩率领地主武装于江东起兵以讨石冰，推前吴兴太守吴郡顾秘都督扬九郡诸军事，传檄州郡，杀冰所署将吏。于是，前侍御史贺循起兵于会稽，庐江内史广陵华谭及丹阳葛洪、甘卓，皆起兵以应。永兴元年（304 年）三月，各路地主武装联合攻冰于建康，冰迎战不利，走投封云。云司马张统杀冰及云以降，扬、徐二州遂陷。是年秋，张昌亦为荆州官军所擒，“传首京师，同党并夷三族”①。荆楚的农民起义，惨遭镇压。

晋惠帝光熙元年（306 年）三月，“妖贼刘伯根起于东莱之㡉县”②，“诳惑百姓，众以万数”③，“自称㡉公，王弥帅家僮从之，柏根以弥为长史，弥从父弟桑为东中郎将。柏根寇临淄，青洲都督高密王略使刘暾将兵拒之。暾兵败，奔洛阳，略走保聊城。王浚遣将讨柏根，斩之。”④这里除了刘伯（柏）根被称作“妖贼”和说他“诳惑百姓”外，其具体的宗教信仰如何，因资料不足，故难于判定。

晋惠帝永嘉三年（309 年）七月，“平阳人刘芒荡自称汉后，诳诱羌戎，僭帝号于马兰山。支胡五斗叟、郝索聚众数千为乱，屯新丰，与芒荡合党”⑤。蒙文通先生在《道教史琐谈》中谈到此事时说：“叟即西南民族之称，知五斗米教原行于西南少数民族。”⑥汉末西南民族北迁之后，仍保持其

① 《晋书》卷 100《张昌传》，北京：中华书局 1974 年版，第 8 册，第 2614 页。
② 《晋书》卷 100《王弥传》，北京：中华书局 1974 年版，第 8 册，第 2609 页。
③ 《晋书》卷 37《宗室・高密孝王略传》，北京：中华书局 1974 年版，第 4 册，第 1095 页。
④ （宋）司马光：《资治通鉴》卷 86《晋惠帝光熙元年三月》，北京：中华书局 1956 年版，第 6 册，第 2718 页。
⑤ 《晋书》卷 5《怀帝纪》，北京：中华书局 1974 年版，第 1 册，第 119 页。
⑥ 《蒙文通文集》第 1 卷，成都：巴蜀书社 1987 年版，第 316 页。

宗教信仰。《晋书》作者对这次起义特别冠以"五斗"之号,或许与利用道教组织有关。

《资治通鉴》卷一百三《晋简文帝咸安二年(372年)十一月》记载,"彭城妖人卢悚,自称大道祭酒,事之者八百余家。十一月,遣弟子许龙如吴,晨到海西公门,称太后密诏,奉迎兴复。公初欲从之,纳保母谏而止。龙曰:'大事垂捷,焉用儿女子言乎?'公曰:'我得罪于此,幸蒙宽宥,岂敢妄动。且太后有诏,便应官属来,何独使汝也?汝必为乱。'因叱左右缚之。龙惧而走。甲午,悚率众三百人,晨攻广莫门(建康城北门),诈称海西公还,由云龙门(建康宫门)突入殿庭,略取武库甲仗,门下吏士骇愕,不知所为。游击将军毛安之闻难,帅众直入云龙门,手自奋击,左卫将军殷康,中领军桓秘,入止车门,与安之并力讨诛之,并党与死者数百人。"此事发生在海西公司马奕被桓温所废徙居吴县,简文帝司马昱死去不久,孝武帝司马曜刚即位的时候。《晋书》卷八《海西公纪》、卷九《孝武帝纪》、卷二十七《五行志》上、卷七十四《桓彝传》附秘传、卷八十一《毛宝传》附子安之传、卷九十八《桓温传》对此事皆有记载(《五行志》上和《桓彝传》"悚"皆作"竦"),均称之为"妖贼",并谓其"自称大道祭酒",可见,这无疑又是一次利用道教以图起事的事件,只是尚未实现即被镇压。不但卢悚的党羽被诛者达数百人之多,而且桓温借题"穷考竦事,收尚书陆始等,罹罪者甚众,秘亦免官"①,"责替慢罪也"②。佛教徒释明概也攻击说:"晋文帝太和元年(366年),彭城道士卢悚,自称大道祭酒,以邪术惑众,聚合徒党,向晨攻广汉门,云迎海西公殿中,桓秘等觉知与战,寻并诛斩。"③释明概所攻击的虽是事实,但所说时间则与上引诸史籍的记载均不相符,查"太和"并非文帝年号而是废帝海西公年号,其时海西公尚未被废,何得云"迎",显系明概之误。

在"彭城妖贼"卢悚被镇压17年之后,又出了一个"彭城妖贼"刘黎的起事,刘甚至还自称"皇帝"。《晋书》卷九《孝武帝纪》载:太元十四年(389

① 《晋书》卷74《桓彝传·附秘传》,北京:中华书局1974年版,第6册,第1947页。

② 《晋书》卷98《桓温传》,北京:中华书局1974年版,第8册,第2579页。

③ (唐)释道宣:《广弘明集》卷12,《大正藏》第52卷,第171页。

年)正月,“彭城袄贼刘黎僭称皇帝于皇丘,龙骧将军刘牢之讨平之”①。《晋书》卷八十四《刘牢之传》所载亦同。两个都是“彭城妖贼”,时间又如此之近,他们之间想必是有一定的宗教联系。太元十八年(393年),“袄贼司马徽聚党(于)马头山,牢之遣参军竺朗之讨灭之”②。其后的孙恩、卢循的起义,亦被视为“妖贼作乱”,又遭到刘牢之及其子敬宣等的残酷镇压。从刘牢之多次镇压起义人民来说,他可算是封建王朝豢养的凶恶猎犬。在封建统治阶级内部的争权夺利当中,封建朝廷又派他去讨桓玄。桓玄晓以“高鸟尽,良弓藏;狡兔殚,猎犬烹”③的利害,他明白了,便私与桓玄交通,依附桓玄。桓玄遂乘机夺走他的兵权,使他被迫“自缢而死”,这便是“猎犬”的最后下场。

综上表明,从陈瑞到孙恩,两晋时期大小不同的各种“妖贼”起事,是连绵不断的,遍及东西南北中,并且这些起义者为号召和组织群众,大多利用了道教。这种现象,表明了晋代道教在群众中确有广泛的传播和影响。但由于这个时期的道教处于“人人称教”的分化过程中,缺乏统一的组织和领导,派别或教团也较多,其人数多少和影响大小各不相同。其中有些教团由于资料缺乏,对它的流源和传授系统已难于考定。如上所述,那些为农民起义者所利用的道教,大多属于民间流行的部分。但晋代的道教,还有一部分是向上层发展的,它们直接参与了封建统治阶级内部彼此争权夺利的斗争,其中不少教徒本身就是高级士族,属于封建统治阶级的上层人物。以下便对这一情况作一些考察。

第四节　魏晋时期道教在上层的传播

一、道教徒参与社会政治活动

这一时期,道教徒积极与社会上层人士交往,参与社会政治活动,扩大

① 《晋书》卷9《孝武帝纪》,北京:中华书局1974年版,第1册,第237页。
② 《晋书》卷84《刘牢之传》,北京:中华书局1974年版,第7册,第2189页。
③ 《晋书》卷84《刘牢之传》,北京:中华书局1974年版,第7册,第2190页。

了道教在上层社会中的传播与影响。晋武帝司马炎即位之初,其群臣就典礼制度上奏说:"大晋绍承汉魏,有革有因。"①在宗教政策方面也是如此,曹魏政权曾一再禁止祠祀巫祝,规定"山川不在祀典者勿祠"。晋代统治者仍然因袭了这一政策,司马炎在篡夺曹魏政权之后,便于泰始元年(265年)十二月立即下诏说:"昔圣帝明王修五岳四渎,名山川泽,各有定制,所以报阴阳之功故也。然以道莅天下者,其鬼不神,其神不伤人,故祝史荐而无媿辞,是以其人敬慎幽冥而淫祀不作。末世信道不笃,僭礼渎神,纵欲祈请,曾不敬而远之,徒偷以求幸,袄妄相煽,舍正为邪,故魏朝疾之。其案旧礼具为之制,使功著于人者必有其报,而袄淫之鬼不乱其间。"②泰始二年(266年)正月,有司奏春分祠厉殃及禳祠,他又下诏说:"不在祀典,除之。"③司马炎在这里明确肯定了曹魏统治者禁止祠祀巫祝的正确性,他是要继承这一"旧礼"而"具为之制"。所以,他的这些禁令,乃是曹魏时候的同类禁令的翻版。具体到道教,他也采取了镇压和利用改造相结合的两手政策。上述大量事实表明,司马王朝对于民间道教的"犯上作乱"者,毫无例外地进行了血腥的屠杀,同时又积极利用道教为其统治服务。晋代道教的明显趋势是向上层发展,一部分道教徒奔走于权贵之门,"攀龙附凤",直接参与封建统治阶级内部争夺政治权力的斗争,在这些斗争中为他们出谋划策,甚至起了极其重要的作用;而封建统治阶级中的一些高级士族,也有不少人直接参加到道教中来,成为它的信奉者,遂使道教和封建政治发生了更为直接的紧密联系。例如西晋初期,先后一度把持朝政的杨骏和贾后,都曾利用道术士来巩固他们的统治地位。其中最突出的,是赵王伦与孙秀。赵王伦是西晋初年"八王之乱"的中心人物,其谋士孙秀,因《晋书·孙恩传》有孙恩为"孙秀之族也,世奉五斗米道"的记载,故陈寅恪先生断定其为五斗米道的信徒。其事迹散见于《晋书》中,但没有为之专门立传。《世说新语》《贤媛第十九》"李平阳秦州子"条下刘孝标注引《晋诸公赞》说:"孙秀字俊忠,琅琊人。初,赵王伦封琅琊,秀给为近职小吏。伦数使秀作书疏,文才称伦意。

① 《晋书》卷20《礼》中,北京:中华书局1974年版,第3册,第614页。
② 《晋书》卷19《礼》上,北京:中华书局1974年版,第3册,第600—601页。
③ 《晋书》卷19《礼》上,北京:中华书局1974年版,第3册,第601页。

伦封赵，秀徙户为赵人，用为侍郎，信任之。”《晋书》卷五十九《赵王伦传》亦称：“秀起自琅琊小吏，累官于赵国，以谄媚显达。”可见，孙秀是靠巴结赵王伦而飞黄腾达的。赵王伦字子彝，宣帝司马懿第九子，本是贾后的亲信，后来利用贾后废愍怀太子事，以为太子复仇为名，废贾后为庶人，并篡夺了帝位。赵王伦的这些政治行动，皆出于孙秀的计谋。孙秀既立非常之事，更加受到赵王伦的敬重，“事无巨细，必谘而后行。伦之诏令，秀辄改革，有所与夺，自书青纸为诏。”①权力之大，可想而知。他们之间的相互依靠，除了政治上的沆瀣一气之外，也有宗教方面的原因。《晋书》卷五十九《赵王伦传》又称：“伦、秀并惑巫鬼，听妖邪之说。”他们在篡夺帝位时，即利用宗教神学为他们制造舆论。故史称：“秀使牙门赵奉诈为宣帝神语，命伦早入西宫。又言宣帝于北芒为赵王佐助，于是别立宣帝庙于芒山，谓逆谋可成。”②另据《真诰》卷十六《阐幽微》第二谓“晋宣帝为西明公宾友”，乃道教中的神仙，故其诈为宣帝神语，并为之立庙于北芒山，皆属利用道教的事例。及成都王颖、河间王颙、齐武闵王冏起兵声讨赵王伦时，孙秀又“使杨珍昼夜诣宣帝别庙祈请，辄言宣帝谢陛下（指赵王伦），某日当破贼。拜道士胡沃为太平将军，以招福佑。秀家日为淫祀，作厌胜之文，使巫祝选择战日。又令近亲于嵩山著羽衣，诈称仙人王乔，作神仙书，述伦祚长久以惑众”③。可见，他们的一切行动都完全乞灵于神仙道士。但结果，孙秀和赵王伦一起仍以失败被杀而告终。

参加“八王之乱”的道徒方士除孙秀外，还有步熊和黄道士等，据《晋书》卷九十五《步熊传》载，步熊字叔罴，阳平发干人。少好卜筮数术，门徒甚众。赵王伦闻其名，召之，熊对门徒说：“伦死不久，不足应也。”④伦怒，遣兵围之数重，熊乃使门徒著其裘南走，伦兵悉赴捉之，熊密从北出，得脱。后来投靠成都王颖，做了他的掾属，成为颖的死党。“永兴（304—305 年）初，左卫将军陈眕、殿中中郎逯苞、成辅及长沙故将上官巳等，奉大驾（指晋惠

① 《晋书》卷 59《赵王伦传》，北京：中华书局 1974 年版，第 5 册，第 1602 页。
② 《晋书》卷 59《赵王伦传》，北京：中华书局 1974 年版，第 5 册，第 1601 页。
③ 《晋书》卷 59《赵王伦传》，北京：中华书局 1974 年版，第 5 册，第 1603 页。
④ 《晋书》卷 95《步熊传》，北京：中华书局 1974 年版，第 8 册，第 2479 页。

帝)讨颖,驰檄四方,赴者云集。军次安阳,众十余万,邺中震惧。颖欲走,其椽步熊有道术,曰:'勿动!南军必败。'……颖从之,乃遣奋武将军石超率众五万,次于荡阴……超众奄至,王师败绩"①。说明步熊在成都王颖的军事决策上起了极其重要的作用。成都王颖在荡阴获胜之后,遂挟持惠帝于邺城,独揽朝政。时安北将军王浚率胡、晋兵骑二万攻邺,卢志等"劝颖奉天子还洛阳……而程太妃(颖母)恋邺不欲去,颖未能决……时有道士姓黄,号曰圣人,太妃信之。及使呼入,道士求两杯酒,饮讫,抛杯而去,于是志计始决"②。再次说明在成都王颖军事行动的紧要关头,道士起了非常重要的作用。

道徒方士不仅参与皇室的政治斗争,而且帮助他们祈求皇嗣。东晋简文帝司马昱,史称其"履尚清虚,志道无倦","道化宣流,人望攸归,为日已久"③。当司马昱尚无后息时,即曾利用道教为其求嗣。《三洞珠囊》卷一《救导品》引《道学传》第十八卷说:"濮阳,不知何许人也。事道专心,祈请即验……晋简文帝既废世子,而无后息。阳时在第,密为祈请,三更中有黄气起自西南迳堕室,尔夜李太后即怀孝武,冥道之力。"④《晋书》卷三十二《孝武文李太后传》亦载其事,而内容略有不同。这里是说:"始简文帝为会稽王,有三子,俱夭。自道生废黜,献王早世,其后诸姬绝孕将十年。帝令卜者扈谦筮之,曰:'后房中有一女,当育二贵男,其一终盛晋室。'……会有道士许迈者,朝臣时望多称其得道。帝从容问焉,答曰:'迈是好山水人,本无道术,斯事岂所能判!但殿下德厚庆深,宜隆奕世之绪,当从扈谦之言,以存广接之道。'帝然之,更加采纳。……后数梦两龙枕膝,日月入怀,意以为吉祥,向侪类说之,帝闻而异焉,遂生孝武帝及会稽文孝王,鄱阳长公主。"⑤这些记载还说明了孝武帝司马曜与会稽王司马道子,从小便与道教结缘。后来司马曜虽崇信浮屠,但他对天师道信徒殷仲堪亦十分宠信。司马道子虽

---

① 《晋书》卷59《成都王颖传》,北京:中华书局1974年版,第5册,第1618页。

② 《晋书》卷44《卢钦传附志传》,北京:中华书局1974年版,第4册,第1257页。

③ 《晋书》卷9《简文帝纪》,北京:中华书局1974年版,第1册,第219—320页。

④ 《道藏》第25册,第298页。又见《太平御览》卷666引《太平经》。文字略异,内容完全一致。

⑤ 《晋书》,北京:中华书局1974年版,第4册,第981页。

曾听王珣之言,将天师道徒孙泰流于广州,但不久又召还任用,并对道教的服食之术甚感兴趣。据《晋书》卷八十四《王恭传》载:淮陵内史虞珧子妻斐氏有服食之术,常衣黄衣,状如天师,道子甚悦之,令与宾客谈论,时人皆为降节,遂使王恭大为不满,抗议说:“未闻宰相之坐有失行妇人。”①王恭是虔诚的佛教信徒,他曾经“调役百姓,修营佛寺,务在壮丽”,引起了“士庶怨嗟”;甚至“临刑犹诵佛经”②。他对佛教的迷信如此之深,看到道子对道徒如此尊宠,其抗议是很自然的。道子之子元显,亦曾诣孙泰求秘术,与之交厚。可见他们父子二人均与天师道有一定关系。

道徒方士参与上层政治活动,不仅汉族为然,在当时的少数民族中亦有之。据《晋书》卷九十五《台产传》载,上洛台产,字国儁,曾受到前赵刘曜的重任。其人少专京氏《易》,善图谶、天文、洛书、风角、星算、六日七分之学,尤善望气、占候、推步之术。隐于商洛南山。刘曜时,灾异特甚,曜遣中黄门策问之,产极言其故,曜甚为赞赏,遂引见,访以政事。产具陈灾变之祸,政化之阙,辞甚恳至,因而受到刘曜的宠信,署为博士祭酒、谏议大夫,领太史令。至明年,又转为太中大夫,岁中三迁。历尚书、光禄大夫、太子少师,位特进,金章紫绶,爵关中侯。③

又据《晋书》卷一百七《石季龙传》下载:石季龙的养孙石闵字永曾,于永和六年(350 年)杀后赵石鉴之后,自立为皇帝,改元永兴,国号大魏,复姓冉氏。石祗闻鉴死,乃称尊号于襄国。石闵率步骑十万攻之。石琨、姚襄、悦绾等率三方劲卒共十余万以救祗。石琨等军且至,石闵将出击之,其卫将军王泰建议石阂“宜固垒勿出,观势而动,以挫其谋”④。闵欲从之,道士法饶进谏说:“太白经昴,当杀胡王,一战百克,不可失也。”于是石闵遂尽众出战,结果闵师大败,诸将士死者十余万人。石闵悔之⑤,遂诛法饶父子,支解之。

① 《晋书》,北京:中华书局 1974 年版,第 7 册,第 2184 页。
② 《晋书》,北京:中华书局 1974 年版,第 7 册,第 2186 页。
③ 《晋书》,北京:中华书局 1974 年版,第 8 册,第 2503 页。
④ 《晋书》,北京:中华书局 1974 年版,第 9 册,第 2794 页。
⑤ 参见《晋书》,北京:中华书局 1974 年版,第 9 册,第 2793—2795 页。

前秦苻坚和后秦姚苌，亦曾利用过道士王嘉。嘉字子年，陇西安阳人，《晋书》卷九十五、《云笈七籤》卷一百一十《洞仙传》、《历世真仙体道通鉴》卷二十八皆有传，称他"不食五谷"，"清虚服气"，还能预知吉凶，并有隐形之术，且能"御六气、守三一"。初隐于东阳谷，凿崖穴居，弟子数百人，亦皆穴处。石季龙之末，弃其徒众，至长安，潜隐于终南山，结庵庐而居。门人闻而复随之，乃迁于倒兽山。好尚之士无不师宗之。问其当世事者，皆随问而对。好为譬喻，状如戏调；言未然之事，辞如谶记，当时人莫能晓，事过皆验。苻坚累征不起，及坚将南征，遣使问之，嘉答复说："金刚火强"，乃乘使者马，正衣冠，徐徐东行数百步，而策马驰反，脱衣服，弃冠履而归，下马踞床，一无所言。使者还告，坚不悟，复遣人问"世祚如何？"嘉答以"未央"。坚甚喜，以为吉。明年，岁在癸未，坚大败于寿春，遂亡秦国，乃知"殃"在未年，以秦居西为金，晋都南为火，"火能炼金也"。后姚苌到长安，礼嘉如苻坚故事，每事皆谘之。苌与苻登相持，问嘉："吾得杀苻登定天下不？"嘉答："略得之。"苌大怒说："得当云得，何略之有！"遂杀之。苻登闻嘉死，设坛哭之，赠太师，谥曰文。及苌死，苌子兴字子略方杀登，所谓"略得"也。嘉著有《拾遗录》十卷，多记诡怪之事；又造《牵三歌谶》，累世传之，陶弘景曾用其歌以干梁武帝。

二、高级士族参加天师道

晋代道教上层化的另一表现，是道教传播于世胄高门，使大批高级士族加入道教，成为它的信徒，出现了一些所谓的天师世家。陈寅恪先生在《天师道与滨海地域之关系》一文中，曾对此作过考证。除钱塘杜氏等前已叙及者外，兹再择要简介如下：

郗鉴字道徽，高平金乡人。西晋时，与叔父隆及孙秀，均为赵王伦的党羽。"及伦篡，其党皆至大官，而鉴闭门自守，不染逆节"①，后为东晋元帝、明帝、成帝所重用。其二子，均信奉天师道。长子名愔（312—384年），字方

① 《晋书》卷67《郗鉴传》，北京：中华书局1974年版，第6册，第1796页。

回,“与姊夫王羲之、高士许询并有迈世之风,俱栖心绝谷,修黄老之术”①。笃信符箓,常吞服之。据《世说新语》《术解第二十》说:“郗愔信道甚精勤,常患腹内恶,诸医不可疗。闻于法开有名,往迎之。既来便脉云:‘君侯所患,正是精进太过所致耳。’合一剂汤与之。一服,即大下,去数段许纸,如拳大,剖看,乃先所服符也。”②可见服符不得法,是要出问题的。他对于传写道经也很积极。《太平御览》卷六百六十六引《太平经》说:郗愔“心尚道法,密自遵行。善隶书,与右军相埒。手自起写道经,将盈百卷,于今多有在者”③。《晋书》卷七十七《何充传》说:“于时郗愔及弟昙奉天师道,而充与弟准崇奉释氏,谢万讥之云:二郗谄于道,二何佞于佛。”④愔子名超,字景兴,一字嘉宾,崇信释氏。《晋书》卷六十七《郗鉴传》附超传说:“愔事天师道,而超奉佛。愔又好聚敛,积钱数千万,尝开库,任超所取。超性好施,一日中散与亲故都尽。其任独诣,皆此类也。”⑤又谓“愔忠于王室”,而超却“党于桓氏”,时“(桓)温怀不轨,欲立霸王之基,超为之谋”,被称为桓温的“入幕之宾”。从他们父子二人在宗教信仰和政治态度上的各异其趣,亦可见高级士族中的道教徒在当时的政治斗争中乃是维护晋王朝的统治的。

王羲之字逸少,琅邪临沂(今属山东)人,为司徒王导之从子。《晋书》卷八十《王羲之传》说:“王氏世事张氏五斗米道,凝之弥笃。”⑥可见他们都是五斗米道的信徒。他常和一些道士交往。同书便载有他为道士写经换鹅的故事:“又山阴有一道士,养好鹅,羲之往观焉,意甚悦,固求市之。道士云:‘为写《道德经》,当举群相赠耳。’羲之欣然写毕,笼鹅而归,甚以为乐。”⑦虽说他“性爱鹅”,但可能与他爱道亦有关,他同许迈交游的有关情况可以证明这一点。同书说他“又与道士许迈共修服食,采药石不远千里,

① 《晋书》卷67《郗鉴传附子愔传》,北京:中华书局1974年版,第6册,第1802页。
② 余嘉锡:《世说新语笺疏》,北京:中华书局1983年版,第709页。
③ 按《太平经》中不应有晋代人物,很可能是《道学传》之误,王明先生对此有考证,见王明《太平经合校》,北京:中华书局1960年版,第758—760页。
④ 《晋书》,北京:中华书局1974年版,第7册,第2030—2031页。
⑤ 《晋书》,北京:中华书局1974年版,第6册,第1803页。
⑥ 《晋书》,北京:中华书局1974年版,第7册,第103页。
⑦ 《晋书》,北京:中华书局1974年版,第7册,第2100页。

遍游东中诸郡，穷诸名山，泛沧海，叹曰：'我卒当以乐死。'"①王羲之对道教的崇信之深，可想而知。《晋书》作者将《许迈传》附于《王羲之传》之后，也表明他们二人的志同道合。关于许迈的事迹，据《许迈传》说："许迈字叔玄，一名映，丹阳句容人也。家世士族，而迈少恬静，不慕仕进……时南海太守鲍靓隐迹潜遁，人莫之知。迈乃往候之，探其至要。父母尚存，未忍违亲。谓余杭悬霤山近延陵之茅山，是洞庭西门，潜道五岳，陈世安、茅季伟常所游处，于是立精舍于悬霤，而往来茅岭之洞室，放绝事务，以寻仙馆，朔望时节还家定省而已。父母既终，乃遣妇孙氏还家，遂携其同志遍游名山焉。初采药于桐庐县之桓山，饵术涉三年，时欲断谷。以此山近人，不得专一，四面藩之，好道之徒欲相见者，登楼与语，以此为乐。常服气，一气千余息。永和二年（346 年），移入临安西山，登岩茹芝，眇尔自得，有终焉之志。乃改名玄，字远游。与妇书告别，又著诗十二首，论神仙之事焉。羲之造之，未尝不弥日忘归，相与为世外之交。玄遗羲之书云：'自山阴南至临安，多有金堂玉室，仙人芝草，左元放之徒，汉末诸得道者皆在焉。'羲之自为之传，述灵异之迹甚多，不可详记。玄自后莫测所终，好道者皆谓之羽化矣。"②《真诰》卷二十《真胄世谱》称其"与王右军父子周旋，子猷乃修在三之敬"。子猷名徽之，系羲之之子。可见，不仅王羲之本人与许迈交往甚密，其子且以许迈为师。《真胄世谱》又考定许迈生卒年说："按手书授六甲阴阳符云：'永昌元年（322 年）年二十三岁'，则是永康元年（300 年）庚申岁生也。而《谱》云永和四年（348 年）秋，绝迹于临安西山，年四十八，此则永宁元年（301 年）辛酉生，为少一年，今以自记为正，绝迹时年四十九矣"，又称许迈"娶吴郡孙宏字产达女，即骠骑秀之孙"。同时指出："有云李东者，许家常所使祭酒，先生亦师之。家在曲阿东，受天师吉阳治左领神祭酒。"③是则许迈与王羲之都曾奉事天师道。另据《云笈七籤》卷一百六《许迈真人传》说：许迈"世为胄族，冠冕相承。映总角好道，潜志幽契……初师鲍靓，受中部之法

① 《晋书》，北京：中华书局 1974 年版，第 7 册，第 101 页。
② 《晋书》卷 80《王羲之传附许迈传》，北京：中华书局 1974 年版，第 7 册，第 2106—2107 页。
③ 《道藏》第 20 册，第 608 页。

及《三皇天文》。一旦辞家，往而不返，东入临安县山中，散发去累，改名远游。服术黄精，渐得其益，注心希微，日夜无间。数年之中，密感玄虚太元真人定录茅君降授上法，遂善于胎息内观，步斗隐逸。每一感通，将超越云汉。后移临海赤山，遇王世龙、赵道玄、傅太初，映因师世龙，受解束反行之道，服玉液朝脑精，三年之中，面有童颜"①。这与《历世真仙体道通鉴》卷二十一《许迈传》所载大体相同，惟《三皇天文》作《三皇内文》。所谓"上法"，即指上清经法。许迈为上清派著名道士许谧之兄，其得受上清经法，是很自然的事。据以上所载，他同时又从鲍靓受《三皇内文》，则三洞经书已得其二。关于许谧与上清派的问题，容后再叙，这里只介绍一下鲍靓的事迹。

鲍靓字太玄，东海人②，汉司隶鲍宣之后。《晋书》卷九十五《鲍靓传》称他"学兼内外，明天文河洛书，稍迁南阳中部都尉，为南海太守。尝行部入海，遇风，饥甚，取白石煮食之以自济"③。又谓"靓尝见仙人阴君，授道诀，百余岁卒"。所谓"阴君"，即指阴长生。《云笈七籤》卷六记载说："晋时鲍靓，学道于嵩高，以惠帝永康二年(301 年)于刘君石室清斋，忽有《三皇文》刊石成字，乃依经以四百尺绢告玄而受，后亦授葛洪。"④《道教义枢》卷二《三洞义》亦载其事。据此，是鲍靓曾传《三皇经》。《云笈七籤》卷一百六《鲍靓真人传》称其曾"师左元放，受中部法及三皇五岳劾召之要，行之神验，能役使鬼神，封山制魔"⑤。又谓"晋大兴元年(318 年)靓暂往江东，于蒋山北道见一人年可十六七许，好颜色，俱行数里，其人徐徐动足，靓奔马不及，已渐而远，因问曰：相观行步，必有道者。其人曰：吾仙人阴长生也，太上使到赤城，君有心，故得见我尔。靓即下马，拜问寒温"，阴长生遂授以太清尸解之法。⑥《云笈七

① 《道藏》第 22 册，第 728 页。

② 一作"上党人"，一作"陈留人"，一作"琅邪人"。

③ 《晋书》，北京：中华书局 1974 年版，第 8 册，第 2482 页；《抱朴子内篇 · 杂应》介绍断谷法时，亦载有煮食白石之法。

④ 《道藏》第 22 册，第 35 页。

⑤ 陈国符先生说："《三皇文》，三国帛和所得者为最古。又郑隐以授葛洪，其师授今不可考。至晋鲍靓所传，云于嵩山石室中得之，亦以传葛洪。《三皇文》即《三皇经》，后人增其他道经及斋仪，编成《洞神经》。"见于陈国符：《道藏源流考》，中华书局 2014 年版，第 58 页。

⑥ 《道藏》第 22 册，第 729 页。

籤》卷八十五、《太平御览》卷六百六十三引《道学传》与《历世真仙体道通鉴》卷二十一《鲍靓传》也均载有其事。另据《晋书》卷七十二《葛洪传》载，鲍靓又为葛洪妻父，葛洪曾师事之，并传其业，这在下面还将谈到。

晋代高级士族中信奉天师道者，还有殷仲堪。《晋书》卷八十四《殷仲堪传》说："殷仲堪，陈郡人也。祖融，太常、吏部尚书。父师，骠骑咨议参军、晋陵太守、沙阳男。"并谓"仲堪少奉天师道，又精心事神，不吝财贿，而怠行仁义，啬于周急，及(桓)玄来攻，犹勤请祷"。"每云三日不读《道德论》①，便觉舌本间强"，可见他学习道门经典，已经成为一种习惯。他还和许多道教徒一样兼通医术，《晋书》卷八十四《殷仲堪传》又说："父病积年，仲堪衣不解带，躬学医术，究其精妙"，"然善取人情，病者自为诊脉分药"。他对于天师道以符水咒说为人治病的方术，也很熟悉。《三洞珠囊》卷一《救导品》引《道学传》第十六卷说他"少奉天师道及正一，精心事法，不吝财贿。家有疾病，躬为章符，往往有应。乡人及左右或请为之，时行周救，弘益不少也"②。《隋书·经籍志》子部医方类录有殷仲堪撰的《殷荆州要方》一卷，已亡佚。据《世说新语》《文学第四》载："殷仲堪是东阳女婿"，刘孝标注引《殷氏谱》说："仲堪娶琅邪王临之女，字英彦。"亦为天师道世家。晋孝武帝司马曜对于殷仲堪"甚相亲爱"，倚为股肱。《晋书·殷仲堪传》说："帝以会稽王非社稷之臣，擢所亲幸以为藩捍，乃授仲堪都督荆、益、宁三州军事，振威将军、荆州刺史、假节、镇江陵。将之任，又诏曰：'卿去有日，使人酸然。常谓永为廊庙之室，而忽为荆楚之珍，良以慨恨！'其恩狎如此。"③后为桓玄所败，逼令自杀，死于柞溪。

在魏晋士大夫中，还有部分人虽不一定是道教徒，但却对道教的神仙方术十分向往，并且躬行实践，异常虔诚。如竹林七贤中的嵇康，便是这类人物的著名代表。《晋书》卷四十九《嵇康传》说："嵇康字叔夜，谯国铚人也。其先姓奚，会稽上虞人，以避怨，徙焉。铚有嵇山，家于其侧，因而命氏……康早孤，有奇才，远迈不群……恬静寡欲，含垢匿瑕，宽简有大量。学不师

① 《世说新语》《文学四》，"道德论"作"道德经"，当是。
② 《道藏》第25册，第298页。
③ 《晋书》卷84，北京：中华书局1974年版，第7册，第2194页。

受,博览无不该通。长好《老》《庄》……常修养性服食之事,弹琴咏诗,自足于怀。"①山涛为选曹郎,将去官,举康自代,康作书告绝,一方面说他"每非汤武而薄周孔",对儒家的礼法人伦不堪忍受,另一方面又说:"老子、庄周,吾之师也。"并称:"又闻道士遗言,饵术黄精,令人久寿,意甚信之。""吾顷学养生之术,方外荣华,去滋味,游心于寂莫,以无为为贵。"②表明他对道家和道教的思想十分崇信。《晋书》本传还记载他"尝采药游山泽,会其得意,忽焉忘反。时有樵苏者遇之,咸谓为神"。《世说新语》《栖逸第十八》又记载他与道士孙登的交游说:"嵇康游于汲都山中,遇道士孙登,遂与之游。康临去,登曰:'君才则高矣,保身之道不足。'"③刘孝标注引《文士传》说:"嘉平中,汲县民共入山中,见一人,所居悬岩百仞,丛林郁茂,而神明甚察,自云'孙姓,登名,字公和'。康闻,乃从游三年。问其所图,终不答。然神谋所存良妙,康每蔼然叹息。将别,谓曰:'先生竟无言乎?'登乃曰:'子识火乎?生而有光,而不用其光,果然在于用光。人生有才,而不用其才,果然在于用才。故用光在乎得薪,所以保其曜;用才在乎识物④,所以全其年。今子才多识寡,难乎免于今之世矣!子无多求!'康不能用。及遭吕安事,在狱为诗自责云:'昔惭下惠,今愧孙登!'"⑤又引王隐《晋书》说:"孙登即阮籍所见者也,嵇康执弟子礼而师焉。"⑥是则嵇康不仅与孙登有交往,且有师生关系。康后为晋文帝司马昭所杀。"时年四十,海内之士,莫不痛之。帝寻悟而恨焉。"⑦当时有怀疑道教神仙长生之说为妖妄者,康作《养生论》以驳之说:"夫神仙虽不目见,然记籍所载,前史所传,较而论之,其有必矣。似特受异气,禀之自然,非积学所能致也。至于导养得理,以尽性命,上获千

① 《晋书》,北京:中华书局1974年版,第5册,第1369页。

② (魏)嵇康:《叔夜与山巨源绝交书》,(梁)萧统编,(唐)李善注:《文选》卷43,上海古籍出版社1986年版,第5册,第1928页。

③ 余嘉锡撰:《世说新语笺疏》,北京:中华书局1983年版,第649页。

④ 在《晋书·孙登传》原文中,"用才在乎识物"是"用才在乎识真"。《晋书》卷94,北京:中华书局1974年版,第8册,第2426页。

⑤ 余嘉锡:《世说新语笺疏》,北京:中华书局1983年版,第650页。

⑥ 余嘉锡:《世说新语笺疏》,北京:中华书局1983年版,第650页。

⑦ 《晋书》卷49《嵇康传》,北京:中华书局1974年版,第5册,第1374页。

余岁,下可数百年,可有之耳。而世皆不精,故莫能得之。”①这就是说,在他看来,神仙肯定是有的,只是因其禀气与常人不同,故不是一般人所能学得的。至于长生之道,则不仅存在,而且只要精心修炼,是任何人都可能实现的。因此,他着重对于如何修炼养生的问题作了论述。他认为:“精神之于形骸,犹国之有君也;神躁于中,而形丧于外,犹君昏于上,国乱于下也。”所以他主张神形兼炼,性命双修,以达到形气相亲,表里相济。他说:“是以君子知形恃神以立,神须形以存,悟生理之易失,知一过之害生,故修性以保神,安心以全身,爱憎不栖于情,忧喜不留于意,泊然无感,而体气和平;又呼吸吐纳,服食养身,使形神相亲,表里俱济也……故神农曰:‘上药养命,中药养性者,诚知性命之理,因辅养以通也。’”那么,怎样进行神形兼养、性命双修呢?他认为必须节饮食,慎起居,使不生疾病;绝声色,去名利,不为外物所累;再“守之以一,养之以和”,做到无思无虑,恬淡寡欲,然后辅以灵芝、醴泉等药物,便能达到体妙心玄,以至长生。他说:“善养生者……清虚静泰,少私寡欲。知名位之伤德,故忽而不营,非欲而强禁也;识厚味之害性,故弃而弗顾,非贪而后抑也;外物以累心不存,神气以醇白独著,旷然无忧患,寂然无思虑,又守之以一,养之以和,和理日济,同乎大顺。然后蒸以灵芝,润以醴泉,晞以朝阳,绥以五弦,无为自得,体妙心玄,忘欢而后乐足,遗生而后身存。”他指出,一般人之所以不能长生,正是由于不懂得如何养生所致。他说:“世人不察,惟五谷是见,声色是耽,目惑玄黄,耳务淫哇,滋味煎其腑脏,醴醪鬻其肠胃,香芳腐其骨髓,喜怒悖其正气,思虑销其精神,哀乐殃其平粹。夫以蕞尔之躯,攻之者非一涂,易竭之身,而内外受敌。身非木石,其能久乎?其自用甚者,饮食不节,以生百病;好色不勧,以致乏绝,风寒所灾,百毒所伤,中道夭于众难,世皆知笑悼,谓之不善持生也。”他反复强调,养生之法应从细微之处做起,因为“害成于微”,故须善于“慎众险于未兆”;同时还要能够持之以恒,始终如一,不能急于求成。他说:“今以躁竞之心,涉希静之涂,意速而事迟,望近而应远,故莫能相终。夫悠悠者既以未效不求,而求者以不专丧业。偏恃者

① (魏)嵇康:《养生论》,(梁)萧统编,(唐)李善注:《文选》卷53,上海古籍出版社1986年版,第6册,第2287页。

以不兼无功,追术者以小道自溺。凡若此类,故欲之者万无一能成也。”他指出,人们如果能够始终坚持他所说的神形兼炼、性命双修的养生之法,便一定“可与羡门比寿,王乔争年”,长生之道,“何为其无有哉”①?

由此可见,嵇康对道教的神仙长生之说,是非常赞同的,且曾拜道士为师,从这个意义上说,也可说他完全是一个道教信徒。《三国志》卷二十一《王粲传》注引《嵇氏谱》说:“康父昭,字子远,督军粮治书侍御史。兄喜,字公穆,晋扬州刺史、宗正。”嵇康本人“与魏宗室婚,拜中散大夫”②。故他在司马氏专政的时候,开始是受到排斥的。但晋文帝司马昭虽误信钟会之谮,杀害了嵇康,随即“悟而恨焉”③。其子绍,则受到晋代统治者的重用。在晋惠帝司马衷与成都王颖的斗争中,绍曾以死捍卫司马衷,故史称他对晋王室“最有忠正之情”④。康尝“撰上古以来高士为之传赞。欲友其人于千载也。又作《太师箴》,亦足以明帝王之道焉”⑤。他的神仙长生思想,也是符合当时士大夫的愿望的,并为后来的道教所继承和发展。

事实说明,高级士族中的道教信徒,总是和封建王朝的命运息息相关,是封建制度的维护者。他们在封建统治阶级内部争权夺位的相互倾轧中,彼此间也会发生利害冲突,也可能从政坛上败下阵来,宣告“引退”;或者在政治旋涡之中遭受灭顶之灾。前者如王羲之,后者如殷仲堪。但从总的情况来看,他们维护封建统治的基本立场和基本态度,却是一致的。

三、道教中的“岩穴之士”

但是,在晋代道教徒当中,也有部分人“隐居修道”,他们不愿卷入政治潮流,“不事王侯,高尚其事”,不与封建王朝合作。如上面说到的孙登,即

---

① 以上引文,均见嵇康:《养生论》,(梁)萧统编,(唐)李善注:《文选》卷43,上海古籍出版社1986年版,第6册,第2287—2293页。

② 《晋书》卷49《嵇康传》,北京:中华书局1974年版,第5册,第1369页。

③ 《晋书》卷49《嵇康传》,北京:中华书局1974年版,第5册,第1374页。

④ 《三国志》卷21《王粲传》注引《晋诸公赞》,北京:中华书局1959年版,第3册,第607页。

⑤ 《晋书》卷49《嵇康传》,北京:中华书局1974年版,第5册,第1374页。

是属于这一类。其事迹,见《晋书》卷九十四《孙登传》。《三国志》卷二十一《王粲传》注引《康集目录》说:"登字公和,不知何许人①,无家属,于汲县北山土窟中得之。夏则编草为裳,冬则被发自覆。好读《易》,鼓琴,见者皆亲乐之。每所止家,辄给其衣服饮食,得无辞让。"据此,则孙登似为一游方道士。《世说新语》《栖逸第十八》注引《魏氏春秋》亦说:"登性无喜怒,或没诸水,出而观之,登复大笑。时时出入人间,所经家设衣食者,一无所辞,去皆舍去。"②《晋书》本传所载,与此大体相同,并称:"尝住宜阳山,有作炭人见之,知非常人,与语,登亦不应。文帝闻之,使阮籍往观,既见,与语,亦不应。"③《晋书》卷四十九《阮籍传》亦称:"籍尝于苏门山遇孙登,与商略终古及栖神导气之术,登皆不应,籍因长啸而退。至半岭,闻有声若鸾凤之音,响乎岩谷,乃登之啸也。"孙登为什么一再沉默不语呢?王隐《晋书》对此解释说:"魏晋去就,易生嫌疑,贵贱并没,故登或默也。"④从他与嵇康的谈话来看,这个解释是符合实际的。《晋书》卷四十《杨骏传》说:"初,骏征高士孙登,遗以布被。登截被于门,大呼曰:'斫斫刺刺。'旬日托疾诈死。"⑤说明他当时可算是做到了"其操心也危,其虑患也深",坚决远离政治旋涡,故能获得与嵇康不同的结果。

道士董京,与孙登的行径很相类似。《晋书》卷九十四《董京传》说:"董京字威辇,不知何郡人也。初与陇西计吏俱至洛阳,被发而行,逍遥吟咏,常宿白社中。时乞于市,得残碎缯絮,结以自覆,全帛佳緜则不肯受。或见推排骂辱,曾无怒色。"⑥他亦宁肯行乞度日,也不愿与统治者合作。孙楚时为著作郎,数就社中与语,遂载与俱归,京不肯坐。楚乃劝之出仕,京作诗以答之说:"清流可饮,至道可餐,何为栖栖,自使疲单?"⑦后数年,遁去,莫知所往,于其寝处留诗二篇以明心志说:"乾道刚简,坤体敦密,茫茫太素,是则

① 《晋书》本传说孙为"汲郡共人"。见《晋书》第8册,第2426页。
② 余嘉锡:《世说新语笺疏》,北京:中华书局1983年版,第650页。
③ 《晋书》卷94《孙登传》,北京:中华书局1974年版,第8册,第2426页。
④ 余嘉锡:《世说新语笺疏》,北京:中华书局1983年版,第650页。
⑤ 《晋书》,北京:中华书局1974年版,第4册,第1180页。
⑥ 《晋书》,北京:中华书局1974年版,第8册,第2427页。
⑦ 《晋书》,北京:中华书局1974年版,第8册,第2427页。

是述。末世流奔,以文代质,悠悠世目,孰知其实! 逝将去此至虚,归我自然之室。"又说:"孔子不遇,时彼感麟。麟乎麟! 胡不遁世以存真?"①故其隐遁,亦是出于回避政治漩涡的考虑。他大概是修辟谷服气之术的。《抱朴子内篇·杂应》说:"洛阳有道士董威辇,常止白社中,了不食。陈子叙共守事之,从学道,积久,乃得其方。"②并详细记载了他的辟谷方的作法和服法等等,葛洪对之亦深信不疑。

再如道士张忠,字巨和,中山人。永嘉之乱,隐于泰山。《晋书》卷九十四《张忠传》称其"恬静寡欲,清虚服气,餐芝饵石,修导养之法。冬则缊袍,夏则带索,端拱若尸。无琴书之适,不修经典,劝教但以至道虚无为宗。其居依崇岩幽谷,凿地为窟室。弟子亦以窟居,去忠六十余步,五日一朝。其教以形不以言,弟子受业,观形而退。立道坛于窟上,每旦朝拜之。食用瓦器,凿石为釜。左右居人馈之衣食,一无所受"③。并谓苻坚曾派人请他到长安,并劝他出仕说:"先生考磐山林,研精道素,独善之美有余,兼济之功未也。故远屈先生,将任齐尚父。"他婉言拒绝说:"昔因丧乱,避地泰山,与鸟兽为侣,以全朝夕之命。属尧舜之世,思一奉圣颜。年衰志谢,不堪展效,尚父之况,非敢窃拟。山栖之性,情存岩岫,乞还余齿,归死岱宗。"④苻坚只好以安车把他送回。行达华山,他叹息说:"我东岳道士,没于西岳,命也,奈何!"及关而死。苻坚又派黄门郎韦华持节策吊,祀以太牢,褒赐命服,并谥曰"安道先生"。

又如陶侃之孙陶淡,字处静,庐江寻阳人,亦"好导养之术,谓神仙可祈。年十五六,便服食绝谷,不婚娶,家累千余,僮客百数,淡终日端拱,曾不营问。颇好读《易》,善卜筮。于长沙临湘山中结庐居之,养一白鹿以自偶。亲故有候之者,辄移渡涧水,莫得近之。州举秀才,淡闻,遂转逃罗县埠山中,终身不返,莫知所终"⑤。《三洞珠囊》卷三《服食品》引《道学传》第十六

---

① 《晋书》,北京:中华书局1974年版,第8册,第2427页。

② 王明:《抱朴子内篇校释》,北京:中华书局1985年版,第267页。

③ 《晋书》,北京:中华书局1974年版,第8册,第2451页。

④ 《晋书》,北京:中华书局1974年版,第8册,第2452页。

⑤ 《晋书》卷94《陶淡传》,北京:中华书局1974年版,第8册,第2460页。

卷称:“陶炎,字爱静,庐江浔阳人也。年十五六,服食绝谷。初犹食面,后唯食枣也”①。此陶炎,疑即陶淡。

洛阳孟钦,有左慈、刘根之术,百姓惑而赴之。据《晋书》卷九十五《孟钦传》载:苻坚将孟钦召至长安,恶其惑众,命苻融诛之。俄而钦至,融留之,遂大宴群僚,酒酣,目左右收钦。钦化为旋风,飞去第外。顷之,有告在城东者,融遣骑追之,垂及,忽然已远,或有兵众距战,或前有溪涧,骑不得过,遂不知所在。坚末,复见于青州。苻朗寻之,入于海岛。② 其传说之神奇怪诞,颇与左慈相似。

任敦字尚能(一云字尚隐,一云字子尚),博昌人(一云云阳人)。永嘉中,隐于茅山,服赤石脂。时复出入人间,皆手执经科,教示愚民,于是远近从化。能治病,《三洞珠囊》卷一《救导品》引《道学传》第四卷说:“人有极恶之病,人理所弃者,得敦救治,莫不蒙济,如此有数。少言语,或时说将来吉凶,咸如所言。人有病问之者,答云无所苦,必不危亡;默而不言,则皆不救”③。

士大夫中的道教信奉者和隐居山林的道教徒,其传授系统大多缺少记载,现已难于考查。而道书中有关吴猛的叙述,却比较详细。猛字世云(一作云世),豫章人。《晋书》卷九十五《吴猛传》说他“少有孝行,夏日常手不驱蚊,惧其去己而噬亲也。年四十,邑人丁义始授其神方。因还豫章,江波甚急,猛不假舟楫,以白羽扇画水而渡,观者异之”。④ 有道术,并能以符水咒说为人治病。《三洞珠囊》卷一《救导品》引《道学传》第四说:“属大疫疠,竞造吴猛乞水。猛患其烦,乃纂江水方百步,随意取之,病者得水皆愈也。”又谓:“道士舒道云病疟三年,治不差。吴猛授以三皇诗,使讽之。上口,所疾顿愈也”⑤。庾亮为江州刺史,尝遇疾,“闻其神异,厚礼迎之来武昌。寻求归,辞以算尽,请具棺。庾公闵然,即日发遣,未达家五

① 《道藏》第25册,第308页。
② 《晋书》,北京:中华书局1974年版,第8册,第2495页。
③ 《道藏》第25册,第301页。
④ 《晋书》,北京:中华书局1974年版,第8册,第2482页。
⑤ 《道藏》第25册,第300页。

十里而终,形状如生"[①]。关于吴猛的这类神奇传说,唐宋以后更是日益增多。

与吴猛相关的还有一个许逊。此人不但《晋书》无传,且六朝道书中亦未述及[②],但后来的《仙苑编珠》等著作却有记载。《云笈七籤》卷一百六《许逊真人传》说:"许逊字敬之,南昌人也。少以射猎为业,一旦入山射鹿,鹿胎从弩箭疮中出,堕地,鹿母舐其子,未竟而死。逊怆然感悟,折弩而归。闻豫章有孝道之士吴猛,学道能通灵达圣,叹我缘薄,未得识之,于是旦夕遥拜猛,久而弥勤,已鉴其心。猛升仙去时,语其子云:吾去后,东南方有人姓许名逊,应来吊汝,汝当重看之,可以真符授也。至时逊果来吊,其子以父命将真符传逊,奉修真感,有愈于猛。"[③]据此,则许逊与吴猛虽有师承关系,但在吴猛生前,他们尚未直接见面。后来附会遂繁,并被奉为净明忠孝道一派的祖师,《历世真仙体道通鉴》卷二十六、二十七对此作了较详细的记载。卷二十六《许太史传》谓许逊乃许迈、许穆的"再从昆弟",开始,"闻西安吴猛得至人丁义神方,乃往师之,悉传其秘"。后来,许逊复从谌姆盟受孝道明王之法,以及铜符铁卷金丹宝经并正一斩邪之法,三五飞步之术,吴猛又从而师之,遂以许逊为长。卷二十七《吴猛传》又谓吴猛"年四十,得至人丁义神方,继师南海太守鲍靓,复得秘法"。但是,既然许逊是许迈、许穆的"再从昆弟",则《真诰》卷二十《真胄世谱》为什么对他却只字未提?陶弘景去晋未远,在此对许氏谱系的考辨甚详,岂得谓为陶氏之疏漏?至北宋李昉等编辑的《太平广记·许真君传》始倡之,但在上引《云笈七籤》卷一百六《许迈真人传》中却为何又无此记载?且许逊得吴猛之传已在吴猛既死之后,则吴猛后来又焉得从而师之?鲍靓乃葛洪妻父,葛洪亦曾师事鲍靓,如吴猛亦师鲍靓,则为何在葛洪的著作中对此并未提及?凡此种种,均属疑窦。故净明忠孝道的历史,尚有

① (宋)李昉编:《太平御览》卷664,石家庄:河北教育出版社1994年版,第6册,第209页。

② 《魏书》卷46与《北史》卷26《许彦传》虽载有许逊其人,但与道教中的这个许逊无涉,前者为东魏北齐时代人物,后者为西晋时期的人物。

③ 《道藏》第22册,第727页。

待考定。在汉末魏晋时期，还流传有一些重要的道书，其中就有《老子中经》，下面结合《老子中经》的成书年代考察，对其蕴涵的道教思想略作阐述。

四、《老子中经》的成书及其基本思想

《老子中经》是一部阐述存思修炼术的道教经典。关于其成书年代，国内外学者多有考证。马伯乐（Henri Maspero）最早关注《老子中经》，认为当成书于《大洞真经三十九章》之前①；楠山春树、前田繁树、加藤千惠都认为是5世纪初的作品②；施舟人（Kristofer Schipper）、刘永明考证其为东汉末的作品③；《道藏提要》、王卡、丁培仁认为约出于魏晋之际④，还有人认为出自东晋前期⑤，尚有分歧，需要加以辨析。

《老子中经》现存完整版本有两种：一种收录在明《道藏》太清部退字号下，以《太上老君中经》⑥为题；一种收录在《云笈七籤》卷18—19《三洞经教部》中，以《老子中经》⑦名之，且以小字题注"一名《珠宫玉历》"。两种版本均分上下两卷，共55章，每章皆以"第某神仙"题名，且内容几近相似，但文字上皆有错讹。不过就文字的错讹程度而言，《云笈七籤》本《老子中经》要优于《道藏》本《太上老君中经》。另，在敦煌

---

① Cf. Henri Maspero, *Taoism and Chinese Religion*, Translated by Frank A. Kierman, Jr., The University of Masschusetts Press, Amherst, 1981, pp.355—357.

② 参见[日]楠山春树：《老子传说の研究》，东京：创文社1979年版，第141—142页；前田繁树：《初期道教经典の形成》，东京：汲古书院2004年版，第265—294页；加藤千惠：《〈老子中经〉与内丹思想的起源》，《宗教学研究》1997年第4期。

③ 参见[瑞典]施舟人（Kristofer Schipper）：《〈老子中经〉初探》，《道家文化研究》第16辑，北京：生活 · 读书 · 新知三联书店1999年版，第204—216页；刘永明：《兰州大学学报》2006年第4期。

④ 参见任继愈：《道藏提要》，北京：中国社会科学出版社1991年版，第924页；王卡：《敦煌道教文献研究——综述 · 目录 · 索引》，北京：中国社会科学出版社2004年版，第191页；丁培仁：《增注新修道藏目录》，成都：巴蜀书社2007年版，第477页。

⑤ 参见刘屹：《神格与地域：汉唐间道教信仰世界研究》，上海：上海人民出版社2011年版，第78—94页。

⑥ 《道藏》第27册，第142页。

⑦ （宋）张君房：《云笈七籤》卷18，《道藏》第22册，第132页。

遗书中存有一件《老子中经》残卷，编号为 P.3784v，该卷首全尾残，首题"《老子中经》"，未标卷次，起于"老子曰第一神仙经"止于第八神仙经"目前思之"。①

《老子中经》不署撰人，托老子所传，是谓老子所传之《中经》。关于"中经"的称谓和由来，第 51 章借助老子口吻说，为指导道士存神、养根、益气，避免气绝身死，"故作《中经》，以遗后世"②。意谓"中经"是不死长生的指南书。第 55 章进一步补充说，"《玉历》五十五章姓名符信……得其人即传之，可得神仙。吾时时自案，行此三篇③。三篇，上中下经也"④。史载老子出关西行，为关令尹喜所求，"著书上下篇，言道德之意五千言而去"⑤。在《老子中经》出世之前，只知老子著《道德经》，未见载老子又著"中经"以遗尹喜者，所以，所谓"中经"应该是附会上篇《道经》、下篇《德经》而来。此处"上中下经"，当指《道德经》与《老子中经》，两经合计三篇。造经者杜撰"中经"为老子所传，且与《道德经》齐肩，乃是自神其说，抬高"中经"的地位。但后世道教则以此经为始将老子遗书三篇之事信以为真。刘宋三天弟子徐氏撰《三天内解经》说：

> 至周幽王时，老子知周祚当衰，被发佯狂，辞周而去。至关，乘青牛车与尹喜相遇，授喜上下中经，(中经)一卷，五千文二卷，合三卷。尹喜受此书，其道得成。⑥

唐前道书《传授经戒仪注诀》亦沿袭此说：

> 昔尹子初受大字三篇，《中经》在太清部中，所以付上下两卷。⑦

此处所说的"大字三篇"，除《中经》外，另两篇就是该经中所说的《老君大字

① 王卡：《敦煌道教文献研究——综述·目录·索引》，北京：中国社会科学出版社 2004 年版，第 191 页。残卷图版见《法藏敦煌西域文献》第 28 册，上海：上海古籍出版社 2004 年版，第 56—57 页。

② (宋)张君房：《云笈七籤》卷 19，《道藏》第 22 册，第 145 页。

③ 《道藏》本《太上老君中经》作"二篇"，《云笈七籤》本《老子中经》作"三篇"，此依《云笈七籤》本。下文所论以《云笈七籤》本为底本，以《道藏》本为校本。

④ (宋)张君房：《云笈七籤》卷 19，《道藏》第 22 册，第 147 页。

⑤ 《史记》卷 63，北京：中华书局 1959 年版，第 7 册，第 2141 页。

⑥ 《三天内解经》卷上，《道藏》第 28 册，第 414 页。

⑦ 《传授经戒仪注诀》，《道藏》第 32 册，第 170 页。

本道经上》和《老君大字本德经下》。唐宋传记类道书如《太上混元真录》、《混元圣纪》、《太上混元老子史略》等都有老子向尹喜传授《中经》的记载。

关于《老子中经》的成书年代，经末略有交代，第 55 章说“吾越度秦项[①]不出，为汉出，合于黄世，见吾大吉”[②]。这一信息将“中经”的成书年代指向了汉代。从“合于黄世”看，此“汉”当指尚黄之西汉而不是尚赤的东汉。但《老子中经》不可能成书于西汉，仅从其分章、用词就可以证明。《老子中经》分 55 章明显是仿效《道德经》分 81 章而来，以合九五之数。学界一般认为《道德经》81 章的分法始自东汉的《老子河上公注》。第 37 章说“脾为皇后、贵人、夫人”，“贵人”作为后宫女官名，始置于东汉光武帝。《后汉书·皇后纪序》云：“及光武中兴，斫雕为朴，六宫称号，唯皇后、贵人。”[③]所以，“合于黄世”乃是托古之说，《老子中经》不会早于东汉。《老子中经》主要讲述存思术，认为修道者存思神仙及其名讳、治所、服色和该神在人体内的位置、尺寸，并遵照一定的方法长期修炼就可以长生成仙。存思修炼之术流行于东汉中后期。《太平经》中有存思五藏神的记载。[④] 东汉边韶《老子铭》“存想丹田，太一紫房”[⑤]，延熹八年蔡邑《王子乔碑》“或弦琴以歌太一，或覃思以历丹丘”[⑥]，以及熹平四年《帝尧碑》“或弦琴□□□一，或谭□□历丹田”[⑦]，所言“存想”、“覃(谭)思”皆指此术。《老子中经》合于这种背景。《老子中经》宣扬太一神崇拜，认为最高神是“上上太一”：“上上太一者，道之父也，天地之先也。乃在九天之上、太清之中、八冥之外、细微之

---

① “秦项”概指秦末楚汉之时。

② (宋)张君房：《云笈七籤》卷 19，《道藏》第 22 册，第 147 页。

③ 《后汉书》卷 10，北京：中华书局 1965 年版，第 2 册，第 400 页。

④ “以乐却灾法：……使空室内傍无人，画像随其脏色，与四时气相应，悬之窗光之中而思之。上有藏象，下有十乡，卧即念以近悬象，思之不止，五藏神能报二十四时气，五行神且来救助之，万疾皆愈。”(王明：《太平经合校》，北京：中华书局 1960 年版，第 283 页。)

⑤ 《全后汉文》卷 62，《全上古三代秦汉三国六朝文》，北京：中华书局 1958 年版，第 813 页。

⑥ (北魏)郦道元撰，陈桥驿点校：《水经注》，上海：上海古籍出版社 1990 年版，第 448 页。

⑦ (宋)洪适：《隶释》卷 1，北京：中华书局 1985 年版，第 13 页。

内”[①]。并认为人体脏器内也有太一神驻守，如紫房太一、脐中太一、鼻中太一、口中太一、胆中太一、心中太一等。且认为太一神是群神之主，“太一君有八使者，八卦神也。太一在中央，主总阅诸神，案比定录，不得逋亡。八使者以八节之日上对太一”[②]。足见《老子中经》对太一神崇拜至极。此外，《老子中经》还有浓厚的中黄信仰，如经中多次提到“中黄真人”、“中黄子”、“寿比中黄”、“中黄门子”等。太一崇拜、中黄信仰、八使观念具出汉代，尤其与汉末张角教团的信仰相似。（关于太一、中黄、八使的讨论详见第2章第4节“黄巾起义”部分）据上所论，《老子中经》有可能成书于东汉末年。

关于《老子中经》的文本结构和内容构成。《老子中经》分55章，如上文所述应是仿效《道德经》81章而来，与数字崇拜有关。分析各章经义发现，有些章节的分法并不合理。如第20章和第21章都是讲述存思胃神、脐神之法，内容关联密切，且第21章所说“不可不知此五神名也”[③]，“此五神”在本章中没有记录，而出现在第20章“名曰黄裳子、黄腾子、中黄子、主傅相太子、玄光玉女”[④]，逻辑上两章应归为一章。又，第48章、第49章均描述肾气存思术，两章也应并为一章。再如，第51章前半部分讲运思心肾二气的方法，后半部分则述老子降授“中经”的缘由，内容前后有别，似应分作两章。可见《老子中经》章节划分并非完全依据经义，有意为之的痕迹明显，故怀疑《老子中经》55章之分非其原貌[⑤]，而是在后世流传过程中，修道者出于某种目的划分的结果。

在内容构成上，《老子中经》每章皆以“经曰”起首，接下来是所引经的内容，但是在这些出自“经曰”的经文中又杂有以“有注云”、“老君曰”、“师曰”起首的文字以及一些注释类小字体文字，试举几例：

---

① （宋）张君房：《云笈七籤》卷18，《道藏》第22册，第132页。

② （宋）张君房：《云笈七籤》卷18，《道藏》第22册，第135页。

③ （宋）张君房：《云笈七籤》卷18，《道藏》第22册，第137页。

④ （宋）张君房：《云笈七籤》卷18，《道藏》第22册，第137页。

⑤ （宋）谢守灏：《混元圣记》卷3云：“因授喜《玉历》三十五章。”见于《道藏》第17册，第813页。

第十一神仙

经曰:中极黄老者,真人之府中斗君也……人亦有之……常思两乳下有日月……兆常思存之,上为真人。故曰同出而异名也。有注云:日月同出异名。①

第三十七神仙

经曰:肺为尚书、肝为兰台……故太初者,元气之始也……太始者,为万物之始也……太素者,人之始也……上(人)亦有三宫:两目为绛宫、两耳为玉堂宫、鼻口为明堂宫……能合三元气以养其真人小童子,则列然彻视矣。老君曰:万道众多,但存一念子丹耳。一,道也。在紫房宫中者,胆也。子丹者,吾也。吾者,正已身也。道毕此矣。②

第四十五神仙

经曰:元阳赤人,太一也;元阳道君,中太一也;元阳子丹,己吾身也;元阳玄光玉女,道之母也;元阳皇人,太一王也;元阳丹田,藏精宫也。师曰:元者,气也;阳者,日也。当思心中有日,日有赤人,着赤帻大冠,衣绛单衣……③

第二十八神仙

经曰:常以六甲之日平旦时,拊心祝曰:苍林玄龟,流水如河,炎火周身(身一作宫),安能知他……念之既毕,乃呼其神曰:肉(一本作皮)子蓝蓝,与己为友,留为己使……至乙日复存其神,呼曰:太一紫宫(一作紫房)素女,与己为友……④

除此之外,其他见于第9章、第16章、第29章、第35章、第36章、第38章、第39章、第40章、第43章、第44章、第46章、第47章、第50章。从语意分析,这些文字并不是"经曰"的经文内容,而是对经文的注释或校释。此外,还有未标识"注云"、"师曰"之类难以辨识的解释性或补充性文字。如:

① (宋)张君房:《云笈七籤》卷18,《道藏》第22册,第134页。
② (宋)张君房:《云笈七籤》卷19,《道藏》第22册,第142页。
③ (宋)张君房:《云笈七籤》卷19,《道藏》第22册,第144页。
④ (宋)张君房:《云笈七籤》卷19,《道藏》第22册,第140页。

第十九神仙

上有九人，三三为位。左有韩众、右有范蠡、中有太城子；左为司徒公、右为司空公，中有太一君；左有青腰玉女、右有白水素女、中有玄光玉女。玄光玉女者，道元气之母也。左有司录，右有司命……①

此处“玄光玉女者，道元气之母也”显然是对“中有玄光玉女”的解释说明。又如：

第三十八神仙

经曰：……存神食丹，乃为真人……真人以水土溟溟浩浩，天地溃溃濛濛……万八千岁乃成天、地、人。故真人以土作人，呼吸饮食，从骑伏使，令土不得独处，人不得独存。故言黄土本人之先也。真人去之，上升九天；世人无道，下入黄泉……②

“故言黄土本人之先也”应是对“真人以土作人”的阐发与补充。这种经文和释文掺杂的情况说明，《老子中经》出世后信徒对其进行了注解或校释，在流传过程中这些注文或校释性文字增益混杂到经文中去了，虽然老子在第55章中警告说“勿妄增减吾文，一字不具，吾即知之，兆汝慎之慎之如吾言”③。另据释文有标识和无标识之分，且有标识者又有“注云”、“老君曰”、“师曰”之别猜测，这些释文在增益过程完成于不同人之手。

此外，《老子中经》在内容上存在经义重复、词义矛盾与脱文、衍文等情况。如，第55章“兆汝审欲神仙，当先服还丹金液，存神，即时仙矣……兆汝不服神丹金液，当自苦耳”④与第21章“兆审欲得神仙……知此五神名……常念之，即神仙矣……兆不能服神丹金液，劳精思念，当自苦耳”⑤经义重复，第55章应是对第21章的再陈述。又，第55章“《玉历》五十五章姓名符信，本在上皇金匮玉笈玉笥中，封之九重。兆得之，慎勿妄传。子慎之，勿受钱之”⑥与第51章“故作《中经》，以遗后世。本上皇藏之金匮，道

① （宋）张君房：《云笈七籤》卷18，《道藏》第22册，第137页。
② （宋）张君房：《云笈七籤》卷19，《道藏》第22册，第143页。
③ （宋）张君房：《云笈七籤》卷19，《道藏》第22册，第147页。
④ （宋）张君房：《云笈七籤》卷19，《道藏》第22册，第147页。
⑤ （宋）张君房：《云笈七籤》卷18，《道藏》第22册，第137页。
⑥ （宋）张君房：《云笈七籤》卷19，《道藏》第22册，第147页。

人得千金勿传出也”[①]重复,显然第55章是在第51章基础上的进一步丰富和补充。再如,第22章前后两部分关于头发神、两目神等身神及其名讳的记载重复,后半部分没有理由再重复前半部分已经提及的内容。“太阴玄光玉女”在经文中的神格矛盾,在第4章是西王母作为身神的称谓,在第5章则成了“道君”的配偶,在第11章又变为“道之母”,在第12章又是“道之子”真人子丹的母亲,之后又分别是脾神、北方神女、心下神等。又如,在第26章中肺神名曰“鸿鸿”,而在第31章中肺神则被称为“濎濎”。另外,第6章、第10章、第13章、第14章、第15章存在脱文或衍文的情况。

通过以上关于《老子中经》文本结构和内容构成的分析,可以断定,今本《老子中经》绝非其初始面貌,而是经历了一个复杂的成书过程,非一人一时之作。

通检早期道教文献发现,《老子中经》与《玉历经》、《历藏经》关联密切。《抱朴子内篇·遐览》篇著录有《老君玉历真经》和《玉历经》[②],是现知最早有关《玉历经》的记载,但仅录经名,其意不知。所幸唐代梁丘子注解的《上清黄庭内景经》中援引有名《玉历经》者,可以让我们一睹《玉历经》的真容,现全部抄录如下:

《玉历经》云:太清上有五色华盖九重,人身亦有之。[③]

《玉历经》云:老子者,天地之魂,自然之君,常侍道君左右,人身备有之也。[④]

《玉历经》云:太阴玄光玉女,道之母也。衣五色朱衣,在脾府之上,黄云华盖之下。[⑤]

《玉历经》云:下丹田者,人命之根本,精神之所藏,五气之元也。在脐下三寸,附着脊,号为赤子府。男子以藏精,女人以藏胎。主和合

① (宋)张君房:《云笈七籤》卷19,《道藏》第22册,第145页。
② 王明:《抱朴子内篇校释》,北京:中华书局1985年版,第333页。
③ (宋)张君房:《云笈七籤》卷11,《道藏》第22册,第68页。
④ (宋)张君房:《云笈七籤》卷12,《道藏》第22册,第81页。
⑤ (宋)张君房:《云笈七籤》卷11,《道藏》第22册,第79页。

赤子，阴阳之门户也。其丹田中气，左青、右黄、上白、下黑。①

经比较，这些引自《玉历经》的内容分别出现在《老子中经》第5章、第6章、第11章、第17章中。可见，《玉历经》与《老子中经》的部分内容相合，联系《老子中经》自称"《玉历》五十五章……兆得之慎勿妄传"，初步推测《老子中经》疑即《玉历经》，也就是葛洪所提到的已佚道经《老君玉历真经》或《玉历经》。②

关于《历藏经》的信息最早也出现在《抱朴子内篇》中，即《遐览》篇著录的《历藏延年经》③。所谓"历藏"即"视五藏而存思也"④，是东汉中后期即已流行的一种存思术。《历藏经》已佚，但检索文献发现，《历藏经》尚有部分佚文存世，集录如下：

《历藏中经》：东王父者，青阳之气，万神之先，衣五采朱衣。⑤

《历藏中经》曰：昆仑山有金城九重，玉楼十二，神仙所治也。⑥

《老子历藏中经》：道君乘珠玉之辇，腾蛇为轮。⑦

《历藏经》曰：天王侯带紫绶金印。⑧

《老子历藏中经》：日月者，天地之司徒司空也。⑨

《老子历藏中经》：天大将军，姓王名阳，字子灵，衣绛单衣。⑩

---

① (宋)张君房:《云笈七籤》卷11,《道藏》第22册,第74页。

② 关于这一问题,陈国符、加藤千惠、施舟人已有探讨,认为《老子中经》就是《玉历经》。参见陈国符:《道藏源流考》,北京:中华书局2014修订版,第66页;加藤千惠:《〈老子中经〉的内丹思想的起源》,《宗教学研究》1997年第4期;施舟人:《〈老子中经〉初探》,《道家文化研究》第16辑,北京:生活·读书·新知三联书店1999年版,第208页。

③ 陈国符、丁培仁等均认为后世之《历藏经》就是《遐览》篇中的《历藏延年经》。参见陈国符:《道藏源流考》,北京:中华书局2014年修订版,第66页;丁培仁:《增注新修道藏目录》,成都:巴蜀书社2007年版,第478页。

④ 《周易参同契》卷上,《道藏》第20册,第75页。

⑤ 《上清道宝经》卷5,《道藏》第33册,第728页。

⑥ (宋)李昉等编:《太平御览》卷677,石家庄:河北教育出版社1994年版,第6册,第310页。

⑦ 《上清道宝经》卷4,《道藏》第33册,第724页。

⑧ (宋)李昉等编:《太平御览》卷676,第6册,第300页。

⑨ 《上清道宝经》卷2,《道藏》第33册,第711页。

⑩ 《上清道宝经》卷3,《道藏》第33册,第718页。

《老子历藏中经》：天一，以晦朔、八节日，击鼓集召诸神，无录者终矣。①

《老子历藏中经》：眉神，元光，大灵君也。②

《老子历藏中经》：东方神女，名青腰；南方神女，名赤圭；中央神女，名素女；西方神女，名玉女；北方神女，名玄女。③

考察发现，以上佚文分别与《老子中经》第3章、第4章、第5章、第9章、第10章、第13章、第14章、第22章、第24章部分内容对应。从《老子中经》与《玉历经》的逻辑关系来看，《老子中经》也可能是已佚道经《历藏延年经》。

据以上分析，《老子中经》的"经曰"部分既有来自《玉历经》的内容，又有来自《历藏经》的内容，但《老子中经》不可能既是《玉历经》又是《历藏经》，因为《玉历经》和《历藏经》同时被葛洪记录在《遐览》篇中，显然是两部不同的道经。所以合理的推测是，《老子中经》在成书过程中同时吸取了《玉历经》和《历藏经》的相关内容，并在此基础上改造、增益成为一部新道经。唐初《洞玄灵宝三洞奉道科戒营始》记载"称太上高玄法师者"须领受的道经包括：

《老子妙真经》二卷、《西升经》二卷、《玉历经》一卷、《历藏经》一卷、《老子中经》一卷、《老子内解》二卷、《老子节解》二卷、《高上老子内传》一卷、《皇人三一表文》。④

可见，《老子中经》与《玉历经》、《历藏经》确实是不同的三部道经。

综上所述，《老子中经》的成书年代可作如下推断：《老子中经》的两个文本来源《玉历经》、《历藏经》均早于《抱朴子内篇》，当在晋以前；再联系《老子中经》中太一崇拜、中黄信仰、八使观念同出汉代，且《老子中经》成书复杂，非一人一时之作，故《老子中经》或初成于存思术流行的东汉中后期，最终编成于三国时期，流行于魏晋时期。

① 《上清道宝经》卷4，《道藏》第33册，第723页。
② 《上清道宝经》卷3，《道藏》第33册，第717页。
③ 《上清道宝经》卷3，《道藏》第33册，第719页。
④ 《洞玄灵宝三洞奉道科戒营始》卷4，《道藏》第24册，第758页。

关于《老子中经》的文本来源和成书年代，需要补充说明的是，有学者认为《老子中经》的部分内容来自《太上洞玄灵宝五符序》，如第 34 章、第 35 章即取自卷上的《食日月精之道》，第 27 章取自卷下的“服五牙法”。若此推论成立，《老子中经》应该在内容上与《太上灵宝五符序》大体保持一致，但事实并非如此。如，在脏器神的称谓上，《老子中经》称肝神、胆神、胃神为蓝蓝、护护、旦旦，《太上灵宝五符序》则分别称临临、获获、沮沮。而西晋道书《太清真人络命诀》在脏器神称谓上与《老子中经》一致。《太清真人络命诀》早于《太上灵宝五符序》，所以应该是《太上灵宝五符序》抄袭了《老子中经》的内容，而不是相反，临临、获获、沮沮与蓝蓝、护护、旦旦字形相似，怀疑是在抄录时笔误所致。《太上灵宝五符序》的部分内容（如《食日月精之道》、“服五牙法”等）早于《抱朴子内篇》，故保守推测《老子中经》成书于《抱朴子内篇》之前是没有问题的。

此外，关于《老子中经》所属道派问题，从“为汉出，合于黄世，见吾大吉”看，《老子中经》是拥护东汉王朝的，因此不会是宣扬“黄德之运”，企图推翻东汉政权的太平道的经典。又，《老子中经》也未发现明显受五斗米道影响的痕迹，且崇拜中黄信仰，故猜测应是黄老道一系的修行经典，其后在三国魏晋时期流行。

《老子中经》作为一部主要讲述存思术的早期道教经典，主要包含以下几方面的内容：

（一）神仙体系及其特点

《老子中经》从“第一神仙[①]”到“第五十五神仙”描述了一个庞杂的神仙体系[②]。这个神仙体系大略可分为四个等级：居于第一等级的是“第一神仙”的上上太一；居于第二等级的是“第二神仙”到“第七神仙”的东王公、西

① 施舟人认为“神仙”二字应是“神仙图”或“神仙玄图”的省称，并认为经文原本配有图片，供人存思之用，但被后来的编纂者删掉了图片，同时也删掉了“玄图”二字，以致出现“第一神仙”、“第二神仙”这样令人费解的标题。见于施舟人：《〈老子中经〉初探》，《道家文化研究》第 16 辑，北京：生活 · 读书 · 新知三联书店 1999 年版，第 207 页。

② 严格来说，关于神仙谱系的描述主要集中在第 1 章到第 25 章。第 27 章、第 38 章、第 52 章、第 54 章、第 55 章与神仙无涉，其余各章多是对某种存思方法的描述。

王母等六位先天尊神；居于第三等级的是“第八神仙”到“第十三神仙”的七位星宿大神，如南极老人、中极黄老、北斗君等；居于第四等级的是“第十四神仙”到“第二十五神仙”的众位身神。这个神仙体系从最高神到东王父、西王母等先天尊神再到星宿神、上古仙人、社稷、司命、河伯、土公、风雨雷电神再到脑神、心神、肾神等身神，几乎无所不包，可谓是当时神仙信仰的总汇。就此而言，《老子中经》算得上是道教史上第一部关于神仙谱系的道书。

在这个神仙体系中，居于第一位的是上上太一，他是众神的统御者，是世界的终极，先天地而在。第1章描述说：“上上太一者，道之父也，天地之先也。乃在九天之上、太清之中、八冥之外、细微之内，吾不知其名也，元气是耳。其神人头鸟身，状如雄鸡，凤凰五色，珠衣玄黄。”①居于第二位的是无极太上元君②，也称道君，他是“上上太一之子”。第三位和第四位是东王父和西王母，他们分别是“青阳之元气”和“太阴之元气”的化身。第五位是道君③，一也，化身为“皇天上帝中极北辰中央星”。第六位和第七位是道君的侍从老君和太和，他们分别是“天之魂”和“地之魄”。之后是以第八位南极老人为首的星宿神和众多身神（关于身神详见下文讨论）。从上上太一到太上元君（道君）再到东王父、西王母（老君、太和）再到星宿神、身神，整个神仙体系似乎是按照《道德经》“道生一，一生二，二生三，三生万物”的宇宙生成逻辑进行排列的。所不同的是，在《老子中经》中神仙世界的主宰不是“道”而是“上上太一”，“上上太一”乃“道”之父，高居“道”之上。这与汉武帝之后尊“太一”为最高神有关。

《老子中经》所列神仙不少于90位，按内外之别可以分为天神和身神④两大类。所谓天神，即天地自然之神，第一至第三等级的神仙多属此类。这些天神本来遨游于天地间，但在《老子中经》中，他们还出入于人体中。如：

① 《云笈七籤》卷18，《道藏》第22册，第132页。

② 后世道教尊称地位较高的女性神为“元君”，此处“无极太上元君者，道君也”含有阴阳混沌未判之意，是“道”的象征和神格化。

③ 此“道君”与居于第二位的“道君”似有后天和先天之别。

④ 所谓身神，即人体器官神。道教认为人体的脏腑和其他器官都有神灵驻守。在《龙鱼河图》和《太平经》中已有身神的思想。

第二神仙

经曰：无极太上元君者，道君也……正在兆头上紫云之中华盖之下住……乃在太微勾陈之内一星是也……人亦有之，常存之眉间，通于泥丸。①

第三神仙

经曰：东王父者，青阳之元气也……治于东方，下在蓬莱山。……人亦有之……治在左目中。②

第四神仙

经曰：西王母者，太阴之元气也……下治昆仑之山……上治北斗华盖紫房北辰之下。人亦有之，在人右目之中。③

第九神仙

经曰：南极者，一也……上为荧惑星，下治霍山。人亦有之……在心中。④

第十神仙

经曰：日月者，天之司徒、司空公也……太白辰星，下治华阴恒山。人亦有之，两肾是也。⑤

第十三神仙

经曰：璇玑者，北斗君也，天之侯王也……人亦有之，在脐中。⑥

从以上经文分析，这些天神之所以能够来往于天地间，又能出入于人体中是因为他们不仅在天地间拥有治所，而且在人体内也拥有住所。无极太上元君在体内的居所是眉间，东王父治在左目，西王母居于右目，南极住心中，日月在两肾，等等。可见，天神和人体的某一部位或器官是一一对应的，故经文在介绍天神的情况后屡次强调“人亦有之”。天神与人体彼此对应，人体相对于天神来说就是一个缩小的天地，天神可以自由出入其中。这种“天

① （宋）张君房：《云笈七籤》卷18，《道藏》第22册，第132—133页。
② （宋）张君房：《云笈七籤》卷18，《道藏》第22册，第133页。
③ （宋）张君房：《云笈七籤》卷18，《道藏》第22册，第133页。
④ （宋）张君房：《云笈七籤》卷18，《道藏》第22册，第134页。
⑤ （宋）张君房：《云笈七籤》卷18，《道藏》第22册，第134页。
⑥ （宋）张君房：《云笈七籤》卷18，《道藏》第22册，第135页。

神一身”的关系说明人体系统和天地系统是对应、相通的，即第 18 章所说的“兆身与天地等也”①。“兆身与天地等也”的思想是《老子中经》神仙体系的一个特征，也是其存思神仙以求长生的理论基础；同时，也是后世内丹修炼术的一个重要源头。

《老子中经》神仙体系的另一特征是以“一人之身”喻“一国之象”②的思想。人体不仅是缩小的天地，而且还是小型的国家。国家的运转需要统治者的操控，人体的发展同样需要神明的管理。在《老子中经》中，驻辖人体各脏器的神明犹如管理国家的官员，如第 37 章所述：

> 肺为尚书，肝为兰台，心为太尉公，左肾为司徒公，右肾为司空公，脾为皇后、贵人、夫人，胆为天子大道君，胃为太仓太子之府……大肠小肠为元梁使者，下元气为大鸿胪，中元气为八十一元士，上元气为高车使者……肺为玉堂宫，心为绛宫朱雀阙门，肾为北极幽阙玄武掖门，脾为明堂侍中省阁也。③

在这个身体王国里，胆被比喻为天子，心肾被比喻为三公，胃比喻为太子，肺比喻为尚书，肝比喻为兰台，大肠小肠比喻为元梁使者，脏器也成了玉堂宫、侍中省阁等各级官府，人体俨然是一个层级结构森严、管理有序的国家。《老子中经》“一人之身，一国之象”之喻旨在说明护养身体和治理国家一样重要，突出了存思养生术的重要性。这一思想当是《老子河上公章句》“圣人治国与治身同也”④和《黄帝内经》“十二藏之官”⑤思想的融合与延续。

《老子中经》神仙体系的第三个特征是“校定功德，谋议善恶”⑥的思想。在《老子中经》中天地间的神仙各有所主，“南极者……主诸灾变”⑦，“日月者……主司天子人君之罪过”⑧，“璇玑者，北斗君也……主制万二千

① (宋)张君房:《云笈七籤》卷 18,《道藏》第 22 册,第 137 页。
② 王明:《抱朴子内篇校释》,北京:中华书局 1985 年版,第 326 页。
③ (宋)张君房:《云笈七籤》卷 19,《道藏》第 22 册,第 142 页。
④ 《河上公章句》,宋建安虞氏刊本,《四部丛刊》第 532 册,上海书店 1984 年版。
⑤ 参见《黄帝内经》卷上《素问·灵兰秘典论》,北京:中华书局 2009 年版。
⑥ (宋)张君房:《云笈七籤》卷 18,《道藏》第 22 册,第 136 页。
⑦ (宋)张君房:《云笈七籤》卷 18,《道藏》第 22 册,第 134 页。
⑧ (宋)张君房:《云笈七籤》卷 18,《道藏》第 22 册,第 134 页。

神，持人命籍”[1]。同时他们还下行民间微察人间善恶。“故天置日月北斗二十八宿五星主之，六甲六丁诸神主行民间”[2]，“八卦天神下游于人间……为八方使者……校定吉凶”[3]。不仅天神如此，人体内的身神也近距离监督着人的一言一行，并将言行的善恶记录在册，在晦朔八节之日上报太一。

脐者……一名五城。五城中有五真人……五城之外有八吏者，八卦神也……八卦之外有十二楼者……十二大夫也……故五城真人主四时上计，八神主八节日上计，十二大夫主十二月以晦日上计，月月不得懈怠……故太一常以晦朔八节日夜半时，五城击鼓，集召诸神，校定功德，谋议善恶。有录者延命，众神共举；无录者终亡，司命绝去生籍。[4]

太一神定期召集诸神，根据诸神所记善恶，案比计算，校定世人功过，为善者登录延命，作恶者去录绝籍。“录”也称“玉历”，是记载长生成仙者的名录。《老子中经》一名《珠宫玉历》，概与修道者希冀通过存思修炼得以长生成仙、名登玉历有关。诸神查人善恶，太一校定功德，警示并劝诫世人若欲长生成仙，需知“天不可欺、地不可负”，应当“修身慎行”。《老子中经》神仙体系的这一特点是后世道教神仙劝善思想的先声。

（二）存思术和其他修炼方术

存思术是《老子中经》的主要修炼方术。所谓存思，即在安静的环境中，集中注意力，在意念的引导下，存想体内或体外的神仙或景象。修道者通过存思术的修炼可以祛病延年、长生成仙。在《老子中经》中，存思术主要有以下五种方法。

第一，存思神仙形象之法。

这种存思方法比较简单，修道者只需存思神仙的形象，包括神仙的相貌、冠服、身色、大小、位置等即可完成存思过程。如存思最高神上上太一，修道者只需要存思其形象“其神人头鸟身，状如雄鸡，凤凰五色，珠衣玄黄”

① （宋）张君房：《云笈七籤》卷18，《道藏》第22册，第135页。
② （宋）张君房：《云笈七籤》卷19，《道藏》第22册，第145—146页。
③ （宋）张君房：《云笈七籤》卷18，《道藏》第22册，第136页。
④ （宋）张君房：《云笈七籤》卷18，《道藏》第22册，第135—136页。

以及位置“正在兆头上，去兆身九尺，常在紫云之中华盖之下住”①，即可以向上上太一祈求长生。又如存思无极太上元君，在存思“一身九头，或化为九人，皆衣五色珠衣，冠九德之冠……正在兆头上紫云之中华盖之下住”②的形象、冠服和位置之后，修道者就能够在存思中见到太上元君，并向他表达祛除灾疾、延年长生的愿望。再如存思道君的方法：

> 道君者……乃在九天之上，万丈之巅，太渊紫房宫中。衣五色之衣，冠九德之冠，上有太清元气，云曜五色，华盖九重之下，老子太和侍之左右……人亦有之，在紫房宫中华盖之下……身黄色，长九分，衣五色珠衣，冠九德之冠。思之长三寸，正在紫房宫中华盖之下。③

在存思道君体外形象和体内形象等一系列内容后，修道者就可以“与之语言”，并得到道君的召唤。这种存思方法主要集中在第1章到第13章。

第二，存念神仙名讳之法。

存念神仙名讳之法较存思神仙形象之法更为简略，修道者仅需存念神仙的名讳即可与神仙产生感应，从而得到神仙的护佑。所谓存念神仙名讳，就是在存想冥思过程中默念或呼唤神仙的名字。如：

> 第十四神仙
>
> 五城真人主四时上计，八神主八节日上计，十二大夫主十二月以晦日上计，月月不得懈怠……常当存念留之，即长生矣。④
>
> 第十五神仙
>
> 东方之神名曰句芒子，号曰文始洪崖先生，东方苍帝东海君也；南方之神名曰祝融子，号曰赤精成子，南方赤帝南海君也；西方之神名曰蓐收子，号曰夏里黄公，西方白帝西海君也；北方之神名曰禺强子，号曰玄冥子昌，北方黑帝北海君也……中央之神名曰黄裳子，号曰黄神彭祖，中央黄帝君也……兆欲志道，常思念之，即不饥渴，长生久视，上为

① （宋）张君房：《云笈七籤》卷18，《道藏》第22册，第132页。
② （宋）张君房：《云笈七籤》卷18，《道藏》第22册，第132页。
③ （宋）张君房：《云笈七籤》卷18，《道藏》第22册，第133页。
④ （宋）张君房：《云笈七籤》卷18，《道藏》第22册，第136页。

真人。①

第二十二神仙

头发神字禄之，两耳神字娇女，两目神字英明、玄光，鼻孔中神字通庐，口神字丹朱，肩背神字朱雀（一云字女爵），两手神字魄阴，上元神字威成子，中元神字中黄子，下元神字明光子（一云字命光），阴神字穷英，两神字阴隐，两膝神字枢公。兆欲卧，瞑目……九呼其神，令治之，百病悉去，即为神仙矣。②

除上引3章外，第16章至第21章、第23章到第25章均涉及这种存思方法。后世《女青鬼律》等天师道经典知鬼名、呼鬼名以驱鬼治病的方术或来源于此。

第三，存思五脏神之法。

存思五脏神之法是《老子中经》中重要的存思方法。五脏是人体的重要器官，不仅对人的生命健康至关重要，而且对修道者来说也十分重要——“子欲为道，当先历藏”，认为修道者修行的第一步首先要存思五脏神。在《老子中经》中，肝、心、脾、肺、肾五脏神分别称蓝蓝、呴呴、俾俾、鸿鸿、漖漖。存思五脏神的方法较为复杂，在存思之前要做一系列的准备工作，“不出静室，辞庶俗，赴清虚，先斋戒，节饮食，乃依道而思之”③。存思的过程大致分为四步，以存思肺神为例：

常以六庚之日日哺时，拊心祝曰：本子本子，白云卒起，雾合万里，愿云来归己，常为我使，反复仙命，终而复始。因瞑目念肺色正白，令白气来止至口中，念曰天精白气来下在目前，入口中咽之，三七而止。思行白气周遍一身中，百四十息止。呼其神曰：先生漖漖，与己为友，留为己使，奉持华盖，金液玉英，常在勿出，侍我道君，共合为一身。至辛日复存其神曰：光黄玉堂青腰玉女，与己为友，留为己使，某甲欲得彭祖长生不死之药服之。至庚申、辛酉之日复存之。④

① （宋）张君房：《云笈七籤》卷18，《道藏》第22册，第136页。
② （宋）张君房：《云笈七籤》卷18，《道藏》第22册，第138页。
③ （宋）张君房：《云笈七籤》卷18，《道藏》第22册，第139页。
④ （宋）张君房：《云笈七籤》卷19，《道藏》第22册，第141页。

第一步,选择特定的存思时间。存思肺神需在六庚之日日晡之时进行。所谓六庚之日,即干支纪日法中的六个庚日(庚午、庚辰、庚寅、庚子、庚戌、庚申)。六庚之日为阳日,利于肺神的炼养。

第二步,诵念祝词。存思肺神时,用手轻抚心口并诵念祝词,向神仙表达道来归己、延命长生的愿望。

第三步,存思五脏神,包括存思脏器颜色、念脏气来至、存脏气入口、思行气周身。这是存思过程的主体部分。存思肺神时,首先瞑目存念肺脏为正白色,然后想象白色之肺气升腾于面前并灌入口中,吞咽之,如此反复吞咽 21 次;其次存思进入腹中的白气周身运转,数 140 息之后停止行气。

第四步,呼神。即呼唤五脏神名讳,祈祷他们能够和自己成为朋友,并赐予自己神丹、金液、不死之药,与己合同,令己长生。

整个存思过程完成后,修道者还要做一些"善后"工作,即在特定的日期反复存思之前已存思的五脏神,并再次表达长生成仙的欲求。这些工作应该是对存思效果的巩固和强化。如在六庚之日存思肺神之后,还要在辛日、庚申日、辛酉日多次存思。关于五脏神的存思方法主要集中在第 26 章至 33 章。

《老子中经》所述存思五脏神之法较《太平经》中记载的存思五脏神之法[①]更为详细和具体,不再凌乱无章而趋于规整和统一,可见《老子中经》是存思术发展的重要阶段。后世很多存思、行气之法多受其影响,如《养五脏五行气法》等。

《老子中经》除集中载录存思五脏神之法外,还有存思其他脏器的描述,如第 40 章、第 47 章存思胃脏,第 45 章、第 50 章存思胆、脐、丹田三脏等。《老子中经》关于脏器神和身神的存思术对《上清大洞真经》存思身神的方法产生了重要影响。

第四,存思日月星精之法。

存思日月星精之法,即存思太阳精气、月亮精气和北斗精气的方法,在

① 《太平经》关于存思五脏神方法的介绍主要见于《以乐却灾法》、《悬象还神法》、《斋戒思神救死诀》、《盛身却灾法》等篇。

《老子中经》中分别称食日之精、食月之精和食太极之精,主要集中在第34章到第36章。按照“兆身与天地等也”的逻辑,天之日、月、北斗分别与人之心、肾、脾相对应,存思并服食日、月、北斗的精气就可以使心、肾、脾得到温养,三脏得三精,则能返老还童、长生成仙。第35章云:“食月之精,以养肾根,白发复黑,齿落更生,已乃得神仙。”①

这种存思方法与存思五脏神之法相似,但稍显复杂。首先选择特定的存思时间,其次存思相应的脏器神,再次存念相应的精气,最后诵念祝词。以“食日之精”为例:

> 其法常以月一日、二日、五日、七日、九日、十一日、十三日、十五日日初出时,被发向日,瞑目念心中有一小童子,衣绛衣,文彩五色,灼灼正赤,两手掌中亦正赤。以两手掌摩面,下至心止,十二反为之。念天日精正赤黄气来下在目前,存入口中咽之,一九,以手摩送之,拊心祝曰:景君元阳,与我合德,俱养绛宫中小童子。须臾复念心下至丹田中止,以手摩送之。以日托心,心得日精,已乃神仙矣。②

存思日精需在朔望之间的阳日日出时进行;做好披发等准备工作后,先存思心中小童子的形象,再存思日精正赤黄气,同时还伴有相应的抚摸动作;最后诵念祝词,祈祷日神元阳以日之精温养心中童子,心得日精,乃为神仙。

日、月、北斗为天之重体,“日月者,天之司徒、司空公也”③,北斗者“天之侯王也”④;心、肾、脾为人之重器,“心者,君主之官也”⑤,肾为先天之本,脾为后天之本。存思日月星精之法乃是天之重体补人之重器之法,若努力行之,可延年长生,位列真人,是《老子中经》中重要的存思方法。《太上灵宝五符序》卷上所述《食日月精之道》和《夏禹授钟山真人食日月星之法》即源于此。

第五,存思子丹之法。

---

① (宋)张君房:《云笈七籤》卷19,《道藏》第22册,第141页。
② (宋)张君房:《云笈七籤》卷19,《道藏》第22册,第141页。
③ (宋)张君房:《云笈七籤》卷18,《道藏》第22册,第134页。
④ (宋)张君房:《云笈七籤》卷18,《道藏》第22册,第135页。
⑤ 《黄帝内经》卷上《素问·灵兰秘典论》,北京:中华书局2009年版。

存思子丹是《老子中经》中重要的存思方法。第37章云："万道众多，但存一念子丹耳。"①所谓子丹，乃是道君所化身神阳陵子明、太阴玄光玉女夫妇之子，故又称太子。子丹居胃管中，由父母护养。"在太仓胃管中，正南面坐珠玉床上，黄云华盖覆之，衣五彩珠衣。母在其右上，抱而养之；父在其左上，教而护之。"②胃乃"三皇五帝之厨府"，子丹居其中，"食黄金玉饵，饮醴泉玉液，服太一神丹，噉玉李芝草"③，九年长成，则上谒道君。存思子丹之法的原理较为简单，即将自己存想成子丹，令己身与子丹合为一体，所以子丹在《老子中经》中又称"吾"。修道者在存思中，首先将自己想象成子丹的形象，然后存思子丹和己身在胃管中饮食并逐渐长大，待思至子丹与己身同等时，己身即可随子丹上谒道君，乃为神仙。第十二神仙描述这种存思方法时说：

> 常思真人子丹正在太仓胃管中，正南面坐，食黄精赤气，饮服醴泉。元阳子丹长九分，思之令与已身等也。父母养之，乃得神仙。常自念已身在胃管中童子，服五色彩衣，坐珠玉之林，黄云赤气为帐，食黄金玉饵，服神丹芝草，饮醴泉，乘黄云气五色珠玉之车，驾十二飞龙，二十四白虎，三十六朱鸟。思之九年，乘云去世，上谒道君。④

关于这种存思方法，加藤千惠认为是内丹思想的萌芽⑤。魏晋时传世的《黄庭经》即将内丹称作子丹，应是受《老子中经》的影响。

除上述存思术外，《老子中经》中还杂有其他修炼方术，重要者如：

第一，服食神丹法。

神丹又名"太一神丹"。在《老子中经》中服食神丹和存思神仙似乎同等重要。"兆汝审欲神仙，当先服还丹金液，存神，即时仙矣。"⑥神丹多秘于神仙之所，但道士也可烧炼而得。"道士炼水银消沙液珠玉八石，以作神

① (宋)张君房:《云笈七籤》卷19,《道藏》第22册,第142页。
② (宋)张君房:《云笈七籤》卷18,《道藏》第22册,第134—135页。
③ (宋)张君房:《云笈七籤》卷18,《道藏》第22册,第138页。
④ (宋)张君房:《云笈七籤》卷18,《道藏》第22册,第135页。
⑤ 参见[日]加藤千惠:《〈老子中经〉与内丹思想的起源》,《宗教学研究》1997年第4期。
⑥ (宋)张君房:《云笈七籤》卷19,《道藏》第22册,第147页。

丹，服一刀圭，飞升天宫……乃得长生”①。服食神丹还需遵守一些禁忌，“乘气服丹入室之时，无食生物，禁食五畜肉……但得食鸡子、鱼耳。禁食五辛，臭恶自死之物慎勿食”②。若欲长生成仙，而不服食神丹，不但不会为神所祐，反而会被鬼所击，“兆汝不服神丹金液，当自苦耳。为寒温风鬼所系，司命不救汝也”③。

第二，服食五牙法。

牙者，精华也。所谓五牙，即五方之精华，分别是东方青牙、南方朱丹、中央黄气、西方明石、北方玄滋。认为服食五牙可以去三虫、下伏尸，可以神仙不死。修炼此法当于夜半鸡鸣时进行，按照东南中西北的顺序服食，每服食一牙需“三咽之”。“如此三十日，三虫皆死，伏尸走去，而三神正气自安定……即神仙不死，玉字金名，乘云而上升。”④需要说明的是，梁代道士陶弘景在《真诰》中注解“泰和二年四月服青牙”时说“此青牙始生法，世未见经”⑤，应是陶氏未见《老子中经》，故有此言。

第三，被符之法。

“符者，天地之信也……鬼见天信即去矣。”⑥道士佩戴神符不但可以辟避邪气伤身和鬼魅干扰修道，而且还能强身、成仙。“兆汝欲却邪辟鬼，当被符……益其气力，身轻坚强，即邪气官鬼不能中人也，即成神仙矣。”⑦《老子中经》共载神符 16 道，其中常被神符有威喜、巨胜、左契、右射等，“无所不防，亦无禁忌”⑧，而珠胎、七机、华盖、清观四符，亦能制百邪，但“恶秽人不可服也”⑨。

（三）脏腑知识及其医学思想

《老子中经》在介绍各种存思术时还涉及对人体脏腑的描述，这些描述

① （宋）张君房：《云笈七籤》卷 19，《道藏》第 22 册，第 142 页。
② （宋）张君房：《云笈七籤》卷 19，《道藏》第 22 册，第 143 页。
③ （宋）张君房：《云笈七籤》卷 19，《道藏》第 22 册，第 147 页。
④ （宋）张君房：《云笈七籤》卷 18，《道藏》第 22 册，第 139 页。
⑤ （南朝）陶弘景：《真诰》卷 18，《道藏》第 20 册，第 589 页。
⑥ （宋）张君房：《云笈七籤》卷 19，《道藏》第 22 册，第 146 页。
⑦ （宋）张君房：《云笈七籤》卷 19，《道藏》第 22 册，第 146 页。
⑧ （宋）张君房：《云笈七籤》卷 19，《道藏》第 22 册，第 146 页。
⑨ （宋）张君房：《云笈七籤》卷 19，《道藏》第 22 册，第 146 页。

建构了一种人体内部结构的知识体系，一定程度上反映了早期道教对人体的认知水平。关于脏腑的描述详见下表①：

			第 26 章	**第 35 章**	**第 37 章**
第 8 章	脑神	泥丸君者……乃生於脑，肾根心精之元也。			
第 10 章	两肾	为日月之精，虚无之气，人之根也。			
第 19 章		两肾间名曰大海，一名弱水。中有神龟，呼吸元气，流行作为风雨，通气四支，无不至者。			
第 14 章	脐者	人之命也……一名太渊。			
第 17 章	丹田者	人之根也；精神之所藏也；五气之元也；赤子之府，男子以藏精，女子以藏月水；主生子，合和阴阳之门户也。在脐下三寸，附着脊膂，两肾根也。丹田之中，中赤，左青，右黄，上白，下黑，方圆四寸之中。所以在脐下三寸者，言法天、地、人。天一、地二、人三、时四，故曰四寸；法五行，故有五色。			
第 18 章	大肠小肠	主逐捕邪气。			
第 20 章	胃	太仓，三皇五帝之厨府也……诸神皆就太仓中饮食，故胃为太仓。			
第 23 章	肺神	大和君也……尚书府也。	色正白	肺金	尚书
	心神	太尉公……绛宫。	色正赤	心火	太尉公
	肝神	老子君也，名曰明堂宫兰台府也。	色正青	肝木	兰台
	脾神	玄光玉女	色正黄	脾土	皇后
	肾神	司徒、司空……	色正黑	肾水	司徒公司空公
	胆神	太一道君也，居紫房宫。	色正青		天子大道君
	胃神	五元之气	色正黄		太仓

① 表中所引文字已标注所在章次，不再标注页码。

续表

			第 26 章	第 35 章	第 37 章
第 35 章		辩勇者，胆之精也。缓和者，胆之气衰也。盲者，肝之气衰也。懦者，肺之气衰也。癫者，心之气衰也。濡者，肾之气衰也。不肖暗聋者，脾之气衰也。其五藏衰者，皆自见于己也。忧悲不乐则伤肝，伤肝则目瞑头白，当思肾心以养之。淫乐过度即伤肾，伤肾则腰疼痛，身沉重，大小便脓血，思肝肺以养之。恚怒则伤心，伤心则病狂吐血，思肝脾以养之。遭患忧难则伤肺，伤肺则思脾肾以养之。饮食绝饱，酒醉过度则伤脾，伤脾则思心肺以养之。令其子母相养之……			
第 51 章		心为虚，肾为元。虚气以青上为天，元气以宁下为地，入于太渊。故虚气生为呼，元气生为噏。心为日，肾为月，脾为斗。心气下，肾气上，合即为一，布行四支不休息。故心为血，肾为气，合即流行，名曰脉。脉者，魂魄，人之容也，魂魄以去，主人寂寂，故百脉尽即气绝，气绝即死矣。			

这些介绍涉及人体的主要脏器，其中所论多与传统医学相合，例如："胃为太仓"之论与《黄帝内经》"胃者，太仓也"①的说法一致；"丹田者，人之根也，精神之所藏也，五气之元也，赤子之府，男子以藏精，女子以藏月水……两肾根也"与《难经》"命门者，谓精神之所舍也，男子以藏精，女子以系胞，其气与肾通"②相似；"盲者，肝之气衰也"与传统医学"肝开窍于目"的说法一致；"忧悲不乐则伤肝……淫乐过度即伤肾……恚怒则伤心……遭患忧难则伤肺……酒醉过度则伤脾"与传统医学五志影响五脏的理论相同。此外，在《老子中经》中重要的脏器皆以官职名之，官职的大小反映了这些脏器在人体中的轻重程度，与传统医学对五脏重要性的认识大体相同。

这些脏腑知识蕴含有丰富的医学思想，主要表现在：

第一，平衡阴阳的思想。在《老子中经》中很多驻守脏器的身神都有对应的女性神作为配偶，如驻守肺藏的太和，其妻青腰玉女；驻守肝脏的老子，

① 杨永杰、龚树全主编：《黄帝内经》，北京：线装书局 2009 年版，《灵枢 · 胀论第三十五》，第 304 页。

② "第三十九难"，（春秋）秦越人：《难经》，北京：科学技术文献出版社 1996 年版，第 23 页。

其妻素女；胆为天子大道君，而与脾脏太阴玄光玉女相配等。

第二，五行思想。如存思子丹术中，按照五行相克为夫妇的逻辑，胆木克脾土，所以胆脾相配为夫妇。又如，“东方之神女名曰青腰玉女。南方之神女名曰赤圭玉女，中央之神女名曰黄素玉女，西方之神女名曰白素玉女，北方之神女名曰玄光玉女……五行之道，常以所胜好者为妻。假令今日甲乙木，木胜土，则甲以己为妻。故言甲己、乙庚、丙辛、丁壬、戊癸此皆夫妻合会之日也。言肝胆木也，木帝以中宫戊己素女为妻，他皆效此”①。

《老子中经》中蕴涵的这些医学思想，再次体现了道教与中国传统医学关系极为密切，与早期道教“以医传教”、“借医弘道”的传统一脉相承。

综上可知，魏晋以来的道教，或流行于民间，或传播于上层，修道思想有了进一步发展；其信徒或奔走于权贵之门，或隐遁于岩穴之中，或“忠于王室”，或“称合逆乱”，形形色色，趋舍异路，表明了道教的走向分化。其分化之原，盖出于政治因素。宗教这种意识形态，表面上远离尘世，超于现实，讨论人间世界之外的神仙世界问题，而实际上却与现实生活密切相关。现实的政治斗争必然反映到宗教内部来，影响宗教的发展。因此，不能离开社会的现实来考察它的发展历史。

同时，我们还应该看到，道教经过这一时期的发展，其修道实践和修仙活动积累了丰富的经验，已经到了需要顺应时代的发展，进行道教神学理论与修仙方法进行系统总结和提升的阶段，葛洪的道教神仙体系便应运而生。

第五节　葛洪道教神仙体系及金丹道教的传承

一、葛洪对神仙思想的系统总结及其意义

魏晋时候，随着道教的分化和繁衍，特别是封建士大夫的大量涌进道教，这就不能不引起道教内部在思想上和组织上的变化。于是，道经的造制日益增多，新的道派也相继出现。葛洪在这个转变关头，对战国以来的神仙

① (宋)张君房:《云笈七籤》卷18,《道藏》第22册,第138—139页。

思想作了系统的总结，使道教的神仙信仰理论化，为上层士族道教奠定了理论基础，并为封建统治阶级镇压民间道教提供了依据，在道教思想史上和科技史上都有着极其重要的意义，由此使他成为道教史上一个承前启后的划时代人物。其事迹，见《晋书》卷七十二《葛洪传》和《抱朴子外篇自序》。

葛洪，字稚川，自号抱朴子，丹阳句容（属今江苏省）人。生于晋武帝太康四年（283 年）。出身于江南高贵的士族家庭，世代都有人在朝廷做大官。祖系在吴国，历任御史中丞、吏部尚书、太子少傅、大鸿胪、侍中、光禄勋、辅吴将军等中央要职，封寿县侯。父悌，仕吴为中书郎、廷尉平、中护军、五郡赴警，深得朝廷信任。吴亡以后，西晋初以故官任郎中，稍迁至大中大夫，历位大中正、肥乡令，最后迁邵陵太守，卒于官。洪为悌之第三子，最受娇宠。年十三，其父去世，家道中落，“饥寒困瘁，躬执耕穑，承星履草，密勿畴袭……伐薪卖之，以给纸笔，就营田园处，以柴火写书……常乏纸，每所写，反复有字，人尠能读也”①。年十六，开始读《孝经》、《论语》、《诗》、《易》等儒家经典。由于“贫乏无以远寻师友，孤陋寡闻，明浅思短，大义多所不通。但贪广览，于众书乃无不暗诵精持，曾所披涉，自正经诸史百家之言，下至短杂文章，近万卷”②。他本来想成为一个儒者，但因种种原因，使他竟不能成为纯儒。他对“河洛图纬，一视便止，不得留意也”③。又“不喜星书及算术、九宫、三其棊、太一、飞符之属”④。以后曾学过“风角、望气、三元、遁甲、六壬太一之法，粗知其旨，又不研精”⑤。唯独对“神仙导养之法”，非常有兴趣，据他自己说：“余少好方术，负步请问，不惮险远。每有异闻，则以为喜。虽见毁笑，不以为戚。”⑥他从郑隐学炼丹秘术，大概就是从这个时候开始的。“于时虽充门人之洒扫，既才识短浅，又年尚少壮，意思不专，俗情未

① 《抱朴子外篇自序》，杨明照：《抱朴子外篇校笺》，北京：中华书局 1991 年版，第 370—371 页。
② 杨明照：《抱朴子外篇校笺》，北京：中华书局 1991 年版，第 371 页。
③ 杨明照：《抱朴子外篇校笺》，北京：中华书局 1991 年版，第 371 页。
④ 杨明照：《抱朴子外篇校笺》，北京：中华书局 1991 年版，第 371 页。
⑤ 杨明照：《抱朴子外篇校笺》，北京：中华书局 1991 年版，第 371 页。
⑥ 王明：《抱朴子内篇校释》，北京：中华书局 1985 年版，第 63—64 页。

尽,不能大有所得”①。郑隐时已年出80岁,葛洪在其诸弟子中,不仅年少,又是从学较晚的;然而郑隐对他却特别器重,把自己与其他先进者同等看待。葛洪说:“弟子五十余人,唯余见受金丹之经及《三皇内文》《枕中五行记》,其余人乃有不得一观此书之首题者矣。”②葛洪的这位启蒙老师,对他一生有很大影响。郑隐于“太安元年(302年),知季世之乱,江南将鼎沸,乃负笈持仙药之扑(朴),将入室弟子,东投霍山,莫知所在”③。葛洪却仍留丹阳。据《御览》卷三百二十八引《抱朴子外篇》佚文说:“昔太安二年(303年)京邑始乱,三国举兵攻长沙王乂。小民张昌反于荆州,奉刘尼为汉主,乃遣石冰击定扬州,屯于建业。宋道衡说冰求为丹阳太守,到郡,发兵以攻冰,召余为将兵都尉,余年二十一。”可见他和郑隐分手以后,随即参加了镇压石冰领导的农民起义。且因镇压起义军有功,“迁伏波将军”。而葛洪却在事平之后,即“投戈释甲,径诣洛阳,欲广寻异书,了不论战功”④。又因“正遇上国大乱(指‘八王之乱’),北道不通,而陈敏又反于江东,归涂隔塞”⑤。在这进退两难的时候,恰逢他的故人嵇含见用为广州刺史,表请洪为参军,派他担任先遣。葛洪也因以此可避乱于南土,遂欣然前往。不料嵇含旋被仇人郭劢暗杀,于是葛洪遂停留广州多年。深感“荣位势利,譬如寄客,既非常物,又其去不可得留也。隆隆者绝,赫赫者灭,有若春华,须臾凋落。得之不喜,失之安悲?悔吝百端,忧惧兢战,不可胜言,不足为也”⑥。于是乃绝弃世务,锐意于松乔之道,服食养性,修习玄静,“是以车马之迹,不经贵势之域;片字之书,不交在位之家”⑦。其师事鲍靓,大约也是这个时候。鲍靓亦深重之,并以女妻洪。后来还归桑梓,礼辟皆不就。建兴元年(313年)以后,当晋元帝司马睿以琅琊王为左丞相时,辟洪为掾,体念他十多年前有打败石冰起义军之功,赐爵关内侯,食句容之邑二百户。到晋成帝

① 王明:《抱朴子内篇校释》,北京:中华书局1985年版,第331页。
② 王明:《抱朴子内篇校释》,北京:中华书局1985年版,第304—305页。
③ 王明:《抱朴子内篇校释》,北京:中华书局1985年版,第338页。
④ 杨明照:《抱朴子外篇校笺》,北京:中华书局1991年版,第375页。
⑤ 杨明照:《抱朴子外篇校笺》,北京:中华书局1991年版,第375页。
⑥ 杨明照:《抱朴子外篇校笺》,北京:中华书局1991年版,第376页。
⑦ 杨明照:《抱朴子外篇校笺》,北京:中华书局1991年版,第376页。

咸和(326—334 年)初,司徒王导召补州主簿,转司徒掾,迁咨议参军。洪以年事渐老,欲炼丹以求长生,闻交阯出丹砂,求为句漏令,遂带领子侄同行。至广州,为刺史邓岳所留,不听去。洪乃止罗浮山炼丹。“在山积年,优游闲养,著述不辍”①,遂殁于此。其卒年约有二说:一云 61 岁,为晋康帝建元元年(343 年);一云 81 岁,为晋哀帝兴宁元年(363 年)。前者与葛洪《神仙传》卷十《平仲节传》记平仲节卒于“晋穆帝永和元年(345 年)五月一日”一语相左,因谓洪年 61 岁卒,则此时葛洪已经去世,其自撰书中何来此一纪年?后者与《晋书·葛洪传》谓洪临死时与邓岳书,“岳至,遂不及见”的记载不符。因邓岳死于建元二年(344 年),如谓洪卒年 81 岁,则邓岳早已先于葛洪去世,为何产生此事?因此,关于葛洪的卒年问题,尚有待于研究。

葛洪学识渊博,著述甚多,现存者主要有《抱朴子》内外篇 70 卷,《神仙传》10 卷,《肘后要(备)急方》4 卷等。其《抱朴子内篇》20 卷,言神仙方药鬼怪变化养生延年禳邪却祸之事,属道家言,对道教的发展有深刻的影响。

葛洪力图从宇宙观、本体论的高度来论证神仙长生的思想,以建立一套神秘主义的道教哲学。他吸取扬雄《太玄》的思想,在《抱朴子内篇》一开始,便提出了一个“玄”的范畴,认为它是宇宙的本质,世界上的一切都是由“玄”产生的。他说:“玄者,自然之始祖,而万殊之大宗也。”②

这个“玄”是一个什么样的东西呢?他在《畅玄》篇里,对其性状作了这样一些描述:

> 眇眛乎其深也,故称微焉。绵邈乎其远也,故称妙焉。其高则冠盖乎九霄,其旷则笼罩乎八隅。光乎日月,迅乎电驰……因兆类而为有,托潜寂而为无。沦大幽而下沉,凌辰极而上游。金石不能比其刚,湛露不能等其柔。方而不距,圆而不规。来焉莫见,往焉莫追。乾以之高,坤以之卑,云以之行,雨以之施。胞胎元一,范铸两仪,吐纳大始,鼓冶亿类。③

这就是说,所谓的“玄”,乃是一个极其深远,极其微妙,至高而又至广,至刚

① 《晋书》卷 72《葛洪传》,北京:中华书局 1974 年版,第 6 册,第 1912 页。
② 王明:《抱朴子内篇校释》,北京:中华书局 1985 年版,第 1 页。
③ 王明:《抱朴子内篇校释》,北京:中华书局 1985 年版,第 1 页。

而又至柔,说方不方,说圆不圆,忽有忽无,来去无踪,虚无缥缈,变幻莫测,而又无所不能的东西。凡是宇宙的生成,事物的运动,都是这个"玄"的作用。它先于一切事物而存在,是一切事物的主宰。这个超自然的神秘主义的宇宙本体——"玄",是葛洪对于神仙思想的最高概括,构成了他的神仙道教思想体系的理论基础。

在《抱朴子内篇》里,还提出了"道"和"一"两个范畴,它们和"玄"是互相联系的。他说:"道者,涵乾括坤,其本无名。论其无,则影响犹为有焉;论其有,则万物尚为无焉……以言乎迩,则周流秋毫而有余焉:以言乎远,则弥纶太虚而不足焉。为声之声,为响之响,为形之形,为影之影,方者得之而静,员(圆)者得之而动,降者得之而俯,升者得之以仰。"①又说:"道也者,所以陶冶百氏,范铸二仪,胞胎万类,酿醞彝伦者也。"②这和他对"玄"的解释,无论在语言或内容上几乎都完全是相同的。"道"和"一",又是密不可分的。关于"一",他说:"道起于一,其贵无偶,各居一处,以象天、地、人,故曰三一也。天得一以清,地得一以宁,人得一以生,神得一以灵。金沈羽浮,山峙川流,视之不见,听之不闻,存之则在,忽之则亡,向之则吉,背之则凶,保之则遐祚罔极,失之则命彫气穷。老君曰:'忽兮恍兮,其中有象;恍兮忽兮,其中有物'。一之谓也。"③又说:"一能成阴生阳,推步寒暑。春得一以发,夏得一以长,秋得一以收,冬得一以藏。其大不可以六合阶,其小不可以毫芒比也。"④"一"既是这样神通广大,无所不能,因此他说:"人能知一,万事毕。知一者,无一之不知也。不知一者,无一之能知也。"⑤甚至还把他的神仙之道,也概括为"玄道"或"玄一之道"。

葛洪在阐述了"玄"的性能以后指出:声色厚味,往往损人性命,富贵荣华,也不过是过眼烟云,而且"乐极则哀集,至盈必有亏","寔理势之攸召,犹影响之相归也"⑥是难以避免的必然结果。只有"玄之所在",才会"其乐

① 王明:《抱朴子内篇校释》,北京:中华书局 1985 年版,第 170 页。
② 王明:《抱朴子内篇校释》,北京:中华书局 1985 年版,第 185 页。
③ 王明:《抱朴子内篇校释》,北京:中华书局 1985 年版,第 323 页。
④ 王明:《抱朴子内篇校释》,北京:中华书局 1985 年版,第 323 页。
⑤ 王明:《抱朴子内篇校释》,北京:中华书局 1985 年版,第 323 页。
⑥ 王明:《抱朴子内篇校释》,北京:中华书局 1985 年版,第 2 页。

不穷”,而“玄之所去”,便将“器弊神逝”①。因此,人们要想长生成仙,永远享受自由自在的贵族般的神仙生活,就只有修玄道。他说:“其唯玄道,可与为永……得之者贵,不待黄钺之威。体之者富,不须难得之货。”②而且得了“玄道”以后,便可以“乘流光,策飞景,凌六虚,贯涵溶。出乎无上,入乎无下。经乎汗漫之门,游乎窈眇之野。逍遥恍惚之中,徜徉仿佛之表。咽九华于云端,咀六气于丹霞。徘徊茫昧,翱翔希微,履略蜿虹,践蹦旋玑。”③这种神仙贵族逍遥自在的生活,完全是封建贵族们奢侈豪华生活的写照。

怎样修“玄道”呢?葛洪认为应该靠思神守一。他说:“夫玄道者,得之乎内,守之者外,用之者神,忘之者器,此思玄道之要言也。”④又说:“思神守一,却恶卫身,常如人君之治国,戎将之待敌,乃可为得长生之功也。”⑤这样就把本体论与修炼方法紧密结合起来。

在《地真篇》里,葛洪又详细论述了守一之法。他引证《仙经》说:“子欲长生,守一当明;思一至饥,一与之粮;思一至渴,一与之浆。”⑥“人能守一,一亦守人。所以白刃无所措其锐,百害无所容其凶,居败能成,在危独安也。”⑦在这里,他把“一”人格化为神。并说:“一有姓字服色,男长九分,女长六分,或在脐下二寸四分下丹田中,或在心下绛宫金阙中丹田也,或在人两眉间,却行一寸为明堂,二寸为洞房,三寸为上丹田也。此乃是道家所重,世世歃血口传其姓名耳。”⑧这样,“守一”实际上也就是“思见身中诸神”⑨,或意守三丹田,是一种仙道长生的内修方法。后来的上清派对此作了发挥,成为该派最主要的修炼方法。

葛洪还把守一分为“守玄一”和“守真一”两种。所谓“真一”是什么

① 王明:《抱朴子内篇校释》,北京:中华书局1985年版,第1页。
② 王明:《抱朴子内篇校释》,北京:中华书局1985年版,第2页。
③ 王明:《抱朴子内篇校释》,北京:中华书局1985年版,第2页。
④ 王明:《抱朴子内篇校释》,北京:中华书局1985年版,第2页。
⑤ 王明:《抱朴子内篇校释》,北京:中华书局1985年版,第326页。
⑥ 王明:《抱朴子内篇校释》,北京:中华书局1985年版,第323页。
⑦ 王明:《抱朴子内篇校释》,北京:中华书局1985年版,第325页。
⑧ 王明:《抱朴子内篇校释》,北京:中华书局1985年版,第323页。
⑨ 王明:《抱朴子内篇校释》,北京:中华书局1985年版,第324页。

呢？他认为，“真一有姓字长短服色”①，也是人格化了的神。他说：“入九室以精思，存真一以招神。”②故“守真一”就是存思真神。他指出，在守真一时，还必须遵守口诀。这种口诀是绝对不能轻说妄传的。葛洪说：“受真一口诀，皆有明文，歃白牲之血，以王相之日受之，以白绢白银为约，剋金契而分之，轻说妄传，其神不行也。”③他认为真一之道，其功效在于守形却恶。他说：“夫长生仙方，则唯有金丹；守形却恶，则独有真一，故古人尤重也。”所谓“守形却恶”，他具体解释说：“守一存真，乃能通神；少欲约食，一乃留息；白刃临颈，思一得生；知一不难，难在于终；守之不失，可以无穷；陆辟恶兽；水却蛟龙；不畏魍魉，挟毒之虫；鬼不敢近，刃不敢中。此真一之大略也。”④又说：“思身神，守真一”，“可令内疾不起，风湿不犯。”⑤

所谓“玄一”是什么呢？葛洪认为，“玄一”和“真一”相通，功效相同，“守玄一”有利于“守真一”，还可以得到分形术和内视之法，“天灵地祇”都可以接见，“山川之神”都可供役使。所以和“守真一”一样，也是“要法”。他说：“玄一之道，亦要法也。无所不辟，与真一同功。吾《内篇》第一名之为《畅玄》者，正以此也。守玄一复易于守真一……守玄一，并思其身，分为三人，三人已见，又转益之，可至数十人，皆如己身，隐之显之，皆自有口诀，此所谓分形之道。”⑥他引证其师郑隐的教导说：“师言欲长生，当勤服大药，欲得通神，当金水分形。形分则自见其身中之三魂七魄，而天灵地祇，皆可接见，山川之神，皆可使役也。”⑦可见，玄一之道包括了分形术和内视之法。内视之法，亦为上清派所继承。

守一之法，渊源于《老子》“得一”、“抱一”的思想。《庄子·天地篇》也有“通于一而万事毕”的说法。《淮南子·精神训》则进一步说：“夫天地运而相通，万物总而为一。能知一，则无一之不知也。不能知一，则无一之能

① 王明：《抱朴子内篇校释》，北京：中华书局1985年版，第298页。
② 王明：《抱朴子内篇校释》，北京：中华书局1985年版，第187页。
③ 王明：《抱朴子内篇校释》，北京：中华书局1985年版，第324—325页。
④ 王明：《抱朴子内篇校释》，北京：中华书局1985年版，第324页。
⑤ 王明：《抱朴子内篇校释》，北京：中华书局1985年版，第243页。
⑥ 王明：《抱朴子内篇校释》，北京：中华书局1985年版，第325页。
⑦ 王明：《抱朴子内篇校释》，北京：中华书局1985年版，第326页。

知也。”《太平经》对一和守一之法更作了反复的论述。很明显，葛洪的一和守一思想乃是对这些思想的继承和发展。

神仙道教的主要目的是长生成仙。故葛洪认为：“道家之所至秘而重者，莫过乎长生之方也。”①“长生之道，道之至也，故古人重之也。”②但汉魏以来已有不少人对此表示怀疑和反对。针对这一情况，葛洪在《抱朴子》一书中便以古今种种神仙传说，并运用形而上学的方法来反复论证神仙的存在和成仙的可能。在《论仙篇》里，他把共性与个性、普遍和特殊互相割裂，认为有始必有终，有生必有死，“诚是大体”③，是共性，是普遍的规律。但事物是千差万别的，各有其特殊性，“不可以一概断之”④，长生不死的神仙与凡人不同，是超于一般之外的个别，是独立于普遍之外的特殊。这是企图利用形而上学的方法以达到其唯心主义的荒谬结论。同时他还以人们现在所认识到的只是有限的东西，而“天地之间，无外之大，其中殊奇，岂遽有限”⑤，“万物云云，何所不有”，“所尝识者未若所不识之众”⑥为理由，来论证长生不死的神仙的存在。在这里，他所运用的是割裂有限与无限相互关系的方法，因而同样是站不住脚的。葛洪还说：“列仙之人，盈乎竹素”⑦，刘向“所撰《列仙传》，仙人七十有余”⑧，“前哲所记，近将千人”⑨，企图以此来证明神仙的实际存在。但这类传记，本来就是一些神话传说，并不等于真切的事实。用这些神话传说来证明神仙的存在，犹如以“无是公”来证明“乌有先生”，其证据本身便是需要证明才能成立的。不然，这些所谓长生不死的列仙也者，包括葛洪《神仙传》所载记的在内，而今安在哉？孟轲早就说过：“尽信书则不如无书”。岂能以《聊斋》记载了各种鬼魂和狐狸精之类的事迹，便确认鬼魂和狐狸精的实际存在？这都是不言而喻的道理。

---

① 王明：《抱朴子内篇校释》，北京：中华书局 1985 年版，第 252 页。
② 王明：《抱朴子内篇校释》，北京：中华书局 1985 年版，第 288 页。
③ 王明：《抱朴子内篇校释》，北京：中华书局 1985 年版，第 13 页。
④ 王明：《抱朴子内篇校释》，北京：中华书局 1985 年版，第 14 页。
⑤ 王明：《抱朴子内篇校释》，北京：中华书局 1985 年版，第 14 页。
⑥ 王明：《抱朴子内篇校释》，北京：中华书局 1985 年版，第 12 页。
⑦ 王明：《抱朴子内篇校释》，北京：中华书局 1985 年版，第 12 页。
⑧ 王明：《抱朴子内篇校释》，北京：中华书局 1985 年版，第 15 页。
⑨ 王明：《抱朴子内篇校释》，北京：中华书局 1985 年版，第 40 页。

葛洪在论述了神仙的存在和成仙的可能之后，便详细说明了怎样才能够长生和成仙。在这里，他介绍了各种不同的修持方法。总起来看，不外内修与外养两个方面，内修主要是宝精行气，外养主要是服仙药。他说："欲求神仙，唯当得其至要，至要者，在于宝精行炁，服一大药便足，亦不用多也。"①接着他又指出："然此三事，复有浅深，不值明师，不经勤苦，亦不可仓卒而尽知也。虽云行炁、而行炁有数法焉。虽曰房中，而房中之术，近有百余事焉。虽言服药，而服药之方，略有千条焉。初以授人，皆从浅始，有志不怠，勤劳可知，方乃告其要耳。"②由此可见，内修的方法主要包括有两种：一种叫作行气；一种叫作房中。

所谓行气，就是关于体内元气新陈代谢的理论，主要是所谓的"胎息"。葛洪在谈到关于行气的方法时说："其大要者，胎息而已。得胎息者，能不以鼻口嘘吸，如在胞胎之中，则道成矣。"③他指出，初学行气的人，以鼻中引气而闭之，阴以心数一、二、三至一百二十，然后以口徐徐吐之，并且要"入多出少"，在引入和吐出时，都不能使自己的耳朵听到气的出入声音。所以在实行的时候，须以鸿毛着于鼻口之上，以检验气在出入的时候鸿毛是否动摇，他认为应当以鸿毛不动为准。心数逐渐增加，到了能够数至一千而仍然能保其纳气的时候，就逐渐开始有"老者更少"的效验了。他还指出，行气的时间，当在每天的子夜到日中这段时间，这段时间是天地"生炁"之时；而不要在日中到夜半这段时间进行，这段时间是天地"死炁"的时候。他认为在"死炁之时行炁，无益也"④。他还指出行气者应当遵守的一些禁忌，说："又行炁大要，不欲多食，及食生菜肥鲜之物，令人燕强难闭。又禁恚怒，多恚怒则炁乱，既不得溢，或令人发欬，故尠有能为者也。"⑤为什么要行气呢？他认为那是由于"人在气中，气在人中，自天地至于万物，无不须气以生者也"⑥。所以他

① 王明：《抱朴子内篇校释》，北京：中华书局1985年版，第149页。
② 王明：《抱朴子内篇校释》，北京：中华书局1985年版，第149页。
③ 王明：《抱朴子内篇校释》，北京：中华书局1985年版，第149页。
④ 王明：《抱朴子内篇校释》，北京：中华书局1985年版，第150页。
⑤ 王明：《抱朴子内篇校释》，北京：中华书局1985年版，第150页。
⑥ 王明：《抱朴子内篇校释》，北京：中华书局1985年版，第114页。

说："善行气者，内以养身，外以却恶。"①他在谈到行气的功效时还说："故行炁或可以治百病，或可以入瘟疫，或可以禁蛇虎，或可以止疮血，或可以居水中，或可以行水上，或可以辟饥渴，或可以延年命。"②其中也包括了发放外气的问题。关于这个问题，他又特别指出："善用炁者，嘘水，水为之逆流数步；嘘火，火为之灭；嘘虎狼，虎狼伏而不得动起；嘘蛇虺，蛇虺蟠而不能去。若他人为兵刃所伤，嘘之血即止。"③他还列举了一些例证。说："近世左慈、赵明等，以炁禁水，水为之逆流一二丈。"④又谓其师郑隐曾说："但习闭气至千息，久久则能居水中一日许。"⑤并说他的从祖葛玄，"每大醉及夏天盛热，辄入深渊之底，一日许乃出者，正以能闭炁胎息故耳"⑥。与行气相联系，他对导引也作了说明，肯定了吴普"从华佗受五禽之戏，以代导引"⑦，并认为张良也曾修导引，后来又得了仙道，遂成为神仙。

葛洪又指出，行气还"宜知房中之术，所以尔者，不知阴阳之术，屡为劳损，则行气难得力也"⑧，又说："凡服药千种，三牲之养，而不知房中之术，亦无所益也。"⑨说明房中术对于修炼至关重要。他指出："房中之法十余家，或以补救伤损，或以攻治众病，或以采阴益阳，或以增年延寿"。但"其大要在于还精补脑之一事耳。此法乃真人口口相传，本不书也，虽服名药，而复不知此要，亦不得长生也。人复不可都绝阴阳，阴阳不交，则坐致壅阏之病，故幽闭怨旷，多病而不寿也。任情肆意，又损年命。唯有得其节宣之和，可以不损。若不得口诀之术，万无一人为之而不以此自伤煞者也……志求不死者，宜勤行求之。"⑩并强调指出，这也是他的老师"郑君之言，故记以示将

① 王明：《抱朴子内篇校释》，北京：中华书局1985年版，第114页。
② 王明：《抱朴子内篇校释》，北京：中华书局1985年版，第149页。
③ 王明：《抱朴子内篇校释》，北京：中华书局1985年版，第150页。
④ 王明：《抱朴子内篇校释》，北京：中华书局1985年版，第114页。
⑤ 王明：《抱朴子内篇校释》，北京：中华书局1985年版，第312页。
⑥ 王明：《抱朴子内篇校释》，北京：中华书局1985年版，第150页。
⑦ 王明：《抱朴子内篇校释》，北京：中华书局1985年版，第112页。
⑧ 王明：《抱朴子内篇校释》，北京：中华书局1985年版，第103页。
⑨ 王明：《抱朴子内篇校释》，北京：中华书局1985年版，第129页。
⑩ 王明：《抱朴子内篇校释》，北京：中华书局1985年版，第150页。

来之信道者,非臆断之谈也"[①]。在这个问题上,他还驳斥了那种认为单行房中之术,便可以"致神仙,并可以移灾解罪,转祸为福,居官高迁,商贾倍利"等种种谬论。他说:"此皆巫书妖妄过差之言,由于好事增加润色,至令失实。或亦奸伪造作虚妄,以欺诳世人,隐藏端绪,以求奉事,招集弟子,以规世利耳。夫阴阳之术,高可以治小疾,次可以免虚耗而已。其理自有极,安能致神仙而却祸致福乎?"[②]可见,当时对于房中之术,已有不少曲解,这种驳斥是完全必要的。

葛洪还指出:"人所以死者,诸欲所损也,老也,百病所害也,毒恶所中也,邪气所伤也,风冷所犯也"。因此,他认为,"道引行气,还精补脑",还必须与"食饮有度,兴居有节,将服药物,思神守一"等结合起来,凡"伤生之徒,一切远之",方"可以免此六害"[③]。他还认为,"仙法欲止绝臭腥,休粮清肠"[④],从而对辟谷之法,作了详细的论述。说这种方法,约有一百来种,或服各种药物,或用符,或用水,或符水兼用,或吞气,或思脾中神名,但合口食内气等,并谓其师郑隐亦曾修此法,尝于铜山中绝谷二年许。但他指出:断谷"止可息肴粮之费,不能独令人长生"。"道书虽言欲得长生,肠中当清;欲得不死,肠中无滓。又云,食草者善走而愚,食肉者多力而悍,食谷者智而不寿,食气者神明不死。此乃行气者一家之偏说耳,不可便孤用也。"[⑤]可见,他对道书的辟谷之说,并不盲目相信。

在内修方面,葛洪对于养生之道特别重视。他认为,养生之道在于使血气充沛,以"不伤"或预防为主。他说:"夫吐故纳新者,因气以长气,而气大衰者则难长也。服食药物者,因血以益血,而血垂竭者则难益也……凡为道而不成,营生而得死者,其人非不有气血也。然身中之所以为气为血者,根源已丧,但余其枝流也……苟能令正气不衰,形神相卫,莫能伤也。"他引证

① 王明:《抱朴子内篇校释》,北京:中华书局1985年版,第150页。
② 王明:《抱朴子内篇校释》,北京:中华书局1985年版,第128页。
③ 王明:《抱朴子内篇校释》,北京:中华书局1985年版,第112—113页。
④ 王明:《抱朴子内篇校释》,北京:中华书局1985年版,第18页。
⑤ 王明:《抱朴子内篇校释》,北京:中华书局1985年版,第266页。

《仙经》说："故《仙经》曰：'养生以不伤为本。'此要言也。"①接着，他列举了不利于养生的各种伤害："且又才所不逮，而困思之，伤也；力所不胜，而强举之，伤也；悲哀憔悴，伤也；喜乐过差，伤也；汲汲所欲，伤也；久谈言笑，伤也；寝息失时，伤也；挽弓引弩，伤也；沈醉呕吐，伤也；饱食即卧，伤也；跳走喘乏，伤也；欢呼哭泣，伤也；阴阳不交，伤也；积伤至尽则早亡，早亡非道也。"②在谈到养生应须注意的事项时说："是以养生之方，唾不及远，行不疾步，耳不极听，目不久视，坐不至久，卧不及疲，先寒而衣，先热而解，不欲极饥而食，食不过饱，不欲极渴而饮，饮不过多……不欲甚劳甚逸，不欲起晚，不欲汗流，不欲多睡，不欲奔车走马，不欲极目远望，不欲多啖生冷，不欲饮酒当风，不欲数数沐浴，不欲广志远愿，不欲规造异巧。冬不欲极温，夏不欲穷凉，不露卧星下，不眠中见肩，大寒大热，大风大雾，皆不欲冒之。五味入口，不欲偏多，故酸多伤脾，苦多伤肺，辛多伤肝，咸多则伤心，甘多则伤肾，此五行自然之理也。"③在强调预防为主时说："凡言伤者，亦不便觉也，谓久则寿损耳。是以善摄生者，卧起有四时之早晚，兴居有至和之常制；调利筋骨，有偃仰之方，杜疾闲邪，有吞吐之术，流行荣卫，有补泻之法；节宣劳逸，有与夺之要。忍怒以全阴气，抑喜以养阳气。然后先将服草木以救亏缺，后服金丹以定无穷，长生之理，尽于此也。"④

与上述养生之道相联系，葛洪又指出："学仙之法，欲得恬愉淡泊，涤除嗜欲，内视反听，尸居无心。"⑤并说："仙法欲静寂无为，忘其形骸。"⑥他认为，人们如能恬愉淡泊，不以情欲害真，则不必求神降福，自然便会健康长寿。他说："人能淡默恬愉，不染不移，养其心以无欲，颐其神以粹素，扫涤诱慕，收之以正，除难求之思，遣害真之累，薄喜怒之邪，灭爱恶之端，则不请福而福来，不禳祸而祸去矣。何者，命在其中，不系于外，道存乎此，无俟于

① 王明：《抱朴子内篇校释》，北京：中华书局 1985 年版，第 243—244 页。
② 王明：《抱朴子内篇校释》，北京：中华书局 1985 年版，第 245 页。
③ 王明：《抱朴子内篇校释》，北京：中华书局 1985 年版，第 245 页。
④ 王明：《抱朴子内篇校释》，北京：中华书局 1985 年版，第 245—246 页。
⑤ 王明：《抱朴子内篇校释》，北京：中华书局 1985 年版，第 17 页。
⑥ 王明：《抱朴子内篇校释》，北京：中华书局 1985 年版，第 17 页。

彼也。"①反之，如果不能恬淡守真，恣情纵欲，有迷无反。"情感物而外起，智接事而旁溢，诱于可修，而天理灭矣，惑乎见闻，而纯一迁矣。心受制于奢玩，情浊乱于波荡，于是有倾越之灾，有不振之祸，而徒烹宰肥腯，沃酹醪醴，撞金伐革，讴歌踊跃，拜伏稽颡，守请虚坐，求乞福愿，冀其必得，至死不悟，不亦哀哉？"②这种强调内修性命，恬淡守真，存天理、灭人欲的思想，对以后道、儒两家都有重要的影响。

以上这些内修之术，除去其中长生成仙之类理想目标不论，仅就其行气、养生之类的方法而言，对于增进人们的身体健康不无一定的裨益，对于后世的气功学、养生学、体育学、医学的发展也有积极意义，它与后来道教所说修炼精气神的内丹方术在精神上是一致的，是后者的思想渊源之一。

葛洪所说的外养，即为服药，是属于以后外丹术所讨论的问题，他对此更为重视，尤其重视金丹。他说："余考览养性之书，鸠集久视之方，曾所披涉篇卷，以千计矣，莫不皆以还丹金液为大要者焉。然则此二事，盖仙道之极也。服此而不仙，则古来无仙矣。"③又说："既览金丹之道，则使人不欲复视小小方书。然大药难卒得办，当须且将御小者以自支持耳。然服他药万斛，为能有小益，而终不能使人遂长生也。故老子之诀言云，子不得还丹金液，虚自苦耳。夫五谷犹能活人，人得之则生，绝之则死，又况于上品之神药，其益人岂不万倍于五谷耶？"④这就是说，他认为金丹之道，才是最高的仙道；金丹大药，才是上品的神药；只要服了金丹大药，便一定可以长生成仙。为什么服了金丹大药，便可以使人长生成仙呢？葛洪对此解释说："夫金丹之为物，烧之愈久，变化愈妙。黄金入火，百炼不消，埋之，毕天不朽。服此二物，炼人身体，故能令人不老不死。此盖假求于外物以自坚固，有如脂之养火而不可灭，铜青涂脚，入水不腐，此是借铜之劲以扞其肉也。金丹入身中，沾洽荣卫，非但铜青之外傅矣。"⑤他并引证《黄帝九鼎神丹经》来

① 王明：《抱朴子内篇校释》，北京：中华书局1985年版，第170页。
② 王明：《抱朴子内篇校释》，北京：中华书局1985年版，第170—171页。
③ 王明：《抱朴子内篇校释》，北京：中华书局1985年版，第70页。
④ 王明：《抱朴子内篇校释》，北京：中华书局1985年版，第71页。
⑤ 王明：《抱朴子内篇校释》，北京：中华书局1985年版，第71—72页。

说明金丹的妙用，指出："按《黄帝九鼎神丹经》曰，黄帝服之，遂以升仙。又云，虽呼吸道引，及服草木之药，可得延年，不免于死也；服神丹令人寿无穷已，与天地相毕，乘云驾龙，上下太清。"①因此，他认为，"长生之道，不在祭祀事鬼神也，不在道引与屈伸也，升仙之要，在神丹也。"②又说："不得金丹，但服草木之药及修小术者，可以延年迟死耳，不得仙也。"③

葛洪的这些解释，乍看起来，似乎也有些道理。然而，他却是把人体复杂的生命运动规律与自然界无机物的化学运动规律混为一谈，于是企图"假求于外物以自坚固"，以为金质不败朽，便认为人服了金丹就可以长生不死，成为神仙。

葛洪对内修与外养的步骤，也作了具体的说明。他认为，这个步骤便是由浅入深，由易到难。他说："凡学道，当阶浅以涉深，由易以及难……九丹金液，最是仙主。然事大费重，不可卒办也。宝精爱气，最其急也，并将服小药以延年命，学近术以辟邪恶，乃可渐阶精微矣。"④

他还认为，要想长生和成仙，对于内修与外养的各种方术，必须多闻而体要，博见而善择，不可偏修一事。他说："凡养生者，欲令多闻而体要，博见而善择，偏修一事，不足必赖也。又患好事之徒，各仗其所长，知玄素之术者，则曰唯房中之术，可能度世矣；明吐纳之道者，则曰唯行气可以延年矣；知屈伸之法者，则曰唯导引可以难老矣；知草木之方者，则曰唯药饵可以无穷矣；学道之不成就，由乎偏枯之若此也。"⑤他指出，这种"浅见之家，偶知一事。便言已足"，是达不到长生的目的的。这好比"琴瑟，不可以孑弦求五音"一样，养生也必须"藉众术之共成长生也"⑥。这反映出葛洪对其以前的各种方术，采取了兼收并蓄的态度，企图总集其成而创立自己的体系。故他虽然特别重视金丹，但也并不忽视草木之药。他按照自己的思想将各种所谓仙药分为若干层次，认为"仙药之上者丹砂，次则黄金，次则白银，次

① 王明：《抱朴子内篇校释》，北京：中华书局 1985 年版，第 74 页。
② 王明：《抱朴子内篇校释》，北京：中华书局 1985 年版，第 77 页。
③ 王明：《抱朴子内篇校释》，北京：中华书局 1985 年版，第 221 页。
④ 王明：《抱朴子内篇校释》，北京：中华书局 1985 年版，第 124—125 页。
⑤ 王明：《抱朴子内篇校释》，北京：中华书局 1985 年版，第 124 页。
⑥ 王明：《抱朴子内篇校释》，北京：中华书局 1985 年版，第 124 页。

则诸芝,次则五玉,次则云母,次则明珠,次则雄黄,次则太乙禹余粮,次则石中黄子,次则石桂,次则石英,次则石脑,次则石硫黄,次则石粭,次则曾青,次则松柏脂、茯苓、地黄、麦门冬、木巨胜、重楼、黄连、石苇、楮实、象柴,一名托卢是也”①。如此等等。并对“五芝”(即石芝、木芝、草芝、肉芝、菌芝)、云母、雄黄、桂、巨胜、柠木实、菊花等作了较为详细的考察。但他引证《仙经》说:“虽服草木之叶(药),已得数百岁,忽怠于神丹,终不能仙。以此论之,草木延年而已,非长生之药可知也。未得作丹,且可服之,以自楮持耳。”②这就表明,他虽采纳众药,但却是以金丹为其外养方术的中心的。

葛洪是把金丹理论与炼丹方术紧密结合的。他对众多方术,都有所论述,其中包括“不寒之道”、“不热之道”、“辟五兵之道”、“隐沦之道”③、“坚齿之道”、“聪耳之道”、“明目之道”、“乘蹻之道”④以及符箓禁咒,召神劾鬼等,莫不涉及。他认为,尽管这都是一些小术,但在尚未得到金丹至要之道以前,也不可不知。他说:“若未得其至要之大者,则其小者不可不广知也。”⑤他根据学道必须由浅入深、由易到难的步骤指出,先修习这些小术,也有助于进一步修习金丹至要之道。他说:“夫为道不在多,自为已有金丹至要,可不用余耳。然此事知之者甚希,宁可虚待不必之大事,而不修交益之小术乎?譬如作家,云不事用他物者,盖谓有金银珠玉,在乎掌握怀抱之中,足以供累世之费者耳。苟其无此,何可不广播百谷,多储果蔬乎?是以断谷辟兵,厌劾鬼魅,禁御百毒,治救众疾,入山则使猛兽不犯,涉水则令蛟龙不害,经瘟疫则不畏,遇急难则隐形,此皆小事,而不可不知,况过此者,何可不闻乎?”⑥他一方面认为,那种尚未修习小术,便欲直修金丹至要之道,强入名山的人,乃是根本不懂得如何学道的蠢人。他说:“或本性戆钝,所知殊尚浅近,便强入名山,履冒毒螫,屡被中伤,耻复求还。或为虎狼所食,

① 王明:《抱朴子内篇校释》,北京:中华书局1985年版,第197页。
② 王明:《抱朴子内篇校释》,北京:中华书局1985年版,第208页。
③ 王明:《抱朴子内篇校释》,北京:中华书局1985年版,第269—274页。
④ 王明:《抱朴子内篇校释》,北京:中华书局1985年版,第250—251页。
⑤ 王明:《抱朴子内篇校释》,北京:中华书局1985年版,第124页。
⑥ 王明:《抱朴子内篇校释》,北京:中华书局1985年版,第125页。

或为魍魉所杀，或饿而无绝谷之方，寒而无自温之法，死于崖谷，不亦愚哉？”①另一方面又指出，如果仅仅停留于修小术，而不进一步去修金丹至要之道，这是绝不可能长生成仙的。他说：“不得金丹，但服草木之药及修小术者，可以延年迟死耳，不得仙也。”②

由此可见，葛洪所主张的修炼方术，是以金丹之道为中心，荟萃众术而构成的一个独特的体系。故从修炼方术方面来看，可以说葛洪是一个集大成者，这在道教发展史上具有承先启后的重要作用。

再从道经的传承方面来看，葛洪也是以金丹道派为中心，同时也接受了其他一些主要的道教经典。关于金丹道派的传授系统，葛洪本人曾做过这样明确的叙述：“昔左元放于天柱山中精思，而神人授之金丹仙经，会汉末乱，不遑合作，而避地来渡江东，志欲投名山以修斯道。余从祖仙公，又从元放受之。凡受《太清丹经》三卷及《九鼎凡经》一卷、《金液丹经》一卷。余师郑君者，则余从祖仙公之弟子也，又于从祖受之，而家贫无用买药。余亲事之，洒扫积久，乃于马迹山中立坛盟受之，并诸口诀，诀之不书者。江东先无此书，书出于左元放，元放以授余从祖，从祖以授郑君，郑君以授余，故他道士了无知者也。”③根据这样一个记述，可知金丹道派的师承关系是：

左慈——葛玄——郑隐——葛洪

其传授的经典有《太清丹经》上中下三卷，《黄帝九鼎神丹经》一卷，《金液丹经》一卷。今《道藏》收录《黄帝九鼎神丹经诀》二十卷，其第一卷文与《抱朴子内篇·金丹》篇所引相合，可能即是这里所说的《黄帝九鼎神丹经》一书；卷二以下则系后人所增撰。上述这些道经，均属《太清经》系统，是讲述金丹服食之道的道书。《太极葛仙公传》亦谓葛玄“最后于阁皂山东峰卧云庵筑坛立灶，以炼金丹”。后被奉为阁皂宗祖师。但他们所传授或所修持的，也不仅限于金丹服食之道的范围。正如前面所述，左慈还知房中补导之术，又能绝谷，且善于变化无方，并可召神劾鬼。葛玄亦尝饵术，能用符，行

① 王明：《抱朴子内篇校释》，北京：中华书局1985年版，第124页。
② 王明：《抱朴子内篇校释》，北京：中华书局1985年版，第243页。
③ 王明：《抱朴子内篇校释》，北京：中华书局1985年版，第71页。

诸奇术，且擅长治病。郑隐则“兼综九宫三棋、推步天文、河洛谶记，莫不精研”①。并曾教导葛洪说：“杂道书卷卷有佳事，但当校其精粗，而择所施行。”②从《遐览篇》记其所集道书名目之众，可知其学术之广泛。又据《云笈七籤》卷一百十《洞仙传》载：郑隐“晚师葛孝先，受《正一法文》，《三皇内文》，《五岳真形图》，《太清金液经》，《洞玄五符》”③。《晋书·葛洪传》谓葛玄“以其炼丹秘术授弟子郑隐”④。郑隐除了将有关金丹之道的经典和炼丹秘术传授葛洪而外，还把《三皇内文》、《枕中五行记》等道书，也一并传授给了葛洪。而且还告诉他说：“道书之重者，莫过于《三皇内文》、《五岳真形图》也。”⑤《遐览篇》也将《三皇内文》列为首经。该经本系符书之属，是“召天神地祇之法”⑥。葛洪说：“家有《三皇文》，辟邪恶鬼，温疫气，横殃飞祸。”⑦故其经德与《五岳真形图》一样，均为召神劾鬼。《三皇文》即是《三皇经》，属于后来所说的《洞神经》系统。道门还称《灵宝经箓》出自葛玄。葛洪在《抱朴子内篇》中亦一再介绍和引用古《灵宝经》。《黄庭经》是上清派所奉的经典，《遐览篇》也有著录。《祛惑篇》还谈到五原有蔡诞者，但昼夜诵咏《黄庭经》，谓“但读千遍”，“仙道成矣”。葛洪虽认为这是“浮华之说”，不足为信。但如上面所说，他的思神守一，意守三丹田，思见身内诸神和。“思五脏之气”等思想，与《黄庭经》的基本思想却是一致的。除此之外，在《抱朴子内篇》中所引述的其他道书还很多。但他引述这些道书的目的，都是用以阐明其神仙长生的思想，为论证其金丹之道服务的。从这个方面来说，葛洪又是以金丹之道为中心，荟萃了与神仙长生有关的各种道书而构成自己的金丹道派的理论体系的。所以，他也是当时神仙长生思想和金丹之道理论的集大成者。

---

① 王明：《抱朴子内篇校释》，北京：中华书局 1985 年版，第 338 页。
② 王明：《抱朴子内篇校释》，北京：中华书局 1985 年版，第 332 页。
③ 《道藏》第 22 册，第 751 页。
④ 《晋书》卷 72《葛洪传》，北京：中华书局 1974 年版，第 6 册，第 1911 页。
⑤ 王明：《抱朴子内篇校释》，北京：中华书局 1985 年版，第 336 页。
⑥ 王明：《抱朴子内篇校释》，北京：中华书局 1985 年版，第 70 页。
⑦ 王明：《抱朴子内篇校释》，北京：中华书局 1985 年版，第 336 页。

二、金丹道派的传授系统和实质

葛洪思想体系的形成，和他同时接受另一系统的传承也有一定的关系。《晋书》卷七十二《葛洪传》说他"后师事南海太守上党鲍玄"，并谓"玄亦内学，逆占将来，见洪深重之，以女妻洪"。又说："洪传玄业，兼综练医术。"① 鲍玄当系鲍靓字之单称，上面已经介绍其事迹，指出他曾从阴长生受道诀。另据葛洪《神仙传》卷四《阴长生传》的记载，阴长生又曾向马鸣生学道，并称：阴长生新野人，为汉和帝阴皇后之亲属。"少生富贵之门，而不好荣贵，唯专务道术。闻马鸣生得度世之道，乃寻求之，遂得相见，便执奴仆之役，亲运履之劳。鸣生不教其度世之法，但日夕别与之高谈，论当世之事，治农田之业。如此十余年，长生不懈。同时共事鸣生者十二人皆悉归去，唯长生执礼弥肃。鸣生告之曰：子真能得道矣。乃将入青城山中，煮黄土为金以示之。立坛西南，乃以《太清神丹经》授之。鸣生别去，长生乃归合之，丹成，服半剂，不尽，即升天。"②《神仙传》《马鸣生传》说："马鸣生者，临淄人也。本姓和，字君贤。③ 少为县吏，捕贼，为贼所伤，当时暂死，忽遇神人，以药救之，便活。鸣生无以报之，遂弃职，随神，初但欲治金疮方耳，后知有长生之道，乃久随之，为负笈，西之女儿山，北到玄丘，南至庐江，周游天下，勤苦历年，及受《太阳④神丹经》三卷，归，入山，合药服之，不乐升天，但服半剂为地仙，恒居人间，不过三年辄易其处，时人不知是仙人也，驾屋舍，畜仆从车马，并与俗人皆同，如此展转经历九州五百余年，人多识之，悉怪其不老。后乃白天升天而去。"⑤可见，马鸣生乃是汉代的云游道士，尽管所谓他"经历五百余年"，不过是夸张的神话传说，但却说明了这个系统所传授仍为金丹服食之道，与葛洪的神仙道教的思想体系是一致的。阴长生传授予鲍靓的，除尸解之法在《云笈七籤》卷八十五有记载而外，其"道诀"的具体内容，是否

① 《晋书》第 6 册，第 1911 页。

② （晋）葛洪：《神仙传》，北京：中华书局 1991 年版，第 27—28 页。

③ 《云笈七籤》卷 106《马明生真人传》，作"马明生"，"字君宝"（见《道藏》第 22 册，第 724 页）。

④ 陈国符：《道藏源流考》上册，北京：中华书局 2014 年版，第 72 页："阳字疑当作清。"

⑤ （晋）葛洪：《神仙传》，北京：中华书局 1991 年版，第 13 页。

亦属于炼丹秘术,已不得知,这是一个疑窦。又据《云笈七籤》卷八十五、卷一百六和《历世真仙体道通鉴》卷二十一《鲍靓传》说:鲍靓“师左元放,受中部法及《三皇》、《五岳》劾召之要,行之神验,能役使鬼神,封山制魔”①。《道教义枢》卷二《三洞义》、《云笈七籤》卷六《三洞经教部》并谓鲍靓曾以《三皇文》授葛洪。② 这些传说如果确实,则上述金丹服食之道的两个系统其师承关系也是互相交错的。所以葛洪当时之能集其大成,形成系统的神仙道教理论,是绝非偶然的。其传授系统可图示如下:

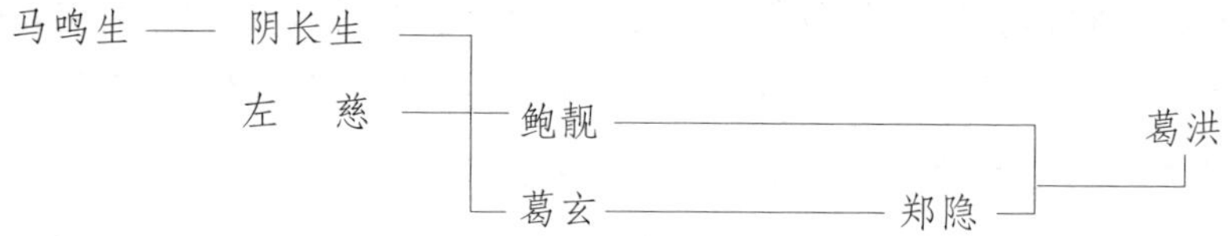

当然,这两个系统对葛洪的影响,并不是半斤八两的,而是以左慈—葛玄—郑隐的系统为主,从其在《抱朴子》一书中反复提到这个系统却未涉及另一系统,便是很好的证明。

葛洪的神仙道教理论,是和纲常名教紧密结合的,它强调要想长生成仙,不能只靠内修外养等方术,还须积善立功,以忠孝和顺仁信为本。他说:“欲求仙者,要当以忠孝和顺仁信为本,若德行不修,而但务方术,皆不得长生也。”③他把这种纲常名教与道教的道戒融合为一,要求信徒们必须人人遵守,不得违犯。他指出:“览诸道戒,无不云欲求长生者,必欲积善立功,慈心于物,恕己及人,仁逮昆虫,乐人之吉,愍人之苦,赒人之急,救人之穷,手不伤生,口不劝祸,见人之得如己之得,见人之失如己之失,不自贵,不自誉,不嫉妒胜己,不佞谄阴贼,如此乃为有德,受福于天,所作必成,求仙可冀也。”④这样一来,儒家的忠孝仁恕信义和顺等伦理思想,便和道教的长生成仙思想糅合在一起了。这种糅合并不是偶然的,而是与葛洪为使道教适应

① 《道藏》第5册,第222页。

② 据陈国符先生考证,鲍靓所传《三皇文》,为《大有三皇文》,可称《大有经》。郑隐所传于葛洪者,为帛和所得《三皇内文》,为《小有三皇文》,又可称《小有经》。参见《道藏源流考》上册,北京:中华书局2014年版,第58—60页。

③ 王明:《抱朴子内篇校释》,北京:中华书局1985年版,第53页。

④ 王明:《抱朴子内篇校释》,北京:中华书局1985年版,第126页。

当时上层社会需要,使道教为维护当时社会秩序服务的目的分不开的。为了使当时社会秩序神圣不可侵犯,葛洪还企图假借鬼神威力,来对人们实行严格监督。他说:"按《易内戒》及《赤松子经》及《河图记命符》皆云,天地有司过之神,随人所犯轻重,以夺其算,算减则人贫耗疾病,屡逢忧患,算尽则人死。"①他还认为,不但天地有司过之神,人的身中还有上、中、下"三尸"。"三尸之为物,虽无形而实魂灵鬼神之属也。欲使人早死,此尸当得作鬼,自放纵游行,享人祭酹。是以每到庚申之日,辄上天白司命,道人所为过失。又月晦之夜,灶神亦上天白人罪状。大者夺纪。纪者三百日也。小者夺算。算者三日也。"②他指出:"诸应夺算者有数百事"③,其中包括"憎善好杀,口是心非,背向异辞,反戾直正,虐害其下,欺罔其上,叛其所事,受恩不感,弄法受赂,纵曲枉直,废公为私,刑加无辜,破人之家,收人之宝,害人之身,取人之位,侵克贤者,诛戮降伏,谤讪仙圣,伤残道士……教人为恶,蔽人之善,危人自安,佻人自功,坏人佳事,夺人所爱,离人骨肉,辱人求胜,取人长钱,还人短陌,决放水火,以术害人,迫胁尪弱,以恶易好,强取强求,掳掠致富,不公不平,淫佚倾邪,凌孤暴寡,拾遗取施,欺绐诳诈,好说人私,持人长短……假借不还,换货不偿,求欲无已,憎拒忠信,不顺上命,不敬所师,笑人作善,败人苗稼,损人器物,以穷人用,以不清洁饮饲他人,轻秤小斗,狭幅短度,以伪杂真,采取奸利,诱人取物,越井跨灶,晦歌朔哭。"④如此等等,"凡有一事,辄是一罪,随事轻重,司命夺其算纪,算尽则死"⑤。葛洪列举的这类"禁忌"或"道戒",多为做人的基本伦理道德,属于修人道的范围。他把"不忠不孝"⑥和"诸横夺人财物者"⑦视为重大的"罪过"和"恶事",并指出,不仅做了这种"恶事"的要"夺纪",而且"但有恶心而无恶迹

① 王明:《抱朴子内篇校释》,北京:中华书局 1985 年版,第 125 页。
② 王明:《抱朴子内篇校释》,北京:中华书局 1985 年版,第 125 页。
③ 王明:《抱朴子内篇校释》,北京:中华书局 1985 年版,第 125 页。
④ 王明:《抱朴子内篇校释》,北京:中华书局 1985 年版,第 126 页。
⑤ 王明:《抱朴子内篇校释》,北京:中华书局 1985 年版,第 126 页。
⑥ 王明:《抱朴子内篇校释》,北京:中华书局 1985 年版,第 156 页。
⑦ 王明:《抱朴子内篇校释》,北京:中华书局 1985 年版,第 115 页。

者”，也要“夺算”①。这些论述和后来王阳明说的不仅要“破山中贼”，还要“破心中贼”，颇为类似。这种教义，不仅当时的社会大众需要，而且也得到上层社会欢迎。他还说：“人欲地仙，当立三百善；欲天仙，立千二百善。若有千一百九十九善，而忽复中行一恶，则尽失前善，乃当复更起善数耳……积善事未满，虽服仙药，亦无益也。若不服仙药，并行好事，虽未便得仙，亦可无卒死之祸矣。”②所谓“立善”，就是指按照忠孝仁恕信义和顺这一套原则办事。大家都按照这一套原则办事，也就不会再有“犯上作乱”的事情发生了，社会秩序也就得以巩固而无患了。可见，葛洪的神仙道教理论，在一定程度上反映了当时社会的多方面需求。

葛洪还认为，由于仙药有上、中、下之分，故神仙也因服药的不同而有上、中、下的等级。他引证《仙经》说：“朱砂为金，服之升仙者，上士也；茹芝导引，咽气长生者，中士也；餐食草木，千岁以还者，下士也。”③等级不同，其地位也各不相同。他说：“上士得道，升为天官；中士得道，栖集昆仑；下士得道，长生世间。”④不同的等级，还有不同的称谓。他引《仙经》说：“上士举形升虚，谓之天仙；中士游于名山，谓之地仙；下士先死后蜕，谓之尸解仙。”⑤他又指出：“天上多尊官大神，新仙者位卑，所奉事者非一。”⑥这就是说，在众仙之中，因新老资格不同，其地位亦有尊卑之别，位卑者必须奉事位尊者。不但如此，他还指出：在众仙之上，还有一个统率众仙的“大神仙”，叫做“元君”。他说：“元君者，老子之师也……大神仙之人也，能调和阴阳，役使鬼神风雨，骖驾九龙十二白虎，天下众仙皆隶焉。”⑦神仙世界这种森严的等级，实际上在人间世界是可以找到根源的。

再看看葛洪对于神仙世界的描述吧。他说：“果能登虚蹑景，云舆霓盖，餐朝霞之沆瀣，吸玄黄之醇精，饮则玉醴金浆，食则翠芝朱英，居则瑶堂

① 王明：《抱朴子内篇校释》，北京：中华书局1985年版，第115页。
② 王明：《抱朴子内篇校释》，北京：中华书局1985年版，第53—54页。
③ 王明：《抱朴子内篇校释》，北京：中华书局1985年版，第287页。
④ 王明：《抱朴子内篇校释》，北京：中华书局1985年版，第76页。
⑤ 王明：《抱朴子内篇校释》，北京：中华书局1985年版，第20页。
⑥ 王明：《抱朴子内篇校释》，北京：中华书局1985年版，第52页。
⑦ 王明：《抱朴子内篇校释》，北京：中华书局1985年版，第76页。

瑰室，行则逍遥太清……或可以翼亮五帝，或可以监御百灵，位可以不求而自致，膳可以咀茹华璃，势可以总摄罗酆，威可以叱咤梁成。”①“或升天、或住地，要于俱长生，去留各从其所好耳。”②神仙世界的这种优裕生活，吃的喝的住的都很高贵，“出处任意”，逍遥自在，权势地位，样样都很满足，从一个侧面反映了神仙道教力图超越人类生命固有局限，具有鲜明的理想色彩。

葛洪还认为人的富贵贫贱和人的寿命长短以及能否成仙，都是人的受气结胎的时候便命中注定了的。他说：“命之修短，实由所值，受气结胎，各有星宿……命属生星，则其人必好仙道。好仙道者，求之亦必得也。命属死星，则其人亦不信仙道。不信仙道，则亦不自修其事也。”③又说：“按仙经以为诸得仙者，皆其受命偶值神仙之气，自然所禀。故胞胎之中，已含信道之性，及其有识，则心好其事，必遭明师而得其法，不然，则不信不求，求亦不得也。《玉铃经》主命原曰：人之吉凶，制在结胎受气之日，皆上得列宿之精。其值圣宿则圣，值贤宿则贤，值文宿则文，值武宿则武，值贵宿则贵，值富宿则富，值贱宿则贱，值贫宿则贫，值寿宿则寿，值仙宿则仙……苟不受神仙之命，则必无好仙之心，未有心不好之而求其事者也，未有不求而得之者也。自古至今，有高才明达，而不信有仙者，有平平许人学而得仙者，甲虽多所鉴识而或蔽于仙，乙则多所不通而偏达其理，此岂非天命之所使然乎？”④很明显，他认为做神仙并不是每个人都有缘分，只有少数人才有缘分去做，能不能做神仙，这和富贵贫贱一样都是命中注定的，即是人间的贵族和天上的神仙一样，都是天生的福气，是不可强求的。但这种思想实际上是和他的长生成仙思想并不完全协调，因为既然长生成仙是命中注定的，那又何必勤修苦炼呢？他把儒家“死生有命，富贵在天”⑤、“天命之谓性，率性之谓道，修道之谓教”⑥的思想，与神仙道教思想结合起来，固然是从修道角度说的，但追溯到底，在客观上则有导人“听天由命”的结果。

① 王明：《抱朴子内篇校释》，北京：中华书局1985年版，第52页。
② 王明：《抱朴子内篇校释》，北京：中华书局1985年版，第52页。
③ 王明：《抱朴子内篇校释》，北京：中华书局1985年版，第136页。
④ 王明：《抱朴子内篇校释》，北京：中华书局1985年版，第226页。
⑤ 杨伯峻：《论语译注》，北京：古籍出版社1958年版，《颜渊篇第十二》，第132页。
⑥ 王云五、朱经农主编：《礼记》，北京：商务印书馆1947年版，《中庸》，第175页。

葛洪站在神仙贵族的金丹道派的立场，把民间道教视为异端，称之为“妖道”、“邪道”，把信奉这些道教的人称为“杂散道士”或“杂猥道士”，咒骂他们是盗贼，竭力加以反对。他说：“今杂猥道士之辈，不得金丹大法，必不得长生可知也。”①又说：“余昔数见杂散道士辈……或有偶受体自然，见鬼神，颇能内占，知人将来及已过之事，而实不能有祸福之损益也……或长于符水禁祝之法，治邪有效，而未必晓于不死之道也。或修行杂术，能见鬼怪，无益于年命。问之以金丹之道，则率皆不知也。因此细验之，多行欺诳世人，以收财利，无所不为矣。此等与彼穿窬之盗，异途而同归者也。”②他为什么批评民间道教呢？主要是因为他们“招集奸党，称合逆乱”，“威倾邦君，势凌有司”。一言以蔽之，就是因为他们要“犯上作乱”，不“以忠孝和顺仁信为本”，常常为农民起义所利用。他对太平道首领、黄巾起义的领袖等切齿痛恨。他说：“曩者有张角、柳根、王歆、李申之徒，或称千岁，假托小术，坐在立亡，变形异貌，诳眩黎庶，纠合群愚，进不以延年益寿为务，退不以消灾治病为业，遂以招集奸党，称合逆乱……刺客死士，为其致用，威倾邦君，势凌有司，亡命捕逃，因为窟薮。”③对他们尽情责骂。他指出，当时的“诸妖道百余种”，派别繁多，“皆宜在禁绝之列”。其所以造成这一状况，“皆由官不纠治，以臻斯患”④。对此，他十分叹息地说：“吾徒匹夫，虽见此理，不在其位，末如之何！”⑤并就当时统治者对民间道教的态度犹豫、打击不力，表示十分痛心。他说：“临民官长，疑其有神，虑恐禁之，或致祸祟，假令颇有其怀，而见之不了，又非在职之要务，殿最之急事，而复是其愚妻顽子之所笃信，左右小人，并云不可，阻之者众，本无至心，而谏怖者异口同声，于是疑惑，竟于莫敢，令人扼腕发愤者也！”⑥于是他大声疾呼，请求帝王立即对民间道派进行镇压，坚决禁止。他说：“淫祀妖邪，礼律所禁。然而凡夫，终不可悟。唯宜王者更峻其法制，犯无轻重，致之大辟，购募巫祝不肯止者，

① 王明：《抱朴子内篇校释》，北京：中华书局1985年版，第259页。
② 王明：《抱朴子内篇校释》，北京：中华书局1985年版，第346页。
③ 王明：《抱朴子内篇校释》，北京：中华书局1985年版，第173页。
④ 王明：《抱朴子内篇校释》，北京：中华书局1985年版，第173页。
⑤ 王明：《抱朴子内篇校释》，北京：中华书局1985年版，第173页。
⑥ 王明：《抱朴子内篇校释》，北京：中华书局1985年版，第173页。

刑之无赦,肆之市路,不过少时,必当绝息,所以令百姓杜冻饥之源,塞盗贼之萌,非小惠也。”[①]葛洪这些主张,和当年镇压张角黄巾起义的刽子手皇甫嵩等人相比,是丝毫也不逊色的。可见,他参加镇压石冰领导的农民起义,绝不是偶然的,正是他的这种政治立场所决定的。这也充分暴露了葛洪这种金丹道派理论,是代表上层的神仙贵族道教思想,充当了统治者帮凶,力图从宗教方面为封建统治者镇压民间道派提供理论依据,否定农民起义对宗教力量的运用,这是从思想上破坏和瓦解农民起义的一种手段。这也说明道教的派别分化,是有社会历史原因的。上层神仙道教与民间道教的对立,在一定程度上也反映了封建贵族与农民群众的对立。

以上是根据《抱朴子内篇》对葛洪神仙道教理论体系的分析。正如王明先生所说:“总的来说,《抱朴子内篇》是道教史上一部具有比较完整的理论和有多种方术的包罗万象的重要著作。”[②]正因为葛洪能集神仙思想之大成,所以他在道教发展史上具有承先启后的重要作用。无论从其教理或修炼方术来看,他都是从旧天师道、太平道等早期民间道派向后来的上清、灵宝等上层化道派过渡的桥梁。

还应指出,由于葛洪虔诚地信奉神仙道教,深信通过修炼和服饵金丹,可以达到长生成仙,于是他积极从事了炼制金丹和研究各种方药活动。在这个过程中,他积累了大量有关化学、医学、药物学、养生学等各种科学材料,掌握了一些自然科学知识,从而使他不仅在哲学思想上具有传统气论和朴素辩证法的合理因素,而且还使他对我国的科学技术作出了一些前所未有的突出贡献,有着多方面的成就。

三、葛洪的多方面科技成就

从哲学思想方面来看,首先,在宇宙本原问题上,他继承了王充“天地合气,万物自生”[③]和《太平经》关于阴阳“两气者常交用事,合于中央,乃共

① 王明:《抱朴子内篇校释》,北京:中华书局 1985 年版,第 172 页。

② 王明:《抱朴子内篇校释·序言》,北京:中华书局 1985 年版,第 7—8 页。

③ (东汉)王充:《论衡》,上海:上海人民出版社 1974 年版,《第十八卷·自然》,第 277 页。

生万物。万物悉受此二气以成形”①的思想，提出了“自天地至于万物，无不须气以生者也”②的观点，这是一种以气为天地万物的本原的思想，气是属于物质性的东西，尽管这个论断还不够确切，但它和那种以精神或意识作为天地万物之本原的理论是有根本区别的。其次，在形神关系问题上，他提出了“有者，无之宫也。形者，神之宅也。故譬之于堤，堤坏则水不留矣。方之于烛，烛糜则火不居矣。身（一作‘形’）劳则神散，气竭则命终。”③这种以“堤”和“烛”喻“形”，以“水”和“火”喻“神”，以“堤坏则水不留”、“烛糜则火不居”的事例来说明精神依赖于肉体而存在，虽不确切，但却坚持了器物实在性立场，有其合理因素。他同时又提出了“形须神而立”的观点，这在一定范围看来，也有道理。试想一想，一个人如果到了没有意识的时候必定昏迷，直至死亡，可见就人的生命存在而言，“形须神而立”的提法是可以成立的；但如果把这种看法推及所有物体的存在，这又是有问题的。因为万物是否有意识（神），这是迄今为止尚无法检验的。再次，在事物能否变化的问题上，他提出了“变化者，乃天地之自然”④的观点。并以“高山为渊”、“深谷为陵”⑤说明大自然的变化；以“云雨霜雪，皆天地之气也，而以药作之，与真无异也”⑥说明认识和掌握了形成云雨霜雪等自然物的原因和条件，便可以用药物制造出与自然物完全相似的云雨霜雪来。葛洪的这一论断，已为现代科学实验所证实。还指出，“水火在天”⑦，本系自然之物，但“余数见人以方诸求水于夕月，阳燧引火于朝日”⑧，“阳隧所得之火，方诸所得之水，与常水火，岂有别哉?”⑨又说：一般人都认为“水精本自然之物，玉石之类”⑩。但“外国作水精椀，实是合五种灰以作之。今交广多有得其

① 王明:《太平经合校》,北京:中华书局 1960 年版,第 964 页。
② 王明:《抱朴子内篇校释》,北京:中华书局 1985 年版,第 114 页。
③ 王明:《抱朴子内篇校释》,北京:中华书局 1985 年版,第 110 页。
④ 王明:《抱朴子内篇校释》,北京:中华书局 1985 年版,第 110 页。
⑤ 王明:《抱朴子内篇校释》,北京:中华书局 1985 年版,第 284 页。
⑥ 王明:《抱朴子内篇校释》,北京:中华书局 1985 年版,第 284 页。
⑦ 王明:《抱朴子内篇校释》,北京:中华书局 1985 年版,第 284 页。
⑧ 王明:《抱朴子内篇校释》,北京:中华书局 1985 年版,第 51 页。
⑨ 王明:《抱朴子内篇校释》,北京:中华书局 1985 年版,第 284 页。
⑩ 王明:《抱朴子内篇校释》,北京:中华书局 1985 年版,第 22 页。

法而铸作之者。”[①]这些事实,不仅表明人能“巧夺天工”,而且还表明在一定条件下,从一种事物可以转化为另一种事物。他由此而批判了“物各自有种”的形而上学观点。按照这种观点,一种事物只能变生同一种事物,他认为这是世俗的愚人之见。他说:“愚人乃不信黄丹及胡粉,是化铅所作。又不信骡及駏驉,是驴马所生。云物各自有种,况乎难知之事哉?夫所见少,则所怪多,世之常也。”[②]这就是说,从无机物方面来说,化铅可以变成黄丹及胡粉;从生物方面来说,驴马相交,可以产生非驴非马的骡及駏驉。可见,在距今1600多年以前的葛洪,已经初步具有物种变异的思想,认识到了事物的质变问题,丰富了朴素辩证法,这是难能可贵的。

葛洪在科学技术方面的贡献,主要表现在以下多个方面:

1. 他对炼丹术和古化学作出了重要的贡献。

东汉魏伯阳的《周易参同契》虽被道教奉为“丹经王”,但他对炼丹方术只着重于理论上的叙述,缺乏具体的方法和实验记载。而葛洪在《抱朴子内篇》的《金丹》、《黄白》篇里,则系统总结了晋代以前的炼丹成就,具体介绍了一些炼丹的方法。在《金丹》篇中,记载了古代的丹经、丹法,如《黄帝九鼎神丹经》、《太清丹经》、《金液丹经》、《五灵丹经》、《岷山丹法》、《太乙招魂魄丹法》、《务成子丹法》、《羡门子丹法》、《稷丘子丹法》、《金液为威喜巨胜之法》等33种。在《黄白》篇中,介绍了制取黄白之方的各种文献有9种。这些古代炼丹文献多已失传,葛洪的记载,使我们能够窥见古代炼丹术的梗概,弥补了《周易参同契》的不足,其中叙述的许多炼丹药物的品种和炼制金丹的方法,为我们提供了原始实验化学的可靠史料。不仅如此,葛洪还结合自己的炼丹活动,取得了以下的成就:

第一,深刻认识了丹砂(主含硫化汞 HgS)的化学特性。在《金丹》篇中,葛洪指出:“丹砂烧之成水银,积变又还成丹砂。”[③]这是对丹砂化学特性的正确概括。这两句话可用两个反应式表达:

① 王明:《抱朴子内篇校释》,北京:中华书局1985年版,第22页。

② 王明:《抱朴子内篇校释》,北京:中华书局1985年版,第22页。

③ 王明:《抱朴子内篇校释》,北京:中华书局1985年版,第72页。

$$HgS+O_2 \xrightarrow[\triangle]{} SO_2\uparrow +Hg\downarrow$$（水银）

丹砂放开口管中加热，产生二氧化硫气体和水银。

$$Hg+S \xrightarrow[\triangle]{} HgS$$（黑色）$\xrightarrow{升华}$ HgS（赤红色结晶）

将水银和硫再度作用，生成黑色硫化汞，如在闭口管中加热，即升华为赤红色晶体硫化汞。这种人造赤色硫化汞，有的科学家认为可能是人类最早用化学合成法制成的产品之一，这是古代炼丹术的一大成就。

化学史家袁翰青指出：由硫化汞制水银，我国至晚在公元前 2 世纪就知道了，而葛洪是最早较为详细地记录这些反应的人。阿拉伯到 8 世纪才有炼丹术，也以丹砂制水银变化为主。他认为有理由相信，西方的炼丹术当与葛洪的著作有关。

第二，正确认识了铅的可逆特性。在《黄白》篇中，葛洪指出："铅性白也，而赤之以为丹。丹性赤也，而白之而为铅。"①我们知道，铅（Pb）是古代用以制作胡粉（一名粉锡、铅粉）的白色碱性碳酸盐[$Pb(OH)_2 \cdot 2PbCO_3$]。但它经过加热后，可以变成红色的铅丹，即四氧化三铅（Pb_3O_4）；而这种红色的铅丹，再经过加热分解，又可还原为白色的铅。

第三，观察并记录了金属间的置换作用。在《黄白》篇中，他又指出："以曾青涂铁，铁赤色如铜……外变而内不化也。"②曾青即硫酸铜（$CuSO_4$），其反应式为：

$$Fe+CuSO_4 \longrightarrow FeSO_4+Cu$$

铁赤色如铜，曾青涂铁，铁和硫酸铜溶液发生化学反应，铁取代了铜，生成硫酸铁（$FeSO_4$），而铜被置换出来。由于"涂"铁，硫酸铜溶液仅在铁的表面发生反应，故"外变而内不化也"。

第四，观察并记录了化学反应中的升华现象。《金丹》篇中，葛洪介绍《立成丹》时说："取雌黄（即三硫化二砷 As_2S_3）、雄黄（即二硫化砷 As_2S_3）烧下其中铜，铸以为器，覆之……百日，此器皆生赤乳，长数分，或有五色琅

① 王明：《抱朴子内篇校释》，北京：中华书局 1985 年版，第 284 页。

② 王明：《抱朴子内篇校释》，北京：中华书局 1985 年版，第 287 页。

玕。”[1]按雌黄、雄黄均为硫化砷的化合物，经加热后，皆有升华的特性。这里所称的“赤乳”、“五色琅玕”，均指升华之结晶。

第五，认识了“炭”在高温条件下的还原作用，《黄白》篇说：“取武都雄黄……捣之如粉，以牛胆和之……先以戎盐、石胆末荐釜中，令厚三分，乃内雄黄末，令厚五分，复加戎盐于上……又加碎炭火如枣核者，令厚二寸。以蚓蝼土及戎盐为泥，泥釜外……又以盛丹砂水。又以马通火煴三十日。”[2]袁翰青先生根据上述记载，认为大意是：雄黄（硫化砷）、石胆（硫酸铜）能在高温条件下被炭还原为铜砷混合熔体，再以此混合物与丹砂起作用，可以得出黄色的铜、砷、汞混合物。这种混合物颜色金黄，被视为宝丹。

2. 葛洪对医学、药物学、养生学等也有重要的贡献。

葛洪认为，凡是学道的人，都应当同时学医。他说：“古之初为道者，莫不兼修医术，以救近祸焉。”并指出：“凡庸道士，不识此理”，大多不关心“治病之方”，“病痛及己，无以攻疗，乃更不如凡人之专汤药者。所谓进不得邯郸之步，退又失寿陵之义者也。”[3]这就是说，道士如果不兼通医术，一旦疾病来临，便束手无策，反而不如一个通晓医药的普通人，是则不仅不能长生成仙，还将连自身的性命也难保。他在医学上的成就，远远突破了宗教的范围。主要有：

第一，在医学思想方面，他主张医学应着眼于乡村广大群众，而不能仅仅着眼于城市富贵者，因此医术医药必须经济适用，简便易行。从这样一个指导思想出发，他指出，过去一些医学著作弊病很多，“殊多不备，诸急病甚尚未尽，又浑漫杂错，无其条贯，有所寻按，不即可得。而治卒暴之候，皆用贵药，动数十种，自非富室而居京都者，不能素储，不可卒办也。又多令人以针治病，其灸法又不明处所分寸，而但说身中孔穴荣输之名。自非旧医备览明堂流注偃侧图者，安能晓之哉？”[4]又指出，一般的医师“多承袭世业，有名无实，但养虚声，以图财利。寒白退士，所不得使，使之者乃多误人，未若自

① 王明：《抱朴子内篇校释》，北京：中华书局 1985 年版，第 79 页。
② 王明：《抱朴子内篇校释》，北京：中华书局 1985 年版，第 288—289 页。
③ 王明：《抱朴子内篇校释》，北京：中华书局 1985 年版，第 271—272 页。
④ 王明：《抱朴子内篇校释》，北京：中华书局 1985 年版，第 272 页。

闲其要，胜于所迎无知之医。医又不可卒得，得又不肯即为人使，使腠理之微疾，成膏肓之深祸，乃至不救”①。特别是偏远地区，缺少医药，“暴急之病，而远行借问，率多枉死矣”②。他乃搜集戴霸、华他（佗）所集《金匮绿囊》、《崔中书黄素方》及《百家杂方》500余卷，又搜集甘胡、吕傅、周始、甘唐通、阮炳等人所撰集《暴卒备急方》几百个，作《玉函方》100卷（可惜早已失传），按病名分类，按病类施方，检查很方便；又作《肘后救卒方》3卷③，全是验方，药物均用易得的草木，不用贵品，诊治各种急病的方剂都很齐备，家里有了这个《肘后救卒方》，便可不用医生。因此，他在谈到自己的医学著作时说：“余所撰百卷，名曰《玉函方》，皆分别病名，以类相续，不相杂错，其《救卒》叁卷，皆单行径易，约而易验，篱陌之间，顾眄皆药，众急之病，无不毕备，家有此方，可不用医。”④这种为贫家着想的医学思想，是值得肯定的。

第二，在《肘后备急方》（又名《肘后救卒方》）中，有关于天花病的记载，这是医学史上现存的最早的科学文献，其中对结核性传染病的认识，也比国外早1000多年。此外还有对免疫方法的认识，都是极其珍贵的。值得一提的是《肘后备急方》中记载的一个药方：“青蒿一握，以水二升渍，绞取汁，尽服之。”对于现代“青蒿素的提取”有至关重要的启发意义，为人类战胜疟疾作出过积极贡献。在《抱朴子内篇·仙药》篇里，葛洪列举了许多药用植物，并详细叙述了它们的形态特征、生活习性、主要产地、入药部分及主治范围。这些论述，为明代的《本草纲目》、清代的《植物名实图考》所大量引用。葛洪关于养生保健的论述，也是非常丰富的，前面已经涉及，这里不再赘述了。

3. 葛洪的科学思想与思维方法。

王明先生曾经指出：“晋葛洪（公元283—363）著的《抱朴子内篇》是一部富有宗教哲学和科学技术内容的书。它的史料价值主要有二：一是有关

---

① 王明：《抱朴子内篇校释》，北京：中华书局1985年版，第272页。
② 王明：《抱朴子内篇校释》，北京：中华书局1985年版，第272页。
③ 又称《肘后备急方》，《道藏》本为8卷，有后人的增补。
④ 王明：《抱朴子内篇校释》，北京：中华书局1985年版，第272页。

道教的史料价值,二是有关化学技术的史料价值。”①又如,葛洪通过对自然界“雉之为蜃,雀之为蛤,壤虫假翼,川蛙翻飞,水蠆为蛉,荇苓为蛆,田鼠为如鴽,腐草为萤”②之类现象的观察,已萌发了物种变异的思想。葛洪在《抱朴子内篇》一书中还批判了那种“不信骡及駏驉,是驴马所生。云物各自有种”③的物种不变论。葛洪也精于天文地理的观察,著有《浑天论》、《嶓阜山记》、《潮说》等天文地理方面的著作。另据《晋书·天文志》记载,葛洪尝据浑天以驳王充盖天说④。可见葛洪是精通天文知识的。故阮元将葛洪作为天文历算家列入《畴人传》卷六中。

葛洪也特别重视观察实验的作用和逻辑思维意义,下面我们略展开分析。魏晋时期道教金丹术的集大成者葛洪,本身就是一位“宗教实验科学家”。《抱朴子内篇》中的《金丹》、《黄白》、《仙药》各卷不仅系统阐述了道教神仙理论体系,而且对各种炼丹作金的具体的观察实验方法作了详尽记载。除此之外,葛洪特别强调在烧炼金丹致长生的实践活动中要“勤求”和“试之”。《抱朴子内篇》中这方面的论述很多。

首先,葛洪从“道”的玄妙细微的特点出发,认为要获得、知晓天地自然之道,必须“勤求”。《抱朴子内篇》卷一《畅玄》云:

> 玄者,自然之始祖,而万殊之大宗也。眇昧乎其深也,故称微焉。绵邈乎其远也,故称妙焉。其高则冠盖乎九霄,其广则笼罩乎八隅。光乎日月,迅乎电驰。或倏烁而景逝,或飘滭而星流,或滉漾于渊澄,或雰霏而云浮。因兆类而为有,托潜寂而为无。沦大幽而下沈,凌辰极而上游。⑤

葛洪以玄解道,道的玄秘性体现在深远微妙、至高至广、至刚至柔、忽有忽无、来去无踪、变幻莫测等方面,因此修道之人要体道证道,唯有“勤求”。

---

① 王明:《抱朴子内篇校释·序言》,北京:中华书局1985年版,第3页。
② 王明:《抱朴子内篇校释》,北京:中华书局1985年版,第14页。
③ 王明:《抱朴子内篇校释》,北京:中华书局1985年版,第22页。
④ 《晋书》卷11,北京:中华书局1974年版,第2册,第281页。
⑤ 王明:《抱朴子内篇校释》,北京:中华书局1985年版,第1页。

然求而不得者有矣,未有不求而得者也。①

然未有不耕而获嘉禾,未有不勤而获长生度世也。②

葛洪所说的"勤求",有两个方面的涵义:一是"勤求明师","先师不敢以轻行授人,须人求之至勤者,犹当拣选至精者乃教之,况乎不好不求,求之不笃者,安可衔其沽以告之?"③因为道教有道不外传和择贤而授的传统,不勤求明师则无法得到真传。二是勤而学之,勇于尝试。道教神仙理论一方面从本体论角度强调神仙实有,另一方面从认识论角度特别指出神仙可学:"仙之可学致,如黍稷之可播种得,甚炳然耳。"④凡人是可以通过学习各种致仙法术而达到神仙的理想境界,而在学习过程中,葛洪反复指出要不断进行尝试,验证其效果:

其信道者,则勤而学之。⑤

假令不能决意,信命之可延,仙之可得,亦何惜于试之?试之小效……⑥

在学习尝试的过程中,通过试之,就可以检验所进行的活动的正确与否。葛洪在卷十六《黄白》举了一个例子,说明在黄白术中"试作"的必要性和意义:

近者前庐江太守华令思,高才达学,洽闻之士也,而事之不经者,多所不信。后有道士说黄白之方,乃试令作之,云以铁器销铅,以散药投中,即成银。又销此银,以他药投之,乃作黄金。⑦

道士通过试作"黄金"、"白银",取得庐江太守华令思的信服,于是太守"又从此道士学彻视之方"。唐人所撰的《黄帝九鼎神丹经诀》也继承了这一思想,如卷二十特辟《试药法》,云:"药当先试造金,金成即丹成也。金若不

① 王明:《抱朴子内篇校释》,北京:中华书局1985年版,第252页。
② 王明:《抱朴子内篇校释》,北京:中华书局1985年版,第260页。
③ 王明:《抱朴子内篇校释》,北京:中华书局1985年版,第252页。
④ 王明:《抱朴子内篇校释》,北京:中华书局1985年版,第260页。
⑤ 王明:《抱朴子内篇校释》,北京:中华书局1985年版,第186页。
⑥ 王明:《抱朴子内篇校释》,北京:中华书局1985年版,第73页。
⑦ 王明:《抱朴子内篇校释》,北京:中华书局1985年版,第285页。

成,丹亦未成,更须飞之。……其浓丹滓乃将作银,亦可依此以滓试之矣。"①还丹大药制备出来后,先试作点金之用(其浓丹沉淀的杂质可试作点银),如果有效,表明丹已成;若无效,则表明丹药还没炼成,须做进一步飞炼。

葛洪很重视"校验"的作用,他在《抱朴子内篇》中多次谈及:

亦有以校验,知长生之可得,仙人之无种耳。②

或难曰:"神仙方书,似是而非,将必好事者妄所造作,未必出黄老之手,经松乔之目也。"抱朴子曰:"若如雅论,宜不验也,今试其小者,莫不效焉。"③

葛洪业已认识到实验验证的意义,云:"顾曾以显而求诸乎隐,以易而得之乎难,校其小验,则知其大效,睹其已然,则明其未试耳。"④王明先生指出:"在葛洪身上,体现了宗教家和科学实验家两种不同的人格。"⑤这一评价可谓入木三分。

"校验"思想在道教外丹黄白术著作中有许多精彩的表述,《黄帝九鼎神丹经诀》卷二云:"校练(炼)众方,得其效验,审其优劣。"⑥通过对各种丹方的试验比较,根据得到的试验效果,就可区分出各种丹方的优劣。这句话十分精练地浓缩了道教重视实验验证的科学思想。

葛洪科技成就的取得,不仅与其重视实验的传统有关,而且得益于其逻辑思维方法。前面我们剖析了葛洪重视"试作"和"效验"的实验与观察相结合的方法,下面我们仍以葛洪为典型案例,以《抱朴子内篇》为基本素材,重点讨论其"博闻善择"、"由易及难"的认知方法,"析理入微"、"原始见终"的逻辑分析方法,总结其逻辑思维特色。

葛洪是魏晋神仙道教理论的集大成者,同时又是中国科技史上著名的

---

① 《黄帝九鼎神丹经诀》卷 20,《道藏》第 18 册,第 859 页。
② 王明:《抱朴子内篇校释》,北京:中华书局 1985 年版,第 110 页。
③ 王明:《抱朴子内篇校释》,北京:中华书局 1985 年版,第 51 页。
④ 王明:《抱朴子内篇校释》,北京:中华书局 1985 年版,第 140 页。
⑤ 王明:《抱朴子内篇校释・序言》,北京:中华书局 1985 年版,第 10 页。
⑥ 《黄帝九鼎神丹经诀》卷 2,《道藏》第 18 册,第 801 页。

道教科学家，其对中国传统科技的贡献是多方面的。学术界对葛洪的科技成就和创获已有较全面总结阐述，但对葛洪的科学思维与方法的系统挖掘尚不多见。我们认为，葛洪之所以能取得杰出的科技成就，这与他独特的逻辑思维方法是分不开的，葛洪善于吸收中国传统的科学思维精华，并在炼丹、制药等科技活动中将加以总结深化，从而形成自己特有的科学思维方法。

葛洪认识论上的另一个特色是强调“多闻而体要，博见而善择”：

> 凡养生者，欲令多闻而体要，博见而善择，偏修一事，不足必赖也。①

在具体的认识方法上要遵循“浅以涉深，由易及难”原则。道教从学道、信道与行道、守道的关系对难易问题有所论述，认为难易是相对而言的。《云笈七籤》卷二云：“知道易，信道难，信道易，行道难，行道易，得道难，得道易，守道难，守道不失身，常存也。”②难易是相对而言的思想符合辩证法。难易问题涉及修道方法的选择和修道的成效，故道门学者对此多有论述。葛洪对难与易这对范畴也有自己独到的见解：

> 或曰：“儒道之业，孰为难易？”抱朴子答曰：“儒者，易中之难也。道者，难中之易也。”③

葛洪站在道本儒末的立场上，认为“儒教近而易见，故宗之者众焉。道意远而难识，故达之者寡焉”④。然而易中有难、难中有易，所以他在卷七《塞难》举了很多例子来说明道为难中之易，而儒为易中之难。姑且不论葛洪对儒道关系的判定是否得当，仅就其对难与易的阐述来分析，葛洪对难易辩证关系的认识较为深刻。葛洪不仅认为难易是相对的，重要是在认识实践中要行之以恒，做到由易及难，有始有终：

> 非长生难也，闻道难也；非闻道难也，行之难也；非行之难也，终之

① 王明：《抱朴子内篇校释》，北京：中华书局1985年版，第124页。
② （宋）张君房：《云笈七籤》卷2，《道藏》第22册，第129页。
③ 王明：《抱朴子内篇校释》，北京：中华书局1985年版，第139页。
④ 王明：《抱朴子内篇校释》，北京：中华书局1985年版，第139页。

难也。①

凡学道，当阶浅以涉深，由易及难，志诚坚果，无所不济，疑则无功，非一事也。②

葛洪认为要获得修道养生的成效，应该“以显而求诸乎隐，以易而得乎难”③；师父传授徒弟，也须“初以授人，皆从浅始”④。这些都体现了葛洪由易及难的思想认识方法。

葛洪逻辑思维的另外一个特色是“精辩玄赜”、“析理入微”。葛洪通过对大量自然现象的细致观察和炼丹实验活动，收集了大量有关自然现象的经验材料，在此基础上，运用比较、分类和类比等逻辑思维，“析理入微”，归纳总结出“变化者，乃天地之自然”的自然之理；但葛洪并没有就此停止，他据此进一步作了演绎推理：只要掌握了自然变化的规律，就可运用人工实验方法制造出所需的物体。

夫变化之术，何所不为……水火在天，而取之以诸燧。铅性白也，而赤之以为丹。丹性赤也，而白之而为铅。云雨霜雪，皆天地之气也，而以药作之，与真无异也。至于飞走之属，蠕动之类，禀形造化，既有定矣。乃其倏忽易旧体，改更而为异物者，千端万品，不可胜论。人之为物，贵性最灵，而男女易形，为鹤为石，为虎为猿，为沙为龟，又不少焉。至于高山为渊，深谷为陵，此亦大物之变化。变化者，乃天地之自然，何为嫌金银之不可以异物作乎？比诸阳燧所得之火，方诸所得之水，与常水火，岂有别哉？蛇之成龙，茅糁为膏，亦与自生者无异也。然其根源之所缘由，皆自然之感致，非穷理尽性者，不能知其指归，非原始见终者，不能得其情状也。⑤

这段论述有三层依次递进的含义：其一，葛洪观察到自然界万物都处在不断运动变化之中，大如“高山为渊，深谷为陵”，小到飞禽虫草“倏忽而易为旧

① 王明：《抱朴子内篇校释》，北京：中华书局 1985 年版，第 240 页。
② 王明：《抱朴子内篇校释》，北京：中华书局 1985 年版，第 123 页。
③ 王明：《抱朴子内篇校释》，北京：中华书局 1985 年版，第 140 页。
④ 王明：《抱朴子内篇校释》，北京：中华书局 1985 年版，第 149 页。
⑤ 王明：《抱朴子内篇校释》，北京：中华书局 1985 年版，第 284 页。

体,改更而为异物”;其二,人是天地万物之中最有灵性之物,“有生最灵,莫过乎人”[①],所以最后自然就推论出:金和银也是能够从别的材料中制造出来的。可见,葛洪不但擅长归纳思维,而且能将归纳与演绎巧妙结合起来,透过纷繁的自然现象分析其内在之理。葛洪指出在对自然现象进行研究时,为了得出自然万物之理,还必须运用“原始见终”的逻辑思维。葛洪这里所说的“原始见终”即《易传》所说的“原始反终”的逻辑思维方法。“原始反终”也作“原始要终”,《易·系辞上传》云:“仰以观于天文,俯以察于地理,是故知幽明之故;原始反终,故知死生之说。”[②]《易·系辞下传》云:“《易》之为书也,原始要终,以为质也。”[③]这里“原”指推原、探源;“反”指反求、推及。意思是仰观天上日月星辰的文采,俯察地面山川原野的理致,就能知晓幽隐无形和显明有形的事理;推原事物的初始、反求事物的终结,就能懂得死生的规律。原始反终是一种通过对事物原初的推理和终末状况的归纳考察,从而得出事物发展的规律的一种逻辑思维方法,其中融合有类似普通逻辑所说的归纳思维和演绎思维两种方法。关于葛洪的学识和思维特点,《晋书·葛洪传》有一段总结性评述,云:“洪博闻深洽,江左绝伦,著述篇章,富于班马。又精辩玄赜,析理入微。”[④]通过上述分析,我们不难看出,“精辩玄赜”、“析理入微”的确是道教科学家葛洪思维方式的两个显著特色。葛洪的道教科学思想和逻辑思维方法十分丰富,如王明先生指出:“葛洪在距今一千六百多年前就初步孕育着物种变化的思想不能不归功于科学实验和细致观察。”[⑤]以葛洪为代表的道教金丹家从观察和实验所获得的经验知识中受到启发,得出物质运动变化是自然界的必然规律,具有朴素的辩证法思想。尤为可贵的是,道教金丹家深信可以运用实验手段等人工方法来制造新的物质,这一科学思想对于推动古代科学的发展有着不可估量的意义。道教金丹家相信可以用异物来制造金银,从根本上说并没有错,只不

① 王明:《抱朴子内篇校释》,北京:中华书局1985年版,第14页。
② 黄寿祺、张善文:《周易译注》,上海:上海古籍出版社1989年版,第535页。
③ 黄寿祺、张善文:《周易译注》,上海:上海古籍出版社1989年版,第598页。
④ 《晋书·葛洪传》,北京:中华书局1974年版,第6册,第1912页。
⑤ 王明:《抱朴子内篇校释·序言》,北京:中华书局1985年版,第12页。

过在古代常规实验条件下还不可能实现由铅汞向金银转化的这一反应。20世纪40年代,美国哈佛大学奔布利芝博士就采用核实验技术,用中子流轰击汞将其转变为金,终于实现了将贱金属转变为贵金属的千年梦想。正是在这个意义上,李约瑟博士指出:"道家(包括道教在内)深刻地意识到变化和转化的普遍性,是他们最深刻的科学洞见之一。"①

综上所述,葛洪对中国传统科技的贡献是多方面的。葛洪的著作,目前可知的约60余种,唯多亡佚,正、续《道藏》收有13种,以后人误题或伪托者居多。从葛洪的主要代表作品来看,他的学识是非常渊博的,成就也是多方面的。但由于时代文化背景与社会条件的限制,葛洪作为一个虔诚的道教信仰者,他的论述受到了宗教世界观的支配。所以,他的哲学观点或自然科学理论都不可避免地存在着时代的局限性。因此,对于葛洪的思想,应当实事求是地进行仔细分析,吸取其精华,剔除其糟粕,对它们完全肯定或完全否定,都是十分错误的。

第六节　上清派的出现及其早期主要典籍

一、上清派的出现

继葛洪于晋元帝建武元年(317年)最后撰定《抱朴子》之后,过了将近半个世纪,又有《上清经》出世。奉此经典者逐步形成为一个上清派。《上清经》中以《大洞真经》最为精妙,被列为上清之首,称为《上清大洞真经》。关于《上清经》的源流,在《上清源统经目注序》(据陈国符先生考证,此文本顾欢撰《真诰》)和《上清经述》(均载《云笈七籤》卷四)等著作里均有记载,但多荒诞不经。故序文虽较陶弘景《真诰叙录》为早,这里仍根据陶弘景《真诰》卷十九《真诰叙录》中的介绍。它说:"伏录《上清真经》出世之源,始于晋哀帝兴宁二年太岁甲子(364年),紫虚元君上真司命南岳魏夫人下,降授弟子琅琊王司徒舍人杨某(即杨羲),使作隶字写出,以传护军长史句

① [英]李约瑟:《中国科学技术史》第2卷《科学思想史》,北京:科学出版社、上海:上海古籍出版社1990年版,第176页。

容许莱(即许谧)并弟三息上计掾某某(即许翙),二许又更起写,修行得道。"①所谓"降授",并非直接传授,一般均系造经者的托词,且兴宁二年魏华存早已去世。故《上清真经》有可能即系杨羲等所造。南岳魏华存被后人誉为上清第一代宗师,然而人们对她的了解仅限于《真诰》以及唐人传抄的资料,后世的仙传、类书、方志、文集涉及魏华存的文字多出于这两个来源,这使得人们对魏华存是否是历史上的真实人物产生了质疑。周冶根据南京北郊象山出土的东晋《王建之妻刘媚子》墓志及零散史料证明"南岳魏夫人"(魏华存 252—334 年),在晋代确有其人②。兹录石质《王建之妻刘媚子墓志》如下:

> 晋振威将军、鄱阳太守、都亭侯,琅邪临沂县都乡南仁里王建之,字荣妣,故夫人南阳涅阳刘氏,字媚子,春秋五十三,泰和六年六月戊戌朔十四日辛亥,薨于郡官舍。夫人修武令乂之孙,光禄勋东昌男璞之长女,年廿来归,生三男三女。二男未识不育。大女玉龟,次女道末,并二岁亡。小女张愿,适济阴卞嗣之,字奉伯。小男纪之,字元万。其年十月丙申朔三日戊戌,丧还都。十一月乙未朔八日壬寅,倍葬于旧墓,在丹杨建康之白石。故刻石为识。③

墓志中的刘媚子乃是刘璞的长女,修武令刘乂之孙女。这与《紫虚元君南岳夫人内传》提到的魏华存的丈夫刘乂以及两个儿子刘璞和刘遐的事实吻合。至于《紫虚元君南岳夫人内传》的作者和出现的时间,有学者认为作者为杨羲,乃是其托名中候仙人范邈所作④,有学者则推断《内传》出现的时间应为兴宁(263—365 年)初年⑤。因此,据最新的考古发现及研究成果,我们认为刘媚子卒于泰和六年(371 年),杨羲撰写《内传》到刘媚子去世约有七八年的时间,杨羲不可能虚构魏华存与刘家的关系,因此《内传》所记是

① 《道藏》第 20 册,第 603 页。
② 参见周冶:《南岳夫人魏华存新考》,《世界宗教研究》2006 年第 2 期。
③ 南京市博物馆:《南京象山 8 号、9 号、10 号墓发掘简报》,《文物》2000 年第 7 期。
④ 谢聪辉、武丽霞、罗宁等人持这种观点。
⑤ 王家葵:《陶弘景丛考》,济南:齐鲁书社 2003 年版,第 161—162 页。

魏华存的生活内容应该是属实,魏华存是一个真实的历史人物,殆无疑义。①

有关魏华存的记载散见于各种仙传、类书、文集和方志中,数量不少,但基本内容,实际上是源于《紫虚元君南岳夫人内传》。如《阳山顾氏文房小说》所收之《南岳魏夫人传》说:“魏夫人者,任城人也。晋司徒剧阳文康公舒之女,名华存,字贤安。幼而好道,静默恭介。读《庄》《老》三传,五经百氏,无不读览。志慕神仙,味真耽玄,欲求神仙,常服胡麻散,茯苓丸,吐纳气液,摄生夷静,亲戚往来,一无关见。常欲别居闲处,父母不许。年二十四,强适太保掾南阳刘文②字幼彦,生二子,长日璞,次日瑕。幼彦后为修武令。夫人心期幽灵,精城弥笃。二子粗立,乃离隔宇室,斋于别寝。”后众真下降,而清虚真人王君为之师,授以《太上宝文》、《八素隐书》、《大洞真经》、《灵书八道》③、《紫度炎光》、《石精金马》④、《神虎真文》、《高仙羽玄》等经,共31卷。王君云:此即昔南极夫人,西城王君所授也。景林真人又授夫人《黄庭内景经》。“其后幼彦物故,植天下荒乱,夫人抚养内外,旁救穷乏,亦为真仙默示其兆,知中原将乱,携二子渡江,璞为庾亮司马,又为温太真司马,安城太守。遐为陶太尉侃从事中郎……二子位既成立,夫人因得冥心斋静,真灵累感,修真之益,与日而进。凡在世八十三年。”以晋成帝咸和九年(334年)托剑化形而去。⑤《太平广记》卷五十八《魏夫人传》与此基本相同。《太平御览》卷六百七十八引《南岳魏夫人内传》辞旬与此小异⑥。《太平御览》卷六百六十九又引葛洪《神仙传》说:“中候上仙范邈,字度世,旧名冰,服虹景丹得道。撰《魏夫人传》。”⑦据此,则此传当于晋代出世。其父

① 参见周冶:《南岳夫人魏华存新考》,《世界宗教研究》2006年第2期。

② 《云笈七籤》卷4《上清经述》作刘乂。见《道藏》第22册,第20页。

③ 《云笈七籤》卷4《上清经述》作“灵书紫文八道”。见《道藏》第22册,第21页。

④ 《太平御览》卷678《南岳魏夫人内传》与《云笈七籤》卷4《上清经述》“金马”均作“玉马”。

⑤ 参见顾元庆:《阳山顾氏文房·南岳魏夫人传》,《北京图书馆古籍珍本丛刊》第84册,子部·丛书类,北京:书目文献出版社2000年版,第223—226页。

⑥ 参见《南岳魏夫人内传》,《太平御览》卷678,石家庄:河北教育出版社1994年版,第6册,第317—318页。

⑦ (宋)李昉等编:《太平御览》卷669《道部十一·服饵上》,第6册,第247页。

魏舒,《晋书》卷四十一有传[①]。所谓“清虚真人王君”,即指王褒。《云笈七籤》卷四《上清源统经目注序》及《上清经述》,皆有魏华存从清虚真人王褒受《上清经》的记载[②]。《隋书》卷三十三《经籍二》录有“《清虚真人王君内传》一卷”,题为“弟子华存撰”[③],《云笈七籤》卷一百六有节本。该传称:王褒字子登,范阳襄平人,生于汉元帝建昭三年(前 36 年)[④],下距魏华存之生二百八十余年,故所谓王褒授经之说,实属虚妄。但《真诰》卷二十第二谓有“杨(杨羲)书《王君传》一卷”[⑤],因此在魏华存之时,或许已有部分《上清经》出世,后为杨羲所得,并与许谧、许翙等人依托魏夫人“降授”,又从而增演之,这也是可能的。盖当时造经者,不乏其人。上清诸真传的陆续出现,即是其证。在诸真传中记有不少经符秘笈的传授神话。这些神话虽不是事实,但从中可以探索上清派的思想渊源及其有关经籍的繁演过程。在《王君内传》中,除有西城真人授与王褒《太上宝文》等 8 种经书共 31 卷,此与《南岳魏夫人传》所受者完全相同而外,还有主仙道君授以《上清隐书龙文八灵真经》2 卷,太帝君授以《龙景九文紫风赤书上清神图八道玉箓》[⑥],南极紫元夫人(即南极元君)授以《九道回玄太丹绿书》,三皇道君授以《玉道绿字回曜太真隐书》,上清玉晨帝君、玄清六微元君授以《宝洞飞霄绝玄金章》、《太极隐书》,中皇玉帝授以《解形遯变流景玉经》等。除《王君内传》外,《云笈七籤》卷一百四有《太元真人东岳上卿司命真君传》,题为“弟子中候仙人李遵字安林撰”[⑦],《隋书》卷三十三《经籍二》曾著录,亦题“弟子李遵撰”,但书名为《太元真人东乡司命茅君内传》[⑧]。《真诰》卷八注云:“李中候,名遵,即撰《茅三君传》者。”[⑨]《真诰》卷十一注云:“吾(指定录中君)

① “魏舒”,见于《晋书》第 4 册,北京:中华书局 1974 年版,第 1185 页。
② 参见(宋)张君房编:《云笈七籤》卷 4,《道藏》第 22 册,第 18 页。
③ 《隋书》第 4 册,北京:中华书局 1982 年版,第 979 页。
④ (宋)张君房编:《云笈七籤》卷 106,第 22 册,第 719 页。
⑤ 《道藏》第 20 册,第 606 页。
⑥ (宋)张君房编:《云笈七籤》,第 22 册,第 721 页。
⑦ (宋)张君房编:《云笈七籤》,第 22 册,第 707 页。
⑧ 《隋书》第 4 册,北京:中华书局 1982 年版,第 979 页。
⑨ 《道藏》第 20 册,第 532 页。

有传纪者,即是《三茅传》也。按长史甲子年书云,未见传记;则啜此书时,或在癸亥年(363 年)中也。”①其中涉及道教经书方术的传授者有《玉佩金瑠之道》、《太极玄真之经》、《阴阳二景内真符》、《紫素之书》和九转还丹等。《云笈七籤》卷一百四还有《玄洲上卿苏君传》1 篇,题为“周季通集”。②《隋书》卷三十三《经籍二》亦著录有周季通的《苏君记》一卷③。《真诰》卷五在“杀谷虫自有别方得者秘之”下有注云:“此即《苏传》中初神丸方也。”④又《真诰》卷十“此用(周)君口诀”下注云:“此是论合初神丸事,其方在《苏传》中,即周紫阳所撰,故受此诀,是告长史也。”⑤周紫阳,即周季通。说明周季通所撰《苏君传》,亦在晋代许谧、许翙之时即已流传。该传指出:苏君乃周季通之师,讳林,字子玄,濮阳曲水人。曾师事华山仙人仇先生,仇又将他介绍给真人涓子,涓子遂授以真诀,告诉他说:“欲作地上真人,必先服食药物,除去三尸,杀灭谷虫。”并指出:“凡欲求真,当先服制虫丸。制虫丸者,一名初神去本丸也。欲作真人,当先服制仙丸。制仙丸者,太上八琼飞精之丹也。”后又授以“守三一”、“守洞房”、“守玄丹”等法术。林谨奉其术,遂得道成仙⑥。特别值得注意的,是《道藏》有《紫阳真人周君内传》1 卷,《云笈七籤》卷一百六有节本,皆未著撰人。《真诰》卷十四注云:“今有华撰《周君传》。”⑦《真诰》卷二十“华侨”条下又注说:“今世中《周紫阳传》,即是侨所造。”⑧《旧唐志》史录杂传类、《新唐志》子录神仙类、《通志略》诸子类道家均著录,并题为华峤撰;《宋志》神仙类则为“华侨《真人周君内传》一卷”,是新、旧《唐志》与《通志略》之华峤,即《真诰》注与《宋志》之华侨。证明此传为晋人华侨所撰。传末有“晋隆安三年太岁己亥(399 年)正月十七甲子书毕”一语,可能为作者自记其写作完成之年月,亦

① 《道藏》第 20 册,第 554 页。
② (宋)张君房编:《云笈七籤》,第 22 册,第 704 页。
③ 参见《隋书》,北京:中华书局 1982 年版,第 4 册,第 979 页。
④ 《道藏》第 20 册,第 519 页。
⑤ 《道藏》第 20 册,第 546 页。
⑥ 参见(宋)张君房编:《云笈七籤》,第 22 册,第 704 页。
⑦ 《道藏》第 20 册,第 576 页。
⑧ 《道藏》第 20 册,第 610 页。

很可能为传抄此书者自记其书写完毕时之年月而为后人误入正文。不论属于那种情况，均表明本传成书的时间当不会晚于这个时候。按《真诰》卷十九《真诰叙录》说：在“众真未降杨之前，已令华侨通传音意于长史。华既漏妄被黜，故复使杨令授，故复使杨令受，而华时文迹，都不出世”①。《真诰》卷二十又说：“渐渐真仙来游，……裴清灵，周紫阳至，皆使通传肯意于长史。而侨性轻躁，多漏说冥旨，被责，仍（乃）以杨君（杨羲）代之。”②可见华侨开始传授《上清经》，比杨羲更早。《周君内传》也许可以反映部分华侨时的情况。该传谓周君名义山，字季通，汝阴人。祖父玄，元风元年（前80年）为青州刺史。父秘，为范阳令，后迁陈留刺史。其中记有服制虫细丸以杀谷虫之术，并详细介绍了杀虫之方，还有合制四镇丸的方法，谓服之可以断谷，有助于导引行炁。又指出：“虽服此药以得其力，不得九转神丹金液之道，不能飞仙矣，为可延年益寿，亦辟其死也。”在谈到“飞仙要诀”时还指出：“仙人曰：药有数种，仙有数品。有乘云驾龙，白日升天，与太极真人为友，拜为仙宫之主……此皆上仙也；或为仙卿、大夫，上仙之次也。游行五岳，或造太清，役使鬼神，中仙也。或受封一山，总领鬼神；或游翔小有，群集清虚之宫，中仙之次也。若食谷不死，日中无影，下仙也。或白日尸解，过死太阴，然后乃仙，下仙之次也。”③这种强调九转神丹金液和所谓药有数种、仙有数品的思想，与葛洪《抱朴子》的有关论述极其相似。传中也谈到守三一之法以及思神和“存洞房”之事。特别是其中所提到的各种仙真和经符秘策颇多，反映早期的上清派思想是和其他道派的思想互相混杂的。它在叙述周义山在接受各地仙真的经符秘箓时说：又往蒙山，遇衍门子，授以《龙蹻经》及《三皇内文》；登王屋山，遇赵佗子，受《芝图》十六首及《五行秘符》；又遇黄先生，受《黄素神方》、《五帝六甲左右灵飞之书》四十四诀；登磻冢山，遇上卫君，受《太素传左乙混洞东蒙之箓》、《右庾素文摄杀之律》；西登白空山，遇沙野帛先生，受《太清上经》；登峨眉山，入空洞金府，遇甯先生，受《太丹隐书八禀十诀》；登岷山，遇阴先生，受《九赤班（斑）符》；登岐

① 《道藏》第20册，第602册。

② 《道藏》第20册，第610页。

③ （宋）张君房编：《云笈七籤》，《道藏》第22册，第723页。

山,遇臧延甫,受《忧乐曲素诀辞》;登梁山,遇淮南子成,受《天关三图》;登牛首山,遇张子房,受《太清真经》;登九嶷山,遇李伯阳,受《李氏幽经》;登钟山,遇高丘子,受《金丹方》27 首;登鹤鸣山,遇阳安君,受《金液丹经》、《九鼎神丹图》;登猛山,遇青精先生,受《黄素传》;登陆浑山,潜入伊水洞室,遇李子耳,受《隐地八术》;登戎山,遇赵伯玄,受《三九素语》;登阳洛山,遇幼阳君,受《青要紫书三五顺行》:登霍山,遇司命君,受《经命青图上皇民籍》;登鸟鼠山,遇墨翟子,受《紫度炎光内视图中经》;登曜名山,遇太帝候夜神童,受《金根之经》;登委羽山,遇司马季主,受《石精金光藏景化(录)形》;登大庭山,遇刘子先,受《七变神法》;登都广建木,遇谷希子,受黄炁之法、太空之术、《阳精三道》之要;登桐柏山,遇王乔,受《素奏丹符》;登太华山,遇南岳赤松子,受《上元真君书》;登太冥山,遇九老仙都君,受《黄水月华四真法》;登合黎山,遇皇人,受《八素真经》、《太上隐书》;登景山,遇黄台万毕先生,受《九真中经》;登玄垄羽山,遇玉童十人、九炁丈人,得《白羽紫盖服黄水月华法》;登扶广山,遇真青小童君,受《金书秘字》;登丹陵山,遇龚仲阳,受《仙忌真记》。最后,还常山石室中,斋戒念道复积九十余年,白元君、无英君、中央黄老君乃授以上真之道,遂使受《大洞真经》39 篇,昼夜习之积 11 年,遂乘云驾龙,白日升天,上诣太微宫,受书为紫阳真人。①

以上这些记载,都不过是神话传说,不能据认为是事实,但从这些道书来看,一部分与《洞玄灵宝三洞奉道科戒营始》卷五《上清大洞真经目》所列各经书的名目基本相同②,但其中也有一部分并不属于《洞真上清经》这个系统,如《三皇内文》,乃是《洞神》部经典;《太清上经》、《太清真经》和《金液丹经》、《九鼎神丹》之类,应属《太清经》部,乃是《洞神》之辅,与葛洪的金丹道派系统有关,这说明早期的上清派与金丹道派可能有一定的联系,从这里也可以看出道教分化过程的一些蛛丝马迹。但必须看到,尽管《周君内传》中说明周义山接受的经符秘箓很多,但他认为:在这各种经书之中,是以《大洞真经》为最高,从而反映出作者明显的上清派立场。

---

① 参见(宋)张君房编:《云笈七籤》,《道藏》第 22 册,第 723—724 页。

② 这个经目所列《上清经》34 卷,今大部尚存,但多误入《正一部》。

还应指出,虽然在上述诸真传中都谈到了许多经书的传授,但并不等于这些经书在撰写诸真传时便确已存在,故《真诰叙录》在谈到王灵期得到许黄民的真经之后,“乃窃加损益,盛其藻丽,依《王》、《魏》诸传题目,张开造制,以备其录”①。所谓“王、魏诸传”,即指诸真传。说明诸真传中所列的一些经书,有的仅是一个“题目”。按照这些题目来制造文章者,乃是后来的王灵期等人。事实上,在晋代便有《上清经》的不少造制者,其制造活动比较集中的大约有两次:一次是东晋前期以杨、许为代表,包括魏华存和华侨等人。他们所造制的经书,陶弘景曾做过收集整理,并列有目录。可惜这个目录早已佚失,现今遂难于考定。《真诰叙录》谓:“凡三君(杨羲、许谧、许翙)手书今见在世者:《经》、《传》(诸真传)大小十余篇,多掾(许翙)写;《真唼》四十余卷,多杨(杨羲)书。”②根据这段叙述,可以略知此次经书造制情况的一斑。这个经目所列《上清经》34 卷,今大部尚存,但多误入《正一部》。他们所造制的经书,后来成为珍品,但由于教徒间的互相封锁,所以流传不广。另一次经书制作活动是东晋后期以王灵期为代表。他是“依《王》、《魏》诸传题目”来进行造制的,“并增重赈信,崇贵其道。凡五十余篇。”陶弘景在《真诰》卷十九《真诰叙录》中注说:“非都是灵期造制,但所造制者自多耳。”于是,“趍竞之徒,闻其丰博,互来宗禀。传写既广,枝叶繁杂。新旧浑淆,未易甄别,自非已见真经,实难证辩。”说明王灵期等人造制的经书,乃是以假乱真,以致“许、王齐辔,真伪比踪”,“举世崇奉”,流布甚广,到陶弘景的时候,“京师及江东数郡,略无人不有;但江外尚未多尔”③。

关于《上清经》的传授系统,唐德宗时,李渤撰有《真系传》一卷(见《云笈七籤》卷5),对此作了叙述。根据该传和《真诰叙录》等有关资料记载,《上清经》乃系东晋哀帝兴宁(363—365 年)间扶乩降笔,由杨羲用隶字写出,以传许谧、许翙,翙传其子黄民,黄民以传马朗及朗弟马罕。宋明帝时,殳季真就马家得之,明帝思弘道教,于太始三年(467 年)筑崇虚馆供养陆修

① 《道藏》第 20 册,第 604 页。
② 《道藏》第 20 册,第 604 页。
③ 《道藏》第 20 册,第 604 页。

静,遂以殳季真所得的《上清经》与陆。陆又兼得《灵宝经》、《三皇文》,遂总括《三洞》,实际上已并不专主《上清经》了。后又以之授与齐兴世馆主孙游岳,游岳以授梁陶弘景。陶氏搜摭杨、许遗经,较为完备,在南齐顾欢的基础上,编撰《真诰》一书,对《上清经》的源流和传授历史作了较为系统的叙述,成为上清派的著名代表。唯陶氏之学,偏于丹道,且从陶氏起,此派因居茅山,后遂被称为茅山宗,为符箓科教派的三大宗之一。而陶弘景即是茅山宗的创始人。其传系直至元代,乃合并于正一。

魏华存乃天师道法在江南传播的早期代表,拥有一定的信众群体。① 学界最新研究成果表明,魏华存的教法来自三个不同的教法体系:一是王褒传授的"宝经三十一卷";二是景林真人传授的《黄庭内景经》;三是天师张道陵传授的"明威章奏,入静存祝,吏兵符箓之诀"。其中"宝经三十一卷"是作为上清经法的主要内容而被提出,故后续的《上清经》的发展是基于《王》、《魏》系谱所做的推衍,成为上清派发展的主流系谱。景林真人《黄庭内景经》成经神话为:太上所作、太帝成书、神王传授、清虚王君授诀。这一传承系谱并非历史的真实,但是却凸显出上清派继承天师教团中重要经法传统同时又有意加以改造的心态和事实,从而形成了另一传承系谱。最后,天师教诀部分既继承了汉中的天师道传统,同时也由天师亲自降授,通过魏华存"以训正一之言",勾画出了一条颇具天师道色彩的传承系谱,即天师—魏华存—在世正一之宫。②

如上所述,上清派在开创之初,就与天师道有密切的关系。上清派的早期开创者,有些便是天师道的信徒。被尊为上清第一代太师的魏华存,即曾任天师道祭酒。陶弘景《登真隐诀》卷下载:"正一真人三天法师张讳告南岳夫人口诀。"原注说:"云以夫人在世尝为祭酒故也。"③丹阳许氏,也本是天师道世家。许谧兄迈,即著名的天师道徒,与"世事张氏五斗米道"的王

① 参见周冶:《南岳夫人魏华存新考》,《世界宗教研究》2006 年第 2 期。

② 参见张超然:《系谱、教法及其整合:东晋南朝道教上清经派的基础研究》之第七章《魏华存教法的三个来源》,台北:台湾"国立政治大学"博士论文,2008 年,第 210 页。

③ 《道藏》第 6 册,第 618 页。

羲之交往甚密，又曾师事天师道祭酒李东。《真诰》卷二十说："李东者，许家常所使祭酒，先生（许迈）亦师之。家在曲阿东，受天师吉阳治左领神祭酒。"①至于华侨，按《紫阳真人内传》末的《周裴二真叙》的记载，亦曾"诣祭酒丹阳许治受奉道之法"②，也是天师道的信奉者，杨羲、许谧均与他有过交往，而且华侨与许谧还有婚姻关系。这些都表明早期上清派的主要人物均与天师道有联系。在一定的意义上，也可说上清派是从天师道分化而来的。

但这种分化，绝不是偶然的。为了探讨这个问题，须先考察一下上清派开创人物的身世。

魏华存之父魏舒，字元阳，任城樊人。生于汉献帝建安十四年（209年）。据《晋书》卷四十一《魏舒传》称：舒少孤，为外家甯氏所养。年四十余，郡上计掾察孝廉，因对策升第，进入仕途，从此步步高升。至晋武帝太康（280—289年）时，加右光禄大夫，仪同三司，官至司徒，并赐"安车驷马，门施行马"。太熙元年（290年）卒，年八十二。魏华存生于魏废帝嘉平四年（252年；一说生于嘉平三年），其时魏舒年四十四，当已进入仕途。可见她是生长于仕宦之家。既"幼而好道"，"志慕神仙"，则其信奉天师道，亦在出嫁之前便开始了。其夫幼彦为太保掾，二子俱出仕。是出嫁之后，亦生活于仕宦家庭。

杨羲和华侨的身世均不详。《真诰》卷二十载：杨羲生于晋成帝咸和五年（330年），似是吴人，来居句容。为人洁白美姿容，善言笑，工书画，少好学，读书该涉经史。性渊懿沈厚。幼有通灵之鉴，与许迈、许谧年并悬珠，而早结神明之交。③ 太和（366—370年）初，简文帝司马昱为丞相时，因许谧的推荐，用为公府舍人。在此之前，杨先以穆帝永和五年（349年）受《中黄制虎豹符》，次年（350年）又就魏华存长子刘璞受《灵宝五符》。按《茅山志》卷十，以太元十一年（386年）去世，年五十七。华侨为"晋陵冠族"，且与许氏联姻，则亦非寒庶可知。

于至丹阳句容许氏，本为高门士族，这在《真诰》卷二十《真胄世谱》有

① 《道藏》第20册，第610页。
② 《道藏》第5册，第548页。
③ 参见《道藏》第20册，第609页。

明确记载，略云：长史名谧，字思玄，一名穆。晋惠帝永兴二年（305 年）生。为奉车都尉许副第五子。少知名，儒雅清素，博学有才章。简文皇帝久垂俗表之顾。与时贤多所俦结。少仕郡主簿功曹史。王导、蔡谟、临川辟从事不赴，选补太学博士。出为余姚令，入为尚书郎、郡中正、护军长史、给侍中、散骑常侍。虽外混俗务，而内修真学，密授教记，遵行上道，此与葛洪相似。太元元年（376 年）卒，年七十二。有三子，少男名翙，字道翔，小名玉斧，《历世真仙体道通鉴》卷二十四《许翙传》谓生于咸康（咸宁？）七年（341 年）。幼独摽挺，含真渊嶷，长史器异之。郡举上计掾、主簿，并不赴。清秀莹洁，糠秕尘务。居雷平山下，修业精勤。太和五年（370 年）去世，年三十。①

综上可知，上清派的开创人物均为士族出身，受过良好的教育，有较高的文化修养，和当时社会的上层人物有密切联系，属于士族知识分子，有的本身即是王朝官吏。但东晋司马氏政权对江南士族始终抱有戒心，甚至持歧视态度，使他们在政治上也并不十分得意，于是他们便以老庄为精神寄托，并由此而信奉道教。他们加入道教，一是为了精神寄托，二是为了利用道教为社会统治服务。因此他们对原来民间道教反映下层民众的那些思想和鄙陋庸俗的科仪教戒感到不太满意，所以他们加入道教之后，必然要用自己的意志和爱好来对这种旧天师道进行改革。上清派道法的传承有很多来源，有学者认为，主要包括以下几个方面：1. 葛洪传统的大量要素。2. 天师道传统的大量要素。3. 某些地方文化。4. 首次采用了佛教实践的皮毛。5. 3—4 世纪盛行的玄学思想（如有无之辩）。② 为了弄清这些内容，了解它们的基本思想和修持方法，有必要对它们所崇奉的主要经典，作一些分析。

二、《大洞真经》及其基本思想

如上所述，早期上清派所崇奉的最主要的经典，便是《大洞真经》，一名《三天龙书》，一名《九天太真道经》，又称《上清大洞真经》。《真诰》卷五

---

① 参见《道藏》第 5 册，第 238 页。

② Cf. Isabelle Robinet, *Taoism: Growth of a Religion*. Translated by Phyllis Brooks, Stanford: Stanford University Press, 1997, p.114.

《甄命授》第一谓"仙道有《大洞真经》三十九篇,在世"①。因其分为三十九章,所以又名《三十九章经》。上清派以之为上清诸经之首,称为道家"三奇第一之奇"②。历代传授不绝,宣称"大洞之道、至精至妙"③,"若得《大洞真经》者,复不须金丹之道也,读之万过毕,便仙也"。④ 又说:"《大洞真经》读之万过便仙,此仙道之至经也。"⑤但此经很早即有不同的传本。北宋陈景元《上清大洞真经玉诀音义》跋后说:

> 按《登真隐诀》第二《经传条例》云:《大洞真经》今世中有两本,一则大卷,前有回风混合之道,而辞旨假附,多是浮伪;一本惟有三十九章,其中乃有数语,与右英(按为右英夫人)所说者同,而互相混糅,不可分别。唯须亲见真本,乃可遵用。又闻有得杨、许三十九章者,与世中小本不殊。自既未眼见,不测是非。且宜缮写以补品目。又有《玉注》一卷(指道君《玉注》),即是略释《洞经》中旨,亦可录也。⑥

此乃《登真隐诀》佚文,证明在陶弘景时,即出现了传本的分歧,表明当时存在两种不同的《大洞真经》,即大本《大洞真经》和小本《大洞真经》⑦。

有关《大洞真经》的版本和成书年代,学术界主要有以下几种有代表性的观点:

第一,《大洞真经》的六种版本说。这一观点认为《大洞真经》的版本约有六种,分别为:1. 北宋朱自英序,元蒋宗瑛校勘《上清大洞真经》六卷;2. 南宋《太上无极总真文昌大洞仙经》五卷;3. 元卫琪注《玉清无极总真文昌大洞仙经》十卷;4. 明龚德同跋《大洞玉经》二卷;5. 明萧允儒万历十一年序《元始大洞玉经》一卷(《道藏辑要》氐集三);6. 清康熙二十四年序《太上玉

① (南朝)陶弘景:《真诰》卷5,《道藏》第20册,第516页。
② 第二之奇《五老雌一宝经》,第三之奇《素灵大有妙经》。
③ (南朝)陶弘景:《真诰》卷5,《道藏》第20册,第517页。
④ (南朝)陶弘景:《真诰》卷5,《道藏》第20册,第519页。
⑤ (南朝)陶弘景:《真诰》卷5,《道藏》第20册,第520页。
⑥ 《道藏》第2册,第710页。
⑦ 参见张超然:《系谱、教法及其整合:东晋南朝道教上清经派的基础研究》第8章《大洞真经的实践与发展》,台北:台湾"国立政治大学"博士论文,2008年,第228页。

清无极总真文昌大洞仙经注疏》三卷(《道藏辑要》氐集四)。[①]

第二,认为在这些版本中最为接近《大洞真经》原貌的当属朱自英序、蒋宗瑛校勘的《上清大洞真经》。因为版本的经文章次和名称与《云笈七籤》卷四十二《存大洞真经三十九真法》及陈景元《上清大洞真经玉诀音义》的章次和名称相同。因此,是现存《大洞真经》所有版本中最接近上清经原貌的一个,该版本亦很接近陈景元和卫琪所引用的“茅山本”。

第三,认为《上清大洞真经》大约成书于魏晋之时。多数的学者赞同第一种观点,即认为《上清大洞真经》大约成书于魏晋。如,《道藏提要》认为“《上清大洞真经》为六朝古《上清经》之首经”[②];《道藏提要解题》则说:“《大洞经》亦称《三十九章经》,原为一卷,为魏晋时期早期上清经中最重要的经典”[③];《中华道教大辞典》词条称:“《上清大洞真经》是早期上清经重要经典,相传东晋兴宁三年(365 年),南岳魏夫人等仙真降世,以《大洞真经》等上清经传授道士杨羲”[④];《从〈上清大洞真经〉用韵看它的成书年代》一文通过研究《上清大洞真经》的用韵,认为《上清大洞真经》的用韵特征、七言韵文的体式特征与魏晋时期的用韵完全一致,因此将《上清大洞真经》的年代断为晋代[⑤]。

第四,认为《上清大洞真经》的成书年代为较晚的宋代。持这种观点的学者以施舟人为代表。施舟人在《道藏通考》中对《上清大洞真经》的年代作出了截然不同的判断,施舟人认为:“上清经中最核心的经典——《上清大洞真经》,在《道藏》中有数种版本,这些版本皆可断为宋代(960—1279 年)以降”[⑥]。

---

① 参见张超然:《系谱、教法及其整合:东晋南朝道教上清经派的基础研究》,台北:台湾“国立政治大学”博士论文,2008 年,第 228 页。

② 任继愈:《道藏提要》,北京:中国社会科学出版社 1991 年版,第 4 页。

③ 朱越利:《道藏分类解题》,北京:华夏出版社 1996 年版,第 280 页。

④ 胡孚琛:《中华道教大辞典》,北京:中国社会科学出版社 1995 年版,第 234 页。

⑤ 参见夏先忠、俞理明:《从〈上清大洞真经〉用韵看它的成书年代》,《敦煌学辑刊》2010 年第 4 期。

⑥ Kristofer Schipper and Franciscus Verellen, *The Taoist Canon—A Historical Companion to the Daozang*, Volume I, The University of Chicago Press, 2004, pp.137—138.

第五,对《上清大洞真经》中原始真经和后人篡入部分的考证。比较有代表性的观点认为六卷本《上清大洞真经》比较接近陶弘景所见的大本《大洞真经》。六卷本《上清大洞真经》的总体结构为:一、朱自英序;二、诵经玉玦;三、三十九章经;四、廻风混合帝一秘诀;五、程公端《后序》;六、张宇初、《后序》。六卷本的篇章结构分别为:一、章名;二、存念身神;三、大洞玉经;四、玉清王祝;五、天上内音地上外音;六、消魔玉符。其中的"大洞玉经"、"玉清王祝"可以确定是小本《大洞真经》的组成部分,"天上内音地上外音"也可能是小本的组成部分,而"存念身神"和"消魔玉符"部分则为后人所加。而"大洞玉经"、"玉清王祝"和"天上内音地上外音"的分类标题恐怕也是后人所加。①

第六,对上清派发展过程中存在着三种诵读《大洞真经》的新教诀的总结。三种新教诀分别为"玉清之教"、"灭魔神慧"以及"高上《大洞》口诀"。玉清之教,便包含有定位为《大洞真经》口诀的《高玄真经》。被称为"高上《大洞》口诀"的《内祝隐文》则在《灭魔神慧》的基础上发展出对应于三十九章经的存思法,并结合原本既已存在的祝文,提出诵读《大洞真经》必须同时施用存思法与祝法的新教诀。《灭魔神慧》自身则自我定位为诵读《大洞真经》前应当先行的预备仪式,并以高玄真人口诀的形式详细描述了这个仪式的繁复内容。张超然认为:"在杨、许之后,上清经法继续流传并得到进一步的发展,其中为了因应末世预言失效所提出的玉清之教,便包含有定位为《大洞真经》口诀的《高玄真经》。其中的《灭魔神慧》有系统地整理了原本散见于《大洞真经三十九章》经文中的身神,而被称为'高上《大洞》口诀'的《内祝隐文》则在《灭魔神慧》的基础上发展出对应于三十九章经的存思法,并结合原本既已存在的祝文,提出诵读《大洞真经》必须同时施用存思法与祝法的新教诀;而《灭魔神慧》自身则自我定位为诵读《大洞

① 参见张超然:《系谱、教法及其整合:东晋南朝道教上清经派的基础研究》第八章《大洞真经的实践与发展》,台北:台湾"国立政治大学"博士论文,2008年,第231—234页;Kristofer Schipper and Franciscus Verellen, *The Taoist Canon—A Historical Companion to the Daozang*, Volume II, The University of Chicago Press, 2004;施舟人:pp. 1043—1045。

真经》前应当先行的预备仪式，并以高玄真人口诀的形式详细描述了这个仪式的繁复内容；最后则以后圣口诀的形式，总结了上述两种诵读《大洞真经》的新教诀，而为未来的大洞经法乃至今本《大洞真经》的形式提供了重要的发展蓝图，可以说如果以今本《大洞真经》作为上清经派乃至茅山宗坛内部所流传之大洞经法的最后发展成果，那么《高玄真经》的成立几乎已为这个发展推上了巅峰，其余如《太丹隐书洞真玄经》、《四极明科》、《黄素四十四方经》、《太极隐注玉经宝诀》虽也各自提出零星教诀，但其对于经法发展的影响程度实在有限。"①

朱自英序、蒋宗瑛校勘的《上清大洞真经》六卷有以下主要内容：

朱自英序指出：上清有三十九帝皇，道有《三十九章经》，人身中有三十九户，修炼者若存思每章经之一神，神即下降守护诵经者身中之一"户"（身体之一定部位），"开生门"，"塞死户"；并谓"当苦斋三年，乃得读之"，诵咏万遍，即可"乘云驾龙，即日升天"，"是谓上登上清"。②

该经第一卷为《诵经玉诀》，叙修炼者在登斋入靖诵咏《大洞真经》三十九章之前的存思礼仪，包括叩齿、咽津、行炁、存思及咒祝等，并载有《入室存思之图》。在这套宗教礼仪当中，有三点值得注意：

其一，为存思五方之炁。其主要内容是："东向冥心叩齿九通，阴诵《太帝君素语内咒》：'苍元浩灵，少阳先生，九炁还肝，使我魂宁……'毕，口引东方青阳之精，青炁；因闭炁九息，咽炁九过，使布满肝腑之中，结作九神，青衣冠，状如木星，下布肝内。""南向冥目叩齿三通，阴诵《天帝君素语内咒》：'赤庭绛宫，上有高真，三气归心，是我母心……'毕，口吸南方丹灵之精，赤炁；因闭炁三息，咽津三过，使充布心腑之中，结作八神，赤衣冠，状如火星，下布心内……西向冥目叩齿七通，阴诵《南极上元君素语内咒》：'素元洞虚，天真神庐，七炁守肺，与神同居……'毕，口吸西方金魂之精，白炁；因闭炁七息，咽津七过，使充布肺腑之中，结作七神，素衣冠，状如金星，下布肺内。""北向冥目叩齿五通，阴诵《后圣帝君素语内咒》：'玄元北极，太上之

① 参见张超然：《系谱、教法及其整合：东晋南朝道教上清经派的基础研究》第八章《大洞真经的实践与发展》，台北：台湾政治大学博士论文，2008 年，第 247 页。

② 《道藏》第 1 册，第 512—513 页。

机，五气卫肾，龟玉参差……’毕，口引北方玄曜之精，黑炁；因闭气五息，咽津五过，使充布肾腑之中，结作五神，黑衣冠，状如水星，上入绛宫，左三右二，分入两膀胱，穿尾闾穴，上充布两肾间。”“正向本命上冥目叩齿十二通，阴诵《太微天帝君素语内咒》：‘黄元中帝，本命之神，一气侍脾，使我得真……’毕，口引中央高皇之精，黄炁；因闭炁一息，咽炁十二过，使充布脾腑之中，结作十二神，黄衮冕，状如土星，下布脾内。”①按其内容，可列表如下：

方位	口吸之精	炁色	形状	下布人身部位
东方	青阳之精	青炁	木星	肝脏
南方	丹灵之精	赤炁	火星	心脏
西方	金魂之精	白炁	金星	肺
北方	玄曜之精	黑炁	水星	肾
中央	高皇之精	黄炁	土星	脾脏

可见存思五方之炁的基本思想，是以东南西北中五方为基础，配以五行、五炁、五色、五脏。这种五方坛结构的方式，与古灵宝《五篇真文》和《五符序》有些相似，甚至东九、南三、西七、北五、中一的数字排列也彼此相同，下一节介绍《灵宝经》时还将叙述。它明显受有阴阳五行思想的影响，在道教中亦相沿已久。从这里也可看出，早期的上清思想和早期的灵宝思想，有一定相通之处。

其二，为存思日月法。其主要内容是："口吸日月一息炁，分三九咽，结作二十七帝君"，其中"九帝下入绛宫，穿尾闾穴，上入泥丸；又九帝亦下穿绛宫，入下关之境；又九帝入中关之境。令日光使照一身，内彻泥丸，下照五脏肠胃之中，皆觉洞照于内外，令一身与日月之光共合。良久，叩齿，用‘嘻’字吐息。"②

其三，为存思二十四星，注云："此法每日行住坐卧，皆可修之。"主要内

① 《道藏》第1册，第516—518页。
② 《道藏》第1册，第518页。

容是:"口吸二十四星一息炁,咽津二十四过,时觉吞一星从口中径至脐中,又觉星光映照于一腹之内,洞彻五脏,又存星光化为二十四真人,并口吐黄炁如烟,以布脐中,郁郁然洞彻内外,良久,用'呼'字吐息。"①

我们知道,南北朝时陶弘景所撰《养性延命录》中最早记载了关于吐纳法中有关吐气的"吹、呼、嘻(一作唏)、呵、嘘、呬"六个方面,现今气功学上称之为"六字诀",可用于疗病,陶弘景说是"出自仙经"。但此处仅提到"嘻"、"呼"两字,疑陶氏所记,或源于此。

《上清大洞真经》卷二至卷六,为《三十九章经》,每章各记神真名字和所镇守的人身部位及其功能。修炼者在咏诵某章经时,首先"谨请"神真某某,再"真思"该神真降生不同颜色的真炁为神云,罩于修炼者的头顶;再"次思"此神云从泥丸中入,乃口吸神云,咽津若干过,则真炁结作若干神,在人体内运行,经过一定的关窍,达到神真所镇守的部位,修炼者然后咏诵《大洞玉经》,默念咒祝,佩带各神真的"消魔玉符","存呼"神真名字,请求发挥其护卫功能。这便是每章经的存思过程和诵经大要。在三十九章之后,还有《徊风混合帝一秘诀》作为结经,谓修炼存思之法者,在诵咏三十九章之后,便应闭目存思此百神变成白炁,混沌如白云之状,从玄虚中来入口中,良久,从玉茎、两脚底、两手心出;良久,白炁忽复变成紫云,从口入头并五脏之内,充满腹内,良久,紫云又从两脚底、两手心、下部玉茎中出。须臾,存见紫云之炁充满左右及一室之内,又存见口中出风炁吹扇紫云之烟,乃徊转更相缠绕,忽结成一真人,号曰"大洞帝一尊君";尊君口左有日光,口右有月光,口吐徊风之炁,吹此日月之光,皆郁郁变成白色或紫色,令光炁下入修炼者五脏六腑百节,一身之内,洞彻朗然,内外如白日之状,良久,忽然忘身。事讫,神炁已定,觉身体轻清,精神开爽,乃叩齿三十九通,两手拭面,再念颂咒,心拜四方,乃起。至此,三十九章全部存思过程,始告结束。

《大洞真经》所说的存思之法,是上清派典型的修炼方法。南宋程公端称此经之宗旨是"存心养性以事天,聚精会神而合道"②。明张宇初谓此经

① 《道藏》第1册,第519页。
② 《道藏》第1册,第554页。

所说的“修炼之道”，皆“本于养炁存神，逐物去虑，然后炁凝神化，物绝虑融，无毫发之间碍，而后复乎溟涬混沌之始”①。据此，则和《黄庭经》的思想相似，亦可谓之养生之书。但其内容充满了神秘色彩，涉及神名甚多，所说存思过程的请神、念咒、佩符等等，均属宗教仪式；其中将存思分为“真思”和“次思”等不同步骤，似嫌烦琐；而且它在记载一些关窍名称如泥丸、绛宫、脐等，无相应的“三丹田”、“三黄庭”之说，记载“两脚心”、“两手心”等而无相应的“涌泉”、“劳宫”之说，这与道教早期经典《太平经》中“守一”的主窍记载有些近似，而与上清派的另一经典《黄庭经》相比较，则显得相当原始。从以上这些特点来看，似是上清派的早期著作。本书所主述的“存思法”和百脉关窍皆有主神之说以及“内视”作用等，在《黄庭经》中已有发展。

三、《黄庭经》及其主要思想

现传《黄庭经》有《黄庭内景经》、《黄庭外景经》、《黄庭中景经》三种，但中经出世较晚，这里可暂置不论。六朝以前则仅指《黄庭内景经》和《黄庭外景经》。现存的《黄庭经》的各种版本和注解大约有以下数种：

《太上黄庭内景玉经》一卷，《道藏》三家本，第5册。

《太上黄庭内景玉经》三卷，（汉）东方朔等注。

《上清黄庭内景经》一卷，（唐）务成子注。《道藏精华》第一集之九。

《黄庭内景玉经注》一卷，（金）刘处玄解，《道藏》三家本，第6册。

《黄庭内景玉经注》三卷，（唐）梁丘子撰，《道藏》三家本，第6册，《道藏》本《修真十书》卷五十五至五十七。

《太上黄庭内景玉经》一卷，（唐）梁丘子注，《重刊道藏辑要》尾集。

《太上黄庭内景玉经注》，《藏外道书》第10册。

《太上黄庭内景玉经》童注二卷图书说一卷，（明）邵穆生撰，养和堂丛书。

---

① 《道藏》第1册，第554页。

《黄庭内景经》一卷,(清)蒋国祚注,《重刊道藏辑要》尾集,《藏外道书》第10册。

《上清黄庭内景经》,《藏外道书》第9册。

《太上黄庭外景经》,《藏外道书》第9册。

《太上黄庭外景玉经》三卷,《道藏》三家本,第5册。

《太土黄庭外景经》一卷,(唐)务成子注,《道藏精华录》第9集。

《黄庭外景玉经注》三卷,(唐)梁丘子撰,《道藏·修真十书》第4册。

《太上黄庭外景经》一卷,(唐)梁丘子注,《重刊道藏辑要》尾集,《道藏精华》第1集之九。

《太上黄庭中景经》一卷,李千乘注,《道藏》三家本,第34册。

《黄庭经秘义》,(明)冷谦,台北自由出版社1958年版。

《黄庭外景经》三卷,(清)蒋国祚注,《重刊道藏辑要》尾集。

《黄庭内外玉景经解》一卷,(宋)蒋慎修撰,《道藏》三家本,第6册。

《太上黄庭经发徽》二卷,(清)董德宁注,《道贯真源》。

《黄庭经解》一卷,(清)刘一明撰,《道书十二种》,《藏外道书》第8册。

《黄庭经阐注》,(清)杨任芳注。

《黄庭经笺注》,(清)郰郡救斋主人注。

《黄庭外景阴符经合注》,(清)石和阳,台北自由出版社1959年版。

《黄庭经讲义》,陈樱宁,《藏外道书》第26册。

《黄庭经注》,李伯阳,香港三峰学院。

《黄庭经》的诸版本被学术界归纳为甲乙丙丁四种:

甲,《云笈七籤》本,《道藏》优字号,务成子注本。

乙,《洞玄部·本文类》本,《道藏》人字号,《内景》、《外景》原文。

丙,《洞玄部·玉玦类》本,《道藏》推字号,梁邱子注本。

丁,《洞真部·方法类·修真十书》本,《道藏》菜字号,梁邱子注本。在这四种版本中,甲本和丁本的为较早收录本。其中,甲本是北宋张君房在监写《大宋天宫宝藏》之后集萃而成的《云笈七籤》的注本,在宋仁宗即位(1022年)后不久。甲本虽辑录时间早于丁本,但究其渊源,则晚于丁本。而丁本则是北宋末、南宋初真人石泰所辑。乙本与丁本多同,很可能出自《三洞琼纲》所收本。丙本的经文、注文多于甲本同，而于乙本、丁本异。[①]

历来关于黄庭内外经的作者、成书年代及其学说源流有以下两种观点：(1)《黄庭外景经》在先说，持这种观点的人多指称《黄庭外景经》是《黄庭内景经》的缩减本。(2)《黄庭内景经》在先说，持这种观点的人多指称《黄庭内景经》是《黄庭外景经》的义疏和推演。

（一）《黄庭外景经》在先说

持这种观点的有宋代的欧阳修、周必大，清代的郯郡敉斋主人以及当代的李养正先生、施舟人、虞万里、杨福程、龚鹏程等人。欧阳修《集古录跋尾·黄庭经四首》说："余尝患世人不识其真，多以《黄庭内景经》三十六章为本经，因此永和一篇为之注解。"[②]他以《黄庭外景经》有永和刻石为证，便认为《黄庭外景经》应早于《黄庭内景经》，《黄庭内景经》乃《黄庭外景经》之义疏。周必大《题向乡林家所藏山谷南华玉篇》云："《黄庭外景》一篇，世传魏晋时道家者流所作。自王逸少以来，高人胜士，皆善书之。此三十六篇，乃其义疏，名为《黄庭内景经》，盖养生之枢要也。"周必大认为《黄庭内景经》乃《黄庭外景经》之义疏，是对《黄庭外景经》的衍申、发挥、诠释或补充。[③] 郯郡敉斋主人认为《黄庭内景经》当由《黄庭外景经》所"推演"。[④] 李养正先生则认为《黄庭外景经》约出于西晋初年道士王褒之手，而《黄庭内景经》则为魏华存所创，由杨羲、许谧等人所增饰。[⑤]

施舟人则将《太上黄庭外景玉经》断为公元255年(三国晚期)之前，即在东汉至三国之间(马伯乐也是这样断代的)。提及《列仙传》中朱璜提到《黄庭经》，此外《正一法文天师教诫科经》(断代为255年)，亦将《黄庭经》列为修道者学习的重要经文。《黄庭经》中文字亦被《上清黄书过度仪》中

① 参见虞万里：《黄庭经新证》，《榆枋斋学术论集》，南京：江苏古籍出版社2001年版，第513页。

② 《集古录》卷10，《文渊阁四库全书》史部·目录类·金石之属，第681册，第136页。

③ 参见(宋)周必大：《益公题跋》卷11。

④ 参见(清)郯郡敉斋主人注：《黄庭经笺注》。

⑤ 参见李养正：《道教概说》，北京：中华书局1989年版。

所用。《黄庭经》亦是葛洪《抱朴子》所著录的道书之一。① 此外,施舟人还将《太上黄庭内景玉经》断为东晋(317—420 年),认为《黄庭内景经》是后来被称作《太上黄庭外景玉经》一书的扩充文本。《太上黄庭内景玉经》,是否存在于降示杨羲之前,尚不能确定,但它确实与上清派的早期发展有关。见诸杨羲手迹的经书钞本的残篇已被递传于后世。②

虞万里先生认为"黄庭"一名,最早见于东汉边韶《老子铭》中"出入丹庐,上下黄庭",西汉文献中尚无此名。③ 他主要是通过对《黄庭外景经》和《黄庭内景经》之韵例分析对比来考证两者的关系的。虞万里先生称:"《外景经》之韵例似比《内景经》更古更早;《外景经》韵例可早到西汉,晚不过三国,而以东汉最有可能。《内景经》韵例与东汉魏晋持文用韵相合,而以魏晋尤为可能。"④虞万里先生将《黄庭外景经》和《黄庭内景经》的关系总结为:"东汉似已有黄庭内修诀在流传,后来天师道曾修改并作为教课之经。至汉末魏初,《黄庭经》(《外景》)基本成形。晋初魏夫人以天师道祭酒身份得《黄庭经》,因职责关系,为《外景》作传。由于传对养生修炼的方法阐述得更详密完备,且传人杨、许等在晋代道教中影响较大,故流传更广。因传对人体中诸神及功能作了较详细的描述,故成为《内景》或《黄庭内景经》。迨此名广为流传后,不知'内景'之义者惑于《庄子》《抱朴子》内外篇之名,称原《黄庭经》为《外景经》,以与《内景经》相对。其实名目虽异,所言仅详略不同而已。"⑤

杨福程先生则认为《黄庭外景经》产生于东汉中期或晚期,约于《太平经》同时或稍后,作者已不可考;《黄庭内景经》产生于西晋太康九年(288

---

① Cf. Kristofer Schipper and Franciscus Verellen, *The Taist Canon—A Historical Companion to the Daozang*, Volume I, The University of Chicago Press, 2004, pp.96—97.

② Cf. Kristofer Schipper and Franciscus Verellen, *The Taist Canon—A Historical Companion to the Daozang*, Volume I, The University of Chicago Press, 2004, P184—185.

③ 参见虞万里:《黄庭经新证》,《榆枋斋学术论集》,南京:江苏古籍出版社 2001 年版,第 513 页。

④ 虞万里:《黄庭经用韵时代新考》,《榆枋斋学术论集》,南京:江苏古籍出版社 2001 年版,第 570 页。

⑤ 参见虞万里:《黄庭经新证》,《榆枋斋学术论集》,南京:江苏古籍出版社 2001 年版,第 539 页。

年)，作者是魏华存。《黄庭外景经》本名《黄庭经》，由于有了《黄庭内景经》，故被称为《黄庭外景经》；由于二景经所称作者不同，故又有“太上”、“上清”等不同之冠词。《黄庭外景经》和《黄庭内景经》一样，是讲身内景象和存思身内之神，因此，名之为《黄庭外景经》并无道理。①

龚鹏程先生亦认同《黄庭外景经》在先《黄庭内景经》在后的说法，他认为两经既非一为原著、一为其义疏之关系，也不是一为原著、一为删节本的关系。原因就在于魏晋南北朝之义疏存世尚多，体例和《黄庭内景经》均不相同。因此，认为《黄庭内景经》为《黄庭外景经》之义疏的观点，很难成立。《黄庭外景经》也不是据《黄庭内景经》删繁就简而成，因为两经的理论并不相同，不只是文句上有繁简之殊而已。②

（二）《黄庭内景经》在先说

持这种观点的主要有两类人，一类为学者，另一类则是道门中人。学者中主要是清代的学者，还包括当代学者的王明先生。他们的论述包括清代蒋国祚《黄庭经注》、董德宁《黄庭经发微》及当代王明先生的《黄庭经考》。道门中人则包括唐梁丘子、务成子，金刘处玄，清刘一明、涵虚子等人。

清代蒋国祚《黄庭内景经注》则认为：“内景者，内中景象，举一概三。外景者，引申内景法象，赞叹而演文辞也。”认为《黄庭外景经》是《黄庭内景经》的引申。清乾隆间董德宁亦说《黄庭外景经》系“隐括内篇之旨，重为解说人身之诸神，以畅述修炼之微义”。王明先生则是《黄庭内景经》在先说的代表人物，他于 1948 年发表《黄庭经考》一文中曾作了详细的考证。王先生认为，魏晋之际，民间似已有秘藏的七言韵语《黄庭》草本。大约在晋武帝太康九年(288 年)左右，魏华存得到这个《黄庭》草本，并予注述；或有道士口授，华存记录，详加诠次，撰为定本。这便是《魏夫人传》所谓景林真人授与的《黄庭内景经》。晋成帝咸和九年(334 年)，魏华存逝世，《黄庭外景经》大约也在这时出世。乃系东晋能文之士，本《黄庭内景经》之旨，缀纂

① 参见杨福程：《〈黄庭〉内外二景考》，《世界宗教研究》1995 年第 3 期。
② 参见龚鹏程：《黄庭经论》，《道教新论》，北京：北京大学出版社 2009 年版，第 142—143 页。

而成。这是主张《黄庭内景经》先出,《黄庭外景经》后出。① 《黄庭外景经》是《黄庭内景经》"简明重演",王明的这一观点影响最大,目前很多工具书多引用其观点。

此外,值得注意的是道门中人的观点。如唐梁丘子、务成子,金刘处玄,清刘一明、涵虚子等人之注,几乎众口一词,皆认为《黄庭内景经》在《黄庭外景经》之先。可见道教内部应是对《黄庭内景经》更为重视的。涵虚子紫霞甚至说:

黄庭皆太上化身所作。《女仙传》云:《录图》作《黄庭经》五十卷,先传颛顼,继授蘱姑,约五十卷为一卷,名曰《外景》;继授东华,又因"内景"之义,再约一卷以传之,名曰《外景》。东华传魏夫人,夫人并传于后,故皆云化身作也。

或问:《外景经》既因《内景》约编,如何《外景》一卷又称尧时务成子著?《内景》一篇反在晋时始出?紫霞曰:《内景》在颛顼后传蘱姑,《外景》继此而著。当时两经并隐,至汉而《外景》始大显,至晋而《内景》始大显,亦因缘之适然耳。不得以《外经》早出,疑其为先《内景》而作也……

或谓:玉宸乃灵宝天尊号。《内景经》不书老君而书玉宸君,何也?曰:老君著《黄庭内景经》,化身玉宸君,其居无垢天宫,玉即无尘之义,宸乃帝居通称……"②

说两部书都是太上老君所作,但先作的乃是《黄庭内景经》。后来才把《黄庭内景经》再缩编成一个节本,就成为《黄庭外景经》。流传人间时,因偶然因素,《黄庭外景经》先问世了。他另有一篇《黄庭引》云:"玉宸演之为式程,老子删之存其精……玄门一柱撑昆仑,承先启后两卷经",所说即是此意。道门中人的这种观点和立场,跟他们宗教神圣传统有很大的关系。

以上的两种观点,我们认为第一种观点,即《黄庭外景经》在先说,也许

---

① 参见王明:《道家和道教思想研究》,北京:中国社会科学出版社 1984 年版,第 324—371 页。

② 蒲团子编订:《李涵虚仙道集》,香港:心一堂出版社 2010 年版,第 199—200 页。

接近历史事实，当然这还需要寻找更多的史料证据。

与此相关联，诸家对“黄庭”的含义也有着不同解释：

据《云笈七籤》卷十一《上清黄庭内景经》务成子注叙说：“此经以虚无为主，故用‘黄庭’标之耳，其景者，神也。”①《云笈七籤》卷十二务成子《太上黄庭外景经序》又说：“黄者，二仪之正色；庭者，四方之中庭。近取诸身，则脾为主；远取诸象，而天理自会。然谷神不死，是谓玄牝，是以宝其生也。”②又《道藏》本《黄庭内景玉经》梁丘子注序：“黄者，中（央）之色也；庭者，四方之中也。外指事，即天中人中地中；内指事，即脑中心中脾中，故曰‘黄庭’。内者，心也；景者，象也。外象谕，即日月星辰云霞之象也：内象谕，即血肉筋骨脏腑之象也。心居身内，存观一体之象色，故目‘内景’也。”③王明先生《黄庭经考·释题》说：“按黄庭三宫，上宫脑中，中宫心中，下宫脾中，黄为中央之色，庭为四方之中，并具中义。内景者，含气养精，内视神象：似义取双关。”④

上述注释，大同小异，可以帮助我们对“黄庭”、“内景”的理解。下面分别介绍经文的主要内容。

《黄庭内景经》一名《太上琴心文》，一名《东华玉篇》，一名《大帝金书》（指扶桑大帝金简刻书）。历代称它是魏晋间道士养生之书，梁丘子注释叙说它是“学仙之要妙”，“羽化之根本”⑤。其实，它并非是一般的药物养身、术数延命之类，而是一部以祖国医学人身脏腑各自有所主的理论为基础，结合道教人身百脉关窍各有司神之说，以七言韵文的形式，提示以“存思”为主的修炼要诀，系宗教思想与医学互相糅合的一种道书。因它为早期上清派所崇奉，故又称《上清黄庭内景玉经》。

《黄庭内景经》也和早期道教经典《太平经》一样，包含了部分医学理论。它继承古代医经如《灵枢》、《素问》等关于五脏六腑之生理的学说，分

① （宋）张君房：《云笈七籤》卷11，《道藏》第22册，第62页。
② （宋）张君房：《云笈七籤》卷12，《道藏》第22册，第89页。
③ 《道藏》第6册，第516页；又《云笈七籤》卷11，《道藏》第22册，第65页《释题》，文字略异。
④ 王明：《道家和道教思想研究》，北京：中国社会科学出版社1984年版，第328页。
⑤ （宋）张君房：《云笈七籤》卷11，《道藏》第22册，第62页。

别论述了人体各主要器官之大略及其主要生理作用,其中有14章着重阐明了人身五脏(心、肝、脾、肺、肾)及胆腑的生理功能。分别举例简述如下:

关于“心”的生理功能,它说:

主适寒热荣卫和……调血理命身不枯,外应口舌吐五华。①

心典一体五脏王……昼甘曜景暮闭藏,通利华精调阴阳。②

祖国医学认为,心为生之本,主神明。经文以心藏血液,又为栖神之宅,故称脏腑之王。谓心能适寒热,和荣卫,通血脉,调阴阳。又谓心开窍于口舌,能吐纳五脏之气,辨识五行之味。人能心安,则体和无病而身不枯。

关于“肝”的生理功能,它说:

主诸关镜聪明始……和制魂魄津液平,外应眼目日月清。③

上合三焦下玉浆,玄液云行去臭香,治荡发齿炼五方,取津玄膺入明堂,下溉喉咙神明通。④

肝主谋虑、魂之居,藏血。经文以肝开窍于目,如日月之明,五行之关镜。谓肝气上与三焦气合,下为口中津液,津液自玄膺、明堂入丹田,真气固流,百骸滋润,则无灾病。

关于“脾”的生理功能,它说:

消谷散气摄牙齿……主调百谷五味香,辟却虚羸无病伤,外应尺宅气色芳,光华所生以表明。⑤

脾长一尺掩太仓……治人百病消谷粮。⑥

脾神还归是胃家,耽养灵根不复枯……万神方胙寿有余,是谓脾建在中宫,五藏六腑神明主……通利血脉五藏丰,骨青筋赤髓如霜,脾救七窍去不详。⑦

---

① 《上清黄庭内景经·心部章第十》,《云笈七籤》卷11,《道藏》第22册,第70—71页。
② 《上清黄庭内景经·心典章第三十一》,《云笈七籤》卷12,《道藏》第22册,第85页。
③ 《上清黄庭内景经·肝部章第十一》,《云笈七籤》卷11,《道藏》第22册,第71页。
④ 《上清黄庭内景经·肝气章第三十三》,《云笈七籤》卷12,《道藏》第22册,第85—86页。
⑤ 《上清黄庭内景经·脾部章第十三》,《云笈七籤》卷11,《道藏》第22册,第72页。
⑥ 《上清黄庭内景经·脾长章第十五》,《云笈七籤》卷11,《道藏》第22册,第73页。
⑦ 《上清黄庭内景经·隐藏章第三十五》,《云笈七籤》卷12,《道藏》第22册,第87页。

脾为仓廪之本,纳五谷,生五味,化糟粕。经文以脾居中央,横在胃上,外应于面色。谓脾胃相舍得宜,磨食消性,供应营养,则通利血脉,骨健筋强,丰润肌肤,营养全躯,而年寿有余。故它重视脾的功能,称为下黄庭宫,谓为人体之根本,五脏之要枢。

关于"肺"的生理功能,它说:

七元之子主调气,外应中岳鼻齐(脐)位。①

肺之为气三焦起……调理五华精发齿,三十六咽玉池里,开通百脉血液始,颜色生光金玉泽,齿坚发黑不知白。②

肺为气之本,状似华盖。"中岳"指鼻,为七气之门。经文以肺开窍于鼻,布气于七窍,主耳目聪明。又谓肺气起于三焦,能调理五脏之元气,人若能咽津液入丹田,则外荣肤发,百节通利,颜面光泽,返老还婴。

关于"肾"的生理功能,它说:

主诸六府九液源,外应两耳百液津……上致明霞日月烟。③

两肾之神主延寿。④

肾者精之处,先天之本,元气之根,主骨。经文谓五脏六腑(胆、胃、小肠、三焦、膀胱)九液(九窍之津液)交连,则百脉流通。肾开窍于耳,肾气充足,耳目聪明,筋骨强健;肾气衰,则耳聋身弱。又肾藏精,谓人能止精则长寿。

关于"胆"的生理功能,它说:

胆部之宫六府精……主诸气力摄虎兵,外应眼童鼻柱间,脑发相扶亦俱鲜。⑤

胆主决断,祖国医学以"胆"中正果决无私偏,故认为"凡十一藏,取决于胆"。经文谓胆为六腑之精。人若胆、力互用,能摄虎兵。又谓胆外应于眉目之间,喜怒皆行于此,愤则发上冲冠。

如上所述,祖国医学对脏腑功能认为是各有所主,故《素问 · 灵兰秘典

① 《上清黄庭内景经 · 肺部章第九》,《云笈七籤》卷11,《道藏》第22册,第70页。
② 《上清黄庭内景经 · 肺之章第三十四》,《云笈七籤》卷12,《道藏》第22册,第86—87页。
③ 《上清黄庭内景经 · 肾部章第十二》,《云笈七籤》卷11,《道藏》第22册,第72页。
④ 《上清黄庭内景经 · 经历章第三十二》,《云笈七籤》卷12,《道藏》第22册,第85页。
⑤ 《上清黄庭内景精 · 胆部章第十四》,《云笈七籤》卷11,《道藏》第22册,第73页。

论》指出:“凡此十二官(心、肺、肝、胆、膻中、脾、胃、大肠、小肠、肾、三焦、膀胱)不得相失也。故主明则下安,以此养生则寿;殁世不殆,以为天下则大昌。主不明则十二官危,使道闭塞而不通,形乃大伤,以此养生则殃。”①《黄庭内景经》吸取这一思想,并将它运用于养生方面,作为修炼法中的功理,这是它的合理部分。故经中的修炼法,乃是针对使脏腑功能“主明而安”、“养生则寿”而进行的。但它毕竟是宗教著作,因而这种合理因素,是包含在神学思想之中的。现在就来考察它的神学思想。《黄庭内景经》继承了《太平经》五脏有神及存思即可除病之说②,认为人身脏腑各有司主之神,并假神以托用,谓人是集万神于一体的,即所谓“散化五形变万神”③,并由此提出了人身有“八景神”和“二十四真”,说什么“兼行形中八景神,二十四真出自然”④。所谓八景二十四真,乃是将人身分为上、中、下三部,每部各有八景神镇守。上部八景神镇在人身上元宫中,中部八景神镇在人身中元宫中,下部八景神镇在人身下元宫中。谓人若能存思三部八景二十四真神,则三田五脏真气调柔而无灾病,以致乘云飞仙。这些都和《大洞真经》的修炼思想颇为相似。《真诰》卷九《协昌期第一》亦有此记载,陶弘景注说:“此答咨《二十四神经》中修存之意,亦是秘诀。”⑤

不论是五脏神,或二十四真,都是强调人身百脉关窍各有司主之神,“千千百百自相连,一一十十似重山”⑥,指人修炼时,潜神入静后,存见身神,可见万神重叠的安坐景象。《黄庭内景经》中这种有关阐述身神的内容,体现了上清经法的根本。

考道教文献中,对三部八景神的名字,服色,形长,均各有异说。但在《黄庭内景经》中仅记载了头面七神、五脏及胆腑六神。故务成子在《上清黄庭内景经注序》中说:“其经有十三神,皆身中之内景名字。”⑦所谓面部

---

① 参见姚春鹏译注:《黄帝内经》,北京:中华书局2009年版,第65页。
② 见《太平经》卷72《斋戒思神救死诀第一百九》,《道藏》第24册,第464—468页。
③ 《上清黄庭内景经·上清章第一》,《云笈七籤》卷11,《道藏》第22册,第65页。
④ 《上清黄庭内景经·治生章第二十三》,《云笈七籤》卷12,《道藏》第22册,第80页。
⑤ (南朝)陶弘景:《真诰》卷9,《道藏》第20册,第537页。
⑥ 《上清黄庭内景经·若得章第十九》,《云笈七籤》卷11,《道藏》第22册,第77页。
⑦ (宋)张君房:《云笈七籤》卷11,《道藏》第22册,第62页。

七神,俱载于《黄庭内景经·至道篇第七》,其说如下:

发神苍华字太元。①

盖谓发色有白与黑,故名"苍华"。发居头上,故字"太元"。

脑神精根字泥丸。②

盖谓脑如一丸之地,而守一身之要,故字"泥丸"。又称脑为丹田之宫,黄庭之舍,百神之主,人精所根,故名"精根"。

眼神明上字英玄。③

谓眼谕日月,在人头上,故名"明上"。"英玄"象眼瞳之精色,故以为字。

鼻神玉垄字灵坚。④

盖谓鼻形如垄,其骨似玉,故名"玉垄"。又谓神气通天,出入不竭,故字"灵坚"。

耳神空闲字幽田。⑤

凡空闲幽静,听物则聪,故名"空闲"。"田"系神之所居,故字"幽田"。

舌神通命字正伦。⑥

咽液以舌,性命得通,故名"通命"。辨识五味,各有伦理,故字"正伦"。

齿神崿锋字罗千。⑦

牙齿坚利如剑锋,故名崿锋。又摧罗众物而食之,故字"罗千"。

所谓五脏及胆腑六神,俱载于《黄庭内景经·心神章第八》,其说如下:

心神丹元字守灵。⑧

道教强调"心"在修炼中的作用,谓心与神通,静为心,动为神。视心为脏腑之元,栖神之宅,又南方火色,故名"丹元"字"守灵"。

肺神皓华字虚成。⑨

---

① 《上清黄庭内景经·至道章第七》,《云笈七籤》卷11,《道藏》第22册,第69页。
② 《上清黄庭内景经·至道章第七》,《云笈七籤》卷11,《道藏》第22册,第69页。
③ 《上清黄庭内景经·至道章第七》,《云笈七籤》卷11,《道藏》第22册,第69页。
④ 《上清黄庭内景经·至道章第七》,《云笈七籤》卷11,《道藏》第22册,第69页。
⑤ 《上清黄庭内景经·至道章第七》,《云笈七籤》卷11,《道藏》第22册,第69页。
⑥ 《上清黄庭内景经·至道章第七》,《云笈七籤》卷11,《道藏》第22册,第69页。
⑦ 《上清黄庭内景经·至道章第七》,《云笈七籤》卷11,《道藏》第22册,第69页。
⑧ 《上清黄庭内景经·至道章第七》,《云笈七籤》卷11,《道藏》第22册,第69页。
⑨ 《上清黄庭内景经·至道章第七》,《云笈七籤》卷11,《道藏》第22册,第69页。

肺为心之华盖，其质清虚，其色皓白，西方金之色，故名“皓华”字“虚成”。

肝神龙烟字含明。①

肝位木行，木生火，得火而烟生，日出东方，东方青龙之色又肝主目，故名“龙烟”字“含明”。

肾神玄冥字育婴。②

肾属水，故名“玄冥”，肾精为子，故字“育婴”。

脾神常在字魂停。③

脾为中央土位，乃黄庭之宫，故名“常在”。又脾磨食消，神康力壮，故字“魂停”。

胆神龙曜字威明。④

《黄庭内景经》在六腑中只提及胆，因以胆为六腑之精。胆色青黄，故名“龙曜”。胆主勇捍，故字“威明”，盖取东方青龙雷震之象。

从以上分析可以看出，这些头面、脏腑十三神的名和字，皆非随意性的，而是根据人身各器官的主要功能、所在位置和色、气、形状、譬喻、景象、五行方位等，在“假神以托用”的前提下概括出来的，它认为正是靠了这些神的主宰，人体正常的生理活动才能维持，才能“形与神具”。这些神虽有别于超自然的神的力量，却也渗透着魏晋道士的宗教神学观点。不过，在某种程度上，也可以说，这是一些主宰人体生理活动的“功能神”。

《黄庭内景经》还着重阐述了“存思法”，又叫“存想法”。这本是古代的一种关于人体内修方面的养生方法，道教吸收过来作为一种修炼方术。早期道教《太平经》中即有存思五脏神“万疾皆愈”⑤的叙述。《黄庭内景经》继承这一思想并加以发挥。《常念章第二十二》说“存思百念视节度”⑥，即指存思身中百神，呼吸上下一如科法。《脾长章第十五》又说“可

① 《上清黄庭内景经·至道章第七》，《云笈七籤》卷11，《道藏》第22册，第69页。
② 《上清黄庭内景经·心神章第八》，《云笈七籤》卷11，《道藏》第22册，第70页。
③ 《上清黄庭内景经·心神章第八》，《云笈七籤》卷11，《道藏》第22册，第70页。
④ 《上清黄庭内景经·心神章第八》，《云笈七籤》卷11，《道藏》第22册，第70页。
⑤ 王明：《太平经合校》，北京：中华书局1960年版，第14页。
⑥ 《上清黄庭内景经·常念章第二十二》，《云笈七籤》卷12，《道藏》第22册，第80页。

用存思登虚空”①,是视存思之法为“学仙之道”。存思法是上清派道教的典型修炼之法,也是《黄庭内景经》的核心内容。

《黄庭内景经》中所说的存思法,包含两个方面:一为存思身内诸神;一为存思身外之物。现分别加以介绍。

道教认为,人体多神,必以五脏为主,因此,“存思之功,以五藏(脏)为盛”②。故重视存思五脏神的色、形、气、服饰、姓名等。《黄庭内景经》对于存思心、肝、脾、肺、肾等五脏神,皆各有专门的论述,其中又以有关存思心神的论述最多。因此,我们介绍首先便从这里开始。

《天中章第六》:

宅中有真常衣丹,审能见之无疾患。③

《心部章第十》:

心部之宫莲含华,下有童子丹元家……丹锦飞裳披玉罗,金铃朱带坐婆娑……临绝呼之亦登苏,久久行之飞太霞。④

《黄庭章第四》:

灵台盘固永不衰。⑤

《呼吸章第二十》:

遥望一心如罗星,金室之下可不倾,延我白首反孩婴。⑥

《治生章第二十三》:

清静神见与我言,安在紫房帏幙间。⑦

《心典章第三十一》:

心典一体五藏(脏)王,动静念之道德行,清洁善气自明光,坐起吾俱共栋梁,昼日曜景暮闭藏,通利华精调阴阳。⑧

---

① 《上清黄庭内景经·脾长章第十五》,《云笈七籤》卷11,《道藏》第22册,第74页。
② 《老君存思图十八篇》,《云笈七籤》卷43,《道藏》第22册,第302页。
③ (宋)张君房:《云笈七籤》卷11,《道藏》第22册,第68页。
④ (宋)张君房:《云笈七籤》卷11,《道藏》第22册,第70—71页。
⑤ (宋)张君房:《云笈七籤》卷11,《道藏》第22册,第68页。
⑥ (宋)张君房:《云笈七籤》眷11,《道藏》第22册,第78页。
⑦ (宋)张君房:《云笈七籤》卷11,《道藏》第22册,第81页。
⑧ (宋)张君房:《云笈七籤》卷12,《道藏》第22册,第85页。

这里所谓“真(人)”、“童子”皆指心神,一名“赤城童子”或“赤子”。所谓“衣丹”、“丹锦”、“玉罗”,皆喻心之色、气。“金铃”、“朱带”,喻仙服。“坐婆娑”,言神之安静。“金室”喻肺,心居肺下,故称“金石之下”。“灵台”、“紫房帏幕”,皆心神所居,故为心之别名。又言心神用舍,与目相应,心开目开,心闭目闭。综上所引,乃是认为心有神灵,且为五脏之主。谓若常思心神,则阴阳和顺,脏腑调匀,而无病患,甚至即使病在垂危,若存念之,亦可立刻得救;若常行此道,就可返老还童飞升成仙。《太平经》亦说:“心则五脏之王,神之本根,一身之至(主)也。主执为善”;认为“凡人能执善,清静自居”,便可“内自与腹中王者相见”,就“必为延命,举事理矣”,否则就“不复与王者相通,举事皆失矣。而复早终”①。《黄庭内景经》之说与此相似,或系本于此。

以上是有关存思心神的论述,下面再介绍其关于存思肝神的思想:

《肝神章第十一》:

> 肝部之中(宫)翠重里,下有青童神公子……青锦披裳佩玉铃……同用七日自充盈,垂绝念神死复生,摄魂还魄永无倾。②

《肝气章第三十三》:

> 肝气郁勃清且长、罗列六府生三光……五色云气纷青葱,闭目内眄自相望。③

肝属东方木位,主青,故称“青童”。言肝宫苍翠,大小相重。“青锦”象肝之色。“玉铃”,仙服。意谓肝气充盈,病危时存思肝神,便能摄魂还魄,转危为安。又谓肝气清而长,东方木主春,为生气之本,闭目冥想生气遍照五脏六腑,与脏腑相应,上为五色云,如日月星辰光耀明朗,久久即可自己内视脏腑。这种内视脏腑之说,虽似荒诞,然亦有所本。《史记》卷一百五《扁鹊仓公列传》说:“长桑君亦知扁鹊非常人也……闲与语曰:‘我有禁方,年老,欲传与公,公毋泄。扁鹊曰:‘敬诺。’……乃悉取其禁方书尽与扁鹊……(扁

① 王明:《太平经合校》,北京:中华书局 1960 年版,第 687—688 页。

② (宋)张君房:《云笈七籤》卷 11,《道藏》第 22 册,第 71 页。

③ (宋)张君房:《云笈七籤》卷 12,《道藏》第 22 册,第 85—86 页。

鹊）以此视病，尽见五藏症结。”①所不同者，一是自视，一是视人。但都仅系神话传说，当有一定渊源关系。顺便指出，《黄庭内景经》中提到“内视”作用的还不止这一处，其他如《治生章节第二十三》说“内视密盼尽睹真”，《隐藏章第三十五》又说“内盼沉默炼五形”。可见，“内视”是存思法中的一个重要思想。这种所谓“内视”，是指修炼者闭目存思，潜神入静后，内观形体，朗然洞彻，神气长存的景象。明李时珍在其《奇经八脉考》中所指出的“内景隧道，惟返观者能照察之”，也就是指这种“内视”的作用。可见这在医学上，也有一定的意义。

关于存思脾神，有如下一些论述：

《脾部章第十三》：

> 脾部之宫属戊巳，中有明童黄裳里……坐在金台城九重，方圆一寸命门中……黄锦玉衣带虎章，注念三老子轻翔，长生高仙远死殃。②

《脾长章第十五》：

> 脾长一尺掩太仓，中部老君治明堂……黄衣紫带龙虎章，长精益命赖君王，三呼我名神自通。③

脾属土，主中黄，为土宫。“戊巳”，即中央之辰；“黄裳”，为土中之色；“明童”，即脾神，住黄庭之中。《抱朴子内篇·杂应》：“或思脾中神名，名黄裳子。”“黄锦玉衣”，指黄老真人的服饰，“三老”即元老、玄老、黄老之君。谓存思黄老真人，即可和合百神，百脉九窍，皆得流通，以致长生远死。脾居胃上，故又脾胃联称。“紫带龙虎章”，乃胃络之象。谓存思胃府之神，亦能心虚洞鉴，神灵自通。

关于存思肺神的主要内容，见《肺部章第九》：

> 肺部之宫似华章，下有童子坐玉阙……素锦衣裳黄云带，喘息呼吸体不快，急存白元和六气，神仙久视无灾害，用之不已形不滞。④

肺为金宫，位于五脏之上，状似华盖。“童子”、“白元”，皆指肺神。“素锦衣

---

① 《史记》，北京：中华书局1959年版，第9册，第2785页。

② （宋）张君房：《云笈七籤》卷11，《道藏》第22册，第72—73页。

③ （宋）张君房：《云笈七籤》卷11，《道藏》第22册，第73页。

④ （宋）张君房：《云笈七籤》卷11，《道藏》第22册，第70页。

裳”，喻肺膜之色。“黄云带”，指肺中之黄脉蔓延，罗络如云之象。谓体有喘息不快，当存思肺神，便能和六气而无灾害，常存此道，即可形气华荣，长生久视。

关于存思肾神的思想，主要载于《肾部章第十二》：

> 肾部之宫玄阙圆，中有童子冥上玄……苍锦云衣舞龙幡……百病千灾急当存，两部水王对生门，使人长生升九天。①

肾，水宫。“玄阙圆”，喻肾之形状。“童子”、“水王”皆指肾神。肾为下玄，其神玄冥；心为上玄，与肾连通，故称“冥上玄”。“苍锦”，像肾色；“云衣”，像肾膜；“龙幡”，像青脉，共喻仙服。又肾成对，是为“两部”。谓人处病患时，当存思肾神，便可遇生门，免除病患而长生成仙。

在考察《黄庭内景经》所谓存思身内诸神的时候，不能不涉及三丹田和三黄庭的问题。三丹田之名，在早期道教经典中尚未见到。《太平经》仅提到相应的泥丸、心、脐等名，《大洞真经》也与之相似。而《黄庭内景经》则明确提出了“三丹田”之说。《上有章第二》说：“回紫抱黄入丹田”②，丹田有上、中、下之分，故又合称“三田”。《黄庭章第四》论：“三田之中精气微。”③每一丹田之中，皆住有司主之神，故有“三神”。《上睹章第十六》说：“三神还精老方状”④；《隐景章第二十四》又说：“三神之乐由隐居。”⑤所谓“三神”，皆指三丹田之神而言。丹田之室，方圆一寸，故称寸田。《琼室章第二十一》论：“寸田尺宅可治生”⑥，所以这里的“寸田”，亦指丹田而言。《灵台章第十七》又说：“三寸异室有上下。”⑦所谓“三寸”，即指上、中、下三丹田，因三处各异，每室方圆一寸，故云“三寸”。行文中所以缺一“中”字者，乃是限于每句七字之故。现分别加以说明。

上丹田：眉间却入三寸为上丹田宫，亦称泥丸宫。泥丸为脑之象，亦脑

① (宋)张君房：《云笈七籤》卷11，《道藏》第22册，第72页。
② (宋)张君房：《云笈七籤》卷11，《道藏》第22册，第66页。
③ (宋)张君房：《云笈七籤》卷11，《道藏》第22册，第67页。
④ (宋)张君房：《云笈七籤》卷11，《道藏》第22册，第75页。
⑤ (宋)张君房：《云笈七籤》卷12，《道藏》第22册，第81页。
⑥ (宋)张君房：《云笈七籤》卷12，《道藏》第22册，第78页。
⑦ (宋)张君房：《云笈七籤》卷12，《道藏》第22册，第75页。

神之宇，故脑即上丹田之宫，其说已见前述。《至道章第七》又说：

泥丸百节皆有神……一面之神宗泥丸，泥丸九真皆有房，方圆一寸处此中，同服紫衣飞罗裳，但思一部寿无穷，非各别住俱脑中，列位次坐向外方。①

意谓泥丸宫在人一身之首，为百神之主，泥丸百节诸神，皆主于脑而列定坐次，泥丸九真皆服紫衣罗裳，人若意守上丹田，存思九真，便可延寿无穷，此乃不死之道。

中丹田：即心，又称绛宫。《心神章第八》说：

六腑五脏神体精，皆在心内运天经，昼夜存之自长生。②

意谓心为脏腑之元；五脏六腑资系一身，废一不可，故称“神体精”，又各有所司，皆有法象，但都受心主宰，故心存则五脏听令，心亡则五脏失职。人若意守中丹田，思存不舍，自可长生。

下丹田：在脐下三寸，但亦有在脐下一寸、二寸、二寸四分等不同说法。即气海或精门，又名关元或命门。《中池章第五》说：“横津三寸灵所居”③。“横津”指脐而言，因脐在胞上，故称“横津”，是《内景经》以脐下三寸为下丹田，认为此乃真人赤子所居之处。《脾长章第十五》说：

或精或胎别执方，桃孩合延生华芒。④

道经以下丹田为人命之根本，阴阳之门户，五气之本元，系男子藏精、女子藏胎之处，主和合赤子，所以又称“命门”、“生门”或“生宫”。“核孩”，即宫中的阴阳神名，亦名“伯桃”，字“合延”，衣朱衣巾，紫芙蓉冠；“生华芒”，是谓暮卧存思此神，可使阴阳之气不衰。

与三丹田相对应，《内景经》还提出了三黄庭之说。上黄庭宫脑中，中黄庭宫心中，下黄庭宫脾中，各有神灵居住。《脾长章第十五》说：“三老同坐各有朋”，务成子注说：“上元老君居上黄庭宫，与泥丸君……等共为朋也。又中玄老君居中黄庭宫，与赤诚童子丹田君……等为朋也。下黄老君

① (宋)张君房:《云笈七籤》卷11,《道藏》第22册,第69页。
② (宋)张君房:《云笈七籤》卷11,《道藏》第22册,第70页。
③ (宋)张君房:《云笈七籤》卷11,《道藏》第22册,第68页。
④ (宋)张君房:《云笈七籤》卷11,《道藏》第22册,第74页。

居下黄庭宫,与太一君、魂停君、灵元君、太仓君、丹田真人等为朋也。”①据此可知,上黄庭宫与上丹田相应,均在脑中;中黄庭宫与中丹田相应,均在心中。唯下黄庭宫指脾,而不在脐下三寸之处,与下丹田不一致。

正如王明先生所说:《黄庭内景经》关于存思三部八景二十四真的思想,乃是以三丹田及三黄庭为枢纽。《若得章第十九》说:“若得三宫存玄丹,太乙流珠安昆仑。”②即谓只要心存三丹田,身中诸神便皎然在目前。存思黄庭,炼养丹田,又以积精累气为要诀。故《仙人章第二十八》说:“仙人道士非有神,积精累气以为真。”③

《黄庭内景经》所说的存思法,虽然主要是讲存思身内诸神,但也含有存思日月星辰的思想,即今所称“采外景法”。其大要在调整体内元气,使与所摄取的日月星辰外气相合。《上有章第二》说;“出日入月呼吸存”,务成子注云:“谓常存日月于两目,使光与身合,则通真矣。”④《上睹章第十六》说:“上睹三元如连珠,落落明景照九隅,五灵夜烛焕八区。”⑤“三元”,即日、月、星三光之元,“五灵”指五星。谓常存思日月五星,则见三光五星照一身,人与光合,便能与天地同久。又可称为“奔日月法”,或“奔二景道”⑥。《高奔章第二十六》说:“高奔日月吾上道,郁仪结璘善相保,乃见玉清虚无老,可以回颜填血脑。”“郁仪”为奔日之仙,“结璘”为奔月之仙。言存思日月星辰,自有“郁仪”、“结璘”等仙人来相保,即可与道合同,上升三清,成为真人,《黄庭内景经》十分强调修炼存思之法必须精诚专一,勤修苦炼。《至道章第七》说:“至道不烦决存真。”《五行章第二十五》说:“能存玄真万事毕,一身精神不可失。”是谓存思之法,专心则至。《紫清章第二十

① (宋)张君房:《云笈七籤》卷11,《道藏》第22册,第73—74页。
② (宋)张君房:《云笈七籤》卷11,《道藏》第22册,第76页。
③ (宋)张君房:《云笈七籤》卷12,《道藏》第22册,第83页。
④ (宋)张君房:《云笈七籤》卷11,《道藏》第22册,第66页。
⑤ (宋)张君房:《云笈七籤》卷11,《道藏》第22册,第74—75页。
⑥ 《真诰》卷18第12页有“泰和三年(368年)五月行奔二景道”,注云:“此则仪璘之法,虽已有抄事,未见大经。”又裴君传载裴真君从太素真人受太上郁仪文,太上结璘章。《八索真经》著录上清诸经目录,有《太上郁仪奔日文》、《太上结璘奔月章》,今《九真中经》中有此二篇经文。又《道藏》载有《太上玉晨郁仪结璘奔日月图》1卷,《道藏》第6册,第698—703页。

九》又说:“昼夜七日思勿眠,子能行此可长存,积功成炼非自然,是由精诚亦由专。”《肝气章第三十三》又说:“心精意专内不倾。”是谓苟能专心致志,勤修此法,则长生可致。最后它指出:《黄庭内经玉书》,乃是“致神仙”、“不死之道”①的“真文”。

以上是关于《黄庭内景经》的介绍。《黄庭外景经》与之互为表里,二者的内容基本一致,仍以七言韵文的形式,阐述道教修炼存思法之要诀,唯文风略异。王明先生指出:“内篇文章,浑朴典奥,理致隐深”,而“外经则力减内篇之脏腑色像神名,祛除原有丰伟奥密之形容部分,而为简明平易之重述,词清而义畅”,“盖《黄庭外景经》之问世,距内篇之成书,相去不甚远,而文词清新,尤易传诵,兼之王羲之书以换鹅,播为美谈,自此《黄庭》内篇外经,并行不颇”②。

《黄庭外景经》不分章,务成子注本分为上、中、下三部。其中关于概括《黄庭内景经》之旨重为解说人身诸神及存思之法的内容,不准备再作介绍,仅就该书所提出的修炼中的其他几个重要问题,与《黄庭内景经》相对照,略为补充述论之,亦是为了补充《内景经》的介绍。

第一,关于吐纳行气的思想,道书中早已有之,葛洪论之较详。《大洞真经》颇为重视,《黄庭内景经》亦与此一致。《呼吸章第二十》说:“呼吸元气以求仙”,“三气右徊九道明”③。《肝气章》第三十三说:“玄液云行去臭香,治荡发齿炼五方。”④《天中章第六》又说:“出青入玄二气焕,子若遇之升天汉。”⑤“三气”,指三丹田之气;“右徊”,指气的周流顺序。“玄液”,指真气;“五方”指五脏;“青、玄”,指阴阳二气。谓若坚持行气,使元真之气周流不绝,则四关九窍焕然朗彻,人体健康而无灾病,视此为升仙之道。并将食气与辟谷相联系,认为食气应当辟谷。《百谷章第三十》说:“百谷之实土地精,五味外美邪魔腥,臭乱神明胎气零,那从返老得还婴,三魂忽忽魄糜

① 《上清黄庭内景经·沐浴章第三十六》,《云笈七籤》卷12,《道藏》第22册,第89页。
② 王明:《黄庭经考》,载《道家和道教思想研究》,北京:中国社会科学出版社1984年版,第359页。
③ 《上清黄庭内景经》,《云笈七籤》卷11,《道藏》第22册,第77—78页。
④ 《上清黄庭内景经》,《云笈七籤》卷12,《道藏》第22册,第85—86页。
⑤ 《上清黄庭内景经》,《云笈七籤》卷11,《道藏》第22册,第68页。

倾,何不食气太和精,故能不死入黄宁。”①谓若能辟谷食气,勤修服炼之道,则《黄庭经》“不死之道”便可得而成了。《黄庭外景经》继此强调说“象龟引气至灵根”②,“呼吸庐间入丹田”③。谓人当效法大龟,引气至丹田,以保持身内元气。又说:“人尽食谷与五味,独食太和阴阳气。”④“呼吸庐间以自偿,子保完坚身受庆。”⑤谓常人皆食五谷,调五味,修炼《黄庭经》者须食太和阴阳之气,以充实体内元气,行之既久,便能元气充足,神气合一,身有余庆。

第二,关于咽津的问题,《大洞真经》中常常提到,《黄庭内景经》对此亦颇重视。《口为章第三》说:“口为玉池太和官,漱咽灵液灾不干,体生光华气香兰,却灭百邪玉炼颜,审能修之登广寒。”⑥《玄元章第二十七》又说:“闭口屈舌食胎津,使我遂炼获飞仙。”⑦在道书中常称津液为玉液,玉浆、醴泉、灵液。谓此液由炼气而生,乃五脏之精华,甜美清香,与常津不同,因谓之胎津。人若勤加修炼,漱咽津液,即可以祛病健身。《黄庭外景经》亦谓:“玉池清水灌灵根,审能修之可长存。”“灵根”指舌。又说:“玉池清水上生肥,灵根坚固老不衰。”⑧“津液醴泉通六腑,随鼻上下开两耳,窥视天地存童子,调和精华治发齿,颜色光泽不复白。”⑨可见这种强调叩齿咽津的思想,内外二经也是一致的。

第三,关于宝精、固精的问题,向为道书所重。《太平经》里便有“人欲寿,当爱气尊神重精”之说。葛洪亦强调“还精补脑”,认为修仙之至要,即“在于宝精行气”⑩。《黄庭内景经》继承这一思想,强调修炼者当爱精、固精,首戒房事,断绝淫欲。《琼室章第二十一》说:“长生至慎房中急,何为死

① 《上清黄庭内景经》,《云笈七籤》卷12,《道藏》第22册,第84—85页。
② 《太上黄庭外景经·中部经第二》,《云笈七籤》卷12,《道藏》第22册,第95页。
③ 《太上黄庭外景经·上部经第一》,《云笈七籤》卷12,《道藏》第22册,第90页。
④ 《太上黄庭外景经·中部经第二》,《云笈七籤》卷12,《道藏》第22册,第95页。
⑤ 《太上黄庭外景经·上部经第一》,《云笈七籤》卷12,《道藏》第22册,第91页。
⑥ 《上清黄庭内景经》,《云笈七籤》卷11,《道藏》第22册,第66—67页。
⑦ 《上清黄庭内景经》,《云笈七籤》卷12,《道藏》第22册,第83页。
⑧ 《太上黄庭外景经·上部经第一》,《云笈七籤》卷12,《道藏》第22册,第90页。
⑨ 《太上黄庭外景经·下部经第三》,《云笈七籤》卷12,《道藏》第22册,第97页。
⑩ 王明:《抱朴子内篇校释》,北京:中华书局1985年版,第136页。

作令神泣，忽之祸乡三灵殁。”[①]《常念章第二十二》又说：“急守精室勿妄泄，闭而宝之可长活。”[②]《黄庭外景经》则强调指出：“长生要慎房中急，弃捐淫俗专子精……闭子精门可长活。”[③]又说：“急固子精以自持……精神还归老复壮。”[④]可见内外二经在这个问题上的论述，不仅思想一致，甚至在语言文字上也大体相同，不难看出二经之间的前后相因关系。

第四，恬淡无欲乃是以老庄为代表的道家哲学思想，道教承袭之。《黄庭内景经》将这种思想运用于修炼中，作为对修炼黄庭者的基本要求。《琼室章第二十一》在谈到存思三丹田时说：“恬淡闭视内自明。”[⑤]《治生章第二十三》在说到存思八景二十四真时又说：“高拱无为魂魄安，清静神见与我言，……高研恬淡道之园。”[⑥]《紫清章第二十九》又说：“内守坚固真之真，虚中恬淡自致神。”[⑦]由于要求恬淡虚静，所以作者认为学仙之士，应当含光藏辉，潜入深山，与世隔绝。《隐形章第二十四》说：“隐影藏形与世殊……带执性命守虚无……三神之乐由隐居。”[⑧]又说：“何不登山诵我书（这里的‘书’指《黄庭经》），郁郁窈窕真人墟，入山何难故踌躇，人间纷纷臭帑如。”认为真人居处的地方最美好，而人间纷纷扰扰，正如破旧的臭手巾。所以，应该鄙弃人间世，到幽邃的山中去进行修炼，才能“名入上清死录除”。可见，这里是把虚静恬淡视为修炼黄庭的必要条件。《黄庭外景经》亦反复阐明恬淡无欲，虚静自守的重要性。它说：“行闲无事心太平……虚无自然道之固。物有自然道不烦，垂拱无为身体安，虚无之居在帏间，寂寞廓然口不言……恬淡无欲游德园。”[⑨]又说：“扶养性命守虚无，恬淡自乐何思虑。”[⑩]还说：“近在子身还自守，清静无为神留止。”[⑪]“恬淡无

① 《上清黄庭内景经》，《云笈七籤》卷 11，《道藏》第 22 册，第 78 页。
② 《上清黄庭内景经》，《云笈七籤》卷 11，《道藏》第 22 册，第 79 页。
③ 《太上黄庭外景经 · 上部经第一》，《云笈七籤》卷 12，《道藏》第 22 册，第 92 页。
④ 《太上黄庭外景经 · 上部经第一》，《云笈七籤》卷 12，《道藏》第 22 册，第 90—91 页。
⑤ 《上清黄庭内景经》，《云笈七籤》卷 11，《道藏》第 22 册，第 79 页。
⑥ 《上清黄庭内景经》，《云笈七籤》卷 12，《道藏》第 22 册，第 80—81 页。
⑦ 《上清黄庭内景经》，《云笈七籤》卷 12，《道藏》第 22 册，第 84 页。
⑧ 《上清黄庭内景经》，《云笈七籤》卷 12，《道藏》第 22 册，第 81 页。
⑨ 《太上黄庭外景经 · 上部经第一》，《云笈七籤》卷 12，《道藏》第 22 册，第 92—93 页。
⑩ 《太上黄庭外景经 · 中部经第二》，《云笈七籤》卷 12，《道藏》第 22 册，第 93 页。
⑪ 《太上黄庭外景经 · 下部经第三》，《云笈七籤》卷 12，《道藏》第 22 册，第 96 页。

欲养华茎,服食玄气可遂生。”[①]这种恬静无欲的思想,对后来道教修炼方术的发展产生了一定的影响。

第五,关于守一的思想,《太平经》的论述较多,葛洪《抱朴子内篇》亦曾阐述。《黄庭内景经》对此也有所继承。《玄元章第二十七》说:“玄元上一魂魄炼,一之为物叵卒见。”[②]《黄庭外景经》则更为明确地说:“三五合气其本一……子能守一万事毕,子自有之持无失”[③]陶弘景《登真隐诀》把“守一之法”解释为“司非常之气,伺迎真人之往来也”。可见,上清派所说的守一,是与存神相统一的。

根据以上所说,可知《黄庭经》的思想,既是以前道教思想的继承,同时也有它自己的发展。其基本内容和《上清大洞真经》有很多类似之处。二者皆认为人身的百脉关窍皆有各种各样的神分别镇守,强调修炼之道,即在于存思存神。它们所阐述的存思法,其功理有不少牵强附会和神秘荒诞的内容,其功效亦有不少夸张不实的部分,但作为古代静功修炼方法之一,也有其一定的独到之处。南北朝以后,随着上清派的发展,存思法逐步成为道教流行的主要修炼方法之一,在道教史上占有一定的地位。其法重在调意,简便易行,适合于士大夫的口胃。至于《大洞真经》在阐述存思法中关于真气运行的思想和《黄庭经》中所揭示的关于人体生理与心理间相互关系的思想则是值得引起当今养生爱好者的重视和研究的。

还必须指出,上清派也接受了部分金丹符箓的思想。据《诸真传》的记载,他们所传授的经典中,也包括了部分《太清经》系统的属于金丹服食之道的道书,魏华存、陶弘景等上清派代表人物曾从事于服食仙药和炼丹。《大洞真经》中亦包含有不少符箓咒祝的内容。但从总体来看,上清派是着重于个人精、气、神的修炼,通过炼神来达到炼形,对于符箓服饵是不甚重视的。《三洞珠囊》卷五引《斐君内传》说:“服药所以保形,形康则神安。存思所以安神,神通则形保。二理乃成相资,而有优劣之品。”[④]这种着重于精神

① 《太上黄庭外景经·下部经第三》,《云笈七籤》卷12,《道藏》第22册,第98页。
② 《上清黄庭内景经》,《云笈七籤》卷12,《道藏》第22册,第83页。
③ 《太七黄庭外景经·中部经第二》,《云笈七籤》卷12,《道藏》第22册,第93页。
④ 《道藏》第25册,第322页。

修养的思想，与庄子的思想相似，也比较容易为士大夫所理解和接受，故能在当时的知识分子中得到传播。

特别重要的是，上清派能在封建统治阶级对早期民间道教进行改造的过程中产生，并不是偶然的。它的出现乃是适应了封建统治者的要求和利益，反映了道教内部的分化及其向上层的发展，这也是上清派之所以不断壮大的重要原因。

第七节　《灵宝经》和灵宝派的形成

魏晋时期的道派，除了上清派以外，还有奉行《灵宝经》的灵宝派。该道派和上清派大致同时或略晚，此派以传洞玄灵宝部经而得名。

一、《灵宝经》的出现和繁衍

关于《灵宝经》的来源，道书的说法不一，造成了研究的困难。陈国符先生在《道藏源流考》一书中以大量的材料为依据，详细辨析古今《灵宝经》的分别，指出古之《灵宝经》即《灵宝五符序》，亦称《五符经》；今之《灵宝经》即《灵宝无量度人上品妙经》；亦称《度人经》，并对其出世年代作了考证。从古之《灵宝经》到今之《灵宝经》，是一个逐步繁衍的过程。它们虽出于不同时代，不同人之手，但彼此之间又存在着十分密切的关系，是在同样的理论基础之上发展起来的。

什么叫"灵宝"？道书中有不同的理解和解释。陈观吾在《度人经注解序》中说："气谓之灵，精谓之宝；寂然不动、感而遂通曰灵，上无复祖，唯道为身曰宝。"故称"灵宝者，精气也"①。它不但存在于自然界，而且也存在于人体之中。这是关于"灵宝"的第一种意义。第二种意义则为人格化的神。《无上秘要》卷三十一引《洞玄五称经》说："老子曰：太上灵宝，常先天地，始生从本，无数劫来，混沌自然。"②《三洞珠囊》卷二《投山水龙简品》引

① 《道藏》第2册，第392页。
② 《道藏》第25册，第100页。

《赤书玉诀》上说:“元始灵宝告水帝削除罪简上法曰:灵宝黄帝先生,某甲年如干岁某月某日生,愿神愿仙,长生不死。”①在这里均视“灵宝”为一种神灵。后来薛季昭等更直接指出:“灵宝”即指“太上道君灵宝天尊”②。第三种意义则为文诰。《五符序》卷上说:灵宝者,“此天官之灵蕴,大圣之所撰,上叙太和阴阳之气,下论道化养生之会。唯仙人能用其文,君王不能得其术,若乃抗身幽邈,远寻自然,避罗锁于无为,豁争竞于深山幽居,是时问丘,将或告王灵文之奇奥,太上之微言也。”③又《无上秘要》引《玄洞五称经》说:“国之将兴,修致此文;人欲富贵不老,能致灵宝,天子得之,凤凰来仪,五星合度,日月光耀,四方宾服,天下清晏,妖恶不生。”④由此可见,“灵宝”的含义是多方面的,或指精气,或指神灵,或指文诰,在不同的场合当有不同的内容和解释。在这里,我们着重从第三种意义上来考查。

“灵宝”一词,首见于《太平经》,并且是指文诰而言的。它说:“夫至神圣贵人,职当居百重之内,而反忧天下万里之外,受天业为阴阳六合八方持统首。天地之尊位,为神灵所因任,上下洞极万物蚑行之属,莫不归心。于是作《无上灵宝诰》,能知天意,明于星历之吏,名为太史,直事不得逋,日与夜迭上观候天气盛衰,三光之得失,乐得天敕戒以自安也。”⑤何谓“诰”?《说文》:“诰”,“白也”。《尔雅释诂》:“告也,请也。”《释名》:“上敕下曰告。告,觉也,使觉悟知己意也。”又《广韵》二《沃梏誳韵》下云:“告上曰告,发下曰诰。”可见,告与诰本通。《汉书·高帝纪》注服虔曰:“告,音如嗥呼之嗥。”又《周礼·大祝》“三曰诰”,杜子春注说:“诰,当为告书。”可见,《灵宝诰》当属于记录语言的文诰一类。所谓“作《无上灵宝诰》”,或许是把《灵宝诰》当作是无上道君的一种启示录,类似《真诰》的意思。《灵宝诰》的具体内容是什么,现已难于考查,不过从《太平经》在谈及《灵宝诰》时的上下文意来看,它与《五篇真文》可能有千丝万缕的联系。

① 《道藏》第25册,第307页。
② 《道藏》第22册,第441页。
③ 《道藏》第6册,第318页。
④ 《道藏》第25册,第100页。
⑤ 王明:《太平经合校》,北京:中华书局1960年版,第303页。

关于《五篇真文》,《无上秘要》说:"《元始洞玄灵宝赤书五篇真文》,生于元始之先,空洞之中,天地未根,日月未光,幽幽冥冥,无祖无宗,灵文晻暖,乍存乍亡。二仪待之以分,太阳待之以明,灵图革运,玄象推迁,垂机应会,于是存焉。天地得之而分判,三景得之以发光。"①这里在《五篇真文》之上冠以《灵宝赤书》的限定语。而《五篇真文》又常简称为"真文"或"五文"。薛幽楱在《度人经》"五文开廓,普植神灵"句下即注说:"'五文'者,即真文五篇也。以应五方五老之所偿录者,既开朗三光,亦开廓五篇玉字真文,各植神灵者也。"②严东在《度人经》注里谈到"五篇真文,赤书玉字"时说:"真文既受火炼,号曰赤书也。"③故《五篇真文》又名《赤书》或《真文赤书》。《真诰》卷二十《翼真检第二》谓"陆(修静)既敷述《真文赤书》、《人鸟五符》等,教授施行已广"④。陈国符先生考证说:"《元始五老赤书玉诀》亦称《五篇真文》,盖即陆修静所施行之《真文赤书》。"⑤有的地方,《五篇真文》亦称《灵宝文》。唐王悬河《上清道类事相》卷四《琼石品》说:"故《五符》云:《九天灵书》,犹封于石碩是也。"又云:"《九天灵书》、《三天真宝》,夏禹撰为《灵宝文》。一通藏石柜中,一通藏幽洞室中。"⑥《云笈七籤》卷三《灵宝略纪》称大禹所得者正是《灵宝五篇真文》。故《灵宝文》有可能即指《五篇真文》。而《灵宝文》与《灵宝谒》,其义亦合。谓为夏禹所撰,或谓夏禹所得,不过是造经者的托词。东汉袁康《越绝书》也有关于夏禹受《灵宝五符》的记载:"昔禹治水于牧德之山,遇神人授以《灵宝五符》。后藏于洞庭之包山。"《古微书》卷三十二《河图绛象》所载,亦大体相同,并指出其书为"一卷,凡一百七十四字"。说明此书篇幅不大。《五符序》卷上又称《五符经》系大禹得之于"绣领之阿琼境之上"⑦。其后,葛洪《抱朴子内篇・辩问》亦说:"《灵宝经》有《正机》、《平衡》、《飞龟授袟》凡三篇,皆仙术也。吴

① 《道藏》第25册,第68页。
② 《道藏》第2册,第202页。
③ 《道藏》第2册,第225页。
④ 《道藏》第20册,第606页。
⑤ 陈国符:《道藏源流考》,北京:中华书局2014年修订版,第55—56页。
⑥ 《道藏》第24册,第887页。
⑦ 《道藏》第6册,第316页。

王伐石以治宫室，而于合石之中，得紫文金简之书，不能读之，使使者持以问仲尼……仲尼以（“以”字疑衍）视之，曰：‘此乃灵宝之方，长生之法，禹之所服，隐在水邦，年齐天地，朝于紫庭者也。禹将仙化，封之名山石函之中，乃今赤雀衔之，殆天授也。’”①此与《五符序》上卷的记载相似，并称禹“撰以为《灵宝文》”，又称之为《灵宝符太上真文》②。《释滞篇》又说：“《正机》、《平衡》，割乎文石之中。”③《遐览篇》著录《正机经》、《平衡经》、《飞龟振经》各一篇。此盖一篇为一卷，而三卷之总名，当为《灵宝经》，或又称为《灵宝方》。《神仙传·华子期传》说：“华子期者，淮南人也。师角里先生，受《仙隐灵宝方》：一曰《伊雒飞龟秩》，二曰《白禹正经》，三曰《平衡》。”④《灵宝五符序》卷上亦有角里先生授华子期《仙隐灵宝方》的记载，其内容为：“一曰《河图隐存符》，二曰《伊雒飞龟》，三曰《平衡》。”⑤与此大同小异。此《仙隐灵宝方》，当即所谓《灵宝经》。《灵宝五符序》在《抱朴子内篇·遐览》里未见著录，而同书《登涉篇》则三处引用《灵宝经》文，共 234 字，皆见于《灵宝五符序》卷下。证明《五符序》下卷在葛洪之前早已流传，上卷、中卷当比此更早。

以上事实证明，东汉时候当有称为“灵宝”的经诀或灵符之类出现，开始时较为简练，共 1 卷 174 字，到东晋葛洪撰定《抱朴子》时，其篇卷和内容已逐步增多。这种增衍的具体过程，由于文献不足，现已难于详究，但其大略，仍有一二蛛丝马迹可寻。这里，我们首先从内容上来探索一下《五篇真文》与《灵宝谒》的关系。

《五篇真文》见于《道藏》的主要有三处。现引《无上秘要》卷二十四《真文品》所录如下：

东方九炁青天真文：

东方九炁，始皇青天，碧霞郁垒，中有老人，总校图录，摄炁举仙。

① 王明：《抱朴子内篇校释》，北京：中华书局 1985 年版，第 229 页。
② 参见《道藏》第 6 册，第 318 页。
③ 王明：《抱朴子内篇校释》，北京：中华书局 1985 年版，第 153 页。
④ 《道藏》第 22 册，第 741 页。
⑤ 《道藏》第 6 册，第 318 页。

南方三炁丹天真文：

南方丹天，赤帝玉堂，中有大神，号曰赤皇，上炎流烟，三炁勃光，神仙受命，应运太阳。

中央黄天真文：

中央总灵，黄上天元，始生五老，中皇高尊，摄炁监真，总领群仙，典录玄图，宿简玉文，推运促炁，普告万神。

西方七炁素天真文：

西方素天，白帝七门，金灵皓映，太华流氛，白石峨峨，七炁氤氲。上有始生，皇老大神，总领肺炁，主校九天，检定图箓，制召上仙。

北方五炁玄天真文：

北方玄天，五炁徘徊，中有黑帝，双皇太微，总领符命，仙炼八威，青裙羽褐，龙文凤衣，上帝所举，制到玉阶。①

其他几处所录《真文》，与《无上秘要》所引不尽相同，多有增益。但与上面引文一样，都是以东南西北中五方为基础，配以五行、五炁、五色。这种结构与内容，从《太平经》说《无上灵宝诮》的下文也可找到一点踪迹。它说："是故王气所处，万物莫不归王之；王气所居，皆王而生；所背去悉死，由元气也。故王气处阳则阳王，居阴则阴王，居天则天王，居地则地王，所处皆王，受命主理。是故古者圣人王者，春东、夏南、秋西、冬北、六月中央，币气则谒见天，王气乃尊于天。"②可见，《太平经》这里早就应用了五方坛结构。《灵宝诮》与这种五方坛结构或许是有一定关系的。

其次，《五篇真文》的重要功能之一，是主召日、月、星之神。《道藏》本的《五老赤书玉篇》、《玉诀妙经》、《无上秘要》卷二十四所引《洞玄赤书经》，卷二十六所引《洞玄元始五老赤书玉篇下》、卷六十六所引《洞玄真文赤书玉诀》等，对《五篇真文》作了解说，其共同点之一，就是说明《真文》能主召星官、正分天数。而《太平经》在讲到作《无上灵宝诮》时，也说："能知天意，明于星历之吏"和日、月、星"三光之得失"。③ 从这些迹象推测，可能

① 《道藏》第25册，第68—70页，共184字。

② 王明：《太平经合校》，北京：中华书局1960年版，第304页。

③ 王明：《太平经合校》，北京：中华书局1960年版，第303页。

《灵宝谒》就是《五篇真文》的前身。詹姆士·迪·塞尔曼在《道教的宇宙之符〈灵宝真文〉的内容和结构之分析》一文中曾指出："作一个保守的假定，在三世纪前，应有如五篇真文一样的口诀秘密传播。"①詹姆士·迪·塞尔曼的推断，是根据陶弘景《太上众简文》以及《无上秘要》引用《五篇真文》这点得出的。实际上，从《太平经》谈到"作《无上灵宝谒》"这个事实看，他的这个推断，确实是保守了一点。恐怕应该说，在《太平经》产生的时候，类似于《五篇真文》这种简练的口诀，或许已经出世。

下面再对《五篇真文》与《五符序》和《度人经》的关系，进行一些初步的探索。

《五篇真文》在灵宝部经典中占有重要地位，流行较早。《五符序》和《度人经》以及解说这两部经典的一些经书，都可能是在《五篇真文》的基础上繁衍和发展起来的。先来看一下《五符序》。卷上说：

> 东方青牙九气之天，其气烟如春草之始萌，其光如晖日之初隆。下有朝华之渊，上有流英之宫，室有青腰玉女，堂有太上真王。玉女乘九山之兽，真王驾九光神龙。上导九天之气，下引九泉之流……
>
> 南方朱丹三气之天，其气烟如绛云之苞白日，其光如玄玉之映流渊。下有赤泉之泓池，上有长生之朱宫；室有太丹玉女，居于太阳三山之上；堂有元气丈人，驾三角之麟。上导泰清玄元之灵化，下和三气之陶馆。令万物之永存，运天精于南夏，养人精于丹唇……
>
> 中央元洞大帝之山，上出黄气，下治地门，其气烟如云，径蒸九天。元精往来，气直如弦。上通太上无极，下生神灵。其光如飞景之罗朝日，其明如朗月之照幽城。内有玄膺九窗之阙，外有醴泉玉浆之渊，真人名曰子丹，天中号黄庭。戊己天仓，王(玉)女却死，主养生宫，号曰大帝，总御九天之真……
>
> 西方明石七气之天，其气烟如明月之落于景云，其光如幽夜之睹于明珠。白龙衔芝草而启腾，灵真降素醴而沾濡，斯乃七天之灵泽，上真

① 詹姆士·迪·塞尔曼等：《道教的宇宙之符——〈灵宝真文〉的内容和结构之分析》，《宗教学研究》1986年第2期。

之琼腴，气甘和而澹妙，虽鼎味而不殊。下有玉泉之长河，上有流英之楼宇。室有太上素女，堂有元气大夫……

北方玄滋五气之天，其气烟如飘风之激于炎林，其光如流星之堕于洪波。煎玉饴于龙鼎，汲玄气于天湖。下有长生之渊，中有太上之家。室有夜光玉女，服云林之翠罗，乘灵虬以启真……①

上引《五符序》卷上这几段文字，可说是由《五篇真文》的衍变而成的。其以五方配五色、五气、春夏秋冬四时的法则，如出一辙。尤其值得注意的，是关于数字的排列问题。《五篇真文》的数字排列是：东九、南三、中一、西七、北五，《五符序》的数字排列也与此相同，但又有所发挥：从东方九气演而为九山、九光、九天、九泉；从南方三气演而出为三山、三角；从西方七气演而为七天；从北方五气演而为玄天；从中央一气演而为元精、黄庭。此外，在《五篇真文》中，"五帝"也是一个极其重要的概念。《五篇真文》描述了"五帝"掌管五方之文、五方符命，这种思想在《五符序》中也得到体现。《五符序》卷上载有《灵宝五帝官将号》说：

东方灵威仰，号曰苍帝，其神甲乙，服色尚青，驾苍龙，建青旗，气为木星，为岁，从群神九十万人，上和春气，下生万物。

南方赤飘弩，号曰赤帝，其神丙丁，服色尚赤，驾赤龙，建朱旗，气为火星，为荧惑，从群神三十万人，上和夏气，下长万物。

中央含枢纽，号曰黄帝，其神戊己，服色尚黄，驾黄龙，建黄旗，气为土星，为镇，从群神十二万人，下和土气，上戴九天。

西方曜魄宝，号曰白帝，其神庚辛，服色尚白，驾白龙，建素旗，气为金星，为太白，从群神七十万人，上和秋气，下收万物。

北方隐侯局，号曰黑帝，其神壬癸，服色尚玄，驾黑龙，建皂旗，气为水星，为辰，从群神五十万人，上和冬气，下藏万物。②

这里不仅以五方五帝配五色、五气、春夏秋冬四时的法则，且配以五星、五行，并对"五帝"的名号服色等作了具体的描述，这是对《五篇真文》"五帝"

① 《道藏》第6册，第318—319页。

② 《道藏》第6册，第319页。

思想的发展。其实,所谓“五方文”即有直符“五帝”之运的意思;反过来说,“符”亦称龙章凤文。故“五符”与“五文”,或许本来就有相通或相同之处,只是后来附会增益多了,才形成《五符经》。法国施博尔先生在论述《五篇真文》时说:“我希望有一天能够说明:《五篇真文》实际上也就是《灵宝五符》。”①施博尔先生提出的问题很值得重视。过去往往因它们内容的某些不同之处而产生疑问。实际上,后者的内容增演了,便可能产生与前者并不一致的东西,这也是事物发展中的必然结果,故二者虽不能完全等同,但这也并不否定后者包含着前者的东西。

还须指出,陈国符先生在《道藏源流考》上册考证《五符经》时引证刘师培《读道藏记》说:《五符序》三卷,“即古《五符经》。惟上卷首段为序。今以三卷均序文,乃标题之讹也”。但《五符序》卷下说:“《灵宝上序》及撰出服御之文,皆科斗古书,字不可解,子长并受集而显出之,寻其波流,皆出乎《五符》之上也。”②这里所谓的《灵宝上序》,似指《五符序上》,或即《灵宝五符序》卷上的简称。陈国符先生指出:“今《道藏·太上灵宝五符序》卷上即《灵宝五符序》。贾善翔《犹龙传》卷五《度汉天师》篇云天师张陵尝撰《灵宝五符序》,即此文也。”③这便说明:《五符序》最初只此一篇,是为说明《五符》而作的,既未分卷,也无上、中、下之称,其出世较早。后面两卷,乃是出于不同人之手,其目的也与《灵宝上序》一样,都是为了说明《五符》,都是《五符》之序。为与先前的序相区别,遂将前序称为《灵宝上序》,列为上卷,而将续增的序依次列为“中卷”和“下卷”。由此推知,《五符序》乃是说明《五符》之义的,而不是《五符》本身。《五符》当与《五文》相似,或者正如施博尔先生所说的实际上就是《五文》,即直符五帝之文。但由于敷衍《五符》或《五文》而成的《五符序》,其时代较古远④,故亦被尊为经。正如《度人经》一样,其本经只有一卷,余皆敷演经文而成,本为解说之辞,但都被尊之

---

① 转引自詹姆士·迪·塞尔曼等:《道教的宇宙之符——〈灵宝真文〉的内容和结构之分析》注第12,《宗教学研究》1986年第2期。

② 《道藏》第6册,第336页。

③ 陈国符:《道藏源流考》上册,北京:中华书局2014年版,第50页。

④ 刘师培:《读道藏记》考定其为“出自汉季”,1934年宁武南氏校印本。

为经。

上面我们考察了《五符序》与《五篇真文》的关系,下面我们来考察一下《度人经》与《五篇真文》的关系。

《度人经》的全称为《灵宝无量度人上品妙经》或《元始无量度人上品妙经》,简称《度人经》或《灵宝经》。全书60卷,第一卷为本经,计五千余字。由于它的论叙交错,体例不明,因而在分段方法上历来各说不一。大约包括道君前序、中序、后序三篇,元始洞玄和元洞玉历经文二章,元始灵书上、中、下三篇和太极真人颂一篇。宣扬“仙道贵生,无量度人”之旨。从这一卷本经中可以明显地看出它和《五篇真文》的思想联系。除上面已指出“五文开廓”之例外,其中还说:“元始安镇,敷落五篇,赤书玉字,八威龙文。”①所谓“五篇”和“赤书玉字”,均指《五篇真文》而言。至于“八威龙文”,严东注说:“八威,即八威玉策也;龙文,召龙之文也。”②仍离不开《五篇真文》。《无上秘要》卷三十引《洞玄真文赤书玉诀经》说:“东方九气青天真文赤书,一名生神宝真洞玄章,一名东山神咒八威策文;南方三气丹天真文赤书,一名南云通天宝灵衿,一名九天神咒,一名赤帝八威策文;中央黄天真文赤书,一名宝劫洞清九天灵书,一名黄神大咒,一名黄帝威灵策文;西方七气素天真文赤书,一名金真宝明洞微篇,一名西山神咒,一名八威召龙文;北方五气玄天真文赤书,一名元神生真宝洞文,一名北山神咒。”③由此可知,《五篇真文》的东、南、西之文均有某某“八威策文”之称,而“龙”乃帝之象,不同方位的策文都加上“某帝”,可知“龙文”与“策文”并无本质的不同。按严东的解释,指“元始安立五岳,布置《五篇真文》镇于五方,五帝镇守,制神召龙,以禳劫运之期也”。④“五方、五帝”,本《五篇真文》的重要思想,《度人经》亦发挥了这一思想。卷一说:“五帝大魔,万神之宗,飞行鼓从,总领鬼兵。麾幢鼓节,游观太空,自号赫奕,诸天齐功。上天度人,严摄北丰。”⑤薛幽棲

① 《道藏》第2册,第4页。
② 《道藏》第1册,第225页。
③ 《道藏》第25册,第96页。
④ 《道藏》第2册,第225页。
⑤ 《道藏》第1册,第4页。

注谓："此五方天帝五天大魔，并统领五天五方一切神祇，故云宗也……既前导后从，即麾幢鼓节，故自号赫奕也。复举学度者以制摄精魔，故与诸天齐功也。赫奕者，贵盛貌也。"①《度人经》又说："五老启涂，群仙翼辕。"严东注谓："五老，五帝也……五帝开道，群仙侍引也。"薛幽棲注谓："五老启涂以前引，群仙侍辕之左右。五老，即五老帝君，掌领《五篇真文》也。"②《度人经》又说："青帝护魂，白帝侍魄，赤帝养气，黑帝通血，黄帝中主，万神无越。"③李少微注说："此明五老帝君各受赤书符命，在天则主领五方神仙，在地则主领五岳神鬼，在人则主领五藏精神，各有所主，故无错越，告命次第，具在《真文》也。"④可见《度人经》的思想，乃是《五篇真文》的继承和发展。再从方位来看，就更为明显。《五篇真文》讲了东、南、西、北、中五方，《五符序》继之，而《度人经》则从东、南、西、北又分出东北、东南、西南、西北，合中而为九宫；再合上下为十方；又将东、南、西、北备分为八天，合为"三十二天"；每天各有一帝，合为"三十二帝"。⑤ 在这里，《度人经》所描述的方位，已具有立体感。与《五篇真文》所包含的内容相比，已更为丰富和发展了。

《度人经》的成书年代，约在东晋末年。由于它与《五篇真文》和《五符序》的时代不同，故除了继承和发展古《灵宝经》的思想而外，还有其自身独自的明显特点：第一，在《度人经》里，除以元始天尊为最高尊神外，太一之神亦有很高的地位，居于五帝之上。"太一"之说，古已有之，汉代已奉为尊神。《史记·封禅书》说："亳人谬忌奏祠太一方，曰：'天神贵者太一，太一佐曰五帝。古者天子以春秋祭太一东南郊……'于是天子（按指汉武帝）令太祝立其祠长安东南郊，常奉祠如忌方。"这种思想在《度人经》中得到了发展。《度人经》卷一说："太一司命，桃康合延，执符把箓，保命生根。上游上清，出入华房，八冥之内，细微之中；下镇人身，泥丸绛宫，中理五炁，混合百

① 《道藏》第2册，第221页。
② 《道藏》第2册，第207页。
③ 《道藏》第2册，第4页。
④ 《道藏》第2册，第220页。
⑤ 《道藏》第1册，第4页；《道藏》第2册，第217页。

神，十转回灵，万炁齐仙。”①这就是说，在《度人经》看来，“太一总领群司，为众神之王”②，“上镇三清”，“下镇人身”，“主诸天地”③，不仅可以召致万神，而且掌握着人们的命根，大至八极之内，细至毫芥之中，无不归属之。

第二，在《度人经》中援引了一些佛教的术语和思想，诸如大梵、三界和地狱劫运之说等等。至于所谓“元始天尊”，照薛幽棲的解释说：“元者，初也；始者，首也。言元始天尊建万化之初，为众道之首。”④盖自《易彖》“大哉干元，万物之始，乃统天”之义而来。再结合其中“不杀、不害、不嫉、不妒、不淫、不盗、不贪、不欲、不憎、不娼，言无华绮，口无恶声、齐同慈爱，异骨成亲，国安民丰，欣乐太平”⑤等言论来看，明显表现了在《度人经》中已有三教融合的思想。

第三，《度人经》亦讲存思之法。如说：“行道之日，皆当香汤沐浴，斋戒，入室东向，叩齿三十二通，上闻三十二天，心拜三十二过，闭目静思身坐青黄白三色云炁之中，内外蓊冥，有青龙、白虎、朱雀、武玄、狮子、白鹤罗列左右，日月照明，洞焕室内，项生圆象，光映十方，如此分明。”⑥然后密念咒语，引气三十二过，再开始诵经。这与《太洞真经》卷一的《诵经玉诀》有些相似，只是繁简有别；《度人经》也讲身神，但不像《大洞真经》那样强调存思身神。说明它既受有上清经的影响，但和上清经又各不相同。

灵宝部经发展到《度人经》，已日益完善，成为道教史上一部重要经典，被道教徒奉为万法之宗，群经之首，在《道藏》仍被列为全书的第一卷。此经一出，注家蜂起，且不断增修。南北朝时齐严东首为注解：“仰推梵炁之旋箕，俯测丰都之泉曲，布诸方册，表里焕然。”⑦及有唐道士薛幽棲复为解说；继之者有太清供奉李少微，西华法师成玄英，各撰注疏，援引内音而拾遗补阙。北宋陈景元集四家之说，删去重复，纂成《四注》四卷。其后相继解

① 《道藏》第1册，第5页。
② 《道藏》第2册，第229页。
③ 《道藏》第2册，第229页。
④ 《道藏》第2册，第189页。
⑤ 《道藏》第1册，第2页。
⑥ 《道藏》第1册，第3页。
⑦ 《道藏》第2册，第187页。

说是经者如萧应叟、薛季昭、陈观吾、张宇初等，络绎不绝，正一道、净明道的道士皆演说其义，且有以《易》理阐释之者。追溯源流，不可不谓变迁之大。

二、灵宝派的形成

以上是关于《灵宝经》的起源和发展的一些初步探索。围绕《灵宝经》的传授系统，形成了灵宝一派。道书中有许多关于灵宝经的传授说法。《云笈七籤》卷三《道教所起》说："今传《灵宝经》者，则是天真皇人于峨嵋山授于轩辕黄帝，又天真皇人授帝喾于牧德之台。夏禹感降于钟山，阖闾窃窥于句曲。其后有葛孝先之类，郑思远之徒，师资相承，蝉联不绝。"①《云笈七籤》《灵宝略记》亦称："在昔帝喾时，太上遣三天真皇赍《灵宝五篇真文》以授帝喾……帝喾将仙，乃封之于钟山……至夏禹登位……登钟山，遂得帝喾所封《灵宝真文》，于是奉持出世，依法修行……禹未仙之前，乃复封之，镇乎北岳及包山洞庭之室。距(至)吴王阖闾时，王出游包山，见一人在中，问曰：汝是何人？答曰：我姓山名隐居。阖闾问曰：子在山，必有异见者，试为吾取之。隐居诺……即便拜而奉出，呈阖闾。阖闾……乃令人赍之问孔子……孔子曰：此是《灵宝五符真文》，昔夏禹得之于钟山，然后封之于洞庭之室。使者反白，阖闾乃尊事之。然其侈性慢易，不能遵奉道科，而《真文》乃飞上天，不知所在……至三国时吴主孙权赤乌之年，有琅琊葛玄字孝先……入天台山学道，精思遐彻，未周一年，感通太上，遣三圣真人下降，以《灵宝经》授之。"②自不待言，这种传授说法，首先，乃是属于虚构不实的神话。值得注意的是，这里明确指明了它所说的《灵宝经》，系指古《灵宝经》的《五篇真文》和《五符经》，而没有包括《度人经》，且二者未划分严格的界限，直称之为《灵宝五符真文》，这与《灵宝经》的发展历史是相吻合的。其次，在《灵宝略纪》里虽提出阖闾以前的一些传授神话，但它又指出"《真文》乃飞上天，不知所在"，暗示了古《灵宝经》的传授，实际是从葛玄开始的。《道教所始》亦谓从葛玄起，然后"师资相承，蝉联不绝"。关于葛玄与古《灵

① 《云笈七籤》卷3，《道藏》第22册，第12页。
② 《云笈七籤》卷3，《道藏》第22册，第15页。

宝经》的传授关系,还有其他一些类似的记载。灵宝道士陆修静于元嘉十四年(437 年)所作的《灵宝经目序》里说:“仙公授文于天台。”①青溪道士孟安排所集的《道教义枢》卷二《三洞义第五》引《真一自然经》说:“徐来勒等三真以己卯年正月一日日中时于会稽上虞山传仙公葛玄。”②《云笈七籤》卷六《三洞并序》亦称:“太极真人徐来勒与三真人以己卯年正月降天台山,传《灵宝经》以授葛玄。”③葛玄乃葛洪的从祖,而东晋末年造作《灵宝经》、使“《灵宝》风教大行”的葛巢甫,又系葛洪的从孙;葛洪在其《抱朴子》一书中又反复论述和引用《灵宝经》文,并在《遐览篇》中予以著录。该篇所著录之书,多系其师郑隐所传承者。由于这些情况,可知将古《灵宝经》的传授系之于葛玄的名下,也是“事出有因”的。唯在葛洪的著作里未载此事,故又属于“查无实据”,也可能是造经者的依托。但如上面所述,古《灵宝》出自汉季,葛玄传授其中的某些部分,也不是完全不可能的。《太极葛仙公传》称葛玄曾“删集《灵宝》经诰”④,又引《别传》谓葛玄在回答吴王问“道经之品,何者为先? 符图秘要,何者为妙?”的问题时,曾举《太上灵宝洞玄大道无极自然真一五称文》以对,并谓“其文义趣弘深”⑤。所谓《五称文》,盖属于古《灵宝》的《五真文》之类。《别传》还称葛玄又以《灵宝自然五称宝曜文》传其弟子郑思远。⑥《云笈七籤》卷六《三洞并序》在叙述《灵宝经》的传授时还说:“(葛)玄传郑思远,思远以《灵宝》及三洞诸经付玄从弟少傅奚⑦,奚付子护军悌,悌付子洪。洪即抱朴子也,又于马迹山诣思远告盟奉受。洪又于晋建元二年(344 年)三月三日于罗浮山付弟子海安君望世等。后从孙巢甫晋隆安元年(397 年)传道士任延庆、徐灵期,遂行于世。”⑧《灵宝略纪》和《道教义枢·三洞义第五》皆谓“(葛)巢甫以隆安之

① 《云笈七籤》卷 3,《道藏》第 22 册,第 19 页。
② 《道藏》第 24 册,第 813 页。
③ 《云笈七籤》卷 6,《道藏》第 22 册,第 32 页。
④ 《道藏》第 6 册,第 849 页。
⑤ 《道藏》第 6 册,第 850 页。
⑥ 参见《道藏》第 6 册,第 851 页。
⑦ 按《晋书·葛洪传》:“奚”当作“系”,《晋书》卷 72《葛洪传》,北京:中华书局 1974 年版,第 6 册,第 1910 页。
⑧ 《云笈七籤》卷 6,《道藏》第 22 册,第 32—33 页。

末，传道士任延庆、徐灵期等”，并谓从此以后，“世世录传，支流分散，孳孕非一”①。

大致《灵宝》经谒，虽出汉季，以后并不断繁衍增益，但在晋末葛巢甫等人造构《灵宝》以前，仍然篇卷不多，流传不广，即使有传授，也无系统，在葛洪去世之前，尚未形成一个道派，故在葛洪的著作中没有传授系统的记载。葛巢甫等人造作《灵宝经》，是在葛洪去世之后，王灵期诣许黄民求《上清经》之前。《度人经》的出世，当系这个时候。从此以后，灵宝部经日益增多，风教大行，至刘宋初年，已达55卷。陆修静在《灵宝经目序》中谈到当时《灵宝经》的造作时说：“或删破《上清》；或采搏余经；或造立序说；或回换篇目，裨益句章，作其符图；或以充旧典；或别置盟戒。文字僻左，音韵不属。辞趣烦猥，义味浅鄙。颠倒舛错，事无次序。”②可见当时造经的方式多端，不顾质量，产生了不少滥竽充数、鱼目混珠的作品。其造经的目的，是为了“招人宗崇”，广收信徒，以致“精粗糅杂，真伪混行”③。后经陆修静的鉴别，认为属于可信者仍有35卷。④ 这个数字，已大大超过葛洪生前所看到过的《灵宝经》的卷数了。说明从东晋末年到刘宋初年，灵宝经书有了很大的发展，信奉者日益众多，影响也相当广泛，可视为灵宝派的形成时期。继之而起的陆修静，又对此进行了增修，补充制订了各种斋戒仪轨，从而使灵宝派作为一个道派更加健全。于是灵宝之教，遂大行于世。

三、灵宝斋法及其特征

中国道教的斋醮科仪，是具有东方宗教信仰特色的祭祀仪式，是道教文化的重要内容。中国道教丰富的祭祀经典，完备的科仪格式，系统的祭祀理论，深邃的文化意蕴，在世界宗教中占有一定的地位，历来受到国内外研究者的重视。灵宝斋法是道教斋法的主流，在斋醮中影响至为深远。下面我们着重就道教斋醮科仪的渊源及其灵宝斋法进行论述。

① 《云笈七籤》卷3，《道藏》第22册，第15页。
② 《云笈七籤》卷4，《道藏》第22册，第19页。
③ 《云笈七籤》卷4，《道藏》第22册，第19页。
④ 参见《太上洞玄灵宝授度仪表》，《道藏》第9册，第839页。

道教斋法源于先秦祭祀。中华民族有着悠久的祭祀传统，先秦时期“国之大事，在祀与戎”①，祭祀成为国家政治生活的头等大事。祭祀的同义语就是“斋”，作为祭祀之斋的本义是洁净、斋戒，《说文解字》释“斋”说：“斋，戒洁也。”②古人在祭祀前，必须清洁身心，戒慎行为，挈诚以祭祀，方能取悦于鬼神，达到祈禳告求的目的。集先秦时期儒家祭祀文化之大成的《周礼》、《仪礼》、《礼记》，对祭祀的功能有深刻的阐述。《礼记·祭统》就说：“凡治人之道，莫急于礼；礼有五经，莫重于祭。”③道教作为中华传统之宗教，汲取了先秦祭祀文化的要义，承袭了儒家斋为戒洁之说。刘宋道经《太上太真科》释“斋”说：“斋者，齐也，洁也，净也。”④此对“斋”的解释出于先秦儒家、道家。《礼记·曲礼上》说：“齐戒以事鬼神”⑤；《庄子·达生》说：“十日戒，三日齐”⑥。此“齐”即为“斋”之义。《云笈七籤》卷三十七《斋戒》说：

> 斋者，齐也，齐整三业。外则不染尘垢，内则五藏清虚，降真致神，与道合真。⑦

“三业”指身、口、心。刘宋道经《太上太真科》对“三业”有阐释：“能摄身者，端拱不扰；能摄口者，默识密明；能摄心者，神与道合。”⑧这是道教对先秦之斋的超越，道教之斋追求的境界，是与道教之“道”完全相合。早期道教在从事祭祀的活动中，十分重视斋的济度功能。刘宋道经《三天内解经》卷下说：

> 夫为学道，莫先乎斋……故天师遗教，为学不修斋直，冥冥如夜行

---

① 《左传》成公十三年，《春秋左传正义》卷27，（清）阮元校刻：《十三经注疏》下册，北京：中华书局1980年影印本，第1911页。

② （汉）许慎：《说文解字》，北京：中华书局1963年版，第8页。

③ （清）阮元校刻：《十三经注疏》下册，北京：中华书局1980年影印本，第1602页。

④ 《道藏》第6册，第1004页。

⑤ 《礼记正义·表记》，（清）阮元校刻：《十三经注疏》下册，北京：中华书局1980年影印本，第1638页。

⑥ 陈鼓应：《庄子今注今译》，北京：中华书局1983年版，第479页。

⑦ 《道藏》第22册，第259页。

⑧ 《道藏》第6册，第1004页。

不持火烛,此斋直应是学道之首。①

六朝道经《玄门大论》提出九种斋法:粗食、蔬食、节食、服精、服牙、服光、服气、服元、胎食。这九种斋法都是祭祀前的守斋,可视为儒家齐整身心理论的具体运用,不过更具道教养生修炼的特点。

先秦之"斋",常与"戒"连称。《孟子·离娄》说:"虽有恶人,齐(斋)戒沐浴,则可以祀上帝。"②《墨子》说:"天子有疾病祸祟,必齐(斋)戒沐浴,洁为酒醴粢盛,以祭祀天、鬼。"③道教祭祀的斋法,在继承先秦斋戒理论的基础上,融入了道教的教义思想。唐杜光庭《道门科范大全集》卷九十七说:

斋者,所以斋洁心神,清涤思虑,专致其精而求交神明也。④

道教修道讲究炼精气神,而斋亦要求精气神的专一。宋陈椿荣《太上洞玄灵宝无量度人上品经法》说:

斋者,内斋其心,外斋其形:戒者,内戒其志,外持其形。⑤

认为斋者心志、外形和谐一致,内外统一,才符合挈诚祭祀的要求。宋代路时中在《无上玄元三天玉堂大法》中说:

清心谓之斋,克己谓之戒。⑥

此与《易·系辞上》"洗心曰齐(斋),防患曰戒"⑦之说颇为接近。道教早期的经典,言及修斋之事,多指举行祭祀仪式前的斋戒,认为学道修真不持斋,犹如夜行不持火烛,茫茫不得路径,焉能与神灵感应交通?陆修静《洞玄灵宝五感文》说:"道以斋戒为立德之根本,寻真之门户。"⑧隋唐道经《太上虚皇天尊四十九章经》说:"斋戒者,道之根本,法之津梁。子欲学道,清斋奉

---

① 《道藏》第28册,第416页。
② 《孟子注疏》,(清)阮元校刻:《十三经注疏》下册,北京:中华书局1980年影印本,第2730页。
③ 《墨子·尚同中第十二》,《百子全书》,杭州:浙江人民出版社1984年影印本,第5册。
④ 《道藏》第31册,第940页。
⑤ 《道藏》第2册,第477页。
⑥ 《道藏》第4册,第1页。
⑦ 《周易正义》卷7,(清)阮元校刻:《十三经注疏》上册,北京:中华书局1980年影印本,第82页。
⑧ 《道藏》第32册,第619页。

戒,念念正真,邪妄自泯。”①认为斋戒是修道成真的必由路径,并提升到修道学法之根本的高度。

先秦之斋,多指祭祀期间的食欲禁忌,恬淡寡欲,戒慎行为。要求祭祀者以虔诚之心面对神灵,此属于祭祀之斋。庄子在祭祀之斋基础上,进一步提出“心斋”之说,认为斋的最高境界,是经过内心修炼,才能臻于妙道。庄子的“心斋”理论,遂为道教所继承。《云笈七籤·斋戒叙》首先就引用了庄子的“心斋”之说,接着谈道教的三种斋法:

> 一者设供斋,以积德解愆。二者节食斋,可以和神保寿,谓祭祀之斋,中士所行也。三者心斋,谓疏瀹其心,除嗜欲也;澡雪精神,取秽累也;掊击其智,绝思虑也。夫无思无虑则专道,无嗜无欲则乐道,无秽无累则合道,既心无二想,故曰一志焉,盖上士所行也。②

可见心斋就是要清心寡欲,超凡脱俗,这种内心的斋戒,属于斋的最高层次。心斋追求修道的那种精神境界,确非一般人所能做到的。

道教之斋种类虽多,但就其功能讲,则分极道、济度二种。唐代道经《太上洞玄灵宝业报因缘经》说:

> 极道者,为发心学道,从初至终,念念持斋,心心不退……济度者,谓回念至道,翘想玄真,愿福降无穷,灾消未兆。③

极道要求忘心、灭心,济度要求虔心、舍财。道教的祭祀之斋,即属济度范畴,其主要功能是请福祈恩,消灾谢过。宋陈椿荣《太上洞玄灵宝无量度人上品经法》说:

> 斋者有四:一曰心斋,二曰常斋,三曰清净斋,四曰长斋。④

道教的各种修斋方法,又可从形式上分为二类。唐代道经《金箓大斋启盟仪》称:

> 斋法之说,有内有外,请备论之。内斋者,恬澹寂寞,与道翱翔,昔孔子以心斋之法告颜渊,盖此类也。外斋者,登坛步虚,烧香忏谢,即古

① 《道藏》第1册,第768页。
② 《道藏》第22册,第261页。
③ 《道藏》第6册,第100页。
④ 《道藏》第2册,第477页。

人祷祠祭祀之余意也。①

用于个人修道悟真的斋法是内斋，用于祭祀的是外斋。我们这里要讨论的灵宝斋法，即属外斋。道教认为斋是太上所敬重，老君所营护，诸圣所依赖，各种斋法并存，供道士受修。

斋法作为道教的宗教修持，广泛运用于宗教生活的诸多方面，至刘宋时期，斋法已不仅限于祭祀活动。刘宋道经《洞玄灵宝道学科仪·必斋品》，说道士女冠诵经、书符、合药、作金丹、精思、诣师请问、礼拜、受经、救济、消灾、致真等，都必须斋戒。北宋李纲说儒、释、道三家都有斋，但斋的功能不一样，道教之斋特点是"以养神气而致其清"②。

灵宝斋法的传播及其影响。道教行用的斋法，由于道派修习法门的不同，在魏晋南北朝时期有灵宝、上清、涂炭诸斋的区分。灵宝斋是阁皂山灵宝派的斋法，上清斋是茅山上清派的斋法，涂炭斋是天师道的斋法。灵宝斋法的兴起是在南北朝刘宋时期，其中关键人物是陆修静。刘宋灵宝派道士陆修静整理三洞经典，主持编撰了百余卷斋仪，内容可概括为"九斋十二法"。除上清斋二法和天师道的三元涂炭斋以外，主要的九种斋法是灵宝斋。陆修静《洞玄灵宝五感文》载：

> 二曰洞玄灵宝之斋，有九法。以有为为宗。
>
> 其一法，金箓斋。调和阴阳，救度国王。
>
> 其二法，黄箓斋。为同法拔九祖罪根。
>
> 其三法，明真斋。学士自拔亿曾万祖九幽之魂。
>
> 其四法，三元斋。学士一年三过，自谢涉学犯戒之罪。
>
> 其五法，八节斋。学士一年八过，谢七玄及己身宿世今生之罪。
>
> 其六法，自然斋。普济之法，内以修身，外以救物，消灾祈福，适意所宜。
>
> 其七法，洞神三皇之斋。以精简为上。……
>
> 其八法，太一之斋。以恭肃为首。

① 《道藏》第9册，第73页。

② （宋）李纲撰：《梁溪集》卷156，《文渊阁四库全书》第1126册，第679页。

其九法，指教之斋。以清素为贵。①

所谓灵宝斋法以“有为为宗”，是相对于上清斋的自我修持而言，上清斋的“绝群离偶，无为无弃，寂胃虚申，眠神静炁，遗形忘体，无与道合”，这种“孤影夷豁”②的修斋方法，颇有上清派江南士族的清修之风。而涂炭斋本来是魏晋天师道的斋法，张鲁时期修涂炭斋，其法“露身中坛，束骸自缚，散发泥额，悬头衔发于栏格之下”③。对这种苦修解考度厄的方法，陆修静改为依灵宝下元大谢清斋修设。灵宝斋法的“有为”指它的功德，也就是斋醮的祈禳、济度功能。此后灵宝斋法大行于世，“请福祈真，斋法为大”④。陆修静亦曾宣称：“斋法之大者，莫先太上灵宝斋。”⑤

陆修静制定的九斋十二法，其科仪经本似在《无上秘要》中有保存。北周道经《无上秘要》卷四十八至卷五十七所收录的斋法，有灵宝斋宿启仪、三皇斋、涂炭斋、盟真斋、三元斋、金箓斋、黄箓斋、太真下元斋、太真中元斋、太真上元斋。该经编撰于南北分裂时期，说明北朝道教行用的，也主要是灵宝斋法。《无上秘要》推崇灵宝斋法，声称：“道家所先，莫近乎斋，斋法甚多，大同小异，其功德重者，唯太上灵宝斋。”⑥汉唐道教宗师皆显扬灵宝，唐杜光庭《太上黄箓斋仪》卷五十三《赞导》说：“此法自张天师、陆先生、寇天师、张清都，相传至今，颇历年代。皆以斋法出于灵宝。”⑦《无上秘要》卷四十八《灵宝斋宿启仪品》未著录撰者，而南宋道士蒋叔舆编撰的《无上黄箓大斋立成仪》，其中卷十六为《古法宿启建斋仪》，则著录为“东晋庐山三洞法师陆修静撰”。两种宿启科仪的格式，具有明显的沿袭痕迹，据此可以推测该科本系陆修静撰作。此外，刘宋太极太虚真人撰《洞玄灵宝道学科仪》记载的斋法、朝仪有 23 种，其主要内容也是灵宝斋法。

---

① 《道藏》第 32 册，第 620 页。
② 《道藏》第 32 册，第 620 页。
③ （北周）宇文邕：《无上秘要》卷 50，《道藏》第 25 册，第 183 页。
④ 《道藏》第 30 册，第 649 页。
⑤ 《道藏》第 9 册，第 824 页。
⑥ （北周）宇文邕：《无上秘要》卷 47《斋戒品》，《道藏》第 25 册，第 166 页。
⑦ 《道藏》第 9 册，第 347 页。

道教认为灵宝之教最初密而不传，在道门中口口相授，太极仙翁葛玄始撰成经典，“著敷斋威仪之诀，陆天师复加撰次，立为成仪”①。陆修静作为灵宝派道士，担当制定斋仪之重任，并对斋法的要义进行理论探讨。陆修静在《洞玄灵宝斋说光烛戒罚灯祝愿仪》论斋法之功能说：

夫感天地，致群神，通仙道，洞至真，解积世罪，灭凶咎，却怨家，修盛德，治疾病，济一切，莫过乎斋转经者也。夫斋直是求道之本，莫不由斯成矣。②

陆修静有关斋法的济度理论，为后世科仪所沿袭。道教认为治人当先治身，正人当先自正，而治身正心就离不开斋直，斋是齐人参差之行，直是正人入道之心。陆修静说的斋直，即指祭祀之斋法。陆修静所撰斋科，被后世视为斋仪之范模，唐宋科仪宗师考证科书之歧异，多追根溯源，指陆修静科本为定说。灵宝斋法由此奠定了科仪的主导地位，此后的道教科仪经典，所载斋法皆以灵宝为宗。陆修静整理制定的灵宝斋法，由于其广泛的祈禳济度功能，从江南逐渐推衍于全国，终使灵宝斋法大行于世。唐代道经《斋戒录》说：

经品斋科，行于江表，疫毒销弥，生灵乂康。自晋及兹，蒙其福者，不可胜纪焉。③

据陶弘景《真诰》记载：齐梁之际，赴茅山崇元馆学道者，居道馆周围数里，廨舍十余坊，皆修灵宝斋及章符，学上清经者寥寥无几。当时茅山每年三月十八日的鹤会，公私云集，车有数百乘，人有四五千，道俗男女，登茅山作灵宝唱赞，可见灵宝斋法确乎风行于江表。此亦从一侧面反映出主张清修内斋的上清派，也逐渐接受了灵宝斋法的史实。

唐代道教作为国家宗教，其斋醮法事为皇室所看重，正式登上国家祭祀的大雅之堂。唐玄宗御敕编撰的《唐六典》，将道教斋醮列为国家祀典。《唐六典》卷四载：

斋有七名。其一曰金箓大斋，调和阴阳，消灾伏害，为帝王国主延

---

① （宋）蒋叔舆撰：《无上黄箓大斋立成仪》卷1，《道藏》第9册，第378页。

② 《道藏》第9册，第824页。

③ 《道藏》第6册，第1007页。

祚降福。其二曰黄箓斋,并为一切拔度先祖。其三曰明真斋,学者自斋,斋先缘。其四曰三元斋,正月十五日天官为上元,七月十五日地官为中元,十月十五日水官为下元,皆法身自忏愆罪焉。其五曰八节斋,修生求仙之法。其六曰涂炭斋,通济一切急难。其七曰自然斋,普为一切祈福。①

不难看出,唐代国家祭祀的七种斋法,仍然是灵宝斋法。《混元圣记》记载宋代道教行用的三箓、七品斋法,三箓是金箓斋、玉箓斋、黄箓斋,七品指明真斋、自然斋、三元斋、八节斋、洞神斋、指教斋、涂炭斋。宋真宗时,道教为国家祭祀的科仪,已定型为上元金箓斋、中元玉箓斋、下元黄箓斋的格式。唐宋时期的各种经书科本,列举的斋法主要是灵宝斋法。

从道派的角度来说,除了灵宝派、上清派行用灵宝斋法,唐宋时期产生的新道派亦接受了灵宝斋法。元代道经《清微斋法》卷上记载清微派的九品斋科是太一斋、九天斋、金箓斋、玉箓斋、黄箓斋、明真斋、洞渊斋、九幽斋、五炼斋。这说明唐末产生的清微派,所用斋科是灵宝斋法。此外,宋代的神霄派、净明道乃至金元兴起的全真道,在斋修方面都行用灵宝斋法。

南宋时期,灵宝斋法的编撰进入极盛,道士金允中、王契真皆编撰《上清灵宝大法》,各成灵宝斋法的一家之言。不著撰者的《灵宝玉鉴》,则是著名的灵宝斋法类书。由宁全真授、林灵真编撰的《灵宝领教济度金书》,共计三百二十卷,实为集灵宝斋法之大成的百科全书。明代周思得《上清灵宝济度大成金书》,亦以弘扬灵宝斋法为己任。

唐宋时期道教行用的斋法,道教科书中记载有二十七品。《金箓大斋启盟仪》说:“斋法见于道家者,凡二十有七品,其源出于灵宝。”②该经记载二十七品斋的名目是:太真斋、上清斋、大洞斋、金房斋、太一斋、九天斋、金箓斋、玉箓斋、盟真斋、黄箓斋、洞神斋、自然斋、三元斋、涂炭斋、拔度斋、洞渊斋、天宝斋、九幽斋、五炼斋、正一斋、太平斋、三皇斋、八帝斋、北帝斋、旨教斋、解考斋、化胡斋。道教的二十七等斋,至迟在唐末已经形成,南宋吕元

① (唐)李林甫等撰,陈仲夫点校:《唐六典》,北京:中华书局1992年版,第125页。
② 《道藏》第9册,第73页。

素《道门定制》卷六说:"广成先生曰:'斋有二十七等,备在三洞经中,各有品题,标明所主。'"①这二十七品斋科,是灵宝斋法在行用中的衍生。由于灵宝斋法占据了主导地位,道教行用的斋法皆以灵宝为宗,以致元代有"非灵宝不可以度人"之说。②

灵宝斋法能够成为斋法的主流,根本原因在于它是南朝道教改革的产物。经过刘宋时期陆修静对道教的改革,弱化了早期道教具有的反叛性格,成为封建王朝所能接受的正统宗教。在这场民间宗教向官方宗教的转变中,道教斋醮科仪亦经过一番清整,以适应国家祭祀的需要。从本质上说,斋醮是道教教义思想的仪式化反映。陆修静编撰的灵宝斋法,必定融入清整过的教义思想。这样,灵宝斋法作为宗教上层建筑,能够适应封建国家的祭祀需要,因而逐渐登上封建国家祭祀的斋坛,成为唐宋元明国家祭祀的主要斋法。

在道教的灵宝斋法中,行用最广泛的是金箓斋、黄箓斋,两种斋法具有的特点,足以履行斋醮的祈禳、济度功能。唐代道教盛行的金箓斋,其主要功能是祈禳,祈求神真保佑帝王,安民镇国。杜光庭《金箓斋启坛仪·序事》说:

> 金箓为国主帝王镇安社稷,保佑生灵,上消天灾,下禳地祸,制御劫运,宁肃山川,摧伏妖魔,荡除凶秽。③

唐代凡出现五星失度、四气变常、二象不宁、两曜孛蚀的反常天象,或遭遇地震、山崩、水灾、旱灾、蝗害、瘟疫、战争等天灾人祸,都要在道教的名山洞府设坛,修金箓斋为国祈禳,以求禳却氛邪,解销灾变,祝愿宗庙安宁,四海和平。唐代皇室最重视金箓斋,据《唐六典》记载,凡三元日和皇帝诞生日,要例行举行金箓大斋。天宝二年(743年)下元日(十月十五日),庆唐观道士举行金箓斋,《庆唐观金箓斋颂》记此祭祀场面说:

> 每至是日,展法于斯,修金箓斋,启玉皇印,道家之宝,王者之仪,靡盛于此矣……仙侣颁次,羽人步虚,朝拜九天,醮祠五老。想钩陈则黄

---

① 《道藏》第31册,第712页。

② 参见(元)郑所南:《太极祭炼内法》卷下,《道藏》第10册,第462页。

③ 《道藏》第9册,第67页。

云垂覆，存太一则白鹤来翔。其余侍香玉童，传言玉女，缥缈烟景，徘徊元空，求之希微，宛如契合耳。①

庆唐观在晋州浮山县羊角山，相传是隋末老君示现李渊之处，高祖李渊建立大唐以后，在此处建庆唐观作为唐王室的家庙，庆唐观举行金箓斋会，目的是为唐帝王延祚降福。武则天执政时期，曾多次敕命道士举行金箓斋会，为武周政权拜天谢过，镇安社稷。其中规模最大的是大周长安四年（704 年），大弘道观威仪师邢虚应等，奉敕于东岳岱岳观建金箓大斋 49 天。

黄箓斋具有广泛的济度功能，历来为道教科仪宗师所重视。从晋唐时期的陆修静、张万福、杜光庭，到宋元明时期的蒋叔舆、林灵真、周思得，皆曾编撰黄箓科仪。此外，林灵素、李景祈、翟公巽、留用光、蔡致虚、路时中、赵道升、吕云等，亦曾撰作黄箓科仪，此足以见黄箓斋为灵宝斋法之精要。《正统道藏》收录杜光庭《太上黄箓斋仪》、蒋叔舆《无上黄箓大斋立成仪》，是研究唐宋黄箓斋的重要经书。宋真宗敕命王钦若召集高道修斋醮科仪，制定了道教斋醮的三等九级坛法，分为上中下三等，中等是黄箓坛。据《翊圣保德真君传》载：

中三坛则为臣寮设之。其上为黄箓延寿坛，凡星位六百四十；其中曰黄箓臻庆坛，凡星位四百九十；其下曰黄箓去邪坛，凡星位三百六十。②

在历代史籍、道经、笔记、文集等文献中，关于举行黄箓斋的记载最为丰富。黄箓斋在社会上的盛行，原因在于其济拔救度、济世度人的功能。陆修静《洞玄灵宝五感文》说黄箓斋，“为同法拔九祖罪根”③。《唐六典》卷四说黄箓斋：“为一切拔度先祖”。《道门定制》卷六记为“普资家国，遍济存亡，开度七祖，救拔三途”④。宁全真《上清灵宝大法》卷五十四说：

黄箓兼总死生，人天同福，上至邦国，下及庶人，皆得修奉……为国

① 陈垣编纂，陈智超、曾庆英校补：《道家金石略》，北京：文物出版社 1988 年版，第 137—138 页。

② （宋）张君房撰：《云笈七籤》卷 103，《道藏》第 22 册，第 695 页。

③ 《道藏》第 32 册，第 620 页。

④ 《道藏》第 31 册，第 713 页。

消灾，为民祈福，拔济师友，普度幽魂，请福三元，关升九祖，皆曰黄箓，悉有科仪。①

可见随着道教斋法的渐趋完备，时代愈后而黄箓斋的功能愈益广博。道教认为黄箓具有济人救物的功能，可普资家国，遍济存亡，上拔亿曾万祖恶对罪根，下拯九夜三途穷魂幽爽，解消殃结，开度天人。所谓“经分三十六部，而度人莫先；斋列二十七等，而黄箓为首”②。无论是开度九幽七祖，拯拔地狱罪根，还是祈禳风调雨顺，人天普福，黄箓皆可修崇，其功无际。

道教斋醮之法，历来以灵宝为宗，认为灵宝是诸法之祖，所谓“非灵宝不可以度人，非灵宝不可以生神”③。灵宝斋法被视为“大道之根宗，度人之上品”④。灵宝斋法的功能是济度，就是“立功济物，度人弘道”⑤。历代宗师宣讲的各种救苦度人法门，多达万卷千篇，不过是“作苦海之舟楫，为成真之径路”⑥。最终目的是使人得道成真。道教斋醮是道教思想的仪式化反映，其蕴涵着道教的神学理论、哲学思想、祭祀观念、信仰习俗，涉及道教文化的诸多层面。斋醮科仪表达的核心思想，是道教之“道”。《灵宝玉鉴》卷十五说：“夫道本一炁，磅礴两间。形而上者，无体无方；形而下者，有物有像。”⑦道教斋醮科仪充分体现了这种哲学思想。作为形而下的各种科仪格式，无不具备形而上的“道”之意蕴，正是这种形上、形下的完美统一，建构出道教斋醮的各种科仪格式，并在道教的传播、发展过程中发挥重要作用。法国学者施博尔（Kristofer Marinus Schipper）说：“仪式是文化的真正的纪念碑”⑧。我们也可以说：斋醮科仪是道教文化的真正的纪念碑。正是从丰富多彩的科仪演习，我们才得以窥见道教文化曾经拥有的辉煌；正是从民间频繁举行的斋醮法事，我们才深切感受道教是中国土生土长的宗教。

---

① 《道藏》第31册，第201页。

② （宋）蒋叔舆撰：《无上黄箓大斋立成仪》卷46，《道藏》第9册，第645页。

③ （明）周思得撰：《上清灵宝济度大成金书》卷23，《藏外道书》第17册，第1页。

④ （元）郑所南撰：《太极祭炼内法》卷下，《道藏》第10册，第462页。

⑤ （唐）杜光庭撰：《太上黄箓斋仪》卷55，《道藏》第9册，第363页。

⑥ （宋）王契真撰：《上清灵宝大法》卷31，《道藏》第30册，第934页。

⑦ 《道藏》第10册，第252页。

⑧ ［法］施舟人（Kristofer Marinus Schipper）：《关于仪式的论文集》第1卷（法文版），巴黎：朗文出版社1988年版，第1—8页。

从以上分析可知，灵宝派的修炼方法，主要是符箓科教，同时又受到上清派的影响，也讲思神、诵经，对金丹、房中之术甚为轻视。从其重视符策科教方面来看，它比上清派更接近于旧天师道，故甚至有认为《灵宝经》系张陵所造者。但实际上它和旧天师道那种搞画符念咒以"驱鬼降魔"、"祈福禳灾"的方式并不完全相同，也与上清派着重于存思有一定的区别，它比较强调斋仪。在疑为东晋末葛巢甫所撰的较早的灵宝斋仪著作《太极真人敷灵宝斋戒威仪诸经要诀》中即指出："夫学真仙白日飞升之道，皆以斋戒为立德之本矣。"①陆修静也认为"斋直是求道之本"②。斋直时，信徒们聚在一起，进行礼拜、诵经和思神等活动，要求做到"拱默幽室，制伏性情，闭固神关，使外累不入，守持十戒，令俗想不起"，"注玄味真，念念皆净"③，并设有"监斋"，以司察众过，弹纠愆失，凡违反仪轨戒规者，均应受到各种不同的惩罚。认为通过这种活动，就可以达到使信徒们"洗心净行、心行精至"④的目的。灵宝派的这种斋醮科仪和旧天师道相比，已经有了新的发展。还有，旧天师道重视为人治病解厄，而灵宝派则强调"普度一切人"，二者的思想虽有某些类似，但也有其各自不同的特点，特别是和上清派着重于个人修炼成仙的思想有区别。《洞玄灵宝斋说光烛戒罚灯祝愿仪》说："圣人传授经教，教于世人，使未闻者闻，未知者知，欲以此法桥，普度一切人也。"⑤《太上洞玄灵宝本行因缘经》还假葛玄的口气告诫地仙三十三人说："子辈前世学道受经，少作善功，唯欲度身，不念度人；唯自求道，不念人得道，不信大经弘远之辞，不务斋戒，不尊三洞法师，好乐小乘，故得地仙之道。"⑥只能成为地仙，不能成为天仙。灵宝派视《灵宝经》为"大乘之法"⑦或"大乘之体"⑧，故这种告诫，也有可能是针对上清派思想而说的。

① 《道藏》第 9 册，第 867 页。
② 《洞玄灵宝斋说光烛戒罚灯祝愿仪》，《道藏》第 9 册，第 824 页。
③ 《洞玄灵宝斋说光烛戒罚灯祝愿仪》，《道藏》第 9 册，第 821 页。
④ 《洞玄灵宝斋说光烛戒罚灯祝愿仪》，《道藏》第 9 册，第 821 页。
⑤ 《洞玄灵宝斋说光烛戒罚灯祝愿仪》，《道藏》第 9 册，第 824 页。
⑥ 《道藏》第 24 册，第 671 页。
⑦ 《灵宝略记》，《云笈七籤》卷 3，《道藏》第 22 册，第 14 页。
⑧ 《太上洞玄灵宝授度仪表》，《道藏》第 9 册，第 839 页。

灵宝派和上清派一样,都是代表上层统治阶级的利益的。为此,他们把儒家的封建伦理思想和修道密切结合起来,提出了“三合成德”的理论。它说:“夫道,三合成德,自不满三。诸事不成。三者,谓道、德、仁也。仁,一也;行功德,二也;德足成道,三也。三事合,乃得道也。若人但作功德而不晓道,亦不得道;若但晓道而无功德,亦不得道;若但有道德而无仁,则至理翳没,归于无有。譬如种谷,投种土中,而无水润,何能生乎?有君有臣而无民,何宰牧乎?有天有地而无人物,何成养乎?故《五千文》曰:‘三生万物。’”①可见,“三合成德”的思想,正是为了君、臣、民各安其位,以便维护封建统治。为了维护封建统治,他们还制定了一些戒规,规定其信徒“不可得乱语,论及世务”②,必须奉公守法,不许妄言朝政得失,更不得参加反抗封建统治的活动。如《太上洞玄灵宝三元品戒功德轻重经》的《三元品戒罪目》中,便列有“不忠于上”、“私畜刀仗兵器”、“合聚群众”、“评论国事”、“轻凌官长有司”、“论议世间曲直”、“妄论国家盛衰”等各种“罪目”③,其中心思想,就是不准“犯上作乱”。

由于灵宝派既吸收了旧天师道能够吸引群众的某些思想和宗教活动形式,又革除了它的那些庸俗粗鄙和反映农民群众愿望与要求的内容,在修持方法上也比上清派更为简便易行,故能适合当时中上层人士的口味。经过陆修静的发挥,到南北朝时已得到了比上清派更为广泛的流传。这一情况,将在后面再作叙述。

上清派和灵宝派的出现,标志着道教组织的正式分化,代表上层封建统治阶级利益的道派已经形成,由此进一步促进了道教的改革和发展,道教发展进入改造和充实的新阶段。

---

① 《道藏》第9册,第823页。

② 《道藏》第9册,第824页。

③ 《道藏》第6册,第880—881页。

第四章

道教在南北朝时期的改造和充实

东汉末年产生的道教,经过魏晋,已有初步发展。主要表现是天师道已由原来的局部地区传播到大江南北,继之而起的上清派和灵宝派,又于东晋中后期产生于江南。这就为道教的进一步发展打下了初步的基础。但是这时道教面临的任务也是十分复杂而艰巨的。就天师道来说,因为它草创不久,理论教义比较粗糙,科仪比较简单,组织也不健全。特别是张鲁逝世以后,组织涣散、科律废弛的状况日趋严重。这些都很不适应它进一步发展的要求。另一方面,更因它创始于民间,在一定程度上反映了劳动人民对现实社会种种不公平现象的不满,和要求改革这种现状的愿望,如用"三天正法"去战胜"六天故气"(邪气)等,因而它常被革命群众用作号召起义的旗帜和组织起义的工具。尽管魏晋统治阶级对它采用了镇压和笼络相结合的两手政策,也未能阻止起义的不断发生。不仅"但言老君当治,李弘应出",称名李弘、刘举的起义"岁岁有之"①,而且像西晋陈瑞和李特,东晋孙恩、卢循等领导的规模较大的起义,也不时出现。这些又使天师道和封建统治者的关系常常处于紧张状态中。面对这种形势,出路何在呢?是像两晋时期某些道士那样,仅对其组织涣散等弊病加以修补,使之保持原状呢?还是另谋新路?一批有识的道教上层分子认识到,在当时社会背景下,如果不使自己的宗教和上层社会统治者的要求相协调,不为当时的社会制度服务,就不能取得统治者的支持,自己的宗教也就得不到发展。因此他们决心抛弃复旧的老路,采取适应当时社会统治者要求,以改造旧道教的革新道路。再就上清派和灵宝派说,虽然它们创自士族地主知识分子之手,与当时社会制度不

① 《老君音诵诫经》,《道藏》第18册,第211页。

相协调之处并不突出，但因它们刚刚建立，仍需要充实和提高。因此就整个道教来说，当时所面临的主要任务，一是整顿改造，二是充实提高。经过整顿改造，使一个民间宗教转变为上层化的士族宗教；经过充实提高，使一个不成熟的宗教变为比较成熟的宗教。这就是南北朝时期道教面临的主要任务。

第一节　寇谦之与北朝天师道

一、寇谦之改造天师道

北魏道教改革的主要推动者是北魏道士寇谦之。他身处北魏，因缘时会，获得北魏统治者的大力支持，才得以完成其改革天师道的任务。

北魏拓跋氏是以一少数民族的身份入主中原的，因而他深知，要巩固自己的统治，既须取得汉族士大夫的支持，也须利用汉族的思想工具为自己服务；不仅需要当时占主要地位的思想工具儒学，而且需要利用佛、道二教。北魏创业的几代皇帝正是这样做的。《册府元龟》卷五十三说："后魏道武帝（拓跋珪）好黄老之言，诵咏不倦，数召诸王及朝臣亲为说之。"①《魏书·释老志》也说："太祖（即道武帝）好老子之言，诵咏不倦。天兴（398—403年）中，仪曹郎董谧因献《服食仙经》数十篇。于是置仙人博士，立仙坊，煮炼百药，封西山以供其薪蒸。令死罪者试服之，非其本心，多死无验。太祖犹将修焉。太医周澹，苦其煎采之役，欲废其事。乃阴令妻货仙人博士张曜妾，得曜隐罪。曜惧死，因请辟谷。太祖许之，给曜资用，为造静堂于苑中，给洒扫民二家。而炼药之官，仍为不息。"②他之所以如此热衷于煮炼百药，是为了服食成仙，但结果适得其反，他和他的儿子明元帝拓跋嗣都因服食丹药中毒而死。

继明元帝之后的太武帝拓跋焘，更是道教的热烈支持者。正是在他的积极支持下，寇谦之改革天师道的工作才得以顺利进行，天师道也因此在北魏境内获得了很大的发展。下面先对寇谦之如何改革天师道的情况作一简

① （北宋）王钦若等编：《册府元龟》，北京：中华书局1960年版，第1册，第585页。

② 《魏书》卷114《释老志》，北京：中华书局1974年版，第8册，第3049页。

要的介绍。

《魏书 · 释老志》说:“道士寇谦之,字辅真,南雍州刺史赞之弟,自云寇恂之十三世孙。”①《北史》卷二十七《寇赞传》载:“寇赞字奉国,上谷人也,因难徙冯翊万年(今陕西临潼北)。父修之,字延期,苻坚东莱太守。赞弟谦,有道术,太武敬重之。”②关于寇谦之的籍贯,陈寅恪先生在《天师道与滨海地域之关系》和《崔浩与寇谦之》等文中,作过考辨。谓:“谦之自附于寇恂之后裔,故称上谷人。魏收(《魏书》作者)亦谓其‘自云’,明不足信也。”③《寇赞传》所云其先人“因难徙冯翊万年”,罗振玉《雪堂金石文字 · 寇臻志跋》则谓《志》称“因官,遂寓冯翊”④。“所谓因难或因官,其真伪固不深论”,然其谓徙居冯翊之时皆在曹魏,实即在曹操攻汉中,张鲁降,曹操“拔汉中民数万户以实长安及三辅”⑤之东汉建安年间。故很有可能寇谦之的先世原居汉中,是五斗米道信徒,是建安年间徙居冯翊的。又据《寇赞传》云:“姚泓灭……秦、雍人来奔河南、荥阳、河内者,户至万数,拜赞南雍州刺史、轵县侯,于洛阳立雍州之郡县以抚之。”⑥以此推测,寇谦之先人的籍贯在秦、雍,而且寇氏并非秦、雍之小户,“实为秦、雍大族豪家,否则赞决不能充任此职也”。⑦“以其为豪宗大族,故有被徙之资格;以其为米贼余党,故其家世守天师道之信仰。”⑧正因寇谦之出身于这种世奉天师道的豪家大族,所以“早好仙道,有绝俗之心。少修张鲁之术”⑨,就不是偶然的了。不过《魏书 · 释老志》说他“服食饵药,历年无效”,证明他学道之初成就很小,但后来遇到仙人成公兴,遂使他的学道生涯发生了转折。此仙人成公兴

① 《魏书》卷114《释老志》,北京:中华书局1974年版,第8册,第3049页。
② (唐)李延寿撰:《北史》,第4册,北京:中华书局1974年版,第990页。
③ 陈寅恪:《金明馆丛稿初编》,北京:生活 · 读书 · 新知三联书店,第15页。
④ 陈寅恪:《金明馆丛稿初编》,北京:生活 · 读书 · 新知三联书店,第15页。
⑤ 陈寅恪:《金明馆丛稿初编》,北京:生活 · 读书 · 新知三联书店,第15页。
⑥ 《北史》卷27,北京:中华书局1974年版,第4册,第990页。
⑦ 陈寅恪:《金明馆丛稿初编》,北京:生活 · 读书 · 新知三联书店2001年版,第123页。
⑧ 陈寅恪:《金明馆丛稿初编》,北京:生活 · 读书 · 新知三联书店2001年版,第124页。
⑨ 《魏书》卷114《释老志》,北京:中华书局1974年版,第8册,第3049页。

很奇特,先在“谦之从母家佣赁。谦之尝觐其姨,见兴形貌甚强,力不作倦,请回赁兴代己使役”①。当成公兴至谦之家以后,奇迹发生了。一天,“谦之算七曜,有所不了,惘然自失。兴谓谦之曰:‘先生何为不怿?’谦之曰:‘我学算累年,而近算《周髀》不合,以此自愧。且非汝所知,何劳问也?’兴曰:‘先生试随兴语布之。’俄然便决。谦之叹伏,不测兴之深浅,请师事之。兴固辞不肯,但求为谦之弟子”②。从此开始,寇谦之对成公兴,便处于名为师长实为弟子的奇特关系中。不久,成公兴对寇谦之说:“先生有意学道,岂能与兴隐遁?”③谦之欣然从之。先是随公兴入华山,食公兴所采药,不复饥。继入嵩山修道七年。成公兴根据多年对他的观察,对他作了一个评价,说:“先生未便得仙,政可为帝王师耳!”④即是说,寇谦之并非那种自甘寂寞的隐遁之士,而是具有强烈政治欲望,亟欲作“帝王师”的人物。兴事谦之七年而卒。⑤

成公兴死后,“谦之守志嵩岳,精专不懈”⑥。不过正如成公兴所言,他开始积极为作“帝王师”、实际也是为改革天师道做准备工作了。首先是制造太上老君授予天师之位的神话。宣称在北魏明元帝神瑞二年(415 年),太上老君降临嵩岳,“谓谦之曰:‘往辛亥年,嵩岳镇灵集仙宫主,表天曹,称自天师张陵去世已来,地上旷诚⑦,修善之人,无所师授。嵩岳道士上谷寇谦之,立身直理,行合自然,才任轨范,首处师位。⑧ 吾故来观汝,授汝天师

① 《魏书》卷 114《释老志》,北京:中华书局 1974 年版,第 8 册,第 3049 页。

② 《魏书》卷 114《释老志》,北京:中华书局 1974 年版,第 8 册,第 3049—3050 页。

③ 《魏书》卷 114《释老志》,北京:中华书局 1974 年版,第 8 册,第 3050 页。

④ 《魏书》卷 114《释老志》,北京:中华书局 1974 年版,第 8 册,第 3050 页。

⑤ 关于成公兴的事迹,另据《魏书》卷 91《殷绍传》说:“殷绍,长乐人也……太安四年(公元 458 年)夏,上《四序堪舆》,表曰:‘臣以姚氏之世,行学伊川,时遇游遁大儒成公兴,从求《九章》要术。兴字广明,自云胶东人也。山居隐迹,希在人间。兴时将臣南到阳翟九崖岩沙门释昙影间。兴即北还,臣独留住,依止影所,求请《九章》。”寇谦之所师之仙人成公兴当即殷绍所遇之游遁大儒成公兴。

⑥ 《魏书》卷 114《释老志》,北京:中华书局 1974 年版,第 8 册,第 3050 页。

⑦ 参见(唐)释道宣:《广弘明集》卷 2“诚”作“职”,疑是。《魏书》卷 114《释老志》,北京:中华书局 1974 年版,第 8 册,第 3061 页。

⑧ 《册府元龟》卷 53“才任轨范,首处师位”作“才任范首,可处师位”,疑是。《魏书》卷 114《释老志》,北京:中华书局 1974 年版,第 8 册,第 3061 页。

之位”①。并说太上老君赐他《云中音诵新科之诫》20卷，要他宣此《新科》，“清整道教，除去三张伪法，租米钱税，及男女合气之术”②。还要他“专以礼度为首，而加之以服食闭练”③，并“授谦之服气导引口诀之法。遂得辟谷，气盛体轻，颜色殊丽。弟子十余人，皆得其术”④。《老君音诵诫经》也作了类似的记述。称太上老君向他说：“吾汉安元年以道授陵，立为系天师之位，佐国扶命……从陵升度以来，旷官置职来久，不立系天师之位。”⑤致使“后人道官诸祭酒愚暗相传”，“世间修善之人，求生科福寻绪，诈伪经书，修行无效，思得真贤正法之教”⑥。“今有上谷寇谦之，隐学嵩岳少室，精炼教法，掬知人鬼之情，文身宜理，行合自然。”⑦“吾是以东游，临观子身……谦之，汝就系天师正位！并教生民，佐国扶命……一从吾乐章诵诫新法，其伪诈经法科，勿复承用。”⑧很显然，所谓太上老君降临嵩岳授其天师之位等，是他自己编造的神话。其目的是假托神命以夺取天师道的领导权，为寇谦之将来作“帝王师”的资本，也为他改造天师道做准备。

其次，在他假托太上老君授其天师之位的同时，又编造了神授经书的故事。除上面所说太上老君授其《云中音诵新科之诫》20卷以外，又称泰常八年(423年)老君玄孙李谱文再临嵩岳，授其《录图真经》60余卷，命他奉持此经，辅佐北方泰平真君，统领“人鬼之政”。很明显，这两部部头很大的经书，都是寇谦之所撰，他之所以要托为太上老君所授，目的是要借用太上老君的权威以抬高经书和他自己的身价，为将来向皇帝献书，也为将来改造天师道制造根据。

在做完以上两项必不可少的舆论准备工作之后，这位嵩山道士就戴着“天师”的桂冠下山了，目的是去北魏朝廷权贵中寻找能够上通皇帝的支持

① 《魏书》卷114《释老志》，北京：中华书局1974年版，第8册，第3050—3051页。
② 《魏书》卷114《释老志》，北京：中华书局1974年版，第8册，第3051页。
③ 《魏书》卷114《释老志》，北京：中华书局1974年版，第8册，第3051页。
④ 《魏书》卷114《释老志》，北京：中华书局1974年版，第8册，第3051页。
⑤ 《老君音诵诫经》，《道藏》第18册，第210—211页。
⑥ 《老君音诵诫经》，《道藏》第18册，第211页。
⑦ 《老君音诵诫经》，《道藏》第18册，第211页。
⑧ 《老君音诵诫经》，《道藏》第18册，第211页。

者,以着手他对道教的改革。经物色,果然他找到了一个十分合适的人物,那就是太武帝的左光禄大夫、著名儒学家崔浩。清河崔氏是北方第一大族,北魏道武帝时,崔浩与其父玄伯即参与国事,明元帝时,“恒与军国大谋,甚为宠密”①。太武帝拓跋焘即位,更是军国大事的主谋人之一。找到这样一个被皇帝宠信的大臣,打通皇帝的关节就比较容易了。实际上,寇、崔二人的结合并非偶然,一方面,二人的家族皆为信奉天师道世家,信仰上彼此一致。寇谦之的家世信仰已如前述,崔浩母为卢谌孙女,即孙恩妹婿卢循之姑母,故崔浩、卢循两人实中表兄弟,可见崔氏亦为天师道世家无疑。《魏书·崔浩传》又说:“浩父疾笃,浩乃剪爪截发,夜在庭中仰祷斗极,为父请命,求以身代,叩头流血,岁余不息。”②观此行事,亦为其家世奉天师道之明证。另一方面,二人之结合还有政治上的原因,在寇谦之方面,是要“辅助泰平真君,继千载之绝统”③,以达到梦寐以求的作“帝王师”的目的;在崔浩方面,则是要求“齐整人伦,分明姓族”④,在北魏实现儒家政治,恢复汉族的统治,其政治目的彼此相同,所以二人在政治上亦为同调。正因这样,二人一拍即合,很快建立起亲密的联盟。当寇谦之游说朝廷,“朝野闻之,若存若亡,未全信也”的时候,“崔浩独异其言,因师事之,受其法术”⑤。这表明寇谦之所要寻求的权贵支持者,终于找到了。

寇谦之选中崔浩,还有一个目的,就是希望崔浩帮助他补习儒学。因为无论作“帝王师”也好,还是“以礼度为首”改革天师道也好,都不能不兼修儒学。而他自己对儒学并不在行,不加补习,就难以达到上述目的。一次,他对崔浩表白说:“吾行道隐居,不营事务,忽受神中之诀,当兼修儒教,辅助泰平真君,继千载之绝统。”⑥但自己“学不稽古,临事暗昧”⑦,须得请求崔浩给予帮助。崔浩自然满足了他的要求,教得十分认真,他本人学习也很

① 《魏书》卷35《崔浩传》,北京:中华书局1974年版,第3册,第807页。
② 《魏书》卷35《崔浩传》,北京:中华书局1974年版,第3册,第812页。
③ 《魏书》卷35《崔诰传》,北京:中华书局,第814页。
④ 《魏书》卷47《卢玄传》,北京:中华书局1974年版,第3册,第1045页。
⑤ 《魏书》卷114《释老志》,北京:中华书局1974年版,第3册,第3052页。
⑥ 《魏书》卷35《崔浩传》,北京:中华书局1974年版,第3册,第814页。
⑦ 《魏书》卷35《崔浩传》,北京:中华书局1974年版,第3册,第814页。

努力。“天师寇谦之每与浩言，闻其论古今治乱之迹，常自夜达旦，竦意敛容，无有懈倦。”①崔浩还应他的请求，为他“撰列王者治典，并论其大要”，“著书二十余篇，上推太初，下尽秦汉变弊之迹，大旨先以复五等为本”②。这样，他在与崔浩深相结纳的过程中，又向崔浩补习了儒学，为他作“帝王师”积累了资本，为他“以礼度为首”改革天师道准备了条件。

在以上这些准备工作都做好以后，剩下最重大的一个步骤就是面见皇帝，争取得到最高统治者的支持。《魏书 · 释老志》说：始光（424—428 年）初，寇谦之至魏都平城（今山西大同），“奉其书而献之”。但开始并不很顺利，太武帝表现很冷淡，“令谦之止于张曜之所，供其食物”。下面的大臣对此也将信将疑，并不热情。在这关键时刻，崔浩给他帮了大忙，向太武帝“上疏，赞明其事”③，说：“臣闻圣王受命，则有大应。而《河图》《洛书》，皆寄言于虫兽之文。未若今日人神接对，手笔粲然，辞旨深妙，自古无比……今清德隐仙，不召自至。斯诚陛下侔纵轩黄，应天之符也。岂可以世俗常谈，而忽上灵之命。”④经这个博学多闻、重参朝政的宠臣一解说，情况马上发生了变化。“世祖欣然，乃使谒者奉玉帛牲牢，祭嵩岳，迎致其余弟子在山中者。于是崇奉天师，显扬新法，宣布天下，道业大行”⑤。到此，“帝王师”的桂冠即将到手，改革天师道的条件也已完全成熟，下一步就是全面展开对天师道的改革了。

寇谦之是怎样改革天师道的呢？根据现存的有限材料，我们只能作一个大致的描述。寇谦之改革的总原则是“以礼度为首”。凡是合乎儒家礼教的就保留、增益，违背儒家礼教的就革除、废弃。根据这个原则，他革除和增加的有以下一些主要内容。

第一，坚决制止利用天师道犯上作乱。前面已经指出，两晋以来，在全国许多地区发生过无数次以李弘、刘举名义领导的起义。寇谦之对此非常

① 《魏书》卷 35《崔浩传》，北京：中华书局 1974 年版，第 3 册，第 814 页。
② 《魏书》卷 35《崔浩传》，北京：中华书局 1974 年版，第 3 册，第 814—815 页。
③ 《魏书》卷 114《释老志》，北京：中华书局 1974 年版，第 8 册，第 3052 页。
④ 《魏书》卷 114《释老志》，北京：中华书局 1974 年版，第 8 册，第 3052 页。
⑤ 《魏书》卷 114《释老志》，北京：中华书局 1974 年版，第 8 册，第 3052—3053 页。

仇视，认为这是大逆不道，是对老君极大的亵渎。他模拟老君口吻严厉斥责这些作乱者："吾大嗔怒，念此恶人以我作辞者，乃尔多乎！世间愚痴之人，何乃如此！吾治在昆仑山，山上台观众楼，殿堂宫室，连接相次，珍宝金银，众香种数，杂台错饰，兰香桂树，穷奇异兽，凤凰众鸟，栖于树上，神龙骐骥，以为家畜，仙人玉女，尽集其上。若欲游行，乘云驾龙，呼吸万里。天地人民鬼神，令属于我，我岂用作地上一城之主也！"[①]他认为，这些作乱者都是一些"诳诈万端"、"惑乱万民"的"父不慈，子不孝，臣不忠"的"愚人"和"恶人"，与老君根本不相干。他们所聚集的都是一些"逋逃罪逆之人"和"奴仆隶皂"之类的贱民。并以极其鄙夷的口气称他们为"下俗臭肉，奴狗魍魉"，又表白说："我身宁可入此下俗臭肉奴狗魍魉之中，作此恶逆者哉！"[②]又咒骂道："当疫毒临之，恶人死尽。"[③]人们从这些咬牙切齿的咒骂声中，可以清楚地看到寇谦之的立场，也可以清楚地看到寇谦之所需要的天师道，绝不是那种犯上作乱的天师道，而是实行父慈、子孝、臣忠原则的天师道。他之所以要改造天师道，最主要的用意也就在这里。

第二，废除三张时期的租米钱税制度。三张五斗米道时期主要是张鲁统治汉中时期，实行了政教合一制度，即在所辖区域内，"不置长吏，以祭酒为理"[④]。所辖民户，既是国家的编户，又是道民。租米钱税，统由祭酒（天师道各级首领）征收和处理，俨然为一个独立王国。这在封建统治阶级看来，是大逆不道的。刘勰在《灭惑论》中即说："张角、李弘毒流汉季，卢悚、孙恩，乱盈晋末……爵非通侯，而轻立民户，瑞无虎竹，而滥求租税。"[⑤]释玄光在《辩惑论》、释道安在《二教论》中，皆对此进行了攻击。寇谦之站在与他们同一立场上，宣布其为"三张伪法"之一，是必须按"新科"加以革除的内容。

第三，整顿组织，加强科律。自张鲁逝世以后，天师道向全国发展，但缺

---

① 《老君音诵诫经》，《道藏》第 18 册，第 211—212 页。

② 《老君音诵诫经》，《道藏》第 18 册，第 212 页。

③ 《老君音诵诫经》，《道藏》第 18 册，第 211 页。

④ 《后汉书》卷 75《刘焉传》，北京：中华书局 1965 年版，第 9 册，第 2436 页。

⑤ 《弘明集》卷 8，《大正藏》第 52 卷，第 51 页。大正一切经刊行会，大正十三年至昭和九年。下同。

乏强有力的领导，致使组织涣散，科律废弛。过去已经有一些道士想解决这一问题，没有多大成效。寇谦之也认识到这问题的严重性，也想加以解决。他在《老君音诵诫经》中说："从系天师升仙以来，旷官置职，道荒人浊，后人诸官，愚暗相传，自署治箓符契，气候倒错，不可承准。"①在这种缺乏统一领导的情况下，许多不正常的现象发生了。首先是乱取民财。《老君音诵诫经》说：某些道官祭酒，"授人职契录，取人金银财帛，而治民户，恐动威逼，教人贶愿②，匹帛、牛犊、奴婢、衣裳，或有岁输全绢一匹，功薄输丝一两，众杂病说，不可称数"③。寇谦之假借老君之口予以批评："吾初立天师，授署道教治箓符契，岂有取人一钱之法乎？"④因此命令："吾今并出新法，按而奉顺，从今以后，无有分传说愿输送，仿署治箓，无有财帛，民户杂愿，岁常保口厨具，产生男女，百灾疾病，光怪众说厨愿，尽皆断之……唯听民户岁输纸三十张，笔一管，墨一挺，以供治表救度之功。若有道官浊心不除，不从正教，听民更从新科正法清教之师。"⑤这种减轻道民负担的措施，客观上有利于群众，具有一定积极意义。其次是将道教房中术变成了淫秽之术。道教房中术又称黄赤之道，或称男女合气之术，本是一种讲求房中节欲，"还精补脑"的养生方法。一些道士将它变成淫秽之术以后，就丧失了它本来的积极作用，而成为伤风败俗的东西。《老君音诵诫经》说：某些道官"妄传（张）陵身所授黄赤房中之术，授人夫妻，淫风大行，损辱道教"⑥。因此寇谦之决定废除房中的黄赤之法，"吾《诵诫》断改黄赤，更修清异之法，与道同功。其男女官箓生佩契黄赤者，从今诫之，后佩者不吉"⑦。再次，改革道官祭酒父死子系的陈规旧制。过去三张五斗米道实行的是父死子系的办法，张陵死，子衡继之（称嗣师），衡死，子鲁又继之（称系师）。不仅如此，其他道官祭酒也相沿实行此制，使一些不肖者也担任显职。寇谦之决定废除

① 《老君音颂诫经》，《道藏》第 18 册，第 216 页。
② "贶信"，就是传经所用的信物。
③ 《老君音颂诫经》，《道藏》第 18 册，第 211 页。
④ 《老君音诵诫经》，《道藏》第 18 册，第 212 页。
⑤ 《老君音诵诫经》，《道藏》第 18 册，第 212 页。
⑥ 《老君音诵诫经》，《道藏》第 18 册，第 211 页。
⑦ 《老君音诵诫经》，《道藏》第 18 册，第 216 页。

这种弊端很多的制度。他说："有祭酒之官，称父死子系，使道益荒浊。《诫》曰：道尊德贵，惟贤是授，若子胤不肖，岂有继承先业？有祭酒之官，子之不肖，用行颠倒，逆节纵横，错乱道法，何有承系之理者乎……诸道官祭酒，可简贤授明，未复按前父死子系，使道教不显！"①这种在道官中废除世袭制度，实行"简贤授明"办法，也有一定积极作用。

第四，增订戒律和斋仪。寇谦之在改革天师道时有"废"也有"增"，增订戒律和斋仪，就是最大的增。道教戒律所利用的形式是佛教的，而其内容则主要是儒家的伦常道德，因此增订戒律，即主要增加儒家思想，如忠、孝、仁、义等。寇谦之所写的《老君音诵诫经》20卷，主要就是讲戒律的书，当不乏这方面的内容。如上面所说的不准利用天师道犯上作乱，废除租米钱税制度，就是为维护封建国家的统一性，这也就是儒家所讲的"忠"，那些造反者之所以被指责为"恶人"，也就是说他们"父不慈，子不孝，臣不忠"②。因此他认为必须用忠孝这些儒家的道德规范作为道士主要的行为准则。《老君音诵诫经》20卷现只残存了很少一部分，不能窥其全貌，但与它同时所出的其他道教戒律书，即充满着这方面的内容。如《太上经戒》中之"十戒"，即明确订有"不得违戾父母师长，反逆不孝"，"不得叛逆君王，谋害家国"等条文。可见增加儒家思想内容，是当时道教戒律的总趋势，寇谦之的《老君音诵诫经》也反映了这一趋势。

寇谦之在增订戒律的同时，又增订了斋醮仪范。他对斋醮仪范十分重视。他认为，单修服饵、辟谷、导引，只"可得除病寿终，攘却毒气，瘟疫所不能中伤，毕一世之年"③。但不能长生。要得长生，必须诵经礼拜。他说："诸欲修学长生之人，好共寻诸诵诫，建功香火，斋练功成，感彻之后，长生可克。"④又说："男女官努力修斋，寻诸诵诫香火建功，仙道不远。"⑤他之所以如此重视诵经礼拜，显然是受了佛教的影响。为此，他对道教斋仪作了增

① 《老君音诵诫经》，《道藏》第18册，第211页。
② 《老君音诵诫经》，《道藏》第18册，第211页。
③ 《老君音诵诫经》，《道藏》第18册，第215页。
④ 《老君音诵诫经》，《道藏》第18册，第215页。
⑤ 《老君音诵诫经》，《道藏》第18册，第216页。

订。从《老君音诵诫经》中可以看出，有道官受箓的斋仪，道官道民求愿的斋仪，道民犯律解度的斋仪，为人治病的斋仪，为亡人超度的斋仪，为先祖亡灵解厄的斋仪等。每种斋仪都规定了相应的仪式，如求愿斋仪规定："道官箓生、男女民烧香求愿法：入靖东向，恳三，上香讫，八拜，便脱巾帽，九叩头，三抟颊，满三讫，启言……上香。"[①]为人治病的斋仪规定："道民家有疾病，告归到宅，师先令民香火，在靖中，民在靖外，西向散发叩头谢，写憋（愆）违罪过，令使皆尽……病家昼则向靖叩头，夜则北向，向天地叩头首过，勿使一时有阙……若能备厨请客，三人、五人、十人以上，随人多少，按如科法。"[②]为亡人超度斋仪，规定："为亡人设会，烧香时，道官一人，靖坛中正东向，箓生及主人亦东向，各八拜，九叩头，九抟颊，三满三过止，各皆再拜恳，若人多者，亦可坐，礼拜叩头，主称官号姓字，上启无极大道，万万至真无极大道，以手捻香，三上著炉中，口并言为亡者甲、乙解罪过，烧香愿言，余人以次到坛前恳，上香如法尽，各各讫，靖主上章，余人当席拜，主人东向叩头上章讫，设会解坐讫，靖主入靖启事，为主人求愿收福言，当时主人东向叩头，坐罢，出时，客向靖八拜而归家焉，主人一宿之中满三过烧香"[③]。从这些，可以看出寇谦之所增斋仪的大致内容。

以上就是寇谦之改革天师道的主要内容。经过这样改革后的天师道，原始性减少了，成熟度加强了，特别是在性质上发生了很大变化。即删除了违背封建礼度的成分，增添了儒家伦理纲常的内容，从而使它由一个民间宗教变成符合封建统治阶级需要的工具。因此，一般史家为了表示它和旧天师道的区别，就称寇谦之改革后的天师道为新天师道，或北天师道。

二、道教在北魏的兴盛和发展

经寇谦之改革后的天师道，因为得到了北魏统治阶级的支持，于是在北魏大大兴盛起来。《魏书·释老志》说，太武帝"崇奉天师，显扬新法，宣布

① 《老君音诵诫经》，《道藏》第18册，第214页。
② 《老君音诵诫经》，《道藏》第18册，第215页。
③ 《老君音诵诫经》，《道藏》第18册，第215页。

天下,道业大行"①。并在京城之东南部,专门建造天师道场,供寇谦之及其弟子作宗教活动之用。"遂起天师道场于京城之东南,重坛五层,遵其新经之制。给道士百二十人衣食,齐(斋)肃祈请,六时礼拜,月设厨会数千人。"②太延六年(440年),太武帝还根据寇谦之的建议,改元太平真君。后又从寇谦之所请,亲至道坛受符箓。"真君三年(442年),谦之奏曰:'今陛下以真君御世,建静轮天宫之法,开古以来,未之有也。应登受符书,以彰圣德。'世祖从之。于是亲至道坛,受符箓。备法驾,旗帜尽青,以从道家之色也。"③从这开始,以后北魏历代皇帝即位时,都至道坛受符箓,成了一项制度,以此作为鲜卑拓跋部统治汉族的一种依据。据《魏书》卷五《高宗纪》载,文成帝拓跋濬于兴光元年(454年)"至道坛,登受图箓"。《魏书》卷六《显祖纪》载,献文帝拓跋弘于天安元年(466年)"幸道坛,亲受符箓"。④

至太和十五年(491年)秋,孝文帝元宏因京城"里宅栉比,人神猥凑",下令将原在城内之道坛迁至南郊。诏曰:"夫至道无形,虚寂为主。自有汉以后,置立坛祠,先朝以其至顺可归,用立寺宇。昔京城之内,居舍尚希。今者里宅栉比,人神猥凑,非所以祗崇至法,清敬神道。可移于都南桑乾之阴,岳山之阳,永置其所。给户五十,以供斋祀之用,仍名为崇虚寺。可召诸州隐士,员满九十人。"⑤这是在平城时的情形。以后孝文帝迁都洛阳,六世纪中期魏分东、西,东魏孝静帝再迁都邺城,又相继把天师道场迁到洛阳和邺城,"迁洛移邺,踵如故事。其道坛在南郊,方二百步。以正月七日,七月七日,十月十五日,坛主、道士、哥人一百六人,以行拜祠之礼"⑥。直至东魏末之武定六年(548年),当时把持朝政的高澄"以道士多伪滥",或云以"诸道

① 《魏书》卷114《释老志》,北京:中华书局1974年版,第8册,第3052—3053页。
② 《魏书》卷114《释老志》,北京:中华书局1974年版,第8册,第3053页。
③ 《魏书》卷114《释老志》,北京:中华书局1974年版,第8册,第3053页。
④ 《魏书》卷6《显祖纪》,北京:中华书局1974年版,第1册,第126页。
⑤ 《魏书》卷114《释老志》,北京:中华书局1974年版,第8册,第3055页。
⑥ 《魏书》卷114《释老志》,北京:中华书局1974年版,第8册,第3055页。

士罕能精至,又无才术可高”,方奏请罢之。[①] 这反映出,在寇谦之以后,北方天师道便缺乏较有名气的上层代表人物,他的弟子全都销声匿迹,湮没无闻,以致连他的传授系统也难以考定。这不能不是历史上的一大疑案。究其原因,恐与当时的政治斗争形势有很大的关系。盖永嘉乱后,中原即为少数民族贵族所统治,民族矛盾十分尖锐。拓跋氏起自北方,本极残虐,既入中原,不知吏治,守宰无禄,贪残弥甚,故抗之者犹多,士大夫多有不服魏者。如上所述,寇谦之之得宠信,主要是由于崔浩的竭力赞助,二人在政治上亦互相配合,相得益彰。崔浩为汉士族的代表,鲜卑拓跋氏任用他,是为了利用他来笼络汉族人民,以缓和民族矛盾,巩固其统治。而崔浩的真实意图,却在于恢复汉族统治,不能不与鲜卑贵族发生尖锐冲突。所以“北人咸悉忿毒,相与构浩于帝”[②],这当是崔浩被杀的根本原因。《魏书·崔浩传》所谓撰录国书“浩尽述国事,备而不典”者,仅是一个借口而已,并不是事情的本质。在崔浩惨遭杀害时,受尽侮辱,凡清河姓崔的,无论关系的远近,都全被杀戮,他的亲戚如范阳卢氏、太原郭氏、河东柳氏等,也被“尽夷其族”,“其秘书郎史以下尽死”,“自宰司之被戮辱,未有如浩者”[③],其斗争之残酷,可想而知。而与崔浩同撰国书者却皆一无所问,仅中书侍郎高允,于浩被收时召入诘责,旋亦见释,其后高允仍久典史事,史称其所续者仍浩故事,是则浩书亦迄未尝废,证明触北人之怒者,当在彼不在此。崔浩是在太平真君十一年(450 年)六月被杀的,在此之前不久,即太平真君九年(448 年)寇谦之便已去世,因而得以免被株连。然而他的门徒却很可能因之致祸,故谋远走高飞,隐入民间。现在唯一有案可查的弟子是李皎。据《北史》卷二十七《李先传》载:“先少子皎,天兴中(398—403 年)密问先曰:子孙永为魏

① 此从《魏书·释老志》和《资治通鉴》。《魏书·释老志》说:“武定六年,有司执奏罢之。”武定六年执政者为高澄,故断罢道坛的为高澄。《资治通鉴》所载与此同,云:“武定六年,有司执政罢之。”《隋书·经籍志》则云:“后齐武帝迁邺,遂罢之。”按后齐武帝应为神武帝高欢,但高欢死于武定五年正月,武定六年奏请罢道坛的当非高欢,而为高澄,《隋书·经籍志》似误。

② 《北史》卷 21《崔宏传附子浩传》,北京:中华书局 1974 年版,第 3 册,第 789 页。

③ 《北史》卷 21《崔宏传附子浩传》,北京:中华书局 1974 年版,第 3 册,第 789—790 页。

臣，将复事他姓邪？”①说明寇谦之的弟子也确有不甘事异族的思想。这种思想，即是崔、寇结合的思想基础，也是崔浩被杀之后，寇谦之的弟子便销声匿迹、隐入深山的主要原因。李皎后隐于恒山，服气绝粒数十年，直至老死。

据《魏书·释老志》的记载，在北魏太武帝的时候，除寇谦之外，其他受优宠的道士和方士还有：

京兆人韦文秀，隐于嵩高。世祖召至京师，问以金丹之事，文秀答以“神道幽昧，变化难测，可以暗遇，难以豫期。臣昔者受教于先师，曾闻其事，未之为也”，态度十分冷淡。世祖却以文秀系关右豪族，风操温雅，言对有方，遣与尚书崔赜诣王屋山造金丹，竟不能就。《魏书》卷三十二《崔逞传》亦载其事。

河东祁纤，好相人。世祖贤之，拜纤为上大夫。

额阳绛略，闻喜吴劭，道引养气，积年百余岁，神气不衰。

恒农阎平仙，博览百家之言，辞占应对，义旨可听。世祖欲授之官，终辞不受。扶风鲁祈，遭赫连屈孑暴虐，避地寒山，教授弟子数百人，好方术，少嗜欲。

河东罗崇之，常饵松脂，不食五谷，自称受道于中条山。世祖令崇还乡里，立坛祈请。

至献文帝拓跋弘时，有名道士也不少。最著名者有王道翼，他是东莱人，“少有绝俗之志，隐韩信山，四十余年，断粟食麦，通达经章，书符箓。常隐居深山，不交世务，年六十余。显祖闻而召焉”②。翼乃赴都，显祖以其仍守本操，遂令僧曹给衣食，以终其身。其他，“如河东张远游、河间赵静通等，齐文襄王别置馆京师而礼接焉”③。事实说明，崔浩虽败，寇谦之弟子虽销声匿迹，北天师道从此湮没无闻，但北方道教并未因此而废。

在这里，有一部重要的道教经书《黄帝阴符经》与寇谦之有牵连，故有必要对它作一简要的介绍。

---

① 《北史》卷27《李先传》，北京：中华书局1974年版，第4册，第975页。
② 《魏书》第114《释老志》，北京：中华书局1974年版，第8册，第3054—3055页。
③ 《魏书》第114《释老志》，北京：中华书局1974年版，第8册，第3055页。

三、《黄帝阴符经》的成书年代及其基本思想

杜光庭《神仙感遇传》卷一说："李筌，号达观子，居少室山，好神仙之道，常历名山，博采方术。至嵩山虎口岩，得《黄帝阴符》本，绢素书，朱漆轴，缄以玉匣。题云：'大魏真君一年七月七日，上清道士寇谦之藏诸名山，用传同好。'其本糜烂，筌抄读数千遍，竟不晓其义。"①这就是说，这部托黄帝撰写的经书，不知怎样传到寇谦之手里，他在太平真君一年把它用玉匣盛好，藏在嵩山虎口岩，后被唐代道士李筌发现，才流传于世。这样一个经书出世的故事是否可信？此书到底由何人所作？曾经引起宋代以后许多学者的研究。但是众说纷纭，莫衷一是。有的学者（如邵雍、程颐、胡应麟、梁启超等）认为它是战国时的书；有的学者（如姚际恒、全祖望等）则认为是寇谦之所作；有的学者（如朱熹等）却认为是李筌所为；也有学者（如余嘉锡）认为是杨羲、许谧所作。对这诸多看法，余嘉锡、王明先生作了很好的辨析。王明先生指出：《黄帝阴符经》的一个重要思想"天地，万物之盗；万物，人之盗"，不见于古籍，最早见于《列子 · 天瑞篇》，该篇云："吾闻天有时，地有利，吾盗天地之时利，云雨之滂润，山泽之产育，以生吾禾，殖吾稼，筑吾垣，建吾舍。陆盗禽兽，水盗鱼鳖，亡非盗也。"②又说："若一身庸非盗乎？盗阴阳之和以成若生，载若形，况外物而非盗哉！"③这就是《黄帝阴符经》"三才"相盗思想的直接来源。《列子》是伪书，一般学者皆认为出于东晋。故《黄帝阴符经》是东晋以后的著作，那种认为该书出于战国的说法是没有根据的。再根据《神仙感遇传》所记李筌在嵩山虎口岩所见到的《黄帝阴符经》题记为"大魏真君一年"，考拓跋氏称"大魏"在公元 531 年，故《黄帝阴符经》当出于公元 531 年之后。这是《黄帝阴符经》成书年代的上限。另一

① 《神仙感遇传》卷 1，《道藏》第 10 册，第 885 页。《云笈七籤》卷 112 所引《神仙感遇传》"绢"作"经"，大魏真君一年作"大魏真君二年"。《太平广记》卷 14 所引《神仙感遇传》亦作"大魏真君二年"。"绢"仍作"绢"，《道藏》第 2 册署名李筌的《黄帝阴符经疏》前之序文中，亦有与《神仙感遇传》相同的一段文字。刘师培指出，此疏作者实非李筌，乃后人将袁淑真疏文稍加损益后，冒名李筌疏。

② 杨伯峻撰：《列子集释》，北京：中华书局 1979 年版，第 36 页。

③ 杨伯峻撰：《列子集释》，北京：中华书局 1979 年版，第 37 页。

方面，南宋楼钥《攻愧集》卷七十二记载亲见唐初褚遂良曾书《阴符经》三种①；宋岳珂《宝真斋法书赞》卷五又录唐初欧阳询所书《阴符经帖》；欧阳询所著《艺文类聚》卷八十八中又引有《阴符经》文②，由此可见，《黄帝阴符经》成书的时代下限，至迟在唐初，因此认为《黄帝阴符经》为唐玄宗时的李筌所著，也是没有根据的。所以王明先生说："推测《阴符经》成书的年代，约在公元五三一至五八〇年这段期间。"至于寇谦之是否可能为《黄帝阴符经》的作者，王明先生指出，记载寇谦之事迹最详的《魏书·释老志》仅说寇谦之曾得老君所赐《云中音诵新科之诫》20卷，得李谱文所赐《录图真经》60余卷，并未提及《阴符经》。如果照《神仙感遇传》所说寇谦之真的得了（甚至作了）《黄帝阴符经》，但却仅仅把它藏之名山，而不传之于世，这于情理上是不合的。因此最后的结论是"作者大抵是北朝一个久经世变的隐者"③。

《黄帝阴符经》问世以后，受到社会上文人学士的广泛重视，许多人都为之作注或疏。有人统计，历代注疏著作，不下一百种。在道家、道教著作中，其注疏之多，仅次于《道德经》和《南华经》。从众多注本中，反映出此经文字有两种传本：一种，文字很短，经文止于"愚人以天地文理圣，我以时物文理哲"句，共300余字；另一种，文字稍长，在此句之后，续有114字，至"昭昭乎进乎象矣"句完篇，共400余字。自唐以后，这两种传本互见于诸家注本中，有的取300余字本，有的取400余字本。

在现存诸家注本中，除少数几家，如张果、任照一、黄居真、侯善渊等注本，对经文不分章外，其余多数注本，都将经文分为三章，并冠以篇名。从开篇"观天之道，执天之行，尽矣"，至"天生天杀，道之理也"④一段，为上篇，命名"神仙抱一演道章"；从"天地，万物之盗"，至"君子得之固躬，小人得之

① 明人文征明《停云馆帖》中亦载褚遂良所书《阴符经》真迹。

② 即"火生于木，祸发必克"句。

③ 王明：《试论〈阴符经〉及其唯物主义思想》，载《道家和道教思想研究》，北京：中国社会科学出版社1984年版。

④ 此据《阴符经》白文本，见《道藏》第1册，第821页。蹇昌辰、萧真宰注等同此。另一些注本，如赤松子等《黄帝阴符经集解》、托名黄帝之《阴符经三皇玉诀》等，则在此二句之前断作上篇，而将此二句断作中篇之首。

轻命”一段,为中篇,命名“富国安民演法章”;从“瞽者善听,聋者善视”,至篇末,为下篇,命名“强兵战胜演法章”。也有少数注本,如蔡氏注、邹訢(即朱熹)注,虽依此分章,但不用上述章名,只署上篇、中篇、下篇。

由于各注家的社会地位和学术思想流派不同,对经文的认识理解就各不一致,对其要义主旨也就众说纷纭。或以之为兵家权谋之书,或以之为道家之言,或以之为道教炼养之文,或以之为儒家性理之说。如此等等。各家的立场不同,演出的义理也就千差万别,真可谓仁者见仁、智者见智了。我们认为,这是一部有较多道家色彩的哲理书。其主旨是以老庄的天道无为、道法自然思想为基点,着重阐发天道(自然规律)的客观性和必然性。指出人的思想和行为只有与之相暗合(阴符),所作事业才有成功的可能;如果违背它,就必然招致失败。现分析介绍如次。

(一)自然之道不可违

《黄帝阴符经》开篇第一句话,说:“观天之道,执天之行,尽矣。”① “天”,指自然界;“道”,指规律或法则。“观天之道”,就是观察、认识自然界的运行规律;“执天之行”,就是掌握自然界的运行法则。作者认为,认识自然规律和掌握自然规律,是人们毕生面临的两件大事,只要把这两件大事处理好了,一切事情就都解决,没有问题了,即“尽矣”。

但是,如何认识天道,即自然规律呢?自古以来就有两条不同的思维路线,一条认为天是有意志的,日月星辰的出没、寒暑季节的交替、风雨雷电的来临、万事万物的变化等等,都受天帝的安排;而且天帝还据人间帝王施政的好坏,或降嘉祥以示褒奖,或降灾祸以示谴告。另一条路线则视天为自然之天,诸如日月星辰的出没,寒暑季节的交替,风雨雷电的来临,以及万事万物的变化等等,都是自然界自身条件的衍变和表现,都是物质变化的客观过程;而且这些现象的发生并不预示人间世事的吉凶祸福。

那么,《黄帝阴符经》作者是依据哪条路线来观察、认识天道,即自然规律的呢?总的来看,他依据的是后一条思维路线。他说:“自然之道静,故

① 《道藏》第1册,第821页。

天地万物生。天地之道浸，故阴阳胜，阴阳相推而变化顺矣。”①作者认为，自然之道的本体是静的，静而生阴；静极而动，动而生阳。动极复静：如此一动一静，互为其根。在此阴阳二气的动静作用下，先生出二仪（天和地），再生出万物，故曰“天地万物生”。这实际就是后来理学开山祖师周敦颐《太极图说》中所讲的宇宙生成模式的雏形。作者又说，天地自然之道又有寖的性质，“寖”同“浸”，意为逐渐。即自然之道生出的阴阳二气是逐渐相推相胜的，阴气消一分，阳气长一分，阳气消一分，阴气长一分，如此逐渐进行，“阴阳相推而变化顺矣”，天地万物就逐渐产生出来。可以看出，《黄帝阴符经》作者是把自己的天道观建立在阴阳学说之上的。用此学说解释宇宙，当然并不科学，但他并不是从天即自然界的外部去寻找万物产生和变化的原因，而是从自然界本身即从其内部寻找其存在和变化的根据；或者说，他并不把这些现象和变化归结为它的背后有一个万能的主宰者在指挥，而是把这些现象和变化看作它们自身条件符合逻辑的发展。一句话，他把天和天的运行变化看成是客观的物质存在，而不是神的安排。这显然是有其合理内核的。

把天之道，即自然之道看作是不依赖于人的主观世界的客观存在，这是《黄帝阴符经》的中心议题。为了阐明这个主题，作者还提出了另外一些论点。他根据《老子》所谓的“天地不仁，以万物为刍狗”的思想，指出：“天之无恩而大恩生，迅雷烈风，莫不蠢然。”②意思是说，“天”，即自然界是无意志的，无所谓仁慈不仁慈，也谈不上与人类有什么恩怨，它的运行变化，完全是按照它自身的规律进行的，不论你喜欢它也好，不喜欢它也好，它都是那样运行变化着。谁想阻挡它也无济于事，所以称为“无思”，近乎人们常说的客观规律对任何人都是“无情”的意思。比如迅雷烈风，对人类具有很大的破坏力，但它的出现，并不是有意和人过不去，它也不会因为人们不喜欢它而自动停止，它总是按照自己的规律“蠢然”而动。他在另一处又说：“天

① 《道藏》第1册，第821页。
② 《道藏》第1册，第821页。

生天杀,道之理也。”①意思是说,天对于万物,有生又有杀,有利又有害。春风春雨,使草木生长,秋风秋霜,使草木凋零,这都是自然而然,由自然界本身的规律决定的。正因为“天道”具有这样又生又杀的“无恩”的必然性,才使得宇宙万物生生不息地繁衍着,从而显出它的“大恩”来。如果“天道”不是如此“无恩”,没有了它的必然性,世界将不知会成什么样子呢。

作者又说:“天之至私,用之至公。”②同样是说的这个道理。天即自然界一定要按照自己的规律来运行发展,这是没有商量余地的,是“至私”的;但正因它如此“至私”,即有如此不可移易的本性(必然性),才使自然界的万象万物在它的作用下蓬蓬勃勃地生存和发展下去,从而使它们普遍受其恩泽,这难道不是天对万物的“至公”吗?

作者又用“神”这个词来形容天道即自然规律的客观必然性。他说:“人知其神而神,不知不神而所以神也。”③前句的“神”指神灵,后句的“不神”指自然规律。自然规律是客观存在的,不是虚假的东西,故曰“不神”;但它又看不见,摸不着,而又实实在在地在那里起作用,故曰“不神之神”。这两句话的意思是,一般人只知道神灵要按它的意志来主宰世界,是违反不得的,却不知道“不神”的自然规律,也一定要按它自己的方式来起作用,也是违反不得的。它不会因为你不认识它而改变这种性质。

总之,天之道,即自然规律具有不变易的客观必然性,是任何力量都抗拒不了的。在这里,作者已经意识到了人的行动要受客观条件和规律的制约,决不能为所欲为。因而特别提出“自然之道不可违”的警语。目的是提醒人们一定要尊重自然规律,决不能无视自然规律而盲目蛮干;否则,非碰得头破血流不可。他把书名取为《黄帝阴符经》,就寓藏了这个意思。“阴”者暗也,“符”者合也。即是说,要使自己的行动达到预期的目的,必须使自己的行动与客观条件、规律相暗合,如果不合,就要失败。

(二)人能因自然之道而制之

天之道,即自然规律既然具有不可变易的客观必然性,那么,人在自然

① 《道藏》第1册,第821页。
② 《道藏》第1册,第821页。
③ 《道藏》第1册,第821页。

规律面前是否毫无作用呢？作者回答：不是。人能够和应当在客观规律面前发挥自己的主观能动作用，利用客观规律来为人类服务。如上所说，本书开篇的第一句话："观天之道，执天之行，尽矣"，就表明了这个意思。就是说，人既要认识（观）客观规律，又要掌握（执）客观规律，试问不发挥人的主观能动作用，你怎能认识它和掌握它，又怎能使自己的行动与客观规律相符合？因此，作者又强调说："天人合发，万变定基"①。就是说，人在尊重、认识客观规律的基础上，充分发挥自己的主观能动作用，经过努力，就有了成功的基础。

不仅如此，作者在指出"自然之道不可违"的同时，又明确提出了"因而制之"的观点。意思就是说，人在尊重客观规律、不违背客观规律的原则下，要学会掌握、驾驭自然规律的本领，利用它为人类服务。"因而制之"这句话，把作者重视人的主观能动作用的思想表露得极为明确。

应当指出，人的主观能动作用，不仅表现在认识、掌握客观规律方面，更主要地还表现在改造客观世界方面。人类认识掌握客观规律，不是最终目的，最终目的是利用已经认识和掌握的客观规律去改造客观世界。而对这后一方面，本书作者恰恰没有涉及，不能不说是《黄帝阴符经》的严重缺陷。但是《黄帝阴符经》作者既认识到自然规律的必然性，又在一定程度上认识到人的主观能动作用的重要意义，表明作者在探究"天人"关系上已达到了较高的水平。探究"天人之际"，即天人关系，是中国古代哲学家广泛关心的议题，议论是很多的，但能达到此书这样的思想深度者，仍是不很多的。因此不能因其有严重缺点而抹杀它的历史价值。

（三）"五贼"、"三盗"之相宜相安

《黄帝阴符经》在阐述天人关系的过程中，又在吸取古代阴阳五行学说，概括当时自然科学成就的基础上，发展了老庄的辩证法思想。阴阳五行说认为，天地万物都是在五行相生相克的过程中生成和发展的，《黄帝阴符经》作者为了突出五行相克相贼的作用，直呼"五行"为"五贼"，表示五行不相克，就不能相成，不相贼害，就不能相利。这是比较深刻而有特色的思想。

① 《道藏》第1册，第821页。

他说:“天有五贼,见之者昌”①。意思是说,谁要是懂得了五行这种相贼而相利,相反而相成的道理,谁就能无往而不昌达。

《黄帝阴符经》作者又把“三才”(此书指天地、人、万物三者)称为“三盗”,同样是强调三者关系中的矛盾方面,同样是表明没有矛盾斗争就不能统一,没有相贼就不能相利的思想。他说:“天地,万物之盗;万物,人之盗;人,万物之盗。三盗既宜,三才既安。”②暴风骤雨,洪水干旱,造成赤地千里,人畜死亡,这是“天地,万物之盗”的例子;但另一方面,春风和日,雨雪适时,会使万物欣欣向荣,生生不息,这又是天地有利于万物的例证。猛兽伤人,毒草害命,这是“万物,人之盗”的例子;但另一方面,稻粱蔬果、猪羊鱼鳖供人取食,丝麻棉帛供人衣服,房屋供人居住,这又是万物有利于人的例证。滥伐森林,竭泽而渔,这是“人,万物之盗”的例子;但另一方面,培育良种以增产粮食,改良畜种使牲畜繁殖,这又是人类有利于万物的例证。天地、人和万物三者正是这样处于彼此矛盾、互相依存,既相贼又相利的关系之中。因此,人类的任务就是全面地把握它们的关系,充分发挥人的主观能动作用,适应其规律,避其害而趋其利,使矛盾达到恰当的统一。如此,“三盗既宜,三才既安”,三者的矛盾冲突解决恰当了,三个方面就都相安有利。

《黄帝阴符经》的上述思想,既有重要的理论价值,又有很大的现实意义。今天在全球范围内,存在着水土流失、环境污染、生态平衡失调等问题,严重地威胁着人类的生存。产生这些问题的根本原因,就是人类不懂得正确处理三才(三盗)的关系,不顾“相安”才能“相宜”的规律,对自然界万物采取无限制的掠夺、盗取手段,以致使自然的生态平衡遭到严重破坏。既然盗取不相宜,也就别想相安了。这可以说是“无恩”的自然规律对幼稚人类施行的报复手段!

此外,《黄帝阴符经》作者又对火与木、生与死、恩与害等矛盾的辩证关系作了阐发。他说:“火生于木,祸发必克”③。钻木取火,是火生于木;火发

① 《道藏》第1册,第821页。
② 《道藏》第1册,第821页。
③ 《道藏》第1册,第821页。

则木为之焚,木又被火所克,二者相生相克,互相联系。又说:“生者,死之根;死者,生之根。恩生于害,害生于恩”①。生与死、恩与害都是对立的双方。对立的双方,又都互相联系,并在一定条件下向对立面转化。就自然界的现象讲,草木在春夏生长,到秋冬凋落死亡,是生转化为死;到了来春,凋落了的草木又在春风春雨中复苏生长,是死转化为生。就社会现象讲,战争中指挥得当,置之死地而后生,是死转化为生;侥幸无备或指挥失当则必败,是生转化为死。所以生中隐藏着死的根源,死中也隐藏着生的根源,莫不随着一定条件向对立面转化。恩与害的关系也是这样,恩可以转化为害,害也可以转化为恩。可见《黄帝阴符经》作者初步认识到了矛盾互相转化的道理,只是还缺乏转化须有一定条件的观念。

综上可见,《黄帝阴符经》的文字虽短,却包含了不少深刻的思想内容。尽管该书也有某些缺点和错误,但在当时能达到这样的思想高度,确是难能可贵的。

正因《黄帝阴符经》有独创的理论见解,故面世以后,即受到社会文人学士的广泛注意,更受到道教界的特别重视。后世道教将它定为道士必须诵读的经书之一,被纳入《玄门功课经》中。宋元以后,更成为道教内丹术的经书之一,一般都将它和《道德经》、《〈周易〉参同契》并列,作为内丹修炼的基本经典。许多道士也是以内丹思想来注释、解说此书。王道渊《阴符经夹颂解注》云:“夫阴符者,一阴一阳之谓也。太极未判之始,溟溟涬涬,辽廓无光,纯一阴炁而已。阴因之极,一阳生于中,便分奇偶,阳动阴静,两仪判焉。人生其中,三才立焉。三才既立,万物生焉。生万物者道也,成至道者人也。圣人所以建天地,施德化,修性命,定人物,此阴符所以作也……阴符二字,身心也,性情也,水火也,神气也,铅汞也,龙虎也,动静也。乃为修丹之根本,养道之渊宗。凡作丹妙用,每遇日中冬至之时,则当闭关,外则运阳火于东南,而复退阴符于西北,存北方不行,正万物藏形之时也。于此时含光内烛,真气薰蒸,片饷之间,混融磅礴,阴气消化,阳气日新。此立成丹基之胎,久久纯熟,自然精气轻清,如热云旋转,华池津液脉络之来,

① 《道藏》第1册,第821页。

浇灌灵根,结成还丹,是谓阴符之道也。"①托名黄帝与天真皇人和广成子互相问答之书《阴符经三皇玉诀》云:《阴符经》上卷讲的是"虚无炼神之道",中卷讲的是"炼气之道",下卷讲的是"真蒸战退阴气","冲和不死"之道。②

《〈周易〉阴符经》现存注本,见于《道藏》者有二十余种,见于《藏外道书》者有十余种。其中较重要的有李筌《黄帝阴符经疏》、张果《黄帝阴符经注》、伊尹等《黄帝阴符经集注》(又名七家注)、赤松子等《黄帝阴符经集解》(又名十真集解)、蹇昌辰《黄帝阴符经解》、任照一《黄帝阴符经注解》、黄居真《黄帝阴符经注》、蔡氏《黄帝阴符经注》、萧真宰《黄帝阴符经解义》、夏元鼎《黄帝阴符经讲义》、托名黄帝撰《阴符经三皇玉诀》、胥元一《黄帝阴符经心法》、唐淳《黄帝阴符经注》、刘处玄《黄帝阴符经注》、邹言斤《黄帝阴符经注解》、俞琰《黄帝阴符经注》、王道渊《黄帝阴符经夹颂解注》等,皆载于《道藏》第一册和第二册,有关内容将在第二卷详细介绍。

第二节　道教在北齐、北周的新发展

一、北齐、北周道教的发展

北魏末期的孝庄、节闵、孝武诸帝,享国日浅,祸乱相寻。中兴二年(532年),被高欢拥立的孝武帝元修,不堪高欢的控制,于永熙三年(534年)逃往长安,高欢屡请不还,乃于该年另立孝静帝元善见,改称东魏,迁都于邺。第二年宇文泰在长安立南阳王元宝炬为帝,称西魏。至此,北魏遂正式分裂为东魏、西魏两个王朝。这两个王朝的政权分别为高氏、宇文氏所把持10—20余年之后,分别被两家的后裔所取代,另建新王朝。高欢次子高洋于公元550年代东魏,称北齐;宇文泰之长子宇文觉于公元557年代西魏,称北周。道教在这两个王朝遭遇不同,发展情况也不一样。

先说北齐。这是一个短命王朝,只存在了27年,而皇位却换了六次。为了争夺皇权,兄弟叔侄互相残杀,内部矛盾和阶级矛盾都十分尖锐。北齐依靠六

① 《道藏》第2册,第834页。
② 参见《道藏》第2册,第791页。

镇流民立国,特别强调鲜卑人的优越地位,在宗教上也特别崇奉佛教,对于道教,则既有一定扶持,又有沉重地打击。它扶持道教,主要在高欢把持东魏朝政和北齐建国初期,表现在高欢曾经网罗过不少方士充当他的幕僚。《北史・艺术传》说:"赵辅和,清都临漳人也。少以明《易》善筮,为齐神武(高欢)馆客。"[①]《北齐书・方伎传》说:信都芳,河间人。以术数干高祖(高欢)为馆客,授参军。[②] 许遵,高阳人。明《易》善筮,兼晓天文、风角、占相、逆刺,其验如神。高祖引为馆客。[③] 綦母怀文,不知何郡人,以道术事高祖。[④] 可见高欢身边的方士是不少的。这些方士虽未必就是道士,但有些显然带有道士色彩。如《北齐书・方伎传》所载:"王春,河东人。少好易占,明风角,游于赵、魏之间,飞符上天。高祖起于信都,引为馆客。""每从征讨,其言多中,位徐州刺史,卒。"[⑤]这个善易占的方士,又会"飞符上天",似与道教有某种渊源。

文宣帝高洋也尊信某些道士。"有张远游,显祖(指高洋)时令与诸术士合九转金丹。及成,显祖置之玉匣,云:'我贪世间作乐,不能即飞上天,待临死时取服。"[⑥]又尊信道士由吾道荣,《北齐书・方伎传》说:"由吾道荣,琅邪人。少好道法,与其同类相求入长白、太山潜隐,具闻道术。仍游周、鲁之间,习儒业。晋阳人某,大明法术,乃寻之。是人为人家佣力,无识之者,久乃访知。其人道家符水、咒禁、阴阳历数、天文、药性,无不通解。以道荣好尚,乃悉授之。"[⑦]由吾道荣学成后,"仍归本部,隐于琅邪山,辟谷,饵松术茯苓,求长生之秘。寻为显祖追往晋阳。至辽阳山中,有猛兽去马十步,所追人惊怖将走,道荣以杖画地成火坑,猛兽遽走。俄值国废,道荣归周,隋初乃卒"[⑧]。

虽然在高欢时代和北齐初年,道教曾得到一定支持,但在北齐立国之后的第六年,即天保六年(555 年),文宣帝高洋却下令禁绝道教,使道教遭到

---

① 参见《北史》卷 89《艺术传》,北京:中华书局 1974 年版,第 9 册,第 2937 页。
② 参见《北齐书》卷 49《方伎传》,北京:中华书局 1972 年版,第 2 册,第 675 页。
③ 参见《北齐书》卷 49《方伎传》,北京:中华书局 1972 年版,第 2 册,第 676 页。
④ 参见《北齐书》卷 49《方伎传》,北京:中华书局 1972 年版,第 2 册,第 679 页。
⑤ 《北齐书》卷 49《方伎传》,北京:中华书局 1972 年版,第 2 册,第 674—675 页。
⑥ 《北齐书》卷 49《方伎传》,北京:中华书局 1972 年版,第 2 册,第 674 页。
⑦ 《北齐书》卷 49《方伎传》,北京:中华书局 1972 年版,第 2 册,第 674 页。
⑧ 《北齐书》卷 49《方伎传》,北京:中华书局 1972 年版,第 2 册,第 674 页。

一次沉重的打击。原来在他之前的北魏王朝，对佛道二教均甚扶植，使佛道二教均有较大发展，以致在他当政的时候，所面临的佛道现状，已是“馆舍盈于山薮，伽蓝遍于州郡”，“缁衣之众，参半于平俗；黄服之徒，数过于正户”①。馆舍，指道教观宇；伽蓝，指佛教寺庙；黄服，指道士；缁衣，指僧人。意思是说，佛教的寺庙，各州郡县无处不有，僧人的人数，和一般平民人数差不多；而道教的观宇把山野都占满了，道士的人数比纳税的正户还要多。这里所使用的虽是文学语言，但所反映的却是实际情况。这就是北魏王朝所留给他的一份沉重遗产。佛道二教的这种迅猛发展，必然大大减少封建王朝的财政税收和可供使役的人力，造成财政经济上的极大困难。正如他在《议沙汰释李诏》中所说：“国给为此不充，王用因兹取乏。”②正因为这样，才迫使他“欲择其正道，蠲其左术”③。即准备裁减僧、道人数，限制佛道的发展。但是想法归想法，要真正实行起来，阻力太大。因“积竞由来，行之已久，顿于中路，沙汰实难”④。多年发展起来的佛道二教，要想一下子全部禁绝掉，实在很难办到。而且要这样做，阻力一定不小，其中佛教方面的阻力会更大。他犹豫再三，最后决定向二教中的弱者道教开刀，下令禁绝道教。应该指出，促使高洋做这样的决断，除了经济上的原因之外，也有政治上的原因。据《北史》卷五记载，当高欢逼迫废帝元朗逊位，拥立孝武帝元修时，“诸王皆逃匿，帝在田舍。先是，嵩山道士潘弥望见洛阳城西有天子气，候之，乃帝也。于是造第密言之”⑤。先为元修通风报信。当元修逃往长安之后，潘弥又跟随前往，为维护其安全而竭尽心力。从这也可看出道教与高氏集团从一开始便有矛盾。故高洋在篡夺了东魏政权以后，便立即向道教开刀，这是很自然的。其《议沙汰释李诏》虽佛道并提，实际主要是针对道教。故在头年作了必要的舆论准备之后，第二年（天保六年）便正式下了一道《听度道士为沙门诏》。文曰：“法门不二，真宗在一，求之正路，寂泊为本。祭酒

① （唐）释道宣：《广弘明集》卷24《议沙汰释李诏》，《大正藏》第52卷，第273页。
② （唐）释道宣：《广弘明集》卷24《议沙汰释李诏》，《大正藏》第52卷，第273页。
③ （唐）释道宣：《广弘明集》卷24《议沙汰释李诏》，《大正藏》第52卷，第273页。
④ （唐）释道宣：《广弘明集》卷24《议沙汰释李诏》，《大正藏》第52卷，第273页。
⑤ 《北史》卷5，北京：中华书局1974年版，第1册，第170页。

道者，世中假妄。俗人未悟，仍有祇崇，曲蘖是味，清虚焉在？胸脯斯甜，慈悲永隔，上异仁祠，下乖祭典。皆宜禁绝，不复遵事，颁敕远近，咸使知闻。其道士归伏者，并付昭玄大统上法师，度听出家，未发心者，可令染剃。"①这实际上是下令取缔道教组织，让道士们或被迫接受剃发为僧，或者还俗。估计当时愿意剃发为僧的不会太多，多数可能还俗为民了。《资治通鉴》记载此事时，曾说了它的结果："［天保六年］八月，齐主还邺，以佛、道二教不同，欲去其一，集二家论难于前。遂敕道士皆剃发为沙门。有不从者，杀四人，乃奉命。于是齐境皆无道士。"看来在这件事情上，道士们也有过反抗，统治者靠着强力，杀了四人，他们才被迫奉命的。结果呢？"齐境皆无道士"。② 这种说法不免绝对了些，因为要靠行政命令来消灭一种宗教是不可能的。不过道士们从此不敢公开活动而转入民间，或许是事实。

再说北周。北周取代西魏而立国较北齐晚几年。但立国以后，逐渐转变了过去东魏强西魏弱的局面，国力很快超过了北齐，最后灭了北齐，统一了北方。北周统治者是依靠关西汉族立国，特别强调儒学，道教也受到重视和扶植。如原由北魏太武帝建立的皇帝即位去道坛受符箓的制度，不仅为北魏诸帝所遵行，而且也由北周统治者继承下来了。《隋书·经籍志》说："后周承魏，崇奉道法，每帝受箓，如魏之旧。"③北周武帝宇文邕支持道教尤为突出。如后面将要谈到的，他尊礼楼观道士王延、严达等人；在废除佛道以后，又大量吸收楼观道士入通道观，使道教在另一种形式下被保存下来，废除二教实际只是废除佛教一教。武帝宇文邕的异母兄弟腾闻王宇文逌，更是一个笃信道教的人。他在所著的《道教实花序》中，对道教作了极力的颂扬。他说："混成元胎，先天地而生，玄妙自然，在开辟之外。可道非道，因金篆以诠言，上德不德，寄玉京而阐说。高不可揆，深不可源，阖之而章三光，舒之而绵六合。广矣大矣，于得尽其钩深，恍兮惚兮，安可穷其象物。十善之戒，四极之科，金简玉字之音，琼笈银题之旨，升玄内教，灵宝上清，五老赤书之篇，七圣紫文之记，故以晖诸篆籀，焕彼图牒，玄经閟籍，可得而谈者

① （唐）释道宣：《广弘明集》卷4《叙齐高祖废道法事》，《大正藏》第52卷，第113页。

② 《资治通鉴》卷166《梁纪二十二》，《文渊阁四库全书》第307册，第534页。

③ 《隋书》卷35《经籍四》，北京：中华书局1973年版，第4册，第1094页。

焉……无上大道,游于空洞之上,梵行天尊,见于龙汉之劫。日在丁卯,拜东华之青童,辰次庚寅,虔台山之静默。"①洋洋洒洒数千余言,从老子的道,讲到道教的经书,再讲到道教的神仙,在他的笔下,这一切全都玄妙神奇极了。

正是在北周统治者的大力扶植下,道教在北方取得了较大的发展。重要的例证是楼观道从北周起进入了它的鼎盛时期。以后历隋至唐,都是北方道教的最大派别。这与北齐道教是一个鲜明的对照。

二、楼观道的兴起及其传承

楼观道是继北魏寇谦之的新天师道之后,在北方兴起的另一道派。以陕西周至县楼观为它的活动中心。

楼观道士在叙述这个道派的兴起时,多妄造古事以神其说,遂使该派究竟在何时由何人所创的真实历史,已难于考定。首先,许多关于楼观道的资料说,楼观道是所谓西周关令尹喜所创。如《楼观本起传》说:"楼观者,昔周康王大夫关令尹之故宅也。以结草为楼,观星望气,因以名楼观。此宫观所自始也。问道授经,此大教所由兴也。"②《楼观先师传》和《楼观本记》也说,周昭王时,尹喜遇老子得道,随老子出关以后,周穆王乃就此宅"建祠修观,召幽逸之人置为道士,自尔相承,于今不绝"③。这是说,在西周初年,尹喜即把楼观道创建起来了。《楼观先师传》还说,从那以后,直至秦汉,历代帝王皆在楼观置道士,相继有尹轨、杜冲、彭宗、宋伦、冯长、姚坦、周亮、尹澄、王探、李翼、封衡、张皓等12名周秦道士,在楼观传尹喜之道。似乎继尹喜之后,楼观道在周秦时代还有传人。以上这些说法,显然是没有根据的。考先秦古籍中,春秋时确有一个尹喜,《庄子 · 天下篇》把他和老聃并列,赞叹他们是"古之博大真人"。说尹喜主张"在己无居,形物自著",做人要"其动若水,其静若镜,其应若响",所以他"未尝先人而常随人"。《吕氏春秋 · 不二篇》还对老

① (唐)徐坚等:《初学记》卷23,北京:中华书局1962年版,第3册,第549页;《全后周文》卷4所载《道教实花序》文字稍异。

② 《终南山说经台历代真仙碑记》所引,《道藏》第19册,第543页。

③ (宋)张君房:《云笈七籤》卷104《太清真人传》引《楼观先师传》和《楼观本记》,《道藏》第22册,第707页。

聃、尹喜二人的思想做过比较,曰:“老聃贵柔……关尹贵清。”[①]根据这些记载,尹喜只是一个春秋时期与老聃齐名的思想家,并非某一教派的创始人。说他在春秋时期甚至在西周初年即已创建了楼观道,是不符合历史事实的。楼观道士之所以要把他作为楼观道的创派祖师,无非是为了在佛道斗争中给自己增添一点辩论资本而已。因为在道教资料中,尹喜是以随老子西去化胡并曾变身为佛的面貌出现的,以他为祖师,自然可以抬高楼观道的地位。

其次,在有关楼观道的资料中,除了尹喜外,还有一个所谓尹喜从弟尹轨,也与楼观道的创建多少有些关联。《云笈七籤》卷一百四《太和真人传》说:“尹轨,字公度,太原人也。乃文始先生(尹喜)之从弟。少学天文,兼通谶纬,来事先生。因教服黄精花,乃授诸道经,凡百余篇,皆家口诀。先生登真之后,即与隐士林冲等同于先生宅修学……复出游,带神丹十余筒,周历天下,济护有缘。或炼金、银以赈贫穷,或行丹药以救危厄。求哀之人咸得其福利焉。”[②]《终南山说经台历代真仙碑记》(此书乃节录《楼观内传》而成)之《太和真人传》又说:尹轨于晋永兴中复降楼观,道士梁谌遇之,授以丹书而去。[③]《历世真仙体道通鉴》卷三十《梁谌传》说得更具体,称尹轨于晋惠帝永兴二年(305 年)降楼观,授梁谌《日月黄华上经》、《水石丹法》,并授《楼观先生本起内传》一卷。根据这些记载,楼观道的创始人可不可能是尹轨呢?我们认为,也没有这种可能。因为:第一,一个生于春秋乃至西周初年的人,在约 1000 年之后的西晋跑到楼观去传道,这本身就是一个宗教神话,根本不能当作历史真实。第二,有无尹轨其人,特别是有无作为楼观道第二代祖师的尹轨其人,本身就是一个问题。考葛洪《神仙传》中记有尹轨,这是尹轨事迹的最早记录。该书卷九《尹轨传》说:“尹轨者,字公度,太原人也。博学五经,尤明天文星气;河洛谶纬,无不精微。晚乃学道,常服黄精华,日三合,计年数百岁。其言天下盛衰,安危吉凶,未尝不效。腰佩漆竹筒十数枚,中皆有药,言可辟兵疫……又大疫时,或得粒许大涂门,则一家不

① (战国)吕不韦著,陈奇猷校释:《吕氏春秋新校释》(下册),上海:上海古籍出版社 2002 年版,第 1134 页。

② 《道藏》第 22 册,第 705 页。

③ 参见《道藏》第 19 册,第 544 页。

病。弟子黄理,居陆浑山中……或有人遭丧,当葬而贫……令求一片铅,公度入荆山,架小屋,于炉火中销铅,以所带药如米大,投铅中搅之,乃成好银,与之……有人负官钱百万,身见收缚,公度于富人借数千钱与之,令致锡,得百两,复销之,以药方寸匕投之,成金,还官。后到太和山中仙去也。"①把上述《云笈七籤》之《太和真人传》、《楼观内传》之《尹轨传》,与此《神仙传》之文比较,可以清楚看出:《太和真人传》中之尹轨实际是以《神仙传》中之尹轨为原型改制出来的。其名、字、籍贯和炼丹救人等情节基本相同,只是为了抬高楼观道的需要,在《神仙传》的基础上加了尹轨是尹喜从弟和尹轨下降楼观传道等两个重要情节,企图经过这样的改造,使原来仅为炼丹术士的尹轨变成楼观道第二代祖师的尹轨。但是,这样一个经过移植、仿造的人物,只能是一个乌有先生,是不可能成为楼观道的创始人的。

既然尹轨不是楼观道的创始人,那么,受尹轨传道的梁谌是否为楼观道的创始人呢?我们认为,同样缺乏根据。因为上引《终南山说经台历代真仙碑记》之《梁谌传》仅言尹轨向梁谌授经,别无梁谌据此创教的事。记梁谌事最详的《历世真仙体道通鉴》之《梁谌传》,也未言及梁谌创教的活动。至于《仙苑编珠》卷中之《楼观传·梁谌传》佚文,和《三洞群仙录》卷十所引《丹台新录》之《梁谌传》等,不仅无梁谌创教事迹,连尹轨下降楼观授经的事也付阙如。可见以梁谌为楼观道的创始人,也无事实根据,而且楼观道士中绝无一个认他作创教人的。总之,无论是尹喜、尹轨或梁谌,都不是楼观道的真正创始者。但除此三人外,与创教稍有瓜葛的人再也找不出一个了。因此,到底是何人于何时创建了楼观派,还是一个有待继续探讨的问题。

梁谌虽然不是楼观道的创始人,但却是较早居楼观的道士。据《仙苑编珠》卷中所引《楼观传》说:"梁谌年十七,师郑法师受道。视地而行,恐伤含气,有鸟兽当路,常下路避之。年七十七,忽见云气弥林,乃竦身入云而去。"②

---

① 此见《增订汉魏丛书》(上海:大通书局石印本1911年版,第33册,第53页)之《神仙传》。《太平广记》卷13亦引此文,文全同,《太平御览》卷662亦节引此文,但误将此文列于《三洞珠囊》之"又曰"内。另外《仙苑编球》卷中所引《神仙传·尹轨传》之文,不在今本《神仙传》内。

② 《道藏》第11册,第36页。

《三洞群仙录》卷十六引《高道传》说他在咸熙（264—265年）初事郑法师于楼观，卒于东晋太兴元年（318年）。[①]《历世真仙体道通鉴》卷三十《梁谌传》说他是京兆扶风人，在"大魏元帝咸熙（264—265年）初，事郑法师（履道）于楼观，时年十七……至晋惠帝永兴二年（305年）乙丑五月五日，老君命真人尹轨降于楼观，乃尽弟子礼。事之逾月，遂授炼气隐形之法，次授水石还丹术，卒授《六甲符》及《采服日月黄华法》。后隐于终南山，食炁吞符，大尽其妙，又广索丹砂，还而为饵……自是钦奉者多……目能视地中物，耳能听数里声……（东晋）元帝大兴元年（318年）戊寅岁……白日升天"[②]。以上诸书所记，皆大同小异。根据这些记载，可知他是西晋时期即居楼观的一名道士。

从现存资料看，从西晋至东晋，楼观道士很少，在社会上的影响也甚微，表明在那个时期，楼观道还未形成一个有一定特征和一定内聚力的教团。它正式成为一个对社会产生影响的教团，始于北魏太武帝拓跋焘之时。据有关资料载，太武帝始光（424—428年）初，道士尹通事马俭法师于楼观，其后道术精进，渐获令誉。"太武好道，钦闻其名，常遣使致香烛，俾之建斋行道。自是四方请谒不绝。"[③]接着，道士牛文侯、尹法兴等人继踵而来，道士增至40余名。北魏孝文帝太和（477—499年）中，道士王道义又从射姑山将门弟子六七人来楼观，并大修观宇，土木工匠就役者，日常百数。楼观坛宇，一皆鼎新。王道义又"令门人购集真经万余卷"，置楼观。[④]再后，西魏文帝又钦异楼观道士陈宝炽，召入延英殿问道，太师安定公及朝士大夫皆从而师之。大统十五年（549年）卒，诏谥正懿先生[⑤]。又召其弟子李顺兴至都城，试以法术，"有验"，"由是朝野钦信"[⑥]。

楼观道士的鼎盛时期，是在周、隋之际及唐初。有道士王延，字子元，扶风始平人。西魏大统三年（537年）入道，时年十八，师陈宝炽于楼观。与李顺兴相友善。后访华山云台观，复师茅山道士焦旷，得三洞秘诀真经。北周

① 参见《道藏》第32册，第340页。
② 《道藏》第5册，第270—271页。
③ 《历世真仙体道通鉴》卷30《尹通传》，《道藏》第5册，第271页。
④ 参见《历世真仙体道通鉴》卷30《王道义传》，《道藏》第5册，第272页。
⑤ 参见《历世真仙体道通鉴》卷30《王道义传》，《道藏》第5册，第272页。
⑥ 《历世真仙体道通鉴》卷30《王道义传》，《道藏》第5册，第274页。

武帝闻其名，遣使召之，王延至都久之，复还西岳云台观，诏增修该观以居之。其后武帝下诏废佛道，建立通道观。命王延于通道观校雠《三洞经》图，凡 80 余卷；又作《三洞珠囊》7 卷[①]奏贮于通道观。隋文帝即位，置玄都观，诏以延为观主，复以延为道门威仪。据说隋文帝还从之受智慧大戒，朝廷大臣苏威、杨素等皆北面执弟子之礼。于仁寿四年（604 年）延卒于玄都观。[②] 又有楼观道士严达，也驰誉于周、隋之际。严达，字道通，北魏末入道，师楼观道士侯楷，“学穷琼韫，博通妙术”。北周武帝建德中沙汰佛教，正议同废道教时，诏严达入便殿，问佛道二教优劣。严达答曰：“主优客劣”。谓释出西域，是客，道在中夏，是主。并谓：“客归则有益胡土，主在则无损中华。去者不追，居者自保，又何送乎！”[③]具有明显的排佛思想。据说“上嘉其对”，然迫于形势，不得不佛道二教同时俱废。武帝废除佛道二教后，决定建通道观于田谷之左，选释道二教中人以居之。其中选有楼观道士严达与王延、苏道标、程法明、周化生、王真徽、史道乐、于章、张法成、伏道崇等 10 人。他们“以道术相忘，同乎出处，世号曰‘田谷十老’”。隋文帝开皇初，严达又重修楼观宫宇，度道士满 120 员，羽流精炼，朝野宗奉。[④]

至唐代，因皇帝认道教教主李耳为始祖，楼观道士岐晖在李渊起义时，又赞助过李渊，故渊作大唐皇帝后，对楼观特别器重。如武德初，敕修楼观宫宇，并赐田土 10 顷以充基业；又令改楼观为宗圣观，以岐晖为观主。武德七年十月，帝诣楼观，祀老子。[⑤] 至高宗时，以尹文操为昊天观主兼知宗圣观事。尹文操曾奉敕撰《玄元皇帝圣纪》一部，凡十卷，总百十篇。缮写进之，高宗大悦，乃授文操银青光禄大夫，行太常少卿。[⑥] 大体说来，在安史之乱前，楼观道在唐王朝的支持下，一直比较兴盛，安史之乱后，渐趋衰落。至

---

① 按：唐代王悬河有《三洞珠囊》10 卷，为另一书。

② 参见《历世真仙体道通鉴》卷 30，《道藏》第 5 册，第 273 页。

③ 《仙苑编珠》卷下引《楼观传 · 严达》，《三洞群仙录》卷 8 和卷 11 引《高道传 · 严达》，《历世真仙体道通鉴》卷 30《严达传》，《道藏》第 5 册，第 275 页。

④ 参见《历世真仙体道通鉴》卷 30《严达传》，《道藏》第 5 册，第 275 页。

⑤ 参见《混元圣纪》卷 8，《道藏》第 17 册，第 855—856 页。

⑥ 参见《古楼观紫云衍庆集》卷上员半千《大唐宗圣观主银青光禄大夫天水尹尊师碑》，《道藏》第 19 册，第 551—552 页。

金哀宗天兴（1232—1234 年）年间，因遭兵燹，楼观焚毁殆尽。至元代，全真道加以修复，楼观道亦合并于全真。

记载楼观道事迹之书有《楼观内传》三卷。据称先由尹轨撰 1 卷于晋，后周韦节续撰一卷，唐尹文操再续一卷，合为三卷。全称《楼观先生本行内传》，或称《楼观先师本行内传》，简称《楼观先师传》、《楼观本行传》或《楼观内传》。该书多妄托古事，特别是托名尹轨所撰之第一卷，更是虚妄不实。现原书已佚，仅《仙苑编珠》存有佚文 25 篇。元赵道一所撰《历世真仙体道通鉴》第八、九、二十九、三十卷诸篇楼观道士传记，系据宋贾善翔《高道传》，《高道传》或即取材于《楼观内传》。元朱象先《终南山说经台历代真仙碑记》尹文操前之传记是《楼观道内传》的节录。现据以上资料，列楼观道士传授系统如下表：

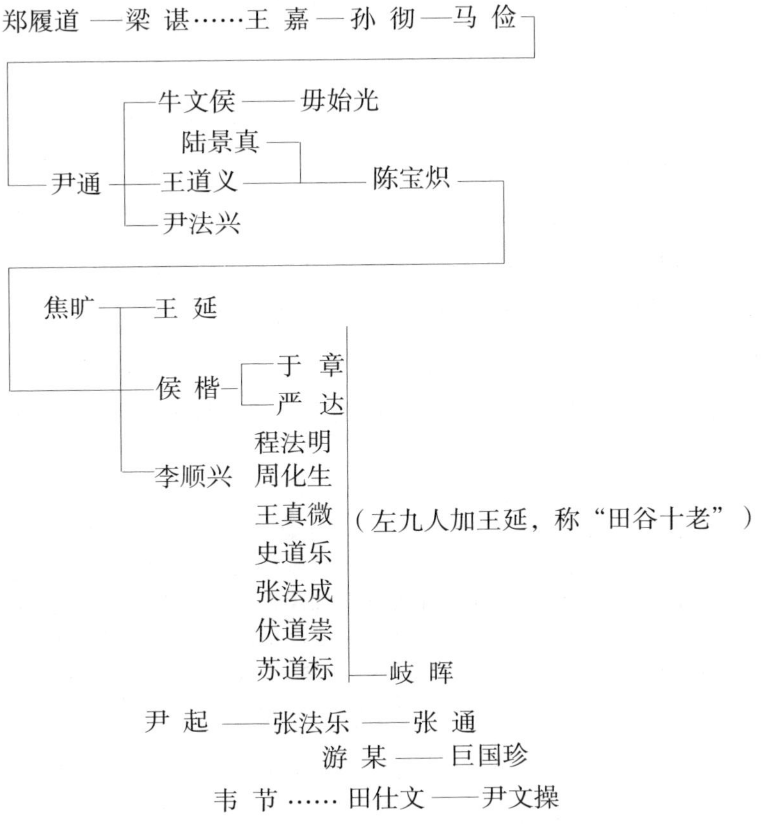

楼观道尊尹喜为祖师。但这个尹喜已经不再是思想家，而是宗教崇拜的偶像。他不仅变成为老子的弟子，而且还在老子将出关时，请老子写下了道德五千言(道教尊为《道德经》),更在以后随同老子西去化胡,成为老子化胡的得力助手。西晋王浮所著《化胡经》,即“言喜与聃化胡作佛,佛起于此”①。至南北朝时,佛道斗争开始激化,道教所出《玄妙内篇》、《出塞记》、《关令尹喜传》、《文始内传》等书②,都与《化胡经》相表里,大肆敷衍老子和尹喜的化胡。所以在南北朝时,尹喜成为老子化胡故事中最显赫的人物。楼观道推尊这样一个人物作祖师,自然表明这个道派对老子化胡说的坚信;同时也暗示了这个道派产生和兴盛的时代,不会去南北朝之前太远。坚持老子化胡说最力、与佛教徒相诟骂最烈,可说是该派最显著的特点之一。

由于相传《道德经》是老子应尹喜之请所写的(《史记 · 老子传》早已言此),故该派道士特别重视《道德经》,以它为主要的传习经典。另一方面因它坚主老子化胡说,故敷衍老子化胡说最鲜明的某些经书,如《老子化胡经》、《老子西升经》、《老子开天经》和《妙真经》等,是它十分重视的经典。《道教义枢》和《甄正论》有尹喜从老子受《道德经》、《妙真经》、《西升经》的说法。《道教义枢》卷二《七部义》引《太玄经》云:“无无曰道,义枢玄玄。而尹生所受,唯得《道德》、《妙真》、《西升》等五卷。”③《甄正论》卷中云:“(老子)后遂西之流沙,至函谷关,为关令尹喜演黄帝书,重广其文,为《道德》二篇上下两卷,论修身理国,戒刚守雌,挫锐解纷,行慈俭谦下之道,成五千余言。尹喜又录老子与尹喜谈论言旨为《西升记》。其中后人更增加其文,参糅佛义,大旨略与道经微同。多说人身心情性禀生之事,修养之理,

---

① (唐)彦悰:《集沙门不应拜俗等事》第5,《大正藏》第25册,第470页。王浮造《化胡经》事,见僧佑《出三藏记》卷15《法祖法师传》和慧皎《高僧传》之《帛远传》。但王浮《化胡经》早佚,继王浮之后,《化胡经》已屡经改写增纂,成为2卷本或10卷本等多种《化胡经》。近世敦煌发现的《化胡经》残卷,即为改纂后的《化胡经》。不过法琳《辩正论》卷六曾引晋末竺道祖所撰《晋世杂录》,谓该《化胡经》“言喜与聃化胡作佛,佛起于此”。证明王浮《化胡经》确已将尹喜与老子均纳入化胡故事中。

② 诸书不见于南北朝以前的人引录。南齐顾欢《夷夏论》最早引《玄妙内篇》。宋谢守灏《老君年谱要略》谓《出塞记》作者虞宣,但不详何代人,最早引《出塞记》的是唐《一切道经音义妙门由起》。《关令尹喜传》,最早见北周僧勔《十八条难道章》自叙引,隋费长房《历代三宝记》著录。《文始内传》,首见引于北周甄鸾《笑道论》。要之,以上诸书,似皆出于南北朝。

③ 《道教义枢》卷2,《道藏》第24册,第815页。

夭寿之由。后人改记为经。”[1]《道德经》为老子或其后学所作，当无疑义，《西升经》、《妙真经》谓为尹喜所撰，自是依托。这虽不能证明这些书出自楼观道士之手，但可以推断这些书必得楼观道士所推崇。下面简单介绍一下这些书的成书年代。《化胡经》已如前述，最早为西晋道士王浮所作，仅 1 卷，以后不断被人增修，有 2 卷本、10 卷本、11 卷本之《化胡经》，现英、法等国所藏我敦煌《化胡经》残卷，盖为 10 卷本之《化胡经》，已非王浮书之旧。《老子西升经》不知著作年代。北宋道士陈景元《西升经集注》引冲玄子注说，该书是老子过函谷关，授尹喜五千文后，将化西土时，为尹喜所说。[2] 该经首称：“老子西升，开道竺乾，号古先生，善入无为，不终不始，永存绵绵。”可见具有明显的化胡思想。考东晋初年所出的《正诬论》已引其文[3]，葛洪《神仙传》又举其书[4]，且《神仙传》所引《西升经》、《中胎经》，谓老子之像“日角月悬，鼻纯骨双柱，耳有三漏门，足蹈二五，手把十文”一段，又与三国初牟子《理惑论》所述老子之文同，故《西升经》、《中胎经》等也有可能出于东汉末三国之际。《老子开天经》也是一部宣扬老子化胡说的书。北魏孝武帝时，道士姜斌与沙门昙无最辩论，曾引《开天经》以证老子先于释迦。[5] 该书著作年代也不详，唐释明概《决对傅奕废佛法僧事并表》云：“《三皇经》，鲍静（靓）所制，《开天经》，张泮所造，《化胡经》，王浮所制。”[6]此处称《开天经》作者是张泮，把他和两个西晋人相提并论，若此说不虚，《开天经》亦当作于西晋或两晋之际。《妙真经》亦不详著作时代和作者，过去佛教反驳化胡说时，常将它和《西升经》等并提，故亦具化胡思想。南齐谢镇之所作反驳顾欢《夷夏论》之论文中，已有“《灵宝》、《妙真》，采撮《法华》”[7]之

---

① 《甄正论》卷中，《大正藏》第 52 卷，第 564 页。

② 参见《西升经集注》卷 6，《道藏》第 14 册，第 602 页。

③ 《正诬论》载《弘明集》卷 1，作者不详。王维诚在《老子化胡说考证》中推断此书成于东晋明帝太宁二年（324 年）后不久。

④ 参见《神仙传》卷 1《老子传》，载《汉魏丛书》增订版。《太平御览》卷一亦引此书。

⑤ 参见《广弘明集》卷 1《元魏孝明帝召佛道门人论先后》，《大正藏》第 52 卷，第 100 页；《续高僧传》卷 23《释昙无最传》，《大正藏》第 50 卷，第 624—625 页。

⑥ 《广弘明集》卷 12，《大正藏》第 52 卷，第 174 页。

⑦ 《弘明集》卷 6《重与顾道士书》，《大正藏》第 52 卷，第 42 页。

语,该反驳文章作于刘宋末叶,推之,《妙真经》的出世年代不会晚于刘宋末。以上诸书,经元代焚经,或已不存,或虽存世,但经删削,已面目全非。《化胡经》遭元焚经后,只在敦煌石窟留有残卷,有的已被人窃去国外。①《西升经》现存,虽有明显的化胡思想,但可肯定是经过大量删削者。《开天经》存于《正统道藏》,《云笈七籤》卷二又有述《太上老君开天经》一篇,皆不言老子化胡事,是经删削后留下的面貌。《妙真经》已不存,只在《无上秘要》和一些佛教著述中存有部分佚文。

根据楼观道坚主化胡说的特点推测,《化胡经》、《西升经》等可能是楼观道十分注重的经典,但在现存楼观资料中,除《历世真仙体道通鉴》之《韦节传》说韦节"注《妙真》《西升》等经"外,其余楼观道士的传记,皆不言传授《化胡经》、《西升经》等之事。由于楼观资料焚毁甚多,目前又缺乏收集整理,因此,这个问题尚有待于今后深入探讨。

楼观道除传习上述经典外,又传习多种上清经和少量《三皇文》、《灵宝经》。如《太和真人(尹轨传)》②曾引《上清琼文帝章经》、《太极真人传》谓杜冲感真人李君授以《太上素灵洞玄大有妙经》③;《楼观传》之《宋伦传》谓宋伦感老君降授《灵飞六甲素奏丹符》④;《楼观传》之《冯长传》谓彭真人降授冯长以《太上隐书》⑤;《历世真仙体道通鉴》之《冯长传》又谓邓先生授冯长以《灵书紫文》⑥;《楼观传》之《姚坦传》谓神人授姚坦《天关三图飞行之经》⑦;《楼观传》之《尹澄传》又谓仙人宋君授尹澄《三皇文》⑧;《历世真仙

① 敦煌卷子大部分藏于北京图书馆、伦敦不列颠博物院、巴黎国家图书馆,据陈国符《道藏源流考》(新修订版)《敦煌卷子中之道藏佚书》统计。现存有5个《化胡经》卷子:两个《老子化胡经》卷第1,一个《老子化胡经》卷第2,一个《老子化胡经》卷第10,一个《太上灵宝老子化胡妙经》,中华书局2014年版,第167页。

② 《太和真人传》,载《云笈七籤》卷104,《道藏》第22册,第705页。

③ 《太极真人传》载《云笈七籤》卷104,《道藏》第22册,第706页;《太上素灵洞玄大有妙经》,并不是灵宝经,而是上清经,它与《大洞真经》、《雌一五老宝经》一起被称为"道者三奇",为上清派遣士特重的经典。

④ 《仙苑编珠》卷下引《楼观传》之《宋伦传》,《道藏》第11册,第38页。

⑤ 《仙苑编珠》卷中引《楼观传》之《冯长传》,《道藏》第11册,第32页。

⑥ 《历世真仙体道通鉴》卷9《冯长传》,《道藏》第5册,第158页。

⑦ 《仙苑编珠》卷下引《楼观传》之《姚坦传》,《道藏》第11册,第39页。

⑧ 《仙苑编珠》卷下引《楼观传》之《尹澄传》,《道藏》第11册,第41页。

体道通鉴》之《梁谌传》谓尹轨降授梁谌《采服日月黄华法》和《六甲符》[①];《历世真仙体道通鉴》之《马俭传》谓孙彻授马俭以《五符真文》、《三皇内文》、《道德经》、《诸天内音》和《六甲符》[②];《历世真仙体道通鉴》之《陈宝炽传》谓陈宝炽常诵《大洞经》[③];《楼观传》和《历世真仙体道通鉴》之《李顺兴传》谓陈宝炽授李顺兴五千文和《黄庭经》,仙人下降又授李顺兴《金真玉光经》、《七转七变舞天经》[④];《历世真仙体道通鉴》之《张法乐传》谓张法乐日诵五千文和修雌一之道[⑤];《历世真仙体道通鉴》之《韦节传》谓韦节行《黄庭内景经》、《智慧消魔经》法。[⑥] 综观以上诸《传》所提到的经书,除《三皇内文》属三皇经,《五符真文》、《诸天内音》等属灵宝经外,其余都是上清经。连《太上素灵洞玄大有妙经》也非灵宝经,而是被上清派称为"道者三奇"之一的上清经。楼观道如此大量地传习上清经,表明其受上清派的影响之大;也说明楼观道除具有较强的化胡思想以外,与上清派最为接近。

如前章所述,上清经首由杨羲、许谧等人于东晋中叶时造制,在他们在世及死后很长一段时间内,皆为少数道士所秘藏,未在社会上流传。至东晋末,王灵期"见葛巢甫造构《灵宝》,风教大行"之后,才向许翙之子许黄民请受上清经,然后根据这些经书,"窃加损益,盛其藻丽","张开制造",把原有的31卷增制为50余卷。[⑦] 在这之后,上清经才广泛传播开来。因此上清经之向外传播,不会早于东晋末。加上当时南北对立,要由造经之地江南传到北方,又须经过一段时间。因此楼观道士们授受上清经之事,只可能出现在北魏初年以后,绝不可能在这之前。然而托名尹轨所撰的《楼观先师传》(简称《楼观传》)则谓周秦时的楼观道士已在传授上清经书,显然是无稽之谈。相反,它倒证明这本楼观传记的撰写者,不是什么尹喜之弟的尹轨,也不是西晋炼丹道士尹轨,而是北魏或其后的某人托名之作。甚至韦节续撰

① 《历世真仙体道通鉴》卷30《梁谌传》,《道藏》第5册,第270页。
② 《历世真仙体道通鉴》卷30《马俭传》,《道藏》第5册,第271页。
③ 《道藏》第5册,第272页。
④ 《道藏》第5册,第273页。
⑤ 《道藏》第5册,第275页。
⑥ 《道藏》第5册,第266页。
⑦ 《真诰》,《道藏》第20册,第604页。

的那卷《楼观传》中之王嘉、孙彻、马俭这些北魏以前人，也不可能有传授上清经之事，韦节叙写他们也传授了上清经，同样也是无稽之谈。大约尹通之后的道士授受了上清经才是可能的。这与上面谈到的尹通及牛文侯等人受北魏太武帝尊礼，楼观道自此始形成一个有影响的教团是相适应的。这似乎说明，楼观道始传上清经之时，大致就是它开始形成有内聚力和影响力的教团之时，上清经对楼观道的形成似乎起了较大的作用。

楼观道士的修炼方术，不像其他道派那样具有鲜明的特点。即没有一两种特别着重的方术，而是杂采众家，符箓与丹鼎样样皆习。如梁谌“食炁吞符，大尽其妙，又广索丹砂，还而为饵”①。马俭既晓遁甲占候之法，又断谷、服药、行气、导引，还能役使万灵，制役群邪，驱使六丁二十四神。② 尹通“服黄精、雄黄、天门冬数十年”③，又能为人治病。其他楼观道士大都如此，不再一一列举。如要加以比较的话，服食药物更为普遍。从传习经书和修炼方术这种杂采众家的情况看，这个道派的独创性是不多的，因而它对道教的贡献不如其他派别大。

第三节　北朝佛道关系

道教是中国古代社会思想文化领域中的三支重要力量之一，与儒学、佛教并称“三教”。它在自己的长期发展过程中，与儒释既相互斗争，又相互融合。这种与儒释既斗争又融合的关系，对于道教发展的盛衰和思想理论的变化，有着直接而显著的影响。因此适当介绍它与儒释的关系，是很有必要的。

一、北魏太武帝和北周武帝的废佛

一般说来，在汉魏两晋时期，由于佛教刚入中国，必须依附、迁就中国本土儒道这两种主要思想文化形式，才能在中国生根立脚；而道教刚刚建立，

① 《道藏》第5册，第270页。
② 《道藏》第5册，第271页。
③ 《道藏》第5册，第271页。

力量很弱小。因此那个时期双方关系的主要特点是:彼此模仿学习多,互相斗争少。但是,由于双方各自条件的变化发展,到这个时期的后半段,即东晋时,双方的力量对比发生了很大的变化。佛教不仅在中国站稳了脚跟,而且逐渐摆脱了对玄学和道教的依附地位,发展成为颇有影响的独立力量,佛教理论教义中某些与中国传统思想相矛盾的方面也随之逐渐显露。而道教力量虽有发展,但较之佛教,却渐有相形见绌之势。佛道双方为争夺宗教传播阵地和思想文化领导权的欲望逐渐强烈。这一切,就促成了佛道关系在南北朝时期的重大变化,即由原来的矛盾缓和变为斗争激化,这是南北朝佛道关系的主要特点。

佛道斗争激化,不论在南朝或北朝,表现都很明显,只是表现形式略有不同。南朝斗争主要表现为义理之辨,北朝斗争更多是诉诸强力,说理斗争相对较少。佛教史书上所谓"三武一宗法难",有两次就发生在北朝:一次是北魏太武帝太平真君中的废佛;一次是北周武帝建德中的废佛。这前后两次的废佛事件,连同其他一些大大小小的斗争,表现了"三教"之间主要是佛道之间的激烈冲突。

北魏太武帝废佛,是佛道关系史上的一件大事。为了探讨这次事件的起因和性质,现根据《魏书·释老志》、《魏书·世祖纪》等材料,先把这次事件发生前太武帝对佛道二教所采取的主要政策措施,大致胪列于下:

世祖(即太武帝)初即位(于423年即位,次年改元始光),亦遵太祖、太宗之业,每引高德沙门,与共谈论。

始光(424—428年)初,寇谦之奉其书而献之,经崔浩上疏"赞明其事",取得太武帝信任,"于是崇奉天师,显扬新法,宣布天下,道业大行"①。

太武帝锐志武功,每以平定祸乱为先。虽归宗佛法,敬重沙门,而未存览经教,深求缘报之意。及得寇谦之道,常以清静无为,有仙之证,遂信行其术。

太延四年(438年)三月癸未,太武诏"罢沙门年五十已下"②。

---

① 《魏书》卷114《释老志》,北京:中华书局1974年版,第8册,第3052—3053页。

② 此据《魏书·世祖纪》。《魏书》卷4《世祖纪》,北京:中华书局1974年版,第1册,第88页。《魏书·释老志》谓在平凉后出此诏。

凉州平，徙其国人于京邑，沙门佛事皆俱东，象教弥增。沙门玄高、慧崇等亦来平城。

平凉（太延五年）之次年，据寇谦之意，改元太平真君。

太平真君三年（442 年），太武帝备法驾，亲至道坛受符箓。自是每帝即位，皆受箓如故事。

太平真君五年（444 年）正月戊申，太武帝下诏禁师巫、沙门活动。诏令说："愚民无识，信惑妖邪，私养师巫，挟藏谶记、阴阳、图纬、方技之书；又沙门之徒，假西戎虚诞，生致妖孽。非所以一齐政化，布淳德于天下也。自王公已（以）下至于庶人，有私养沙门、师巫及金银工巧之人在其家者，皆遣诣官曹，不得容匿。限今年二月十五日，过期不出，师巫、沙门身死，主人门诛。"①

太平真君六年（445 年），卢水胡人盖吴在杏城（今陕西黄陵）起兵反魏，起义群众十余万人。遣兵击之，不胜。太武于年底率兵亲征，于第二年（446 年）二月入长安，从官在佛寺见有大批兵器，帝怒，疑僧人与盖吴通谋。命诛阖寺沙门。阅其财产，得酿具及州郡牧守富人所寄藏物以万计，又发现匿藏妇女的窟室。崔浩因说帝悉诛天下沙门，毁诸经像，帝从之。时寇谦之与崔浩"同从车驾"，反对崔浩的建议，"苦与浩争，浩不肯。谓浩曰：'卿今促年受戮，灭门户矣！'"②一场大规模的废佛运动，终于在北魏境内发生了。

从上可以看出，太武帝太平真君的废佛，有一个发展的过程。在他即位初年，尚敬重沙门，与沙门共谈论，对佛教尚无恶感。随后，因崔浩关系，崇信寇谦之天师道，从此，与道教关系日亲，与佛教关系日疏，打下了日后废佛的思想基础。但在最初十几年中，尚无废除佛教之意。太武帝即位 14 年后的太延四年，虽有诏"罢沙门五十已（以）下者"，但据《通鉴》胡注云："以其强壮，罢使为民，以从征役。"显然，这只是为征凉州准备兵员所采取的临时措施，其间当然有削弱佛教力量的意图，但还不是彻底废佛的措施。6 年之

① 《魏书》卷 4《世祖纪》，北京：中华书局 1974 年版，第 1 册，第 97 页。《魏书·释老志》误载此诏于太武帝征盖吴入长安后。考太武入长安在太平真君七年二月，其年正月无戊申，今从《魏书·世祖纪》、《北史》和《通鉴》系于真君五年 正月。

② 《魏书》卷 114《释老志》，北京：中华书局 1974 年版，第 8 册，第 2035 页。

后的太平真君五年,又有禁师巫和沙门活动的诏令。观此诏令,也并非专对佛教,连师巫、图谶之书也在禁止之列;而且根据一些资料记载,当时北魏确有一些师巫、沙门挟图谶之书以反魏的。《续高僧传·超达传》曰:“魏氏之王天下也,每疑沙门为贼”,又曰:“魏帝禁图谶尤急,所在搜访,有人诬达有之”,就是一例。[①] 太武帝特别尊信道教,佛教中某些人对此表示不满,挟图谶以反魏,似在情理之中。不管怎样,看来这时太武帝对佛教的态度已经比较严厉了。直到太平真君七年二月,太武帝从官在长安佛寺发现藏有兵器,遂使太武帝产生了沙门与盖吴通谋的怀疑,并以此为导火线,最后促成了这次的废佛事件。那么,沙门与盖吴通谋,是否确为事实呢?因为现存资料太少,还难以作出肯定或否定的回答。但从太武帝长期尊信道教、对佛教的态度愈来愈严厉的情况来看,可知当时佛教中有很多人对此极为不满,其中某些人趁盖吴反魏之机,与盖吴通谋,并不是不可能的。如果真是有僧人与盖吴通谋,那就恰好给太武帝抓到了废佛的把柄;如果没有,则是太武帝为了废佛所制造的借口。无论哪种情况,有一点却是很清楚的,那就是这次事件的主要决策者是崔浩和太武帝本人,而不是寇谦之,因为寇谦之对这种屠杀沙门的做法是持反对态度的。这一情况,除上面提到的《魏书·释老志》所记寇谦之曾“苦与浩争”、反对诛杀沙门这个直接证据外,还有一件事可以作为佐证。那就是在此之前他还曾经谏阻屠杀凉州沙门。《续高僧传》卷二五《僧朗传》说,在太延五年(439年)时,太武帝发兵平凉,凉州守城军旅中有三千僧人,城陷后,“收登城僧三千人,至军,将见(别本无“见”字)魏主所。谓曰:‘道人当坐禅行道,乃复作贼,深当显戮,明日斩之!’至期,食时,赤气数丈贯日直度,天师寇谦之为帝所信,奏曰:‘上天降异,正为道人,实非本心,愿不须杀。’帝弟赤竖(或作‘坚’)王亦同谏请,乃下敕止之。”[②]所谓“赤气贯日”,是僧传作者的神异之辞,可以不论,但寇谦之设说辞阻止这次杀戮事件,当是事实。不然,与道教相对立的佛教典籍中绝不会作如此记载。

① 《续高僧传》卷25《超达传》,《大正藏》第50卷,第644页。
② 《续高僧传》卷25《僧朗传》,《大正藏》第50卷,第646页。

那么,释玄高被杀事,是否可以作为寇谦之参与废佛的旁证呢?这也是很难成立的。释玄高,原为凉州著名沙门,太武帝平凉后,请高还平城,太子拓跋晃事高为师,至太平真君五年被杀。他为什么被杀呢?《高僧传》卷十一《玄高传》说:“拓跋晃,事高为师,晃一时被谗(《南齐书·魏虏传》谓为大臣崔氏、寇氏所谮),为父所疑……高令作金光明斋七日恳忏。焘(太武帝拓跋焘)乃梦见其祖及父,皆执剑烈威”,予以斥责,太武帝梦觉后,集群臣告以所梦。经群臣解说后,于是对“太子无复疑焉”,并下书“令皇太子副理万机,总统百揆”。“时崔浩、寇天师先得宠于焘,恐晃篡承之日夺其威柄”,乃谮晃及高于太武帝,于是太武帝“勃然大怒,即敕收高”。后与别一沙门慧崇(尚书韩万德之师)一同于太平真君五年九月十五日被处死。①《南齐书·魏虏传》作了类似的叙述。按照上述记载,玄高被杀的罪魁祸首应是崔浩和寇谦之,以此推断太平真君的废佛,与寇谦之有直接关系,似乎有一定道理。但是这种记载,仅见于上述二书,却不见于《魏书》和《宋书》,《通鉴考异》已疑《高僧传》和《南齐书》所记并非实录,认为应从《魏书》。因此,不能以此作为寇谦之参与废佛的旁证。

由此可见,太平真君时的废佛,并不是由寇谦之所煽动的。从整个发展过程来看,虽和佛道矛盾有一定关系,但这并不是唯一的原因,更不是根本的原因。因此,这次废佛的根本原因应在于,崔浩推行封建士族制度的儒家政治与拓跋贵族守旧势力之间的矛盾和斗争。崔浩历仕道武、明元、太武三朝,深得太武帝信任。他是一个有政治抱负的“博学多闻”的知识分子,其政治主张是“齐整人伦,分明姓族”②。既要严格士庶之间的阶级界限,保持士族在社会上的特殊身份和政治上的垄断地位;并用儒家政治改造北魏的旧政治,帮助太武帝“除伪定真,复羲农之治”③,实际是要恢复汉族的统治。这种政治主张,虽得太武帝的采纳,这正如前面所述,他须要依靠汉族士大夫和汉族的思想工具来进行统治,但却与鲜卑贵族的既得利益发生了尖锐冲突,势必引起鲜卑贵族的反抗。崔浩为了寻找政治上的同盟军,因向太武

① 参见《高僧传》卷11《玄高传》,《大正藏》第50卷,第397—398页。
② 《魏书》卷47《卢玄传》,北京:中华书局1974年版,第3册,第1045页。
③ 《魏书》卷114《释老志》,北京:中华书局1974年版,第8册,第3034页。

帝引荐寇谦之和他的道教。当时人们认为，佛教是信奉“胡神”的外来宗教，故崔浩在太武帝面前“数加非毁，常谓虚诞，为世费害”①。其排佛就是为了排斥鲜卑贵族。所以这时的佛道斗争，也是民族斗争的一种表现，带有鲜明的政治色彩。太平真君七年太武帝在决定废佛的诏书中，把这种政治的原因说得非常清楚。诏书说：“昔后汉荒君，信惑邪伪，妄假睡梦（按：指汉明帝感梦，遣使向西域求法），事胡妖鬼（指奉事佛教），以乱天常，自古九州之中无此也。”②乱了“天常”，就是乱了儒家的伦理政治，“由是政教不行，礼义大坏，鬼道炽盛，视王者之法，蔑如也”③。因此，他才把佛教看作儒家政治的大敌，于是太武帝宣称他要做“非常之人”，“行非常之事”，废掉这个事奉“胡神”、祸害儒家政治的宗教，以恢复羲、农之治：“朕承天绪，属当穷运之弊，欲除伪定真，复羲（伏羲）、农（神农）之治。其一切荡除胡神，灭其踪迹，庶无谢于风氏（指伏羲氏、传说伏羲姓风）矣。自今以后，敢有事胡神及造形像泥人、铜人者，门诛……有司宣告征镇诸军、刺史，诸有佛图形像及胡经，尽皆击破焚烧，沙门无少长悉坑之。”④意思很清楚，他把佛教看成了与儒家封建政治势不两立的东西，有了佛教，儒家封建政治就不能实行，礼义就将“大坏”；为了恢复乱了的“天常”，实行“羲、农之治”，就非废除佛教不可。在这里，太武帝把废佛之举和实行儒家封建政治紧密联系在一起，明确显示废佛的目的是为了表明自己亲汉不亲胡，借以解决汉士族与鲜卑贵族之间的矛盾，稳定和巩固他自己的统治。因此，佛道矛盾仅是这次废佛的部分原因，起决定作用的是太武帝所追求的上述政治目的。

但当太武帝这个废佛令下发之时，太子晃（恭宗）利用“副理万机，总统百揆”之便，采取了拖延战术：“缓宣诏书。远近皆豫闻知，得各为计。四方沙门，多亡匿获免；在京邑者，亦蒙全济。金银宝像及诸经论，大得秘藏。”⑤所以大大减轻了对佛教的打击，只是“土木宫塔，声教所及，莫不毕毁矣”⑥。

① 《魏书》卷114《释老志》，北京：中华书局1974年版，第8册，第3033页。
② 《魏书》卷114《释老志》，北京：中华书局1974年版，第8册，第3034页。
③ 《魏书》卷114《释老志》，北京：中华书局1974年版，第8册，第3034页。
④ 《魏书》卷114《释老志》，北京：中华书局1974年版，第8册，第3034—3035页。
⑤ 《魏书》卷114《释老志》，北京：中华书局1974年版，第8册，第3035页。
⑥ 《魏书》卷114《释老志》，北京：中华书局1974年版，第8册，第3035页。

过了4年,太武帝即被弑,废佛令便被全部解除。其斗争之尖锐,可想而知。文成帝拓跋濬(晃之子)嗣位,下诏诸州郡县,“于众居之所,各听建佛图一区,任其财用,不制会限。其好乐道法,欲为沙门,不问长幼……听其出家”①。于是“天下承风,朝不及夕,往时所毁图寺,仍还修矣。佛像经论,皆复得显。”②可见企图采用政治暴力的手段来消灭一种宗教信仰,是行不通的。以后北魏诸帝,大都佞佛,特别是孝文帝之后,诸帝王政治上日趋腐败,朝廷及鲜卑贵族更求助于佛教,遂使佛教的发展较前更盛。因此太武帝之后,儒、释、道斗争仍连绵不绝。其见于儒释方面的,有历代朝臣的上疏反佛。如宣武帝时之阳固、裴延隽,孝明帝时之张普惠(“惠”或作“济”),孝庄帝时之李崇、李玚等。其反佛事及疏见《魏书》本传和《广弘明集》卷六,兹不备述;其见于佛道方面的,有孝明帝时清通观道士姜斌与释昙无最之辩论。据《续高僧传》称:北魏正光元年(1520年),明帝加朝服,大赦。请释李(道教)两宗上殿,斋讫,令侍中刘腾宣敕,请沙门与道士论义。出场者是道士姜斌和僧人昙无最。斌引《老子开天经》言佛为老子侍者,最引《周书异记》、《汉法本内传》谓佛生予老子之前。双方各持己见,争说本教比对方为优。据说孝明帝认为姜斌所论无宗旨,令其下席。又诏令魏收等人议《老子开天经》之真伪,结果断定其为伪经,决定处姜斌以极刑。适遇西僧菩提留支苦谏乃止,配徙马邑。③ 按《老子开天经》确非老子所作,自然可称伪经,但《周书异记》和《汉法本内传》也非佛言,何尝不是伪经!据汤用彤先生考证,此二书伪作于北魏中叶。④ 双方同是据伪经以争二教之高下,而孝明帝却单惩一方,表明他是袒佛压道的。

北齐政权主要依靠内徙鲜卑的支持,基础薄弱,尤其需要佛教的助力,故历代帝王都特别崇奉佛教。儒、释、道之间的斗争也时有发生。主要表现在不少儒臣继北魏儒臣之后,继续上疏反佛,其主旨是以中国固有的文化贬斥佛教,谏阻皇帝的过分崇佛。其中最著名的有刘昼、章仇子陀、樊逊诸人。

---

① 《魏书》卷114《释老志》,北京:中华书局1974年版,第8册,第3036页。
② 《魏书》卷114《释老志》,北京:中华书局1974年版,第8册,第3036页。
③ 参见《续高僧传》卷23《释昙无最传》,《大正藏》第50卷,第624—625页。
④ 参见汤用彤:《汉魏两晋南北朝佛教史》下册,北京:中华书局1983年版,第387页。

其反佛的事和疏见《北齐书》本传和《广弘明集》卷七。北齐文宣帝因感到佛道的发展,已经使“国给为此不充,王用因兹取乏”,成了财政上的严重负担,曾于天保五年(554年)准备沙汰佛道。就在文宣帝下诏群臣讨论时,樊逊在应诏作《举秀才对策》中,提出了自己的意见,其中既反对佛教,又反对道教:“二班勒史,两马制书,未见三世之辞,无闻一乘之旨。”①这是针对佛教说的。“至若玉简金书,神经秘箓,三尺九转之奇,绛雪玄霜之异,淮南成道,犬吠云中,子乔得仙,剑飞天上,皆是凭虚之说,海枣之谈,求之如系风,学之如捕影。”②这显然是针对道教而发的。在他看来,佛道两教所宣扬的,都是既不见经传又不得实证的东西,因此都不宜信奉,都应进行精简:“帝乐王礼,尚有时而沿革,左道怪民,亦何疑于沙汰。”③如上节介绍,文宣帝因见佛教势力太大,未敢去触动它,而选择了其中的弱者道教开刀,令道士还俗或转为沙门。这大概也可说是道教的一次“法难”吧。

北朝辩论义理之风不盛,但受南朝影响,在它的后期也出现了义理之辨。突出的例子是北齐邢邵与杜弼关于神灭与否的辩论。刑邵主神灭,杜弼主神不灭,双方辩论“往复再三”。邢邵的辩论文字已佚,只能从《北齐书·杜弼传》中见到一些被割裂了的零碎材料。兹不具述。

北齐的佛道斗争,留下的记载很少。唐释道宣在所著的《广弘明集》和《续高僧传》里,记载了一则陆修静与僧人较量道法的事。大意为:在梁武帝舍道归佛后,道士陆修静不胜其忿,乃率门人叛入北齐,后在天保六年(555年)奉敕与释昙显较量道法,最终以陆修静的失败而告终。④ 按陆修静为刘宋道士,卒于宋后废帝元徽五年(477年),下距梁武帝舍道归佛的天监三年(504年)已历27年,而距北齐天保六年更历78年,何得叛入北齐,

① 《北齐书》卷45《樊逊传》,北京:中华书局1972年版,第2册,第612页。

② 《北齐书》卷45《樊逊传》,北京:中华书局1972年版,第2册,第611页;亦见《全北齐文》卷7和《广弘明集》卷字句稍异《广弘明集》卷24,《大正藏》第52卷,第273页,“三尺”作“三尸”,“子乔”作“王乔”。

③ 《北齐书》卷45《樊逊传》,北京:中华书局1972年版,第2册,第612页。

④ 参见《广弘明集》卷4《齐高祖废李老道法诏》,《大正藏》第52卷,第112—113;《续高僧传》卷23《释昙显传》,《大正藏》第50卷,第624—625页。

并与北齐僧人进行较量?[①] 这个记载显系有意捏造。有趣的是,同是一个陆修静,在道宣的笔下,是一个好斗的公鸡,是僧人手下的败军之将;但时隔二百多年之后,在北宋僧人赞宁的笔下,却变成了友好的使者,成了东晋名僧慧远的要好朋友。赞宁在《大宋僧史略》的《总论》中说:"为僧莫若道安,安与习凿齿交游,崇儒也;为僧莫若慧远,远送陆修静过虎溪,重道也。余慕二高僧好儒重道。"[②]慧远送陆修静过虎溪的故事流传很广,后来又加上了陶渊明,成了三人为友的故事,这是三教关系史上难得的一则美谈。但它同样是不真实的。[③] 前后两个不真实的故事,其意义截然相反,它反映了佛道关系的两个不同时代的风貌。道宣所处的唐代是佛道斗争激化的时代,而赞宁所处的北宋则是佛道矛盾已经缓和的时代。时代的不同,即使对同一个道士(如陆修静)的态度也就迥然相异了。

北周武帝时,发生了北朝时期第二次废佛事件,它被佛教称为第二次大"法难",此即北周武帝建德中的废佛。这次废佛事件所处的佛道关系背景虽较北魏时有了变化,即比北魏时的佛道关系更紧张,斗争更激烈。但是这次废佛事件仍然不是一次单纯的佛道之争,而是包含有更加广阔的政治经济方面的因素。据史书记载,北周武帝是一个励精图治、有远大抱负的皇帝,《周书·武帝纪》说他"沉毅有智谋……克己励精,听览不怠","性既明察,少于恩惠。凡布怀立行,皆欲逾越古人。身衣布袍,寝布被,无金宝之饰。诸宫殿华绮者,皆撤毁之……后宫嫔御,不过十余人。劳谦接下,自强不息。以海内未康,锐情教息。至于校兵阅武,步行山谷,履涉勤苦,皆人所不堪……至于征伐之处,躬在行阵。性又果决,能断大事……必使天下一统,此其志也。"[④]对于这样一个有政治抱负的君主,很难设想他仅凭一两个

① 陆修静生平将在下节介绍。

② 《大宋僧史略》卷下,《大正藏》第54卷,第255页。

③ 这个故事不仅不见于三人的传记,且三人的年龄也不相若。慧远的生卒年为公元334—416年,陶渊明的生卒年为公元365年或376—427年,陆修静的生卒年为公元406—477年。陶渊明出生时,慧远已是31或42岁的中年人,陆修静出生时,慧远已是72岁的老翁,他们怎能成为过往亲密的好友!只是三人都在庐山地区生活过很长时间,故后人造此美谈,以示儒、释、道亲如一家的愿望。

④ 《周书》卷6《武帝纪》下,北京:中华书局1971年版,第1册,第107页。

道士的挑拨(如张宾),而不作政治利害的权衡,就贸然作出废佛的决定。考诸佛教发展历史,在他之前,佛教已经得到迅速的发展,佛教寺院拥有很多不归朝廷管辖、专属僧官统制的僧祇户、佛图户以及大量的庙产。《魏书·释老志》载,文成帝时,“僧祇户、粟及寺户,遍于州郡矣”①。北魏末,“正光已后,天下多虞,王役尤甚,于是所在编民,相与入道(佛教),假慕沙门,实避调役”②。当时僧徒约200万,寺庙3万多,拥有的庙产、佃户、奴婢难计其数。难怪因袭北魏遗产的北齐文宣帝有“馆舍盈于山薮,伽蓝遍于州郡”、“缁衣之众(僧人),参半于平俗;黄服之徒(道士),数过于正户”③的惊呼,而欲对佛道进行裁减。同样,因袭北魏遗产的北周政权,其佛教势力的恶性发展所给予朝廷财政经济的压力,也决不会比北齐小。正是佛教势力的这种迅猛膨胀,造成了寺院经济与世俗地主经济的尖锐矛盾,才逼使北周武帝采取了废佛的措施。北齐文宣王不敢下手做的事,北周武帝下决心做了。这就是废佛的本质原因。前人已经指出:北周武帝“弃奢淫,去浮伪……以释氏立教本贵清静,近世以来,糜费财力,下诏削除之,亦前王所未行也”④。这虽仅见佛教的“糜费财力”,而未见到更深刻的经济冲突,但却“虽不中,不远矣”。

在北周武帝废佛决策过程中,有一个还俗僧人卫元嵩起过较大的作用。卫元嵩,益州成都人。初出家为亡名法师弟子。明阴阳历术,从其师之意,佯狂漫走,触物摛咏,后以蜀土狭小,不足展怀,乃易俗服入关,交游权贵。上书请废佛法,并自还俗。他在天和二年(567年)上《省寺减僧疏》云:今大周启运,“远慕唐虞之化,无浮图以治国,而国得安,齐梁之时,有寺舍以化民,而民不立者,未合道也。若言民坏不由寺舍,国治岂在浮图?但教民心合道耳。民合道则国安,道滋民则治立”⑤。他建议造一“平延大寺”,以

① 《魏书》卷114《释老志》,北京:中华书局1974年版,第8册,第3037页。

② 《魏书》卷114《释老志》,北京:中华书局1974年版,第8册,第3048页。

③ (唐)释道宣:《广弘明集》卷24,《大正藏》第52卷,第273页。

④ 《文苑英华》卷751《后周兴亡论》,《文渊阁四库全书》,第1340册,第300页。释道宣《广弘明集》卷7作《周齐兴亡论》,文有删节脱误。

⑤ (唐)释道宣:《广弘明集》卷7,《大正藏》第52卷,第132页。“间”、“冤亲”、“尊”等字从《辅行记》改。

"容贮四海万姓",而"不劝立曲见伽蓝"。他说:"夫平延寺者,无间道俗,罔择冤亲,爱润黎元,等无持毁;以城隍为寺塔,即周主是如来;用郭邑作僧坊,和夫妻为圣众;勤用蚕以充户课,供政课以报国恩,推令德作三纲,尊耆老为上座;选仁智充执事,求勇略作法师;行十善以伏未宁,示无贪以断偷劫。于是……六合无怨纣之声,八荒有歌周之咏。飞沉安其巢穴,水陆任其长生。"①很明显,卫元嵩所谓的建"平延大寺",仅是一个比喻,意思是劝武帝以前朝的佞佛皇帝为戒,把眼光从少数僧徒身上扩展开来,面对整个国家和全体民众:不建只供僧尼居住的伽蓝,而建供天下百姓居住的大寺;不去推尊什么法师、上座,而是让有令德高行的仁智之士出来任事。一句话,不要仅仅为少数僧尼谋福利,而要为天下老百姓谋福利。如果这样做了,"六合无怨纣之声,八荒有歌周之咏"的盛世就出现了。这种强国富民的说辞,很合励精图治、英武有为的周武帝之意;他又"纳道士张宾佞辩"②,于是决心废佛。张宾"佞辩",不外是说佛教的坏话,自然对这次废佛起了煽风的作用。

这次废佛较之北魏太武废佛有着不同的特点:一是采取了比较缓和的步骤和方法,即经过了较长时间的酝酿讨论;二是不仅废除了佛教,而且在佛教强烈反抗下,也废除了道教,且未诛杀沙门。据记载,从卫元嵩天和二年(567 年)上疏以后,直至建德三年(574 年)废佛之间,武帝曾先后下诏组织过 7 次三教辩论会,目的是想通过这种讨论以判定佛教之劣,从而废除之。这 7 次辩论会,气氛都很紧张,《广弘明集》卷八《周武帝集道俗议灭佛法事》,对之作了叙述:"前僧卫元嵩与(张)宾唇齿相扇,惑动帝情。云:僧多怠惰,贪逐财食,不足钦尚。"③使武帝产生了废佛的念头。"至天和四年(569 年)岁在己丑,三月十五日,敕召有德众僧、名儒、道士、文武百官二千余人,帝御正殿量述三教,以儒教为先,佛教为后,道教最上,以出于无名之前,超于天地之表故也。时议者纷纭,情见乖咎,不定而散。至其月二十日,依前集论,是非更广,莫简帝心。帝曰:儒教、道教,此国常遵,佛教后来,朕

① (唐)释道宣:《广弘明集》卷 7,《大正藏》第 52 卷,第 132 页。
② (唐)释道宣:《广弘明集》卷 6,《大正藏》第 52 卷,第 125 页。
③ (唐)释道宣:《广弘明集》卷 8,《大正藏》第 52 卷,第 136 页。

意不立，佥议如何？议者陈理，无由除削。帝曰：三教被俗，义不可俱。至四月初，更依前集，必须极言陈理，无得面从。又敕司隶大夫甄鸾详度佛道二教，定其深浅，辨其真伪。天和五年（570 年），鸾乃上《笑道论》三卷，用笑三洞之名。至五月十日，帝大集群臣详鸾上论，以为伤蠹道法，帝躬受之，不惬本图，即于殿庭焚荡。时道安法师又上《二教论》云：内教外教也，练心之术，名三乘内教也，救形之术，名九流外教也，道无别教，即在儒流，斯乃易之谦谦也，帝览论以问朝宰，无有抗者，于是遂寝。”[①]建德二年（573 年）十二月，又“集群官及沙门道士等，帝升高座，辨释三教先后。以儒教为先，道教次之，佛教为后”[②]。这样经过几年多次的大辩论，皆因佛徒们的强烈反对，终究不能单独废除佛，不得已，才迟至建德三年（574 年）最后下决心同时废除佛道二教。“建德三年，岁在甲午五月十七日，初断佛、道两教，沙门、道士并令还俗。三宝福财，散给臣下，寺观塔庙，赐给王公。”[③]北周武帝处心积虑的废佛之举终于得以实现。

从上述过程可以看出，围绕着废佛问题，佛道之间的辩论十分激烈。除上述甄鸾著《笑道论》、道安作《二教论》以外，僧勔又著《十八条难道章》和《释老子化胡传》，静蔼、道积还诣阙直陈，智炫又与道士张宾进行舌战。道士为了反击《笑道论》，也作《道笑论》[④]以对之。虽然这次废佛的起因并不完全是佛道矛盾，但在废佛过程中的佛道斗争却是很尖锐的。

二、北朝的佛道斗争和融合

大概为了保留对佛道经典的研究，也为了使儒、释、道三教互相协调，北周武帝在五月废除佛道以后，紧接着又在六月下令立通道观，选著名的道士、僧人 120 人到通道观学《老》、《庄》、《周易》，名为通道观学士。他

① （唐）释道宣：《广弘明集》卷 8，《大正藏》第 52 卷，第 136 页。
② 《北史》卷 10《周本纪下第十》，北京：中华书局 1974 年版，第 2 册，第 359 页。
③ （唐）释道宣：《广弘明集》卷 8《周武帝集道俗议灭佛法事》，《大正藏》第 52 卷，第 136 页。
④ 参见《癸巳类稿》卷 14，《安徽丛书》，民国影印本，第 59 册，第 48—51 页。

在诏令中说："至道弘深，混成无际，体包空有，理极幽玄。但歧路既分，源流逾远，淳离朴散，形器斯乖。遂使三墨八儒，朱紫交竞；九流七略，异说相腾。道隐小成，其来旧矣，不有会归，争驱靡息。今可立通道观，圣哲微言，先贤典训，金科玉篆，秘赜玄文，可以济养黎元扶成教义者，并宜弘阐，一以贯之。"①观其主要精神，似乎主要在保存儒、道，并以之改造佛教。

建德六年(577年)，北周灭北齐，武帝把废佛政策推广到齐境。不过同样经过了严重的斗争。该年二月武帝入邺，召僧人赴殿，宣布废佛令。谓六经儒教，于世有宜，故须存立；佛教费财，悖逆不孝，应予废除。僧众五百默然无声，俯首垂泪。独释慧远抗声争辩道："陛下今恃王力自在，破灭三宝，是邪见人，阿鼻地狱不简贵贱，陛下何得不怖？"②周武帝勃然作色，大怒，直视慧远说："但令百姓得乐，朕亦不辞地狱诸苦。"③于是下令将齐境四万多所寺庙赐给王公作第宅，一切经像皆焚毁之；寺院的所有财物，簿录入官；寺院奴婢，一律释放；僧尼近300万全部还俗为民。

在平齐之次年六月，周武帝逝世，继位的宣、静二帝又复兴佛法，佛道二教又重新发展起来。它再次证明，当宗教存在的主客观条件尚未消失以前，要想人为地消灭宗教是不能成功的。

综上所述，北朝的佛道斗争是十分尖锐的，不仅有双方唇枪舌剑的辩论，道士还在一定程度上卷进了废佛事件。这证明佛道关系在那时是很紧张的。但激烈的斗争并不排斥彼此思想的融合，甚至是推动这种融合的动力。道教为了弥补自己的不足，使自己的理论教义、斋醮科戒完善起来，曾在多方面吸取过儒释的思想。如北魏道士寇谦之等，都是明显的例子，这在上面已有介绍，不必重复。这里需要指出的是，在神像的建造上，道教也吸取了佛教的思想。按早期道教理论，认为："道至尊，微而隐，无状貌形像

① 《北史》卷10《周本纪下第十》，北京：中华书局1974年版，第2册，第360—361页。
② (唐)释道宣：《广弘明集》卷10《释慧远抗周武帝废佛事》，《大正藏》第52卷，第153页。
③ (唐)释道宣：《广弘明集》卷10《释慧远抗周武帝废佛事》，《大正藏》第52卷，第153页。

也。但可从其诫,不可见知也。"[①]对当时的存思、存神术采取了批判的态度,称之为"常伪技",说:"今世间伪技指形名道,令有服色名字,状貌长短,非也,悉邪伪耳。"[②]这种思想影响了道教造像不能较早出现。《太平经》、《黄庭经》和《抱朴子内篇》均记有被《老子想尔注》抨击的存思、存神法(它渊源于谶纬),《抱朴子内篇》说:"欲修其道,当先暗诵所当致见诸神姓名位号,识其衣冠。不尔,则卒至而忘其神"[③]。该书对老君状貌作了刻画:"老君真形者,思之,姓李名聃,字伯阳,身长九尺,黄色,鸟喙,隆鼻,秀眉长五寸,耳长七寸,额有三理上下徹,足有八卦"[④],以及老君前后左右的护卫威仪如何云云。还说:"但谛念老君真形,老君真形见。"[⑤]其后的上清派以存神术作为主要修炼方术,其经书中更有许多有关神灵(包括身内诸神和身外诸神)名讳、状貌、服色的描写。但是应该看到,以上这些经书所载的神像状貌等等,当时只作为一种观念形态存在于道士们的思想中,最多表现于画像上(《太平经》中已出现了供存神用的画像),并不表示道教造像在那时已经出现了。东晋以前尚无道教造像。随着佛教造像的大量兴起,对道教产生了很大的刺激,使它认识到借用神像宣传教义,是"欲人归信"的好办法,于是在佛教影响下,逐渐摆脱了道无形象的思想束缚,效法佛教做法,建造了自己的神像。根据文献记载,道教造像大约起始于南北朝初年。《隋书·经籍志》载,北魏太武为寇谦之"于代都东南起坛宇……刻天尊及诸仙之象而供养焉"[⑥]。现存有明确纪年的最早一尊道教造像就是北魏始光元年(424 年)的"魏文朗造佛道像",它与《隋书·经籍志》所载代都造天尊、诸仙像时间大体相同。该尊造像为石刻,现藏于陕西耀县博物馆。道像斜身而坐,状貌酷似佛教造像中的维摩诘,模仿佛教造像之迹十分明显。除此以外,现存者,还有北魏、西

① 《老子想尔注》对"是无状之状,无物之像"句的注文,见饶宗颐:《老子想尔注校证》,上海:上海古籍出版社 1991 年版,第 17 页。
② 《老子想尔注》对"是无状之状,无物之像"句的注文,见饶宗颐:《老子想尔注校笺》,上海:上海古籍出版社 1991 年版,第 18 页。
③ 王明:《抱朴子内篇校释》,北京:中华书局 1985 年版,第 273 页。
④ 王明:《抱朴子内篇校释》,北京:中华书局 1985 年版,第 273 页。
⑤ 王明:《抱朴子内篇校释》,北京:中华书局 1985 年版,第 273 页。
⑥ 《隋书》卷 35《经籍四》,北京:中华书局 1973 年版,第 4 册,第 1093—1094 页。

魏、北周纪年的道教造像多尊。这些造像除个别着佛装外,通常着道冠道袍,颔下有须,手执麈尾(后执符),表现了道像的特征。但又普遍借鉴了佛教造像的一些造型手法。如圆拱龛、龙首龛等龛制;莲花、火焰纹等装饰纹样;头光、身光、举身舟形大背光等背光;四足座、莲花座等座式,以及配设飞天(仙)、狮子、供养人等。这些都是吸取佛教而来。这种带有佛教特征的造型,不仅见于实物,且已记载于当时所出的一些道教典籍中。可能为楼观派道士所撰的《关令内传》谓尹喜出生时,"其家陆地自生莲华,光色鲜盛"①。《关令内传》又说尹喜随老子西行,入罽宾国行道,国王起念积薪烧杀之,"老子与尹喜及诸真人在炭烟之中,坐莲华之上,执《道德经》咏之"②。《无上真人内传》更对太上、老子、太一元君"三圣"的服饰威仪,作了刻画:"太上头并自然髻,项映天光,著九色锦绣华文之帔,衣天衣;二圣(老子和太一元君)七色之帔。各坐莲华之上。太上为师。"③这些,实际就是对当时道教造像的真实描绘,表明道教造像确已吸取了不少佛教内容。吸收佛教造型艺术创制道教神像,是早期道教造像的显著特点,尽管随着历史的发展道教造像逐渐地具有了自己独特的风格,但某些佛教型削、造型手法仍长期保留了下来。

在佛道之间的相互影响下,北朝佛教也吸取了道教内容。拿佛教造像说,它的造型艺术对道教造像自然产生了很大影响,但中国的传统文化和道教思想也反过来极大地影响了它。世界艺术明珠敦煌莫高窟的作品就是例证。如建于北魏时期的249窟顶部壁画,既有手托莲花、如意珠的方士,四目四手的恶神阿修罗,以及象征西方净土的须弥山,又有坐在龙车上的东王公和坐在无轮车上的西王母,还有朱雀、玄武(龟蛇相交)、青龙、白虎等道教内容。建于西魏时期的285窟顶部壁画中,除有佛教内容外,又画有伏羲、女娲的故事,周围还画有道教神像。酒泉、敦煌出土的北凉石塔中,佛教

---

① (唐)欧阳询:《艺文类聚》卷78引《关令内传》,《艺文类聚》,上海:上海古籍出版社1965年版,第3册,第1330页。

② (唐)王悬河:《三洞珠囊》卷9引《文始先生无上真人关令内传》,《道藏》第25册,第357页。甄鸾《笑道论》所引《文始传》记载略同。

③ (唐)史崇玄:《一切道经音义妙门由起》引《无上真人内传》,《道藏》第24册,第726页。

造像杂糅了北斗、八卦等道教题材。可见佛道交融是早期佛道造像的共同特征。

早期佛道造像中还有一个普遍现象，就是佛道混合造像，将佛道两家的神像刻造在同一块石碑上。现存于国内的这种造像不少，如北魏始光元年(424年)“魏文朗造佛道像”，北魏太和(477—499年)中“田良宽造像碑”，北周开国年(557年)“张独乐造佛道二尊像”，北周武成元年(559年)“降阿鲁造像碑”等；其他还有称名“佛道像”，“佛道二尊像”，“大道如来三圣像”，“释迦、太上老君、诸菩萨像”等多尊。而且在这些造像碑的签名中既有僧尼，又有道士，如邑主、邑子、道主、道士、道民等。所谓邑主、邑子是流行于北朝的，以《提谓经》为基本信仰的佛教民间组织“义邑”的成员。该组织最初是在群众共同造像的基础上发展起来，直到隋初，盛行不衰。以上这些造像，大都是这个组织的群众给我们留下的作品。

上述《提谓经》全称《提谓波利经》，由北魏文成帝时沙门昙靖所撰。据梁僧佑、隋法经二《经录》云：《提谓经》有两种：一卷本为真经；二卷本为伪经，即昙靖所撰的《提谓波利经》。据《续高僧传》说：在北魏太武帝废佛以后，因“旧译诸经，并从焚荡，人间诱导，凭准无因，(昙靖)乃出《提谓波利经》二卷，意在通悟，而语多妄习”①。该书将佛教的五戒，与儒家的五常与阴阳家的五行、五方、五脏相比附，是一部儒、释、道融合的典型著作，很适合一般群众的信仰习惯，所以很快成为一部流行于北朝的佛教经典，并逐渐在此信仰的基础上形成了广泛的“义邑”组织，表现了北朝佛道交融的特点。

北朝佛教又盛行一种延寿益算的信仰。认为人行五戒，修功德，即延年益算；反之，则减算促年，死入地狱。而主宰此事的是帝释，他遣神考校人的功过，以确定是延年或是减算。这种信仰，在北朝所出的许多佛教典籍(被佛教目录家称为伪经)，如《佛说决罪福经》(现仅存敦煌残卷)，严智、宝云所译《四天王经》、《净度三昧经》(已佚，《法苑珠林》等有引文)等中，都有明确的表述。延年益算是道教的根本信仰，司命(佛教改为帝释)考校人之功过，也是道教的说法，主张“涅槃”的佛教徒将这种道教信仰引入经书，可

① (唐)释道宣：《续高僧传》卷1《昙曜传》附《昙靖传》，《大正藏》第50卷，第428页。

见其受道教影响之深。

在吸取道教思想方面,还有一个著名僧人表现也很突出。这就是被后世佛教尊为净土宗初祖的昙鸾。据《续高僧传》载,昙鸾,雁门人。出家后,广读经籍,尤研《四论》与《佛性》。一次感疾,求医无效,某日忽见天门开,疾顿愈,乃发心求长生不死之法。闻江南陶隐居(弘景)擅方术,往从之。于大通(527—529 年)中达南朝。梁武帝问所由来,答曰:"欲学佛法,限年命促减,故来远造陶隐居求诸仙术。"①既见弘景,得《仙方》10 卷,辞还魏境,欲往名山依方修治。至洛,遭菩提流支唾地相斥,授以《观经》曰:"此大仙方,依之修行,当得解脱生死。"②鸾寻顶受,烧《仙方》,专宏净土。因此使净土成了后来中国佛教一大宗。但是否如僧传所说,他烧了仙方,就专宏净土,从此完全抛弃了长生信仰呢? 恐怕不尽然。因为在他所撰述的著作中,除净土著作外,还有不少仙方书。如《调气论》(隋志)作《调气方》1 卷,《疗百病杂丸方》3 卷,《论气治疗方》1 卷,《服气要诀》1 卷等。《云笈七籤》卷五十九所收《昙鸾法师服气法》,或即《隋志》著录的《服气要诀》。不仅如此,他还把净土的宣唱佛号与道教禁咒相比附,用宣唱佛号的方式来宣念咒语,认为这样将获不可思议的威力。他说:"如禁肿辞云:'日出东方,乍赤乍黄'等句,假使酉亥行禁,不关日出,而肿得差(瘥)。亦如行师对陈(阵),但一切齿中诵'临兵斗者,皆陈列在前',行诵此九字,五兵之所不中,《抱朴子》谓之要道者也。又苦转筋者,以木瓜对火熨之则愈;复有人但呼木瓜名亦愈,吾身得其效也。如斯近事,世间共知,况不可思议境界者乎!"③由此可以看出,他对道教禁咒等方术,也是深信不疑的。

总之,在北朝一些著名的和有影响的僧人著作中,都有明显的仙道倾向,他们或者撰写道教方术著作,或者在佛书中融进仙道思想,使北朝佛教显示出其特有的风貌。

---

① (唐)释道宣:《续高僧传》卷 6《昙鸾传》,《大正藏》第 50 卷,第 470 页。
② (唐)释道宣:《续高僧传》卷 6《昙鸾传》,《大正藏》第 50 卷,第 470 页。
③ (南北朝)昙鸾:《无量寿经优婆提舍愿生谒注》,《大正藏》第 40 卷,第 835 页。

第四节 陆修静与南朝天师道

一、陆修静对天师道的改革

南朝统治地区是南北朝时期道教发展的重要基地。在那里，不仅有天师道的长期传播，而且又是上清派和灵宝派的发源之地。因此，在那里不仅有改革天师道的任务，又有充实和提高包括上清派和灵宝派在内的整个道教的任务。任务是更为繁重的。下面我们将用几节篇幅来介绍其改革、充实的情况。

南朝初期的天师道与北朝初期的天师道一样，呈现出组织混乱、科律废弛的严重局面，阻碍着它的进一步发展。刘宋道士陆修静适应形势的要求，继北魏寇谦之之后，对南朝地区的天师道进行了整顿和改革。

陆修静，字元德，吴兴东迁（今浙江吴兴县）人。三国吴丞相陆凯后裔，代为著姓。生于东晋安帝义熙二年（406 年）。幼习儒书，笃好文籍，旁究象纬。但性喜道术，“研精玉书，稽仙圣奥旨……勤而习之，不舍寤寐”①。及长，弃绝妻子，入山修道。初隐云梦山。“暂下寻药，进过故乡，停家数日，女忽暴病，命在晷刻。家人固请救治，先生叹曰：‘我本委绝妻子，托身玄极，今之过家，事同逆旅，岂复有爱著之心！’于是拂衣而出，直逝不顾”②，继隐仙都山。闻异人所在，不远千里而造之。为了搜集道书，寻访仙踪，曾历游名山，“冥搜潜、衡、熊、湘、暨九嶷、罗浮，西至巫峡，峨眉”③，名声逐渐远播。元嘉（424—452 年）末，市药京师建康（今之南京市），宋文帝刘义隆钦其道风，使左仆射徐湛召之入内，讲理说法，不舍昼夜，帝服膺尊异之。时太后王氏雅信黄老，降母后之尊，执门徒之礼。后因避太初之难（太子刘劭于公元 452 年杀其父刘义隆而自立，号太初），遂拂衣南游。因慕庐山之胜

① （清）董诰等编：《全唐文》卷 926 吴筠《简寂先生陆君碑》，北京：中华书局 1983 年影印本，第 10 册，第 9659 页。

② （唐）王悬河：《三洞珠囊》卷 1《教导品》引《道学传》，《道藏》第 25 册，第 301 页。

③ （宋）张君房：《云笈七籤》卷 5《宋庐山简寂陆先生》，《道藏》第 22 册，第 27 页。文中“熊、湘”，原作“態湘”。“態”当为“熊”之误。按周成王时，以子男之田封熊绎于楚蛮，故址在今湘鄂一带，后因以熊子国指代湖南、湘北两省。故“態湘”当为“熊湘”。

景，遂止于庐山，于宋孝武大明五年(461 年)在庐山东南瀑布岩下建立道观(后名简寂观)，隐居修道。宋明帝刘彧即位，思弘道教，遣江州刺史王景宗礼聘进京。初，辞疾不赴。帝屡诏固请，方于泰始三年(467 年)再赴建康。明帝躬亲问道，礼遇甚厚。于北郊天印山(即方山)筑崇虚馆以居之。在此期间，他“大敞法门，深弘典奥，朝野注意，道俗归心。道教之兴，于斯为盛也”①。大约在崇虚馆住了 10 年，于宋后废帝元徽五年(477 年)逝世，享年 72 岁。谥曰简寂先生，诏其庐山旧居曰简寂观。北宋徽宗宣和(1119—1125 年)年间，封丹元真人。其门徒最著者有孙游岳、李果之等。

陆修静的著作颇多，已知不下 30 多种。有《道德经杂说》一卷，《遂通论》一卷，《必然论》一卷，《归根论》一卷，《明法论》一卷，《自然因缘论》一卷，《五符论》一卷，《三门论》一卷，《陆先生答问道义》一卷，《陆先生黄顺之问答》一卷，《灵宝经目序》一卷，《陆先生道门科略》一卷，《太上洞玄灵宝众简文》一卷，《洞玄灵宝五感文》一卷，《太上洞玄灵宝授度仪》一卷，《洞玄灵宝斋说光烛戒罚灯祝愿仪》一卷，《升玄步虚章》一卷，《灵宝步虚词》一卷，《步虚洞章》一卷，以及《灵宝道士自修盟真斋立成仪》、《金箓斋仪》、《玉箓斋仪》、《九幽斋仪》、《解考斋仪》、《涂炭斋仪》、《三元斋仪》、《古法宿启建斋仪》、《然灯礼祝威仪》等多卷。其中大部分已佚，现只存少部分，收入《正统道藏》。

陆修静师承不明。视其一生行事，所学不囿一家。他撰述《道门科略》，考述三张旧制，并以之整顿改革天师道组织，说明与天师道有直接渊源；他曾得《三皇文》，以之录入三洞目录，是承传了鲍靓、葛洪一系的学问；他在崇虚馆承受了杨、许经书，并向弟子孙游岳传“授《三洞》并所秘杨真人、许掾手迹”②，后被上清派尊为第七代宗师，说明与上清派有密切的关系；他考订灵宝经真伪，撰写灵宝斋仪，使“灵宝之教大行于世”③，更证明他是重要的灵宝道士。因此他自称“三洞弟子”，不把自己归属任何一派，表

① (唐)王悬河：《三洞珠囊》卷 2《敕追召道士品》，《道藏》第 25 册，第 306 页。《上清道类事相》卷 1《仙观品》引《道学传》同此。

② (宋)张君房：《云笈七籤》卷 5《齐兴世馆主孙先生》，《道藏》第 22 册，第 28 页。

③ (唐)闾丘方远：《太上洞玄灵宝大纲钞》，《道藏》第 6 册，第 376 页。

现了他与众不同的特点。但是,在他一生中,对天师道和灵宝派的贡献是更为突出的。因此,下面着重介绍他在这两方面的情况。

三国时期,张鲁趁汉末天下纷争之机,在巴汉地区建立起地方政权,实行了政教合一制度。他在所辖区域内设立了二十四治(后又加八治),每治设道官、祭酒,以"领户化民"①。道民皆"编户著籍,各有所属"②。其"立治置职,犹阳官郡县城府治理民物"③,因而那时天师道内部的组织系统是比较严密的。科律制度也能得到较好的贯彻,从而保证了天师道的正常发展。但是到张鲁降曹北迁及其逝世以后,情况发生了很大的变化,原有的那套组织系统和科律制度再也不能照旧维持下去了,出现了组织混乱,科律废弛的严重局面。这可以说是无法避免的现象,但却是阻碍天师道进一步发展的障碍。这种局面不仅在寇谦之所处的北魏境内严重存在,而且在陆修静所处的刘宋境内同样严重存在。因而引起他们的重视,相继决心着手解决这个问题。陆修静凭着对三张科制的熟谙,在所著《陆先生道门科略》中,提出了一套整顿、改革天师道的计划:

1. 整顿组织系统,健全三会日制度。如上所述,三张时期天师道的根本组织系统是"立治置职",让道官、祭酒"领户化民"。而要真正体现和不断加强这种道官、道民之间的统属关系,还要靠一些制度来保证。"三会日"制度就是其中的一项重要制度。它规定,凡三会之日,每个道民都必须到本师治所去进行宗教活动。"三会日"的具体日期,诸书记载略有出入。《赤松子章历》卷二谓:"三会日,正月五日上会,七月七日中会,十月五日下会。"④《旨要妙经》说:"三会日以正月七日,名举迁赏会,七月七日,名庆生中会,十月十五日,名建功大会。"⑤《太真科》说是正月七日、七月七日、十

① (唐)朱法满:《要修科仪戒律钞》卷10,《道藏》第6册,第966页。

② (南朝)陆修静:《陆先生道门科略》,《道藏》第24册,第780页。

③ (南朝)陆修静:《陆先生道门科略》,《道藏》第24册,第780页。

④ 《赤松子章历》卷2,《道藏》第11册,第183页。

⑤ 《旨要妙经》见《犹龙传》卷5《度汉天师》引《犹龙传》,《道藏》第18册,第25页。陈国符先生《道藏源流考》谓:《旨要妙经》疑即《指教经》,《无上秘要》卷47引《洞玄请问上经》谈到《指教经》,《道藏阙经目录》卷下著录《正一法文天师旨教经》2卷。《旨要妙经》所载三会日,文字与《云笈七籤》卷37所载太同。唯十月十五日作十月五日。

月五日。①《陆先生道门科略》亦谓:“会以正月七日,七月七日,十月五日,一年三会。”在这三会日中进行什么活动呢?《赤松子章历》卷二说:“右此日宜上章言功,不避疾风暴雨,日月昏晦,天地禁闭……此日上章受度法箓,男女行德施功,消灭散祸,悉不禁制。”②《旨要妙经》说:“此三会日,三官考核功过,受符箓契令经法者,宜依日斋戒,呈章赏会,以祈景福。”③《太真科》说:“十月五日清旦,朝会天师治,列行集入治堂前,北向,俱拜伏地,听堂上主者宣令科戒。不得私赍杂食诣治门,秽损真正。十月五日言上生籍。七月七日中会,度生命籍,考进中外法气合会之功。正月七日众官举迁次会,劝赏迁职。”④《陆先生道门科略》说:三会日,“民各投集本治师,当改治录籍,落死上生,隐实口数,正定名簿。三宣五令,令民知法。其日,天官地神咸会师治,对校文书。师民皆当清静肃然,不得饮酒食肉,喧哗言笑。会竟,民还家,当以闻科禁威仪教敕大小,务共奉行。”⑤总之,主要活动有:道民向本师申报家口录籍,登记出生者,注销已死者,以“隐实口数,正定名簿”;道官向道民宣令科戒,“三宣五令,令民知法”,民还家,还要以所闻科禁威仪,向未去会的老小传达,以求共同奉行;上章言功,听候“三官考核功过”,决定受符箓契令的等次。可见,这个“三会日”是很重要的,是道官联系道民,向道民宣讲科戒,传布指令的重要途径和方法,是体现和不断加强道官、道民之间统属关系的重要桥梁。但是这个重要的制度在三张之后逐渐废弛了。《陆先生道门科略》说:“今人奉道,多不赴会。或以道远为辞,或以此门不往。”甚至“舍背本师,越诣他治。唯高尚酒食,更相炫诱。明科正教,废不复宣,法典旧章,于是沦坠。元纲既弛,则万目乱溃。”⑥就是说,

① 参见(唐)朱法满:《要修科仪戒律钞》卷10引《太真科》,《道藏》第6册,第966页。

② 《赤松子章历》卷2,《道藏》第11册,第183页。

③ 《旨要妙经》见《犹龙传》卷5《度汉天师》引《犹龙传》,《道藏》第18册,第25页。陈国符先生《道藏源流考》谓:《旨要妙经》疑即《指教经》,《无上秘要》卷47引《洞玄请问上经》谈到《指教经》,《道藏阙经目录》卷下著录《正一法文天师旨教经》2卷。《旨要妙经》所载三会日,文字与《云笈七籤》卷37所载太同。唯十月十五日作十月五日。

④ (唐)朱法满:《要修科仪戒律钞》卷10,《道藏》第6册,第966页。

⑤ (南朝)陆修静:《陆先生道门科略》,《道藏》第24册,第780页。

⑥ (南朝)陆修静:《陆先生道门科略》,《道藏》第24册,第780页。

这个根本制度一废弛,整个组织系统都瓦解了。陆修静对此状况十分不满,训斥道:“如此之师,则灭后绝种;如此之民,则夭横破丧。”①决心把这个“三会日”制度重新建立和健全起来,以期扭转已经混乱的组织状况。

2. 整顿名籍混乱状况,加强“宅录”制度。在维系道官、道民统属关系上,除“三会日”制度外,还有一个“宅录”制度也很重要,所谓“宅录”,类似于后世的户口簿。即道民入道,须把全家的男女口数,登记于册,名曰“宅录”。以后凡有生、聚添口,或死亡减口,都须赴本师治所(大都在三会日)进行登记或注销。每年三会日,治官祭酒都须与道民一起对此宅录进行核对,使之与实际情况相符合。道民凭此宅录向道教组织缴纳“命信”(又称跪信,即敬神的信物),道教组织即派守宅之官予以保护。很显然这也是道教组织管理道民的一个重要方法。但是在三张之后,这项制度也完全废弛了。《陆先生道门科略》说:“今人奉道,或初化一人,至子孙不改;三会之日,又不投状。”②家有生、聚添口,不去登记;家有死亡减口,又不去注销。结果造成“或死骨烂,籍犹载存;或生皓首,未被纪录;或纳妻不上,或出嫁不除③,即是只在出生时和童年时作了登记,以后不再继续去核实口数、岁数,因此到他百岁时,仍只存有几岁时的记载,造成“百岁童男,期颐处女”④的谬误。所以一本宅录完全成了一笔“存亡混谬,有无不实”的糊涂账。这就使得道教组织无法确实掌握自己所统领的道众;很难对道众进行管理。因此陆修静主张彻底清理宅录,规定以每年三会日之最后一日,作为登记、审核宅录的最后期限,限定在那一天每个道民都须赍跪信到本师治所,由本师给以注籍。

3. 禁止道官自行署职,健全道官按级晋升制度。前两项制度主要是针对道民,这一项则主要是针对道官的。因为当时组织混乱、科律废弛的情况,在道官祭酒方面表现得也很突出。这在上一章的有关部分已经叙述,陆修静在《道门科略》中再次讲到了这个问题。他说:“今人受箓无此德,受治

① (南朝)陆修静:《陆先生道门科略》,《道藏》第 24 册,第 780 页。
② (南朝)陆修静:《陆先生道门科略》,《道藏》第 24 册,第 780 页。
③ (南朝)陆修静:《陆先生道门科略》,《道藏》第 24 册,第 780 页。
④ (南朝)陆修静:《陆先生道门科略》,《道藏》第 24 册,第 780 页。

无此才。或都无师籍，或有师无籍，或虽有师籍而无德。于时受箓之日，越诣他官，既不归本，又不缘阶，妄相置署，不择其人。佩箓唯多，受治唯多，受治唯大，争先竞胜，更相高上。遂乃身受下治，署人上品；或自荷白板，而加板于人。纵横颠倒，乱杂互起，以积衅之身，佩虚伪之治箓。身无戒律，不顺教令，越科破禁，轻道贱法。恣贪欲之性，而耽酒嗜食，背盟威清约之正教，向邪僻袄巫之倒法，把持刀笔，游走村里，遇逋违之民，婴考被灾。"①说明在科律废弛以后，许多道官祭酒任非其人，他们违科犯戒，干出种种不法事情来。这种情况无疑对天师道的发展是很有害的。因此，陆修静主张对道官祭酒进行认真的整顿。整顿的根本办法，就是恢复和健全天师道过去的依功受箓和按级晋升的制度。他指出："科教云：民有三勤为一功，三功为一德。民有三德，则与凡异，听得署箓。受箓之后，须有功更迁，从《十将军箓》阶，至《百五十》。若箓吏中有忠良质朴，小心畏慎，好道翘勤，温故知新，堪任宣化，可署散气道士；若散气中能有清修者，可迁别治职任；若别治中复有精笃者，可迁署游治职任；若游治中复有严能者，可署下治职任；若下治中复有功称者，可迁署配治职任；若配治中复有合法者，本治道士皆当保举，表天师子孙，迁除三八之品，先署下八之职；若有伏勤于道，劝化有功，进中八之职；若救治天下万姓，扶危济弱，能度三命，进上八之职；能明炼道气，救济一切，消灭鬼气，使万姓归伏，便拜阳平、鹿堂、鹤鸣三气治职。"②总之，道官祭酒的升迁是按他本人的德行（当然以宗教作尺度来衡量），而且是逐级提升，一级一级地从下面进行提拔。这样做了，自然可以保证道官的质量，不致所任非人。所以陆修静强调要严格执行这种依功受箓、按级升迁的制度，以克服当时道官祭酒鱼龙混杂的局面。强调必须"精察施行功德，采求职署，勿以人负官，勿以官负人"③。

以上就是陆修静用以整顿和改革天师道所采取的基本措施。可以看出，他主要是偏重于组织方面的整顿和改革，思想方面如何进行改革，因有关文献不足，暂付缺如。至于这套措施，有多少付诸实施？实施之后的效果

① （南朝）陆修静：《陆先生道门科略》，《道藏》第24册，第781—782页。
② （南朝）陆修静：《陆先生道门科略》，《道藏》第24册，第781页。
③ （南朝）陆修静：《陆先生道门科略》，《道藏》第24册，第781页。

如何？同样因资料缺乏，难以判断。经过陆修静改革后的天师道，史称南天师道，在南朝曾经得到一定的发展。不过它的发展很快被上清派和灵宝派的兴盛所遮掩，而逐渐不显于世了。

二、灵宝派的发展

陆修静虽然对天师道进行了改革，表明了他与天师道有一定的历史渊源，但是相比之下，他与灵宝派的关系却是更为深厚的。关于早期灵宝派的源流，前面有关章节已经做了介绍。下面我们就陆修静对灵宝派的弘扬进行阐述。据史料记载，陆修静一生的主要精力大都用在发扬灵宝经上。如据《真诰叙录》所记，他在崇虚馆时，虽曾亲自得到杨、许的部分上清经，但他并未着力去阐释发扬这些经书（只将其传给弟子孙游岳，孙再传给陶弘景）；相反，却对一些灵宝古经如《真文赤书》、《人鸟五符》等加以敷衍阐释，使它得到了广泛的传播。如《真诰》卷二十第二云：陆修静“既敷述《真文赤书》、《人鸟五符》等，教授施行已广”①。按《真文赤书》即《五篇真文》，《五篇真文》载于《道藏》者不止一处，此指《元始五老赤书玉诀》，见于《太上洞玄灵宝赤书玉诀妙经》卷上；《人鸟五符》在今本《五符经》（即《太上灵宝五符序》）无其文，可能是早已亡佚的古灵宝经书。可见在崇虚馆时（或在此之前）陆修静就已对一些灵宝古经作了阐释，使之“教授施行已广”了。

陆修静所敷衍、阐释的灵宝经文，大量的是有关斋醮仪范方面的。《无上黄箓大斋立成仪》卷一说：“灵宝之教，秘而不传，仙人口口相授，太极仙公（葛玄）始笔之书，著《敷斋威仪之诀》。”②《敷斋威仪之诀》即《正统道藏》第16册所收之《太极真人敷灵宝斋戒威仪诸经要诀》，陈国符先生认为此书“或为东晋葛巢甫所撰”，是现存灵宝派阐述道教斋醮威仪最早的书，但所述较简。系统总结天师道以来斋醮仪范经验，对之作系统阐发、补充，并创制出全套完整的道教斋仪的，则是陆修静。《无上黄箓大斋立成仪》卷一说，在《敷斋威仪之诀》的基础上，“陆天师复加撰次，立为成仪，祝香启

① （南朝）陶弘景：《真诰叙录》，见《真诰》卷20，《道藏》第20册，第606页。

② （宋）留用光：《无上黄箓太斋立成仪》卷1，《道藏》第9册，第378页。

奏,出官请事,礼谢愿念,罔不一本经文"①。卷十七又云:"陆天师因《太极敷斋戒威仪经》,撰《灵宝道士自修盟真斋立成仪》(按:此书已不存)②,又云陆天师撰《三元斋仪》。卷十六又引陆天师《灵宝斋说光烛戒罚祝愿仪叙》,卷三十五又引陆天师《然灯礼祝威仪》,则陆修静又撰《三元斋仪》、《灵宝斋说光烛戒罚祝愿仪》、《燃灯礼祝威仪》等。卷十六又云:"太极真人演(灵宝)经文而著《斋戒威仪之诀》,陆天师摭《(灵宝)经诀》,而撰斋谢戒罚之仪,三箓(金箓、玉箓、黄箓)、九幽、解考、涂炭,三日七日,一时九时,品目虽繁,仪矩则一。沿流穷源,舍太极真人及陆天师果何适矣。"③据此卷十六、十七所记,除陆天师未撰黄箓仪外,则陆修静撰有金箓、玉箓、九幽、解考、涂炭诸斋仪(按:今皆已亡佚)。另外,据有关资料载,他还撰有多种斋醮乐章,如《升玄步虚章》、《灵宝步虚词》、《步虚洞章》等。《洞玄灵宝玉京山步虚辞》中所载《步虚词》④10 首,已证明为陆修静所作,或即《灵宝步虚词》中之内容。可见,陆修静所著的斋醮仪范书是很多的。《茅山志》卷十说:陆修静"所著斋法仪范百余卷"。

陆修静不仅大量撰写灵宝经书,而且还对当时社会上流行的灵宝经的真伪进行了考辨。他在《灵宝经目序》中说:"灵宝之文,始于龙汉……迨于开皇已后,上皇元年,元始下教,大法流行。"以后传至大禹,再经若干世,传给葛玄,迨"仙公(葛玄)授(受)文于天台"之后,流衍至今。⑤ 到了刘宋之世,"此经当行","期运既至,大法方隆。但经始兴,未尽显行,十部旧目,出者三分"⑥。特别是"顷者肌来,经文纷互,似(是)非相乱。或是旧目所载,或自篇章所见,新旧五十五卷。学士宗竟,鲜有甄别"⑦。原来是后人将一

---

① (宋)留用光:《无上黄箓太斋立成仪》卷 1,《道藏》第 9 册,第 378 页。

② 参见(宋)留用光:《无上黄箓大斋立成仪》卷 17,《道藏》第 9 册,第 489 页。

③ (宋)留用光:《无上黄箓大斋立成仪》卷 16,《道藏》第 9 册,第 477 页。

④ (唐)释法琳《辩正论》、史崇《一切道经音义妙门由起》、王悬河《上清道类事相》并引此词,《洞玄灵宝升玄步虚章序疏》为之作疏解。

⑤ 《灵宝经目序》载于《云笈七籤》卷 4,《道藏》第 22 册,第 19 页。所云"始于龙汉"、"元始下教"、"大禹获书"云云,自属神仙家之言;灵宝的源流前章已作了说明。

⑥ 《灵宝经目序》,《道藏》第 22 册,第 19 页。

⑦ 《灵宝经目序》,《道藏》第 22 册,第 19 页。

些伪造的文字掺杂进去了:"或删破《上清》,或采抟余经,或造立序说,或迴换篇目,裨益句章,作其符图,或以充旧典,或别置盟戒"①。而这些伪书,又都"文字僻左,音韵不属。辞趣烦猥,义味浅鄙"②。结果造成"颠倒舛错,事无次序","遂令精粗糅杂,真伪混行"③。他认为这是将"鱼目厕于隋侯之肆,辄将散砾托于和氏之门"④,是万万不能容忍的。因此,他下功夫对这些经书的真伪一一作了考辨,最后编出了《灵宝经目》,并在元嘉十四年(437年)奏呈宋文帝。他在奏呈《洞玄灵宝授度仪》的表文中说:"即今见出元始旧经并仙公所禀,臣据信者合三十五卷。"⑤因为《灵宝经目》已佚,他所考订的35卷真经是哪些,目前已很难确切判定了。

由于陆修静既撰写了大量灵宝经(特别是斋仪书),又编制了《灵宝经目》,这就大大地推动了灵宝派的发展。唐闾丘方远《太上洞玄灵宝大纲钞》说:陆修静"更加增修、立成仪轨,于是灵宝之教,大行于世"⑥。被陆修静"增修"后的灵宝之教,不仅"大行于世",而且在齐梁时代还超过了上清派。对此,记述上清历史的《真诰》已作了这样的反映。《真诰》卷十一注说:在齐初,上清道士王文清曾在大茅山下建崇元馆,在二十年内,"远近男女互来依约,周流数里,廨舍十余坊。而学上道者(指修上清经者)甚寡,不过修灵宝斋及章符而已"⑦。齐代如此,至梁代,仍然没有变化。《真诰》的另一注说:茅山每年"三月十八日辄公私云集,车有数百乘,人将四、五千,道俗男女,状如都市之众。看人唯共登山作灵宝唱赞,事讫便散,岂有深诚密契,愿睹神真者乎!"⑧所谓"深诚密契、愿睹神真"是指修上清道,"作灵宝唱赞",自然是指习灵宝斋仪之类。茅山本上清胜地,但今四五千善男信女上茅山,不去习"睹神真"的上清思神术,而去唱赞灵宝经文,证明灵宝派

① 《灵宝经目序》,《道藏》第22册,第19页。
② 《灵宝经目序》,《道藏》第22册,第19页。
③ 《灵宝经目序》,《道藏》第22册,第19页。
④ 《灵宝经目序》,《道藏》第22册,第19页。
⑤ (南朝)陆修静:《太上洞玄灵宝授度仪表》,《道藏》第9册,第839页。
⑥ (唐)闾丘方远:《太上洞玄灵宝大纲钞》,《道藏》第6册,第966页。
⑦ (南朝)陶弘景:《真诰》卷11,《道藏》第20册,第558页。
⑧ (南朝)陶弘景:《真诰》卷11,《道藏》第20册,第557页。

所拥有的信徒已远远超过了上清派。而此注所记正是梁代的情况。这就说明自陆修静增修灵宝经以后,灵宝派在群众中的影响在较长时间内超过了上清派,这显然是陆修静对灵宝派的贡献。应该说,灵宝派虽为葛巢甫所创,但它的真正弘扬者却是陆修静。下面我们就陆修静编撰斋醮科仪的贡献展开论述。

三、道教斋醮仪范的制定

道教斋醮科仪经书的编撰,始自东汉五斗米道的《三官手书》,及张陵在鹤鸣山所传《天官章本》。至南朝刘宋陆修静整理灵宝斋法,道教斋醮科仪已初具规模。陆修静是改革、整顿天师道,使民间道教官方化的关键人物。陆修静对天师道的改革,其中包括系统制定斋醮仪范。据元刘大彬《茅山志》记载,陆修静所撰斋法仪范达百余卷。现知其名的有《金箓斋仪》、《玉箓斋仪》、《九幽斋仪》、《解考斋仪》、《涂炭斋仪》、《三元斋仪》、《灵宝道士自修盟真斋立成仪》、《太上洞玄灵宝授度仪》、《洞玄灵宝斋说光烛戒罚灯祝愿仪》、《古法宿启建斋仪》、《燃灯礼祝威仪》等。刘大彬《茅山志》卷九《道山册》收录《上清大洞宝录篇目》,载陆简寂真人所撰科书还有《灵宝经目序》一卷、《升元步虚章》一卷、《灵宝步虚辞》一卷、《步虚洞章一卷》。①

陆修静对斋醮科仪经典的编撰,据他在上《太上洞玄灵宝授度仪表》中说:

> 自从叨窃以来一十七年,竭诚尽思,遵奉修研,玩习神文,耽味玄趣,心存目想,期以必通。秉操励情,夙夜匪懈,考览所受,粗得周遍。②

可知陆修静在较长的时间中,潜心研究科仪经典。陆修静制定的百余卷斋仪,其内容可分为"九斋十二法",包括灵宝斋九法、上清斋二法和三元涂炭斋法。据《洞玄灵宝五感文》所记"涂炭斋"是:"法于露地立坛,安栏格,斋人皆结。同气贤者,悉以黄土泥额,被发系著于栏格,反首自缚,口中衔璧,

① 《道藏》第5册,第595页。
② 《道藏》第9册,第839页。

覆卧于地，开两脚，相去三尺，叩头忏谢。”①陆修静《洞玄灵宝五感文》，记十二种斋法中之灵宝斋为：金箓斋、黄箓斋、明真斋、三元斋、八节斋、自然斋、洞神三皇斋、太一斋、指教斋。

陆修静的九斋十二法，原科仪经本似在《无上秘要》中尚有保存。北周道经《无上秘要》卷四十八至卷五十七，收录南北朝道教行用的各种斋法，虽一概未著录撰人，但从科仪编撰的实况看来，收录的应是陆修静的斋醮科本。该经所收录的科仪经本，确系当时风行的灵宝派斋法。陆修静《洞玄灵宝斋说光烛戒罚灯祝愿仪》亦宣称：“斋法之大者，莫先太上灵宝斋。”②此外，可资说明的还有一条例证：《无上秘要》卷四十八收录《灵宝斋宿启仪品》，而南宋道士蒋叔舆编撰的《无上黄箓大斋立成仪》，其中卷十六为《古法宿启建斋仪》，著录为“东晋庐山三洞法师陆修静撰”。两种宿启科仪的格式，具有明显的沿袭痕迹，据此亦可推知《灵宝斋宿启仪品》系陆修静撰作的科本。

道教认为灵宝之教最初密而不传，在道门中口口相授，太极仙翁葛玄始撰成经典，宋蒋叔舆《无上黄箓大斋立成仪》卷一说葛玄“著敷斋威仪之诀，陆天师复加撰次，立为成仪”③。陆修静作为灵宝派道士，担当制定斋仪之重任，但他并不囿于灵宝斋仪，对上清派和天师道的斋仪，亦兼收并蓄予以收集整理。宋金允中《上清灵宝大法》卷二十二说：

> 陆君主张教法，立万代之范模；考定经典，别千古之真伪。身得度世，名列仙阶。编撰科书，所存虽少，无非按据经典，参合条纲。后人不究其源，凡有好奇尚异之事，多委之简寂斋科。④

陆修静斋科被称之为古科、古仪、古法、古规，后世道门视为斋仪之范模，道教斋醮仪范的典式。历代科仪宗师考证科书之歧异，多追根溯源，指陆修静科本为定说。唐代杜光庭撰修斋科，亦是既考三洞经科，又参以陆修静科仪

① 《道藏》第32册，第620页。
② 《道藏》第9册，第824页。
③ 《道藏》第9册，第378页。
④ （宋）金允中：《上清灵宝大法》卷40《散坛设醮品下》，《道藏》第31册，第477页。

为准,对陆修静科书,可谓是"洪纤悉举,具细兼收"①。金允中《上清灵宝大法》卷二十一《临坛符法品》南宋金允中竭力推崇陆修静古科,"陆君分三洞之源,列四辅之目,区别真伪,考证是非,高绝古今,非后世自眩自矜者之比"②。陆修静整理制定科仪,以江南盛行的斋科为主,此后,灵宝之斋大行于世。陆修静奠定了灵宝斋仪的主导地位,此后的道教科仪经典,所载斋法皆以灵宝为宗,甚至有非灵宝不可度人之说。宋王契真《上清灵宝大法》卷五十六说:

> 陆天师摭经诀而撰斋谢戒罚之仪,三箓九幽,解考涂炭,三日七日,一时九时,品目虽繁,仪矩则一。③

据此,后世道教常行的金箓、黄箓、玉箓斋会,三日斋醮,七日斋醮,一时行道,九时行道的仪格,在陆修静时就已具雏形。陆修静的九斋十二法中,在灵宝斋九法之上,首列上清之斋二法,即绝群离偶,孤影夷豁。陆修静所列上清斋二法,实际是《道门大论》所载上清斋第一法,属内斋范畴,为极道之斋。唐代道经《太上洞玄灵宝业报因缘经》卷五所列九等斋是:太真、金箓、黄箓、明真、自然、三元、涂炭、洞神、神咒。此列为第一的太真斋,即上清斋第二法的太真仪格。在上清斋中,仅此太真仪格属外斋范畴,为济度之斋。此经所列九等斋,可与陆修静《洞玄灵宝五感文》所载九斋比较,亦可见其对陆修静斋法既有沿袭,又有修订。

至于三元涂炭斋,为天师道所行斋法。宋代道经《正一论》说:

> 涂炭斋法者,由群生咎障既深,非大功不释;宿对根密,非涂炭不解。结考不解,则学仙不成,厄世不度。天师以汉安元年十月十五日,下旨教于阳平山,以教众官,令入仙目。王、赵修之,卒登上道,当尔之时,涂炭之谢已行,而灵宝斋仪未敷,唯五符而已,岂得兼行。④

当时有涂炭仪悉如灵宝法的议论,这是针对此论的辨正。陆修静在《洞玄灵宝斋说光烛戒罚灯祝愿仪》论斋法之功能说:

① 《道藏》第31册,第625页。
② 《道藏》第31册,第475页。
③ 《道藏》第30册,第1173页。
④ 《道藏》第32册,第125页。

> 夫感天地，致群神，通仙道，洞至真，解积世罪，灭凶咎，却怨家，修盛德，治疾病，济一切，莫过乎斋转经者也。夫斋直是求道之本，莫不由斯成矣。此功德巍巍无能比者，上可升仙得道；中可安国宁家，延年益寿，保于福禄，得无为之道；下除宿愆，赦见世过，救厄拔难，消灭灾病，解脱死人忧苦，度一切物，莫有不宜矣。①

陆修静此论，为后世科仪所沿袭。陆修静说的斋直，即指祭祀之斋法。陆修静还撰《陆先生道门科略》一卷，涉及首过忏悔、立治署职、编户校籍、设厨立坛等科法。陆修静《太上洞玄灵宝授度仪》一卷，则涉及传授灵宝经法的礼仪。宋金允中《上清灵宝大法》卷四十《散坛设醮品下》："宋齐之间，陆简寂以灵秀之姿，振虚皇之教，大敷道典，广辟真源。"②自陆修静制定斋醮仪范后，道教斋醮活动的举行有章可循，南北朝时期道教斋醮科仪已粗具规模，此标志着道教正向成熟宗教转化。

斋醮是道教进行宗教活动的重要方式，也是影响群众的重要手段，而它的主要创制人是陆修静，其后唐代道士张万福和杜光庭虽有发展，但都是以陆修静的斋法为基础的，因此有必要对陆修静创制的斋仪再作进一步的介绍，从多个角度加以了解其历史地位与作用。

上面已经提到，陆修静所创制的斋仪，是以葛巢甫所撰《太极真人敷灵宝斋戒威仪诸经要诀》为基础的，但又是在系统总结和吸收了自天师道以来各种斋仪的条件下进行的创造。据资料记载，早期天师道曾制有一些简单斋仪，首先是旨教斋。疑为葛巢着所撰的《太上洞玄灵宝本行宿缘经》说："昔正一真人（指张陵）学道时受灵宝斋，道成后，谓此斋尊重，乃撰《灵宝五称文》，中出斋法，为旨教经。"③《正一论》说："旨教斋者，天师以教治官。"又说："旨教斋法，虽真而古拙。"④《无上秘要》卷四十七引《洞玄请问上经》说："高上老子曰：夫道家所先，莫近（疑当为"过"字）于斋，斋法甚多，大同小异，其功德重者，唯太上灵宝斋。……又有三天斋法，与灵宝相

---

① 《道藏》第9册，第824页。
② 《道藏》第31册，第624页。
③ 《太上洞玄灵宝本行宿缘经》，《道藏》第24册，第667页。
④ 转引自陈国符：《道藏源流考》，北京：中华书局2014年版，第322页。

似。”又说：“仙公曰：三天斋者，是三天法师（当指张陵）所受之法，名曰旨教经，抑亦其次。”①唐释道世《法苑珠林》卷五十五云：“后汉时张陵造灵宝经及章醮等道书二十四卷。”②北宋念常《佛祖历代通载》卷五注云：“张陵客蜀，居鹄鸣山作此经（指《灵宝经》），又造章醮道书二十四卷，以惑百姓。”③南宋留用光传、蒋叔舆编《无上黄箓大斋立成仪》卷首《序斋》也说：“昔正一真人（指张陵）受命导世，奉荷《灵宝》，自以斋法旨趣渊微，法禁森严，非愚浅始学所可明了，乃妙出《五称文》，撰立正一斋法，目为旨教（斋），以遗祭酒箓生。”④据以上记载，张陵造作了道教斋仪书（无疑是最早的道教斋仪书），并已创制了旨教斋。其次，据其他资料，张鲁又创制了涂炭斋，北周释道安《二教论》说：“涂炭斋者，事起张鲁。”⑤《无上秘要》卷五十《涂炭斋品》又多处记载：“系天师某治祭酒、太上灵宝无上三洞法师某岳先生……谨相携率，为某承天师《旨教》，建义《涂炭》。”以上两种斋法都很简陋原始，修斋者需“露身中坛，束骸自缚，散发泥额，悬头衔发于栏格之下”⑥。《洞玄灵宝道学科仪》卷上也说，该斋法“举高德一人为法师，五人为从官，露坛大谢，令谢罪者兰（当为栏）格散发泥额，礼三十二天，斋中奏子午章，苦祷必感，依《指教》、《涂炭》法”⑦。这已是经过灵宝道士改进之后的内容，但仍显出它十分原始的面貌来。

陆修静十分重视斋仪的作用，认为它是检束身、口、心“三业”，使之不沉沦于恶境的重要方法。他说：“身为杀盗淫动，故役之以礼拜；口有恶言绮妄两舌，故课之以诵经；心有贪欲嗔恚之念，故使之以思神。用此三法，洗心净行，心行精至，斋之义也。”⑧又说：“圣人以百姓奔竞五欲，不能自定，故

---

① （北周）武帝宇文邕：《无上秘要》卷47，《道藏》第25册，第166页。
② 《大正藏》第53卷，第703页。
③ （元）释念常：《佛祖历代通载》卷5，《大正藏》第49卷，第515页。
④ 《道藏》第9册，第378页。
⑤ 《二教论·释异道流第八》，载（唐）释道宣《广弘明集》卷8，《大正藏》第52卷，第140页。
⑥ （北周）武帝宇文邕：《无上秘要》卷50《涂炭斋品》，《道藏》第25册，第183—184页。
⑦ 《洞玄灵宝道学科仪》卷上，《道藏》第24册，第772页。
⑧ （南朝）陆修静：《洞玄灵宝斋说光烛戒罚灯祝愿仪》，《道藏》第9册，第821页。

立斋法,因事息事。禁戒以闲内寇,威仪以防外贼,礼诵役身口,乘动以反静也。”①甚至说:“夫感天地,致群神,通仙道,洞至真,解积世罪,灭凶咎,却怨家,修盛得(‘得’疑应作‘德’),治疾病,济一切,莫过乎斋转经者也。夫斋直是求道之本,莫不由斯成矣!”②

正因陆修静如此重视斋仪的作用,故他花了毕生的大部分精力来从事斋仪的制订,使道教斋仪得以基本完备。他在长期制订斋仪的过程中,一方面注意了对天师道原有斋仪的总结,另一方面又吸取了儒家的封建礼法和佛教的“三业清静”思想,从而使经过改造增修后的斋仪,从内容到形式都得到了很大的提高和充实,并把天师道原有的一两种斋仪扩展到包括天师、上清、灵宝各派斋仪在内的“九斋十二法”。即上清斋二法,灵宝斋九法,再加上一种涂炭斋,共十二种斋法。其名称见于他所著的《洞玄灵宝五感文》:

> 大体九等斋,各有法,凡十二法:
>
> 一曰洞真上清之斋,有二法……
>
> 二曰洞玄灵宝之斋,有九法。以有为为宗:
>
> 其一法,金箓斋。调和阴阳,救度国王。
>
> 其二法,黄箓斋。为同法拔九祖罪根。
>
> 其三法,明真斋。学士自拔亿曾万祖九幽之魂。
>
> 其四法,三元斋。学士一年三过自谢涉学犯戒之罪。
>
> 其五法,八节斋。学士一年八过谢七玄及己身宿世今生之罪。
>
> 其六法,自然斋。普济之法,内以修身,外以救物,消灾祈福,适意所宜。
>
> 其七法,洞神三皇之斋。以精简为上……
>
> 其八法,太一之斋。以恭肃为首。
>
> 其九法,指教之斋。以清素为贵。
>
> 又曰三元涂炭之斋。以苦节为功。上解亿曾道祖无数劫来宗亲门

① (南朝)陆修静:《洞玄灵宝斋说光烛戒罚灯祝愿仪》,《道藏》第9册,第822页。
② (南朝)陆修静:《洞玄灵宝斋说光烛戒罚灯祝愿仪》,《道藏》第9册,第824页。

族及己身家门无鞅数罪，拯拔忧苦，济人危厄，其功至重，不可称量。①

可见陆修静是以灵宝斋作主体的。唐道士孟安排《道教义枢》卷二《十二部义》说，斋有二种：“一者极道，二者济度。”②按此说法，陆修静所称的九斋十二法，皆属济度之斋。不过，孟安排对这种济度斋，不像陆修静那样分为九斋十二法，而是分为“三箓七品”。三箓指金箓、玉箓、黄箓；七品包括三皇斋、自然斋、上清斋、指教斋、涂炭斋、明真斋、三元斋等。与陆修静的分法略有差异。元赵道一《历世真仙体道通鉴》卷二十三《葛仙公传》说葛仙公所传斋法为上清斋法二等，加三箓七品斋法③，与《道教义枢》所说又有小异。是道教斋仪在后世传播中已有了某些变化，但视其名称大都不出陆修静九斋十二法的范围，其斋仪的基本内容和格局也可能是陆修静所奠定的。

如上所述，在陆修静所撰的百余卷斋仪书中，现知其名的就有《金箓斋仪》、《玉箓斋仪》、《九幽斋仪》、《解考斋仪》、《涂炭斋仪》、《三元斋仪》、《灵宝道士自修盟真斋立成仪》等，说明九斋十二法中的多数斋仪，他都亲自做过撰订。只是这些斋仪已全部亡佚，我们不能对它们有具体的了解，但根据唐道士张万福和杜光庭等人所删定编制的诸斋仪中，犹可见其一斑，因它们是以陆修静斋仪作为基础和蓝本的。其主要程式不外设坛摆供、焚香、化符、宣戒、上章、诵经、赞诵、并配以烛灯、禹步和斋醮音乐等，以祭告神灵，求福免灾。在《洞玄灵宝五感文》中，还可见到关于《涂炭斋》的作法。其“法于露地立坛，安栏格，斋人皆结同气贤者，悉以黄土泥额，被发系著栏格，反手自缚，口中衔璧，覆卧于地，开两脚，相去三尺，叩头忏谢”④。可见这种斋法存在着浓厚的原始性。因为修这种斋法很苦，陆修静提出了存思“五感”的方法，要修斋者实行。所谓“五感”，就是：感父母生我、育我、鞠我、养我之恩；感父母因我而受三涂之苦；感自己能有幸皈依三宝（指道、经、师）；感太上众真开化之恩；感师父开度。要修斋者在修斋过程中时时感念此五事，借此转移修斋者的注意力，减轻身体遭受的痛苦，并以之培养

① （南朝）陆修静：《洞玄灵宝五感文》，《道藏》第32册，第620页。
② （唐）孟安排：《道教义枢》卷2，《道藏》第24册，第818页。
③ 参见（元）赵道一：《历世真仙体道通鉴》卷23，《道藏》第5册，第229页。
④ 《道藏》第32册，第620页。

宗教感情和磨炼宗教意志。

陆修静不仅大量创制斋仪，而且身体力行，主持斋醮活动。见于记载的有两次：一是《洞玄灵宝五感文》中所记“癸巳年（宋文帝元嘉三十年，即453年）冬携率门人建三元涂炭斋”①。该文对这次建斋活动有较详的记载。二是《道学传》所记泰始七年（471年）为宋明帝祈禳疾病所建的三元露斋。吴筠《简寂先生陆君碑》、《云笈七籤·真系传》和《历世真仙体道通鉴·陆修静传》并载其事，但作“涂炭斋”；《玄品录》卷三、《茅山志》卷十亦记其事，则作“金箓斋”。《道学传》云：“宋大始（泰始）七年四月，明帝不豫，先生率众建三元露斋，为国祈请。至二十日……二更再唱，堂前忽有黄气，状如宝盖，从下而升，高十丈许，弥覆阶墀，数刻之顷，备成五色……预观斋者百有余人，莫不皆见。事奏，天子疾瘳，以为嘉祥。”②

由于陆修静以很大精力创制道教斋仪，使道教斋醮仪范得以基本完备，这就为道教的创建工作完成了一项重要任务，使道教向其成熟阶段迈进了一大步。

四、道教在宋齐的发展

陆修静等人对道教的改革和充实，提高了道教的影响力，使道教在宋、齐间获得了较大的发展。表现在宋、齐之世尊信道教的皇帝较多，其中最著者有宋文帝、宋明帝、齐高帝、齐东昏侯等。此外，在朝廷士大夫中，信道的人就更多了。比较突出的是东晋那批天师道世家，许多继续信道不衰。如东晋天师道一大派首领杜子恭的玄孙杜京产及子栖，远承祖业，继续奉道。《南齐书》说：“京产少恬静，闭意荣宦，颇涉文义，专修黄老。”“（宋）泰始之朝，挂冠辞世，遁舍家业，隐于太平……麻衣藿食，二十余载。”③齐武帝永明十年（492年），孔稚珪等“表荐京产，征为奉朝请，不至。于会稽日门山聚徒教授。建武（494—497年）初，征员外散骑侍郎。京产曰：‘庄生持钓，岂为白璧所

① （南朝）陆修静：《洞玄灵宝五感文》，《道藏》第32册，第618页。

② （唐）王悬河：《三洞珠囊》卷1《救导品》引《道学传》，《道藏》第25册，第299页。

③ 《南齐书》卷54《高逸传》，北京：中华书局1972年版，第3册，第942页。

回。'辞疾不就,卒。"①又如会稽孔氏,也是东晋有名的天师道世家。孔稚硅之父孔灵产仍继续奉道。他在宋明帝泰始(465—471年)中罢晋安太守后,有隐遁之怀,遂于禹井山立馆修道。② 道书说他"深研道要,遍览仙籍,宋明帝于禹穴之侧立怀仙馆,诏使居焉"③。他是杜子恭派的忠实信徒,《南齐书》说他"事道精笃,吉日于静屋四向朝拜,涕泗滂沲。东出过钱塘北郭,辄于舟中遥拜杜子恭墓,自此至都,东向坐,不敢背侧"④。齐"高皇赐以鹿巾猨裘竹素之器,手诏曰:君有古人之风,赐以林下之服,登凡之日,可以相存之也"⑤。"会稽孔道徽,亦守志,(杜京)产与友善"⑥。还有一个孔熙先也是信道的世家,其所信非天师道,而是上清道。其父孔默之曾向许黄民求经书,是上清道的忠实信徒。"熙先博学有纵横才志,文史星算,无不兼善"⑦。又"善于治病,兼能诊脉"⑧。他虽对上清派所谓诵《大洞经》万遍便能成仙的说法持否定态度,但却对服食炼丹可以长生深信不疑,说"仙道必须丹药炼形,乃可超举"⑨,似更倾向于丹鼎信仰。后因参与彭城王刘义康谋反而被杀。

另有一天师道徒刘凝之,虽不一定为天师道世家,但却是世家大族而信奉天师道的。《道学传》云:刘凝之,字志安,小名长年,南郡枝江人。宋文帝元嘉(424—453年)间,"居衡山之阳,采药服食,受天师化民之道"⑩,"王公赠遗,一无所受。家财事业,悉分与弟侄。出于蒿莱之中,而为环堵之室,非力作不取也。夫妻齐操,能以苦节自安。不拘小节,常与妻共取茭车入市门,随物贵贱而卖之,周食余,便以乞人。虽复荒年绝粒,不革其

① 《南史》卷75《隐逸上》,北京:中华书局1975年版,第6册,第1881页。
② 参见《南齐书》卷48《孔稚珪传》,北京:中华书局1972年版,第3册,第835页。
③ (唐)王悬河:《上清道类事相》卷1《仙观品》引《道学传》,《道藏》第24册,第875页。
④ 《南齐书》卷48《孔稚珪传》,北京:中华书局1972年版,第3册,第835页。
⑤ (唐)王悬河:《三洞珠囊》卷2引《道学传》,《道藏》第25册,第306页。
⑥ (宋)李昉等编:《太平御览》卷409引《道学传》,石家庄:河北教育出版社1994年版,第4册,第411页。
⑦ 《宋书》卷69《范晔传》,北京:中华书局1974年版,第6册,第1820页。
⑧ 《宋书》卷69《范晔传》,北京:中华书局1974年版,第6册,第1822页。
⑨ (南朝)陶弘景:《真诰》卷19《翼真检第一》,《道藏》第20册,第604页。
⑩ (唐)王悬河:《三洞珠囊》卷1《救导品》引《道学传》,《道藏》第25册,第296页。

操。妻梁州刺史郭铨女，遣送丰华，凝之悉分赡亲属，以尽为限。妇亦无吝心也”①。“性好山水，乃携妻子，跨崖越岭，为小蓬室，妻子皆从，不知所终也。”②

在宋代朝臣中，也不乏信道者。宋明帝时历任黄门郎和梁、益二州刺史的刘亮，“在梁州，忽服食修道，欲致长生。迎武当山道士孙道胤令合仙药。至益州，泰豫元年(472年)药始成，而未出火毒。孙不听亮服，亮苦欲服，平旦开城门，取井华水服。至食鼓后，心动如刺，中间便绝。后人逢见，乘白马，将数十人，出关西行，共语分明，此乃道家所谓尸解者也”③。宋李石《续博物志》说：“宋刘亮，得白蝙蝠、白蟾蜍合仙丹，服之立死。呜呼，书此足以破惑矣。”④还有一个羊欣，曾作宋新安太守，“素好黄老，常手自书章，有病不服药，饮符水而已”⑤，《太平御览》说他“性好文儒，兼善医药，撰方三十卷(《宋书》本传作‘撰药方十卷’)，为代所重焉”⑥。

宋、齐两代，长期居道馆或隐居山林的道士则更多。其中名声最大，影响又很远的，当数孙游岳和顾欢。顾欢的事迹留在下节讲，这里只介绍孙游岳。孙游岳，字玄达(《云笈七籤》避宋讳作“颖达”)，东阳永康(今浙江金华县境)人。吴之后裔。21岁左右，拜陆修静于缙云山，却粒，饵麻屑松与术，服谷仙丸。居缙云山47年，不与世接。宋泰始(465—471年)中，陆修静至京，游岳往从之，修静授以《三洞经》并所秘杨真人(羲)、许掾(谧)手迹。为陆修静入室弟子。陆修静逝世后，“方旋旧室，捃摭道机，断核真假，与褚、章、朱四君交密”⑦。齐武帝永明二年(484年)⑧诏任兴世馆主。孔

---

① (唐)王悬河：《三洞珠囊》卷2《贫俭品》引《道学传》，《道藏》第25册，第304页。
② (唐)王悬河：《三洞珠囊》卷2《贫俭品》引《道学传》，《道藏》第25册，第304页。
③ 《宋书》卷45《刘怀慎传》，北京：中华书局1974年版，第5册，第1377—1378页。
④ 转引自李时珍：《本草纲目》卷48，人民卫生出版社1981年版，第4册，第2636页。
⑤ 《宋书》卷62《羊欣传》，北京：中华书局1974年版，第6册，第1662页。
⑥ (宋)李昉等编：《太平御览》卷722，石家庄：河北教育出版社1994年版，第6册，第624页。
⑦ (宋)张君房：《云笈七籤》卷5《齐兴世馆主孙先生》，《道藏》第22册，第28页。“褚、章、朱四君”，疑为楮伯玉、章灵氏、朱僧标，见《真诰叙录》，其第四人未详。
⑧ 此据《云笈七籤》卷5《齐兴世馆主孙先生》，《三洞珠囊》卷2《敕追召道士品》引《道学传》作“永明三年”。

德璋、刘孝标等争结尘外之好。名士沈约、陆景真、陈宝识等成就学焉。后频谢归山，朝命不许。永明七年（489 年）卒，享年 91 岁。后被上清派尊为第八代宗师。弟子数百人①，唯陶弘景最著。

褚伯玉也很知名。《南齐书》等记载，褚伯玉，字元璩，吴郡钱塘人。少有隐操，寡嗜欲。18 岁时，父为之婚，妇入前门，伯玉从后门走。遂往剡，居瀑布山（或云隐南岳之瀑布山）。性耐寒暑，时人比之王仲都。在山 30 余年，隔绝人物。王僧达为吴郡，苦礼致之，伯玉不得已，停郡信宿，才交数言而退。齐高帝萧道成即位，诏吴、会二郡以礼迎遣，又辞以疾。高帝不欲违其志，敕于剡白石山立太平馆居之。② 因"伯玉好读《太平经》，兼修其道，故为馆名也"③。建元元年（479 年）逝世，享年 86 岁。孔稚硅曾从其受道法，为于馆侧立碑。

又有刘法先，彭城人，是一个很有学问的道士。"时顾欢著《道经义》，于孔德璋多有与夺。法先与书讨论同异，顾道屈服。乃答曰：吾自古之遗狂，水火不避。得足下此箴，始觉醒悟。既往狂言，不足在怪。"又云："法先每见道、释二众，亟相是非，乃著息争之论。顾欢又作《夷夏辩》，或及三科，论明释老同异。"④《太平御览》说：宋明帝"先师陆元德（陆修静字元德），元德卒，又师事（刘）法先"，并以刘法先作崇灵（当为"虚"）馆主。按陆修静卒于宋后废帝元徽五年（477 年），时明帝已早卒，不可能有陆修静死后再师刘法先之事，或许宋明帝师法先时，陆修静尚在世？

又有道士楼惠明，东阳太末人。有道术，善章符，通解五行宿命。据说居金华山（浙江金华县北）时，禽兽毒螫者皆避之。宋文帝闻之，敕出住华林园，除奉朝请。固乞不受，求东归。齐高帝征不至，文惠太子在东宫，苦延方至。仍又辞归。永明（483—493 年）中，忽轻舟自金华去丰安，

---

① 此据《云笈七籤》卷 5、《三洞珠囊》卷 1 和《上清道类事相》卷 1 引《道学传》。《茅山志》卷 10 作"弟子百余人"。

② 此据《南齐书》卷 54 和《南史》卷 75《褚伯玉传》及《册府元龟》卷 810《隐逸二》。《太平御览》卷 666 和《上清道类事相》卷 1 引《道学传》则谓伯玉死后才立太平馆。

③ （唐）王悬河：《上清道类事相》卷 1《仙观品》引《道学传》，《道藏》第 24 册，第 878 页。

④ 以上见《太平御览》卷 666 引《道学传》，石家庄：河北教育出版社 1994 年版，第 6 册，第 223 页。

旬日之间，唐寓之破郡，唯丰安独全，时人以为有先觉。齐武帝敕为立馆。①

又有道士诸慧开，字智远，吴兴乌程人。性处幽静，常习闲寂一精思内修，每绝游往。“每以戒行自修，拯济为务。齐大明八年（464 年），天下饥馑，慧开薄有谷实，乃悉分恤穷匮，乡邑赖之。有三人积饥食饱而致死，其家诉县，称慧开饲杀饥人，苦相诬谤。县令笑曰：乞食饱死，反怨主人，法无此科。而遣不问也。”②

又有道士严东，“不知何许人。齐建元（479—482 年）中，诣晋陵（今常州或武进），依道士李景游。东自晦若愚，或与之谈论，则所造精微……在晋陵五六年，一日将别，援笔注《度人经》，辞不停翰，穷日而终。后入溧阳山中，不知所之。”③其所注《度人经》收入北宋陈景元《元始无量度人上品妙经四注》中，为现存《度人经》最早之注。

还有道士薛彪之、蒋负刍，也是宋齐隐居山林的道士。他们“守志丘壑，不顾荣位”④，多年于茅山等地“松餐涧饮，弥历年岁”⑤。齐高祖闻其名，先后敕于茅山立金陵馆、宗阳馆以居之。

总之，宋齐之世，朝廷士大夫中信道者很多，隐居山林修道的道士更众，足证宋齐道教比前有了更大的发展。

第五节　南朝佛道关系

一、顾欢《夷夏论》及其影响

上面已述，宋齐之世，不少帝王颇信道教，在他们的支持和一些杰出道

① 据《南史》卷 75《隐逸上》，北京：中华书局 1975 年版，第 6 册，第 1872 页；《南齐书》卷 54《高逸传》“去丰安”作“去临安”。

② （唐）王悬河：《三洞珠囊》卷 1《救导品》引《道学传》，《道藏》第 25 册，第 297 页。

③ （宋）陈葆光：《三洞群仙录》卷 16 引《高道传》，《道藏》第 32 册，第 341 页。又见《历世真仙体道通鉴》卷 28。道士李景游事，《上清道类事相》卷 1，《仙观品》所引《道学传》有载：“太守王亮，县令顾撝，永明中启台于郊，为晋陵人李景游字慧观立栖真楼。”

④ （唐）王悬河：《上清道类事相》卷 1《仙观品》引《道学传》，《道藏》第 24 册，第 877 页。

⑤ （唐）王悬河：《上清道类事相》卷 1《仙观品》引《道学传》，《道藏》第 24 册，第 877 页。

士的推动下，道教取得了较大的发展。但是应该看到，佛教在这一时期的发展更甚于道教。如宋文帝刘义隆虽有崇道之举，但其崇佛则更甚。他的宰辅如王弘、彭城王义康、范泰、何尚之等皆信佛法，而谢灵运、颜延之更是有名的佛教居士。因此在元嘉之世，佛教得到了更大的发展。至齐代，竟陵王萧子良又大力提倡佛教，他与文惠太子常招致名僧讲说佛法。《南齐书》本传说："子良敬信尤笃，数于邸园营斋戒，大集朝臣众僧，至于赋食行水，或恭亲其事，世颇以为失宰相体。"①在他们的支持和倡导下，佛教迅速兴盛起来。佛道二教的发展，使它们为争宗教传播阵地和思想控制权的斗争随之日益激化，佛教宣扬的因果报应、三世轮回、地狱天堂等教义与中国传统思想的矛盾也日益尖锐。这样，南朝地区与北朝一样出现了儒、佛、道三教斗争空前激烈的局面。

这种斗争首先在儒释之间展开。大约在元嘉九年(432年)，数学家、天文学家、时任衡阳太守的何承天发表了《报应问》②，揭开了斗争的序幕。他指出："西方说报应，其枝末虽明，而即本常昧。其言奢而寡要，其譬迂而无征。乖背五经，故见弃于先圣；诱掖近情，故得信于季俗。"③他用许多日常生活中的道理对佛教因果报应说进行了批判。在此前后，宋武帝之子南郡王(先曾封竟陵王、南谯王)刘义宣也在《与张新安论孔释书》④中反对因果报应说。接着释慧琳又著《白黑论》，以佛徒身份从内部对佛教的空观和因果报应说进行了责难，从而把这次斗争引向了高潮。于是围绕着《白黑论》提出的问题，何承天与宗炳之间展开了激烈的辩论。宗炳作《答何衡阳书》以驳慧琳，何承天作《答宗居士释均善论》以辩之，宗炳再作《答何衡阳书》，又作《明佛论》，何承天再作《答宗居士书》，又作《达性论》。颜延之又加入

---

① 《南齐书》卷40《竟陵文宣王子良传》，北京：中华书局1972年版，第3册，第700页。

② 《报应问》载《广弘明集》卷18，《大正藏》第52卷：该文未署年月，但《广弘明集》卷18同载刘少府反驳此文的文章名《答何衡阳书》，证明该文作于何承天任衡阳太守时，何任衡阳太守，当殷景仁作仆射时。而殷除仆射在元嘉九年，故推知《报应问》大约作于元嘉九年。

③ (唐)释道宣：《广弘明集》卷18，《大正藏》第52卷，第224页。

④ 《与张新安论孔释书》载《弘明集》卷12，署名谯王。严可均在《全宋文》中对此谯王作了考证，指出此谯王非晋之嗣谯王，乃曾封为南谯王的刘义宣。僧祐在《弘明集》中将其作晋嗣谯王，盖误也。

宗炳的行列与何承天辩论，也有多篇辩论文字。① 双方争论十分激烈。辩论的开始阶段，争论的中心主要是鬼神之有无和报应之虚实等问题，随着辩论的深入，争论的中心逐渐转到神灭与否等问题上。但这个问题没有充分展开就被别的问题岔开了，以致没有深入下去。直到齐梁之际，这个问题再次被提了出来，由梁代的范缜将此问题引向深入。他相继与齐竟陵王和梁武帝所组织的几十人展开了空前的大辩论。他所著的《神灭论》使这次论争发展到一个新的水平，也使中国古代哲学思想达到了一个新的高度。《神灭论》之争是南朝儒释斗争的高潮。

正是在以上儒释斗争十分尖锐激烈的背景下，佛道之间也展开了一场大斗争，那就是以顾欢所著《夷夏论》为标志的佛道大辩论。

顾欢，字景怡，一字玄平，吴郡盐官（今浙江海宁县西南）人。祖赳，晋隆安末，避乱徙居。家贫，无力就学。乡中有学舍，欢于舍壁后倚听，无遗忘者。八岁时，即诵《孝经》、《诗》、《论》。及长，笃志好学。母年老，躬耕诵书，夜则燃糠自照。同郡顾觊之临县，见而异之，遣诸子与游，及孙宪之，并受经句。欢年二十余，更就豫章雷次宗咨玄儒诸义。母亡，水浆不入口六七日，庐于墓次，遂隐遁不仕。于剡天台山开馆聚徒，受业者常近百人。齐高帝萧道成辅政，征为扬州主簿，遣中使迎欢。及践阼，乃至，称山谷臣顾欢上表。"谨删撰《老氏》，献《治纲》一卷"。旋辞谢荣禄，说："臣志尽幽深，无与荣势，自足云霞，不须禄养。"其"辨章治体"，很得齐高帝景仰，欢东归，乃赐麈尾、素琴。永明元年，又诏征欢为太学博士，仍不就征。欢晚节服食，不与人通。每旦出户，山鸟集其掌取食。事黄老道，解阴阳书，为数术多效验。卒于剡山，时年64岁。武帝萧赜诏欢诸子，撰欢《文议》30卷。②

《顾欢传》说，欢口不辩，但善于著论。据目前所知，他撰有《王弼易二系注》、《尚书百问》、《毛诗集解叙义》、《三名论》、《老子义纲》、《老子义疏》等。大都亡佚。顾欢还是《老子》学的一大家。杜光庭在论述前代诠疏

① 《白黑论》见《宋书》卷97《天竺迦毗黎国传》。何承天与宗炳、颜延之的论战文章见《弘明集》卷2、3、4。

② 参见《南齐书》卷54《顾欢传》，北京：中华书局1972年版，第3册，第930页。

笺注《老子》六十家时说:“梁朝陶隐居,南齐顾欢皆明理身之道”,“顾欢以无为为宗”①。近人蒙文通还指出:“隋、唐道宗之盛,源于二孟(按:指孟景翼和孟智周)……孟氏之传,出于顾氏,而道士之传此为最早,诚以景怡所造之宏也。”②《正统道藏》所收题名顾欢之《道德真经注疏》,虽非顾欢之作,但“其径题顾欢作者,应自有故”③。盖为宗顾氏学派之徒所托名撰作者。

顾欢生当宋齐之际,因见佛道二家互相非毁,欲辨其是与非,乃于宋末著《夷夏论》。④ 他在文章中详论佛道二教的同异,从中论证二家的是与非、优与劣。论中虽有调和二教之辞,但重点是强调二者之异。他在此文的开始部分,引用佛道二家的经书以证明二教同源。他说:“夫辨是与非,宜据圣典。”⑤“道经云:‘老子入关之天竺维卫国,国王夫人名曰净妙,老子因其昼寝,乘日精入净妙口中,后年四月八日夜半时,剖左腋而生,坠地即行七步,于是佛道兴焉。’此出《玄妙内篇》。佛经云:‘释迦成佛,有尘劫之数。’出《法华无量寿》。或‘为国师道士,儒林之宗。’出《瑞应本起》(按:指三国吴支谦所译《瑞应本起经》)。”⑥就是说,按道经记载,佛祖释迦是老子所化,佛教是老子所创(这当然不是事实);而佛教自己的经书也说释迦“为国师道士,儒林之宗”,恰好国师道士就是老子,儒林之宗,实为周孔。所以他说:“二经所说,如合符契”,都表明佛道皆由老子所创,佛教是由道教所派生。故曰:“道则佛也,佛则道也。”很明显,顾欢的上述立论,是以道教的老子化胡说作为基础的。尽管老子化胡思想由来已久,《玄妙内篇》等书只不过是继《老子化胡经》之后对这一思想的进一步衍绎增修,但它毕竟是与历史大相径庭的传说。如果说在汉魏时期佛教因传来不久势力还不大,为在

① (唐)杜光庭:《道德真经广圣义》卷5,《道藏》第14册,第340—341页。

② 蒙文通:《校理老子成玄英疏叙录》,《图书集刊》第7期,1946年10月。

③ 蒙文通:《校理老子成玄英疏叙录》,《图书集刊》第7期,1946年10月。

④ 《夷夏论》见上二书顾欢本传,未系年月。汤用彤先生在《汉魏两晋南北朝佛教史》下册中,据宋司徒袁粲曾著论驳《夷夏论》,判定此文作于宋末。

⑤ 《夷夏论》文见《南齐书》卷54《顾欢传》,北京:中华书局1972年版,第3册,第931—932页,与《南史 · 隐逸传》所载之文,略有异同。

⑥ 《南齐书》卷54《顾欢传》,北京:中华书局1972年版,第3册,第931页。

中国立足,尚能对此说加以默认的话,那么,时至南北朝,它已经兴盛起来之后,此说就再也不能为它所容忍了。因此顾欢以此立论,只能招致佛教徒的反对,他在这个意义上所说的“道则佛也,佛则道也”的两教同源说(同为老子所创),自然不会为佛教徒所接受。

接着顾欢根据中国传统的尊夏卑夷思想,褒道教为圣教,贬佛教为戎法,表现了他强烈的排佛思想。他说:虽然佛道二教皆为一圣所创,但二教产生发展的国度、条件及其具体内容是不一样的,“其圣则符,其迹则反”。“是以端委搢绅,诸华之容;剪发旷衣,群夷之服。擎跽磬折,侯甸之恭;狐蹲狗踞,荒流之肃。棺殡椁葬,中夏之制;火焚水沉,西戎之俗。全形守礼,继善之教;毁貌易性,绝恶之学……或昭五典,或布三乘。在鸟而鸟鸣,在兽而兽吼。教华而华言,化夷而夷语耳。”①就是说,两种国度培育的两种宗教,其习俗和信仰是各不相同的,它只能各自适用于自己的国度。尽管在各自的国度里都有“化民”的作用,但却是不能互相调换的,正如舟车皆可致远而不能互相调换一样。“虽舟车均于致远,而有川陆之节;佛道齐乎达化,而有夷夏之别。若谓其致既均,其法可换者,而车可涉川,舟可行陆乎?”②意思很清楚,产生于西戎的佛法,是不能用来教化中夏人民的。同时,顾欢还进一步指出,产生于西戎的佛法,有些思想是与中国的礼教不相容的。他说:佛教“下弃妻孥,上废宗祀。嗜欲之物,皆以礼伸;孝敬之典,独以法屈。悖礼犯顺,曾莫之觉。弱丧忘归,孰识其旧?”③即是说,对一切鸟兽虫蚁,皆以慈悲为怀,不让伤害,而独独对父母不存在孝敬之心,这怎能让它在中夏传播下去。因此他问:“舍华效夷,义将安取?若以道耶?道固符合矣。若以俗邪?俗则大乖矣。”④顾欢的这段议论,表明他是从维护中国传统文化出发而对佛教进行排斥的。

最后,顾欢更从佛道二教的不同信仰及其他特点论述了两者的差异。他说:“寻圣道虽同,而法有左右……泥洹仙化,各是一术。佛号正真,道称

① 《南齐书》卷54《顾欢传》,北京:中华书局1972年版,第3册,第931页。
② 《南齐书》卷54《顾欢传》,北京:中华书局1972年版,第3册,第931页。
③ 《南齐书》卷54《顾欢传》,北京:中华书局1972年版,第3册,第931—932页。
④ 《南齐书》卷54《顾欢传》,北京:中华书局1972年版,第3册,第932页。

正一。一归无死,真会无生。在名则反,在实则合。但无生之教赊,无死之化切。切法可以进谦弱,赊法可以退夸强。佛教文而博,道教质而精。精非粗人所信,博非精人所能。佛言华而引,道言实而抑。抑则明者独进,引则昧者竞前。佛经繁而显,道经简而幽。幽则妙门难见,显则正路易遵。此二法之辨也。”①意思是说,佛教以生为苦,追求“泥洹”(即“涅槃”)、“无生”;道教以生为乐,追求“仙化”、“无死”,二者“器既殊用,教亦异施”,各宜施行于不同的国度。因此最后的结论是,应该让佛教回到它的本土去,中国的华夏之邦是不宜“述效”佛法的。

可见顾欢的《夷夏论》,完全是站在道教立场排斥佛教的。正如《南齐书》所说:“欢虽同二法,而意党道教。”②正因为这样,所以此文发表之后,立即遭到佛徒及其信仰者的强烈反对。首先是宋司徒袁粲托为道人(僧人)通公著论驳之。该文一是说西域与中夏的习俗虽有差别,但尚跪拜,不尚蹲坐之礼,却与中夏相同。他说:“西域之记,佛经之说,俗以膝行为礼,不慕蹲坐为恭。道以三绕为虔,不尚踞傲为肃。岂专戎土,爰亦兹方。”并认为佛教对西域的习俗,并不是全部吸收,而是有因有革。他说:“佛法垂化,或因或革。清信之士,容衣不改,息心之人,服貌必变。变本从道,不遵彼俗,教风自殊,无患其乱。”二是否认释迦牟尼为老子所化。他说:“白日停光,恒星隐照,诞降之应,事在老先,似非(老子)入关,方昭斯瑞。”并从二教之异,指出“二经所说,如合符契”之说不可靠。“孔、老、释迦,其人或同,观方设教,其道必异。孔、老治世为本,释氏出世为宗,发轸既殊,其归亦异。符合之唱,自由臆说。”③

顾欢针对通公之论又著论答之,一是再次强调老先于佛,说:“案道经之作,著自西周,佛经之来,始乎东汉,年逾八百,代悬数十。”④二是再次强调夷夏有别:“经云,戎气强犷,乃复略人颊车耶?又夷俗长跽,法与华异,翘左跂右,全是蹲踞。故周公禁之于前,仲尼戒之于后。”因此结论是:“佛

① 《南齐书》卷54《顾欢传》,北京:中华书局1972年版,第3册,第932页。
② 《南齐书》卷54《顾欢传》,北京:中华书局1972年版,第3册,第932页。
③ 《南齐书》卷54《顾欢传》,北京:中华书局1972年版,第3册,第933页。
④ 《南齐书》卷54《顾欢传》,北京:中华书局1972年版,第3册,第933页。

非东华之道，道非西戎之法，鱼鸟异渊，永不相关，安得老、释二教交行八表？"①仍然坚持排佛的立场。

继袁粲之后，其他许多佛徒及其信仰者的反驳文章纷纷出世，对《夷夏论》展开了围攻。现存于《弘明集》卷六、卷七的，计有明僧绍的《正二教论》、谢镇之的《折夷夏论》和《重与顾道士书》、朱昭之的《难夷夏论》、朱广之的《咨夷夏论》、释惠通的《驳夷夏论》、释僧愍的《戎华论》等。其中大部分文章都是用讲道理的方法驳斥顾欢尊道卑佛的论点，语气十分平和。甚至对佛道双方的各执己见不以为然，劝他们要互相尊重对方，不要"徒知己指之为指，不知彼指之无殊"②。进而还对双方进行调和说："仆夙渐法化（指佛教），晚味道风（指道教），常以崇空贵无，宗趣一也，蹄网双张，义无偏取，各随晓入，唯心所安耳，何必龙衮可袭而璎珞难乘者哉！"③也有部分僧人的文章，带着强烈的宗教感情。如释慧通在《驳夷夏论》中，不仅针对顾欢所引《玄妙内篇》，指出其书不可信，云："昔老氏著述，文只五千，其余淆杂，并淫谬之说也。"④而且还征引南北朝新出的佛教伪经，指证孔老皆是佛的弟子，以对抗老子化胡说。该文云："《经》云：摩诃迦叶，彼称老子；光净童子，彼名仲尼，将知老氏非佛，其亦明矣……然则老氏、仲尼，佛之所遣。"⑤释僧愍《戎华论》中也有类似的文字，云："唯有周皇边霸，道心未兴，是以如来使普贤威行西路，三贤并导东都。故《经》云：大士迦叶者，老子其人也。"⑥释僧愍还在《戎华论》中，仿顾欢论述佛道二教特点的笔法，极力贬低道经，抬高佛经，并对道教的服饰、方术、斋醮等进行丑化和讥刺，使理论的争辩带上了浓厚的意气。

在两教围绕《夷夏论》进行激烈论战的时候，南齐司徒从事中郎张融作《门律》（《弘明集》作《门论》），寄给周颙等人。结果又引起张融和周颙之

① 《南齐书》卷54《顾欢传》，北京：中华书局1972年版，第3册，第934页。
② （南朝）朱广之：《咨顾遭士夷夏论》，载《弘明集》卷7，《大正藏》第52卷，第44页。
③ （南朝）朱广之：《咨顾道士夷夏论》，《大正藏》第52卷，第44页。
④ 《弘明集》卷7《驳夷夏论》，《大正藏》第52卷，第45页。
⑤ 《弘明集》卷7《驳夷夏论》，《大正藏》第52卷，第45页。
⑥ 《弘明集》卷7《戎华论》，二书所引《经》，盖为佛教伪经《清净法行经》，可参阅汤用彤：《汉魏两晋南北朝佛教》下册，北京：中华书局1983年版，第429页。

间的一场争论。张融《门律》首作调和之论，说："吾门世恭佛，舅氏奉道。道也与佛，逗极（投合无间）无二。寂然不动，致本则同。感而遂通，达迹成异。"①他作了一形象的比喻："昔有鸿飞天道，积远难亮，越人以为凫，楚人以为乙。人自楚越耳，鸿常一鸿乎。"②借以说明佛道本无二致，不该互相非毁。因此他说："殊时故不同其风，异世故不一其义，安可辄驾庸愚，诬罔神极！"③并向周颙说："夫澄本虽一，吾自俱宗其本，鸿迹既分，吾已翔其所集，汝可专遵于佛迹，而无侮于道本。"④周颙得《门律》后，作《难张长史门论》以反对张融的二教"致本则同"和"逗极无二"之说。以后张融又作《答周颙书》，周颙又作《重答张长史书》，文皆载《弘明集》卷六，这里不再一一介绍。

大约在这以后不久，又有道士假托张融之名作《三破论》，使佛道斗争达到更激烈的程度。《三破论》已失传，根据反驳文章所引部分文字来看，主旨谓佛教"入国破国，入家破家，入身破身"，不宜于中国。并沿袭西晋王浮《老子化胡经》之说，肆意诋毁佛教，说："胡人无二（疑'二'当为'仁'），刚强无礼，不异禽兽，不信虚无，老予入关，故作形像之教化之。又云：胡人粗犷，欲断其恶种，故令男不娶妻，女不嫁夫。一国伏法，自然灭尽。"⑤这种带着侮辱性的语言，自然会刺伤佛教徒的宗教感情，因此引起一些佛教徒及其信仰者著文加以反驳。如释僧顺作《释三破论》，释玄光作《辩惑论》，刘勰作《灭惑论》等。这些反驳文章同样充满谩骂诋毁之辞，与前一时期的《夷夏论》之辨已大异其趣了。

---

① 据《弘明集》卷6，《大正藏》第52卷，第38页。《南齐书》和《南史》之《顾欢传》个别字句稍异。

② 据《弘明集》卷6，《大正藏》第52卷，第38页。《南齐书》和《南史》之《顾欢传》个别字句稍异。

③ 据《弘明集》卷6，《大正藏》第52卷，第38页。《南齐书》和《南史》之《顾欢传》，其个别字句稍异。

④ 据《弘明集》卷6，《大正藏》第52卷，第38页。《南齐书》和《南史》之《顾欢传》，其个别字句稍异。

⑤ 转引自《弘明集》卷8《灭惑论》，《大正藏》第52卷，第50页。

二、南朝的佛道斗争与融合

从以上可以看出,随着双方争论的发展,两教对立的情绪越来越深,不仅使两教正常的讨论不能继续进行,而且也不利于两教的正常交往。因此双方有识之士都出来进行调和。道教方面除前述张融《门论》有明显调和倾向外,与张融、顾欢同时的刘法先也持同样态度,《道学传》云:"法先每见道、释二众亟相是非,乃著息争之论。"①道士孟景翼(在梁天监中作大道正)也主调和。他在拒绝了齐竟陵王萧子良叫他礼佛之后,又作《正一论》以答之,中有"道之大象,即佛之法身","老释未始于尝分,迷者分之而未合"②等语。梁道士陶弘景也说:"万物森罗,不离两仪之育;百法纷凑,无越三教之境。"③又说:"崇教惟善,法无偏执。"④佛教信徒方面也有多人主张调和。笃信佛教的萧子良说:"真俗之教,其致一耳。"⑤居士沈约说:"内圣外圣,义均理一。"⑥著名文学家、后入空门的刘勰说:"至道宗极,理归乎一。妙法真境,本固无二。"⑦梁代刘虬说:"自极教应世,与俗而差。神道救物,称感成异。玄圃以东,号曰太一,罽宾以西,字为正觉。东国明殃庆于百年,西域辩休咎于三世。希无之与修空,其揆一也。"⑧主张这种调和论的人还可举出不少。

正因为当时社会上普遍存在"三教调和"、"三教融通"的思想和言论,故至梁、陈以后,佛道斗争的激烈程度就大为降低了。如孟景翼在齐代与竟陵王"对辩二教邪正"之后,又在梁天监四年与建安王作过一次辩论⑨,孟智

① (宋)李昉等编:《太平御览》卷666引《道学传》,石家庄:河北教育出版社1994年版,第6册,第224页。

② 《南齐书》卷54《顾欢传》,北京:中华书局1972年版,第3册,第935页。

③ (南朝)陶弘景:《茅山长沙馆碑》,《华阳陶隐居集》卷下,《道藏》第23册,第651页。

④ (南朝)陶弘景:《授陆敬游十赍文》,载《华阳陶隐居集》卷上,《道藏》第23册,第643页。

⑤ (南朝)僧祐:《弘明集》卷11《与孔中丞书》,《大正藏》第52卷,第72页。

⑥ (唐)释道宣:《广弘明集》卷5《均圣论》,《大正藏》第52卷,第122页。

⑦ (南朝)僧祐:《弘明集》卷8《灭惑论》,《大正藏》第52卷,第51页。

⑧ (南朝)僧祐:《出三藏记集》卷9《无量义经序》,《大正藏》第55卷,第68页。

⑨ 参见(宋)李昉等编:《太平御览》卷566引《道学传》,石家庄:河北教育出版社1994年版,第6册,第223页。

周也在梁代与光宅寺僧法云有过小小论争。《道学传》云:“梁静惠王抚临神忮请智周讲,光宅寺僧法云来赴,发讲,法云渊解独步,甚相凌忽,及交往复,盛其辞辩。智周敷释焕然,僧众叹伏之也。”①可见这些都只是个别人之间的小争论,与齐代《夷夏论》那样的大辩论相比,显然已经大为缓和了。

与此同时,二教之间的互相吸取、融合却有了加强。这在道教方面表现更为突出。主要是上清派、灵宝派在晋末的基础上继续在南朝大量吸收佛教的因果报应、三世轮回、地狱天堂等思想。道教本重今生,不讲来世,一心追求长生不死;佛教则不重今生,而重修来世,追求脱离轮回的涅槃。这是两教的根本区别点。两相比较,道教所求的长生不死、羽化成仙,很难取信于人,因为谁也没有见过长生不死的神仙;佛教所求的来世幸福,进入天堂,确很能迷惑人,因为这是谁也看不见的死后的事,很容易引起人们的侥幸心理。所以魏晋以后,佛教所宣扬的这套因果报应、三世轮回、地狱天堂等说教获得了愈来愈大的市场,甚至文化程度很高的士大夫们也难免受其迷惑。正如东晋袁宏《后汉纪》所说,因为这套理论“归于玄微深远(看不见、摸不着),难得而测,故王公大人观死生报应之际,莫不矍然自失”②。这种情况对道书的创作者们无疑是很大的刺激。因此从晋末以后,许多上清经和灵宝经的制作者们,都大量引进佛教的这些思想,以加强自己的宣传。如《四极明科经》说:“善恶因缘,莫不有报,生世施功布德,救度一切,身后化生福堂,超过八难,受人之庆,天报自然。”③《本行宿缘经》说:“恶恶相缘,善善相因……罪福之报,如日月之垂光,大海之朝宗……轮转之对,若车之轮矣。”④又说:“或在来生,或在见(现)世,罪福由人本行所习,盖非道德之悠诞也。”⑤道教理论中,本有因果报应之说,但传统的说法是积善可以增寿延年乃至长生,并可造福于子孙;为恶则要减寿,累世为恶,则长生无望,并要

① (唐)王悬河:《三洞珠囊》卷2《敕追召道士品》引《道学传》,《道藏》第25册,第308页。

② 《后汉纪》卷10,《文渊阁四库全书》第303册,第605页。

③ 《太真玉帝四极明科经》卷1,《道藏》第3册,第416—417页。

④ 《太上洞玄灵宝本行宿缘经》,《道藏》第24册,第667页。

⑤ 《太上洞玄灵宝本行宿缘经》,《道藏》第24册,第668页。

遗祸给后代。前面介绍的《太平经》中的所谓“承负说”,便是这类思想,它和这里所举的这些南朝道书的说法,是有区别的。这些南朝道书是把善恶报应与来世转生联系起来,根本不与长生信仰挂钩,说明它确是接受了佛教思想的影响。

不仅如此,许多道书还吸收了佛教的五道轮回思想。所谓“五道”,就是指地狱、饿鬼、畜生、人、天①,前三道称“三恶道”。佛教宣称,如果今世作恶,死后就要在三恶道中轮回受苦,如果为善,就可以不入三恶道,而转生人、天。更进一步,就可超脱轮回(人、天亦在轮回中),达到最高的“涅槃”境界。这套理论是佛教劝善戒恶的主要手段,对魏晋以后的中国社会产生了广泛的影响。因此南朝所出的许多道书中也把这种思想加以吸收,成为它们劝善戒恶的重要内容。如《灵宝智慧本愿大戒上品经》说:“生时不修善治身,忍割可欲,死方殡葬其骸骨,不知魂魄已更五毒,幽囚地狱,苦恼三涂,轮转五道也……设使还人中,当为下贱矣。或六根不具,或形质丑陋……其人也,皆受先世罪对,而从六畜中来,始还人道故也。若于今世忍苦甘贫,悔往修来,趣求奉法,以自解脱者,亦见(现)世渐报,来生将受大福,当生富贵侯王之家,相好具足,容貌端伟。”②类似这种说教还可举出很多。值得注意的是,一些道书不仅大量宣传轮回思想,而且还把轮回作为成仙的必要步骤。如《九天生神章经》说:“夫学上道,希慕神仙,及得尸解,灭度转轮,终归仙道。形与神同,不相远离,俱入道真。”③《升玄内教经》说:“泥丸灭度,得免地官,魂神澄正,得升天堂,或补仙品,或生圣王,更相转轮,储积德行,行满福立,云舆乃迎。受度积功,非唯一生,志意不倦,克成仙王。”④《诸天内音经》更依托天真皇人现身说法,叙述他经过五道轮回、九灭九生之后,才“凌超三界,位登天真”⑤。《智慧定志通微经》又称道教最高神元始天尊乐静信,也是经过多次轮回,累世积德之后才成圣的。⑥ 道教

---

① 佛教书中也有说六道轮回的。所谓“六道”即上述五道加“阿修罗”。

② 《太上洞玄灵宝智慧本愿大戒上品经》,《道藏》第6册,第159页。

③ 《洞玄灵宝九天生神章经》,《道藏》第5册,第844页。

④ 《太上灵宝升玄内教经中和品述议疏》,《道藏》第24册,第707页。

⑤ 《太上灵宝诸天内音自然玉字》,《道藏》第2册,第561—562页。

⑥ 参见《太上洞玄灵宝智慧定志通微经》,《道藏》第5册,第888—895页。

追求的成仙，是以肉体不死作前提的；即使讲尸解成仙，也不认为那是肉体死了，而是说它像蝉蜕一样，只脱去了一层外壳，它的真身却飞升上天了。现在这些道书居然修改了传统的说法，承认要经过“灭度”（实为佛教对死亡的代称）、“轮转”之后才能成仙，这就使道教的成仙理论来了一个大变样，这自然是糅合佛教思想的结果。

地狱、天堂是佛教五道轮回中的两道，对于威迫、引诱人们行善信教有特别重要的作用，因此很受佛教的重视。不少佛教书籍对所谓地狱的种种酷刑作过绘声绘色的描写，给人造成十分阴森可怖的印象，对社会产生了广泛而深刻的影响。道教效法佛教，也把这套理论大量引进道书中。特别是南朝所出的《灵宝经》对此写得更多。如《四极明科经》说：“丰都山在北方癸地，山上有八狱……山中央又有八狱……凡犯玄科死魂，各付所属狱，身为力士铁杖所考，万劫为一掠，三掠乃得还补三涂之责。”①《智慧本愿大戒上品经》说：凡“（对）君亲不忠，耽酒好色，杀伐贪残，骄奢自恣”的人，“将长处地狱，履于五毒，刀山剑树，汤火炎燎，煮溃五体，求死不得，饥则食铁，渴则饮火，出临寒冰，伤肌切骨……其苦无量，不可具言也”②。类似这种令人毛骨悚然的描写，在其他许多灵宝经书中都可以找到。道教在东汉以后，有所谓泰山神（称泰山君或泰山府君）和北斗主管鬼魂之说，无所谓地狱。现在将佛教此说引进经书，也是为了使自己的教义更为精致。

与地狱相对的是天堂。佛教宣称，生前行善，死后灵魂可升天界（包括欲界六天、色界十八天、无色界四天）；只是灵魂进入天界，仍未超脱轮回，还不是最高的“涅槃”境界。道教因这一思想与自己的飞升成仙信仰有吻合的地方，故将此说加以改造，使此天界成为神仙所居的境界（即仙境）。开始诸书对此天界说法不一，有说二十八天（《无上秘要》卷四引《洞玄度人经》），有说三十二天（《灵宝度人经》），最后定为三十六天（《云笈七籤》卷二十一《天地部·总序天》），并宣称道教的三清尊神就居于三十六天的最高境界，被称为“三清天”、“三清境”。

---

① 《太真玉帝四极明科经》，《道藏》第3册，第416页。

② 《洞玄灵宝智慧本愿大戒上品经》，《道藏》第6册，第159—160页。

从上可见,道教吸取佛教的思想是比较多的。另一方面,佛教也吸取了道教的一些思想。例如被佛教天台宗尊为第三祖的陈代僧人慧思在所著的《誓愿文》中就吸取了道教的神仙思想。他说:“今故入山,忏悔修禅,学五通仙,求无上道,愿先成就五通神仙,然后乃学第六神通,受持释迦十二部经及十方佛所有法藏。”①显然他是把修神仙作为修禅成佛的步骤和阶梯的。他又说:“我今入山修习苦行……为护法故求长寿命,不愿升天及余趣,愿诸贤圣佐助我,得好芝草及神丹,疗治众病除饥渴……借外丹力修内丹,欲安众生先自安。”②可见他要达到“长寿命”的方法,也是道教的芝草、外丹、内丹这些东西,其吸收道教思想是很明显的。

第六节　陶弘景对道教及医药养生的弘扬

一、陶弘景与道教茅山上清派

继刘宋陆修静之后,梁代著名道士陶弘景对道教的建设贡献也很大,是道教创建时期的另一重要代表人物。

陶弘景,字通明,丹阳秣陵(今江苏南京)人。生于刘宋孝建三年(456年)。幼好学,“读书万余卷,一事不知,以为深耻”③。“至十岁,得葛洪《神仙传》,昼夜研寻,便有养生之志”④。齐高帝萧道成即位(479年),除豫章王侍读,齐武帝永明元年(483年),拜振武将军宜都王侍读。在此期间拜兴世馆主孙游岳为师⑤,从受上清经法、符图。永明八年(490年),除奉朝请。永明十年,上表辞禄,退隐江苏句容之句曲山(茅山),自号华阳隐居,时年37岁。齐明帝萧鸾即位(494年),遣使迎居蒋山,固辞不去。梁武帝萧衍即位(502年)后,亦屡请不出。居茅山45年,于梁武帝大同二年(536年)卒,享年81岁。赠中散大夫,谥贞白先生。

---

① (南朝)慧思:《南岳思大禅师立誓愿文》,载《大正藏》第46卷,第789页。

② (南朝)慧思:《南岳思大禅师立誓愿文》,载《大正藏》第46卷,第791页。

③ 《南史》卷76《陶弘景传》,北京:中华书局1975年版,第6册,第1897页。

④ 《南史》卷76《陶弘景传》,北京:中华书局1975年版,第6册,第1897页。

⑤ 陶弘景师孙游岳的具体年代,说法不一。贾嵩:《华阳陶隐居内传》谓永明元年,陶翊《华阳隐居先生本起录》谓永明二至四年。

陶弘景学识渊博,一生著述甚多。据初步统计,共约80余种。除道教著述外,还包括天文、历算、地理、兵学、医药学,乃至文学、艺术、经学等,其数量之多,研究领域之广,在当时是出类拔萃的。贾嵩《华阳陶隐居内传》、《茅山志》卷九《众真所著经论篇目》列有书名,兹不具录。

从陶弘景的经历看,他的宦途生涯是很不顺利的,在十多年的官宦生涯中,仅在诸王侍读、奉朝请等闲曹职务中兜圈子;其间曾"求宰县不遂","永明中求禄,得辄差舛"①,这与他原来的抱负是大相径庭的。陶翊《华阳隐居先生本起录》云:陶弘景"方除奉朝请,拜竟怏怏,与从兄书曰:'昔仕宦应以体中打断,必期四十左右作尚书郎,出为浙东一好名县……今年三十六矣,方作奉朝请……不如早去,无自劳辱"②。这清楚表明他之弃官入道,主要原因之一是宦途不遂意。但是自从他退出宦途,到茅山作道士以后,情况却发生了很大变化,一个原来在宦途中郁郁不得志的无名闲曹,却渐渐变成了朝野尊崇的著名道士。特别是在梁武帝时,更成了名噪一时的"山中宰相"。这种戏剧性的变化,固然一方面是由于他的学识渊博受到梁武帝等人的赏识,而另一方面又是由于他归隐以后,并未忘怀政治,而是站在士族知识分子的立场,积极为封建统治阶级出谋划策所致。例如当萧衍准备篡夺齐政权尚有犹豫时,他就"上观天象,知时运之变;俯察人心,悯涂炭之苦。乃亟陈图谶,贻书赞奖"③。当萧衍兵至新林时,又遣弟子戴猛之假道奉表,表示支持。当萧衍"平建康,闻议禅代"时,他又"援引图谶,数处皆成'梁'字,令弟子进之"④。据说当时赞助萧衍的主要谋士范云、沈约等对采用什么作国号尚无定见时,他"引王子年《归来歌》中水刃木处,及诸图谶,并称'梁'字为应运之符"⑤,才使萧衍把国号梁定了下来。所以萧衍在作了梁代皇帝以后,对这个有功于梁的道士,"恩礼逾笃,书问不绝,冠盖相望"⑥。本来曾多次请他出去做官,只因他不愿做被套上"金笼头"的牛而

① 《南史》卷76《陶弘景传》,北京:中华书局1975年版,第6册,第1897、1898页。
② 《道藏》第22册,第732页。《三洞群仙录》卷11所引《丹台新录》亦载有这段文字。
③ (宋)贾嵩:《华阳陶隐居内传》卷中,《道藏》第5册,第504页。
④ 《梁书》卷51《处士传》,北京:中华书局1973年版,第3册,第743页。
⑤ (宋)贾嵩:《华阳陶隐居内传》卷中,《道藏》第5册,第505页。
⑥ 《南史》卷76《陶弘景传》,北京:中华书局1975年版,第6册,第1898—1899页。

婉言谢绝，才未重返仕途。可是“国家每有吉凶征讨大事，无不前以咨询。月中常有数信。时人谓之山中宰相”①。皇帝如此，后妃及王公显贵们也不落后，馈赠“未尝脱时”。甚至梁武帝在天监三年（504 年）舍道事佛以后，也不曾怠慢这位与梁王朝休戚相关的道士。如当陶弘景炼丹“苦无药物”时，萧衍派人送去黄金、朱砂、曾青、雄黄等物，供其使用。② 天监十二年（513 年），当陶弘景外出寻求药物时，“上又使司徒慧明迎还旧岭。道中书敕相望，仍欲先生至都下”③。天监十三年，又派人于雷平山北为他专门营建朱阳馆以居之。天监十五年，再为他“建太清玄坛，以均明法教”④。可见梁代统治者对陶弘景的恩宠是始终不衰的。

陶弘景之显赫一时，不仅表现在朝廷对他的恩宠上，还表现在很多王公显贵争相做他的弟子上。《三洞珠囊》说：“梁高祖太子从而受道，梁简文、邵陵诸王、谢览、沈约、阮忻、虞权，并服膺师事之。”⑤贾嵩《华阳陶隐居内传》又说：“齐梁间侯王公卿从先生授（受）业者数百人，一皆拒绝，唯徐勉、江祐、丘迟、范云、江淹、任昉、萧子云、沈约、谢瀹、谢览、谢举等在世日，早申拥彗之礼。”⑥这么多达官显贵不惜屈尊拜在他门下“申拥彗之礼”，可见其名望之高。这在整个道教史上，也是不多见的。

陶弘景之所以能在道教中和当时社会上取得如此显赫的地位，固然有政治方面的原因，但也确与他学识渊博，并对道教和中国科学文化作过较大贡献有直接关系。仅就与道教有关的方面说，他的贡献主要有三：一是弘扬了上清经，开创了茅山宗；二是发展了道教的修炼理论，在养生医药和炼丹术领域有突出成就；三是为道教建立了神仙谱系。下面依次对这些方面作简略的介绍。

陶弘景是上清派的重要承传人。李渤《真系》说：“今道门以经箓授受，所自来远矣……其陆（修静）君之教，杨（羲）许（谧）之胄也。陆授孙

① 《南史》卷 76《陶弘景传》，北京：中华书局 1975 年版，第 6 册，第 1899 页。
② 参见《南史》卷 76《陶弘景传》，北京：中华书局 1975 年版，第 6 册，第 1899 页。
③ （宋）贾嵩：《华阳陶隐居内传》卷中，《道藏》第 5 册，第 507 页。
④ （唐）王悬河：《上清道类事相》卷 1《仙观品》引《道学传》，《道藏》第 24 册，第 877 页。
⑤ （宋）李昉等编：《太平御览》卷 679 引《三洞珠囊》，石家庄：河北教育出版社 1994 年版，第 6 册，第 325 页。
⑥ （宋）贾嵩：《华阳陶隐居内传》卷中，《道藏》第 5 册，第 509 页。

（游岳）君，孙君授陶（弘景）君。陶君搜摭许令（谧）之遗经略尽矣。”①说明陶弘景直接承传于杨羲、许谧、陆授、孙游岳诸人，是上清派的嫡传弟子。如前所述，他还在作齐诸王侍读时，就拜兴世馆主孙游岳为师，从其受上清经法与符图。接着又进行了搜访道经的工作。据陶翊《华阳隐居先生本起录》说：“先生（指陶弘景）以甲子、乙丑、丙寅（按为齐永明二、三、四年）三年之中，就兴世馆主东阳孙游岳咨禀道家符图经法。虽相承皆是真本，而经历模写，意所未惬者。于是更博访远近以正之。戊辰年（永明六年）始往茅山，便得杨羲、许谧手书真迹，欣然感激。至庚午年（永明八年）又启假东行浙越，处处寻求灵异。至会稽大洪山，谒居士娄慧明（疑即《真诰叙录》之楼惠明）。又到余姚太平山，谒居士杜京产。又到始宁岻山，谒法师钟义山。又到始丰天台山，谒诸僧标（按或作朱僧标）及诸处宿旧道士。并得真人遗迹十余卷。游历山水二百余日，乃还。”②搜访道经，为他以后的著述，特别是撰著《真诰》准备了条件。不久，他就挂冠辞禄上了茅山，正式作了上清道士。在茅山期间，他为了弘扬上清经法，撰作了大量的道书，特别是撰述了带有教派史性质的《真诰》。该书对上清经的传授系统作了历史的叙述（《真诰叙录》），对上清经的来源、出世作了种种神化的描写。该书原以顾欢所作《真迹》为底本，因他认为《真迹》所记乖误太多，故加改写成《真诰》。他解释说：“真诰者，真人口授之诰也。”③意即该书所记录的真人面授的诰语，上清经就是根据这些真人所面授的诰语写成的。其目的当然在于，借此提高上清经的身价，以招徕更多的信众。该书所记的真人于某年某月某日下降某处，向杨羲或许谧降授某某诰命（这种记载充满全书），由杨羲或许谧用隶书写出，遂成了真经等等故事，就构成了该书的基本内容。这些神话自然不足凭信，但在众多神授故事中，却无意间为后世保留了大量有研究价值的史料，如它提到的许多经书的名称、内容，大量道教人物和方术等，都可作为道教历史资料供人们进行比勘、考核。特别是《真诰叙录》所记杨、许以后的经书传授、

① （宋）张君房：《云笈七籤》卷5《真系》，《道藏》第22册，第95页。
② （南朝）陶子翊：《华阳隐居先生本起录》，载《云笈七籤》卷107，《道藏》第22册，第732页。
③ （南朝）陶弘景：《真诰》卷19《真诰叙录》，《道藏》第20册，第601页。

流布等情况,更有重要的史料价值。通过它,不仅可以使我们比较具体地了解上清派如何产生的最初历史,而且还可以大体了解灵宝派如何产生的最早历史线索。所以该书虽被蒙上了一层浓厚的神秘面纱,但却不失为一部有史料价值的著作。这是陶弘景为了弘扬上清经法所做的一项重要工作。

由于陶弘景在茅山期间主要传授上清经法,并对上清经法的弘扬做了不少工作,加上他本人的名气很大,甚至在朝野中也拥有很多信仰者。所以从他开始,茅山实际成了上清派的中心。再加上继他之后的茅山历代传人,大都是较有学问和名气的上清道士,所以茅山一直保持着它在上清派中的中心地位。这样,从陶弘景开始,茅山实际上代表了上清派,于是人们便将这以后的上清派称为茅山宗,并以陶弘景为茅山宗的创始人。茅山宗所奉的神灵、经书和修习的方术,大抵承袭上清派。所奉主神由原来的元始天王改为元始天尊;主要经书仍是《大洞真经》和杨、许所造的上清经;主要方术仍是存神,并辅以诵经、修功德。茅山派自陶弘景开创以后,历经隋、唐,直至两宋,人才辈出,在道教诸派别中一直占据重要地位。从这方面讲,陶弘景在道教史上的地位也应予以充分肯定。

二、陶弘景对道教养生理论和医药学的贡献

陶弘景在茅山期间从事了大量的著述,如前所说,他的著作涉及的面很广,这里只就与道教有关的方面作一些介绍,主要内容是关于道教的修炼理论和方法。

(一)养生学

陶弘景继承了道教的传统,主张形神双修,养神与炼形并重,即主张道士的修炼应从养神、炼形两方面入手。认为只要这两方面的工夫到家了,精神与肉体皆可长存不灭。他在《答朝士访仙佛两法体相书》中说:"今且谈其正体,凡质象所结,不过形神。形神合时,是人是物;形神若离,则是灵是鬼。其非离非合,佛法所摄;亦离亦合,仙道所依。"①又说:"假令为仙者,以

① (南朝)陶弘景:《华阳陶隐居集》卷上《答朝士访仙佛两法体相书》,《道藏》第23册,第646页。

药石炼其形,以精灵莹其神,以和气濯其质,以善德解其缠,众法共通,无碍无滞。欲合则乘云驾龙,欲离则尸解化质。”①

为了总结道教在这两方面的修炼经验,他写了《养性延命录》一书。这是一本采摭前人养生言论,加以系统归纳提炼而成的养生著作。即如他在序中所说:是将“上自农黄已来,下及魏晋之际”的前人养生要语,经“删弃繁芜,类聚篇题”以成书的。据统计,书中引用古籍达 30 多种。陶弘景正是结合自己的经验,运用众多的资料,对道教的养生理论和方法,作出系统阐述的。该书序言说:“人所贵者,盖贵为生。生者神之本(似应为‘神者生之本’),形者神之具。神大用则竭,形大劳则毙。若能游心虚静,息虑无为,服元气于子后,时导引于闲室,摄养无亏,兼饵良药,则百年耆寿,是常分也。如恣意以耽声色,役智而图富贵,得丧恒切于怀,躁挠未能自遣,不拘礼度,饮食无节,如斯之流,宁免夭伤之患也!”②这实际是该书的总纲,也是陶弘景养生理论的总线索。

该书非常强调人的主观能动作用,认为可以通过人的主观努力,使人的寿命得到延长,直至长生。陶弘景说:“人生而命有长短者,非自然也。”③有些人之所以寿年不永,并不表明人的寿命只有那样长,而是因为他们违背养生方法,人为地戕贼自己的精神和形体造成的。如果掌握养生方法,增强人的生理机能,就能“达生延命,与道为久”④。他强调指出,人的“强弱寿夭”全靠人为,“天道自然,人道自己”⑤,“我命在我不在天”⑥。这些都洋溢着积极进取、人定胜天的乐观主义精神,与佛教以生为苦、追求涅槃的思想迥然不同。如果扬弃其长生不死的成分,这种与天争寿的观点还是可取的。它实际是推动道士们进行养生、医药、炼丹研究并取得很大成绩的原动力。

那么,如何养生,才能达到延年益寿以至长生呢?途径就是上面叙言中

① (南朝)陶弘景:《华阳陶隐居集》卷上《答朝士访仙佛两法体相书》,《道藏》第 23 册,第 646 页。
② (南朝)陶弘景:《养性延命录序》,《道藏》第 18 册,第 474 页。
③ (南朝)陶弘景:《养性延命录序》,《道藏》第 18 册,第 474 页。
④ (南朝)陶弘景:《养性延命录序》,《道藏》第 18 册,第 474 页。
⑤ (南朝)陶弘景:《养性延命录序》,《道藏》第 18 册,第 474 页。
⑥ (南朝)陶弘景:《养性延命录》卷上,《道藏》第 18 册,第 477 页。

所说的从形、神两方面着手。

首先，养神方面。基本要求是“游心虚静，息虑无为”①，即要清心寡欲。他认为，人的七情（喜、怒、忧、思、悲、恐、惊）六欲（生、死、耳、目、口、鼻之欲），都是伤神之物，应该加以控制。从根本上说，人是血肉之躯，是有情有欲的，要断绝情、欲，不仅做不到，也不必要。“常人不得无欲，又复不得无事。但当和心少念，静身损虑。”②就是说，不必断绝它，但需要节制它。例如哀、怨、忧、愁、怒等，自然是伤神的，应当加以节制；就是喜、乐、笑也要控制，大喜大乐，也于神不利。因此主张守其“少”，戒其“多”，持其“中”，去其“过”。提倡“十二少”，反对“十二多”。所谓“十二少”，即少思、少念、少欲、少事、步语、少笑、少愁、少乐、少喜、少怒、少好、少恶。“行此十二少，养生之都契也。”③十二少的反面是“十二多”，有此“十二多”，会使人“神殆”、“志散”、“心慑”、“意溢”、“形疲”，因此，“此十二多不除，丧生之本也”④。此外，他还强调要除去利欲贪念，认为“世人不终耆寿，咸多夭殁者，皆由不自爱惜，忿争尽意，邀名射利”⑤。还要求人们学会克服急躁情绪，保持心地清静，因为“静者寿，躁者夭；静而不能养减寿，躁而能养延年”⑥。总之，他要求人们尽量做到少思寡欲，虚静无为，如此，人的心地就会清静，自然就会延年益寿。

其次，炼形方面。基本的和最低要求是做到“饮食有节，起居有度”⑦。所谓饮食有节，即饮食的时间、数量，要有节度，即要定时定量。饮食问题在陶弘景养生学中占有重要地位，他引前人的话强调饮食卫生的重要：“饮食之患，过于声色。声色可绝之逾年，饮食不可废之一日。为益亦多，为患亦切。”⑧就是说，饮食是人们一天也不能缺少的，有了好的饮食习惯，对身体

---

① （南朝）陶弘景：《养性延命录》卷上，《道藏》第 18 册，第 474 页。
② （南朝）陶弘景：《养性延命录》卷上，《道藏》第 18 册，第 476 页。
③ （南朝）陶弘景：《养性延命录》卷上，《道藏》第 18 册，第 476 页。
④ （南朝）陶弘景：《养性延命录》卷上，《道藏》第 18 册，第 476 页。
⑤ （南朝）陶弘景：《养性延命录》卷上，《道藏》第 18 册，第 477 页。
⑥ （南朝）陶弘景：《养性延命录》卷上，《道藏》第 18 册，第 476 页。
⑦ （南朝）陶弘景：《养性延命录》卷上，《道藏》第 18 册，第 477 页。
⑧ （南朝）陶弘景：《养性延命录》卷上，《道藏》第 18 册，第 477 页。

会有莫大益处;不好的饮食习惯和方法,就会导致很多疾病。饮食有节首要的一条,是食不过量,过量是饮食最大的禁忌。“多则切伤,少则增益”①,即使对喜吃的食物,也要适可而止。更切忌暴饮暴食,这种饮食方法,对身体不仅无益,反而有害。他还提倡多用素食和淡食,要“去肥浓,节咸酸”,过分肥腴、油腻和过咸的食物,都无益于健康。食后还不宜即坐卧,“饱食即卧,生百病,不消成积聚也”②。“人食毕,当行步踌躇”③,即饭后宜散步。此外,还宜熟食,不宜生食;宜热食,不宜冷食。“凡食,皆熟胜于生,少胜于多”④。所有这些,都是符合饮食卫生的。所谓起居有度,即起居要有规律。他指出,人们不应贪声色、美味和逸乐,他引前人之语说:“重衣厚褥,体不劳苦,以致风寒之疾;厚味脯腊,醉饱厌饫,以致聚结之病;美色妖丽,嫔妾盈房,以致虚损之祸;淫声哀音,怡心悦耳,以致荒耽之惑;驰骋游观,弋猎原野,以致发狂之失;谋得战胜,兼弱取乱,以致骄逸之败”⑤。一句话,娇妻美妾,声色犬马,只会戕贼身体,减寿促年。特别强调,应作适当运动(包括劳动),久坐久卧,都会影响健康。因为“流水不腐,户枢不朽蠹,以其劳动数故也”⑥。勉强从事力不胜任的或无休止的劳动,固然有损身体,应当避免;“然于劳苦胜于逸乐也,能从朝至暮,常有所为,使之不息乃快。但觉极当息,息,复为之,此与导引无异也”⑦。陶弘景和其先辈们能那样早就认识到运动(劳动)对身体的积极作用,并积极地利用它为养生(健身)服务,是十分难能可贵的。

再次,陶弘景的养生学,还包含着使用行气、导引(加按摩)、房中等方术来养神、炼形这一方面的内容。这是更为积极的养生方法。这些方术并非陶弘景所创造,但他对前人成果作了总结和补充。

《养性延命录》不但具有版本学、文献学方面的价值,而且具有医学养

---

① (南朝)陶弘景:《养性延命录》卷上,《道藏》第18册,第477页。
② (南朝)陶弘景:《养性延命录》卷上,《道藏》第18册,第478页。
③ (南朝)陶弘景:《养性延命录》卷上,《道藏》第18册,第478页。
④ (南朝)陶弘景:《养性延命录》卷上,《道藏》第18册,第479页。
⑤ (南朝)陶弘景:《养性延命录》卷上,《道藏》第18册,第478页。
⑥ (南朝)陶弘景:《养性延命录》卷上,《道藏》第18册,第478页。
⑦ (南朝)陶弘景:《养性延命录》卷上,《道藏》第18册,第478页。

生学方面的重要意义。其中所总结、阐发的道教医学养生思想在道教医学史上起到了承上启下的积极作用。

陶弘景认为养生即是修道。他在《养性延命录》中引经据典,从贵人重生的道教生命哲学观出发,反复论述了养生在修道中的意义和必要性,强调养生与修道是统一的,即所谓"养生者慎勿失道,为道者慎已失生"①。必须做到"道与生相守,生与道相保"②。这种将养生与修道视为一体的思想对道教影响甚深,为道教确立"生道合一"的基本教理奠定了基础。

陶弘景在《养性延命录》中还突出强调了"我命在我不在天"的积极预防养生思想。书中有关这方面的论述很多:

> 仙经曰:我命在我不在天,但愚人不能知此道为生命之要。所以致百病风邪者,皆由恣意极情,不知自惜,故虚损生也。③
>
> 道机曰:人生而命有长短者,非自然也。皆由将身不谨,饮食过差,淫泆无度,忤逆阴阳,魂神不守,精竭命衰,百病萌生,故不终其寿。④

陶弘景高举"我命在我不在天"的道教生命哲学大旗,认为人之夭寿、寿命长短操之在我。修道之人如果平时能加强身心修养,注重生活禁忌,善于运用各种手段、方法进行调整,就能使身心处于健康状态,防止疾患萌生。关于具体的预防疾病措施,陶弘景总结道:

> 若能游心虚静,息虑无为,服元气于子后时,导引于闲室,摄养无亏兼饵良药,则百年耆寿是常分也。⑤

陶弘景认为对疾病的预防要从身心两个方面入手,综合地采用存神服气、导引按摩、服饵、食疗、房中等手段。卷上"教诫篇第一"还引张湛养生著作,将养生法则归纳为十大要,即"一曰啬神,二曰爱气,三曰养形,四曰导引,五曰言语,六曰饮食,七曰房室,八曰反俗,九曰医药,十曰禁忌。过此以往,义可略焉。"⑥陶弘景所提炼出的这一整套养生理法,具有养神与炼形并重,

① (南朝)陶弘景:《养性延命录》卷上,《道藏》第18册,第475页。
② (南朝)陶弘景:《养性延命录》卷上,《道藏》第18册,第475页。
③ (南朝)陶弘景:《养性延命录》卷上,《道藏》第18册,第477页。
④ (南朝)陶弘景:《养性延命录》卷上,《道藏》第18册,第476页。
⑤ (南朝)陶弘景:《养性延命录》卷上,《道藏》第18册,第474页。
⑥ (南朝)陶弘景:《养性延命录》卷上,《道藏》第18册,第477—478页。

形神兼养的特点，是对以往道教养生经验和思想的概括和总结，为道教最终形成性命双修、动静结合、合修众术的医学养生模式打下了理论基石。唐代著名道医孙思邈就将上述养生大要刊载于其不朽医著《备急千金要方》中，成为医道两家奉行的养生要则。

最后，讲求饮食卫生、起居宜禁的养生思想。俗话说，“民以食为天”。饮食是人类维持生命的基本条件，饮食是否合理、得当直接关系到个体生命质量的高低。道教养生家历来重视饮食调养和饮食卫生之道，陶弘景谓：“百病横夭，多由饮食，饮食之患过于声色。声色可绝之逾年，饮食不可废之一日。为益亦多，为患亦切。”[①]合理调配饮食有益身心健康，而暴饮暴食则损人年命。陶弘景在《养性延命录》中特立“食诫篇”来阐述饮食卫生之道，如云“养性之道不欲饱食便卧及终日久坐，皆损寿也”[②]。强调食毕当行中庭，以助消化。“食不欲过饱，故道士先饥而食也；饮不欲过多，故道士先渴而饮也。”[③]指出不得暴饮暴食。“凡食先欲得食热食，次食温暖食，次冷食。”[④]表明饮食要注意冷暖适中，“热食伤骨，冷食伤藏，热物灼肤，冷物痛齿”[⑤]，故饮食须冷暖适宜。“食诫篇”还指出饮食卫生要做到勿食生冷不洁之物，谨和酸、咸、甘、苦、辛五味等，注意“饱食勿大语”、“饱食勿沐发”、“酒后勿当风”等等饮食禁忌。

道教养生学的一个基本思想是“养生以不伤为本”[⑥]，故道门对养生禁忌十分重视。葛洪在《抱朴子内篇》卷十三《极言》中就谈到伤身的十种行为，如喜怒过差、汲汲所欲、寝息失时、久谈言笑等。陶弘景继承了这一养生思想，认为之所以会伤生害体，主要是不知宜禁，过用而伤生。他在《杂诫忌禳害祈善篇》中对日常生活起居养生禁忌作了较全面阐述，云：

> 久视伤血，久卧伤气，久立伤骨，久行伤筋，久坐伤肉。凡远思强健伤人，忧恚悲哀伤人，喜乐过差伤人，忿怒不解伤人，汲汲所愿伤人，戚

① (南朝)陶弘景:《养性延命录》卷上,《道藏》第18册,第477页。
② (南朝)陶弘景:《养性延命录》卷上,《道藏》第18册,第478页。
③ (南朝)陶弘景:《养性延命录》卷上,《道藏》第18册,第478页。
④ (南朝)陶弘景:《养性延命录》卷上,《道藏》第18册,第478页。
⑤ (南朝)陶弘景:《养性延命录》卷上,《道藏》第18册,第478页。
⑥ 王明:《抱朴子内篇校释》,北京:中华书局1985年版,第244页。

戚所患伤人，寒热失节伤人，阴阳不交伤人……①

陶弘景认为养生的关键在于“避众伤之事”，众伤之事包括大乐、大愁、多视、多睡、贪美食、夫妇同沐、大汗忽脱衣、新沐当风、久忍小便、夜卧覆头等衣食住行各个方面。对这些伤生害体之事的认知和规避，久而久之便形成了日常养生禁忌。《养性延命录》中所总结的养生禁忌多是摄生、护生的经验之谈，值得重视和借鉴。

“服气疗病”的自然疗法思想。服气，也称食气、行气，是道教徒常用的一种养生保健手段。在道教人体观看来，气对人体十分重要，“气者，体之充也”②。气是生命之本，人体所内蕴的生命之道也与气密切相关。“道者，气也。保气则得道，得道则长存”③。人体之气与天地之气是贯通的，如果能通过吐故纳新的呼吸锻炼，呼出体内浊气，吸纳天地自然之清气，便可获得补益，健生益寿。《养性延命录》谓：“鼻纳气为生，口吐气为死。”④所以“食生吐死可以长存”⑤，这就是道教之所以热衷“服气”锻炼的缘由。道教在继承古代服气吐纳术的基础上，创制出许多内炼行气功法。道教认为，行气功法不但在人体无病时可用于养生保健，而且在人体生病时还可用于攻治众病。这种服气疗病的思想首次在《养性延命录》中得到系统阐述。陶弘景在“服气疗病篇”中认为，人体生命质量的高低不仅与体内元气是否充沛有关，而且与体内气机是否调畅有直接关系。如果体内气机不畅，“气有结滞，不得空流，或致发疮”⑥，气机逆乱则会导致百脉闭，百脉闭则气不行，“气不行则生病”⑦。所以服气内炼中可以配合闭息运气来疏淤通滞，调畅气机，达到愈病效果。《养性延命录·服气疗病篇》云：

常闭气纳息，从平旦至日中，乃跪坐拭目，摩搦身体，舐唇咽唾，服气数十，乃起行言笑。其偶有疲倦不安，便导引闭气，以攻所患。必存

① （南朝）陶弘景：《养性延命录》卷上，《道藏》第18册，第479页。
② （南朝）陶弘景：《养性延命录》卷下，《道藏》第18册，第481页。
③ （南朝）陶弘景：《养性延命录》卷下，《道藏》第18册，第481页。
④ （南朝）陶弘景：《养性延命录》卷下，《道藏》第18册，第481页。
⑤ （南朝）陶弘景：《养性延命录》卷下，《道藏》第18册，第481页。
⑥ （南朝）陶弘景：《养性延命录》卷下，《道藏》第18册，第481页。
⑦ （南朝）陶弘景：《养性延命录》卷下，《道藏》第18册，第481页。

其身、头面、九窍、五藏、四肢至于发端,皆令所在觉其气云行体中,起于鼻口,下达十指末,则澄和真神,不须针药灸刺。①

道教的服气疗病法不同于汤药针灸治病手段,完全依靠呼吸引导、闭息运气来调动人体真气,不借助外来药物、针刺,是一种自然疗法。服气治病术在实施过程中有一些要领:

凡行气欲除百病,随所在作念之。头痛念头,足痛念足,和气往攻之。从时(疑为气,笔者注)至时便自消矣。时气中冷可闭气以取汗,汗出辄周身则解矣。②

行气治病的关键一点是"以意领气",即专意注念人体病灶,行气攻之。道教在长期的服气内炼实践活动中还总结归纳出一套行之有效的六字气治病法,这一简易有效的治病功法首载于《养性延命录·服气疗病篇》中。其具体方法是:"凡行气,以鼻纳气,以口吐气,微而引之,名曰长息。纳气有一,吐气有六。纳气一者谓吸也,吐气有六者谓吹、呼、唏、呵、嘘、呬,皆出气也……时寒可吹,时温可呼,委曲治病。吹以去风,呼以去热,唏以去烦,呵以下气,嘘以散滞,呬以解极……心藏病者,体有冷热,呼吹二气出之;肺藏病者,胸背胀满,嘘气出之;脾藏病者,体上游风习习,身痒痛闷,唏气出之;肝藏病者,眼痛愁忧不乐,呵气出之。"③六字气治病法主要是采用默念六字字音进行呼吸练习,用以调整内脏功能和通经活络。这一养生治病方法为后世所重视,成为人们日常进行养生健体的一种有效手段。

道教徒在进行服气内炼过程中常常要配合以导引、按摩,故陶弘景在《养性延命录》中又别立"导引按摩篇"。陶弘景肯定了导引按摩所具有的自然医疗特色,云:"又有法。安坐,未食前自按摩。以两手相叉,伸臂股导引诸脉,胜如汤药。"④陶弘景指出导引按摩能调利筋骨,流通营卫,宣导气血,扶正祛邪,故可消未起之患,灭未病之疾。

特别值得大书一笔的是,《养性延命录》卷下首次完整记载了汉代方士

① (南朝)陶弘景:《养性延命录》卷下,《道藏》第18册,第481页。
② (南朝)陶弘景:《养性延命录》卷下,《道藏》第18册,第481页。
③ (南朝)陶弘景:《养性延命录》卷下,《道藏》第18册,第481—482页。
④ (南朝)陶弘景:《养性延命录》卷下,《道藏》第18册,第483页。

华佗所创的五禽戏导引功,并指出五禽戏可以“消谷气,益气力,除百病,能存行之者,必得延年”①。《养性延命录》所载五禽戏套路是目前社会上广为流传的五禽戏养生功的最初蓝本,意义非同一般。陶弘景在《导引按摩篇》中,总结记述了导引术。他引华佗之语云:“人身常摇动,则谷气消,血脉流通,病不生,譬犹户枢不朽是也。”②导引术相当于柔软体操,目的是摇动关节,流通血脉,促进深呼吸,是健身的好方法。据晁公武《郡斋读书后志》载,陶弘景还撰有《导引养生图》,共36式,各有图,其式“如鸿鹄徘徊,鸳鸯戢羽之类,各绘像于其上”。

“御女损益”的房中养生思想。性行为是人类的一种本能,是人类生活的一个重要内容。道教从道法自然的角度,反对强行禁欲和过度的纵欲,主张通过适度的房事生活来养生。陶弘景在《养性延命录·御女损益篇》中就从损与益两个方面详细论述了房事生活与养生健体的关系,其中蕴涵了丰富的道教性医学思想。

陶弘景认为男女两性性生活符合天地阴阳和合之道,故不可强行禁欲、绝欲:“男不欲无女,无女则意动,意动则神劳,神劳则损寿……有强郁闭之,难持易失,使人漏精尿浊,以致鬼交之病。”③陶弘景指出强行禁欲不仅违背自然之理,有悖人性,而且从医学和养生学角度来看,强行禁欲会造成漏精尿浊,轻者伤身生疾,重者早夭病亡。

陶弘景指出男女和合又不可放纵无度,要“节宣其道”,做到节欲保精以养生。

> 凡养生要在于爱精,若能一月再施精,一岁二十四气施精,皆得寿百二十岁。④
>
> 奸淫所以使人不寿者,非是鬼神所为也。直由用意俗猥,精动欲泄,务副彼心,竭力无厌,不以相生,反以相害,或惊狂消渴,或癫癡恶

① (南朝)陶弘景:《养性延命录》卷下,《道藏》第18册,第483页。
② (南朝)陶弘景:《养性延命录》卷下,《道藏》第18册,第483页。
③ (南朝)陶弘景:《养性延命录》卷下,《道藏》第18册,第484页。
④ (南朝)陶弘景:《养性延命录》卷下,《道藏》第18册,第484页。

疮,为失精之故。①

这里反复论述养生要在于爱精,并说明奸淫的害处会造成伤身害体,使人不寿。难能可贵的是,作者并没有用宗教医学惯长用的鬼神致病观来说明其原因,而是特别指出其原因"非是鬼神所为也"。道教养生家在房事养生方面的一个最基本指导思想就是节欲保精。房事生活要有利于养生健体,贵在有"节",无节制的纵欲会耗费人体内的元精即肾精,伤人元气,伐人年命。因为人之元精是生命三大要素之一,"道以精为宝,施之则生人,留之则生身"②。"凡精少则病,精尽则死,不可不忍,不可不慎。"③所以陶弘景从保精养生的角度又主张房事生活要有节制,这种节欲养生的思想符合现代医学理论。

陶弘景明确提出房事养生的关键在于兴利除弊,故要注重性卫生之道,讲求房中禁忌和方法。陶弘景认为:"房中之事能生人能煞人。譬如水火,知用之者可以养生,不能用之者立可死矣。"④健康的性生活,不但为人类所必需,而且只要处理得当,还能有利于男女双方的身心健康。但如果没有掌握一定的性卫生和性心理,不懂得房中宜忌,图一时之快,鲁莽行事,往往会造成人为损伤。陶弘景在《御女损益篇》中以大量篇幅阐述了房中宜禁和方法,例如指出:"交接尤禁醉饱,大忌,损人百倍"⑤。"欲小便忍之以交接,令人得淋病或小便难,茎中痛,小腹强"⑥。"大恚怒后交接,令人发痈疽"⑦。书中还指出房事生活要避开大寒、大热、大风等气候异常变化之日(天忌),不要在人的情绪沮丧、低落、恐慎之时进行(人忌),要选择环境优雅的场所(地忌),并讲求一定的房中技巧。这些房事养生思想与现代性医学、性卫生学的基本观点不谋而合⑧,值得认真研究整理,以造福人类社会。

① (南朝)陶弘景:《养性延命录》卷下,《道藏》第 18 册,第 484 页。
② (南朝)陶弘景:《养性延命录》卷下,《道藏》第 18 册,第 483 页。
③ (南朝)陶弘景:《养性延命录》卷下,《道藏》第 18 册,第 484 页。
④ (南朝)陶弘景:《养性延命录》卷下,《道藏》第 18 册,第 485 页。
⑤ (南朝)陶弘景:《养性延命录》卷下,《道藏》第 18 册,第 485 页。
⑥ (南朝)陶弘景:《养性延命录》卷下,《道藏》第 18 册,第 485 页。
⑦ (南朝)陶弘景:《养性延命录》卷下,《道藏》第 18 册,第 485 页。
⑧ 参见盖建民:《道教房中术的性医学思想及其现代意义》,《宗教学研究》1996 年第 1 期。

行气、导引和房中术是陶弘景用于养生的主要方法。它们本是道士的修炼方术,是道士们追求长生不死目的的推动下发展起来的。尽管长生的目的达不到,但健身延年是可以实现的。近年国内兴起的“气功”,许多就是从道教的行气、导引术中总结提炼而成的,实践证明,开展这项运动对于健身和疗病确有很好的效果。

陶弘景除了在医药学、化学领域有重要建树外,他“尤明阴阳五行、风角星算”①,在天文历算方面也颇有创获。陶弘景曾研制过一台浑天象,著有《天文星经》五卷、《天仪说要》一卷、《象历》一卷、《七曜新旧术》二卷等天文著作;他还检校五十家的历书异同,撰成《帝历年纪》。由此之故,清末黄钟骏撰《畴人传四编》时,特补入陶弘景,视陶弘景为天算家。另据《梁书》卷五十一《陶弘景传》等史料记载,陶弘景不但精于医术本草、炼丹和天文历算,而且通晓“山川地理方图产物”②,在地理学方面也有著述,著有《古今州郡记》三卷并曾造作《西域图》一张,惜失传。下面我们着重就陶弘景的医药学和炼丹术贡献进行论述。

（二）医药学

养生学研究的是健身防病,医药学研究的是患病之后的治疗,这是两门关系十分密切的学问。陶弘景对它们都有深入研究,尤以医药学的成就最大,著作也最多,主要有《本草集注》7 卷、《陶隐居本草》10 卷、《药总诀》2 卷、《补阙肘后百一方》3 卷、《效验方》5 卷等。

《本草集注》是陶弘景系统整理《神农本草经》和全面总结六朝以前药学经验的基础上所写的巨著,合《神农本草经》与《名医别录》二书并加注释而成。这部著作对保存本草文献古籍,作出了不可磨灭的贡献。书中首创的按药物性质分类的药物分类法③,对本草学的发展有一定的影响,为以后唐《开宝本草》和宋《证类本草》等所继承。该书对药物名称、来源、产地、性状、鉴别、功用、炮制、保管等的记述,又为我国的本草学留下了珍贵的资料,

---

① 《梁书》卷 51《陶弘景传》,北京:中华书局 1973 年版,第 3 册,第 743 页。

② 《梁书》卷 51《陶弘景传》,北京:中华书局 1973 年版,第 3 册,第 743 页。

③ 古典药学如《神农本草经》等,分药物为上、中、下三品,陶弘景抛弃了这种分类法,分药物为玉石、草木、虫、兽、果、菜、米、实等七类。

因此是一部科学价值很高的医学名著。他的其他几部医书，也具有很高的医学价值和实用价值。如《效验方》是供社会上层使用的方书，“具论诸病证候，因药变通，而并是大治。非穷居所资，若华轩鼎室（食），亦宜修省耳”①。“大治”又称“大方”，所列药物种类多，分量重，且多名贵药，与民间验方有所不同。《补阙肘后百一方》是在整理、补充葛洪《肘后备急方》基础上所成的方书，主要供民间下层救急之用，更多地注意了医方、药物的大众化。《药总诀》是论述药物性质和用法的书，“论次药品五味寒热之性，主疗疾病及采畜时月之法”②。这些书都在当时社会上发生过很大影响。可惜上述各书都已散失，仅在敦煌石窟中发现《本草集注》残卷（只存《序录》部分，约为原书七分之一），宋唐慎微《证类本草》中保存了《本草集注》的部分内容，《葛仙翁肘后备急方》中保存了《补阙肘后百一方》的部分佚文。

从现存佚文看，陶弘景对病因病理的分析，基本上采取了道家和道教关于气的学说。他认为疾病之源，在于邪气：“人生气中，如鱼在水，水浊则鱼瘦，气昏则人病。邪气之伤人最为深重，经络既受此气，使入脏腑，随其虚实冷热，结以成病。”③虽然其中也夹杂一些鬼神入侵人体导致疾病的道教观点，但确认人体条件和环境因素等是致病的根本原因。他说：“若饮食恣情，阴阳不节，最为百痾（疴）之本。致使虚损内起，风湿外侵，所以共成其害。如此者，岂得关于神明乎！惟当勤于药术疗理尔！”④

他在《补阙肘后百一方》中分析一些猝发病（如“中恶”、“尸蹶”、“客忤”等）的原因时，同样坚持了气的学说，称它们为“客气”、“恶气”、“毒疠之气”。他说：“凡卒（猝）死、中恶及尸蹶（假死），皆天地及人身自然阴阳之气，忽有乖离否隔，上下不通，偏竭所致，故虽涉死境，犹可治而生，缘气未

① 《葛仙翁肘后备急方》卷前《华阳隐居补阙肘后百一方序》，《道藏》第33册，第2页。此序又载《华阳陶隐居集》卷上。

② 《重修政和证类本草》卷1《所引书传》，《重修政和经史证类备用本草》，北京：人民卫生出版社影印1957年版，第39页。

③ 转引自《重修政和证类本草》卷1《梁陶隐居序》，见《重修政和经史证类备用本草》，北京：人民卫生出版社影印1957年版，第32页。

④ 《重修政和经史证类备用本草》，北京：人民卫生出版社影印1957年版，第32页。

都竭也。”①又说：人染“客忤”（症状为心腹绞痛、胀满、气冲心胸），是“客气犯人也。此盖恶气，治之多愈”。但这种“恶气”又不同于一般的“恶气”，它是“毒疠之气，忽逢触之，其衰歇（竭），故不能如自然恶气治之。入身而侵克藏府经络，差（瘥）后，犹宜更为治，以消其余势。不尔，亟终为患，令有时辄发”②。

陶弘景把疾病的病因，归之为邪气、恶气、毒疠之气，是对我国传统的六气（风、寒、暑、湿、燥、火）致病说的发展，但明显地带有朦胧猜测的性质，缺乏科学的根据。虽然如此，但他不是从人们的精神和虚构的鬼神中去寻找人们致病的原因，而是从人类生存的客观物质环境中去寻找人们致病的原因，这不能不说是朴素的唯物主义思想路线，不能不说是对他的神学唯心主义世界观的重大突破。

在处方用药上，他同样坚持了这一朴素的唯物主义的思想路线。他指出，同是一病，症状会有多种，在各人身上的表现、变化，也都不会完全一样，都须按照实际情况处方用药。他说：“假令中风，乃有数十种，伤寒证候，亦有二十余条，更复就中求其类例，大体归其始终，以本性为根宗，然后配合证以合药尔。病之变状，不可一概言之，所以医方千卷，犹未尽其理。”③葛洪《治卒心腹烦满方》对“心腹烦满，又胸胁痛”的病是按霍乱治的，陶弘景在对此书补阙时，虽然基本同意这种治法，但他又强调必须联系病人的其他情况，找准病因，区别对待。他说：“人卒在此上条患者亦少，皆因他病兼之耳：或从伤寒未复，或从霍乱吐下后虚燥，或是劳损服诸补药痞满，或触寒热邪气，或食饮协毒，或服药失度。并宜各循其本源为治，不得专用此法也。”④与上述道理相类，同是一药，会对多种病有作用，而在不同的病人身上，又会因各人的具体情况不同而效果不一，都应细加斟酌然后使用。他说：“又按药性，一物兼主十余病者，取其偏长为本。复应观人之虚实、补

① 转引自《葛仙翁肘后备急方》卷1《救卒中恶死方》，《道藏》第33册，第7页。

② 《葛仙翁肘后备急方》卷1《救毕中恶使方》，《道藏》第33册，第8页。

③ 转引自《重修政和证类本草》卷1《梁陶隐居序》；《重修政和经史证类备用本草》，北京：人民卫生出版社影印1957年版，第33页。

④ 转引自《葛仙翁肘后备急方》卷1《治卒心腹烦满方》，《道藏》第33册，第16页。

泻、男女、老少、苦乐、荣悴、乡壤风俗,并各不同。"[①]即使同是女人,居家妇女与出家尼姑的情况也不一样,也应区别对待。所以他非常强调医生应具的责任心,呼吁医生诊病处方应持十分慎重的态度。他说:"其五经四部,军国礼服,若详用乖越者犹可矣,止于事迹非宜尔;至于汤药,一物有谬,便性命及之。千乘之君,百金之长,何不深思戒慎耶?"[②]所以他严厉批评了那些不学无术、随意处方的庸医,他们"皆耻看本草,或倚约旧方,或闻人传说,或遇其所忆,便揽笔疏之(指处方)"[③]。认为医生若持这种不负责任的态度,没有不误人、杀人的。

陶弘景还很注意辩证治疗的方法。《神农本草经》说:"药有阴阳配合……有单行者,有相须者,有相使者,有相畏者,有相恶者,有相反者,有相杀者。凡此七情,合和视之,当用相须相使者良,勿用相恶相反者。"[④]陶弘景基本同意这种看法,认为合用相恶相反的药,应持慎重态度,没有把握,不如不用。但他又注意到相恶相反的药又有相成的一面,并不能全弃不用。他说:"今检旧方用药,亦有相恶相反者,服之乃不为害,或能有制持之者。"[⑤]他举例说:仙方中的"甘草丸"有防己和细辛,二者性相恶,但合用之,却能消解不利因素;俗方中的"玉(或作'五')石散"用栝楼和乾姜,二者性亦相反,但合用之,亦能起"制持"作用。"半夏有毒,用之必须生姜,此是取其所畏,以相制尔。"[⑥]陶弘景补注于《神农本草经》有关条目之下的,有数十条这样的例子。总之,某些药如果单用,会产生不利的副作用,如果将它与相畏的药合用,反而能克服其副作用,收到治病的良好效果,可见辩证施治的必要。

---

① 转引自《重修政和证类本草》卷1《梁陶隐居序》,《重修政和经史证类备用本草》,北京:人民卫生出版社影印1957年版,第32页。

② 转引自《重修政和证类本草》卷1《梁陶隐居序》,《重修政和经史证类备用本草》,北京:人民卫生出版社影印1957年版,第31页。

③ 《重修政和经史证类备用本草》,北京:人民卫生出版社影印1957年版,第31页。

④ 《道藏》第17册,第244页。

⑤ 转引自《重修政和证类本草》卷1《梁陶隐居序》,《重修政和经史证类备用本草》,北京:人民卫生出版社影印1957年版,第33页。

⑥ 转引自《重修政和证类本草》卷1《梁陶隐居序》,《重修政和经史证类备用本草》,北京:人民卫生出版社影印1957年版,第31页。

陶弘景研究医药学，已经突破了道士修仙的狭小范围，直接着眼于济世利人，他所获得的成就，已汇注于祖国医学宝库中，为祖国医学作出了宝贵贡献，在祖国医学史上占有重要地位。

（三）炼丹术

陶弘景的修炼理论中，服食药物是重要的组成部分，他说："摄养无亏，兼饵良药，则百年耆寿，是常分也。"①所谓良药，并非普通病患者所服之药，而是服之可以延年益寿乃至长生不死的药，除部分草木药外，多为经过炉鼎烧炼所得的金石药（丹药）。为了获得这种良药，他积极从事炼丹。史载，他从梁天监四年（505 年）到普通六年（525 年），进行了长达 20 年的炼丹活动，并在"天监（502—519 年）中献丹于武帝"。在获得丰富的炼丹经验的基础上，他写成了多种炼丹著作，主要有《合丹药诸法式节度》1 卷、《集金丹黄白方》1 卷、《太清诸丹集要》4 卷②、《炼化杂术》1 卷等。

炼丹术既然是道士们的修炼术，其目的是炼出长生不死药，使人服之成仙。他们在反复的炼丹实践中，认识到"变化者，乃天地之自然"③。要炼出丹药，必须顺应"自然之所为"④，从而不自觉地运用朴素的唯物论和辩证法，去探索各种物质之间变化的条件及其发展规律。因此不能因为炼丹术是道士的修炼方术而加以一概否定。事实上，道士们为了炼出丹药，在实验基础上不断探索各种药物之间的变化规律，也就是在从事某些化学实验，炼丹术实际就是一种古化学实验。这些炼丹道士就是中国古化学的先驱者，陶弘景就是他们中最杰出的代表之一。

因陶弘景的上述炼丹著作全部亡佚，我们很难对他的炼丹成就作出恰如其分的评价，现在只能根据他的《本草集注》佚文，作一些不全面的介绍。《本草集注》是一部医药著作，收有无机类药物 67 种，在叙述这些药物的性能、制作中，间接地透露出他本人和前人的部分炼丹经验。

---

① （南朝）陶弘景：《养性延命录·序》，《道藏》第 18 册，第 474 页。

② 《重修政和证类本草》卷 3"云母"条谓陶弘景撰《太清诸石药变化方》，不知是否一书。

③ 王明：《抱朴子内篇校释》，北京：中华书局 1985 年版，第 284 页。

④ （汉）魏伯阳：《周易参同契》卷下，《道藏》第 20 册，第 93 页。

汞(水银)是炼丹的主要原料,陶弘景在“丹砂”、“水银”条中,记述了它的性能和制法。他说,丹砂即“今朱砂也”,可“化为汞”。① 按丹砂即红色硫化汞,经加热,其中所含的硫变成二氧化硫,而游离出金属汞。陶弘景所谓的“化为汞”,即指此而言。他还明确记载了这种变化情形:“烧时飞着釜上灰,名汞粉,俗呼为水银。”②这里所谓的汞粉,即氧化汞,是经高温分解“飞”着釜上的。

汞有溶解多种金属、形成汞齐(剂)的性质,人们利用它制成多种汞剂(汞合金),如金、银、铅、锡等汞剂,用作铜镜的抛光剂和牙齿的填充剂等。陶弘景对此亦有记载,他说水银“能消化金、银,使成泥,人以镀物是也”③。所谓“消化金、银使成泥”,显然就是指汞剂而言。

在炼丹术中,与汞的地位大致相仿的铅,也是炼丹的重要原料,故人们常称炼丹术为铅汞术。对于铅的性质和其化合物,陶弘景在《本草集注》中也有记载。如“胡粉”为白色碱性碳酸铅,经炭燃烧,会分解而放出二氧化碳和水蒸气,所余的氧化铅再与碳或一氧化碳反应而还原为金属铅。这种化学反应早为炼丹家们所了解,葛洪《抱朴子内篇·黄白》中就有这方面的记载,上一章已作介绍。陶弘景对此也很了解,他在“粉锡”条中指出,粉锡“即今化鈆(铅)所作胡粉也”④。粉锡即胡粉,是碱性碳酸铅,确为化铅所作,而《唐本草》认为陶弘景说错了,说“铅丹、胡粉,实用锡造”。宋马志等撰的《开宝本草》和明李时珍的《本草纲目》却都赞同陶弘景的说法。从化学知识来看,陶弘景是正确的。另一种药物“黄丹”(四氧化三铅)也是铅的化合物,陶弘景在“鈆丹”条中指出:它“即今熬鈆所作黄丹也”⑤。证明陶弘景是做过这种实验的。

---

① 转引自《重修政和证类本草》卷3“丹砂”条“陶隐居云”;《重修政和经史证类备用本草》,北京:人民卫生出版社影印1957年版,第79页。

② 转引自《重修政和证类本草》卷3“丹砂”条“陶隐居云”;《重修政和经史证类备用本草》,北京:人民卫生出版社影印1957年版,第107页。

③ 转引自《重修政和证类本草》卷3“丹砂”条“陶隐居云”;《重修政和经史证类备用本草》,北京:人民卫生出版社影印1957年版,第107页。

④ 转引自《重修政和证类本草》,卷5“粉锡”条“陶隐居云”;《重修政和经史证类备用本草》,北京:人民卫生出版社影印1957年版,第127页。

⑤ 《重修政和经史证类备用本草》,北京:人民卫生出版社影印1957年版,第127页。

在炼丹实践中，炼丹家们早已发现了铁对铜盐的置换反应，如《淮南万毕术》和《抱朴子内篇·黄白》皆有曾青涂铁化为铜的记载。曾青是天然的硫酸铜，其溶液与铁接触，铁表面的铁离子会被铜离子所取代，而变成铜色，造成“铁化为铜”的假象。陶弘景也发现了这种现象，他在“矾石”条中说：“鸡屎矾，不入药，惟堪镀作，以合熟铜，投苦酒中，涂铁，皆作铜色，外虽铜色，内质不变。”①鸡屎矾大概是有别于曾青的另一种不纯的硫酸铜，将它（或另加熟铜）投入苦酒（醋）中溶解后涂铁，同样可起到曾青涂铁“化为铜”的效果，这表明陶弘景对另一种铜盐与铁的置换作用进行过实验，扩大了铜盐的范围。这一反应过程的发现，奠定了宋元时代水法炼铜——胆铜法的基础。

陶弘景还发现了用燃烧来鉴别消石（硝酸钾）真假的方法，他在“消石”条中说：“烧之，紫青烟起……云是真消石也。”②这实际是开了近代化学中用火焰法鉴别钠盐和钾盐的先河。

此外，他又在“石灰”条中正确记载了石灰的制法，他说：“近山生石，青白色，作灶烧竟，以水沃之，即热蒸而解末矣。”③

上面记述的材料，因非直接来自他的炼丹专著，自然不能如实地反映出他的炼丹成就，但仅就这些，也足以证明他所进行的炼丹实验的范围是很广的。所以他能成为我国古代有名的炼丹家之一。

从上可见，陶弘景无论在养生学、医药学和炼丹术方面，都对过去的经验进行了较好的总结和补充，这无疑是对道教修炼理论和方法的发展。这些经验虽然是在神学动机的推动下创造和发展起来的，但因它与实验科学相结合，不断在实践的基础上进行修正、补充，所以大都含有较丰富的科学内容，是一份具有较高研究价值的科学文化遗产，值得我们去发掘研究。

---

① 转引自《重修政和证类本草》卷3“矾石”条“陶隐居云”；《重修政和经史证类备用本草》，北京：人民卫生出版社影印1957年版，第84页。

② 转引自《重修政和证类本草》卷3卷3“消石”条“陶隐居云”；《重修政和经史证类备用本草》，北京：人民卫生出版社影印1957年版，第85页。

③ 《重修政和证类本草》卷5“石灰”条“陶隐居云”；《重修政和经史证类备用本草》，北京：人民卫生出版社影印1957年版，第123页。

三、道教神仙谱系的建立

陶弘景除对道教修炼理论和方法作了发展外,还对道教创建时期的一个重要问题,即道教神仙谱系的建立作了贡献。我们知道,道教最善于兼收并蓄,对中国已往的文化和信仰都采取尽量包容的态度,因此被某些史家评为“杂而多端”。就其信奉的神灵来讲,也表现了它的这一特点。最早出现的天师道、太平道,除自创一批神灵外,又网罗了中国古已有之的一批神灵,其后的上清派和灵宝派又各造了一大批神灵(继起的北方楼观道,因经书留存太少,情况不明)。这样一来,道教神灵真可谓包罗万象。新神、旧神杂陈,天神、地祇、人鬼和仙真众圣应有尽有,使本来应是一神教的道教显出浓厚的多神教色彩。既然这些神灵的来源各异,色彩又殊,自然互不统属,纷然无序。这种情况必然减弱它们的吸引力,很不利于道教的传播。这个在其他宗教(如佛教)并不存在的问题,现在却摆在道教面前要求进行解决。陶弘景为了解决这个问题,在茅山期间专门写了《真灵位业图》一书。该书不仅罗列了许多托名的神灵,而且把中国历史上许多有名的帝王将相及思想家也一并作为神灵排列进去,显得相当驳杂。因此后人颇有以为学识渊博的陶弘景,不大可能撰写这样的神灵谱系的著作,疑此为伪书。对此,余嘉锡《四库提要辩证》卷十九曾作了辨证,指出:“《真诰》与此书,同一荒唐之言。”“弘景肯作《真诰》,未必不可作此书。《道藏》尊字号《陶隐居集》载有此书之序,相其文词,实出六朝人之笔,非出伪托。虽《云笈七籤》卷一百七弘景从子翊所撰《华阳隐居先生本起录》篇末详列弘景撰集名目凡三十六种,二百一十九卷,并无此书之名,似有可疑。然翊自注云:‘又有图像杂记甚多,未得一一尽知知(疑误重一知字)见也。’则弘景之著述,翊容有未知,不足深怪。”①

余先生此说多批评口吻,但也佐证了此书为陶弘景所作。该书将道教信仰的天神、地祇、人鬼和仙真众圣等庞大神仙群,用七个等级(或称七个系列)组织排列起来。第一等级(或称神阶)以玉清元始天尊为主神,第二

① 余嘉锡:《四库提要辩证》,北京:中华书局1980年版,第3册,第1223页。

神阶以玉晨玄皇大道君为主神,第三神阶以太极金阙帝君为主神,第四神阶以太清太上老君为主神,直到最后第七神阶以管鬼魂的丰都北阴大帝为主神。在这七个主神之下,分列左、右位,各将若干天神、仙真、地祇、人鬼置于其统率之下,从而构成一个等级分明的神仙谱系。这样一个神仙谱系虽然带有人为整饰的特质,但却能够透射作者所处时代社会情况。陶弘景用以编织神阶的模型,实际上就是魏晋南北朝门阀士族等级制度。他自己在《真灵位业图序》中就明白说过:"搜访人纲,究朝班之品序,研综天经,测真灵之阶业……今正当比类经正,讎校仪服,埒其高卑,区其宫域。"①就是说,他是根据人间世界的"朝班之品序"来排列神仙世界"真灵之阶业"的,而这样排列的目的,又是为了区分它们的"高卑"。

《真灵位业图》把当时道教三个主要派别的创始人,分别纳入不同等第的三个神阶中,以示三派地位之高低。除第一神阶全为"天帝"、"道君"、"元君",并无地祇、人鬼外,第二神阶纳入了魏华存、许穆、许翙等上清派创始人;第三神阶纳入了徐来勒、葛玄等灵宝派所尊的创始人;第四神阶纳入了以张陵为代表的天师道创始人,表示上清最高贵,灵宝次之,天师道又次之。这种安排,体现了陶弘景作为上清道士的立场,同时也是三派在当时社会上实际状况的近似反映。从这个角度看,该书不失为道门留给后世研究者一项有意义的思想资料。

该书最重要的一项成就,是对道教信仰的庞杂神祇作了系统化工作。一方面,它将道教纷然无序、漫无统属、十分庞杂的神仙群,分别纳入七个系列,使之初步系统化了;另一方面,它又从众多的神灵中抽出七个作主神,使之位于群神之上,这无疑又是向一神教靠近了一大步,特别是它所安排的前四个主神,在很多方面已与后来道教所尊奉的最高神"三清"相近似。所有这些,都表明这本书在建立道教神仙体系上是起过很大作用的。但是这本书的主导思想终究是多元的,而不是一元的,七个主神就有七个系统,而且七个主神之间,彼此虽有等级之区分,但却无统属被统属的关系,仍然系统不起来,特别是它没有突出一个至高无上的统率一切的最高神,这与一神教

① (南朝)陶弘景:《真灵位业图序》,《道藏》第3册,第272页。

的要求显然还有相当的距离。因此陶弘景的《真灵位业图》,并没有很好完成建造神仙谱系这一任务。当然,由于道教内部和外部种种条件的制约,在它的历史上始终并未形成一个单一的至高无上、主宰一切的最高神,而是一个合三而一的“三清”神。这与其他宗教比较,是它的一个特点。但是仅就这一点来说,《真灵位业图》也没有完全解决好这个问题。因为它前面四个神阶所列的四个主神,虽已具备了三清神的某些特征,但毕竟在内涵上还有很多差距,特别是在它们后面还有其他三个主神与之相并列,更使最高神的地位受到很大削弱。

回顾道教历史,在最高神的创制上,曾经历了一个复杂的过程。道教初创时,以老子为始祖,尊老子为最高神,称太上老君①,这是五斗米道和太平道一系道士所尊奉的最高神。于吉等人所编的《太平经》和张陵等人所造作的道书,皆托名老君所授,直至北魏寇谦之所撰的《云中音诵新科之诫》、《录图真经》和他的“天师”称号,也托为老君所赐。这是此系道士一贯保持的传统。至东晋中、后期,上清派和灵宝派出,不再尊太上老君为最高神,上清派以元始天王或太上大道君地位最尊,灵宝派以元始天尊和太上道君地位最显,这两派的经书中虽也提到太上老君,但往往摆在稍次的地位,有些经书甚至把他作为元始天尊、元始天王和太上道君的弟子来看待。如上清经书《洞玄灵宝大有妙经》就有老君“上启元始天王”、《智慧消魔真经》有“太上老君侍太上大道君之左”等说法。过去把老子作为“道”的化身,这时有些道书也把“道”的化身转给了元始天尊或元始天王。如《灵宝开天经》说:“元始者,道之应化,一之凝精,至真不杂,内外清纯,因气感生,转变自然……为众物本,故称元始焉。”②过去关于李母怀胎81年、生而白首、开天辟地这一神化老子的说法,这时也转用于太上大道君,而且还说得更加神奇了。如《大洞真经》说:“上清高圣太上大道君者,盖玉晨之精气,庆云之紫烟……寄胎母氏,育形为人,母妊三千七百年,乃诞于西那天郁察山浮罗之

① 《老子想尔注》有“一散形为气,聚形为太上老君”,说明早在三张时期即尊老子为太上老君了。此后这个称呼在道教内相沿不变。

② 《一切道经音义妙门由起》之《明天尊》引《灵宝开天经》,《道藏》第24册,第724页。

岳丹玄之阿矣。”[①]总之，上清派和灵宝派之最高神已不是太上老君，而是元始天尊、元始天王和太上大道君了。这是东晋中后期以后道教神灵观念的大变化。但是，尽管上清派和灵宝派的道士有上述种种说法，而天师道（包括楼观道）一系道士仍然尊老子为最高神。如刘宋时，“三天弟子”所写的《三天内解经》云：“幽冥之中，生乎空洞，空洞之中，生乎太无，太无变化，玄气元气始气三气，混沌相因，而化生玄妙玉女，玉女生后，混气凝结，化生老子……老子者，老君也。”[②]老子仍然是元气或道的化身，仍然是最高神。陆修静也说天师道“千精万灵，一切神祇，皆所废弃，临奉老君、三师（指天师张陵、嗣师张衡、系师张鲁），谓之正教”[③]。在这里，陆修静未必真要废弃一切神祇，但要求尊奉老君、三师当是事实。南北朝中后期开始兴盛的北方楼观道因为奉老子弟子尹喜为祖师，自然也以老子为最高神。可以看出，时至南北朝开始较长一段时间内，当时道教三个（加楼观道为四个）主要派别，在对待最高神问题上都是各行其是，并不一致，没有形成彼此共同尊奉的最高神。随着道教的发展和各派的互相交融，于是以玉清元始天尊（或称天宝君）代表上清派、以上清灵宝天尊（或称灵宝君，即太上大道君）代表灵宝派、以太清道德天尊（或称神宝君，即太上老君）代表天师道和其他有关派别[④]的三清神就逐步自然地形成了。所以三清并不是从别的地方照搬而来，而是道教各个主要派别的最高神信仰的综合交融的产物，是道教历史发展的必然结果。了解了这一点，就可以理解为什么道教不像其他宗教那样有一个单一的最高神，而是以一个三合一的“三清”作为最高神了，从而也可以判明所谓三清纯属模仿佛教三身说而来的说法是有些欠妥的。

---

① 《一切道经音义妙门由起》之《明天尊》引《大洞真经》，《道藏》第 24 册，第 724 页。

② 《三天内解经》，载《道藏》第 28 册，第 413 页。据该书所谓“宋帝刘氏是汉之苗胄，恒使与道结缘，宋国有道多矣”等内容看，该书盖出于刘宋。

③ （南朝）陆修静：《陆先生道门科略》之注文，《道藏》第 24 册，第 782 页。

④ 道书在讲三洞四辅七部经书的源流时，除谓元始天尊出《洞真部经》和灵宝天尊出《洞玄部经》以外，其余五部经书皆谓出于太上老君，《洞神经》出于神宝君（老子），《太清经》“以太一为宗，老君演说”，《太平经》“以三一为宗，老君所说”，《太玄经》“以重玄为宗，老君所说”，《正一经》“以真一为宗，太上所说”，此见《道教义枢》。可见其余各派经书大都是老子所说经，自然皆以老子为最高神了。

道教三清虽然主要是道教各个主要派别所奉最高神灵的综合交融的产物,但在它的形成过程中,还为其他一些因素所促成,其中首先是受到了三清境、《三洞经书》等思想的影响。所谓三清境,即三清天,是道教认为神仙所居的最高境界。这个概念的具体出现年代已难确考,大体是在吸取佛教二十八天、三十二天等说法以建立自己仙境理论的基础上发展而来。张陵或三张之后,已有天师道徒称其道为“太清玄元无上三天无极大道”,称张陵为“三天法师”。这个“无上三天”是否即为三十六天之上、大罗天之下的三清天的最初表现,现在还难以断定,不过在其后不久,就出现了玄元始三炁化生三清天的说法,如大约为东晋或南北朝初年出世的《太真科》就说:“大罗生玄元始三炁,化为三清天也;一曰清微天玉清境,始气所成;二曰禹余天上清境,元气所成;三曰大赤天太清境,玄气所成。”①据称,三清尊神就分别居于这三个最高天界中:元始天尊居于玉清境,故称玉清元始天尊;灵宝天尊居于上清境,故称上清灵宝天尊;道德天尊居于太清境,故称太清道德天尊。太清之名起源较早,《淮南子》之《俶真训》、《精神训》、《本经训》、《道应训》中有多处神游太清的说法,许慎注云:“太清,元气之清者也。”②显然具有最高天界之意。三张后五斗米道徒上章时即称:“上启太清玄元无上三天无极大道太上老君。”③因此以道德天尊(即太上老君)居太清境,是继承了三张的成说。而上清境、玉清境的说法出现较后,《灵宝无量度人上品妙经》卷一有多处“功满德就,飞升上清”④之说,《太上九赤班符五帝内真经》有“飞行太空,上升玉清”、“飞行玄虚,上升玉清”⑤之句。三清尊神就是吸取了玉清、上清、太清三境这些思想材料的基础上最后形成的。其次,三清尊神的形成又与三洞经书如何出现的说法有直接关系。据称,《洞

① (唐)孟安排:《道教义枢》卷7引《太真科》,《道藏》第24册,第829页。

② 《淮南子》卷12《道应》许慎注,《诸子集成》第7册,北京:中华书局1954年版,第189页。

③ 《道藏》第18册,第286页。《太上正一阅箓仪》:“系天师阳平治左平炁臣……启太清玄元(无)上三天无极大道太上老君太上丈人,天帝君天帝丈人,九老仙都君九炁丈人等百千万重道炁,千二百官君太清玉陛下”。此书所载当是三张旧仪。

④ 《灵宝无量度人上品妙经》,《道藏》第1册,第3页。

⑤ 《太上九赤班符五帝内真经》,《道藏》第33册,第522页。《无上秘要》曾多引此书文,现存书内,证明此书至迟出于北周。

真经》(上清派经书)为元始天尊所出,《洞玄经》(灵宝派经书)为灵宝天尊(灵宝君)所出,《洞神经》(以《三皇文》为代表)为道德天尊(神宝君)所出。这种思想的出现当在陆修静编制《三洞经书目录》前后。如《九天生神章经》云:“天宝君者,则大洞之尊神,天宝丈人则天宝君之祖炁也……至龙汉元年化生天宝君,出书时号高上大有玉清宫。灵宝君者,则洞玄之尊神,灵宝丈人则灵宝君之祖炁也……至龙汉开图化生灵宝君,经一劫,至赤明元年出书度人,时号上清玄都玉京七宝紫微宫。神宝君者,则洞神之尊神,神宝丈人则神宝君之祖炁也……至赤明元年,化生神宝君,经二劫,至上皇元年出书,时号三皇洞神太清太极宫。”①这里把三清尊神与三洞经书的出世紧密联系起来,说三清是三洞之尊神,三洞经书的创制者。它证明三清尊神的产生确与三洞经书创制的神话密切相关。总之,三清尊神的形成,不仅是三个主要道派最高神灵信仰互相交融的产物,而且又是与三清仙境、三洞经书等思想的发展相联系,是在三清境、三洞经等思想资料基础上互相影响、发展而成的。

三清神出现的确切年代,现在已难于确考。不过上述《九天生神章经》所叙的三清神,已是三清尊神比较完整的记述了。虽然它所讲的天宝君、灵宝君、神宝君与后来流行的元始天尊、灵宝天尊、道德天尊等三清名称稍有差异,但一般都认为那就是三清的异称。《九天生神章经》曾为北周甄鸾《笑道论》和北周武帝时《无上秘要》所引,所引文字皆在此书内。《笑道论》成书于天和五年(570年),故《九天生神章经》当出于天和五年之前,证明三清神的出现大约在南北朝后期。此外,大约也是出于南朝的《上清道宝经》、《上清太上开天龙蹻经》等道书中也有类似的说法②,兹不备举。不仅如此,大约出于梁、隋或唐初之《洞玄灵宝三洞奉道科戒营始》③的引书中,还有关于为三清造像的记载。该书卷二《造像品》引《科》目:“造像有六

① 《洞玄灵宝自然九天生神章经》,《道藏》第5册,第843页。

② 参见《上清道宝经》和《上清太上开天龙蹻经》皆载《道藏》第33册。

③ 《洞玄灵宝三洞奉道科戒营始》,《道藏》第24册。关于该书的成书年代,国内外学者看法不一。日人吉冈义丰认为出于梁,福井康顺、秋月观瑛认为出于隋初,太渊忍尔认为出于唐初。

种相宜按奉行：一者先造无上法王元始天尊，太上虚皇玉晨大道（灵宝天尊），高上老子太一天尊。”①认为这是第一重要的道教造像，然后，才是其余五种造像。很明显，这里所造的就是三清神像，并被摆在六种造像中的首位，足见其地位之尊。书中所引之《科》或为《太真科》、《千真科》，是南北朝所出的道书，可见三清神很可能是出于南北朝后期。考虑到当时诸书说法不太一致，明确把“三清”固定为元始天尊、灵宝天尊、道德天尊的时间，或许还要晚些。

三清尊神既然是融合三个主要道派的最高神后的产物，是三个主要道派的共同代表，自然它的意义是“三”，形体上也是三身；但是所有道书却都毫无例外地说，这个“三”是由“一”或“道”所派生的三炁（玄、元、始）化成的，所以这个“三”又同源于“一”，或就是“一”。不少道书中或说此三清为元始天尊在不同时期的三个化身，或说是太上老君一体所化②，就说明了这一点。所以从这个意义上讲，三清的形体虽三，而实则为一，是地道的三位一体或三合一。这种三一观念是道家和道教由来已久的传统观念。《老子》说：“一生二，二生三，三生万物。”道教据此创制了大量的三一术语或名词。如三才（天、地、人），三官（天、地、水），三元（精、气、神），三丹田等等。道教在讲上面这些“三”时，往往不再借用“二”这个中间环节，而由“一”化为“三”。讲三清时也是这样，说它直接由一炁化生玄元始三炁，再化为三清。这是对老子上述思想的衍变。它证明，三清的产生既是当时道教存在的三个主要派别相互交融的产物，又是道家、道教三一观念发展的结果。这种把三清的出现不加分析地说成是模仿佛教，既忽略了对道教三派最高神发展的历史分析，又无视了道教三一思想的作用，是有欠斟酌的。我们并不否认道教经书中有受佛教三身说影响的地方（如《道教义枢》中就有多处模仿文字），但就三清的产生说，却不能作如是观，或不能完全作如是观。

最高神三清的确立，是对陶弘景神仙谱系的重要补充。经过这个补充，道教的神仙谱系的框架才算基本具备（以后还有补充、变化）。这大概是比

① 《道藏》第24册，第747页。

② 即所谓“老子一炁化三清”。现存的某些老子造像中也表现了这种思想。

陶弘景年代稍晚才最后确立的。

四、道教在梁陈的新发展

在道教建设日有成就和陶弘景等人的影响下,道教在梁、陈的发展也比以前有所进步。其主要表现在两个方面:一是它在封建统治阶级的上层人物中影响更加广泛和深入,信道的上层人物日益增多;二是道教内有学识和名望的道士较前有所增长。下面分别做介绍。

《隋书·经籍志》在谈到梁、陈道教时说:"(梁)武帝弱年好事,先受道法,及即位,犹自上章。朝士受道者众,三吴及边海之际,信之逾甚。陈武(帝)世居吴兴,故亦奉焉。"①这可看作梁、陈道教发展的基本概括。梁武帝萧衍在所作《述(一作会)三教诗》中说:"少时学周孔,弱冠穷六经","中复观道书","晚年开释卷"。② 证明萧衍早年确是信奉道教的。而且在他当了皇帝后的头两年,"犹自上章"。正因为如此,他才能与陶弘景保持亲密关系,并在当了皇帝后仍给予陶以特殊的恩宠。但是到了萧衍即位后的第三年(天监三年),他在信仰上来了一个大变化,即舍道事佛,从此成了一个历史上有名的佞佛皇帝。可是他虽舍道,但也并没有禁止道教活动,因此尽管这个行动对佛、道发展有很大影响,但是道教的发展并没有因此停止。梁武帝本人也没有在此之后就断绝与道士的来往,除对陶弘景仍然恩礼有加以外,始终尊礼南岳道士邓郁(或作邓郁之),可算一个突出例子。史载梁武帝对邓郁"敬信殊笃。为帝合丹,帝不敢服,起五岳楼贮之供养,道家吉日,躬往礼拜"③。天监四年(505年),又召邓郁之至都,"权住蒋山。后敕给九转药具,令还山营合"④。天监十年(511年),邓郁"无病而终","武帝后令周舍为《邓玄传》,具序其事"⑤。此外,梁

---

① 《隋书》第4册,北京:中华书局1973年版,第1093页。

② (唐)释道宣:《广弘明集》卷30,《大正藏》第52卷,第352页。

③ 《南史》卷76《隐逸传·邓郁传》,北京:中华书局1975年版,第6册,第1896页。

④ (宋)贾嵩:《华阳陶隐居内传》卷中引《登真隐诀》佚文,《道藏》第5册,第507页。

⑤ 《南史》卷76《隐逸传·邓郁传》,《校勘记》云:按邓郁为道士,此不欲斥其名,故云:《邓玄传》。北京:中华书局1975年版,第1896页。

武帝又在普通(520—527年)中,敦遣道士庾承先来京作中书侍郎。① 这些都是梁武帝舍道事佛以后的事,证明梁武帝舍道事佛后不仅没有禁绝道教,且在一定程度上给予了支持。故道教并没有因梁武帝舍道事佛而停止发展。

武帝之后的几代皇帝,如简文帝、梁元帝也是信道的。简文帝萧纲曾从陶弘景受道法,除写佛教论著外,也写有《老子私记》10卷,《庄子讲疏》20卷,并为张陵第十二代孙张道裕的招真馆撰碑记。② 梁元帝萧绎于承圣三年(554年)在龙光殿讲《老子》义,尚书左仆射王褒为执经。③ 又亲撰《隐居先生陶弘景碑》、《南岳衡山九真馆碑》、《青溪山馆碑》。④

梁代的朝臣士大夫中信道的则更多。除前引《华阳陶隐居内传》所说"齐梁间侯王公卿"从陶弘景受业者数百人以外,陶弘景在普通三年(522年)所立的《上清真人许长史旧馆坛碑》的碑阴,又刻有齐梁间"王侯朝士刺史二千石过去现在受经法者"20人。其中有齐代的武帝、明帝和衡阳王萧筠等,也有梁代的武帝、临川王萧宏、南平王萧伟、南平王世子萧恪、侍中谢举、临川王世子萧立正、廷尉卿虞权等。⑤ 这里所列,仅为正式受经法者,非正式受经法而信道的当更多。可见《隋书·经籍志》所说"朝士受道者众"完全是事实。

继起的陈代,帝王信道的也不少。创业皇帝陈武帝陈霸先"世居吴兴,故亦奉焉"。《道学传》载:"陈高祖(即武帝)于义仙馆发讲,兰陵人萧子祎,字虔华,被褐起座,舍所造织成经巾,以充供养"。⑥ 该书又载陈武帝为道士徐师子"立宗虚大馆,引师子为其馆主也。"⑦其后的陈宣帝陈顼也信

---

① 参见《梁书》卷51《处士传·庾诜传》,北京:中华书局1973年版,第3册,第751页。

② 参见《全梁文》卷14,《全上古三代秦汉三国六朝文》,北京:中华书局1958年版,第3册,第3029页。

③ 参见《梁书》卷5《元帝纪》,北京:中华书局1973年版,第1册,第134页。

④ 参见《全梁文》卷18,《全上古三代秦汉三国六朝文》,北京:中华书局1958年版,第3册,第3055—3057页。

⑤ 参见(元)刘大彬:《茅山志》卷20《录金石篇》,《道藏》第5册,第634页。

⑥ (唐)王悬河:《上清道类事相》卷1《仙观品》引《道学传》,《道藏》第24册,第875页。

⑦ (唐)王悬河:《上清道类事相》卷1《仙观品》引《道学传》,《道藏》第24册,第875页。

道。《云笈七籤》说:"(宣)帝好道术,乃命太平周法师讳智响往取此经(按指《太平经》)……请还台邑。帝乃具礼迎接,安于至真馆①供养……帝命法师于至真馆开敷讲说,利安天下,时称太平。"②《玄品录》又说,道士徐则隐缙云山,曾应宣帝之诏,去至真观修道。③

由上可见,道教在梁陈统治阶级中的影响比过去更深入而广泛了,他们中信道的人也比过去更多了。这反映出梁、陈道教比过去更为发展的状况。

另一方面,梁、陈时期有学识、有名声的道士也比过去更多。除陶弘景外,最著名的有:

孟景翼,字辅明(或曰字道辅),平昌安丘人。在萧齐时代,就"颇有时誉",曾与竞陵王和僧人们辨佛道是非,为调和佛、道矛盾,曾作《正一论》。梁武帝天监二年(503年)置大小道正,令景翼作大正,"屡为国讲说"④。时人称之为"大孟"。

孟智周,丹阳建业人。宋朝于崇虚馆讲说,作《十方忏文》。"多所该通",理论上很有造诣,曾作《老子义疏》五卷(或4卷)、《道德玄义》三十三卷等⑤,长于辩论,曾于梁代与光宅寺僧法云辨是非,"智周敷释焕然,僧众叹伏之也"⑥。时人称之为"小孟"。

臧矜,又名臧玄静,人称宗道先生。⑦《云笈七籤》说他师事太平法师周智响,蒙文通先生以为周智响为孟智周之误。若然,则臧矜为孟智周弟子。《茅山志》说他"识洞幽微,智深玄妙"⑧,很得皇帝的敬重和百姓的景仰。

---

① 陈国符先生疑"至真观"应为"玄真观",因避宋讳,改"玄"为"至"。参见《道藏源流考》,北京:中华书局2014年版,第38页。

② (宋)张君房:《云笈七籤》卷6《三洞经教部》。《道藏》第22册,第36页。蒙文通《校理老子成玄英疏叙录》云:周智响,为孟智周之误,太平法师应是孟智周。

③ 参见(元)张天雨:《玄品录》卷4,《道藏》第18册,第123页。

④ 陈国符:《道藏源流考》,北京:中华书局2014年版,第433页。

⑤ 《道藏源流考》(新修订版),北京:中华书局2014年版,第5页。

⑥ 《道藏源流考》(新修订版),北京:中华书局2014年版,第5页。

⑦ 此据《云笈七籤》卷5《王远知传》。《旧唐书》卷192作"臧竞",杜光庭《道德真经广圣义》作"臧玄静",《云笈七籤》卷五称"宗道先生",《道德真经广圣义》作"字道宗"。

⑧ (元)刘大彬:《茅山志》卷22王旻撰《唐国师升真先生王法主真人立观碑》,《道藏》第5册,第639页。

又说:“建康有玄真观者,陈宣帝为藏矜先生之所作也。”[①]藏矜无疑为臧矜之舛。他曾作《道德经疏》四卷,主“重玄之道”[②]。隋唐著名道士王远知是他的弟子。唐李渤《真系》、新旧《唐书》皆指王远知为陶弘景弟子,是不正确的。[③]

张绎,字士和,吴郡人。奖励学徒,整肃法事,屡讲众经,理致深密,词端华辩,当时所宗。梁武帝雅相钦赏。时陶弘景著《法检论》,明释老二教,绎往复讨论,甚有条理,受到陶弘景的嘉许。绎专心道法,居贫守约,善八体书,别制云篆,作茅山南洞碑甚工。[④] 曾作崇虚馆主、道士正。梁普通三年(522 年)立于茅山的《九锡真人三茅君碑》,即系他所立,署“三洞弟子领道士正吴郡张绎立”[⑤]。

庾承先,字子通(《道学传》作字崇光),颍川鄢陵人,弱岁受学于南阳刘虬,玄经释典,靡不该悉。九流七略,咸所精练。郡辟功曹,不就,乃与道士王僧镇同游衡岳。晚以弟疾还乡里,遂居于土台山。[⑥]《太平御览》引《道学传》说:“隐文江县白水台,立庐舍讲肆,儒士释老受其学。隐居江南,累诏不出。后来始兴讲《道德经》,剖析凝滞。”[⑦]《上清道类事相》引《道学传》说:“荆州有始兴馆,颍川庾承仙讲道经于其中。”[⑧]鄱阳忠烈王在州(按指荆州),令讲《老子》,远近名僧,成来赴集,论难锋起,异端竞至,承先徐相酬答,皆得所未闻。中大通三年(531 年),庐山刘慧斐至荆州,承先与之有旧,往从之。荆陕学徒,因请承先讲《老子》,湘东王亲命驾临听。[⑨]

---

① (元)刘大彬:《茅山志》卷 24 徐铉撰《唐道门威仪玄博大师贞素先生王君碑》,《道藏》第 6 册,第 651 页。

② (唐)杜光庭:《道德真经广圣义》序及卷 5,《道藏》第 14 册,第 309、340 页。

③ 《玄品录》卷四载王远知生于梁大通二年(他书或谓生于大通四年),而陶弘景于大同二年逝世,时王远知仅八九岁,故师事陶弘景不可能。

④ 《太平御览》卷 666 引《太平经》“又曰”和《老氏圣纪》“又曰”之后载此段文字,疑是前引之《道学传》文。见于《太平御览》第 6 册,石家庄:河北教育出版社 1994 年版,第 227 页。

⑤ 参见(元)刘大彬:《茅山志》卷 20《录金石编》,《道藏》第 5 册,第 630 页。

⑥ 参见《梁书》卷 51《处士传》,北京:中华书局 1973 年版,第 3 册,第 753 页。

⑦ (宋)李昉等编:《太平御览》卷 666 引《道学传》,第 6 册,第 223 页。

⑧ (唐)王悬河:《上清道类事相》卷 1《仙观品》引《道学传》,《道藏》第 24 册,第 878 页。

⑨ 参见《梁书》卷 51《处士传》,北京:中华书局 1973 年版,第 3 册,第 753 页。

宋文同,字文明,吴郡人,长于著述,讷于口辞。曾于梁简文时撰《灵宝经义疏》,又作"大义"名《义渊》。学者宗赖,四方延请。[①] 北宋陈景元《灵宝度人经集注》(通称《度人经四注》)除收齐严东、唐薛幽栖、李少微、成玄英等人注外,即收有宋文明《灵宝经义疏》文,如卷一李少微之"宋君曰"即是。

贾稜,是一个由僧改道的道士,僧名智稜。唐沙门怀信《释门自镜录》云:"智稜,俗姓贾,幼出家,事沙门道乘为师。聪悟过人,长于谐谑。善《涅槃》、《净名》,尤攻《数论》。《庄》、《老》二书,弥所留意。后值寇还俗,生计屡空,而为道士孟悉达往来提诱,给以资费,晨夕晓喻,使作黄巾。稜愧其为惠,因从之。既夙有声闻,便为道宗。解《西升》、《妙真》及诸大义,皆稜之始也……武帝未舍道时,频引稜于五明殿竖义。稜暮年于妙门馆为诸道士讲《西升经》,在席者数百人。而盛引佛经,剖析符会,抗辞正气,欣然自得。"[②]看来他是一个有学识的僧人,转作道士后,又是一个甚解道经的道士。

徐则,东海郯人。幼沉静,寡嗜欲,受业于周弘正(儒者)。善三玄,精于论议,声擅都邑。怀栖隐之操,杖策入缙云山。不娶妻,常服巾褐。陈太建(569—582年)中,应召来憩于至(玄)真观,期月,又辞入天台山。太傅徐陵为之刊山立颂。晋王杨广镇扬州,闻其名,手书召之,遂诣扬州。杨广请受道法,则辞以时日不便。不久卒,时年82岁。[③]

综上所述,可见梁陈时代有学识和名声的道士是很多的,这从另一方面表明道教比过去有了进一步的发展。下面我们再从道教经书的制作这一视角,进一步勾勒道教发展的态势。

---

① 载《太平御览》卷666引《太平经》"又曰"和《老氏圣纪》"又曰"之后,疑即前引之《道学传》文。

② (唐)释怀信:《释门自镜录》卷上,载《大正藏》第51卷,第809页。《道学传》卷12亦记贾稜事,见《三洞珠囊》卷1引。

③ 参见《北史》卷88《隐逸传》,北京:中华书局1974年版,第9册,第2915页。

第七节　道教经书的制作

一、道教经书的大量造作

造作经书，编制经书目录，以及将经书编纂成《藏》，对于扩大宗教影响，吸引更多信众，有重大的作用。因此，这项工作常被许多宗教家所重视，作为十分重要的工作而大力进行。道教自东晋中叶至南北朝期间，掀起了造经高潮，随着经书的大量涌现，又多次编制了经书目录，在这过程中，逐步形成了一套具有自己特色的经书分类方法，即三洞四辅十二类分类法。这是这一时期道教建设所取得的另一项重要成就，为此后1000余年的经目编制和经书编纂打下了基础。道教从东汉张陵创教至东晋中叶上清派出现以前大约230余年间，所造经书是不多的。葛洪《抱朴子内篇·遐览》据其师郑隐藏书，著录了当时的道教典籍，计经书205种，679卷；符56种，511卷；共计261种，1190卷。加上《抱朴子》其余各篇和《神仙传》所引之书，大约共有道书300余种，1300余卷。这是我们今天所能考见的东晋初年以前的道经总数。

至东晋中后期上清派和灵宝派出现以后，道教经书的造作加快了速度。杨羲、许谧和葛巢甫等人创建教派，就是从造经开始的。杨、许利用扶乩办法造作了最早一批上清经。据《清虚真人王君内传》、《洞真上清神州七转七变舞天经》、《真诰叙录》[①]等所记，共31卷。《洞玄灵宝三洞奉道科戒营始》卷五《上清大洞真经目》曾开列上清经篇目，共34卷，原注云：此34卷，“是王君（指清虚真人王褒）授南真（指魏华存）”之书。据上列各书所说，杨、许所得的31卷经书，就是从王褒、魏华存处承传来的，这证明杨、许所得（包括杨、许托名所造）的31卷，即在此34卷内。只是杨、许所得的是哪31卷，后人所增又是哪几卷，目前已难确考了。不过可以看出，杨、许所造之书数量不大。葛巢甫也是在造经的基础上创建灵宝派的。据陆修静考证，

---

① 《清虚真人王君内传》署名魏华存撰，载《云笈七籤》卷106。《洞真上清神州七转七变舞天经》为上清派早期经书，载《道藏》第33册；《真诰叙录》为陶弘景撰，载《道藏》第20册。

“元始旧经并仙公所禀”,可信的只有35卷,所谓“元始旧经和仙公所禀”之35卷,可能就包括葛巢甫托名所造之经。如果这样,葛巢甫造构的灵宝经数量也不大。这是上清派和灵宝派初建时的情形。继杨、许、葛之后,又有很多人根据旧经题目和杨、许等人造经的样式继续造作经书,如“有王灵期者,才思绮拔,志规敷道,见葛巢甫造构《灵宝》,风教大行,深所忿嫉,于是诣许丞(黄民)求受上经”①。待得到若干杨、许经书后,“乃窃加损益,盛其藻丽,依王、魏诸传(指《清虚王真人传》、《南岳魏夫人传》等诸真传)题目,张开造制,以备其录。并增重诡信,崇贵其道,凡五十余篇”。② 于是上清经书的数量有所增多。据陆修静《灵宝经目序》说,在葛巢甫之后,也有许多人添造了灵宝经,他们“或删破《上清》,或采抟余经,或造立序说,或回换篇目,裨益章句,作其符图”③,遂使灵宝经增至55卷(潘师正《道门经法相承次第》卷上曰《洞玄经》51卷,闾丘方远《太上洞玄灵宝大钢钞》云58卷)。继杨、许和葛巢甫之后造作上清经和灵宝经的,并非自王灵期始,也不止王灵期等少数几个人,据陶弘景《真诰叙录》注说:“自(王)灵期已前,上经已往往舛杂,弘农杨洗隆安和四年庚子岁(隆和无四年庚子岁,当为隆安四年庚子岁,即公元400年。‘和’字衍)于海陵再遇隐盟上经二十余篇,有数卷非真。其云寻经已来一十二年,此则杨君去后便以动作,故灵宝经中得取以相揉(糅),非都是灵期造制,但所造制者自多耳。”④可见,白杨羲于晋孝武帝太元十一年(386年)死后,就有不少人假造杨、许真经;又有人把它和灵宝相糅,造出灵宝经。争造上清、灵宝经,已在当时道士中成了风气。在这种争造经书风气的影响下,天师道等派道士也大量造经了。《正一经》和《孟法师录》说,天师道有《正一法文》100卷。⑤ 这些经书大体就是在东晋后期至南北朝时撰出的,其增加的数量亦很可观。可以看出,从杨、许造经

① (南朝)陶弘景:《真诰叙录》,《道藏》第20册,第604页。
② (南朝)陶弘景:《真诰叙录》,《道藏》第20册,第604页。
③ (宋)张君房:《云笈七籤》卷4转引,《道藏》第22册,第19页。
④ (南朝)陶弘景:《真诰叙录》,《道藏》第20册,第604页。
⑤ 参见(宋)张君房:《云笈七籤》卷6转引,《道藏》第22册,第37页。此100卷《正一法文》大都已佚,《道藏》保留有“正一法文”字样的书11种,是否全为此卷内之书,待考。

开始,道教内部逐渐掀起了一个造经高潮,其造经的速度和造经的数量,都是空前的。至宋明帝泰始七年(471 年),陆修静在其所撰的《三洞经书目录》中即著录了 1000 余卷(下面还将具体谈此问题)。只因《三洞经书目录》已佚,我们难以判断这 1000 余卷经书有多少是新出的,有多少是原有的。估计新出的数量不会少。陆修静之后,造经运动并未停止,陶弘景《真诰》、《登真隐诀》、《周氏冥通记》和北周《无上秘要》以及北周一些佛教论著中,都曾大量征引上清派出现以后的道教经书,据粗略统计,共征引经书约 400 种,1000 余卷。其中除少数(约 10 余种)为《抱朴子内篇·遐览》已著录,绝大部分是其未著录的,即大多是在它之后主要是上清派产生后新出的经书。由于《三洞经书目录》失传,无法用它与《抱朴子内篇·遐览》、《无上秘要》等所引书进行比对,从而确定这约 400 种书主要出于哪段时间,是主要出于《抱朴子内篇》和《三洞经书目录》之间呢,还是主要出于《三洞经书目录》和《无上秘要》之间?如果主要出于《抱朴子内篇》和《三洞经书目录》之间,其造经速度则远超过《抱朴子内篇》之前的 230 余年;就是笼统断为《抱朴子内篇》至《无上秘要》之间所出,其造经速度也略超过《抱朴子内篇》之前的 230 余年。

二、经书目录的编制及三洞四辅分类法

经书的不断涌现,要求及时加以整理和分类,以便编成目录,促进其流布。于是在多次编制经书目录的基础上逐渐创出了"三洞"、"四辅"、"十二类(或称部)"这种在中国道教史上影响深远的道教典籍分类法。

所谓"三洞",指洞真、洞玄、洞神。上清经称洞真,灵宝经称洞玄,《三皇文》及同类召劾鬼神之书为洞神。洞言通也,意谓习此诸经,能使人通达于真正、玄妙、神灵之境界。

"三洞"概念可能于东晋末期初步形成。在《太上洞渊神咒经》中,已一再提到"三洞大经",但非常模糊。疑为晋末葛巢甫所撰的《太上洞玄灵宝本行宿缘经》(即《仙公请问经》)说:"宗三洞玄经,谓之大乘之士。"又云:"道德上下经及洞真,洞玄经,三皇天文,上清众篇咏等……太上故

撰而为文也。"[①]在这里,已可看出三洞说的萌芽,但将"上清"与"洞真"分为二事,又无"洞神",故其"三洞"概念并不明确。疑为王灵期所撰的《素灵大有妙经》说:"经有三品,道有三真。"并云:"三皇内文、天文大字……为下品之第",灵宝洞玄为"中品之妙",上清道经为"上品之诀"[②]。这比《仙公请问经》的概念清楚些,但该书所谓"三洞",乃指洞天、洞地、洞渊。这些例子说明,东晋末年"三洞"概念已初步形成,但还很不完备,很不严格。将此概念完善化、定型化,并以之作为经书分类法的,是刘宋道士陆修静。陆修静在宋文帝元嘉十四年(437 年)所作的《灵宝经目序》中,已自称"三洞弟子",其后又按"三洞"分类经书,编出《三洞经书目录》,于泰始七年(471 年)上呈宋明帝。陈国符先生说:"东晋葛洪撰《抱朴子内篇》,尚未有三洞之称。至刘宋陆修静总括三洞,三洞经之名,实昉于此。"[③]日人福井康顺博士说:"从现存资料看来,三洞说是陆修静所创。"[④]吉冈义丰认为,三洞说是《抱朴子内篇》以后至陆修静期间逐渐形成的,陆修静是集大成者[⑤]。总之,陆修静是三洞说的最后集成者和以三洞说用于经书分类的开创者。

陆修静于宋明帝泰始七年所上的《三洞经书目录》已佚,他所著录的经书卷数究竟是多少,诸书记载不一。杜光庭《太上黄箓斋仪》卷五十二谓其著录了 18000 卷,《道藏尊经历代纲目》谓其藏经 18100 卷,看来这些都是被夸大了的数字。佛教典籍皆云他只著录了经书 1000 余卷。如北周甄鸾《笑道论》云:"(陆)修静,宋明帝时人,泰始七年因敕而上经目","陆修静目中见有经书、药方、符图,止有一千二百二十八卷,本无杂书诸子之名"。[⑥] 唐释明概《决对傅奕废佛僧事》也说:"爰至宋朝,道士陆修静答宋明帝云:道家经书并药方、符图,总有一千二百二十八卷。唯此为正,余者并非。"[⑦]唐

① 《太上洞玄灵宝本行宿缘经》,载《道藏》第 24 册,第 667、669 页。《无上秘要》多处所引《仙公请问经》,《洞玄请问经》,大都见于此书,故疑此书为《仙公请问经》之别名。

② 《洞真太上素灵洞玄大有妙经》,《道藏》第 33 册,第 414 页。

③ 陈国符:《道藏源流考》,北京:中华书局 2014 年版,第 2 页。

④ [日]福井康顺:《道教の基础的研究》,东京:书籍文物流通会 1958 年版,第 167 页。

⑤ 参见[日]吉冈义丰:《道教经典史论》,东京:道教刊行会 1955 年版,第 28 页。

⑥ (唐)释道宣:《广弘明集》卷 9《笑道论》第 31、36 节,《大正藏》第 52 卷,第 151、152 页。

⑦ (唐)释道宣:《广弘明集》卷 12,《太正藏》第 52 卷,第 174 页。

释道世《法苑珠林》卷五十五《破邪篇·妄传邪数》第三也说:“宋泰始七年,道士陆修静答明帝云:道家经书并药方、符图等,总一千二百二十八卷。云一千九十卷已行于世,一百三十八卷犹在天宫。”[①]据此,陆修静《三洞经书目录》所著录的经书虚目是1228卷,实有经书只1090卷。这个数字,与《隋书·经籍志》所著录的道书1226卷很相近,看来是比较可信的。

那么,三洞各部到底分录了哪些经书呢?目前所知甚少。据《笑道论》说:“按玄都道士所上经目,取宋人陆修静所撰者,目云:上清经一百八十六卷,一百二十七卷已行。始清已下四十部六十九卷,未行于世。”[②]据此陆修静在《三洞经书目录》中著录入洞真部的上清经有186卷。洞玄部之《灵宝经》著录了多少,已难考知。按陆修静《灵宝经目序》和《太上洞玄灵宝授度仪表》所云,当时《灵宝经》真伪掺杂,已达55卷(《真经》只35卷),不知他究竟是只著录了《真经》35卷呢,还是55卷一起著录了。还有,他本人所撰100卷斋仪书,著录进去否,皆不得而知。洞神部之经书,本应包含大有、小有《三皇文》和其他召神劾鬼的经书。据《太上洞神三皇仪》所载,《洞神经》有下列14卷:

《洞神经》卷,第一	大有篆图天皇内文;
《洞神经》卷,第二	大有篆图地皇内文;
《洞神经》卷,第三	大有篆图人皇内文;
《洞神经》卷,第四	八帝妙精经上;
《洞神经》卷,第五	八帝妙精经中;
《洞神经》卷,第六	八帝妙精经下;
《洞神经》卷,第七	八帝玄变经上;
《洞神经》卷,第八	八帝玄变经中;
《洞神经》卷,第九	八帝玄变经下;
《洞神经》卷,第十	八帝神化经上;
《滑神经》卷,第十一	八帝神化经下;

① (唐)释道世:《法苑珠林》卷55,《大正藏》第52卷,第704页。

② (唐)释道宣:《广弘明集》卷9《笑道论》第31节,《大正藏》第52卷,第151页。

《洞神经》卷，第十二　　　三皇斋仪；

《洞神经》卷，第十三　　　三皇朝仪；

《洞神经》卷，第十四　　　三皇传授仪。①

按《道教义枢》卷二《三洞义》云："晋时鲍靓学道于嵩高，以惠帝永康（300—301 年）年中，于刘君石室清斋思道，忽有《三皇文》，刊（《云笈七籤》卷 4，此处有'石'字）成字。仍依经以四百尺绢告玄而受。后亦授葛法（据《云笈七籤》卷 6'法'当作'玄'）子孙。按《三皇经序》，鲍君所得石室之文，与世不同，洪或兼受也。陆先生（修静）所得，初传弟子孙（游岳），后传陶先生（弘景）。先生分析支派，遂至兹也。"②据此，陆修静曾得《三皇文》。将《三皇文》和其余《洞神经》著录进《三洞经书目录》，当不成问题。只因《三洞经书目录》已佚，我们不仅不能具知其篇目，而且连它所录的《洞神经》卷数也难考知了。

陆修静的《三洞经书目录》是中国道教史上第一部经书目录。由它首倡的按经书来源进行分类的思想，成为以后经书编目和经书集藏的基本指导思想，以后的"四辅"分类法也是依据这个基本思想提出的。四辅是对三洞的补充。因此陆修静的三洞思想和《三洞经书目录》在中国道教经书发展史上具有开创性的意义。他本人因此也取得了与佛教史上首次编纂汉译佛教经录《综理众经目录》的道安（312—385 年）相类似的历史地位。

以三洞编目而言，毕竟只包容了三个系统的经书，不能把全部道教经书包括进去，这显然不适应道经的实际情况。于是继"三洞"之后又有"四辅"分类法的出现。"四辅"，指辅助或补充三洞的四部经书，即"太玄"辅"洞真"，"太平"辅"洞玄"，"太清"辅"洞神"，"正一"通贯各部。四辅分类法首见于《正一法文经图科戒品》（约出于刘宋时）。该书云："《太清经》辅《洞神部》金丹以下仙品；《太平经》辅《洞玄部》甲乙十部已下真业；《太玄经》辅《洞真部》五千文以下圣业；《正一法文》宗道德，崇三洞，遍陈三乘。"③所谓"金丹以下仙品"，指炼丹、服食、行气、房中等神仙家之书；"甲

① （唐）杜光庭：《太上洞神三皇仪》，《道藏》第 18 册，第 302 页。

② （唐）孟安排：《道教义枢》卷 2，《道藏》第 24 册，第 814 页。

③ （唐）孟安排：《道教义枢》卷 2《七部义》引，《道藏》第 24 册，第 815 页。

乙十部”指于吉《太平经》,也包括《太平洞极之经》(据传为张陵所作);“五千文以下圣业”,指《道德经》和阐释《道德经》的著作;《正一法文》即天师道系统的经典,其时已将该系统的新旧经典汇编成集,总称《正一法文》。《正一法文经图科戒品》所云四辅之次第(首列太清)是最早的说法,此后各书皆以太玄、太平、太清、正一为序了。

三洞加四辅,合称七部。最早将道教经书分作七部编著成目录的是孟法师《玉纬七部经书目》。青溪道士孟安排所撰《道教义枢》卷二《三洞义》第五说:“又序三洞经洞者,其卷数题目,具如陆先生《三洞经书目录》,孟法师《玉纬七部经书目》、《陶隐居经目》、《太上众经目》、《三十六部尊经目》等所明,今不具辨。”①孟法师究系何人?有必要在此先作考察。据上引《道教义枢》所记,是把孟法师《玉纬七部经书目》,列于宋陆修静、梁陶弘景二目之间,可见其为宋、梁之间人。这里首先考察一下作《道教义枢》的孟安排。陈国符《道藏源流考》据陈子昂《荆州Ⅰ大崇福观记碑》已考得孟安排为唐武周时道士②,然又谓“此非《道教义枢》撰人”。今读《道教义枢》序文,中已引有《隋书经籍志》文句;而《隋书》成于显庆元年(656 年),其为唐人可知。陈子昂《荆州大崇福观记碑》作于圣历二年(699 年),故其所提道士孟安排显系《道教义枢》的撰写人。这个撰写《道教义枢》的孟安排自然不是其书所记的生于南朝宋、梁之间的孟法师了。那么,这个孟法师到底是谁,前面第六节讲梁陈道教发展时,曾讲到道士中的大小二孟,即孟景翼和孟智周。“大孟”孟景翼在齐代就“颇有时誉”,在梁武帝时曾作大道正,且为国讲说,其精于道教义理是可以概见的,他完全有条件作《玉纬七部经书目》;而且他作大道正的时间在梁天监二年(503 年),即与陶弘景同时而略早,故他先于陶弘景作经目,是十分可能的。至于“小孟”,孟智周,也精于道教义理,他曾在崇虚馆讲说《十方忏文》,又曾撰《道德玄义》、《老子义疏》、《老子经通经目》等(皆见第六节),故也有条件编制经目。但从其活动历史考虑,或许较陶弘景略晚:较之孟景翼,年龄肯定小些,从时人称孟景翼

① (唐)孟安排:《道教义枢》卷 2《三洞义》,《道藏》第 24 册,第 812—813 页。
② 参见陈国符:《道藏源流考》,北京:中华书局 2014 年版,第 3 页。

为“大孟”，称孟智周为“小孟”这点可知。“大孟”是谁，或有歧异，朱法满编《要修科仪戒律钞》卷十五谓“大孟先生，讳景翼，字辅明”①，而杜光庭《道德真经广圣义序》则称：“梁道士孟安排，号大孟，作《经义》二卷”②。看来很有可能是杜光庭错把梁代道士孟景翼的“大孟”称号戴到唐代道士孟安排头上去了。而孟智周号“小孟”则是没有分歧的。根据二孟和陶弘景年岁的分析，先于陶弘景作经目的孟法师，以“大孟”孟景翼的可能性最大。

孟法师的《玉纬七部经书目》是道教史上第二部经书目录。它的特点是在陆修静的三洞目录基础上另加四辅，变成七部经目。这部目录也已失传。仅就《道教义枢》和《云笈七籤》所存少量佚文看，它对“三洞”、“四辅”的宗旨和渊源作了阐述，使道经的分类法更加系统化、理论化。其所录七部经书的情况只从佚文中见到零星的记载。如《云笈七籤》卷六论《三洞》时说：“(《三皇文》)大字序说十四篇，是天文次第之诀，小有经下记所载十一卷，推部本经，分别仪式，合一十四卷。今孟先生所录者，是其山中所传，犹十一卷。此二本并行于世。”③从中可以看出《玉纬七部经书目》所录洞神部《三皇文》凡 11 卷。他所著录的四部辅经中，只有太玄和正一两部留有下列记载。《云笈七籤》卷六《七部并序》云：“太玄者，重玄为宗，老君所说……《正一经》云：太玄道经二百七十卷。今《玉纬》所撰，止有一百三十五卷。又非尽是本经，余者不见。”④又云：“旧云《道德经》有三卷，《玉纬》云：其《中经》珍秘，部入太清。”⑤是知《玉纬七部经书目》录太玄部经凡 135 卷。其具体篇目虽不可考，但据《洞玄灵宝三洞奉道科戒营始》、《传授三洞经戒法箓略说》、《传授经戒仪注诀》等书所列太玄部篇目，它应收下列诸书：《道德经》2 卷，《河上公注》2 卷，《想尔注》2 卷，《老子妙真经》2 卷，《老子西升经》2 卷(或作 1 卷)，《玉历经》1 卷，《历藏经》1 卷，《老子中经》1 卷，《老子内解》2 卷，《老子节解》2 卷，《高上老子传》1 卷，《无上真人内传》

① 《道藏》第 6 册，第 993 页。
② 《道藏》第 6 册，第 309 页。
③ 《道藏》第 22 册，第 35 页。
④ 《道藏》第 22 册，第 36—37 页。
⑤ 《道藏》第 22 册，第 37 页。

1卷,另有符图仪注等①,只因《玉纬七部经书目》不存,不知上述当入太玄部的经书究竟收录了哪些。关于《玉纬七部经书目》所收正一经情况,《云笈七籤》卷六《七部并序》云:"《正一经》云:《正一法文》一百卷,今孟法师录亦一百卷,凡为十帙,未知并是此经不耳?"②是知它收有《正一法文》100卷。至于四辅经之其余两部(《太清经》、《太平经》),《玉纬七部经书目》著录了多少,因未见佚文,不得而知。

孟法师《玉纬七部经书目》之后,又有梁陶弘景所撰之《经目》和《太上众经目》。两个目录今既不存,又不见佚文,故无从考察。

此后又有《三十六部尊经目》。这个经目虽然也亡佚了,但因它与道经分类法另一部分内容,即"十二部(类)"有密切关系,故有必要专门介绍。如前所述,道教经书分类法,首先出现的是三洞分类,继之才是四辅分类。在四辅出现的前后,"十二部"分类法也出现了。所谓"十二部"就是将三洞各分十二部(类),四辅则不分部。这种分类法首见于《洞真太上仓元上录》。该书云:"法有三乘,乘十二事。""三洞三清,即是三乘,三乘经戒,各十二焉,合为三十六部……十二事:一曰自然文字,二曰符箓,三曰注诀,四曰图像,五曰谱录,六曰戒律,七曰威仪,八曰方法,九曰术数,十曰记传,十一曰赞颂,十二曰表奏。"③这是关于十二部分类最早的说法。其后《道教义枢》卷二《十二部义》:"释曰:十二部义,通于三乘。依《本际经》释:第一本文,第二神符,第三玉诀,第四灵图,第五谱录,第六戒律,第七威仪,第八方法,第九众术,第十记传,第十一赞颂,第十二章表。"④此处《道教义枢》所引《本际经》对十二部名称和次第的解释,基本成为定论。第一本文,指经书的原本真文;第二神符,指龙章凤篆之文,灵迹符书之字;第三玉诀,指对道经的注解和疏义;第四灵图,指对本文的图解或以图像为主的著作;第五谱录,指记录高真上圣的应化事迹和功德名位的道书;第六戒律,指戒规、科律的经书及功过格;第七威仪,指斋醮科仪方面的著作;第八方法,指论述修

① 参见陈国符:《道藏源流考》,北京:中华书局2014年版,第66页。

② 《道藏》第22册,第37页。

③ 《洞真太上仓元上录》,《道藏》第33册,第584—585页。

④ 《道藏》第24册,第734页。

真养性和设坛祭炼等各种方法之书；第九众术，指外丹炉火、五行变化和其他数术书；第十记传，指众仙传记、碑铭及道观志书；第十一赞颂，指歌颂赞唱神灵的著作；第十二章表，指建斋设醮时上呈天帝的章奏、青词等。三洞经下各分十二部，合为三十六部。[①]《三十六部尊经目》所编著的就是这三十六部经书的目录。它由何人所撰，现已难于查考，是否将四辅经一并注录于内，也无资料说明了。

在北周武帝时，又出现了另一部比较有名的道经目录，即北周玄都观道士所撰著的《玄都经目》。在北周释道斗争中，这部经目成为佛徒攻击的重要内容之一，我们从佛教记载当时论争情况的材料中，尚能见到该经目的部分内容。据佛教资料记载，陆修静《三洞经书目录》中未收诸子书，《玄都经目》则收有诸子书 884 卷。这是《玄都经目》的一个特点。它开创了此后《道藏》兼收诸子书的先河。甄鸾《笑道论》在攻击此点时，曾说："去年七月中道士所上《经目》（指《玄都经目》），止注诸子三百五十卷为道经，今云八百余卷。"[②]按《笑道论》作于北周武帝天和五年（570 年）[③]，故《玄都经目》成书于其前一年之天和四年（569 年）七月。《笑道论》又云："《玄都经目》云：道经、传记、符、图、论，六千三百六十三卷，二千［零］四十卷有本，须纸四万零五十四张。其一千一百余卷经、传、符、图，其八百八十四卷诸子、论。其四千三百二十三卷，陆修静录中有其数目，及本并未得。臣鸾笑曰：道士所上经目，陆修静目中见有经书、药方、符图，止有一千二百二十八卷，本无杂书诸子之名，而道士今列二千余卷者，乃取《汉（书）·艺文志》目八百八十四卷，为道之经论。据如此状，理有司疑。何者，至如韩子、孟子、淮南之徒，并不言道事。又有八老黄白之方，陶朱变化之术，翻天倒地之符，辟兵杀鬼之法，及药方咒厌，得为道书者，可须引来，未知《连山》《归藏》《易林》《太玄》，黄帝《金匮》、太公《六韬》，何以不在道书之例乎？……若以诸子为道书者，人中诸子，悉须追取，何得遗之。且道士引例，我老子《道德》，本

① 三十六部经又有另外四种异说，见陈国符《道藏源流考》，北京：中华书局 2014 年版，第 202—206 页。

② （唐）释道宣：《广弘明集》卷 9《笑道论》第 36 节，《大正藏》第 52 卷，第 152 页。

③ 参见（唐）释道宣：《广弘明集》卷 8《辩惑篇》，《大正藏》第 52 卷，第 136 页。

是诸子,今尊为经,流例相附,有何过欤?”[①]又云:“又统收道经目录,乃有六千余卷,核论见本,止有二千[零]四十,余皆虚指未出。”[②]从《笑道论》以上两段话看来,《玄都经目》共列经目 6363 卷,其中 4323 卷(陆修静录中已列其数目)为虚数(本无其书),2040 卷为实有。而这 2040 卷中,又包括了诸子书 884 卷,纯粹的道书只 1156 卷。但是《笑道论》所云 884 卷诸子书,乃取《汉书·艺文志》目为之。这个说法,似不可靠。陈国符先生据梁阮孝绪《七录序》所记《七略》和《汉书·艺文志》关于诸子书存、亡情况的分析,证明:“《汉书·艺文志》诸子,亡失者甚众,安得有八百八十四卷,以充道书卷帙乎?”[③]据陈国符先生的看法,这 800 多卷诸子书,“当指南北朝人撰述,如《道释优劣论》等”[④]。因此这 800 多卷所谓诸子书,不一定都是诸子书,许多仍然是道书。把这些加进去,上面所说的纯粹的道书就不止 1156 卷了。但具体是多少,以及它比陆修静《三洞经书目录》多录了多少经书,都无法稽考了。至于诸子书是否应入道经目录和编纂入《藏》,这是佛道二教长期争论的问题。《笑道论》所举《连山》、《归藏》、《易林》、《太玄》、黄帝《金匮》、太公《六韬》等,在今存的《正统道藏》中已大都收入(收入的诸子书、医书等比这还多)。对于这个问题,似不能一概而论。近代道教学者陈撄宁先生曾发表过意见,兹不具论。

《玄都经目》对各部经书的分列情况又是如何呢?目前所知甚少。《笑道论》曰:“按玄都道士所上经目,取宋人陆修静所撰者目云:上清经一百八十六卷,一百二十七卷已行,始清已下四十部六十九卷,未行于世。检今经目(《玄都经目》),并云见存。”[⑤]是《玄都经目》所录上清经(入洞真部)已增至 186 卷。其余各部未详。

此外,北周楼观派道士王延也作有经书目录,名《三洞珠囊》。《云笈七籤》卷八十五《王延传》云:“后周武帝钦其高道,遣使访之”,“延来至都下。

① (唐)释道宣:《广弘明集》卷 9《笑道论》第 36 节,《大正藏》第 52 卷,第 152 页。
② (唐)释道宣:《广弘明集》卷 9《笑道论》第 36 节,《大正藏》第 52 卷,第 152 页。
③ 陈国符:《道藏源流考》,北京:中华书局 2014 年版,第 92 页。
④ 陈国符:《道藏源流考》,北京:中华书局 2014 年版,第 92 页。
⑤ (唐)释道宣:《广弘明集》卷 9《笑道论》,《大正藏》第 52 册,第 103—104 页。

久之,请还西岳,居云台观”。“其三洞玄奥,真经玉书,皆焦君(指上清道士焦旷)所留,俾后传于世。周武以沙门邪滥,大革其讹。玄教之中,亦令澄汰。而素重于延,仰其道德,又召至京。探其道要。乃诏云台观精选道士八人,与延共弘玄旨。又敕置通道观,令延校三洞经图,缄藏于观内。延作《珠囊》七卷,凡经传疏论八千[零]三十卷,奏贮于通道观。”[①]《道藏尊经历代纲目》也说:“后周法师王延《珠囊经目》藏经八千[零]三十卷”[②]。《历世真仙体道通鉴·王延传》谓王延撰《三洞珠囊》七卷,据《云笈七籤》所记王延校道书,在周武废佛之时。按周武废佛在建德三年(574 年),而甄鸾上《笑道论》则在此四年之前,玄都观道士上经目又在《笑道论》之前一年。故王延之校道书和作《三洞珠囊》当在《玄都经目》之后。唯此经目已佚,其内容已毫无所知。

总上可见,随着东晋中叶以后道教经书的不断造作,南北朝道士相继编制了多种经书目录。尽管这些经书目录已全部不存,但它们所创造的三洞四辅十二部(类)的道教经书分类法却得到不断的完善。这对此后道教经书的整理、分类具有重大的意义,其后千余年来道书经目的编制和《道藏》的编纂所采用的都是这种分类法。

这种经书分类法的出现和形成,在当时自有它的客观根据及其合理性,但其缺点也十分明显。最大的缺点是僵死的三洞四辅分类法不能容纳以后出现的新道派所制造的不同系统的经书。原有各派续出的著作,如《上清经》的注释,以及宗《上清经》说的撰述,自可归入洞真部;《灵宝经》的注释,以及宗《灵宝经》说的撰述,自可归入洞玄部等。但金元以后新出的许多道派,如全真、真大道、太一道、净明道等系的道书,又将归于何部?这是不能解决的矛盾。就是唐宋以后所出的经论,由于各派思想的融合,各书的思想也不单一,归入何部也很困难。再者,唐宋晚出的符箓、斋醮等书,体制也有不同,归入何部的神符类、威仪类,也殊难安排。正因上述矛盾无法解决,故其后所辑之《道藏》,分部日益混乱,明《正统道藏》就很突出。一是唐宋以

① 《道藏》第 22 册,第 602 页。
② 《道藏》第 34 册,第 516 页。

后新出的道书，困难于归类，造成了诸多分类欠妥的弊病；二是归属比较清楚的六朝道书，也因种种原因造成了分部的混淆。如《上清经》当入洞真部，而今大多误入正一部；《度人经》诸家注当入洞玄部，而今误入洞真部；道家诸子注疏当入太玄部，而亦误入洞真部。如此等等。三洞、四辅、十二部分类法所带来的现存《道藏》的分部混乱，已给研究工作造成了一定困难，故有些学者为了改变这种状况，提出了另外的分类法。改用什么方法最合适，还是有待继续研究解决的重要课题。

第八节　道教宫观制度的初步形成与建立

一、道馆的兴起及宫观制度的初步建立

道教追求长生成仙，要求离世绝俗进行修炼和祀神，于是随着道教的发展，先在山林野外，再及城市所在，逐渐出现了专供道士进行宗教活动和祀神的处所。这种处所，后世通称宫观。随着宫观的发展，规范与约束道士言行的戒律也逐步建立和完善起来。道教宫观制度的建立及戒律制度的基本完善，促使道教逐渐进入成熟阶段。

道教的初创时期，其进行祀神和其他宗教活动的场所一般称为治、靖、庐或静室。唐释明概《决对傅奕废佛僧事并表》说："李老事周之日，未有玄坛，张陵谋汉之晨，方兴观舍。故后汉顺帝中，有沛人张陵客游蜀土，闻古老相传云：昔汉高祖应二十四气，祭二十四山，遂王有天下。陵不度德，遂构此谋。杀牛祭祀二十四所，置以土坛，戴以草屋，称二十四治。治馆之兴，始乎此也。"①《三国志·张鲁传》注引《典略》说："（张）修法略与（张）角同，加施静室，使病者处其中思过。"②《要修科仪戒律钞》卷十引《玄都律》说："民家曰靖，师家曰治。"③直至东晋，师家或道官祭酒传教之所仍称治，不仅原二十四治仍称治，东晋天师道杜子恭一派的传道所也称治。《异苑》卷七说："谢灵运生于会稽，旬日而谢玄亡。其家以子孙难得，送灵运于杜治养

① （唐）释道宣：《广弘明集》卷12，《大正藏》第52卷，第171页。
② 《三国志》卷8《张鲁传》，北京：中华书局1959年版，第1册，第264页。
③ 《道藏》第6册，第967页。

之,十五方还。”[①]而民家祀神之所,或称靖或称庐。《抱朴子内篇·道意》:李“宽所奉道室,名之为庐。宽亦得瘟病,托言入庐斋戒,遂死于庐中”[②]。《晋书》卷八十:“王氏世事张氏五斗米道,凝之弥笃。孙恩之攻会稽,僚佐请为之备。凝之不从,方入靖室请祷。”[③]

师家的治和民家的靖,在建造规格上是不同的。民家靖室的构造简单,只要求与居室隔绝,并保持清洁。陆修静《道门科略》说:“奉道之家,靖室是致诚之所。其外别绝,不连他屋。其中清虚,不杂余物。开闭门户,不妄触突,洒扫精肃,常若神居。唯置香炉香灯章案书刀四物而已。”[④]《真诰》卷十八录许长史(许谧)记:“所谓静室者,一曰茅屋,二曰方溜室,三曰环堵。……此法在名山大泽无人之野,不宜人间。”[⑤]此与民家靖室或有区别。《要修科仪戒律钞》卷十引《玄都律》说:“民家安靖于天德者,甲乙丙丁地作入靖,小治(按指靖室)广八尺,长一丈;中治广一丈二尺,长一丈四尺;大治广一丈六尺,长一丈八尺。面户向东,炉案中央。违治罚算一纪。”[⑥]治所的建造规格要高得多,《要修科仪戒律钞》卷十引《太真科》曰:“立天师治,地方八十一步,法九九之数,唯升阳之气。治正中央名崇虚堂,一区七架六间十二丈,开启堂屋。上当中央二间,上作一层崇玄台。当台中央安大香炉,高五尺,恒烦(焚)香。开东西南三户,户边安窗,两头马道。厦南户下飞格上朝礼。天师子孙、上八大治,山居清苦济世道士,可登台朝礼,其余职大小中外祭酒,并在大堂下遥朝礼。崇玄台北五丈起崇仙堂,七间十四丈七架,东为阳仙房,西为阴仙房。玄台之南,去台十二,又近南门,起五间三架门室,门室东门南部宣威祭酒舍,门屋西间典司察气祭酒舍。其余小舍,不能具书。二十四治,各各如此。”[⑦]不仅建造的规模比靖室大,其内部构造也比靖室复杂得多。既有祀神之所,又有祭酒之居室,其建造格局已具后

---

① (南朝)刘敬叔:《异苑》卷7,《文渊阁四库全书》第1042册,第538页。

② 王明:《抱朴子内篇校释》,北京:中华书局1985年版,第174页。

③ 《晋书》卷80,北京:中华书局1974年版,第7册,第2103页。

④ 《道藏》第24册,第780页。

⑤ 《道藏》第20册,第596—597页。

⑥ 《道藏》第6册,第967页。

⑦ 《道藏》第6册,第966页。

世宫观之雏形。

随着道教的发展，道教宫观制度在南北朝初年有了较大的变化，出现了大批被称为馆、观的道士祀神和修炼的场所。这种道馆、道观，比起治、靖、庐不是简单的名称改变，主要是内容上起了变化。一方面，治、靖、庐是天师道祭酒制度的产物，其道官祭酒和道民之间，既是师徒关系，又是官民关系，其间本含有某种程度的对立和脱节。因此反映在祀神场所方面，道官祭酒在治，道民在靖、庐，除三会日道民集治进行宗教活动外，平时双方不在一个场所进行宗教活动，造成道官祭酒与道民在祀神方面的脱节。另一方面，靖、庐仅是祀神之所，不兼作道民生活之所，即道民进行宗教活动的场所与生活场所也是脱节的；治虽有道官祭酒生活居住之地，但无道民生活居住之地，同样表现了道官与道民的脱节。南北朝出现的道馆、道观，情况则不同了。它既是道士们祀神、修炼之地，又是道士们生活居住之地；既是为首道士祀神、修炼、生活之所，又是徒众祀神、修炼、生活之所，过去那种几脱节现象已被克服。这种情况的出现，与上清派和灵宝派直接有关。上清派和灵宝派没有采取天师道的祭酒制，而实行单纯的师徒传授制，并提倡道士出家住宫观。在这种主张下，才出现了祀神与生活场所相统一的师徒共住的道馆（观）。因南北朝时，战乱频仍，天灾人祸不绝，租赋徭役奇重，广大劳动人民生活在水深火热之中；而出家为僧为道，则可免除租赋徭役，这无疑对劳动群众具有吸引力。于是许多不堪生活重压，被迫出家的劳苦群众，就纷纷投入道馆、道观，从而使道馆、道观大大兴盛起来。

据记载，南北朝初年的刘宋时代即出现了一大批道馆（观）。如陆修静于永明五年（461 年）在江西庐山建馆（后名简寂观），宋明帝刘或于泰始三年（467 年）在京城建康（今南京）北郊为陆修静建崇虚观，又于泰始中（465—471 年）在浙江绍兴为孔灵产建怀仙馆等。北魏太武帝拓跋焘为寇谦之起天师道场于京城之东南，初不闻有馆、观之称。至孝文帝元宏于太和十五年（491 年）秋诏迁于都南桑乾之阴，“仍名为崇虚寺”。道教宫观之称为“寺”，此为唯一的特例。至南朝萧齐时代，道教馆、观有了进一步发展，出现了又一大批新的馆、观。如齐高帝萧道成（479—482 年在位），于剡县为褚伯玉立太平馆，于茅山为薛彪之建金陵馆，于茅山为蒋负刍建宗阳馆（此据《道学传》,《三洞珠囊》卷二则作崇阳馆)。在齐武帝萧赜永明中(483—493年),太守王亮、县令顾抽为李景游建栖真馆,齐明帝萧鸾建武五年(498年),于茅山为薛彪之建洞天馆等。至南朝梁、陈时代,所建馆、观更多。如梁武帝萧衍为陶弘景于茅山立朱阳馆,为许翙玄孙许灵真于茅山立嗣真馆,为天师十二世孙张裕于虞山(江苏常熟西北)建招真馆;陈武帝陈霸先为徐师子立宗虚馆等。这时期地方官吏出资和私人集资所建道馆(观)也很多,兹不备举。南朝到底建有多少道馆,现在已难确考,从陈国符先生所辑陈马枢《道学传》佚文中作粗略统计,可得有名称的南朝道馆47个。其中宋代所建4个,齐代8个,梁代25个,陈代4个,不明时代者6个。[①] 可见梁陈时代是道馆兴起的高峰。此外《茅山志》卷十五《采真游篇》,载有齐梁陈间著名道士多人,其中除有张陵九、十世孙,及服食道士、栖真道士等23人外,还有馆主59人,精舍(馆、观别称)女官9人,共68人,从中能见到有名称的道馆、精舍68个。[②] 除少数几个与《道学传》所载名称相同外,绝大多数皆不同,证明它们是另外一批道馆。此与《道学传》所载的47个道馆相加,即得道馆100余个。不言而喻,这两个材料所记载的道馆,远不是当时实有道馆的数目,仅是其中的一部分,可见道馆(观)在南朝的数量是相当大的。北朝的道馆(观)肯定也不少,惜乎没有记载资料留下来。但是北齐文宣帝高洋在《问沙汰释李诏》中曾说过这样的话:"馆舍盈于山薮,伽蓝遍于州郡","缁衣之众,参半于平俗;黄服之徒,数过于正户"[③]。馆、舍指道教馆、观,伽蓝指佛教庙宇;缁衣指僧人,黄服指道士。道教馆舍把山野都盖满了,道士的人数超过了正户,极言北齐道馆之多、道士之众。这里虽然没有指明具体的数字,但道馆数量很多,却是说得很明确的。如华山云台观,京城玄都观、通道观等,是现在所知的北周有名道观。

南北朝时期出现的道馆(观)数量既多,建造的途径也很多样。一是历代皇帝下令为有名的道士所建。如前所述,历宋至陈,几乎每代帝王都敕建

① 据陈国符《道藏源流考》之《道学传辑佚》所作的统计,北京:中华书局2014年版,第423—452页。

② 参见(元)刘大彬:《茅山志》卷15《采真游篇》,《道藏》第5册,第616—619页。

③ (唐)释道宣:《广弘明集》卷24,《大正藏》第52卷,第273页。

了一批道馆，给当时有名的道士居住修道。这样建起的道馆，数量不少，并成为当时道馆兴起的重要刺激因素。二是地方官吏为名道士所建。除上举齐武帝萧赜时太守王亮为李景游所建栖真馆外，梁代“荆州长史柳悦启割城西栖霞楼下罗舍章台为国家造馆，留梁州晋寿人王僧镇为馆主也”①。三是达官权贵出资所建。如“宋景王立馆，馆主王文清也”②。梁简文帝萧纲时，庐陵威王在镇，为道士东乡宗超“大为起造，房宇廊庑，莫不华壮，供养法具，成悉精奇。唯先生所居，茅茨不改”③。四是富室出资所建。如“殷法仁，字兹道，陈郡阳夏人也。少而出家，勤习诵，长斋菜食。有陈文诃，京师富室，起义仙馆，请法仁居焉”④。“淳于普洽，字法洞，吴郡人也。少出家，市北有石名生，舍宅为馆，名为崇信，以普洽为馆主也”⑤。五是道士募化所建。如“王僧镇，梁州晋寿人也。乃于荆州安陆起福堂馆。还过郢州，又起神王馆。并极华整。又于衡岳起九真馆。荆州有始兴馆，颍州庾承仙讲道经于其中”⑥。“史袭先，字继道，吴人也。舍妻长斋，起馆，梁武帝嘉之，赐名曰大通玄馆也”⑦。“张元妃，字净明，君曲阿蔡坡村。后出都，造至德馆于东府城北，梁武时也。又请以后屏迹茅山，复出南洞造玄明馆”⑧。“李令称者，庐陵女人也。少出家离俗入庐山，于干福乡延静里造精舍，名曰华馆（应作华林馆）”⑨。凭借多种渠道建立起来的大批道馆中，有很多拥有地产作为道士的生活之资。这些地产的来源或为帝王所赐，或为富室所捐。如《南岳小录》“衡岳观”条引隋曹宪所撰碑，说梁天监二年（503年）道士周静真弘茸衡岳观，“武帝赐三百户庄田充基业”⑩。《真诰》卷十一陶弘景注

① （唐）王悬河：《上清道类事相》卷1引《道学传》，《道藏》第24册，第879页。
② （唐）王悬河：《上清道类事相》卷1引《登真隐诀》，《道藏》第24册，第875页。
③ （唐）王悬河：《上清道类事相》卷1引《道学传》，《道藏》第24册，第877页。
④ （唐）王悬河：《上清道类事相》卷1引《道学传》，《道藏》第24册，第878页。
⑤ （唐）王悬河：《上清道类事相》卷1引《道学传》，《道藏》第24册，第878页。
⑥ （唐）王悬河：《上清道类事相》卷1引《道学传》，《道藏》第24册，第878页。
⑦ （唐）王悬河：《上清道类事相》卷1引《道学传》，《道藏》第24册，第878页。
⑧ （唐）王悬河：《上清道类事相》卷1引《道学传》，《道藏》第24册，第878页。
⑨ （唐）王悬河：《上清道类事相》卷1引《道学传》，《道藏》第24册，第878页。另据《三洞珠囊》卷1引《道学传》云：梁元帝世子方等疾笃，徐妃……遣人到女官李令称华林馆作功德。故知其所建为华林馆。
⑩ （唐）李冲昭：《南岳小录》，《道藏》第6册，第862页。

中自述其在茅山的道馆有田10余顷，“隐居馆中门人亦于此随水播植”①。帝王还常赐力役和馆户给一些道馆，如《华阳陶隐居内传》谓，陶弘景离京去茅山时，齐宜都王除赠裘、镜外，还“给在山吏役数人”，武陵王等亦“致遗人力经纪”②。《上清道类事相》卷一《仙观品》引《道学传》云：衡岳“九真馆，晋陵曲阿人王灵屿字善宝之所住，专修上道也。敕给馆民二百馆户，金缯香药，事事丰多”③。所谓“馆户”，本南北朝时期专为政府服役的隶户，今拨给道馆，故称馆户，盖如北朝供佛教寺庙役使的“僧祇户”、“浮图户”之类。道馆除靠地产所出作为基本经济来源外，又靠官僚、富室的施舍，以及道士为人祈祷、治病、做道场等所得的报酬等。

随着道馆（观）的出现，其营造格局、样式也比治、靖、庐有进一步发展。《洞玄灵宝三洞奉道科戒营始》卷一《置观品》记载了营造道馆（观）的有关规定。它说道馆（观）是仿照天宫中神仙所居的殿堂营造的：“夫三清上境及十洲五岳诸名山或洞天，并太空中，皆有圣人治处。或结气为楼阁堂殿，或聚云成台榭宫房，或处星辰日月之门，或居烟云霞霄之内，或自然化出，或神力造成，或累劫营修，或一时建立。其或蓬莱、方丈、圆峤、瀛洲、平圃、阆风、昆仑、玄圃，或玉楼十二，金阙三千，万号千名，不可得数。皆天尊太上化迹，圣真仙品都治，备列诸经，不复详载。必使人天归望，贤愚异域。所以法彼上天，置兹灵观。”④既然道馆是法上天之仙居，在营造上就不能没有规矩：“既为福地，即是仙居，布设方所，各有轨制。凡有六种：一者山门，二者城郭，三者宫掖，四者村落，五者孤迥，六者依人。皆须帝王营护，宰臣修创，度道士女冠住持供养。”⑤其后又列举了一大串应营造的殿、堂、院、楼、台、阁：“造天尊殿，天尊讲经堂，说法院，经楼，钟阁，师房，步廊，轩廊，门楼，门屋，玄坛，斋堂，斋厨，写经坊，校经堂，演经堂，薰经堂，浴堂，烧香院，升遐院，受道院，精思院，净人坊，骡马坊，车牛坊、俗客坊，十方客坊，碾硙坊，寻

---

① （南朝）陶弘景：《真诰》卷11，《道藏》第20册，第560页。
② 《道藏》第5册，第503页。
③ 《道藏》第24册，第877页。
④ 《道藏》第24册，第745页。
⑤ 《道藏》第24册，第745页。

真台，炼气台，祈真台……合药堂等。皆在时修建，大小宽窄，壮丽质朴，各任力所营。”①这比治、靖、庐的建造复杂得多，把道士进行宗教活动的场所和生活场所都一一作了安排。这无疑是道教渐趋成熟的反映。

二、北朝道教内部管理制度

随着道馆的建立和发展，有关管理道馆的相应制度，诸如管理人员的安排，道士生活纪律的规定等，也应随之建立。下面我们着重就北朝道教管理制度和道教戒律制定进行分析论述。

道教在进入北魏以后，寇谦之在新的形势下进行了改进，实现了北天师道的儒家礼制化；北魏以后，北朝道教基本延续寇谦之改革的基本观念，但逐渐在后期吸收了南朝道教的许多内容，呈现出错综复杂的状态，由于资料缺乏，还不能明确。

北天师道的改造的内容，集中见于北魏寇谦之所著《云中音诵新科之诫》。对改造的基本指导思想与原则，前已述及，不再赘述，在此主要展开其中的具体细节问题。

（一）关于道官的任免问题

首先，天师一职，按《正一法文传都功版仪》对天师继承者的要求，若正一道士奉到有功，守法信天，可凭功举迁，最高达至天师职位，“正一道士奉道有功，应补治职，随功举迁，不得刀妄，极于阳平，德业渐升，教化逾博，奉佩符线，昼夜勤修，驱役吏兵，拯救验效，直心守法，终始匪逾，正念师尊，岁寒无替，而鬼神畏敬，人天信用，堪为化首，永世作师，可署都功，宜传道要”②。《正一法文传都功版仪》这一规定就表明，天师非世袭，任何条件具备者都有机会成为天师人选。陆修静也曾谈到虽天师传位有世袭之说，但他姓也可继任，只是称呼要作适当改变：“阳平治都功版，非天师之胤不受，所以云系天师若干世孙，异姓当言系天师王甲此师名。”③如果天师可以依据功劳的大小多少来确定天师人选，那么，天师选拔的标准当是由道民认可

① 《道藏》第24册，第745页。
② 《道藏》第28册，第490页。
③ 《道藏》第28册，第490页。

的，这里“永世作师”不应该理解为单纯以血缘为纽带的无条件世袭。继任者若是他姓，而非天师后嗣，则必然涉及天师的任免问题，无异于原天师的职位被免去。可以适当推测，如果天师的后人，在继任天师之位后，不再是以这些标准来要求自己，或根本就达不到这些要求，当然天师的职位可由道民另行选出，但问题是，道民在实际的宗教生活领域真的有经典中暗示的权利吗？事实上，寇谦之在成为天师的具体做法上，仍然采取了当年张道陵的做法，以“天降大任于斯人”的天赋权柄姿态，宣称自己就是太上老君任命的新天师的不二人选。这无疑是在天师的选拔结果上，部分地实践了《正一法文传都功版仪》中的规定，但是这个自我宣称，仍保留了世袭权力的某种残念。世袭观念的存在，反映了天师任免问题上，对国家政治制度的沿袭。

关于寇谦之受封为天师的内容，多有记载，内容各有侧重，以《魏书·释老志》为例，谈到寇谦之自云遇太上老君，权利天赋的内容：“谓谦之曰：‘往辛亥年，嵩岳镇灵集仙宫主，表天曹，称自天师张陵去世以来，地上旷诚修善之人，无所师授。嵩岳道士上谷寇谦之，立身直理，行合自然，才任轨范，首处师位，吾故来观汝，授予天师之位，赐汝《云中音诵新科之诫》二十卷，号曰‘并进’，言：‘吾此经自天地开辟以来，不传于世，今运数应出。汝宣告吾新科，清整道教；除去三张伪法，租米钱税，及男女合气之术。大道清虚，岂有斯事，专以礼度为首，而加之以服食闭炼。’’”①而在北魏泰常八年（423 年），他又称老子玄孙李谱文降临嵩山，亲授《录图真经》六十余卷，赐以劾召鬼神与金丹等秘法，并嘱其辅佐北方“太平真君”（北魏太武帝拓跋焘）。次年（424 年）寇谦之又亲赴魏都平城（今山西大同）献道书于太武帝，得到重臣崔浩的帮助，帝赐于平城东南建立新天师道场，重坛五层，遵其新经之制，后人称为“北天师道”。寇谦之的努力，受到了皇帝注意并进一步被认可。太延（435—440 年）末，太武帝听从寇谦之的进言，改年号为太平真君。后皇帝又亲至道坛受箓，成为道士皇帝，并封寇谦之为国师。北天师道由此在北方大盛。《隋书·经籍志》记述了这一情况：“太武始光之初，

① 《魏书》卷 114，北京：中华书局 1974 年版，第 8 册，第 3050—3051 页。

奉其书而献之。帝使谒者,奉玉帛牲牢,祀嵩岳,迎致其余弟子。于代都东南起坛宇,给道士百二十余人,显扬其法,宣布天下。太武亲备法驾而受符箓焉。自是道业大行,每帝即位,必受符箓,以为故事。刻天尊及诸仙之象,而供养焉。迁洛已(以)后,置道场于南郊之傍,方二百步。正月、十月之十五日,并有道士哥人百六人,拜而祠焉。后齐武帝迁邺,遂罢之。文襄之世,更置馆宇,选其精至者使居焉。后周承魏,崇奉道法,每帝受箓,如魏之旧。寻与佛法俱灭。"①这些情况表明,通过天赋神权及王朝委任的方式是寇谦之获得天师这一职位的重要途径之一。

即使能够以神降天启、王朝委任的方式来宣扬自己有天赋权威,也仍然需要基于现实的状况来解释与前任天师姓不相属、职又如何继任的问题。寇谦之在《云中音诵新科之诫》中,先对其前张天师管理五斗米道情况加以评判,其评判的立场,基本是持完全否定的态度:"吾汉安元年以道授陵,立为系天师之位,佐国扶命。陵以地上苦难,不堪千年之主者,求乞升天。吾乃勉陵身,元元之心,赐登升之药,百炼之酒,陵得升云蹑虚,上入天宫。从陵升度以来,旷官真职,来久不立系天师之位。"②文中讲到,张道陵的升举似完全出于个人的考虑。而且自张陵升度以来,在天师位期间,旷职良久,不理教政,甚至对继任天师的选拔也不予考虑,基本没有尽到天师的职责。寇谦之借用老君之口的评判,显然不符合五斗米道原初的发展情况。五斗米道在汉末魏晋之时,先后经历三国战乱,北魏异族入侵,晋末北人南渡等一系列社会动荡,其前期,教众组织较为紧密,活动规范。其后期,组织呈松散化状态,教民的不守教规,本属可以预料到的情况,基于社会大环境的急剧变迁而至教团的被迫疏离,亦在情理之中。如他还讲道:"吾使诸州郡县,土地真官,注气治理鬼事,领籍生民户口,不用生人,祭酒理民,浊乱之法。而后人道官诸祭酒,愚闇相传,自署治箓符契,攻错经法,浊乱清真,言有三百六十契令,能使长生。鬼神万端,惑乱百姓;授人职契录,取人金银财帛。而治民户,恐动威逼,教人脆愿,匹帛、牛犊、奴婢、衣裳,或有岁输全绢

① 《隋书》卷35,北京:中华书局1973年版,第4册,第1093—1094页。
② 《道藏》第18册,第210—211页。

一匹,功薄输丝一两。众杂病说,不可称数。妄传陵身所授黄赤房中之术,授人夫妻,淫风大行,损辱道教。有祭酒之官,称父死子系,使道益荒浊。”①很显然,寇谦之列举种种关于此一时期的教团状态,不外都是要从舆论上打破天师世袭制,为自己可以继任天师大统而奠定基础。在对前任天师管理不善,造成天师道发展不良的种种“劣迹”做了口诛笔伐之后,寇谦之开始回到实质问题上,若前任天师不合格,就当重新任选,这就牵涉天师的任免标准到底是什么。寇谦之认为:“诚曰:道尊德贵,惟贤是授,若子胤不肖,岂有继承先业?有祭酒之官,子之不肖,用行颠倒,逆节纵横,错乱道法,何有承系之理者乎?铁券首云父死子系何?是近世生官王者之法制耳。吾今未立地上系天师正位,据听道官,愚闇相传,自署治箓。诸道官祭酒,可简贤授明,未复按前,父死子系,使道教不显。吾论一事,吾岂死,有子孙系吾老君天师之后。天道无亲,惟贤是授。明慎奉行如律令。”②天师的任免标准是以德取人,所谓“道尊德贵,唯贤是授”。绝非以天道唯亲的方式,“天道无亲,惟贤是授”。而且其他所有的道官选任都应当秉持此标准。那种父死子承的血统承继的方法,已经造成了很多道团发展的问题,是毋庸置疑的,应当被取消。这样,寇谦之就从现实状况的层面上,完成了其名正言顺的取代前代天师的任务。

寇谦之著述中反映出的这些做法,从一个侧面揭示出,北朝五斗米道道官任免的两个阶段性,一个阶段大致从张道陵创教到北魏初期,天师道的教职包括天师职位,都是采用父死子继的世袭制。在初创时期,起到了维持天师道的正常发展的作用,当然同时也存在着一些隐患,但并不显著。一个阶段是道官选任制,道官的选拔依德是受,不用世袭法。这主要是形势发生了变化,北魏统治者急需一种可以把鲜卑统治与汉文化结合在一起的官方说教,而寇谦之的观念也恰恰适应了这一需要,天师职位的继承至寇谦之而有变,持续时间很短。寇谦之身后,北朝再无人声称继任,直接的可能性是,从天师继任者正统性方面来得缺乏,及北魏的民族融合工作基本理顺,民汉矛

① 《道藏》第18册,第211页。
② 《道藏》第18册,第211页。

盾不再成尖锐态势,汉文化与鲜卑文化已实现了某种程度的融洽。北朝天师道的这一变化,是南朝天师道所没有的。①

寇谦之虽然看到道官世袭所带来的弊端,但也并非绝对禁止道官世袭,如果前辈为官,而其子聪明能干,熟悉道教诸项事宜,也可以继任:"祭酒之官,迁功之后,子孙清彻聪明,闲练鬼事,可就明师,受署治箓符诫,承继父后。若子孙用行颠倒,与俗不别,不顺科约者,诸官平处,奏表天曹,听民更受。明慎奉行如律令。"②从寇谦之的态度上来看,这项规定也应当适用于最高掌教者天师一职。

从严格意义上来说,唯德是举的用人标准与世袭制的管理选拔方法,并没有必然的联系,一个有贤德的人,并不一定适合于从事管理众人之事。个人对道德内在律的遵守,并不一定能普及到他人那里。原因在于,管理根本上不是内在道德品质好与坏的静态评述,而是外在行为有否约束机制的动态程序问题。从管理的效率来看,品德的普及途径要远远比是否具备品德的内容重要得多。唯德是举与世袭制能够联系起来,并且看起来好像两者的联系具有必然性的原因,就在于掩盖有德之人的于事无能,与压制无德之人而于事有能,皆是阴谋论调。北魏的国家政治结构,是继承自曹魏"唯才是举"理念的九品中正制,寇谦之所实行的唯德是举的道教管理方法,是已经被历史淘汰了的经验,在北魏的前期,他通过这种方式,把儒家文化的内容注入天师道教团的管理观念与行为中,使得天师道教团演变成实质上的官方化的道教团体,为维护北魏的统治起到了积极的作用。同时,也使得天师道北支在民族矛盾较为集中的动荡时期,能够统一思想与行动,依然保持

---

① 寇谦之宣称受太上老君托付清整道教,一是他本人非常熟悉五斗米道,对这个教派的熟悉程度,在《老君音诵诫经》中可以清楚地看见。张勋燎、白彬所著《中国道教考古》,从考古学资料方面,提出了早期天师道的起源、传播途径,认为巴蜀的天师道,极有可能是从黄河中游一带逐渐传入四川的一支,传入之后,历经几代人的努力,逐渐建立起后来被认为的二十四治及相关的教区管理制度。这说明,天师道的前身与中原地区的民间文化传统素有渊源。在二十四治中,有的建于中原一带,身处中原的寇谦之也一定很清楚,这应该也是他具备改教的条件之一。巴蜀治区与中原一带的治区,基于地方文化的差异,造成信众的地域差别,乃至于对天师道内容理解与遵循的不同,很有可能就是寇谦之改教的部分内容。

② 《道藏》第18册,第212页。

相对独立的教团存在状态。

（二）对道经的态度

北朝五斗米道所奉经典，虽未有明文记载，仍然是以老子五千文为主，这从北天师道对原五斗米道的继承性上可以推断。另外寇谦之的那部著作，当然是信众必备的。在他的《老君音诵诫经》中，明确以下内容。

首先，改经典直诵为乐诵。诵经是信众的一项重要日常礼拜仪式，天师道信众，对于道教经籍，当诚心顶礼，初受戒的，向经八拜，受戒时也可配乐以诵经。"道官、箓生，初受诫律之时，向诫经八拜，正立经前，若师若友，执经作八胤乐，音诵受者，伏诵经意卷后讫，后八拜止。若不解音诵者，但直诵而已。其诫律以两若相成之，常当恭谨，若展转授同友及弟子，按法传之，明慎奉行如律令"①。五斗米道习诵道经本为直诵，寇谦之吸取儒家礼法仪式有音乐伴奏，遂改直诵为乐诵，即诵经用音乐伴奏。

其次，关于经律伪造。在汉末，天师道就已经出现了伪造经律，并由此而逐渐产生新的经典。南北天师道的发展中，此现象应该都存在，不仅仅寇谦之认识到这一点。可能的情况有两种：其一，因为原来天师道经典非常有限，道教徒在新的动荡时代下，遇到的一些原始经典里没有规定的内容，而又需要有明确的指导性观念，并且需要用文字固定下来传至他人以为参考，这样就不可避免地产生一些新的内容。这些内容相较于天师道的原始经典，在其之外，增加了原来没有的内容，不为原始道教经典所包括，虽已使用，但没有得到广泛认可，所以可能寇谦之认为是伪经。其二，另外一些原有经典的基本思想还可适用，但其表现形式已发生相应变化，需要在新的社会条件下赋予表现其内涵的新内容，重新作出解释，以便更好地推动道教的发展，这一部分内容也会超出原始经典所述范围之外，可能寇谦之也认为是伪经。寇谦之所认为的伪经，只在《云中音诵新科之诫》中提到，说有些弟子"读伪科律，诈惑万端"，但并没有具体列举到底有哪些是伪经，同时又是相较于哪些原始经典而言的，还有，没有说明，伪又伪在何处，伪的内容有哪些。这些问题使得我们没有办法确定他观

① 《道藏》第18册，第210页。

念当中的具体内容。

与南朝之不同，五斗米道在传播中，与南方故有信仰传统接触碰撞，而逐渐孕育出上清、灵宝等各支系，且各系在南朝道系中，虽相互融摄，但都在吸收五斗米道内容的基础上，形成各有侧重的地方化道派，也因此形成了宣扬这些不同观念取向的经典内容。但北朝思想似较统一。寇谦之这部《老君音诵诫经》，严格来说，不能算作一部经书，仅只能作为改教思想的大纲，因为其间既无思想的较深入的阐发，也无关于具体道教仪式的充分表达。这反映出当时北方道教思想内涵较单一的状况。及至楼观道后来兴起，也大多借鉴了许多南方道教的很多内容，可能也有这方面的原因。

（三）厨会的具体规定①

厨会（也称饭贤），为天师道早期仪式，其形式主要是聚会用餐。天师道这种仪式，在北魏以前的三张时期，就已存在。也有部分学者认为这种仪式取自佛教，尚存争议。寇谦之的北天师道继承早期仪式下来，并对其作了适当调整。按照《云中音诵新科之诫》，设治厨会的缘由及目的包括：道官受署职治符箓，道民求福愿时，救度病者，帮助犯科法之道民解除罪过等。

第一，厨会举行的地点，可以在师治所在地，也可以是道民自己修行的场所，但一般不得随意在道民家里自设。《云中音诵新科之诫》上说："道民或有家宅，说愿厨具，不由师治者，师实时使还，令民市备，为会解散。""吾初立天师，授署道教治箓符契，岂有取人一钱之法乎？喻如生官署职，有财钱若干，吾今并出新法，按而奉顺。从今以后，无有分传，说愿输送，仿署治箓；无有财帛，民户杂愿，岁常保口，厨具产生。男女百灾，疾病光佐，众说厨愿，尽皆断之，惟有校藏，三分收一，即其民市买计，厨会就家解散，易复可诣师治。"②

第二，厨会举行的开始时间，并无严格限制，寇谦之的《云中音诵新科之诫》没有这方面的记载，估计仍然延续以前的旧规。

第三，厨会的进行期间对时间与所食内容都有明确规定。时间有长短

① 本部分内容主要参考吕鹏志：《唐前道教仪式史纲》（三、四），《宗教学研究》2007年第4期、2008年第1期。

② 《道藏》第18册，第212页。

不同,所食必须素食,且还需断房室与荤腥。“厨会之上斋七日,中斋三日,下斋先宿一日。斋法素饭菜,一日食米三升,断房室、五辛生菜,诸肉尽断。”①不过不断酒,只是有量的限制。厨会之法,应下三盘,初小食,中酒,后饭。但今世人多不能下三盘,但酒为前,五升为限。限制酒量而不断酒的做法与南方天师道是一致的。另外,新的厨会也吸取了佛教徒过午不食的做法。在厨会之日,需勤修善行,一般不允许外出。对于有特殊原因仍需参加厨会的,《云中音诵新科之诫》也作出了相应规定,如“丧秽、新产欲就会时,必须向香火八拜,使大德精进之人,在坐首作好饭盘,在坐上头,人别作盘”②。家里老人去世,新生儿降生,而又去参加厨会的,都需向香火八拜,视得道信士的坐位依规而坐。当然,厨会的时间还与对象有一定的关系。《玄都律文》中对厨会的对象与规模也作了规定:“律曰:生男上厨,生女中厨,增口益财,求官保护,延口岁中,无他。上厨之例,求度厄难,远行求迁官。厨中之例,求治疾病,消县官口舌,牢狱系闭。下厨之例,故略。条品法律,科格如此,违律,罚筭一纪。”③

第四,厨会的主办者和参与人,都应注意仪表举止,当整装肃行,如天子殿会,非常正式。“请客就会,人习严整衣服,如生官天子殿会,恭肃共同。明慎奉行如律令。”④

第五,对教外之人也不排斥,显示出新天师道的普适愿望。《云中音诵新科之诫》规定:“其参同不奉道者,请会无苦。而世间愚人,真以所奉不同,便作异意,不斋慢道,科法不为。主人求思恭肃之,故坐会之中,瞋恚无常。从今以后,诸官以意科处,思寻妙旨,苟能同心福愿之人,参尔无苦会。既还家为主人,烧香径宿,三过香火,言为:‘甲乙之家所请厨会,解求某事恩福,愿得道气覆护。明慎奉行如律令。’”⑤对于不信教之人,并不代表现实生活中没有生活上的艰苦,如果来参加厨会,在希望去除这些痛苦时,还

① 《道藏》第18册,第212页。
② 《道藏》第18册,第212—213页。
③ 《道藏》第3册,第459页。
④ 《道藏》第18册,第213页。
⑤ 《道藏》第18册,第213页。

错误地理解厨会本身的意义所在。厨会主人家即使想尽办法,也没法消除他的心生埋怨。如此,皆是曲解厨会本旨所在。若能回家后,为厨会主人请香上祷,规整心念,则可以消解苦患,获得恩福。

第六,新的厨会不局限于吃饭,而是模仿佛教斋会,为亡人或病者忏罪解脱,为道民消灾散祸。厨会期间由道官带经箓生及主人烧香叩头,求愿上章 。《云中音诵新科之诫》谈到了天师道的传统上章仪式。它一方面强调祭酒须熟悉章书之法,但另一方面又强调上章的前提是修斋。若斋功不达,即使章书千万美说,必然无有感彻之理。这种说法给天师道的上章和佛教的修斋搭上了关系。《老君音诵诫经》还引入了斋日六时烧香的佛教仪式,并将佛教的烧香求愿法与天师道的抟颊首过法结合起来。

第七,厨会人数。根据所举行的地点及会日的长短,可能都会有些变化。《老君音诵诫经》云:"道官授署、职治、符、箓,随家丰俭,意欲设会,任意人数,三人以上。复能重设诸肴,和会可通。若不能者,无苦也。"①又云:"随意而设,无有先科。今不限人头数,不设亦复无苦。"②

(四)受箓

原来汉末天师道,男女官授符箓职治,都有明确的规定。在道经《正一法文太上外箓仪》中,明确地讲到了这个内容,初入道的,授符后,通过努力可升为书吏,称作为书吏箓生。此后,受散化一将军箓,称散气童男童祭酒,受一将军箓称作散官保气祭酒,受七十五将军箓称散官持气祭酒,受百五十将军箓称作晞气祭酒,皆行符敕水,教训万民,章表奏闻,济生救死。从寇谦之《云中音诵新科之诫》中讲到男女官受治箓的情况看,北朝天师道仍然继承了原天师道的许多受箓之规定,出问题的地方则是诸道官祭酒不能精进修行,违反天师道科条戒规,擅自改动原有规制。在早期天师道中,职治、符箓是两个各自独立,但又密切联系的内容,受箓是确立道民身份,以表达道民修道层次的高低,及代表着实行仪式中召请神鬼吏兵数量的能力,是道民个人的修行身份。而职治则是基于受箓的高低而授予的管理道民的道官。

① 《道藏》第18册,第212页。
② 《道藏》第18册,第214页。

职治的担当必先以受箓为前提。北朝天师道所出现的道民授箓职治的混乱，寇谦之列举了这样几个方面：

首先，道官自署治箓带来的问题。寇谦之认为，道官的正常受箓职治，是根据原有天师道的规则实行的，道官本人在信受之后，不会存有疑惑："男女官受治箓，天官叩章。顺诚之人，万邪不惑。当喻如生官臣使，夫有职之人，道民岂能欺犯者乎？"而今时的道官不问条件，而相互自署以提高身份，并想要求具备相应的召请神将吏兵的能力，希望通神得道。寇谦之认为，这根本不可能达到，所以明令禁止这种做法，"然地上愚人，自署相仿，何可能有此百千万重将军、吏兵、管护者哉！从今以去故时为事，未复承用。明慎奉行如律令"①。

其次，已通过正当手续受箓职治的弟子，须严格遵守道徒应遵守的仪轨，"其受治箓，诚之人弟子，朝拜之喻，如礼生官妆吏，礼法等同。明慎奉行如律令"②。

再次，对于已受箓弟子违反科条的解决方法。已受箓职治的弟子，若"不能精进，违科犯约，用行颠倒，奸怨非法，游行民间，读伪科律，诈惑万端"③的，世间不奉；道民有为救病困，而随意更改正道的，当于所在职治当差服务："道之家民，有疾病危困，辄便改动我道者，当与治差"④。对治病困者，违反在静室中叩头思过的治病方法，擅自进入民家，投户治病，而造成死亡的，改其道民身份为普通百姓身份："愚人无智，辄便动移，操米束薪，投户治病，谓病当差，返受死亡。死亡之后，先以功变，所还本属，辄即为民"⑤。对于随意更改所属道治及受他治道民见道蛊惑、转投他师的，当检校参详："户口渐多，而户生祭酒，颠倒无常，用行逆节，淫盗杀生，体性短少，逼迫恐动，衒神卖道。其于无则诈见老君，兼复感悟，如是神教语，致使民心怀叹恨积。有复道官，我俱奉户主，何以不如他师，奉事礼拜，使人有暂

① 《道藏》第18册，第213页。
② 《道藏》第18册，第213页。
③ 《道藏》第18册，第213页。
④ 《道藏》第18册，第213页。
⑤ 《道藏》第18册，第213页。

正,欲更就明贤,言科法难犯。如此之徒,毒可检校……若有此辈,此诸官参详”①。必要时,治所可把道民各种要求加以收集,在厨会上由道官取民辞状,以连名章表上奏的方式改其归属。“所集化户作厨会,取民辞状,道官连名表章,听民改属,民不得辄自移叛。明慎奉行如律令。”②

(五)上章与求愿

上章,作为道教的仪式,是仿世俗官僚制度中官吏通过书面方式向皇帝奏事的形式,而向神灵进行祈请表奏的一种活动。原来道民上章表奏民事,多由祭酒领户进行,所花费章表纸张甚多,少则二三张,多则五、十张,虽数量很多,但都少有头绪,难以达到通神解困的目的。寇谦之认为:“章书之法,如似生官文书,可得达理。”③而要达到这一步,就需要道民一方面多练习章表奏事,另一方面苦练斋功,勤加善行,斋功之效甚至胜过章表奏事,而斋功不达,无由感通之理。所以上章重在斋功。正所谓“烦道不至,至道不烦”,从今以后,道徒都应思寻诵诫,明慎奉行。④ 道民上章,一般多有祈请,《云中音诵新科之诫》对道民求愿祈请的仪式作了规定,涉及平常、斋日、三会日及求愿厨会的具体内容。

《太上老君音诵戒经》还规定了平时求愿的仪式要求。需经过入靖向东、上香、八拜、脱帽、叩首、启言、复上香、请愿等过程。“道官、箓生、男女民,烧香求愿,应入靖东向恳,三上香讫,八拜,便脱巾帽,九叩头,三搏颊。满三讫,启言:男官甲乙,今日时烧香,愿言上启。便以手捻香着炉中,口并言:愿甲乙以年七以来过罪得除,长生延年。复上香,愿言:某乙三宗五祖、七世父母、前亡后死,免离苦难,得在安乐之处。后上香,言:愿门内大小口数,端等无他利害,来钱出入滑易。复上香,愿仕官高迁。复上香,愿县官口舌疾病除愈。一愿一上香,若为他人愿通,亦无苦十上、二十上、三十上,随愿。”⑤另外,斋日与非斋日的请愿,也有相关规定。“斋日六时烧香,寅午、戌亥、子丑是六

① 《道藏》第18册,第213页。
② 《道藏》第18册,第213页。
③ 《道藏》第18册,第213页。
④ 《道藏》第18册,第210页。
⑤ 《道藏》第18册,第214页。

时。非斋日，朝暮。辰巳之日，天清明，夜半北向悔过，向天地叩头百下三十六，搏颊三过，三百下以为常则。先绿福深者，通神在近，先绿福浅者，八年得仙。明慎奉行如律令。"①三会日的求愿，则是道民就师治。其基本过程，与平时祈愿仪式相类。如初上章籍时，于靖前南正北向行立定位，各八拜、九叩头、九搏颊。再拜，伏地请章籍讫，然后朝贺师。明慎奉行如律令。

道民求福愿，需作厨会的，先赐客斋，上中下斋随意，明当设会。"今日请客来在主人家中宿，诸求愿还，官众共保乃行，出无他适。鸡鸣至日出，尽皆上厨之列，来致仙官。唯解先亡厨，平旦至日中为限。若人士从愿到官，一切郡县，及以公侯卿相伯子男封土，随意欲设厨，可作耳求宰。民得腹心，土居安宁，风雨时节，随意而设，无有先科。今不限人头数，不设亦复无苦，但精勤香火。明慎奉行如律令。"②

（六）修行

修行是指日常生活中的立身行事。修是指修正、校正之意；行是指日常的行为举止。寇谦之谈到了五个方面的内容。

首先，《云中音诵新科之诫》中规定，道官祭酒，日常的行为出入，都应该正身直行，仪态端正，不得左顾右盼；在道民家里，不得随便瞋怒怨恚，对民家所奉饮食，所坐床席，不得苛责挑剔，论说是非。向道民教诲求福，也必须先到贫穷家境，而不能只顾富人，于贫家弃之不顾。"道官祭酒，修行之法，复历民间，东西南北，行来出入，直身直面，一向直去，不得左右顾盼。到民家，不得妄有瞋怒，有呵谴食饮，好恶床席，舍庐众杂，论说是非。不可得先到贵豪富家苦顾，历民仪，先到寒贫家，教诲求福，使科约具备。明慎奉行如律令。"③

其次，《云中音诵新科之诫》对私家祈祷之所靖舍的使用也有规定。根据寇谦之在新科之戒后半部分的说明，北魏初期的以家室为单位的祈愿宅所，形式可能已经作了改变。具体为，靖舍外要做一篱笆屏障与外界隔开，篱笆门朝向东："靖舍外，随地宽窄，别作一重篱障壁，东向门。"靖舍主人入

① 《道藏》第 18 册，第 214 页。

② 《道藏》第 18 册，第 214 页。

③ 《道藏》第 18 册，第 214 页。

靖舍时,其他人一律待在精舍之外:"靖主人入靖处,人及弟子尽在靖外"①。靖舍中烧香祈请时,靖舍主人不得饮食,需赤脚,不得坐起说话,靖舍中所有物品,必须都要以带束之,防止进入的外人取走:"香火时法,靖主不得靖舍中饮食及着鞋靺,入靖坐起言语,最是求福大禁。恐凡人入靖有取,物尽皆束带。明慎奉行如律令"②。

再次,可能是受到儒家文化的影响,《云中音诵新科之诫》要求道民的日常称谓,必须遵循一定规矩。如道民家里如有奴婢,不得直呼其名,当称呼其字:"男女箓生及道民,家有奴婢,不得唤奴婢,当呼字。"③而奴婢若有过失,在惩罚以前,也应该先讲清道理,被罚奴婢,不得有怨恨之心。"若有过事,不得纵横扑打,但以理呼在前,语甲乙:汝有此事,应得杖罚,令受之。若责数,奴婢自当札罪,无有怨恨之心。"④道官道民的交流谈话,不得涉及死亡之事:"道官道民,出言吐气,不得言说死事,此道民之大忌。明慎奉行如律令。"⑤

再其次,将服饵修炼之术与符水禁咒之术合而为一。寇谦之假老君之口,认为现世人伪道慌,经书舛错,即使服药也无所宜,长生之道,本来有口诀秘传,须仙人下降方得可知。寇谦之指出,草木、斋功、金石等方式,虽各有益处,但在经书诈伪的前提下,并不能达至成仙之根本目的。他说:"从今以来,人伪道荒,经书舛错,后人诈伪仙经图书,人人造法。天下经方,百千万亿;草药万种,万药百数。后人乐道长生,循放无效者何?然愚人意短,不达至妙。"⑥正本归元,至要道,当以读老子五千文为首要,并把各种方法加以融汇。"长生至道,仙圣相传,口诀授要,不载于文籍。自非斋功,念定通神,何能招致,乘风驾龙,仙官临顾,接而升腾?服食草药、石药,服而得力之者,此则仙人奏表上闻,遣仙人玉童玉女来下临,天官神药参入分数,一草一人得力,一石一人得力。服气方法,亦俱等同。今世人岂能达此理乎?不

① 《道藏》第18册,第215页。
② 《道藏》第18册,第215页。
③ 《道藏》第18册,第214页。
④ 《道藏》第18册,第214页。
⑤ 《道藏》第18册,第214页。
⑥ 参见《道藏》第18册,第214页。

降仙人，何能登太清之阶乎？而案药服之，正可得除病寿终，攘却毒气，瘟疫所不能中伤。毕一世之年，可兼穀养性，建功斋靖，解过除罪。诸欲修学长生之人，好共寻诸诵诫，建功香火，斋练功成，感彻之后，长生可剋。抱朴子者，未明盖世，掬合前贤诸家经方，造经劝仙，内外卷首，言仙之可得，可开悟人心，承前多有遗经，亦复不妄造出意，不犯改经诈说之罪。造经劝仙，功过自保补，后身当得仙人之阶。诸有修道之人，勿复承按前人伪书经律。今世人习读美经典，可益得身朝，但富贵，为子孙资荫耳。无有长生登仙之阶，欲求生道，为可先读五千文最是要者。明慎奉行如律令。"①

最后，黄赤之法，也称作黄赤之道，混气之法，最早来自于中国古代养生法，是一种男女在交合过程中如何实现养生的方法，为行气与导引一类的修炼方法之一。从寇谦之《云中音诵新科之诫》中对于它的记载，可知在汉末五斗米道中，这种方法就已经被采用。由于寇谦之对于北天师道改造的主旨，这种修炼方法被禁止，自然是在情理之中。

在寇谦之的这部《云中音诵新科之诫》中，对于黄赤之道的态度是认可该修行的方法在早期天师道中的地位，并没有完全否定黄赤交接。对于行气养生法的作用，寇谦之认为，黄赤之道是与道经本身要求相契合的道气修炼方法，也是有所凭据的，并认为在夫妻之间可以传授一二。"然房中求生之本经契，故有百余法不在断禁之列。若夫妻乐法，但总进问清正之师，按而行之，任意所好，传一法亦可足矣。"另外，也不是任何信众都在这方面出现问题。"天官、仙人、玉女，尚不犯治室之法。"寇谦之认为，道教关于气的修炼方法，本就有很多种，但有很多道气修炼者修成以后，其方法并没有以文字形式保存下来，多是通过师徒之间口诀相传，若弟子精诚，则可感遇神通，得其功法。"道气百千万重，前贤后圣，修学长生，尽遇仙官，人人各得一重之气，而得升度之后，终不载于文籍。房中之教，通黄赤经契，有百二十之法。步门庭之教，亦无交差一言。自从系天师道陵升仙以来，唯经有文在世解者，为是何人？得长生飞仙者，复是何人？身中至要，导引之诀，尽在师口。而笔谍之教，以官人心，若开解信之者，执经一心，香火自缨，精练功成，

① 参见《道藏》第18册，第214—215页。

感悟真神，与仙人交游，至诀可得。”①由于仙人的这些黄赤之法的口诀不是随便传授，就有些人开始以此名义行不良之事。所以对当世当时乱传、乱用黄赤之法的状况，寇谦之表达了他的愤怒与禁令。由于法诀缺失，“今以黄赤贪浊，道教来久无有，真正愚闇相传，尽各不得其中正”。此法已不能正当行使：“今后人诈欺谩道，爱神润饬，经文改错，法度妄造，无端作诸伪行，遂成风俗，劝教天下。男女受佩契令，愚闇相传，不能自度，而相领弟子，惑乱百姓，犯罪者众，招延灾考，浊欲道教，毁损法身。”故须断除，修清异之法，“修清异之法，与道同功”。这清异之法，就是贯穿在寇谦之整个改教思想中的修斋法。“要须斋功，与返为始，雪罪除愆，乃得感悟真仙。男女官努力修斋，寻诸诵诫，香火建功，仙道不远。明慎奉行如律令。”②

（七）送亡

第一，关于亡人的仪式。

《云中音诵新科之诫》中规定，道官道民亡故七日后可做解秽，为亡人散生和过度之会，可随人多少，视家道情况而定。“道官道民，有死亡七日后解秽，家人为亡人散生时财物作会，随人多少，可参请俗民无苦为亡人过度设会。功满三，复欲设会，随意。能备可作，若不能备，无苦勤香火。明慎奉行如律令。”③

为亡人设会，道官、箓生、主人、客人的仪式都有明确的规定。“为亡人设会烧香时，道官一人，靖坛中正东向，箓生及主人亦东向，各八拜、九叩头，九搏颊，三满三过止。各皆再拜恳，若人多者，亦可坐礼拜叩头，主称官号姓字，上启无极大道，万万至真无极大道。以手捻香三上，着炉中，口并言为亡

① 《道藏》第18册，第216页。

② 《道藏》第18册，第216页。寇谦之的这一做法，引起了后人的指责，在《资治通鉴》中，作者司马光就提出了自己的看法，认为后世的道门修炼越来越浑浊，皆肇始于寇谦之。“老、庄之书，大指欲同死生，轻去就。而为神仙者，服饵修炼以求轻举，炼草石为金银，其为术正相戾矣；是以刘歆《七略》叙道家为诸子，神仙为方技。其后复有符水、禁咒之术，至谦之遂合而为一；至今循之，其讹甚矣！崔浩不喜佛、老之书而信谦之之言，其故何哉！昔臧文仲祀爰居，孔子以为不智；如谦之者，其为爰居亦大矣。‘诗三百，一言以蔽之，曰思无邪。’君子之于择术，可不慎哉！”见于《资治通鉴·宋纪一》卷119《宋营阳王景平元年》，《文渊阁四库全书》第306册，第542页。

③ 《道藏》第18册，第215页。

者甲乙解罪过,烧香愿言。余人以次到坛前悬上香如法尽,各各讫。靖主上章,余人当席拜主人,东向叩头上章讫,设会。解坐讫,靖主入靖启事,为主人求愿收福,言当时,主人東向叩头,坐罢出时,客向靖八拜而归家焉。主人一宿之中,满三过烧香。明慎奉行如律令”①。

第二,关于解注。

亡人下葬后,亡灵有可能对生人造成影响,生人如何避免受亡灵影响,一直是早期民间信仰很关注的问题,在汉末魏晋动荡的特定社会背景下,这一问题自然尤其重要。北魏寇谦之在改革天师道方面,也提到这一点,他认为修斋与这方面的内容有着密切关联。解注的根本在于斋功的坚持与章表的简练。“道官道民,其先亡祖曾父母,幽谪不解,复注子孙。若斋功不达,章书谬说,多言十通百通,无益于事,要先斋感彻之,后乃可章表证达。斋功章书之法,不须多重,重烦浊天曹,不如不上斋。满百日一斋功,达表章之日,兼能请贤,随多少人数设会,拯救收福益仁。若不能备者,但就师表章迁达亡人。若祭酒者,日日可言,斋功满百日,就师表章。明慎奉行如律令”②。

所谓“幽谪”,就是人去世以后,生前为恶或者其他原因,死后在幽冥世界遭到惩罚,受到各种不同的折磨。死者不能忍受幽谪之苦,回到阳世取生人魂魄,以替代自身受苦,这种方式被称作为“注”或“注祟”,死者遂成注鬼。因为后来人为注鬼所害,完全按照注鬼身死的方式致死,看起来是一种前后相连的重复行为,故又有“复注”、“注复”、“连注”、“重复”、“复连”等别称,“复连”又以音同别写作“伏连”。解决“幽谪”问题,是道士功德活动中的一项重要内容。避免生者受亡者的影响的方法,一般称作“解注”。记载解注内容的文字,称为“解注文”。从东汉至魏晋南北朝道书,对此都有大量记载。③

解注的方法有很多种,包括章奏考照、告移、行符、用法印、假人代形等。《老君音诵诫经》中虽只提到斋功一法,未详细列举解注的方法,但根据文

① 《道藏》第 18 册,第 215 页。

② 《道藏》第 18 册,第 217 页。

③ 参见张勋燎、白彬:《中国道教考古》第 1 卷,北京:线装书局 2006 年版,第 101 页。

中强调的复注内容，及同时期在黄河流域普遍存在的民间信仰中亡灵下葬的解注风俗来看，这一时期的道教吸收这一内容当无疑问。据张勋燎的《中国道教考古》称，早期道教的一些经典普遍提到了这一现象，如《正一法文经章官品》、《赤松子章历》之类谈到道士作法上章，有很大一部分都是这一方面的材料。①

（八）救治

救治，包括了治疗疾病与解除伤害困顿的内容，在寇谦之的改教中，主要有两个方面。

第一，道民若有疾病，需经靖中香火、靖外叩首、章奏谢罪的一系列程序来治疗。“道民家有疾病，告归到宅，师先令民香火在靖中。民在靖外，西向散发叩头，谢写愆违罪过，令使皆尽，未有藏匿，求乞原赦。若过一事不尽，意不实，心不信法，章奏何解？师亦自别启事云：民某甲求乞事。及病者亦道首过。若过尽者，师自得好感应；若过不尽，师亦不得好感应报。首过时，为可并行符承衔。民首辞上章，一日三过。上三日后，病人不降损，可作解先亡谪罚章。病家昼则向靖叩头，夜则北向，向天地叩头首过，勿使一时有阙。”②当然也可采取厨会祈愿的方式：“病家惶怖，欲有所说钱财厨愿，勿听之。若能备厨，请客三人、五人、十人以上，随人多少，按如科法设会。会时，客主人，病者考礼拜烧香，求乞救度。病者设会讫，客归到家，为病者烧香叩头，一宿之中，满三过，以病者救度礼叩头，烧香同法。明慎奉行如律令。”③

第二，关于“县官”的观念。④

“县官”的观念，是理解天师道早期一些道教管理中的一个非常重要的观念，涉及天师道信众如何解除伤害困顿的一些内容。在南北朝天师道经典，包括寇谦之《云中音诵新科之诫》中，也出现过几次，这里有必要做一说

① 参见张勋燎、白彬：《中国道教考古》第1卷，线装书局2006年版，第28—42页。
② 《道藏》第18册，第215页。
③ 《道藏》第18册，第215页。
④ 参见田启涛：《魏晋南北朝天师道典籍中的“县官”》，《宗教学研究》2010年第4期。本部分内容主要参考这篇文章。

明。以下以《云中音诵新科之诫》中出现的内容为例,加以说明。

“道民不练科法,不能精勤香火,消灾散祸及病痛,行来忧虑县官,光恠众诸,欲有保说者,尽不听。听先启,何以故也?此户安道以求福,是误事也。自今以后,道民若有求愿,先修厨会之具请。若集启设求愿,其一事求上之,收福无他。明慎奉行如律令”①。

“道官祭酒,授人职治符箓,但与其道……然病者得差,便言得道恩福,言道有神,唱告于世,世人闻之,有丧祸变佐县官,复有改属归化之者。户口渐多,而户生祭酒,颠倒无常,用行逆节,淫盗杀生,体性短少,逼迫恐动,衒神卖道。其于无则诈见老君,兼复感悟,如是神教语,致使民心怀叹恨积。”②

“复上香愿县官口舌疾病除愈”③。

“县”之名,始于春秋,《周礼小司徒》:“九夫为井,四井为邑,四邑为丘,四丘为甸,四甸为县,四县为都。”④《周礼地官遂人》:“遂人掌邦之野,以土地之图经田野,造县鄙形体之法,五家为邻,五邻为里,四里为酂,五酂为鄙,五鄙为县,五县为遂,皆有地域沟树之使,各掌其政令刑愿得比之。”⑤春秋至秦汉,县的规模,由大转小。据顾颉刚《春秋时代的县》考证,秦和楚的县最大,大致都是小国所改,直隶于君主。⑥ 由此,“县官”一词的出现可能晚至秦代,从汉代始,“县官”一词含义较多:(1)指代“官府”。如《史记·李斯列传》:“杀大臣蒙毅等,公子十二人僇死咸阳市,十公主矺死于杜,财物入于县官,相连坐者不可胜数。”⑦(2)指代“天子”。如《史记绛侯周勃世家》:“取庸苦之,不予钱,庸知其盗买县官器,怒而上变告子,事连污条侯。”⑧司马贞索隐:“县官,谓天子也。所以谓国家为县官者,夏官,王畿内

① 《道藏》第18册,第212页。
② 《道藏》第18册,第213页。
③ 《道藏》第18册,第214页。
④ 陈戍国点校:《周礼·仪礼·礼记》,长沙:岳麓书社1989年版,第31页。
⑤ 陈戍国点校:《周礼·仪礼·礼记》,长沙:岳麓书社1989年版,第41页。
⑥ 顾颉刚:《春秋时代的县》,《禹贡半月刊》第7卷,1937年第6、7合期。
⑦ (汉)司马迁:《史记》卷87,北京:中华书局1959年版,第8册,第2252页。
⑧ (汉)司马迁:《史记》卷57,北京:中华书局1959年版,第6册,第2079页。

县即国都也。王者官天下,故曰县官也。"[①](3)指代"县府长官"。《宋书郭原平传》:"世祖大明七年,大旱,瓜渎不复通船,县官刘僧秀愍其穷老,下渎水与之。"[②]汉代以后,县官逐渐被扩展使用于道教中,其含义也相应地有些变化,出现了指代"官司"这一含义的内容。在早期天师道典籍中"县官"的"官司"义进一步明晰化,早期天师道教法主要是治病和除厄。除厄即是解除灾难,这些灾难既有自然造成的,也有人为制造的,人为的祸害,有相当大部分是由"县官"、"官府"造成的,东汉末魏晋南北朝时期,战乱频仍,社会动荡,政治腐败,县官作为国家基层重要的权力执行者,常出现鱼肉邻里、乡里的现象,下层民众的财产和人身自由时时受到官府的威胁。早期天师道出于迎合信众的传道需要就把"县官"作为人生中的苦难加以消除和禁绝。所以"县官"一词就有了"灾难"、"官司"等的含义。

在早期天师道典籍中,"县官",常跟表示灾难恶行的、光怪、丧祸、变怪、口舌、疾病、丧乱、牢狱、众祟等一组词语并列使用,其官司之意甚为明显。

而且这个观念,也多见于早期其他道经,如:

《玄都律文》:"律曰:生男上厨,生女中厨,增口益财,求官保护,延口岁中,无他。上厨之例,求度厄难,远行求迁官。厨中之例,求治疾病,消县官口舌,牢狱系闭。下厨之例,故略。条品法律,科格如此,违律,罚筭一纪。"[③]

《正一法文经章官品》:"大小荧星,战斗兵庞,咄律君反君,逆解兵衣铁复刃下,营护民人县官口舌。"[④]

《正一法文法箓部仪》:"与天地无穷周旋,天下六合,载名山岳,出入人间,延年益寿,辟斥五兵、水火、灾戹。县官口舌,疾病丧祸,虎狼猛兽毒虫,冤家盗贼,伏匿黄渊,埋头万丈,不得妄宣。"[⑤]

---

① (汉)司马迁:《史记》卷57,北京:中华书局1959年版,第6册,第2079页。

② 《宋书》卷91,北京:中华书局1974年版,第8册,第2245页。

③ 《道藏》第3册,第459页。

④ 《道藏》第28册,第555页。

⑤ 《道藏》第32册,第200页。

《登真隐诀》卷下引《千二百官仪》："次北向，欲改恶为善，愿从太玄上一君，乞丐原赦罪过，解除基谪，度脱灾难，辟斥县官，当令所向，金石为开，水火为灭，恶逆宾伏，精邪消散。"①

（九）违法的处理

道民犯科违法，可采取厨会的方法，由师以章表向太上大道告言祈愿的方式予以解决，这与早期五斗米的"治道百步"已有不同。"道民不慎科法，淫犯杀生，宜校脏物，计钱使还民家，自市厨具，师得与表章解散。当作会时，主人众客前向香火，八拜叩头，三十六搏颊，满三讫，再拜。手捻香著炉中，并告言：某甲启太上大道，甲乙是肉人无知，奉科许祠某官求其事，并复有以塞诘之者，今依科输赃，直为厨具，请客证明。以从今以后，生死付道，不敢以前为比。乞愿得在赦格之例，蒙恩生活，道气哀念。明慎奉行如律令。"②

对于道官犯科作奸者，引用佛教地域及轮回的观念来加以警示。"男女道官，浊乱来久，有作祭酒之官，积勤累世贪浊，若身化领求复经数余载，赃钱通说，贪秽入己，此是前造，诈言经律。此等之人，尽在地狱。若有罪重之者，转生虫畜，偿罪难毕。吾故出音乐新正科律，依其头领，欲使信道，以通人情，清身洁已，与道同功。太上清气，当来覆护，与民更始，改往修来，一从新科为正。明慎奉行如律令。"③生死轮回之说，本出佛教。佛法炼神，道教炼形，佛教认为灵魂不死，而道教倡说肉体飞升，在生死形神问题上的认识本有所不同，道教亦无六道轮回、地狱、报应之说。寇谦之改变只要炼形即可长生成仙的教义，引入佛教生死轮回之说，宣扬修持者前世之善恶，影响今身修行之成效；今世之善恶，又影响来世。他所造作的《老君音诵诫经》中说："本得无失，谓前生过去已得此戒，故于今身而无失也。"《老君音诵诫经》还用六道轮回以警世，说谁要是反逆，诳作万端，称官设号，蚁聚人众，坏乱土地，太上老君就要大恚怒，就要被打入地狱，罪重者，转生虫畜，甚至延及三生都要做畜生。

---

① 《道藏》第6册，第620页。

② 《道藏》第18册，第215—216页。

③ 《道藏》第18册，第216页。

另外,寇谦之的《云中音诵新科之诫》在具体的行为规范上,还贯穿承负观念,劝诫道众,去恶向善,方为求仙的正途。“夫为道官、正治、祭酒,进善举贤,领受弟子,授人职治、诫箓、符契。进一贤善,除过十年,求仙速达。进一佞一恶,反罪十年,求仙求福,终不可得。其投道门之民,欲为弟子者,当观望情性,与约诫相应者三年,体能修慎法教,精进善行,心无有退,志无倾邪,乃可授箓诫,纳为弟子。明慎奉行如律令。”①这点似乎表明,北天师道也部分地吸收了《太平经》中的部分思想内容。

（十）职治

北朝天师道继承了原巴汉一代二十四治的基本建制,根据形势,并做适当改变。寇谦之谈到,原有二十四治为老君授意,上应二十八宿,下应阴阳二十四气,由祭酒化领民户而设。“从系天师升仙以来,旷官真职,道荒人浊。后人诸官,愚闇相传,自署治箓符契,气候倒错,不可承准。吾本授二十四治,上应二十八宿,下应阴阳二十四气,授精进祭酒,化领民户。”②张道陵演教,又出靖、庐、亭、宅等,共传教法,劝恶为善。“道陵演出道法,初在蜀土一州之教,板署男女道官,因山川土地郡县,按吾治官靖庐亭宅,与吾共同领化民户,劝恶为善。”③晋末乱世,许多道徒远离原来所在之地,原巴汉一代天师道的建制已有名存实亡,呈日益荒废之势。为便于管理,应在北方更置新址,等世道太平,再迁回原籍。所以“今补某乙鹤鸣、云台治,权时箓署治气职,领化民户,质对治官文书,须世太平,遣还本治”。④ 而在北朝,情况已经发生了许多变化。另外,治官章表文书,在汉地多由土地之神等上达,而若沿用以前旧制,还必须祈请巴汉一带的外族神灵,天南地北,极不方便。“而九州岛土地之神,章表文书,皆由土地治官真神,而得上达。有今闻道官章表时,请召蜀土治宅君吏,他方土地之神,此则天永地隔,人鬼胡越,吾本下宿治号令之名,领化民户。”⑤

① 《道藏》第18册,第217页。
② 《道藏》第18册,第216页。
③ 《道藏》第18册,第216页。
④ 《道藏》第18册,第216页。
⑤ 《道藏》第18册,第216—217页。

所以，他认为，应该改宅、治、气，按新科之法，[1]称治为职号，授二十四治。祈祷上章时，要自称为臣，而不再是真人。蜀地原有的宅治之名号，不再使用。甚至包括天师后代子孙，也不能再称天师位号，也只能称呼职号。“道陵立山川土地宅治之名耳，岂有须太平遣还本治者乎？从今以后，诸州郡县，男女有佩职箓者，尽各诣师，改宅治气。按今新科，但还宿官，称治为职号，受二十四治。中化契令者，发号言补甲乙正中官，真气角宿，治以亢宿、氐宿、房宿二十八，如法上章时，直言臣，而不得称真人。若灵箓外官，不得称治号。其蜀土宅治之号，勿复承用。若系天师遗胤子孙，在世精循治教，领民化者，不得信用诸官祭酒；为法律上章时，不得单称系天师位号，当称职号，名与诸官同等。明慎奉行如律令。”[2]《三洞珠囊》卷七所述天师道二十五职引《玄都职治律》中，有非常详尽的天师道道官名号与职司，可以参考。

---

① 寇谦之的《老君音诵诫经》中“改宅治气”，大多数著作在引用时，基本都是四字连用，但如果仔细看原文内容，就会发现，应该断成“改宅、治、气”，更符合寇谦之改教的原意。在原文中，很多地方都讲到这些内容。寇谦之新科之法，为了表示与旧天师道的不同，如讲到改宅，有静室之制：“靖舍外，随地宽窄别作一重篱障，壁东向门。靖主人入靖处。人及弟子尽在靖外。香火时法，靖主不得靖舍中饮食，及着鞋靺。入靖坐起言语，最是求福大禁。恐凡人入靖有取物，尽皆束带。明慎奉行如律令。”另外“道民家有疾病，告归到宅。师先令民香火在靖中，民在靖外，西向散发叩头，谢写愆违罪过，令使皆尽，未有藏匿，求乞原赦。”这里的改宅，其实就是指改“靖舍”之制。讲到改治，有“而后人道官不达幽冥情状，故用蜀土盟法，板署治职令文曰：今补某乙鹤鸣、云台治，权时箓署治气职，领化民户，质对治官文书。须世太平，遣还本治。而九州岛土地之神章表文书，皆由土地治官真神而得上达。有今闻道官章表时，请召蜀土治宅君吏、他方土地之神，此则天永地隔，人鬼胡越。吾本下宿治、号令之名，领化民户；道陵立山川土地宅治之名耳，岂有须太平遣还本治者乎？从今以后，诸州郡县男女有佩职箓者，尽各诣师改宅治气，按今新科，但还宿官，称治为职号。”蜀土治号不复承用，改治号为职号，就是改治。改气，有“中官正气宿治祭酒得授人职箓诫。其箓生之人，不得妄授人诫箓。若不领民户受中治箓者，当受中治散气祭酒职。若上灵官不领民户，受外官散气祭酒职。其外官祭酒治民者，坐会时，百五十箓下坐。若中官治民正气祭酒子息，受治署中官。中官宿治、散气祭酒在父民闻行章，称文治气上章；若他官祭酒民闻，自治气上章。若求生之人，一身自度，不化愚俗，不领民户，亦可直受中官上仙赤天七十五将军箓生起，亦在外治祭酒上。明慎奉行如律令。”在寇谦之改教的主要原则中，改宅、治、气是其标示与旧天师道不同的重要内容，这些方面在《老君音诵诫经》中都已明确提到。

② 《道藏》第18册，第217页。

二十四职品

按《玄都职治去声律第九》云：

监天职，主监乱真戾正也。

督治职，主督察诸治，正一师性行贪枉，不依师法。

贡气职，主选择男女官，正一师考察身体疮瘢，形残跛躄，务得端严质素。

大都攻职，主天下屯聚符庙、秦胡氐羌、蛮夷戎狄、楚越攻击不正气，恶人逆鬼，尽当分明考录。

领功职，主天下五方四海、八极十二州、百二十郡国、一千二百县、万二千乡亭市邑，屯沙聚石，五岳四渎，山川神祇之功赏，直符伐杀，万鬼尽当了之。

都功职，主功劳，录吏散民，义钱谷，金银玉帛，六畜米物，受取出入，管钥仓库府，鬼神之物，礼信及治殿作舍，桥道、楼阁、神室，尽主之也。

领神职，主选择贤良，贬退伪恶，对会诸气，诸有犯违，尽主之也。

监神职，主考素所犯状，结文书，开视利害，缚束谬误，化谕戒勑。

领署职，主选署二十四职名籍功赏，诸职文书，次第校投命籍。

察气职，主察四方诸气，符瑞征应。

平气职，主质天下之气，平均四方八极气候主之也。

上气职，主收万鬼，分别正气邪精。

都气职，主三会吏民请乞治救，分别年纪、郡县乡邑，所受官号。

威仪职，主教勑礼制、衣服仪容、法则、起次位，弹邪正非，施行法礼。

领气职，主领五色之气，知其变异气候，并领知气职也。

领决职，主鬼气，男女被气传语领决教，分别秦夷胡戎狄氐羌真伪。

四气职，主诸治投言文书对会，诸治户籍口数，出死入生。

行神职，主布气宣化，显明道教。

道气职，主劝化凶逆，化恶为善。

圣气职,主质对文书,岁终功限,谓状言上者。

承气职,主承治医疗着功之勋。

典气职,主典诸职高下次第。

廉平职,主监察廉邪,均平饮食。

行教职,主奉宣师教,劝化愚俗不知法者。

建义职,主表条功劳,助时伏勤,对应退也。①

另外,由于天师道在少数民族地区多有传播,因此对少数民族,五斗米道也一视同仁。《正一法文天师教诫科经天师教》中说:"今故下教作七言:'……走气八极周复还,观视百姓夷胡秦,不见人种但户名'。"②在这里,"夷胡秦"是同等并列的。这个思想,在《五斗经》中也同样反映出来。如在《太上玄灵北斗本命延生真经》里指出,对于"或……生在中华,或生夷狄之中,或在蛮戎之内"的"众生",都是一体对待的,同样使他们"心修正道,渐入仙宗",即都可以"超升成道"。又《正一法文太上外箓仪》也说:"四夷云:某东西南北四方荒外,或某州郡县山川界内夷狄羌戎姓名,今居某处,改姓某,易名某,年岁某月日时生,叩搏奉辞:先因丑恶生出边荒,不识礼法,不知义方,奢秽之中,善根未绝。某年月日时为某事随某事得来中国,闻见道科,弥增喜跃,含炁愿活,凭真乞生,依法贵信,奉辞以闻。伏愿明师垂矜副,谨辞。"③这也证明"四夷"亦可入道受箓。故五斗米道不仅是汉民族的宗教,它也吸收了少数民族原始宗教的成分,并同样吸收少数民族入道。

另据陈国符先生《南北天师道考长编》,"领化户民"与"不领民化户"的也有一定区别:"中官正气宿治祭酒,得授人职箓诫,其箓生之人,不得妄授人诫箓。若不领民户,受中治箓者,当受中治散气祭酒职。若上灵官,不领民户,受外官散气祭酒职。其外官祭酒治民者,坐会时百五十箓,下坐。若中官治民,正气祭酒子息受治署中官。中官宿治,散气祭酒在父民闻行章,称文治气上章。若他官祭酒,民闻自治气上章。若求生之人,一身自度,

① 《道藏》第25册,第335页。

② 《道藏》第18册,第238页。

③ 《道藏》第32册,第207页。

不化愚俗,不领民户,亦可直受中官上仙赤天七十五将军箓,生起亦在外治祭酒上。明慎奉行如律令。”①不知散气职是从何所处,由上可知,似乎散气职多不领民户。

从以上内容可以看出,寇谦之所改革的北天师道,在继承了天师道原有的基本内容以外,在道典尊奉上,仍然沿用老子五千文作为基本的教典;在教治方面,改宅、治、气;在道民入道信受方面,严格了不同层次的信众所受道箓的等级;在道官的选用方面,实行的是“唯贤是授”的基本用人标准;等等。通过这一系列管理措施,力图削弱五斗米道的宗教色彩,使它变得更像是一个世俗权力管辖下的地方组织。

三、道教戒律的制定

关于这一时期道教管理制度的其他方面,由于留存的史料较少,只有当时制定的戒律条文留存较多。下面我们围绕戒律条文再作补充说明。道教戒律是规范、约束道士言行的条规,指导道士生活、修炼的准则。在道教建立之后即已产生,随着道士住宫观过集体生活,就更加显得重要,所以当南北朝道馆大量兴起之时,专讲道教戒律的经书也大量问世,戒律条文也逐渐繁复,制定戒律成为这一时期道教重要建设内容之一。

道教认为,戒律是防止道士“恶心邪欲”、“乖言戾行”的重要手段。《道

① 《道藏》第18册,第217页。二十四气品:按《玄都开辟律》云:“二十四气为天使。一气十五日,一岁十二月,月二气,终岁为二十四气,皆是自然之气也。”《洞玄经》云:“三元以三气置立三天。三天者,始气为清微天,元气为禹余天,玄气为大赤天。”《宋文明通门上》云:“少阴、太阴、少阳、太阳,又与中和之气合以成五气,五气就前玄、元、始三气,成数为八,即《大洞经》云:三元各八,合为二十四气,众生品族,于是而生也。此气散之为云雾,合之为形影,出之为分化,入之为真一。又此气之本,谓元始大梵之气,分而为三,即成上三天也。”若《登真隐诀·时日诠次诀》云:“二十四气者,立春、雨水、惊蛰、春分、清明、谷雨、立夏、小满、芒种、夏至、小暑、大暑、立秋、处暑、白露、秋分、寒露、霜降、立冬、小雪、大雪、冬至、小寒、大寒,以为二十四气也。”《真诰第五》云:“东方九气青天,南方丹天三气流精,西方七气之天,北方玄天,五气徘徊,亦合为二十四气也。若是中央,乃云中央黄中理气,总统玄真。此不论气数也,以总统四方为二十四气之主也。”《上清三天君列纪经》云:“夫气之所在,随神所生。神在则气在,神去则气去。气者,即二十四神之正气也。气散射为云雾,合则为形影,出之为仙化,入之为真一,上结三元,下结万物,静用为兆身,动用为兆神也。”

教义枢》卷二《十二部义》说："戒者解也，界也，止也，能解众恶之缚，能分善恶之界，又能防止诸恶也。律者率也，直也，栗也，率计罪愆，直而不枉，使惧栗也。"①又云："戒，止也，法善也，止者止恶，心口为誓，不作恶也。"②其中心意思是告诫道士：如果作恶，将引起可怕的后果，使之不敢做恶事，而努力做善事。许多戒律书在规定了各种戒律条文后，都不厌其烦地反复声称违背戒律将受司过神减寿夺算和祸及子孙的惩罚，甚至引入佛教地狱说，用所谓地狱的种种酷刑来恐吓作恶者。

道教初创时，三张五斗米道即规定了一些内部的组织纪律，名曰科律。如《三国志·张鲁传》、《后汉书·刘焉传》及注引《典略》等谓："教以诚信不欺诈，有病自首其过"，"置义米肉，悬于义舍，行路者量腹取足；若过多，鬼道辄病之"，"有小过者，当治道百步，则罪除"，"又依《月令》，春夏禁杀；又禁酒"③等。随着五斗米道的发展，科律内容也更加具体和繁复。刘宋时出现的《三天内解经》说：老君在汉安元年（142年）"付张（陵）正一明威之道，新出老君之制。罢废六天三道时事，平正三天，洗除浮华，纳朴还真，承受太上真经，制科律……共约永用三天正法，不得禁固天民，民不妄淫祀他鬼神，使鬼不饮食，师不受钱，不得淫盗，治病疗疾，不得饮酒食肉"④。东晋南北朝时，天师道还撰著了一些科律专书，如《太真科》、《玄都律》等，对道教组织、纪律和道士的立身行事作了更详细的规定。这些书皆已亡佚，只《三洞珠囊》、《要修科仪戒律钞》、《一切道经音义妙门由起》等保存有部分佚文，从中可见到《玄都立身行道律》、《入治律》、《上章律》等方面的部分律条。与此同时，又有专为约束道士言行的戒律条文的制定。《道教义枢》卷二《十二部义》云："戒之为义，又有详略……略者，道民三戒，录生五戒，祭酒八戒，想尔九戒。"⑤《三洞珠囊》卷六《清戒品》引《正一法文》云："凡为道民，便受护身符及三戒，进受五戒，八戒，然后受箓。"⑥可见早期天师道有

---

① 《道藏》第24册，第816页。

② 《道藏》第24册，第816页。

③ 《三国志》卷8《张鲁传》，北京：中华书局1959年版，第1册，第263—264页。

④ 《太上三天内解经》卷上，《道藏》第28册，第414页。

⑤ 《道藏》第24册，第818页。

⑥ 《道藏》第25册，第326页。

三戒、五戒、八戒、想尔九戒等戒律。现存比较集中的天师道戒律书《太上老君经律》又说：男官（男道士）须受"道德尊经想尔戒"、"道德尊经戒"、"老君说一百八十戒"（戒文现存）；女官（女道士）须受"太清阴戒"、"女青律戒"（戒文已阙）。[1] 以上所云"三戒"、"五戒"、"八戒"似即《无上秘要》卷四十六所引之"洞神三戒"、"洞神五戒"、"洞神八戒"[2]；"想尔九戒"即《太上老君经律》之"道德尊经之想尔戒"。这些戒律的基本思想来源于《老子》，体现了《老子》守清静、戒贪欲的精神。如"洞神五戒"的基本内容是：目不贪五色，耳不贪五音，鼻不贪五气，口不贪五味，身不贪五彩。[3] "道德尊经想尔戒"是："行无为，行柔弱，行守雌，勿先动，此上最三行；行无名，行清静，行诸善，此中最三行；行无欲，行知止足，行推让，此下最三行。"[4]体现了道教的本色，可能是早期道教的戒律。"老君一百八十戒"除包含道教清静无为、不与世争等思想外，又加进了不强取人物、不欺罔老小、勿弃背朋友等一般道德规范的内容，还吸收了佛教的五戒：戒杀、盗、淫、饮酒和绮语等，其出现时间可能稍后。《正一法文天师教诫科经》更吸取了较多的儒家伦常观念："诸欲奉道不可不勤，事师不可不敬，事亲不可不孝，事君不可不忠……仁义不可不行。"[5]又云："其能壮事守善能如要言，臣忠子孝，夫信妇贞，兄敬弟顺，内无二心，便可为善得种民矣。"[6]

上清派和灵宝派所出的戒律书远较天师道为多，其吸取儒释思想也更突出。戒品从五戒、十戒、十二可从戒，至三百观身大戒、千二百威仪之戒。《太上经戒》引《玉清经本起品》云："道言：昔元始天尊……告王曰：……秘要之阶，不过慈善，慈善之法，不违科戒。戒有多种，人亦多品……或受十戒，五戒……或受一百九十九戒，或受观身三百大戒，或受千二百威仪之戒，以自防保，令无越逸。"[7]该书托言元始天尊所说"十戒"中，即有"不得违戾

① 参见《道藏》第18册，第218页。
② 《道藏》第25册，第164—165页。
③ 参见《道藏》第25册，第165页。
④ 《太上老君经律》，《道藏》第18册，第218页。
⑤ 《正一法文天师教诫科经》，《道藏》第18册，第232页。
⑥ 《正一法文天师教诫科经》，《道藏》第18册，第237页。
⑦ 《太上经戒》，《道藏》第18册，第222页。

父母师长，反逆不孝”、“不得叛逆君王，谋害家国”等条文。《太上大道玉清经》卷一《本起品》云：“天尊告曰：第一戒者，不得违戾父母师长，反逆不孝；第二戒者，不得杀生屠害，割截物命；第三戒者，不得反逆君主，谋害家国。此戒最重。何以故？是诸国王皆是应化推运，总统天下一切人民之所机要，一旦无主，不得其死。”[①]又说：“天尊言，不孝父母师长者，死入地狱，万劫不出，纵生人中……常居卑贱”，“反逆君主者，死入地狱，万劫受苦，出生边地无主之域，常被攻劫，晨夕恐怖”[②]。除据儒家思想正面说明这些戒条的重要性外，又以佛教的地狱酷刑相恐吓，这与早期经书所谓积善可以延年、成仙，为恶则要被司过神减寿的思想大异其趣了。这个时期上清派、灵宝派所出的其他大量戒律书也都糅进了儒释思想。如《洞玄灵宝三元品戒功德轻重经》规定，凡不忠于上，私蓄刀杖兵器，合聚群众，评论国事，说人尊上过恶，轻凌长官有司等，皆是不能赦免的大罪，严禁道士触犯。[③]《太上洞玄灵宝智慧罪根上品大戒经》更把儒家许多道德规范都包括进去了，它说：“与人君言则惠于国，与人父言则慈于子，与人师言则爱于众，与人兄言则悌于行，与人臣言则忠于君，与人子言则孝于亲，与人友言则信于交，与人妇言则贞于夫，与人夫言则和于室……与奴婢言则慎于事。”[④]为了使这些戒律得到贯彻，除以国法相戒外，又以神权相恐吓。如说：“事父母不孝，事师主不义，事君不忠……天必殃之！”[⑤]“手杀君父，谋反师主……死受恶对，身入镬汤，五体煮溃，无复人形。”[⑥]

除戒律外，还有与其性质相类的清规。戒律是警戒于事前的行为准则，清规则是对犯律道士的惩处条例，实为戒律的重要补充。两晋南北朝时，道教清规还未正式出现，但在当时所出的一些经书中，已经有了它的萌芽。如《洞真太上太霄琅书》卷四《为师诀》云：“弟子有失，随事罚之，或言，或杖，

---

① 《太上大道玉清经》，《道藏》第 33 册，第 283 页。按《太上经戒》所引《玉清经本起品》即为此书之卷一。

② 《太上大道玉清经》，《道藏》第 18 册，第 284 页。

③ 参见《道藏》第 6 册，第 880—881 页。

④ 《太上洞玄灵宝智慧罪根上品大戒经》卷上，《道藏》第 6 册，第 887 页。

⑤ 《玄都律文・虚无善恶律》，《道藏》第 3 册，第 456 页。

⑥ 《道典论》卷 3，《道藏》第 24 册，第 850 页。

或礼，或闭，目限多少，依《太真科》。罚以督怠，使其改恶，制伏心形，令其思善。”①进行责罚时，要分别不同情况，区别对待：“弟子有过，或不自知之，或故犯，小大宜详。可怒（疑为恕），则重申明戒文，不可置，则施行楚默。失仪懈慢，谬误遗忘，皆是小愆，不足深谴；欺罔淫盗，此为大尤，严加重责，以绝恶根。受罚无怨，后能自新，断功限竟，欲还服膺，或经委遁，反迷归门，皆当接纳，更布德音。又犯复责，不得过三。三犯之后，师不得容，移之四远，普勿采录……凡能改悔，虽大，可赦，不能悛易，虽小，勿弘。”②

道教戒律适应南北朝道馆（观）兴起之需要，获得了极大的充实，过去那种比较粗疏简略的内容和形式，已被比较充实完备的内容和形式所取代了，为后世道教戒律奠定了基础。

从以上情况可知，道教在汉魏两晋初步发展的基础上，经过南北朝的改造和充实，在内容和形式上都发生了很大的变化。一方面，它革除了天师道某些反映下层人民愿望和要求、可能被下层人民所利用的思想，增添了封建礼教和维护封建统治利益的内容，使它由一个民间宗教变成为适合封建统治阶级需要的宗教；另一方面，经过充实，使它的神仙体系得以建立，斋醮仪范基本完备，经书得以大量制作和编目，道馆（观）制度基本确立，戒律基本完善，从而使得原来较为幼稚粗糙的宗教变成较为成熟的宗教。这种变化是由中国封建经济、政治的发展所促成，是顺应封建统治者的要求，并符合道教发展需要的变化。

道教的上述变化无疑是朝着与过去民间道教相反的方向进行的，但它并不能完全取代和消灭民间道教。民间道教在南北朝及其以后时期仍在下层群众中流行，受到群众的拥护。寇谦之所深恶痛绝的下层群众利用道教进行的所谓李弘起义，不仅在晋代“岁岁有之”，而且在南北朝及以后也屡见不鲜。据史书记载者即有下列多起：

1.《魏书》卷五十一《封敕文传》记太平真君七年（446 年）。敕文镇压金城边冏、天水梁会据上邦的起义，敕文在上表中说：“又仇池（今甘肃成

① 《洞真太上太霄琅书》卷 4，《道藏》第 33 册，第 667 页。
② 《洞真太上太霄琅书》卷 4，《道藏》第 33 册，第 667 页。

县)城民李洪,自称应王,天授玉玺,擅作符书,诳惑百姓。"①此李洪当为李弘,叙事者因避北魏献文帝拓跋弘之讳,特将"弘"改作"洪"。按仇池乃氐人居住之地,起义中氐羌人民响应者甚众,表明在少数民族中间已有李弘的影响存在。

2.《宋书》卷七十六《王玄谟传》说:玄谟"寻复为豫州刺史。淮上亡命司马黑石推立夏侯方进为主,改姓李名弘以惑众,玄谟讨斩之"②。按玄谟再任豫州,据卷六《孝武纪》,事在孝建二年(455年)六月;而按卷七十七《沈庆之传》所记:"(元嘉)二十九年(452年),复更北伐,庆之固谏不从,以立议不同,不使北出。是时,亡命司马黑石、庐江叛吏夏侯方进在西阳五水,诳动群蛮,自淮、汝至于江、沔,咸罹其患。十月,遣庆之督诸将讨之,诏豫、荆、雍并遣军,受庆之节度。"③此二文所记在时间上虽略有出入,但基本事实是一致的。

3.《南史》卷十三《刘季连传》:"明年(指永元二年,500年)十月,巴西人赵续伯反,奉其乡人李弘为圣主。弘乘佛舆,以五彩裹青石,诳百姓云:'天与己玉印,当王蜀。'季连遣中兵参军李奉伯大破获之。将刑,谓刑人曰:'我须臾飞去。'复曰:'汝空杀我,我三月三日会更出。'遂斩之。"④

4.《魏书》卷四十四《费穆传》:"妖贼李洪于阳城(今河南登封东南)起逆,连结蛮左。诏穆兼武卫将军率众讨击,破于关口之南。"⑤事在北魏孝明帝武泰初(528年)。根据《魏书》卷五十七《崔孝芬传》和卷六十六《李崇传》称之为"蛮首"、"蛮帅",则这个李洪当是少数民族。"洪"亦"弘"之讳,说见前。

以后在隋炀帝大业十年(614年),在陕西凤翔又发生过一次李弘起义,事见《隋书》卷四《炀帝纪》。

以上这些称名李弘的起义,仍是下层道士及道教信奉者所为,证明道教

---

① 《魏书》卷51,北京:中华书局1974年版,第4册,第1135页。
② 《宋书》卷76,北京:中华书局1974年版,第7册,第1975页。
③ 《宋书》卷76,北京:中华书局1974年版,第7册,第2000页。
④ 《南史》卷13,北京:中华书局1975年版,第2册,第362页。
⑤ 《魏书》卷44,北京:中华书局1974年版,第3册,第1004页。

的一部分仍在下层民众中按照与封建统治阶级愿望相反的方向发展,这是道教内部继续分化的一种反映。

尽管如此,就道教的总体来说,经过南北朝的改造和充实,终究已经变成能完全适应封建统治阶级的政治要求和比较成熟的宗教了。它从此走完了发展过程中具有决定意义的历史阶段,为其今后在封建社会中的长期发展,奠定了坚实的基础。

附　录

秦汉魏两晋南北朝时期道教（含道教前史）大事记

公元	朝代	帝号	年号	年代	事　　记
前219	秦	秦始皇		二十八	秦始皇遣徐市发童男女数千人，入海求仙人。秦始皇东巡郡县，行封禅礼，继东游海上，祠名山大川及八神。
前215	秦	秦始皇		三十二	秦始皇使燕人卢生访求古仙人羡门、高誓；使韩终、侯公、石生求仙人不死之药。战国时，燕人宋毋忌、羡门高、正伯侨、充尚为方仙道，形解销化，依于鬼神之事。到始皇时，社会上流传方仙道。
前140	西汉	武帝	建元	元	※汉武帝即位，“尤敬鬼神之祀”，祠天神之贵者太一神，崇奉巫道鬼神。董仲舒作“天人三策”，儒家宗教化。汉武帝采纳董仲舒对策，“罢黜百家，独尊儒术”，逐步确立了儒学宗教化的宗天神学在汉代的统治地位。武帝建集灵宫于华山黄神峪口，不久迁建于今址，改名西岳华山庙。
前135※	西汉	武帝	建元	六	淮南王刘安招致宾客方术之士数千人，作《内书》21篇，《中篇》八卷，《外书》甚众，言神仙黄白之术，亦二十余万言，天下方士多往归之。至武帝元狩元年（前122年），刘安与其宾客反，事败被诛。
前133	西汉	武帝	元光	二	李少君以祠灶却老方见汉武帝，武帝用李少君炼丹药。武帝亲祠灶，遣方士入海求蓬莱安期生之属。
前119	西汉	武帝	元狩	四	齐人少翁以鬼神方见武帝，拜为文成将军，赏赐甚多，以客礼礼之。后因“牛腹藏书”的骗局败露被诛。
前113	西汉	武帝	元鼎	四	栾大见武帝。栾大与少翁同师，拜为五利将军，封为乐通侯，赐列侯甲第，奴仆千人。后因栾大方多不验，诛之。
前110	西汉	武帝	元封	元	武帝行封禅大典。

续表

公元	朝代	帝号	年号	年代	事　记
	西汉	武帝			齐人公孙卿以宝鼎事上书武帝，称武帝为汉之圣者，能像黄帝那样成仙登天。武帝使公孙卿持节设具候神人。
前73—前49※	西汉	宣帝			宣帝复兴神仙方术之事，刘向献《枕中鸿宝苑秘书》。此《枕中鸿宝苑秘书》即淮南王刘安的《中篇》八篇。
前46	西汉	元帝	初元	三	天渊玉女、巨鹿神人、轑阳侯师张宗纷纷复起。
前33—前7※	西汉	成帝			齐人甘忠可诈造《天官历包元太平经》12卷，说汉家逢天地之大终，当更受命于天，天帝使真人赤精子，下教我此道。忠可以教夏贺良、丁广世、郭昌等。刘向奏忠可假鬼神罔上惑众，忠可下狱病死，夏贺良等以不敬论。
前5	西汉	哀帝	建平 太初	二元	甘忠可徒夏贺良等“挟忠可书”，“私以相教”，在朝臣李寻等支持下主张改元易号，哀帝从其议，改元太初元年，号“陈圣刘太平皇帝”，尽复前世所曾兴神祠凡700余所，一年行3.7万祠。后“贺良等复欲妄变政事”，触怒朝中权贵，被诛。
10	新	王莽	始建国	二	王莽兴神仙事，搞谷仙之术。道士西门君惠以谶记惑王涉谋反。
	西汉末 东汉初				《黄帝九鼎神丹经》出世。
41	东汉	光武帝	建武	十七	卷人维汜称神伏诛，弟子李广等称“汜神化不死”，聚集徒众，攻没皖城，自称“南岳大师”。后朝廷使马援发诸郡兵，击破广等，诛之。
56	东汉	光武帝	中元	元	光武帝宣布图谶于天下。谶纬神学使儒学进一步宗教化，为孕育和产生道教，营造了适宜的气候并提供了一定的思想资料。
57—78※	东汉	明帝			楚王刘英“晚节更喜黄老，学为浮屠斋戒祭祀”。明帝下诏勉之曰：“楚王诵黄老之微言，尚浮屠之仁祠。”道士刘春荧惑楚王英，使食不清。 蜀郡成都人王阜著《老子圣母碑》，称：“老子者，道也。乃生于无形之先，起于太初之前，行于太素之元，浮游六虚，出入幽冥，观混合之未别，窥清浊之未分。”

续表

公元	朝代	帝号	年号	年代	事　记
82	东汉	章帝	建初	七	三月,帝赐东平宪王苍“秘书、列仙图,道术秘方”。
125—144	东汉	顺帝			琅邪宫崇诣阙,上其师干吉于曲阳泉上所得神书百七十卷,号《太平清领书》(即《太平经》)。有司奏崇所上妖妄不经,收藏之。 沛国丰(今江苏丰县)人张陵(34—156?)客蜀,学道鹤鸣山中,造作道书招徕徒众,从受道者出米五斗,世号“五斗米道”。历代道徒称张陵为张道陵、张天师、正一真人、祖天师,称其道为“正一盟威之道”、“正一道”或“天师道”,该派奉老子为教主,奉《老子五千文》为主要经典,以长生成仙为最高目标,流行于汉中、川北一带。陵死,子衡传其业。衡死,子鲁传其业。
143	东汉	顺帝	汉安	二	张陵于其时立二十四治,三十六靖庐。
147—167※	东汉	桓帝			魏伯阳作《周易参同契》,它是以《周易》、黄老与炉火三者参合的炼丹修仙著作,专讲炼丹秘法,成为丹鼎派道教的重要著作,被后世尊为“万古丹经王”。
162	东汉	桓帝	延熹	五	桓帝好神仙事,事黄老道,悉毁诸房祀。
165	东汉	桓帝	延熹	八	春正月,帝派遣中常侍左悺到苦县祭老子;十一月,又遣中常侍管霸去苦县祭老子,边韶奉命撰《老子铭》。
166	东汉	桓帝	延熹	九	桓帝“亲祠老子于濯龙〔宫〕。文罽为坛,饰淳金扣器,设华盖之坐,用郊天乐也”。“祭黄老君,求长生福”已成为风尚。 襄楷自家诣阙,再上神书《太平清领书》,旋被下狱。
172※	东汉	灵帝	熹平	元	张角奉黄老道,颇有《太平经》一书,并遣弟子八人使于四方,以“善道”教化天下,十余年间徒众达数十万。张角自称“大贤良师”,符水咒说以疗病,病者颇愈,百姓信向之。
181※	东汉	灵帝	光和	四	东方有张角为太平道。汉中有巴郡人张修为五斗米道,张修为人疗病,病者谢以五斗米,号为五斗米师。
184	东汉	灵帝	中平	元	张角编太平道徒为三十六方,各立渠帅,宣布“苍天已死,黄天当立,岁在甲子,天下大吉”,黄巾起义爆发,旬日间天下响应,京师震动。后张角病死,黄巾起义被镇压,太平道传授不明。 秋七月,巴郡米道张修起义,攻打郡县。

续表

公元	朝代	帝号	年号	年代	事　记
188	东汉	灵帝	中平	五	刘焉出任益州牧,收编五斗米道的张修和张鲁。并、青、徐、益等州黄巾再起,但终因力量分散,相继失败。
191	东汉	献帝	初平	二	刘焉任命张鲁为督义司马,张修为别部司马,合兵进攻汉中。占领汉中后,鲁袭杀修,并其徒众。鲁因汉中民信行修业,遂增饰之,以米道教民,自号师君,不置长吏,建立了从鬼卒、祭酒、治头大祭酒直到师君的宝塔式教阶制的政教合一政权;又设义舍,“民夷便乐之。雄据巴、汉垂三十年”。 张鲁述作《老子想尔注》,向道徒宣讲。
192	东汉	献帝	初平	三	曹操在济北诱降黄巾军三十余万,男女百余万口,选其精锐,号为“青州兵”。
215	东汉	献帝	建安	二十	曹操率十万兵马攻汉中,张鲁降。曹操拜张鲁为镇南将军,封为阆中侯,邑万户;鲁五子及其臣僚阎圃、李休等皆封侯。鲁被曹操带回邺城,第二年卒,死后谥原侯,子富嗣。与此同时,曹操迫使汉中民北迁,正一道势力由此扩展到中原。
	东汉				《老子道德经河上公章句》产生,它是神仙方术与黄老思想逐步结合的历史产物,也是《老子》由道家学说向道教理论过渡的重要标志。
	三国(吴)	孙策			琅琊道士于吉寓居东方,往来吴会,立精舍烧香读道书,制作符水以治病,吴会人多事之。孙策以其“妖妄”,杀之。
222	三国(魏)	文帝	黄初	三	曹丕下诏:“老聃贤人,未宜先孔子……末汉桓帝不师圣法,正以嬖臣而事老子,欲以求福,良足笑也。此祠之兴由桓帝,武皇帝以老子贤人,不毁其屋……恐小人谓此为神,妄往祷祀,违犯常禁,宜宣告吏民,咸使知闻。”
224	三国(魏)	文帝	黄初	五	十二月,帝下诏:“其敢设非祀之祭,巫祝之言,皆以执左道论,著于令典。”
	三国(吴)	大帝			蜀中有李阿,号为八百岁公,后不知所终。复有李宽到吴而蜀语,能祝水治病,有灵验,于是依宽为弟子者恒近千人,升堂入室者得祝水及三部符,导引日月行炁。

续表

公元	朝代	帝号	年号	年代	事　记
231※	三国(魏)	明帝	太和	五	迁往北方的五斗米道徒在张鲁于建安二十一年(216年)死后,其祭酒自发立治传教,“各各自置”,出现了“一治重官,或职治空缺”等组织混乱的状况。
233	三国(魏)	明帝	青龙	元	诏郡国,山川不在祀典者,勿祠。
	西晋				道士梁谌师郑法师(履道)于楼观,是为较早居楼观的道士。
	西晋				以帛和为首的帛家道活动于北方民间。到东晋时曾流传到江浙一带,并向上层社会发展,为士族接受。
265	西晋	武帝	泰始	元	帝下诏:末世信道不笃,徒偷以求幸,妖妄相煽,舍正为邪,故魏朝疾之。其按旧礼具为之制,使功著于人者必有其报,而妖淫之鬼不乱其间。第二年又诏:不在祀典者除之。
277	西晋	武帝	咸宁	三	犍为道士陈瑞在四川传教授徒,入其教者“用酒一斗,鱼一头,不奉他神,贵鲜洁。其为师者曰祭酒”。瑞自号天师,“徒众以千百数”,是为五斗米道的一支。益州刺史王浚以“不孝”罪诛瑞及祭酒袁旌等,焚其传舍。
283	西晋	武帝	太康	四	葛洪出生于丹阳句容(属今江苏省)。
288※	西晋	武帝	太康	九	魏华存获《黄庭》草本,加以注述,或有道士口授,华存记录,详加诠次,撰为定本,是为《黄庭内景经》。
291—299	西晋	惠帝			增建终南山老子清庙和尹喜祠,正式定名楼观。
301	西晋	惠帝	永宁	元	赵王伦作乱,孙秀用道教神鬼之术助战。伦、秀并惑巫鬼,听妖邪之说。 李特、李雄领导的和五斗米道有联系的流民起义爆发。
	西晋	惠帝			道士王浮作《化胡经》一卷,后经不断增修,有二卷本、十卷本和十一卷本。
303	西晋	惠帝	太安	二	正月,李特攻占了成都少城,后牺牲。其子李雄统领部众继续战斗,于同年闰十二月攻入成都。
304	西晋	惠帝	永兴	元	冬十月,李雄自称成都王。

续表

公元	朝代	帝号	年号	年代	事　记
305	西晋	惠帝	永兴	二	六月,李雄称帝成都,国号大成。雄信巫觋,崇道教,加道教首领范长生为天地太师,封西山侯,拜丞相。道教在巴蜀之地再次获得发展。
317	东晋	元帝	建武	元	葛洪撰定《抱朴子》。
	东晋	明帝			时有道士李脱,以道术吸引徒众,自言八百岁,号李八百,自中州至建邺,以鬼道疗病,又署人官位,时人多信事之。弟子李弘养徒灊山,云应谶当王。
334	东晋	成帝	咸和	九	魏华存卒。
342	东晋	成帝	咸康	八	十二月,贝丘人李弘因众心之怨,自言姓名应谶,连结党徒,署置百僚,事发被诛,连坐者数千家。
343※	东晋	康帝	建元	元	葛洪去世。
347	东晋	穆帝	永和	三	秋七月,隗文、邓定等立范长生之子贲为帝而奉之,以道教招众,蜀人多归之。永和五年为益州刺史周抚所平。
349	东晋	穆帝	永和	五	杨羲受授《中黄制虎豹符》。
350	东晋	穆帝	永和	六	杨羲从刘璞处受《灵宝五符经》。
364	东晋	哀帝	兴宁	二	《真诰》云:魏华存降笔授杨羲等人上清经,杨用隶书写出,传与许谧、许翙。在杨、许造经的基础上,逐渐形成了上清派。该派尊魏华存为第一代太师,以《上清大洞真经》为首经,主“存思法”,历代传授不绝。
365	东晋	哀帝	兴宁	三	北魏著名道士寇谦之生。
370	东晋	废帝	太和	五	九月,蜀中广汉地区爆发李弘、李金银为首的起义,为周虓讨平。东晋时,李家道广泛活动,多组织民间起事,云:“老君当治,李弘应出”。
371	东晋	简文帝	咸安	元	钱塘人杜子恭“通灵有道术”,东土豪家及都下贵望并事之为弟子,是东晋天师道很有影响的一个支派。子恭死,弟子孙泰传其业。孙泰不仅在上层士族中传道,而且在下层群众中广收徒弟,并发动了反对晋王朝统治的斗争,司马道子诛之。
	东晋	简文帝			帝履尚清虚,志道不倦。

续表

公元	朝代	帝号	年号	年代	事　记
372	东晋	简文帝	咸安	二	帝问道士许迈广嗣之术。迈家世士族,曾师事鲍靓,与王羲之等名士并修黄老之术。不少著名士族大家逐渐形成天师道世家。
374	东晋	孝武帝	宁康	二	许逊卒。许逊博通经史,尤好道术,自言曾遇上圣传以《太上灵宝净明法》;崇奉太阳真君孝道明王,后世称许真君,道教净明派奉为始祖。
397—401	东晋	安帝	隆安		葛洪族孙葛巢甫创道教灵宝派,出《灵宝经》三十余卷,使灵宝风教大行。
398※	东晋	安帝	隆安	二	王灵期向许翙之子许黄民请授上清经,“窃加损益,盛其藻丽,依《王》、《魏》诸传题目,张开制造,以备其录”。把原有的 31 卷扩充为 50 余卷,从此上清经广泛传播开来。
399	东晋	安帝	隆安	三	孙恩利用五斗米道起义,杀世事米道的王凝之,东土八郡一时俱起响应。恩自号征东将军,称部众为“长生人”。恩本孙秀族人,世奉五斗米道,叔父孙泰拜杜子恭为师,传其道业,为司马道子所杀,恩逃入海岛,后趁机起事。
401	北魏	道武帝	天兴	四	仪曹郎董谧献《服食仙经》数十篇,帝令置仙人博士,立仙坊,煮炼百药,封西山以供其薪蒸。后仙人博士畏罪,请辟谷,又为其造静室于苑中,给洒扫民二家,而炼药之官,仍为不息。
402	东晋	安帝	元兴	元	孙恩兵败投海自沉,余众数千人推恩妹夫卢循为主。
404	东晋	安帝	元兴	三	许黄民因京畿纷乱,奉经入剡,钱塘杜道鞠(杜子恭之孙),道业富盛,数相招致。
406	东晋	安帝	义熙	二	陆修静生于吴兴东迁(今浙江吴兴县)。
411	东晋	安帝	义熙	七	卢循为交州刺史杜慧度所败,投水死。至此,持续近 12 年的孙恩、卢循起义终归失败。
	东晋			末	《度人经》成书,成为道教史上一部重要经典,被道教徒奉为万法之宗,群经之首,在《正统道藏》中列为全书第一卷。
	北魏	明元帝			明元帝继道武之后,既奉黄老,又崇佛法。后因常服寒食散,死于丹毒。

续表

公元	朝代	帝号	年号	年代	事记
415	北魏	明元帝	神瑞	二	道士寇谦之称太上老君降临嵩岳，授与天师之位，并赐《云中音诵新科之诫》，令其"清整道教，除去三张伪法"，"专以礼度为首，而加之以服食闭练"，并授之"服气导引口诀之法"。
423	北魏	明元帝	泰常	八	寇谦之宣称：太上老君玄孙牧土上师李谱文来临嵩岳，授其《录图真经》六十余卷，并命他奉持此经，辅佐北方泰平真君，统领"人鬼之政"。
424	北魏	太武帝	始光	元	"魏文朗造佛道像"，这是现存最早的有明确纪年的道教造像。
424—428	北魏	太武帝	始光	元初	寇谦之献书太武帝，帝令谦之止于张曜之所，供其食物，朝野未全信谦之道，独崔浩师事之并上疏"赞明其事"。 道士尹通事马俭法师于楼观，其后道术精进，渐获令誉。太武好道，钦闻其名，常遣使致香烛，俾之建斋行道，自是四方请谒不绝。自此，楼观道逐渐成为一个对社会产生影响的教团。
432※	刘宋	文帝	元嘉	九	何承天发表《报应问》，批判佛教因果报应说，揭开了儒道同佛的理论斗争序幕。
437	刘宋	文帝	元嘉	十四	陆修静奏呈宋文帝《灵宝经目序》。
440	北魏	太武帝	太平真君	元	取寇谦之神书所云"辅佐北方太平真君"，改元太平真君。
442	北魏	太武帝	太平真君	三	太武帝从寇谦之奏，备法驾，亲至道坛受符箓，旗帜尽青，以从道家之色。自后北魏诸帝每即位皆如此。
444	北魏	太武帝	太平真君	五	帝下诏：不得私养沙门、师巫，违者门诛。禁沙门、师巫活动。
446	北魏	太武帝	太平真君	七	太武帝"废佛"。
448	北魏	太武帝	太平真君	九	寇谦之卒，葬以道士之礼。撰有《云中音诵新科之诫》、《录图真经》等。
452	刘宋	文帝	元嘉	二十九	陆修静应召入宫讲道，皇太后王氏执门徒之礼。
456	刘宋	孝武帝	孝建	3	陶弘景生。

续表

公元	朝代	帝号	年号	年代	事　记
461	刘宋	孝武帝	大明	五	陆修静于庐山东南瀑布岩下建道馆修道,此馆后名“简寂观”。
467	刘宋	明帝	泰始	三	陆修静奉召赴建康,孙游岳随行,明帝躬亲问道,礼遇甚厚,于北郊天印山筑崇虚馆以居之。陆氏于此大敞法门,深弘典奥,朝野注意,道俗归心。
465—471	刘宋	明帝	泰始		陆修静在浙江绍兴为孔令产建怀仙馆。
466—471	北魏	献文帝			帝信奉道教,诏隐居道士王道翼赴都,供其衣食,以终其身。
471	刘宋	明帝	泰始	七	陆修静按“三洞”分类道经,编出《三洞经书目录》上呈宋明帝。《三洞经书目录》著录经书1090卷,是中国道教史上第一部道书目录。
473	北魏	孝文帝	延兴	三	“妖人”刘举自称天子,齐州刺史捕斩之。
477	刘宋	后废帝	元徽	五	陆修静卒,谥简寂先生。陆氏一生在组织上整顿改革天师道外,主要精力都用在发扬灵宝经上。著有《陆先生道门科略》,还搜集整理各派道经,编著最早的道书目录《三洞经书目录》,是道教史上一位很有影响的人物。
	刘宋			末	道士顾欢发表《夷夏论》,详论佛道二教的同异、优劣,重点强调二者之异。力证二教同源,皆由老子所创,引发了佛、道间的“夷夏之争”。
	南齐			初	司徒从事中郎张融作《门律》以调和二教关系,说明佛、道本无二致,“逗极无二”,不可互相非毁。不久后,齐道士托名张融作《三破论》,斥佛教“入国破国,入家破家,入身破身”,不宜于中国,使佛、道斗争更加激烈。
484	南齐	武帝	永明	二	孙游岳奉召至京,任兴世馆主,门徒常数百人,惟陶弘景最为其器重。孙氏为陆修静入室弟子,永明七年(489年)卒,后被上清派尊为第八代宗师。
488	南齐	武帝	永明	六	陶弘景始往茅山,得杨许手书真迹。
488※	北魏	孝文帝	太和	十二	道士王道义从姑射山率门弟子六七人来楼观,大修观宇,使楼观坛宇一皆鼎新。又令门人购集真经万余卷置楼观。楼观道获得进一步发展。

续表

公元	朝代	帝号	年号	年代	事　　记
490	南齐	武帝	永明	八	陶弘景启假东行浙越诸山，寻求灵异，访诸隐居之士，得真人遗迹十余卷。
491	北魏	孝文帝	太和	十五	帝诏令：崇虚寺（原天师道坛）移于都南桑乾之阴，岳山之阳，永置其所。给户 50，以供斋祀之用，可召诸州隐士 90 人。
492	南齐	武帝	永明	十	陶弘景仕宦不遂意，挂朝服隐居茅山修道。诏许之，赐以束帛，敕所在月给茯苓 5 斤，白蜜 2 升，以供服饵。
	南齐 萧梁			末 初	孟法师作《玉纬七部经书目》，这是道教史上第二部经书目录。该目录在陆修静的三洞目录基础上另加四辅，成七部经目，现已不存。
	南齐	和帝	中兴		萧衍兵至新林，陶弘景遣弟子戴猛之假道奉表。萧衍平建康，议禅代，陶氏援引图谶，数处皆成“梁”字，令弟子进之。
503	萧梁	武帝	天监	二	朝廷置大小道正，令孟景翼作大正。孟氏“屡为国讲说”，又作《正一论》，说“道之大象，即佛之法身”，宣传二教同源。
504	萧梁	武帝	天监	三	梁武帝弃道奉佛。武帝家本世奉道教，弱年受道法，及即位，犹自上章。至此宣布“惟佛一道是正道”。
505	萧梁	武帝	天监	四	武帝召南岳道士邓郁（或作邓郁之）至都，“权住蒋山，后赐给九转药具，令还山营合”。
507	萧梁	武帝	天监	六	范缜发表《神灭论》。
511	萧梁	武帝	天监	十	邓郁卒，武帝令周舍为《邓玄传》。
	萧梁	武帝	天监		帝对陶弘景书问不绝，赐药物供服饵，并赐黄金、丹砂等“合飞丹”，还派人给他营建朱阳馆以居之，建“太清玄坛，以均明法教”。常以政务询问弘景，时人呼弘景为“山中宰相”。
520	北魏	孝明帝	正光	元	清通观道士姜斌与释昙无最于朝廷上辩论佛道二教先后，斌辩败，配徙马邑。
527—529	萧梁	武帝	大通		僧人昙鸾达南朝，向陶弘景学方术，得《仙方》10 卷。
528	北魏	孝明帝	武泰	元	托名李弘的“妖贼”起义，连结蛮左，为费穆破于关口之南。
531—580※	北朝				《黄帝阴符经》成书，作者大约是北朝一个久经世变的隐者。此书包含了较丰富的唯物论和辩证法思想，在道教史和古代哲学史上都有一定地位。

续表

公元	朝代	帝号	年号	年代	事　记
536	萧梁	武帝	大同	二	陶弘景卒,谥贞白先生。他一生著述甚多,除道教著述外,还包括天文、历算、地理、兵学、医药学,乃至文学、艺术、经学等。其代表作有《真诰》、《真灵位业图》、《养性延命录》、《本草集注》等;对道教养生学、炼丹学等修炼理论及祖国医学多有贡献,又为道教建立了神仙谱系,是道教史上的重要人物。
548	东魏	孝静帝	武定	六	有司奏罢道坛。确有道术者,齐文襄王别置馆京师而礼接。
549	西魏	文帝	大统	十五	楼观道士陈宝炽卒,诏谥"正懿先生"。
550—551	萧梁	简文帝	大宝		帝从陶弘景受道法,著有《老子私记》10卷,《庄子讲疏》20卷,并为张道陵第十二代孙张道裕的招真馆撰碑记。
554	萧梁	元帝	承圣	三	元帝在龙光殿讲《老子》义,尚书左仆射王褒为执经,并亲撰《陶先生朱阳馆碑》、《南岳衡山九真馆碑》、《青谿山馆碑》。
555	北齐	文宣帝	天保	六	九月,帝敕召诸沙门与道士辩对,以决二教优劣。道教辩败,敕道士皆削发为僧,遂使"齐境国无两信"。
557—559	南朝(陈)	武帝			帝先世居吴兴,信奉道教。
569	北周	武帝	天和	四	二月,帝临大德殿,集百官、道士、沙门等讨论释老义。三月十五日,敕召有德众僧、名儒、道士、文武百官2000余人,皇帝御正殿量述三教,以儒为先,佛教为后,道教最上。 玄都观道士所撰《玄都经目》成书,收有诸子书884卷,开创了以后《道藏》兼收诸子书的先河。
570	北周	武帝	天和	五	司隶大夫甄鸾上《笑道论》3卷,用笑三洞之名。五月十日,帝大集群臣详鸾之论,以为伤蠹道法,即于殿廷焚荡。 玄都观道士上《玄都经目》,增入诸子论。
573	北周	武帝	建德	二	十二月,集群臣及沙门道士等,帝升高座,辩三教先后,以儒教为首,道教为次,佛教为后。
574	北周	武帝	建德	三	五月,诏僧道大集京师,敕:断佛道二教,经像悉毁,罢沙门道士,并令还民,禁诸淫祀,礼典所不载者尽除。 六月,帝令建立通道观,选著名道士、僧人120人到通道观学《老子》、《庄子》和《周易》,名为通道观学士。

续表

公元	朝代	帝号	年号	年代	事　　记
577	北周	武帝	建德	六	北周灭北齐,武帝入邺,召僧人赴殿,宣布废佛令,齐境4万多寺庙赐给王公作第宅,一切经像皆焚毁之,寺院的所有财物薄录入官,释放寺院奴婢,僧尼近300万还俗为民。
	南朝(陈)	宣德	太建	九	佛教天台宗第三祖慧思卒。慧思吸收道教长生思想,在其《誓愿文》中发誓学五通仙,得神丹,藉外丹力修内丹。体现了佛道二教相互吸取的一面。
	南朝(陈)	宣德			南岳道士与沙门争田土,帝敕铁券沙门,土地归沙门所有。此道佛经济纠纷。
580	北周	静帝	大象	二	六月,复行佛、道二教,旧沙门道士精诚自守者,简令入道。北周承魏,崇奉道法,每帝即位皆先登坛受道箓。
583	南朝(陈)	后主	至德	元	帝敕令:凡僧尼道士挟邪左道,不按经律行事,都在禁绝之列。

注:有※号者为大致年代或具体年代尚未确定,下同。

人名(神仙名)索引

(按笔画顺序排列)

五　画

六 画

七　画

八　画

九　画

十　画

十一画

十二画

十三画

十四画

十五画

其他名词术语索引

（按笔画顺序排列）

四　画

五 画

六 画

七　画

八　画

九　画

十　画

十一画

十二~十三画

十四画

责任编辑:方国根　郭彦辰
版式设计:顾杰珍
封面设计:石笑梦

图书在版编目(CIP)数据

中国道教通史.第一卷/卿希泰,詹石窗 主编. —北京:人民出版社,2019.12
ISBN 978-7-01-021717-8

Ⅰ.①中…　Ⅱ.①卿… ②詹…　Ⅲ.①道教史-中国　Ⅳ.①B959.2

中国版本图书馆 CIP 数据核字(2019)第 282357 号

中国道教通史
ZHONGGUO DAOJIAO TONGSHI
第 一 卷

卿希泰　詹石窗　主编

人民出版社 出版发行
(100706　北京市东城区隆福寺街 99 号)

北京雅昌艺术印刷有限公司印刷　新华书店经销

2019 年 12 月第 1 版　2019 年 12 月北京第 1 次印刷
开本:710 毫米×1000 毫米 1/16　印张:40.75　插页:1
字数:615 千字

ISBN 978-7-01-021717-8　定价:275.00 元

邮购地址 100706　北京市东城区隆福寺街 99 号
人民东方图书销售中心　电话 (010)65250042　65289539